1 MONTH OF
FREE
READING

at
www.ForgottenBooks.com

By purchasing this book you are eligible for one month membership to ForgottenBooks.com, giving you unlimited access to our entire collection of over 1,000,000 titles via our web site and mobile apps.

To claim your free month visit:
www.forgottenbooks.com/free1033118

ISBN 978-0-331-22595-2
PIBN 11033118

D. Anton Friderich Büschings

Königl. preuß. Oberconsistorialraths, Directors des vereinigten Berlin=
und Cölnischen Gymnasiums im grauen Kloster zu Berlin,
und der davon abhangenden beyden Schulen,

Erdbeschreibung

Zweyter Theil,

welcher

Ost= und West Preußen, Polen und Litauen,
Galizien und Lodomerien, Ungarn, die den=
selben einverleibten Reiche und Siebenbürgen,
die Republik Ragusa und das osmansche
Reich, enthält.

Achte rechtmäßige Auflage.

Mit Röm. Kaiserl. u. Churf. Sächs. wie auch der hochlöbl. Eidgenossensch.
Zürich, Glarus, Basel, Appenzell und der löbl. Reichsstädte
S. Gallen, Mühlhausen und Biel, Freyheiten.

Hamburg, bey Carl Ernst Bohn. 1788.

Kaiſerliches allergnädigſtes
PRIVILEGIVM.

Wir Joſeph der Andere von Gottes Gnaden erwählter
Römiſcher Kaiſer, zu allen Zeiten Mehrer des Reichs
in Germanien und zu Jeruſalem König, Mitregent
und Erbthronfolger der Königreiche Ungarn, Böheim, Dalmatien, Croatien und Slavonien, Erzherzog zu Oeſterreich,
Herzog zu Burgund, und Löthringen, Großherzog zu Toſcana,
Großfürſt zu Siebenbürgen, Herzog zu Mayland, und Bar,
gefürſteter Graf zu Habsburg, Flandern, und Tyrol, ꝛc. ꝛc.
Bekennen öffentlich mit dieſem Brief und thun kund allermänniglich,
daß Uns Unſer, und des Reichs lieber Getreuer, Carl Ernſt Bohn,
Buchhändler in Unſer und des heiligen Reichs Stadt Hamburg,
unterthänigſt zu vernehmen gegeben, was maaßen das ſeinem
abgelebten Vater, Johann Carl Bohn, von Unſeres Herrn
Vaters und nächſten Vorfahrers am Reich, weyland Kaiſers
Franz Majeſtät, glorwürdigſten Andenkens, über das Buch ſub
titulo: des Doctoris et Profeſſoris Anton Friderich Büſchings
neue Erdbeſchreibung ausführlich und in Auszug oder Compendio, ſowohl in Deutſch- als Franzöſiſcher Sprache in Octavo, unterm Sechszehnten Januarii Siebenzehnhundert Acht und Funfzig
gnädigſt ertheilte, und den Sechs und zwanzigſten Auguſti Siebenzehn Hundert Sechs und Sechzig auf andere Zehen Jahre erneuerte
Privilegium impreſſorium zu exſpiriren beginne, und Uns dahero
er, Supplicant allerunterthänigſt gebeten, Wir ſothanes Privilegium, nunmehro nach Abſterben des gedachten ſeines Vaters auf
ihn tranſcribiren, und auf andere Zehen Jahre, jedoch a lapſu
priorum, extendiren zu laſſen gnädigſt geruhen möchten.

Wenn Wir nun mildeſt angeſehen ſolch des Carl Ernſt Bohn
demüthigſte ziemliche Bitte; als haben Wir ihme, ſeinen Erben,
und Nachkommen, die Gnade gethan, und Freyheit gegeben; thun
ſolches auch hiermit wiſſentlich in Kraft dieſes Briefs alſo und derge-
ſtalten, daß gedachter Carl Ernſt Bohn, ſeine Erben und Nachkommen, obgeſagt Anton Friderich Büſchings neue Erdbeſchreibung ausführlich, und im Auszuge oder Compendio ſowohl
in Deutſcher als Franzöſiſcher Sprache, in Octavo gleichfalls in offe-
nem Druck auflegen, ausgeben, hin und wieder ausgeben, feilhaben
und verkaufen laſſen mögen, auch ihnen ſolche niemand ohne ihren
Conſens, Wiſſen oder Willen innerhalb deren ferneren Zehn
Jahren vom Verlauf des erſtern Kaiſerlichen Privilegii an zu
rechnen im heil. Römiſchen Reiche weder mit, noch ohne Namen des
Verfaſſers, oder auch unter anderm Titul weder ganz, noch ex-
tractweiſe, weder Deutſch noch Franzöſiſch, in keinerley Format
nachdrucken und verkaufen ſolle. Und gebieten darauf allen und
jeden

leben Unfern und des Heil. Reichs Unterthanen und Getreuen, Insonderheit aber allen Buchdruckern, Buchführern, Buchbindern, und Buchhändlern, bey Vermeidung einer Pön von Zehn Mark löthigen Golds, die ein jeder, so oft er freventlich hierwider thäte, Uns halb in Unsere Kaiserliche Kammer, und den andern halben Theil mehrbesagtem Bohn oder seinen Erben und Nachkommen unnachläßig zu bezahlen, verfallen seyn solle, hiermit ernstlich, und wollen, daß ihr, noch einiger aus euch selbst oder jemand von euertwegen obangeregte Büschings neue Erdbeschreibung innerhalb denen bestimmten ferneren Zehn Jahren obverstandener maaßen weder mit noch ohne Namen des Verfassers, von denen darinnen beschriebenen einzelen Länderen, weder Auszüge, noch vielweniger ganz sothanes Werk nachdrucket, distrahiret, feil habet, umtraget oder verkaufet, noch auch solches andern zu thun gestattet, in keinerley Weise noch Wege, alles bey Vermeidung Unserer Kaiserlichen Ungnade und obbestimmter Pön der Zehn Mark löthigen Golds, auch Verlierung desselben euren Drucks, den vielgemeldter Bohn oder seine Erben und Nachkommen oder deren Befehlshaber, mit Hülfe und Zuthun eines jeden Orts Obrigkeit, wo sie dergleichen bey euch und einem jeden finden werden, also gleich aus eigener Gewalt ohne Verhinderung männiglichen zu sich nehmen, und damit nach ihrem Gefallen handeln und thun mögen.

Hingegen solle er, Bohn, bey Verlust dieser Kaiserlichen Freyheit, die gewöhnlichen Fünf Exemplarien von jeder Form und Sprache zu Unserm Kaiserlichen Reichs-Hof-Rath zu liefern, und dieses Privilegium andern zur Nachricht und Warnung dem Werke voran drucken zu lassen, schuldig und verbunden seyn.

Mit Urkund dieses Briefs besiegelt mit Unserm aufgedruckten Kaiserlichen Secret-Insiegel, der geben ist zu Wien den Fünften August Anno Siebenzehn Hundert Sechs und Siebenzig, Unsers Reichs im dreyzehnten.

Joseph mppr.

(L. S.)

Vt R. Fürst Colloredo mppr.

Ad mandatum Sac. Cæs. Majestatis
proprium

Andreas Edler von Stock.

Vor:

Vorrede.

Dieser zweyte Theil, hat bisher die zweyte Hälfte des ersten Theils meiner Erdbeschreibung ausgemacht, und deswegen ist die Geschichte desselben mit in der Vorrede des ersten Theils enthalten. Alle Länder, die er beschreibet, sind neu bearbeitet, ja umgearbeitet worden, nicht nur, weil ich zu ihrer Beschreibung neue Hülfsmittel erlanget habe, sondern auch, weil sie zum Theil durch ihre Könige eine neue Einrichtung bekommen haben. Das letzte gilt von Galizien und Lodomerien, von Ungarn und Siebenbürgen, die nun eine ganz andere Verfassung haben, als diejenige war, nach der ich sie in der siebenten Ausgabe meines Werks beschreiben mußte. Sie zu erfahren und anzubringen, hat mir unsäglich große Mühe gemacht, und doch kann ich nicht glauben, daß ich bey der Umschmelzung alles recht getroffen habe. Von Polen habe ich aus Warschau, von einem gütigen Freunde, eine handschriftliche Topographie geschenket bekommen, die der Grund zu einer ganz neuen Beschreibung desselben seyn kann, und vollständig in dem zwey und zwanzigsten, und drey und zwanzigsten Theil meines Magazins für die neue Historie und Geographie, abgedruckt wird. Ich wünsche aufs angelegentlichste, daß ich eine änliche Topographie von dem Großherzogthum Litauen erlangen möge. Der größte Theil des unmittelbaren osmanschen Reichs hat nur viele Verbesserungen und neue Zusätze bekommen, aber die unter desselben Schutz stehenden Länder, sind ganz umgear-

*

gearbeitet worden. Sollte es der russischen Kaiserinn Katharina der zweyten, und dem römischen Kaiser Joseph dem zweyten in diesem Jahre nach Wunsch gelingen, so wird die osmansche Regierung in Europa ganz aufhören. Gott ist es, der den Völkern die Gränzen ihrer Wohnung und Herrschaft setzet, und die Menschen sind nur sein Werkzeug, die er dazu gebrauchet; Ihm überlasse ich auch als Erdbeschreiber, die Geographie von Europa zu verändern nach seinem Wohlgefallen. In Ansehung der Vergrösserungs-Entwürfe der Menschen, bin ich überzeuget, daß sie nur gelingen, in so fern sie zu Gottes Plan gehören, und dieser wird uns nicht zum Voraus mitgetheilet, sondern wir erkennen ihn erst aus dem Erfolg. Die Osmanen sind in Europa das neueste aus Asia gekommene Volk; sie können auch gröstentheils wieder dahin zurückkehren, und daselbst bey politischer Klugheit in einem engern Länderumfang glücklicher seyn, als in Europa. Ich wünsche ihnen bloß um deswillen eine gesunde Zurückreise dahin, damit die vortreflichen Länder, die sie seit Jahrhunderten in Europa besitzen, besser bearbeitet und eingerichtet, und zur grössern Aufnahme der schönen Künste und der Wissenschaften mehrere Ueberreste der griechischen Kunst und Gelehrsamkeit an das Licht gezogen, auch zum wahren Nutzen des menschlichen Geschlechts gebrauchet werden mögen. Berlin am 2. Febr. 1788.

Büsching.

Das
Königreich Preußen.

✳✳✳✳✳✳✳✳✳✳✳✳✳✳✳✳

Das Königreich Preußen.

§. 1.

Caſpar Hennebergers Charte von Preußen überhaupt, welche 1576 zuerſt, hernach 1638 und 1656 abermals ans Licht getreten, iſt die erſte brauchbare Charte von dieſem Lande, welche Janſſon, Dankert, de Witt, Viſſcher, Schenk, Homann, Seutter, und Cautelli, nachgeſtochen haben. Weit beſſer iſt diejenige, welche J. C. Rhode für die königliche Akademie der Wiſſenſchaften zu Berlin auf einem kleinen Bogen gezeichnet hat, denn ſie iſt aus des Enderſch und Suchodoletz Charten zuſammen gezogen. Es hat nämlich Joh. Friedr. Enderſch 1753. 55 und 58, von dem ehemals ſogenannten polniſchen Preuſſen, jetzigen Weſt-Preußen, auf 3 Bogen eine Charte herausgegeben, und unterm K. Friedrich Wilhelm ſind beſondere Charten von dem Königreich Preußen aufgenommen worden, aus welchen der Ober-Teich-Inſpector von Suchodoletz, auf königl. Befehl, 1733 eine zwar nicht fehlerfreye, aber doch im ganzen wohlgerathene allgemeine Charte verfertiget hat, welche die königl. Akademie der Wiſſenſchaften zu Berlin 1763 auf 5 Bogen ans Licht geſtellet, auch einen ſchon von M. Lilienthal zum Stich gelieferten Grundriß von Königsberg, von neuem mit einigen Verbeſſerungen in Kupfer ſtechen laſſen, und als den ſechſten Bogen der Charte beygefüget hat. Die ſuchodochodoleßische Charte iſt auch auf 4 Bogen gebracht, und 1764 zu Königsberg von Sauerbrey in Kupfer geſtochen, aber nur in wenigen Abdrücken bekannt worden. Sonſt iſt nichts merkwürdiges von Preuſ- ſen erſchienen, und die Charte von dem preußiſchen Litauen, welche der Landbaumeiſter Bertge 1733 auf 2 großen Bogen durch die homanniſchen Erben aus- gegeben hat, iſt kaum der Anführung werth.

§. 2. Preußen iſt theils mit der Oſtſee, theils mit andern Ländern umgeben: denn gegen Norden iſt Schamaiten; gegen Oſten die Woiwodſchaft Trok im Großherzogthum Litauen, und Podlachien in Po- len; gegen Süden Polen, und der kön. preußiſche Netz- Diſtrict; und gegen Weſten und Nordweſten, Pom- mern und die Oſtſee. Die Größe des ganzen Reichs, nach dem Umfange, den es ſeit 1772 hat, beträgt ungefähr 1212 geographiſche Quadratmeilen, und mit dem Netzdiſtrict, 1384. Oſt-Preußen enthält 1100000 Hufen Landes, ohne die Seen.

§. 3. Was die Luft und Witterung anbetrift, ſo iſt ſie, wie in allen an der See gelegenen Ländern, ſehr veränderlich: die häufigen Winde aber reinigen die Luft. Die Monate May, Junius, Julius und Auguſt, pflegen warm und angenehm, auch zuwei- len ſehr heiß; hingegen der Herbſt pfleget oft nebe- licht, naß und unangenehm, und der Winter ſtrenge zu ſeyn; wiewohl er auch alsdenn gute Schlittenbahn verſchaft, und alſo Handel und Wandel erleichtert. Gicht und Steinſchmerzen ſind hier zu Lande gewöhn- licher, als der Scharbock.

§. 4. Das Land iſt größtentheils eben, die oſt- und ſüdliche Seite aber iſt bergicht, hat große Wäl-

A 3 der;

der, und ungemein viel Landseen. In dieser Gegend
entspringen auch die meisten Flüsse, welche das Land
durchströmen. Der Erdboden ist fast allenthalben
sehr fruchtbar an Weitzen, Roggen, Hafer, Buchweitzen, Hirse, Erbsen, Flachs, Hanf, Hopfen,
Taback, Gartengewächsen und Weide; hingegen hat
man nicht so viel Obst, als man wünschet, daher
vieles eingeführet wird. Die Schwadengrütze, oder
das sogenannte Manna, wird vom Grase in großer
Menge gesammlet. Die Viehzucht ist wichtig; insonderheit die Pferde- und Hornvieh-Zucht. Die
Auer-Ochsen sind von Wilddieben ausgerottet worden;
hingegen wilde Schweine, Hirsche und Elanthiere
sind häufig; es giebt auch andere eßbare und uneßbare
wilde Thiere, unter welchen Bären sind, und vielerley wildes Geflügel. Außer den Seefischen, als
Stören, (aus deren Rogen Caviar bereitet wird,)
Pomocheln, (welche, wenn sie eingesalzen sind, Dorsche genennet werden,) Schollen, Butten und Flindern, giebts in den Flüssen und Landseen mancherley
Fische, welche zum Theil aus andern Ländern hieher
gebracht worden sind, und sich vermehret haben.
Man hat viele Bienen, und also auch vielen Houlg.
Die Wälder sind beträchtlich, und liefern Bau und
Brenn-Holz, Holzkolen, Harz und Potasche; die
Eichen nehmen aber ab. Man sticht an einigen Or-
ten Torf, und an andern gräbet man Steinkolen.
Der Bernstein, (welcher Name vielleicht aus Brenn-
stein entstanden ist,) wird nirgends in so großer Menge, als am Strande der Ostsee im Königreich Preus-
sen, und insonderheit an den samländischen Küsten,
gefunden, auf welche er bey heftigen Nord- und West-
Win-

Winden von den Wellen geworfen, auch aus den Sandhügeln an der See gegraben wird. Er gehöret zu den festen Erdharzen, ist durchsichtig und insgemein gelb; der weiße aber wird für den besten und seltensten gehalten. Daß er flüßig gewesen, ist daraus klar, weil man Blätter, Mineralien, Fliegen, Spinnen, Mücken, Ameisen, Fische, Frösche, Gewürme, Tropfen, Holz und Sand darinn antrift. Er gehöret unter die Regalien, und man sammelt jährlich für 16 bis 18000 Thaler. Man drechselt allerley kleine Sachen daraus. Frid. Sam. Bock hält ihn für das Harz der Bäume eines großen Harzwaldes, der ehemals da gestanden habe, wo jetzt die Ostsee ist. Eisen-Erde ist häufig vorhanden.

§. 5. Folgende Flüsse sind die vornehmsten.

1) Die Weichsel, welche eigentlich bey Polen beschrieben werden muß. Es sondert sich von derselben ein schiffbarer Arm ab, welcher die Nogat genennet wird, und in das frische Haf gehet. Ueber die Weichsel hat König Friedrich Wilhelm I, 1734 unweit Marienwerder, eine Fähre anlegen lassen, welches die Polen vorher nicht verstatten wollten.

2) Der Pregel, vor Alters Prigora und Pregolla, entstehet bey Georgenburg aus der Vereinigung der Inster, welche im Amte Uschpiaunen ihren Ursprung hat, und der Angerappe, welche letzte aus dem Maursee bey Angerburg kömmt, und bey Stobingen die Pisse aufnimmt. Der Pregel nimmt die Alle bey Wehlau, und die Deume oder Deine bey Tapiau auf, und theilet sich ungefähr 1½ Meile über Königsberg in zwey Arme, von welchem der rechte der alte, der linke aber der neue, oder natangische Pre-

A 4 gel

gel genennet wird. Diese beyden Arme kommen in
Königsberg wieder zusammen, umfließen den Kneiphof, vereinigen sich, und ergießen sich eine Meile
von der Stadt mit zwey Mündungen ins frische Haff.
Der Fluß ist von Insterburg an schiffbar.

3) Die Memel oder Mümmel, bey den Alten
Chronus, auf polnisch Niemen oder Nemonin,
kömmt aus dem Großfürstenthum Litauen, und entspringt bey Slonin. Sie nimmt die Scheßupe,
Juhr und Tilse auf; hat ein zum Theil hohes und
fruchtbares Ufer, verlieret zwey Meilen unter Tilsit
ihren Namen, und fließet in zwey Haupt-Armen,
von welchen der nördliche die Russe, und der südliche
die Gilge heißet, ins curische Haff. Ihr Lauf machet in Polen an 10, und in Preußen 13 Meilen
aus.

4) Die Passarge, welche bey Hohenstein entspringet, und sich nach einem Lauf von 15 Meilen
bey dem Kirchdorf Passarge ins frische Haff ergießet.

5) Die Alle, welche in Ermeland ihren Ursprung
hat, und nach einem Lauf von 22 Meilen bey Wehlau in den Pregel fließet.

Diese Flüsse pflegen sich zu gewissen Jahrszeiten
und bey Sturmwetter gewaltig zu ergießen. Außer
diesen fischreichen und zum Theil schiffbaren Flüssen,
hat das Land noch andere große Gewässer, welche
theils eine große Menge Fische liefern, theils
dazu dienen, daß die Städte durch die Schiffahrt
Verkehr mit einander haben können. Man rechnet
hieher vornehmlich folgende.

1) Das frische Haff, (eigentlich Hav, das ist,
See,) Sinus oder Lacus Venedicus, ist ¾ bis 3 Meilen

len breit und 12 lang, hänget bey Pillau mit der Ostsee zusammen, welche Meerenge man das Gatt nennet, ist aber sonst von derselben durch einen schmalen
Strich Landes von derselben abgesondert, welcher die
frische Nerung heißet, und 1190 bey einem lange
anhaltenden Sturm und Ungewitter entstanden seyn
soll. Das Gatt ist $\frac{1}{4}$ Meile breit und 12 Fuß tief;
das frische Haff aber ist nicht einmal so tief, als der
Pregel, daher große und schwer beladene Schiffe
nicht darauf gehen können, sondern zu Pillau ausge-
laden werden müssen. In das frische Haff ergießen
sich die Nogat, alte Weichsel, Passarge, der Pregel, die Elbing, Huntau, Jafte und andere kleinere
Flüsse. In demselben ist insonderheit ein ansehnlicher Störfang.

2) Das curische Haff, Lacus oder Sinus Curo-
nicus, von seinen ehemaligen Anwohnern den Curen,
so genannt; ist dreyzehn Meilen lang, und bis sechs
Meilen breit; wird durch die curische Nerung,
auf esthnisch Mendäniemi, das ist, Fichtenvorge-
birge, beym Plinius, Mentonomon,) von der Ostsee geschieden, hänget aber mit derselben bey Memel
zusammen, woselbst die Meerenge $\frac{1}{4}$ Meile breit und
19 Fuß tief ist. Es hat Sandbänke und Untiefen,
und es ereignen sich oft gefährliche Stürme auf demselben. Die Ufer sind fast allenthalben von Fischern
bewohnet, die noch jetzt Curen genennet werden.
Es nimmt die Deine, Gilge, Russe, Minge und
Dange auf.

Der Landseen, die 1, 2 bis 8 Meilen in die
Länge, und 1 bis 2 Meilen in die Breite betragen, ist
eine große Menge; und die größten sind der Spir-

dings-

dingssee, der angerburgische, reinische und der Drausensee.

Es sind auch einige Kanäle angeleget worden, welche den Handel befördern. Diese sind

1) Die neue Gilge, welche bey Lappienen anfänget, und sich bey Sköpen im Fluß Gilge endiget. Sie wurde 1613 angefangen, und 1616 zum Stande gebracht. Die 1778 ausgegrabene neue Gilge ist ein geraumer Canal.

2) Die neue Deine, welche beym königl. Vorwerk Schmerberg anfänget, und in gerader Linie bis Tapiau fortgehet, wo sie sich mit der Pregel vereiniget. Sie ist 2½ Meile lang.

3) Der kleine Friedrichs-Graben, fänget unweit Rautenburg in der Gilge an, gehet bey Petriken in den Fluß Nemmonin, und ist eine Meile lang.

4) Der große Friedrichs-Graben, fänget in der Wippe, die ein Arm des Flusses Nemmonin ist, an, und gehet bey Labiau in die Deine, und ist 3 Meilen lang. Beyde Friedrichs-Graben hat eine verwitwete Gräfin Truchses 1688 angefangen und 1696 geendiget; sie gehören aber seit 1713 dem Könige.

§. 6. Das Königreich Preußen bestehet seit 1772 aus zwey Haupttheilen, welche Ost- und West-Preußen genennet werden. Der letzte hat diesen Namen 1773 bekommen, es ist aber von demselben Ermland zu Ost-Preußen, und von diesem der Marienwerders. Kreis zu West-Preußen geschlagen worden. Ost-Preußen hat 67 Städte, 121 kön. Aemter, 350 Kirchspiele, West-Preußen und der Netzdistrict 90 Städte, und 71 königl. Aemter. Obgleich die Einwohner von sehr verschiedener Ankunft sind, so machen doch die eigentlichen,

lichen **Preußen**, welche von den Deutschen herstammen, auch einerley Sprache und Sitten mit ihnen haben, und zu welchen auch alle deutsche Colonisten gerechnet werden können; die Litauer, welche Nachkommen der alten Schalauer und Nadrauer sind, und in der Sprache und Lebensart mit den Einwohnern des Großherzogthumes Litauen überein kommen; und die **Polen**, welche theils von den alten Sudauern, theils von Polen neuerer Zeit, herstammen, die 3 Hauptnationen, die Franzosen, Engländer und Holländer der kleinste Theil der Einwohner aus. In Preußen sind auch Juden.

Man hat 1775 gezählet

1. In Ost-Preußen
   1) im deutschen Departement 434206 Menschen
   2) im litauischen Departement 341123 —

   785329

2. In West-Preußen
   1) in dem eigentlichen West-Preußen 319281 —
   2) in Ermland 97015 —

   416296

Also in dem ganzen Königreich 1,202625 Menschen.

Von den neuen Anbauern, welche seit 1719 nach Klein-Litauen geführet worden sind, wird unter Nachricht folgen.

Von 1700 bis 1755 ist in Ost-Preußen die Anzahl der jährlich Gebornen von 24092 bis 28392, und der Gestorbenen von 14574 bis 19154 gestiegen.

1756

1756 waren der gebornen 29331 u. d. gestorbenen 19574

Jahr	der gebornen	der gestorbenen
1761	29937	21441
1767	32125	23558
1768	31371	17413
1769	31406	17263
1770	31257	21453
1771	31075	23468
1772	29085	26248
1773	29677	23052
1774	31516	22130
1775	31523	27153
1776	30239	26806
1777	32448	30733
1778	33027	29625
1779	34593	21057
1780	36757	22455
1781	37423	36399
1782	34822	29304
1783	34526	25905
1784	37174	22131
1785	36430	25922
1786	36608	27802

In West-Preußen waren

Jahr	der gebornen	der gestorbenen
1774	22761	16984
1775	23366	21715
1776	21891	21178
1777	22366	23664
1778	27110	27182
1779	24839	16350
1780	24979	14578
1781	25980	18154

1782

	der gebornen	der gestorbenen
1782	23546	19904
1783	24158	16661
1784	27134	15669
1785	26011	14949
1786	25559	16106

Der Adel in Ost-Preußen, bestehet größtentheils aus deutschen Familien; doch führen auch einige wenige von den ältesten Zeiten aus Preußen, Polen und Liefland, ihre Abstammung her. Außer den Herzogen von Holstein, und den Fürsten von Anhalt-Dessau, welche Güter hieselbst haben, sind darinn folgende gräfliche Familien, (theils alte, theils 1786 neu erhobene) angesessen, nämlich: Dohna, Dönhof. Dzialinski auf Flatow und Pakosia (seit 1786) Egloffstein, Eulenberg, (beyde seit 1786) Finkenstein, Golz auf Grabionek und Walbruch, Grabowski, Gröben, Grodzinski auf Chodzesen, Kalnein, (alle 5 seit 1786) Kaiserling, Kreuz, Krockow, (seit 1786) Lehndorf, Lottum, Mielczynski, auf Gollanz, (seit 1786) Schlieben, Schwerin, Seegut, Truchses, Waldenburg, und Wallenrodt. Zu den freyherrlichen Familien gehören Hoverbeck, Kitlitz, Königseck, Schröter und andere; zu den adelichen, eine beträchtliche Anzahl. In West-Preußen bestehet der Adel aus deutschen und polnischen Familien. Die Unterthanen auf den adelichen Gütern, sind erbunterthänige Leute, doch giebt es auf denselben auch solche Leute, welche zwar, so lange sie auf den adelichen Gütern wohnen, unter derselben Gerichtsbarkeit stehen, übrigens aber freye

	der gebornen	der gestorbenen
1756 waren der gebornen 29331 u. d. gestorbenen 19574		
1761	29937	21441
1767	32125	23558
1768	31371	17413
1769	31406	17203
1770	31257	21453
1771	31075	23468
1772	29085	26248
1773	29677	23052
1774	31516	22130
1775	31523	27153
1776	30239	26806
1777	32448	30733
1778	33027	29625
1779	34593	21057
1780	36757	22455
1781	37423	36399
1782	34822	29304
1783	34526	25905
1784	37174	22131
1785	36430	25922
1786	36608	27802

In West-Preußen waren

	der gebornen	der gestorbenen
1774	22761	16984
1775	23366	21715
1776	21891	21178
1777	22366	23664
1778	27110	27182
1779	24839	16350
1780	24979	14578
1781	25980	18154

1782

	der gebornen	der gestorbenen
1782	23546	19904
1783	24158	16661
1784	27134	15669
1785	26011	14949
1786	25559	16106

Der Adel in Oſt-Preußen, beſtehet größtentheils aus deutſchen Familien; doch führen auch einige we- nige von den älteſten Zeiten aus Preußen, Polen und Liefland, ihre Abſtammung her. Außer den Herzo- gen von Holſtein, und den Fürſten von Anhalt-Deſ- ſau, welche Güter hieſelbſt haben, ſind darinn fol- gende gräfliche Familien, (theils alte, theils 1786 neu erhobene) angeſeſſen, nämlich: Dohna, Dönhof, Dzialinſki auf Flatow und Pakoſia (ſeit 1786) Eglofſtein, Eulenberg, (beyde ſeit 1786) Finken- ſtein, Golz auf Grabionek und Walbruch, Gra- bowſki, Gröben, Grodzinſki auf Chodzeſen, Kälnein, (alle 5 ſeit 1786) Kaiſerling, Kreuz, Krockow, (ſeit 1786) Lehndorf, Lottum, Mi- elczynſki, auf Gollanz, (ſeit 1786) Schlieben, Schwerin, Seegut, Truchſes, Waldenburg, und Wallenrodt. Zu den freyherrlichen Familien gehören Hoverbeck, Kitlitz, Königſeck, Schrö- ter und andere; zu den adelichen, eine beträchtliche Anzahl. Ju Weſt-Preußen beſtehet der Adel aus deutſchen und polniſchen Familien. Die Unterthanen auf den adelichen Gütern, ſind erbunterthänige Leute, doch giebt es auf denſelben auch ſolche Leute, welche zwar, ſo lange ſie auf den adelichen Gütern wohnen, unter derſelben Gerichtsbarkeit ſtehen, übrigens aber freye

freye Leute sind. Die Bauern und Unterthanen in
den königl. Domainen. Aemtern in Ost-Preußen,
sind zwar zu Scharwerk und Diensten bey dem Vorwerken verpflichtet, aber 1719 von der Leibeigenschaft
frey gesprochen worden, doch gehören ihnen die Güter
nicht eigenthümlich zu. Die sämmtlichen Colonisten
sind freye Leute. Alle adeliche und unadeliche
Lehn-Güter in Ost-Preußen, sind 1732, gegen
Erlegung einer jährlich zu entrichtenden Geldabgabe,
(welche der Allodifications-Canon heißet,) für Allo-
dial-und Erb-Güter erkläret worden. Die adelichen
Güter sind von allen Servis-und Fourage-Geldern,
und von der Natural-Fouragen-Lieferung für die Reuterey frey, stehen in Justizsachen unter den Ober-Lan-
des-Justiz-Collegien, und in Cameral-Sachen erhalten sie die Verfügungen durch die Landräthe der Kreise. Die hohen und niedern Gerichte, Jagden und
Fischerey innerhalb ihrer Gränzen, die Brauerey
und Brantewein-Brennerey für sich und ihre Leute, die
Befreyung von allem Scharwerke, Burg-Diensten,
Mühlen Paß und Gespann Fuhren, und noch einige
andere Rechte und Freyheiten, haben sie nicht aus-
schließlich, sondern diese sind auch unterschiedenen nicht
adelichen Gütern verliehen. Die Dörfer bestehen aus
wirklichen Bauern und Ackerleuten; doch giebt es
auch einige Strand-und Fischer-Dörfer. Die Flecken und Marktflecken sind von Dörfern nur darinn unterschieden, daß sie einige mehrere Handwerker,
als sonst auf den Dörfern verstattet werden, aufnehmen, auch kleine Krämerey und einige bürgerliche
Nahrung treiben, Jahr-und Wochen-Märkte halten
dürfen. Die Städte sind entweder unmittelbare,

(imme-

(immediate) oder mittelbare (mediate). Jene haben ihre eigene Magiſträte, welche die Gerichtsbarkeit
über ſie ausüben, und von welchen an die Oberge-
richte appelliret wird. Die mittelbaren Städte, ſtehen unter der Gerichtsbarkeit eines königl. Domainen-
Amts, oder eines Lehnsherrn, der auch ein Antheil
an den Kämmerey-Gefällen hat. Einige adeliche
mediate Städte haben ein eigenes Stadtgericht,
ihre Lehnsherren aber präſentiren die Richter, und an
dieſelben ergehet auch die Appellation in Sachen über
zehn Thaler. In Finanz-Polizey- und Handels Sachen, ſtehen alle und jede Städte unter den Kriegs-
und Domainen-Kammern. Die Stände in Oſt-Preuſ-
ſen, beſtehen aus den Herren, dem Adel und den Städten. Der letzte Landtag iſt 1740 gehalten worden.
Bis 1772 wurden in Weſt-Preußen die Landſtände
in geiſtliche und weltliche, und die letzten wieder in
adeliche und bürgerliche abgetheilet, und aus denſelben beſtund der Landrath. Dazu gehörten 2 Biſchöfe,
3 Woiwoden, 3 Kaſtellane, 3 Unter-Kämmerer, 3
große Städte, und 27 kleinere Städte. Die außerordentlichen Landtage theilten ſich in die kleinen und in
den gemeinen. Dieſe Verfaſſung hat aufgehöret.

§. 7 Die meiſten Einwohner, ſind **evangeliſch-
lutheriſch**. Weil unter den oſt-preußenſchen Colo-
niſten viel Reformirte geweſen, ſo haben dieſelben
nicht nur in Städten, als zu Königsberg, Memel,
Inſterburg, Gumbinnen ꝛc. ſondern auch auf einigen
Dörfern, ihre eigenen Kirchen erhalten, und an andern Orten halten ſie ihren Gottesdienſt mit in den
Kirchen der Lutheraner. Die **Römiſch-Katholiſchen** haben in Oſt-Preußen nur eine Kirche in Kö-
nigs-

nigsberg, eine bey Tilsit, ferner die sogenannte heilige Marienlinde, und einige auf den Dörfern. Es giebt auch zu Königsberg einige Mennoniten, mehrentheils aber halten sie sich im Amt Tilsit auf, und an der polnischen Gränze sind aus Polen vertriebene Unitarier, welche sich im vorigen Jahrhundert hieselbst niedergelassen haben: und obgleich in diesem Jahrhundert Befehl gegeben worden, daß sie das Land räumen sollten; so blieben doch einige Familien heimlich da, und wurden geduldet, setzten sich auch nach und nach auf den Dörfern Ruden und Andreswalde in den Besitz der Ausübung des öffentlichen Gottesdienstes. 1776 erlangte die unitarische Gemeine zu Andreswalde, welche allein übrig geblieben, die königliche Erlaubniß, ihrem gottesdienstlichen Versammlungshause auch die äußerliche Gestalt einer Kirche zu geben. Zum ersten Bischof von Preußen, ist Christian 1215 gemacht worden. Bischof Wilhelm theilte das gesammte Preußen in 4 Bisthümer ab, die nachgehends das culmische, ermländische, samländische und pomesanische genennet wurden, und unter dem Erzbischof zu Riga stunden. Als das Land secularisiret ward, räumte Markgraf Albrecht das meiste von Preußen dem pomesanischen, Samland aber und die Gegend um Sehesten in Natangen, dem samländischen Bischof zur Aufsicht in geistlichen Geschäften ein. 1587 wurden beyde Bisthümer aufgehoben, und das samländische und pomesanische Consistorium errichtet, jenes zu Königsberg, dieses zu Saalfeld. Diesen fügte König Friederich Wilhelm das General-Kirchen- und Schul-Collegium, oder die

bestän-

beständige Kirchen- und Schul-Commission bey, welche insonderheit die Kirchenrechnungen untersuchte. Die Verfassung des jetzigen einzigen Consistoriums zu Königsberg, wird hernach beschrieben werden. Jetzt sind die gesammten lutherischen Kirchspiele in Ostpreußen unter 28 Erzpriester oder Inspectores vertheilet. In West-Preußen sind die meisten Einwohner der römisch-katholischen Kirche zugethan, und die ersten kirchlichen Personen sind zwey Bischöfe. Die Lutheraner haben nur 68 Kirchen und Gemeinen, welche unter sechs Kirchen-Inspectoren stehen.

§. 8. Zu Königsberg ist eine Universität, eben daselbst sind auch 3 große Schulen, und das sogenannte Collegium Fridericianum, in den ostpreußischen Städten Saalfeld, Lyk und Tilsit sind Provinzialschulen, und zu Ragnit, Angerburg, Rastenburg, Wehlau, Labiau, Holland, Memel, Pilkallen, Willenberg und Darkehmen, sind auch sogenannte lateinische Schulen. Alle diese genannten Schulen stehen unter der Aufsicht des ostpreußischen Consistoriums, die übrigen Schulen sowohl in den kleinen Städten als auf dem platten Lande, sind einer Special-Kirchen- und Schul-Commission, welche zu Königsberg ihren Sitz hat, untergeben. Erst in den letzten Regierungsjahren K. Friderichs des zweyten, ist das Schulwesen in Ostpreußen besser eingerichtet worden. Vorher waren unter den Polen und Litauern viele Dörfer, in welchen niemand etwas geschriebenes lesen konnte: seit der Vermehrung und Verbesserung der Landschulen aber, findet sich wohl kein Ort, an welchem die

2 Th. 8 A.   B   Schul-

Schulkinder nicht die eingehenden Verordnungen lesen könnten. Als das Schulwesen auf dem platten Lande eingerichtet war, erfolgte 1743 ein königl. Reglement wegen Erhaltung derselben in beständiger Ordnung. Unterm 21 Nov. 1767 hat der Kriegsrath Balthasar Philipp Genge, Besitzer der Graventhinschen Güter, sein Vorwerk Loelken, 5 Meilen von Königsberg, auf ewig zu einem Fonds für ein Schulmeister-Seminarium gewidmet, welches unter der Special-Kirchen-und Schul Commission stehet. Die königl. Bestätigung dieser Stiftung ist am 13 Febr. 1772 erfolget. In West-Preußen ist zu Elbing ein lutherisches Gymnasium. In Schottland bey Danzig, und zu Bromberg, sind kath. akad. Gymnasia, und zu Culm ist eine katholische Academie.

§. 9. Die Manufacturen und Fabriken werden immer mehr verbessert, und höher getrieben. Es gehören dahin die Glas-und Eisen-Hütten und Hämmer, Papier-und Pulver-Mühlen, Kupfer-und Messing-Hämmer, die Tuch-Kamelotten-Tafelzeug-Leinwand-und Strumpf-Manufacturen. Preußen hat zum See-Handel für sich selbst und für Polen und Litauen, eine sehr bequeme Lage. Er wird nach und aus Königsberg, Pillau, Memel und Elbing getrieben, bey welchen Städten man einige genauere Nachrichten von demselben aufsuchen kann. Von dem Handel der 3 ersten Städte, ist nur hier das allgemeine anzuführen, daß 1772 dahin, auf 1371 Seeschiffen für 2, 189, 425 Rthl. Waaren gebracht, und auf 1441 Schiffen für 3, 637, 963 Rthl. preußische, polnische und litauische Waaren daselbst ausgeführet worden. 1780 betrug die Einfuhr auf 1488 Schiffen,

1,958,819 Rthl., und die Ausfuhr auf 1477 Schiffen, 3,981,432 Rthl. Von Elbings Handel, sehe man die Beschreibung dieser Stadt an. Die einheimischen litauischen und zum Theil polnischen Waaren, welche an auswärtige Kaufleute verhandelt, und durch Schiffe ausgeführet werden, sind, Mastbäume, Dielen und geschnitten Holz, Theer, Weidasche, Pottasche, Hirsch- und Elans-Häute, Leder, Pelzwerk, Bernstein, Wachs, Honig, Schwabengrütze, Hanföl, Flachs, Hanf, Lein- und Hanf-Saamen, Garn, Segeltuch, Borsten, Hirsch- und Elans-Geweihe und Klauen, Getreide, allerhand Grütze, Mehl, geräucherte Lachse, Flindern, Dorsche, Störe, Caviar, Neunaugen, eingesalzen Fleisch, Würste, Butter, Talch, Elansmark, Haselhühner. Für Preußen und das Großherzogthum Litauen werden wieder eingeführet, Wein, verschiedenes Salz, Gewürze, Tücher, Seidenzeuge, Heringe, Zinn, Eisen, Kupfer, Bley, Taback, Zucker, Syrup, Reiß, Rosinen, Kaffe, Thee, Mandeln, Indigo und Brasilienholz, Obst, u. d. gl. überhaupt auf 1441 Schiffen, für 3,637,963 Rthlr. Die preußischen Geldsorten sind folgende: 1 preuß. Pfennig ist eine eingebildete Münze; 6 gehen auf 1 preuß. Schilling, 3 Schillinge machen 1 preuß. Groschen, 3 preuß. Groschen 1 Dütchen, 6 preuß. Groschen 1 Sechser, 18 preuß. Groschen 1 Achtzehner, 20 preuß. Groschen 1 Mark preußisch, welches keine wirkliche Münze ist; 30 preuß. Groschen 1 preuß. Gulden, welcher 8 ggr. sächsischen Geldes gleicht, und 3 preußische Gulden 1 Rthlr. Ein brandenburgisches 2 ggr. Stück wird in Preußen

sen ein Achthalber genennet, weil es 7½ preußische Groschen ausmacht. Das polnische Geld beträgt nur halb so viel, als das preußische; denn ein preußischer Schilling macht zwey polnische aus, u. s. w. 1 polnischer Trojack ist so viel als 1 preuß. Dütchen. Von Danzig wird gewechselt auf Königsberg; von Königsberg aber wechselt man auf Amsterdam.

§. 10. Die älteste preußische Geschichte, lasse ich ihrer Dunkelheit wegen unberühret. Unter den kleinen Völkern, welche hieselbst gewohnt haben, sind die Sudauer, Galinder und Schalavonier die vornehmsten gewesen. Der Name der Preußen ist erst im zehnten Jahrhundert bekannt geworden, wird aber von den Alten auf mancherley Art, als Pruci, Prucci, Pruzi, Prüti, Brutii, Bruchii geschrieben. Ehedessen, als die Litauer in Curland, Schamaiten, u. einen östlich an diesen liegenden nicht breiten Strich Landes eingeschränkt waren, gehörte alles übrige Land, welches nachmals den Titul des Großherzogthums Litauen bekommen hat, zu Rußland, und also auch das Land an dem obern Fluß Niemen oder Memel: daher ist sehr wahrscheinlich, daß, so wie Pommern von seiner Lage am Meer den Namen bekommen hat, also Porussia, oder Prutzia, oder Preußen, das neben Rußland liegende, oder an Rußland gränzende Land, bedeute. Die preußische Geschichte kläret sich etwas auf, als die polnischen Könige, die heidnischen Preußen zum Christenthum zu bringen suchten, und zu diesem Zweck die Waffen zu Hülfe nahmen. Boleslaus I machte damit den Anfang, und züchtigte die Preußen dafür, daß sie 997 den heiligen Adalbert oder

Albrecht

Albrecht umgebracht hatten, welcher ihr Lehrer seyn
wollen. Seine Nachfolger hatten viel Händel mit
ihnen; und obgleich Boleslaus IV. Preußen 1148
verwüstete, so wurde er doch 1163 geschlagen. Im
dreyzehnten Jahrhundert verwüsteten die Preußen
Culm, Cujavien und Masuren, so daß der masovi-
sche Herzog Conrad die durch Freundschaft ihm verwandten Fürsten um Hülfe ansprechen mußte, da
denn diejenigen mit einem Kreutz bezeichnet wurden,
welche gegen sie, als Feinde des christlichen Namens, zu Felde ziehen sollten. Weil aber alles
nichts half, so rief gedachter Herzog die deutschen
Ritter oder Kreuzherren zu Hülfe, daß sie die Gränzen vertheidigen sollten, die 1230 das culmische und
dobrinische Gebiet zuerst auf 20 Jahr, hernach auf
ewig bekamen, nebst allem, was sie sonst in Preus-
sen erobern würden. Diese brachten endlich mit
Hülfe der Schwerdträger das Land innerhalb 53
Jahren unter ihre Gewalt, und die Ordensmeister
nahmen 1309 ihren Sitz zu Marienburg. Der
Krieg mit den Litauern, kostete auch viel Volk und
Blut. Der Orden wurde zu übermüthig und grausam, verlor aber sein Ansehn mehrentheils, als er
1410 bey Tannenberg und Grünwald von den Polen
in einer greulichen Schlacht eine große Niederlage
erlitt. 1454 fiel der größte Theil Preußens von den
deutschen Rittern ab, und ergab sich an den polnischen König Casimir IV. In dem dreyzehnjährigen
grausamen Kriege, welcher darüber entstund, wurde
Preußen gar sehr verwüstet. Vor demselben zählte
man 21000 Dörfer, nach demselben waren nur 3013
nicht verbrannte, übrig. Man zählte auch nach

dem

dem Kriege 1919 wüste Kirchen. Einige hunderttausend Menschen kamen um. Endlich wurde 1466
ausgemacht, daß derjenige Theil von Preußen, welcher jetzt West-Preußen heißet, als ein freyer Reichsstand, in des Königs Schutz, der andere Theil aber
den Rittern und ihrem Hochmeister bleiben sollte.
Ob sich nun gleich dazumal der Orden verpflichten
mußte, seinen noch übrigen Antheil an Preußen, von
Polen zu Lehn zu nehmen: so suchte er doch nachher
sich dieser Lehnshandlung zu entziehen, welches ihm
aber nicht gelingen wollte. Darüber kam es 1519
wieder zum Kriege, 1525 aber zu Krakau zum Frieden, in welchem der Markgraf Albrecht aus einem
Hochmeister ein weltlicher Herzog von Hinterpreußen
ward, welches er von Polen zu Lehn nehmen mußte,
aber durch Erbrecht auf seine männlichen Nachkommen, und wenn diese ausgestorben, auf die Brüder und deren männliche Nachkommen bringen sollte.
Solchergestalt nahm das Regiment der Ordensritter
in Preußen, welches 300 Jahr gedauert hatte, ein
Ende. Der neue Herzog führte die Reformation in
seinem Lande ein, und stiftete 1544 die Universität
zu Königsberg. Churfürst Jochaim Friedrich
brachte 1618 das Herzogthum Preußen an das Churhaus Brandenburg, mit welchem es von der Zeit an
beständig verknüpft gewesen ist. Georg Wilhelms
Regierung fiel in die unruhigen und trübseligen Zeiten des dreyßigjährigen Kriegs, in welchen Preußen
von den Schweden sehr viel litt. Sein Sohn, der
mächtige Churfürst Friderich Wilhelm, nahm zwar
erst die schwedische Partey, wandte sich aber darauf
zur polnischen, und wurde 1657 durch den welauischen

schen und brombergischen Vertrag, von dem polnischen Könige Johann Casimir frey von der Belehnung, und mit allen seinen männlichen Nachkommen, für einen unumschränkten Herrn seines Antheils von Preußen, erkläret; erhielt auch die Herrschaften Lauenburg und Bütow auf die Art, wie sie
vormals die Herzoge von Pommern gehabt hatten.
Er vergrößerte die Macht seines Hauses auch durch
andern Zuwachs, und erwarb sich den Namen des
Großen. Sein Sohn und Nachfolger Friederich,
erhob das Herzogthum Preußen zu einem Königreich und setzte sich und seiner Gemahlinn am 18ten
Jänner 1701 zu Königsberg die Krone auf, wurde
auch von den andern christlichen Prinzen für einen
König erkannt: die Republik Polen aber erkannte
diese königl. Würde nicht. 1709, da die Pest anfieng, starben in Preußen und Litauen 59196, und
1710 sogar 188537 Menschen. König Friderich Wilhelm, welcher 1713 die Regierung antrat, bevöl-
kerte Preußen durch die huldreiche Aufnahme von etwas mehr als 20000 Seelen aus dem Erzbisthum
Salzburg, und machte überhaupt viel heilsame und
rühmliche Anstalten. Ihm folgte 1740 K. Friedr. der
zweyte, welcher den Seehandel wieder empor gebracht,
1747 im Finanzwesen eine Aenderung gemacht, 1751 an
die Stelle der Hauptämter 9 nachher wieder aufgeho-
bene Justizcollegia errichtet, die Handhabung der Gerechtigkeit sehr verbessert, und 1752 zehn Landräthe verordnet hat. 1757 drang ein großes russisches Kriegsheer in Klein-Litauen ein, durch welches dieses Land
sehr verwüstet wurde, und von 1758 bis 1762 war
Ost-Preußen in den Händen der Russen, im letztge-

B 4

nann-

nannten Jahr aber wurde es dem Könige von Preußen wieder eingeräumet.   1772 ließ König Friderich der zweyte seine Rechte an West-Preußen nicht
nur in einer besondern Schrift ausführen, sondern nahm
auch von diesem Lande, vermöge des mit dem Wie-
ner- und S. Petersburger Hof geschlossenen Bun-
des, wirklichen Besitz, welches ihm auch am 18ten
Sept. 1773 der König und die Republik Polen förmlich abtraten, und der Lehnsherrlichkeit, welche in
dem welauischen Vertrage vom 19ten Septemb. 1657
festgesetzt war, entsagten, auch Art. 6 bis 19 und
Art. 21 dieses Vertrags, gänzlich aufhoben und vernichteten, und Preußens königl. Würde erkannten.
1773 legte der König dem erlangten West-Preußen
diesen Namen bey, und 1777 kam die Gränze mit
Polen zur Richtigkeit.

§. 11. Seit 1772 nennet sich der König, einen
König von Preußen, da vorher der Ausdruck
König in Preußen gewöhnlich war.- Der ganze
königliche Titul lautet also: N. König von Preus-
sen, Markgraf zu Brandenburg, des heil.
römisch. Reichs Erzkämmerer und Churfürst,
souverainer und oberster Herzog von Schlesien, souverainer Prinz von Oranien, Neu-
schatel und Valengin, wie auch der Grafschaft Glatz; in Geldern, zu Magdeburg,
Cleve, Jülich, Berg, Stettin, Pommern,
der Cassuben und Wenden, zu Mecklenburg
und Crossen Herzog; Burggraf zu Nürnberg, Fürst zu Halberstadt, Minden, Camin, Wenden, Schwerin, Ratzeburg, Ost-
friesland und Mörs; Graf von Hohenzol-
                                                    lern,

lern, Ruppin, der Mark, Ravensberg, Hohenstein, Tecklenburg, Schwerin, Lingen, Büren und Leerdam; Herr zu Ravenstein, der Lande Rostock, Stargard, Lauenburg, Bütow, Arlay und Breda ꝛc. Das königl. preußische Wapen, ist ein schwarzer, ausgebreiteter, und mit einer goldenen Krone gezierter Adler, im silbernen Felde. Die Regierungsgewalt ist unumschränkt, und das Reich ist erblich.

§. 12. Der schwarze Adler-Orden, welchen König Friderich der erste am Tage vor der Krönung zu Königsberg stiftete, hat zum Zeichen ein golden blau emaillirtes, dem malthesischen ähnlich gebildetes Kreuz, in dessen Mitte auf der einen Seite des Königs Namen FR. zusammen gezogen, in jeder von den vier Mittel-Ecken aber ein schwarzer Adler mit ausgebreiteten Flügeln gebildet ist. Die Ritter tragen dieses Kreuz an einem orangenfarbenen breiten Bande von der linken Schulter über der Brust nach der rechten Hüfte zu. An der linken Seite haben sie einen auf den Rock gestickten silbernen Stern, in dessen Mitte sich ein schwarzer fliegender Adler befindet, der in der einen Klaue einen Lorbeerkranz, in der andern aber einen Donnerkeil hält, mit der Ueberschrift: SVVM CVIQVE. Der König ist allemal Großmeister, und die Anzahl der Ritter soll sich, das königl. Haus nicht mitgerechnet, bis auf 30 erstrecken, ist aber wirklich größer. Nächst diesem hat K. Frid. der zweyte 1740 den Orden pour le merite gestiftet, dessen Zeichen ein achteckichter goldener und blau-emaillirter Stern ist, der an einem schwarzen mit Silber einge-

eingefaßten Bande getragen wird, und die Ueberschrift hat: Pour le merite.

§. 13. Die Stelle eines Statthälters in Preußen,
vertritt der commandirende General aller Truppen im
Königreich, welcher dem ganzen Kriegeswesen vorzu-
stehen, und zugleich Gouverneur der 3 Festungen zu
seyn pfleget.

Ost-Preußen, hat folgende Collegia, welche ihren Sitz zu Königsberg haben.

Das Etats-Ministerium, besorget die landeshoheit in politischen und kirchlichen Sachen in Ost-
Preußen, Litauen und dem Bistum Ermeland, und
bestehet aus 4 wirklichen geheimen Staats und Kriegs-
Ministern, welchen 2 Ober Secretäre zugeordnet sind,
und unter welchen die geheime Staats-Kanzley stehet.
Die 3 ersten Minister sind der Oberburggraf, der
Kanzler, und der Obermarschall. Es stehet aber
das Etats-Ministerium in Ansehung seiner Geschäfte
unter dem kön. Staatsrath zu Berlin, an dessen De-
partemens es Berichte abstatten, auch derselben in des
Königs Namen ausgefertigte Befehle, Rescripte und
Anweisungen, annehmen und befolgen muß.

Die Ober-Landes-Justiz Collegia, sind die
Regierung zu Königsberg und das Hofgericht zu
Insterburg. Sie verwalten die Civil- und Criminal-
Justiz, die Hypotheken und Pupillen-Sachen. In
der Regierung sitzen 3 Minister des Etats-Ministe-
riums, und sie wird in den obern und untern Senat
abgetheilet: jener ist das Tribunal, dieser die Regierung. Von derselben hänget das Hof- als-Ge-
richt, und das Criminal-Collegium zu Königsberg, ab. Das ostpreußische Consistorium, hat
einen

einen der Minister zum Präsidenten, und bestehet
aus juristischen und kirchlichen Räther.

Das ostpreußische Hofgericht zu Insterburg, hat einen Director und Räthe. In den
Städten und auf dem Lande wird die Justiz theils
durch die Stadtgerichte und Magiſtrate, theils durch
die Juſtiz-Commiſſionen, theils durch die Erb-Haupt-
Aemter, theils durch das Ermländiſche Landvogtey-Gericht, verwaltet. Der Juſtiz-Commiſſionen ſind im
Königsbergiſchen Regierungs-Departement 7, nemlich die Samländiſche (jetzt zu Königsberg,) die
Tapiauſche, die Preußiſch-Eylauiſche, die halbe Anger-
burgſche, die Saalfeldſche, die Neidenburgiſche; und
an ſtatt einer Kreis-Juſtiz-Commiſſion, das Ermländiſche Landvogtey-Gericht zu Heilsberg; und im
Inſterburgiſchen Hofgerichts-Departement 4, nämlich die Inſterburgiſche und halbe Angerburgiſche,
die Memelſche und Lyckſche. Die adelichen Erbhaupt-
ämter ſind, Gerdauen und Nordenburg, Gilgenburg, Schönberg.

Das Oſt-Preußiſche Finanz- und Cameral-We-
ſen, verſehen zwey Kriegs- und Domainen Kammern, deren eine zu Königsberg, die andere aber
zu Gumbinnen ihren Sitz hat; jene verſiehet Oſt-
Preußen an ſich ſelbſt und Ermland, dieſe Litauen.
Sie beſorgen die Kammergüter, das Forſtweſen, Manufacturen, Magazine (deren eilf ſind,) und unter
ihnen ſtehen die königl. Beamten und Generalpächter,
die Renten, Rechnungs-Bau- und andere Kammer-
Bediente, auch die Steuer- und Kämmerey-Bediente
der Städte. Zu Königsberg iſt ein Commercien-
und Admiralitäts-Collegium, unter welchem das See-
gericht

gericht zu Memel, und die Wettgerichte zu Memel und Tilsit, stehen. Die Städte sind in 6 Kreise vertheilet, deren jedem ein Kriegs= und Steuer=Rath als Commissarius locorum, vorstehet. Sie sind der Landeebergische, Mohrungsche, Neidenburgische, Rastenburgische, Tapiausche und Ermländische Kreis. Das platte Land ist in Ansehung der Steuer= und Marsch=Sachen in Kreise abgetheilet, deren jeder einem Landrath untergeben ist. Im ost= preußischen Kammer Departement, sind 8, neinlich der Brandenburgische, Mohrungensche, Neidenburgsche, Rastenburgsche, Schaakensche, Tapiausche, Braunsbergsche und Heilsbergsche; die beyden letzten sind in Ermland. Im Litauischen Kammer=Departement sind 3, nemlich die Insterburgsche, Sehstensche und Oletzkoische.

Das Accise=Zoll= und Licent=Wesen, stehet unter einer besondern Direction, welche zu Königsberg ihren Sitz hat.

Für West=Preußen, ward 1772 zu Marienwerder ein Ober=Hof= und Land=Gericht, errichtet, welches 1773 vermöge Befehls des Staatsraths zu Berlin vom 14 Jun. den Namen west=preußische Regierung bekommen hat. Diese versiehet die lan= deshoheits= und kirchlichen Sachen, in ganz West= preußen, in den dazu gelegten ehemaligen ostpreußi= schen Hauptämtern Marienwerder und Riesenburg, und im Netzdistrict. Eben dieselbige verwaltet die Civil= und Criminal=Justiz, die auch das Hofgericht zu Bromberg besorget, unter welchem der Brom= bergische, Inowroklawsche, Caminsche, Kronische und Conitzische Kreis, stehen. Unter der Regierung
stehen

stehen die Kreis-Justiz-Commissionen zu Stargard,
Culm, Marienwerder, Stolzenberg, das Landvogteygericht zu Lauenburg, und das Großwerder Voig-
teygericht zu Marienburg, und unter dem Hofgericht
die Kreis Justiz-Commissionen zu Coniz und Schneidemühl, und die Kreis-Justitiariate zu Zempelburg,
Filehne, Fordon, Kzin, Deutsch-Krone und Jä-
strow. Die Magistrate stehen in Justizsachen auch
unter der Regierung.

Das Finanzwesen, verwaltet die westpreußi-
sche Krieges-und Domainen-Kammer zu Marienwerder, und im Netzdistrict die Deputation
derselben, welche zu Bromberg ist. Die Städte
sind unter 4 Kreise vertheilet, deren jedem ein Krieges-
und Steuer-Rath vorstehet. Das platte Land wird
in Steuer-und Marsch-Sachen von 11 Landräthen besorget, unter welchen eben so viel Kreise stehen, nemlich der Michelausche, der Marienburg-Christburg-
und Elbingsche, der Marienwerdersche, der Culm-
sche, der Dirschausche, der Stargardsche, der Co-
nitzsche, der Brombergsche, der Caminsche, der
Kronsche, der Inowratzlawsche.

In Ansehung der Accise-und des Zolls, ist
Westpreußen in das Fordonsche und Neu-Fahrwas-
sersche Departement abgetheilet.

§. 14. Die Königlichen Einkünfte aus Preuß-
sen, mögen jährlich 4 bis 5 Millionen Thaler betragen.

§. 15. Von dem preußischen Kriegsheer, liegen
in Ost-Preußen 27, und in West-Preußen 12 Batail-
lons Infanterie, und in beyden Theilen des Königreichs 70 Esquadrons Dragoner, Husaren und Bos-
nia-

niaken.   Jedes Regiment hat seinen District oder
Canton, in welchem die junge Mannschaft aufgeschrie-
ben wird.

§. 16. Die Landesbeamte sind, der Obermarschall, der Oberburggraf, der Kanzler,
und der Landhofmeister, welche letzte Stelle 1786
wieder hergestellet worden.

§. 17. Es folgen nun die beyden Haupttheile des
Königreichs.

I. Ost=Preußen.

Es bestund ehedessen aus drey Haupttheilen, welche Samland, Natangen, und Oberland,
genennet wurden, und zu welchen die kleinern Districte Nadrauen, Bartenland, Galinderland,
Pogesanen und Pomesanien, gehörten.   Heutiges Tages theilet es sich in Ansehung der Finanz-Ver-
waltung in das deutsche oder Königsberg-sche,
und in das litauische Departement. Die genauere
Abtheilung der Städte, Flecken, adelichen Güter
und Dörfer, kann entweder nach den Kreisen der
Justiz-Commissionen, oder nach den steuerräthlichen und landräthlichen Kreisen gemacht werden: jene ist bey dem Justiz-Departement, diese bey
dem Kammer-Departement gewöhnlich.   Ich erwähle die letzte, weil sie bey der Beschreibung der
übrigen königl. preußischen Länder zum Grunde liegt,
doch soll die erste, so gut es möglich ist, mit derselben verbunden werden.

A. Das

A. Das deutſche oder königsbergiſche Departement.

Es erſtrecket ſich über 42 Städte, 52 Aemter, und 280 Kirchſpiele, unter welchen letzten 7 reformirte und 7 römiſch=katholiſche ſind.

1. Die Städte.

1. Die Hauptſtadt des ganzen Königreichs.

Königsberg, Regiomontum, auf polniſch Krolewiecz, auf litauiſch Karalauczuge, welche eine von den vornehmſten Händelsſtädten in Europa iſt, und am Fluß Pregel, über welchen 7 Brücken ſind, unterm 54ſten Gr. und 43 Minuten nordlicher Breite, auf einem unebenen Boden, liegt. Sie hat 1255 ihren erſten Anfang genommen, als der böhmiſche König Primislaus I dem Orden wider die heidniſchen Samländer zu Hülfe kam, und auf ſein Anrathen zuerſt das feſte Schloß, und hernach die Stadt erbauet, ihm zu Ehren aber Königsberg genennet wurde. 1264 wurde ſie an einen andern Ort verlegt, und 1286 bekam ſie culmiſches Recht. Die Stadt iſt anſehnlich, und wohl gebauet, der Wall, welcher 1626 um dieſelbe aufgeworfen worden, hat 1 und ¾ deutſche Meile im Umfang, 32 Raveline und 8 Thore, und ſchließet viele Gärten, den großen Schloßteich, imgleichen einige Wieſen und Aecker in ſich. Der ganze Umkreis der Stadt, trägt 2 Meilen aus, die Anzahl der Häuſer aber belief 1780 ſich auf 4308, und der Einwohner 1781 auf 54368, die Beſatzung und Fremden ungerechnet. Sie iſt immediat, und beſteht eigentlich aus drey verbundenen Städten, Altſtadt, Löbenicht und Kneiphof, davon die beyden erſten in Samland liegen, die dritte aber in Natangen; mit eilf Vorſtädten, aus dem Schloß mit fünf

Vor=

Vorstädten, und aus der Festung Friderichsburg. Die
Altstadt, ist bis 1455 schlechthin Königsberg, nach=
her aber zum Unterschied des Löbenichts, die Altstadt ge=
nennet worden. Sie bestehet aus 16 Straßen, und man
zählet auf 550 Häuser in derselben, unter welchen über 100
Mälzen=Brauerhäuser sind. Die öffentlichen Gebäude
sind: die Pfarrkirche zu S. Nikolai, die altstädtische
Pfarrschule, von 5 Klassen und 9 Lehrern, das soge=
nannte Pauperhaus für 30 arme Schüler; das 1750
neuerbauete Rathhaus; auf welchem seit 1773 die öf=
fentliche Stadt=Bibliothek stehet, das Posthaus,
der Junkerhof, welcher 1710 von neuem erbauet
worden, auf welchem Hochzeit= und andere Ehren=
Mahle ausgerichtet werden, dazu auch der Junker=
garten gehöret, wo das altstädtische Bier geschenket
wird, und die Bürgerschaft und andere ihre ehrliche Zu=
sammenkünfte halten, und der eigentlich für die Kaufleute
und Mälzenbrauer angelegt worden, dahingegen für die
Handwerker und andere geringere Leute der Gemeingar=
ten ist: und endlich die Badstube. Zur Altstadt gehören
als Vorstädte: 1) der Steindamm, welcher am besten
bebauet ist, in den Vorder= und Hinter= Steindamm ab=
getheilet wird, und eilf Gassen hat. Auf demselben liegt
die älteste königsbergische Kirche, welche 1255 erbauet ist,
und der polnischen Gemeine zugehört; und das sogenannte
Dinghaus, in welchem ehemals das steindammische Ge=
richt zusammen kam.   2) Der neue Roßgarten,
auf welchem Platz ehedessen die Einwohner der alten
Stadt und des Steindamms ihr Vieh und Pferde gewei=
det, und Ackerwerk getrieben haben. Man findet hier
auf einem Hügel die neue roßgartensche Kirche, de=
ren Prediger zum altstädtischen Ministerium gehört; das
altstädtische großbürgerliche Witwen= und Waisen=Haus,
das altstädtische Pesthaus, und das Schießhaus. 3)
Die Laacke mit der Castadie; woselbst der altstädtische
Stadt= und Zimmer=Hof, die Reifferbahn, und zwischen dem
alten und neuen Graben die große Stadtwiese, auf der La=
stadie aber die altstädtischen Kaufmanns=Speicher, die
Waagen

Wagen, die Packhäuser, das Bethaus der Mennoniten, der Teerhof, das königliche Licenthaus, in welchem das Admiralitäts= und Licent=Collegium zusammen kömmt, u. s. w. Zum Holzthor der alten Stadt hinaus, liegen die Kohl=Speicher, deren viele in Wohnhäuser verwandelt sind, und vor denselben ist der Ochsenmarkt, und der altstädtische Schlachthof. Zur Rechten, weiter hinauf, ist die sogenannte Lomse oder Lamse, nebst dem Weiden=Damm, auf welchem letzten das anatomische Theater der Universität, und eine englische Leder=Manufaktur ist.

Der Löbenicht, welcher bald nach dem Jahr 1300 angelegt, und ehedessen die Neustadt genennet worden, theilet sich in zwey Theile. Der eine Theil wird insgemein der Berg genannt, und enthält an öffentlichen Gebäuden, die Stadtkirche, die Stadtschule und den Gemeingarten. Der andere Theil liegt unter dem Berge, und begreift das Rathhaus, in welchem seit dem Brande von 1764 auch Wohnungen und Kaufläden sind; das große Hospital, welches eine eigene Kirche hat, und ehemals ein Kloster gewesen ist; und den Münchenhof, der auch ein Kloster gewesen, nachher aber in ein Magazin verwandelt worden ist. Außerhalb dem Thor gehöret zum Löbenicht der sogenannte alte und neue Anger, nebst den Steegen. Der Sackheim, welcher größtentheils zu dem Schloß gehöret, ist die alleralteste unter den königsbergischen Freyheiten, und bald nach der Erbauung der Stadt angeleget worden. Man findet hier die römisch=katholische Kirche, welche 1777 neu erbauet worden, die evangelisch=lutherische Kirche, die litauische lutherische Kirche, und das 1701 gestiftete und 1703 eingeweihete königliche Waisenhaus mit einer Kapelle. Der königliche große und kleine Holzgarten, die Holz=Kämmerey und Holz=Schreiberey, liegen auch auf sackheimischen Grund und Boden. Der Löbenicht brannte 1764 ab.

2 Th. 8 A.   C   Der

Der Kneiphof, ist unter den drey Städten die jüngste; denn es ist erst 1324 der Anfang mit desselben Erbauung gemacht worden. Er steht auf einer vom Pregel umflossenen Insel, und wegen Mängel des Grundes, auf eichenen Pfälen, welche durch die Länge der Zeit eisenhart geworden. Er hat 13 Straßen, unter welchen die lange Gasse die ansehnlichste in ganz Königsberg ist. Unter den öffentlichen Gebäuden ist zuerst die Domkirche zu merken, welche Herzog Ludetus 1332 aus der Altstadt hieher verlegen ließ 1721 wurde in derselben die vortreffliche Orgel zum Stande gebracht, deren Pfeifen sich auf 5000 erstrecken. Auf der Kirche steht die wallenrodische Bibliothek, welche über 5000 Bände enthält. Auf dem Kirchhof ist die kneiphofische Kathedral-Schule. In dem unweit davon gelegenen Pauperhause, werden 30 arme Knaben mit Kost, Stube, Betten und Kleidung frey gehalten. Auf der andern Seite der Domkirche, ist der sogenannte Bischofshof, in welchem jetzt die luth. Hofprediger wohnen. Gleich daneben ist das Universitäts-Gebäude, oder das sogenannte Collegium, mit den dazu gehörigen Wohnungen. Die Universität, welche von der Stadt, Regiomontana, von ihrem Stifter, Albertina, und von dem Pregelstrom, Pregelana, genennet wird, hat Markgraf Albrecht 1544 gestiftet. Auf derselben lehren 38 Professores, ohne die Magister. In der Communität sind 8 Tische, an deren jedem zwölf Studenten essen; 28 Alumni speisen umsonst daran. Es sind verschiedene große und kleine akademische Stipendia vorhanden. Bey der Akademie ist auch die königl. deutsche Gesellschaft. Auf dem Rathhause, kommt der 1724 vereinigte Magistrat aller dreyen Städte zusammen. Der kneiphofische Junkerhof hat mit dem altstädtischen einerley Verfassung und Gebräuche. Am Bollwerk und am Pregel, liegt der Junkergarten und der Gemeingarten. Die an der grünen Brücke auf dem Pregel gelegene ansehnliche Kaufmannsbörse, ist 1729 wieder erbauet worden, und mit sinnreichen Gemälden in 60 Feldern ausgezieret. Unten am kleinen Platz, ist das

das gröbenſche Stipendienhaus für einige adeliche Studirende. Was die zum Kneiphof gehörigen Gründe betrifft, ſo iſt anfänglich die vordere oder innere Vorſtadt, welche aus einer breiten Straße, und dem ſogenannten Schnürleinsdamm beſtehet, auf welchem die
Synagoge der Juden. Auf der Laſtadie liegen die Kauf-
manns-Speicher; und auf der Holzwieſe iſt ein Zuchthaus.
Die hintere oder äußerſte Vorſtadt, beſteht auch aus
einer breiten Straße und etlichen Quergaſſen. Der
alte Garten, der obere und untere Haberberg. Der
ſogenannte Naſſe-Garten, verſorget die Stadt mit
Gartengewächſen reichlich. In der hintern Vorſtadt, haben die Altſtädter das ihnen zugehörige Hoſpital zu S.
Georgen, in welchem ungefähr 60 Arme mit Wohnung
und Eſſen verpflegt werden, und, bey welchem eine Kapelle iſt. Auf dem Ober-Haberberg liegt das kneipho-
fiſche Witwenſtift. Die haberbergiſche Kirche, iſt
eine der ſchönſten in Königsberg.

Nun iſt noch das Schloß mit den dazu gehörigen
Vorſtädten übrig. Das Schloß iſt als ein länglichtes
Viereck gebauet, und der inwendige Platz iſt 136 gemeine Schritte lang und 75 breit. Die Norderſeite deſſelben ſcheint die alleralteſte, und ſchon zur Zeit des Ordens erbauet zu ſeyn. Die Oſt- und Süd-Seite hat
Markgraf Albrecht der Aeltere gebauet; die Weſtſeite
aber iſt vom Markgrafen Georg Friederich aufgeführt
worden. In der letzten iſt die evangeliſche Schloßkirche,
die Bibliothek, die Amtsſtube, das Hof-Halsgericht,
das Hofgerichts-Archiv, das 1699 hieher verlegte Conſiſtorium, der ſogenannte moſkowitiſche Saal, welcher
274 Werkſchuhe lang und 59 breit, und das Collegium
Medicum, welches unter dem Conſiſtorio zuſammen
kömmt. In der Oſt-Seite ſind das große Schloßthor,
über welchem ſich das Collegium medicum verſammlet,
verſchiedene Zimmer für den commandirenden General
in Preußen, und für durchreiſende fürſtliche Perſonen, und in
einem angebaueten Pavillon die königliche Kriegs- und
Domainen-Kammer, die Rechnungs-Kammer, die Rent-

C 3 Kam-

Kammer, die Accise und andere Collegia. In der Vorderseite sind der Versammlungsort des Staats-Ministeriums, die Regierung und andere Collegia, die geheime Kanzley, nebst dem Archiv, das Banco-Comptoir, die Bernstein-Kammer, und das Versammlungszimmer der königl. deutschen Gesellschaft. In der Süderseite sind viele Zimmer, von welchen der Kammer-Präsident unterschiedene bewohnet. Am Ende derselben steht der hohe Schloßthurm, auf welchen man auf 284 Stuffen steigt, und von dannen die ganze Stadt, und einen großen Theil des umliegenden Landes, imgleichen das frische Haff übersehen kann. Die vornehmsten zum Schloß gehörigen Gebäude, sind, der Marstall, welcher auch die Rüstkammer in sich fasset, der Lustgarten, der Hetzgarten und der große und kleine Jägerhof. Es gehören ferner zum Schloß folgende fünf sogenannte Freyheiten oder Vorstädte: 1) Die Burgfreyheit, welche den Platz vor und neben dem Schloß, und verschiedene Gassen begreift. Das merkwürdigste auf derselben ist die königl. Münze, an deren Stelle ehemals ein Kloster gestanden hat, die deutsch-reformirte Pfarr-Kirche, die neue französische Kirche, der Versammlungsort der polnisch-reformirten Gemeine auf dem Saal der deutschen Schule; das große Comödienhaus; der Schloßteich, an welchem lustige Gärten liegen, und das Collegium Fridericianum. Das letzte ist mehrentheils nach dem Fuß des hallischen Paedagogii regii eingerichtet worden. Es werden darinn junge Leute unterrichtet und erzogen, deren, so viel man lassen kann, auf dem Collegio selbst, die übrigen aber in der Stadt wohnen. 2) Der Tragheim, welcher in den vordern, mittlern und hintern eingetheilet wird. Außer der tragheimischen Kirche, welche 1783 abbrannte, und den vielen Gärten, ist hier das Fräulein-Stift. 3) Der vordere und hintere Roßgarten, welche aus einer langen Straße, und einigen ungleichen Neben-Gassen bestehen, und woselbst außer einer Kirche und dem Arbeitshaus, nichts merkwürdiges ist. 4) Die Neue Sorge, welche jetzt die Königsstadt genennet wird, und in welcher schöne Häuser

ser anzutreffen sind. Die französis. reform. Kirche, ist 1733 erbauet. 5) Ein Theil des Sackheims, welcher oben bey der Stadt Löbenicht beschrieben worden.

Die Festung Friderichsburg, ist 1657 recht vor dem Kneiphof, angelegt worden. Sie ist ein regelmäßiges Viereck, mit breiten Wassergraben und dem Pregel, in welchen auch daselbst der Kupferteich tritt, rings umgeben. Es ist darinn eine Kirche und ein Zeughaus.

Von der Stadt Königsberg ist noch etwas überhaupt zu bemerken. Seit 1731 werden die Straßen des Abends durch 1350 Laternen erleuchtet. Sie ist allezeit eine der vornehmsten See = und Handels = Städte gewesen, und hat ehemals mit zu der Hanse gehört. Der Handel ist noch wichtig, und wird durch den Pregel befördert, der die größten Schiffe tragen kann, und 160 bis 240 Schuhe breit ist. 1752 sind hier 493 Schiffe aus der See, 298 Strusen und Wittinen, und 373 Holztriften angekommen. 1772 kamen aus der See 826 an, deren Waaren auf 1,932,993 Rthlr. geschätzet wurden, 1780 aber 672 Schiffe, welche für 1,401,193 Rthlr. Waaren einbrachten. In dem ersten 1772sten Jahre, betrug die Ausfuhr auf 847 Schiffen, 2,562,606 Rthlr. und 1780 auf 678 Schiffen, 1,825,227 Rthlr. Die Einwohner sind mehrentheils Deutsche, und der evangelisch = lutherischen Religion zugethan: es giebt aber auch hieselbst viele deutsche, englische, holländische und französisch = reformirte Familien, und eine ansehnliche Judenschaft. Die reformirte französische Colonie, bestand 1780 aus 369 Köpfen. Es giebt hier unterschiedene Manufacturen. Außer den Armen, welche in den Hospitälern und Armenhäusern ihren Unterhalt genießen, werden aus der General = Armen = Casse wöchentlich beynahe noch 800 unterhalten und verpfleget. 1724 sind die drey Städte vereiniget, auch die Gerichts = Collegia der Städte, Vorstädte und Freyheiten, in ein Collegium zusammen gezogen worden. Diese Städte sind von Einquartirung der Soldaten ganz frey, als welche in den Vorstädten liegen; und sie halten ihre eigene Miliz.

C 3   1701

1701 setzte sich Friderich, der erste König in Preußen, allhier die königliche Krone auf. Von 1734 bis 36 hielt sich König Stanislaus von Polen hieselbst auf. 1758 wurde sie von Rußen besetzt. 1764 brannte beynahe der eilfte Theil der Stadt ab, wie oben beym Löbenicht angemerkt worden, und 1775 legte eine neue Feuersbrunst 351 Wohnhäuser in die Asche; es ist aber alles abgebrannte schöner wieder aufgebauet.

Unter dem Ober-Hofprediger zu Königsberg stehen in der Stadt 7 Kirchen, unter der altstädtischen Inspection 6, unter der kneiphofischen 2 Kirchen, und unter der löbenichtischen 1 Kirche.

2) im Tapiauschen steuerräthlichen Kreise; dessen Kriegs- und Steuer-Rath zu Königsberg wohnet.

(1) Fischhausen, eine kleine immediat Stadt am frischen Haff, welche von 1289 bis zur Reformation, der Sitz der samländischen Bischöfe gewesen. Es ist hier eine Kirchen-Inspection über 8 Kirchen, eine Kreis-Justiz-Commission, und ein königl. Kammeramt. Das Schloß ist mit Mauern und Graben umgeben.

(2) Pillau, die Vormauer und der Schlüssel zu Preußen von der Seeseite, ein wichtiger Häfen, eine gute Festung, und auf der Spitze einer Erdzunge, wohlangelegte kleine immediat Stadt, von 114 Feuerstellen, mit breiten und geraden Straßen, und vielen nach holländischer Art gebaueten und meublirten Häusern. Es ist hier ein beständiger Zusammenfluß von Seeleuten und Reisenden. Die größten Schiffe werden entweder hier erleichtert, oder bleiben hier liegen, weil das frische Haff nicht so tief ist, daß sie über dasselbe nach Königsberg kommen könnten. Es sind 1772 aus der See angekommen 106 Schiffe, deren Waaren 108,806 Rthlr. betrugen; 1780 aber 336 Schiffe, deren Waaren auf 475400 Rthlr. geschätzet worden. Die Ausfuhr betrug 1772 auf 155 Schiffen 437279 Rthlr. und 1780 auf 325 Schiffen, 1,184,812 Rthlr. Die Festung

stung ist fast ein regelmäßiges Fünfeck, die Bollwerke sind ansehnlich, und alle zu einer Festung gehörige Gebäude sind stark, ordentlich und schön. Es ist hier auch ein königl. Vorrathshaus. In dem Festungsthor sieht man Friderich Wilhelm den Großen in Stein zu Pferde, und auf dem Thor ist ein schöner Wachtthurm. In der Festung ist eine Kirche, in welcher sowohl die Lutheraner, als Reformirten, den Gottesdienst halten. Ueber dem Seitenthor, nach den Außenwerken zu, steht Mars in einer martialischen Stellung, und sieht nach Schweden hinaus. In der Festung ist ein reicher Vorrath von großem Geschütz. 1626 bemächtigten sich ihrer die Schweden, und befestigten sie noch mehr, verließen sie aber 1635. Friderich Wilhelm der Große setzte die Festungswerke in den jetzigen Zustand, und 1722 legte König Friderich Wilhelm die jetzige Stadt an. 1758 nahmen die Russen Besitz von der Festung.

(3) Labiau, ein altes Schloß, und kleine nahrhafte immediat Stadt, am Fluß Deine, welche 1642 Stadtgerechtigkeit erhalten hat. Auf zwey Seiten ist sie mit Wasser umflossen, und auf den andern beyden mit einem Wall und Graben umgeben. Unter der hiesigen Kirchen-Inspection stehen 6 Kirchen. Hier endiget sich in der Deine der große Friderichs-Graben.

(4) Tapiau, ein zwar ordentlich angelegtes, aber geringes immediat Städtchen, welches erst 1722 einen Magistrat und Stadtgerechtigkeit erhalten hat. Bey demselben fließt die Deine in den Pregel. Auf dem großen und mit Graben umgebenen Schloß, ist vormals das Archiv des Landes verwahret worden. 1777 ist hier eine geistliche Inspection über 6 Pfarrkirchen errichtet worden, auch ist hier eine Kreis-Justitz Commission.

(5) Welau, eine altgebauete und schön 1336 angelegte immediat Stadt, auf einer Insel, beym Einfluß der Alle in den Pregel, die zwar eigentlich in Natangen liegt, aber doch in diesen Kreis gehöret. Sie hat eine große und kleine Vorstadt, 244 Häuser, und eine geistliche Inspection über 18 Kirchen. Nach dem Bränd

Brand 1736 hat sie zwar bessere Häuser, aber doch ihre
vorige gute Nahrung nicht wieder bekommen.   In der
Geschichte ist sie vornehmlich der am 19 Sept. 1657 hieselbst mit Polen geschlossenen Tractaten wegen berühmt,
in welchem dem Churfürsten Friderich Wilhelm die Sou-
verainität im Herzogthum Preußen übergeben, und die
hernach zu Bidgost oder Bromberg bestätiget worden;
doch hebet der Vertrag von 1773, die meisten Artikel des-
welanischen wieder auf.

(6. Allenburg, eine kleine adeliche Stadt von 179
Feuerstellen, welche 1400 am Fluß Alle angeleget ist.

3) Im bartensteinschen oder landsbergischen
Kreise, dessen Kriegs = und Steuer = Rath zu Domnau wohnet.

(1) Friedland, eine immediat Stadt an der Alle,
welche 1312 angelegt worden, und von polnischen und
schwedischen Einfällen, wie auch vom Feuer öftern Schaden gelitten hat.   Jetzt sind über 2000 Menschen. 1777
ist hier eine geistliche Inspection über 11 Pfarrkirchen errichtet worden.

(2) Domnau, ein geringes mediat Städtchen, ist
1400 erbauet, und 1571 auch 1776 abgebrannt.

(3) Preußisch = Eylau, Gilavia Borussica, zum Unterschied von Deutsch = Eylau also genannt, eine kleine
immediat Stadt, deren Schloß 1328 erbauet worden.
Es ist hier eine Kreis = Justiz = Commission, und 1782 waren hier 1415 Menschen.

(4) Kreutzburg, eine keine 1350 erbauete immediat
Stadt, von 228 Feuerstellen, woselbst noch ein altes
Schloß zu sehen ist, welches die Ritter 1252 aufgerichtet
haben.   1777 ist hier eine geistliche Inspection über 13
Pfarrkirchen errichtet worden.

(5) Heiligenbeil, Sancta Civitas, auf polnisch Swiäta Siekierka, eine immediat Stadt, von 335 Feuerstellen, an der Jarft, oder Garft, die sich hier mit der Bah-
nau vereiniget, und ins frische Haff fällt.   Sie soll schon
1301 erbauet seyn.   Sie ist sowohl wegen des guten braunen Biers, als wegen der alten Preußen Abgötterey, welche
den

den Abgott Curcho hier unter einer großen Eiche verehret haben, bekannt. Als die Chriſten die Stadt neu angelegt, ſcheint ſie anſtatt des alten Namens Heiligſtadt, von dem Stadtwapen den Namen Heiligenbeil, das Wapen der zwey kreuzweis ſtehenden Beile aber davon bekommen zu haben, weil nach zerſtörtem Gottesdienſt der ſo lange gehegte heilige Wald preis gegeben worden, und die Stadt von dem Holzhandel vortheilhafte Nahrung erhalten. Die Wundergeſchichte, welche die neuern Schriftſteller von einer Art (dergleichen ſich aber im Stadtwapen nicht findet) erzählen, mit welcher die heilige Eiche ſoll ſeyn umgehauen worden, iſt den ältern Geſchichtſchreibern ganz unbekannt. Die Stadt iſt 1463, 1519 und 1677 ganz ausgebrannt. 1777 iſt hier eine geiſtliche Inſpection über funfzehn Pfarrkirchen errichtet worden.

(6) Zinten oder Zintben, eine kleine immediat Stadt, an der Stratge, mit welcher ſich hier der kleine Fluß Anger vereiniget. Sie iſt ſchon vor 1313 eine Stadt geweſen, und in den heidniſchen Zeiten erbauet worden. 1520, 93, 1624, 29 und 1716, iſt ſie entweder ganz, oder größtentheils, abgebrannt. 1520 wurde ſie von den Polen vergeblich angegriffen. Bey der Stadt ſind zwey Berge, von welchen einer der heilige Berg, und der andere der Wunderberg, genennet wird. Beyde Namen ſind in päpſtlichen Zeiten entſtanden.

(7) Landsberg, eine kleine 1335 privilegirte mediat Stadt, am Fluß Stein, deren Lehnsherr jetzt ein Graf von Schwerin iſt. Hier iſt der berufene Meſſerſchlucker Andreas Grünheyde 1745 begraben, dem ein verſchlucktes Meſſer glücklich wieder ausgeſchnitten worden.

(8) Bartenſtein, eine gut gebauete Stadt, von 307 Feuerſtellen, in einer angenehmen Gegend an der Alle. Sie iſt 1331 angelegt, eine immediat Stadt, und hat unter allen preußiſ. Städten ehedeſſen Vorſitz und Rang erhalten. Das ehemalige hieſige Schloß, welches die Ritter um die Mitte des 13ten Jahrhunderts erbauet haben, hat in alten Zeiten oft feindliche Anfälle erlitten. Es iſt hier

ein

eine geistliche Inspection über 11 Kirchen. 1656 kam
hier König Gustav Adolph von Schweden mit dem
Churfürsten Friderich Wilhelm zusammen. Die Stadt
hat vielleicht zuerst Bartelsstein von dem Bischof Bar-
tholomäus, welcher die Preußen zur christlichen Religion gebracht hat, geheißen. Ein hieselbst in Stein
gehauenes Bildniß desselben, ist lange an einem finstern
und einsamen Ort versteckt gewesen, bis es 1769 auf dem
Marktplatz auf ein schönes Fußgestell gesetzt worden. Zu
gleicher Zeit hat der königl. General Graf Friderich von
Anhalt, sowohl diese Statue, als eine andere von der
Gustebalda Filia Woidewutti, welche auch öffentlich aufgestellet worden, zu Berlin in der Porcellainfabrik theils
in keinen weißen Figuren, theils auf Caffetassen abbil-
den lassen. Eben dieser General hat vor der Hauptwache
zu Bartenstein eine große Tafel aufrichten lassen, auf
welcher die Namen der Officiere stehen, die von 1700
bis 1760 ihr Leben im Dienst des Königs gegen Feinde
verloren haben, und am Rathhause 3 andere, nemlich
eine Sitten-Policey-(Feuerordnungs)-und Meilen-Ta-
fel. Der Inhalt dieser 4 Tafeln ist nachmals zu Fride-
richstadt auf 2 Bogen in Folio gedruckt worden.

4) Im Rastenburgischen steuerräthlichen
Kreise, dessen Kriegs- und Steuer-Rath zu Rastenburg wohnet.

(1) Gerdauen, eine keine 1352 angelegte mediat
Stadt, am Fluß Omet, mit 2 dabey liegenden Schlössern, der Grafen und Herren von Schlieben. Das neue
Schloß ist prächtig, und hat einen schönen Garten. Die
Stadt hat den Namen von einem alten preußischen Edelmann Gerdaw, bey dessen Burg sie 1325 angeleget worden.
Durch den dabey befindlichen See Banctin, fließet das
schön genannte Flüßgen Omet. Die Stadt hat 196 Feuerstellen, und über 1600 Menschen.

(2) Nor-

(2) Nordenburg, eine kleine mediat Stadt, am Fluß Aſchwon. Unter der hieſigen geiſtlichen Inſpection ſtehen 7 Kirchen.

(3) Drengfurth, ein immediat Städtchen, am Fuß eines Bergs, und am Fluß Omet, iſt 1403 angeleget worden.

(4) Raſtenburg, eine feine immediat Stadt, an der Guber, mit einem Schloß. Sie hat 1329 ihren Anfang genommen, und ob ſie gleich 1348 von den Litauern zerſtöret ward, ſo wurde ſie doch ſowohl, als das Schloß bald wieder erbauet, und in Vertheidigungsſtand geſetzet. Sie iſt mit einer Mauer, und ſeit 1629 auch mit einem Wall umgeben. Die deutſche Pfarrkirche iſt eine der gröſeſten und beſten in Preußen, und unter den 3 Predigern, die an derſelben ſtehen, iſt der erſte zugleich Erzprieſter, und hat 36 Kirchen unter ſeiner Aufſicht. Die in der königsbergiſchen Vorſtadt liegende Kirche zu S. Katharinen, iſt eine der älteſten im Königreich Preußen: und die Kirche zum heil. Geiſt, ſtehet in der Mitte des großen Hoſpitals. In dieſem 1736 zuerſt angelegten großen Hoſpital, werden 30 Armen mit Geld, Speiſe und Deputatſtücken wohl unterhalten. In dem zweyten Hoſpital werden 25 Armen von Almoſen und Freygebigkeit gutthätiger Leute erhalten. Die Schule hat einen Rector mit 3 Collegen. Die Stadt hat über 2000 Menſchen, und die Einwohner ſind faſt ganz der evangeliſchen Kirche zugethan. Die vornehmſte Nahrung derſelben, beſtehet in einigem Kaufhandel, in Brauweſen, Ackerbau und Handarbeit. Nächſt Fiſchhauſen hat die Stadt unter allen preußiſchen Landſtädten die meiſten Feldhufen; denn ſie beſitzet derſelben 102. Es iſt hier ein Poſtamt. Auf dem Schloß haben von 1356 an bis zur Secularifation des Landes auf 40 Pfleger, oder Commenthure, wie auch 9 Hochmeiſter, reſidiret. 1531 ward hieſelbſt zwiſchen den Evangeliſchen und den Wiedertäufern eine Unterredung gehalten.

(5) Barten, eine kleine immediat Stadt, welche ziemlich wohl bebauet iſt, und ein Schloß hat, welches

nach

nach der Mitte des 14ten Jahrhunderts an der Liebe an-
geleg-t, und zuweilen von den pomiesanischen Bischöfen
und Ordensherren bewohnet worden.

(6) Schippenbeil, eine mäßige immediat Stadt, am
Fluß Alle, mit welchem sich hier die Guber vereiniget.
Sie ist 1330 errichtet worden, und hat durch Krieg und
Feuer viel Schaden gelitten. 1750 brannte sie halb ab,
ist aber besser wieder erbauet worden.

5) Im Mohrungschen steuerräthlichen Kreise, dessen Krieges- und Steuer-Räth zu Mehrungen
wohnet.

(1) Liebstadt, eine kleine 1414 erbauete immediat
Stadt, mit einem 1329 angelegten Schloß, welche durch
verschiedene Feuersbrünste, auch im schwedischen Kriege,
vielen Schaden erlitten hat. Sie hat über 1200 Menschen.

(2) Mühlhausen, eine geringe immediat Stadt,
welche 1338 angeleget, und 1455 in Brand gestecket
worden. Sie hat an 1400 Menschen.

(3) Holland oder Preußisch-Holland, eine immediat Stadt auf einem Hügel, am Fluß Weeske, mit einem Bergschloß, welches vor Alters Paßlok geheissen hat.
Sie soll 1290 von einigen holländischen Edelleuten erbauet und benannt seyn, die nach Ermordung des Grafen Florentius V hieher geflohen. Sie hat 371 Feuerstellen, Mauern und Thürme, lange und breite Straßen,
freye Fischerey und Schiffahrt auf dem nicht weit davon befindlichen Drausensee, und 1780 zählte man über
2900 Menschen. Die Bartholomäi Kirche ist groß.
In dem Schloß halten die Reformirten ihren Gottesdienst auf einem großen Saal, und außer der Stadt
stehet die Georgen Kirche. Das jetzige Hospital ist 1690
angeleget. Unter der hiesigen geistlichen Inspection, stehen 23 Kirchspiele. Vor Alters war die Stadt den Herren von Ezehnen versetzet; Markgraf Georg Friderich
aber hat sie 1576 für 30000 Gulden wieder eingelöset.
Sie ist 1543, 1610, 1663 und 1695 abgebrannt. In den
öftern

öftern polniſchen und ſchwediſchen Kriegen iſt hier manches denkwürdige vorgefallen. 1521 wurde ſie von den Polen eingenommen. 1722 iſt hier eine Salzfactorey, und 1728 ein königl. Vorrathshaus angeleget worden. Das gegenwärtige Schloß hat Herzog Albrecht zu bauen angefangen, und unter Georg Friderich iſt es fertig geworden. Es iſt mit Graben, Mauern, und Zugbrücken verſehen, und hat eine vortrefliche Ausſicht.

(4) Mohrungen, eine kleine immediat Stadt, in welcher die Grafen von Dohna ein ihnen eigenes Schloß haben. Sie ſoll 1302 angeleget, und 1328 völlig ausgebauet ſeyn, nachdem das alte nun meiſtens abgebrochene Schloß ſchon 1280 war erbauet worden. Der Ort iſt wohlgelegen, mit Mauern und einem gedoppelten Graben umgeben, und mit dem See Mohrung und dem großen Mühlenteich faſt allenthalben umfloſſen. Nahe dabey iſt der Scherting-See. Die Stadt iſt wegen der polniſchen Landſtraße nahrhaft. 1697 brannte ſie ganz ab, iſt aber weit beſſer wieder aufgebauet worden. Es iſt hier auch eine reformirte Gemeine. 1410 ward ſie von den Polen, 1461 vom Eiden eingenommen, und 1520 zündeten die Polen die Stadt an.

(5) Saalfeld, eine vor 1320 erbauete immediat Stadt, auf einer Höhe am Mäwing, der durch einen 1776 erneuerten Kanal mit den See Geſerich vereiniget iſt. Nach Abſchaffung des pomeſaniſchen Biſthums, ward hieſelbſt 1587 das oberländiſche Conſiſtorium angeordnet; auch iſt hier eine geiſtliche Inſpection über 51 Kuchen, und eine Kreis-Juſtitz-Commiſſion. 1588 hat Georg Friderich hieſelbſt die dritte preußiſche Landſchule geſtiftet. 1780 zählte man 1346 Menſchen.

(6) Liebmühl, auf polniſch Mnilowlyn, ein immediat-Städtchen an dem kleinen Fluß Liebe, mit einem 1337 aufgeführten Schloß, auf welchem ſich gegen das Ende des 16ten Jahrh. die pomeſaniſchen Biſchöfe aufgehalten haben. Die Stadt hat 156 Feuerſtellen.

(7) Oſterrode, ein wohlgelegenes nahrhaftes immediat Städtchen an dem fiſchreichen See und Fluß Drewenz, von 193 Feuerſtellen, welche 1782 an 1500 Menſchen

schen enthielten. — Es wird hier viel Tuch gewebet.
Das Schloß ist 1270 oder 1302 erbauet. 1400 ward
der Ort in die Asche geleget. 1737 ist hier eine Salzfactorey angerichtet worden. 1740 fand man unweit
der Stadt, auf dem königl. Vorwerk Preusch-Görlitz,
in der Erde 1134 Stücke römischer Münzen.

6) Im Neidenburgischen steuerräthlichen
Kreise; dessen Krieges- und Steuer-Rath zu Neidenburg wohnet.

(1) Die adeliche mediat Stadt Gilgenburg, liegt
zwischen den Seen Groß- und Klein-Damerau. Das
gräflich Finkensteinsche Schloß, liegt dicht vor der Stadt.
Nach der tannenbergischen Schlacht 1710 ward das Städtchen in die Asche geleget, 1520 ausgeplündert. Jetzt
hat es 119 Feuerstellen. 1578 brannte es ab, und in
den schwedischen Kriegen ist es vollends verdorben.

(2) Hohenstein, eine kleine 1337 erbauete immediat
Stadt mit einem Schloß, am Ursprung der Passarge.
Das Schloß ist 1312 angelegt worden. Die Stadt hat
178 Feuerstellen.

(3) Passenheim, ein 1336 erbauetes Städtchen,
zwischen dem Calben- und Lelesch-See, von 170 Feuerstellen, welche etwa 900 Menschen enthalten.

(4) Ortelsburg, ein 1669 angelegtes immediat
Städtchen, an einem Landsee, sammt einem alten Schloß.
1629 am 22 May hat Churfürst Georg Wilhelm hieselbst
mit dem Könige Uladislaus eine Unterredung gehalten.
Die Stadt hat in 131 Feuerstellen über 1000 Menschen.

(5) Willemberg, ein immediat Städtchen an der
polnischen Gränze, welches 1724 Stadtgerechtigkeit erhalten, und 184 Feuerstellen hat.

(6) Neidenburg, eine immediat Stadt, mit einem
Bergschloß, an dem kleinen Fluß Neide, von 321 Feuerstellen. Es ist hier eine Kreis-Justiz-Commission, und
eine geistliche Inspection über 25 Kirchen.

(7) Soldau, auf polnisch Dzialdowo, eine offene
immediat Stadt mit einem Schloß, an der polnischen
Gränze.

Gränze. Das Schloß iſt 1306 und die Stadt 1349 ange=
legt, und hat öfters Brandſchaden erlitten, ſonderlich 1733
und 1748. Es ſind hier 264 Feuerſtellen. 1656 hatte der
König von Schweden, Karl Guſtav, hieſelbſt ſein
Quartier.

7) Folgende Städte, gehören zu Oſt=Preuſ=
ſen, ſind aber der weſt = preußiſchen Kriegs= und
Domainen=Kammer untergeben, und an ihrer Statt
die weſt=preußiſchen Städte des Bisthums Ermie=
land der oſt = preußiſchen Kriegs= und Domainen=
Kammer zugeſchlagen.

(1) Marienwerder, Inſula Mariana, auf pölniſch
Kwidzin, eine wohlgebaute immediat Stadt, mit ei=
nem Schloß, ohnweit der Weichſel, an der ſogenannten
alten Nogat, welche ſich mit der Liebe vereiniget, und bey
der Montauer Spitze in die Weichſel ergießet. Chedeſſen
haben hier die pomeſaniſchen Biſchöfe und einige Groß=
gebietiger des Ordens ihren Sitz gehabt, und jetzt iſt
hier der Sitz der weſt=preußiſchen Regierung und der
Kriegs= und Domainen=Kammer. Sie zuerſt 1233 auf
einem Werder, Quidzin genannt, angelegt, bald her=
nach aber an den gegenwärtigen Ort verlegt worden.
Die alte Domkirche iſt in Oſt Preußen die größte Kirche,
und hat ehemals, ihrer guten Bruſtwehr halber, auch
zur Feſtung dienen können. Das Schloß iſt weitläuf=
tig und altmodiſch. Es iſt hier eine geiſtliche Inſpection
über zwölf Kirchſpiele, und eine Kreis= und Juſtitz=Com=
miſſion. 172. iſt hier eine Salzfactorey, und 1728 ein kö=
nigliches Vorrathshaus angelegt worden. Durch Ueber=
ſchwemmung, Krieg und Feuer iſt die Stadt oft beſchä=
digt worden. 1440 machten Land und Städte hieſelbſt
den bekannten Bund wider den Orden. 1520 ſtund ſie
eine harte Belägerung aus. 1613 hielt ſich Churfürſt
Johann Sigismund eine Zeitlang hier auf. 1709 im
October kamen hieſelbſt der Zar Peter der erſte und der
König von Preußen Friderich der erſte zuſammen. 1734
im Julio begab ſich Stanislaus aus Dänzig hieher.

(2)

(2) **Riesenburg**, eine immediat Stadt am Fluß Liebe auf einem Berge. Sie scheint den Namen von dem altpreußischen Lande Resin, welches da herum gelegen, bekommen zu haben. Auf polnisch wird sie Prabutha (ein uraltes Haus) genennet. Das Schloß, welches älter ist, als die Stadt, und auf einem Berge liegt, ist sehr verfallen. Auf demselben haben die pomesanische Bischöfe bis 1587 gewohnet, und 1628 ist ein vergeblicher Friedenscongreß zwischen Polen und Schweden auf demselben gehalten worden. In der 1169 erbaueten Stadt, ist eine deutsche und polnische Kirche, und ein königliches Kammeramt. Die Bürger ernähren sich von einigem Handel, vom Brauwesen, Viehzucht und Ackerbau. 1323, 1414 und 1454, wurde sie von den Polen in Brand gesteckt. 1628, 1683 und 1728 ist sie wieder abgebrannt. 1556 ist hier ein Synodus gehalten worden. Nahe bey der Stadt sind drey Landseen.

(3) **Rosenberg**, ein kleines mediat Städtchen an zwey Landseen, ist 1319 angelegt, und 1400 mehrentheils durchs Feuer verzehret worden.

(4) **Gardensee oder Garnsee**, auf polnisch Schlemno, eine kleine immediat Stadt, an einem sehr kleinen Landsee, in einer angenehmen Gegend. Das Schloß ist alt.

(5) **Freystadt**, ein geringes immediat Städtchen, welches aber an einem See eine vortheilhafte Lage hat.

(6) **Bischofswerder**, eine immediat Stadt, an der Aße oder Oßa, zu welcher 1325 der Grund gelegt worden. Seit dem großen Brande 1730, ist sie ziemlich ordentlich gebauet. 1786 ist die Kirchen-Inspection von Riesenburg hieher verleget worden.

(7) **Deutsch-Eylau**, ein offnes immediat Städtchen mit einem alten Schloß, an einem großen See, in einer angenehmen Gegend.

Anmerkung. Der Kriegs- und Steuer-Rath welcher diese Städte besorget, hat auch die westpreußischen

ſchen Städte Marienburg, Chriſtburg, Neuteich, Tolke=
mit und Stuhm, unter ſeiner Aufſicht.

2. Die landräthlichen Kreiſe.

1) Der ſchaackenſche Kreis, welcher in Ju=
ſtiz=Sachen zu dem tapiauſchen oder neuhäuſen=
ſchen Juſtiz = Commiſſions = Kreiſe gehöret. Er
begreift

(1) Folgende königliche Domainen=Aemter:

a. Das Amt Lochſtädt.

a) Die Halbinſel, auf deren Spitze Pillau liegt, wird
das preußiſche Paradies genennet, weil die Lage
vortreflich, und an Dingen, welche die Sinnen und
das Gemüth ergötzen, ein Ueberfluß hieſelbſt iſt. Aus
der Feſtung kommt man in eine Ebene, wo das Haff
einen ſchönen halbrunden Buſen macht; auf deſſen Waſ=
ſer Schwäne, Mewen, wilde Enten, Schnepfen, und
andere Waſſervögel in Menge ſich aufhalten. Man fährt
um dieſen Buſen nach Alt=Pillau, welches zwar
insgemein nur ein Fiſcherdorf heißt, aber doch aus zwey
an einander liegenden Dörfern, Alt=Pillau und Wo=
gram, beſteht. In Alt=Pillau iſt eine kleine Kirche mit
einem offnen Kirchhof, wo alle pillauiſche Leichen hinge=
führet und begraben werden. Nahe an der Kirche iſt auf
einem ſteilen Berge die Pfundbude, das ehemalige Zoll=
haus, als die Tiefe allhier noch vorbey gieng. Dies
ſtarke und hohe Gebäude, dienet den Schiffern auf der
See, zu einem Leuchtthurm, und zum Zeichen, wornach
ſie urtheilen, daß ſie dem pillauiſchen Hafen nahe ſind.
Von dieſem Hauſe kann man rings umher ein großes
Stück von Samland, Natangen, Ermeland und über
Pillau weg, etliche Meilen hin, die Nerung zwiſchen
dem Haff und der See, und die Schiffe ein= und auslaufen
ſehen, welche Ausſicht auſſerordentlich angenehm iſt. Nach

dem Haff hin, bey Wogram, liegt die Störbude, wo der Fisch Stör aufgebracht, gekocht, eingepackt, und der Caviar oder Störrogen zubereitet, und versendet wird. Um diese Gegend fangen die Fischer bis 30 Arten wohlschmeckender See= und Haff=Fische; um die Drosselzeit aber fallen die Drosseln, Kramsvögel und Amseln in erstaunender Menge. Uebrigens sind diese Dörfer voller Küchen= und Obst=Gärten. Ueber den alt=pillauischen Acker kömmt man durch eine kahle wüste Gegend zu einem Vorwerk mit Aeckern, und zu dem sogenannten pillauischen Krug an ein überaus lustiges und reines Wäldchen, welches mit vielerley Bäumen ausgeziert, und so dicht ist, daß man im Regen trocken darunter weggehen kann. Vielleicht hat die Anmuth dieses kleinen Walds der ganzen Gegend den Namen des Paradieses verschafft.

b) Tenkitten, oder S. Albrecht, ein Dorf an der Ostsee, wo man noch Ueberbleibsel von der ersten christlichen Kirche in Preußen sieht, welche dem heil. Adelbert, der bey Fischhausen 997 am 24 April ermordet ist, zum Angedenken aufgebauet worden. Hier ist auch ehemals die Tiefe gewesen, da die Schiffe eingegangen sind.

c) Lochstädt, ein Dorf, zwischen dem frischen Haff und der Ostsee, woselbst man die Spuren des alten Wassergangs erkennet, über welche Tiefe man jetzt mit Wagen und Pferden sicher wegfährt. Das alte berühmte Schloß Lochstädt ist noch zum theil übrig, und man sieht auf demselben die grausamen Kerker der alten Herrschaft. Hier ist das Amt.

d) Zwey kleine Strandörter auf der Curischen Nehrung, nemlich Pillausche und Alt=Pillausche Tiefe.

b. Das Amt Fischhausen, in dem alten Schloß bey der Stadt dieses Namens.

Zu Palmnicken, an der Ostsee, wohnet der Strandaufseher, unter welchen das Bernstein=Schöpfen stehet.

c. Das

c. Das Amt Dirſchkeim, an der Oſtſee. In demſelben wird der reinſte Bernſtein geſchöpft, geſammlet und gegraben.

d. Das Amt Kragau.

e. Das Amt Schaaken.

Schaaken, ehedeſſen Schoka, ein altes und verfallenes Schloß, neben welchem das Vorwerk und ein Dorf liegt, eine Meile vom curiſchen Haff, woſelbſt man gemeiniglich zu Schiffe geht, wenn man zu Waſſer nach Memel reiſen will. Hier iſt das Amt, und eine geiſtliche Inſpection, unter welcher 12 Pfarrkirchen ſtehen.

f. Das Amt Laptau, deſſen Sitz das alte Schloß im Kirchdorf Laptau, iſt.

g. Das Amt Grünhof, an der Oſtſee. Das Kirchdorf Rudau, iſt ehemals wegen ſeiner bequemen Lage ein Paß mit einem Schloß geweſen, von welchem letzten nur noch wenig Ueberbleibſel vorhanden ſind. Das Dorf iſt auch wegen des Sieges merkwürdig, den der Orden 1370 über den litauiſchen Großfürſten Kinſtud hieſelbſt erfocht, zu deſſen Augedenken in der Nähe im Felde des Dorfes Tranſau, eine ſteinerne Säule aufgerichtet worden, die noch ſteht.

h. Das Amt Kaporn oder Caporn. In der kapornischen Heide, die ein königl. Forſt iſt, in welchem Elanthiere und Rehe geheget werden, ſteht mitten auf dem Wege, die ſogenannte vier Brüderſäule, welche, aller Wahrſcheinlichkeit nach, vier Ordensbrüdern zum Augedenken aufgerichtet worden, die hieſelbſt ums Jahr 1295 von den heidniſchen Sudauern angefallen und erſchlagen worden. Die darauf geſetzten Bilder, ſtellen die Geſtalt der Ordensbrüder gar wohl vor. Dieſe Gedächtnißſäule iſt, wenn ſie verfaulet geweſen, über 400 Jahre nach dem zuerſt gebildeten Original unterhalten worden.

i. Das Amt Kaymen, oder Caimen, iſt in dem Schloß dieſes Namens. 1525 hat ſich hier ein unbeſonnener Bauernaufſtand ereignet, der aber bald gedämpfet worden.

D 2　　　k. Das

k. Das Amt Friderichsberg, nicht weit von Königsberg.

l. Das Amt Kalthof, unweit Königsberg. Hier werden zuweilen die Musterungen und alle Herbst-Uebungen der ostpreußischen Infanterie, gehalten.

m. Das Amt Neuhausen. Neuhausen, ein Kirchdorf und altes Schloß, 1 Meile von Königsberg, welches ehemals den königsbergischen Domherren zum Sommerhause gedienet, dem Markgrafen Albrecht aber sowohl gefallen, daß er sich daselbst oft aufgehalten, und mit der Jagd belustiget hat. Hier ist der Sitz des Amts.

n. Das Amt Waldau, am Pregel, welches von einem alten Schloß benannt wird.

o. Das Amt Rossitten, auf der curischen Nerung. Die curische Nerung, (Peninsula Curonensis) gehöret zwar nur zum Theil zu diesem Amt, sie kann aber hier am füglichsten beschrieben werden. Sie nimmt ihren Anfang beym Dorf Kranzkrug, und endet sich gegen Memel über, scheidet die Ostsee und das curische Haff, hat 14 bis 15 Meilen in der Länge, und eine Viertelmeile, auch in mancher Gegend etwas mehr, in der Breite. Dieser schmale Strich Landes ist sandig, wüste und unfruchtbar. Der Wind richtet auf demselben große Verwüstungen an, häufet den Sand zu großen Hügeln, so daß die armseligen Einwohner ihre Häuser oft versetzen müssen, und stürzet viele Fichtenbäume nieder, davon das Holz zerstreuet herum liegt und verdirbet; wie denn überhaupt an der Seite der Ostsee die meisten Bäume theils halb, theils ganz verdorret sind, und als kahle Pfäle da stehen. In diesem Walde giebt es noch einige Hirsche. In das curische Haff erstrecken sich unterschiedene Haken, oder so genannte Vorgebirge, die wegen des leimichten und steinernen Grundes sehr gefährlich sind. Von den kleinen und schlechten Dörfern, welche auf der Nerung gefunden werden, gehören zum Amt Rossitten, fünf, unter welchen Rossitten das merkwürdigste; denn hier ist der Sitz des Amts, und es ist ehedessen ein Schloß gewesen. Vier der hiesigen Fischer-Dörfer, gehören zum Amt Memel.

(2) Han.

(2) Hundert ſieben und achtzig adeliche Güter, unter welchen einige merkwürdige.

a. Fuchshofen, ein angenehmer Ort, zwey Meilen von Königsberg am Pregel, den der Staatsminiſter Fuchs angeleget hat, welcher aber jetzt der gräflich lottumſchen Familie zugehöret. b. Hollſtein, am Pregel, der ſich nicht weit davon in das friſche Haff ergießet, eine kleine Meile von Königsberg. Es gehöret der Herzoglich=Holſtein=Beckſchen Familie. c. Die Vitte oder Schakenſche Vitte, ein nahrhafter und völkreicher Marktflecken am curiſchen Haff, der zu den Weſſelhöfſchen Gütern gehöret. d. Trutenau, ein zu adelichen Rechten erhobenes Gut im Amt Neuhauſen, woſelbſt der Buchhändler Joh. Jakob Kanter eine anſehnliche Papiermühle, und zur Verfertigung der Preß=Karten oder Preß=Späne, welche zum Preſſen der Tücher und Zeuge gebrauchet werden, ein Glätwerk nach engländiſcher Art, auch eine Schriftgießerey, angeleget hat.

2) Der Tapiauſche Kreis, welcher in Juſtiz=Sachen zu dem neuen tapiauſchen oder Juſtiz=Commiſſions=Kreiſe gehöret, und begreift

(1) Folgende königliche Domainen=Aemter.

a. Das Amt Großhof und Kleinhof Tapiau, auf dem Schloß bey der Stadt Tapiau, in welcher die Kreis=Juſtiz=Commiſſion ihren Sitz hat.

b. Das Amt Taplaken, welches von einem Schloß den Namen hat.

c. Das Amt Natangen, deſſen Sitz in der Stadt Allenburg iſt.

d. Das Amt Labiau, deſſen Sitz das Schloß bey der Stadt dieſes Namens iſt. Das anſehnliche Dorf Groß=Friderichs Graben, liegt an dem Kanal gleiches Namens.

e. Das Amt Laukiſchken, im Kirchdorf dieſes Namens.

f. Das Amt Melauken.

D 3 g. Das

g. Das Amt Salau, im Schloß des Kirchdorfs dieses Namens.

h. Das Amt Cappoenen.

(2) Hundert und neunzig adeliche Güter, unter welchen

a. Sanditten, Schloß mit zugehörigen Gütern der gräflichen Familie von Schlieben.

b. Wohnsdorf, ein wegen seines Alterthums berühmtes Schloß, zwischen Allenburg und Friedland, der freyherrlichen schlödtenischen Familie gehörig. Vor Alters hieß es Capostete.

c. Friderichstein, ein schönes Schloß am Pregel, welches mit andern davon benannten Gütern, einer Hauptlinie der Grafen von Dönhof gehöret.

d. Das Kirchen- und Schul-Amt Spanegeln, welches dem deutsch-reformirten Kirchen- und Schul-Collegium zu Königsberg gehöret.

3) Der brandenburgische Kreis, welcher in Justiz-Sachen zu dem Preußisch-Eylauschen oder Brandenburgischen Justiz-Commissions-Kreise gehöret.

(1) Folgende königliche Domainen-Aemter.

a. Das Amt Brandenburg. Der Marktflecken Brandenburg, der zum Theil ziemlich wohl bebauet ist, und mehrentheils von Fischern bewohnet wird, liegt am frischen Haff, in welches hier der Fluß Frisching fällt. Das hiesige ehemalige Schloß, ist zuerst 1266 vom Markgrafen Otto zu Brandenburg erbauet, und, als die Preußen es 1520 zerstörten, von neuem wieder aufgeführet, und endlich wieder abgetragen worden.

b. Das Amt Karschau, unweit Königsberg.

c. Das Amt Koppelbude.

d. Das Amt Ueberwangen.

e. Das Amt Balga, in dem Marktflecken Balga, und auf dem dasigen alten Schloß, am frischen Haff, welches hier ehedessen durch eine so genannte Tiefe, mit der

Ostsee

Ostsee vereiniget war. Der Orden hat sich dieses Orts schon 1238 bemächtiget.

f. Das Amt Carben, bey Heiligenbeil.

g. Das Amt Preußisch=Eylau, auf dem Schloß in der Stadt dieses Namens.

(2) Vierhundert und ein adeliche Güter und Oerter, unter welchen

a. Hafe= oder Habe=Strom, ein Kirchdorf am frischen Haff, woselbst ehedessen eine Mündung des Pregel zum frischen Haff war, der 1741 verdämmet worden, um die Hauptmündung desto mehr zu vertiefen.

b. Domnau, ein Schloß, dessen Besitzer die Lehns=herrschaft über die Stadt Domnau hat.

c. Groß=und Klein=Waldeck, ein Rittersitz, in dessen Nähe die alte preußische Stadt Romouve, nebst der berühmten heil. Eiche, gestanden haben soll.

4) Der Rastenburgische Kreis, welcher in Ju=stiz=Sachen theils unter dem halben Angerburgi=schen Justiz=Commissions=Kreise stehet. Er begreift

(1) Folgende königliche Domainen=Aemter.

a. Das Amt Rastenburg, dessen Sitz das alte Schloß bey Rastenburg ist. Unter den dazu gehörigen Oertern, ist die heilige Linde, Sacra Tilia, Linda Mariana, auf polnisch Swiäta Lipka, ein berühmter Wallfahrtsort, in einem angenehmen Thal, zwey Meilen von Rastenburg, und eine Meile von der ermländischen Stadt Ressel. Die jetzige Kirche ist ein kostbares Gebäude, an dessen vordern Seite ein Lindenbaum mit einem Marienbilde abgebildet ist. Vor dem hohen Altar ist ein künstlicher Baum zu se=hen, auf welchem eine silberne Bildsäule der Maria ste=het. Den Gottesdienst versehen Ex=Jesuiten. Auf einem der beyden Märkte, welche hier jährlich gehalten werden, wird stark mit Leinwand gehandelt.

D 4 b. Das

b. Das Amt Bartenstein, dessen Sitz das Vorwerk Liesken ist.

c. Das Amt Barten, welches seinen Sitz auf dem alten Schloß bey Barten hat.

d. Das Amt Wandlaken. Es ist aus den adelichen Gütern entstanden, welche König Friderich Wilhelm 1737 den Grafen und Herren von Schlieben, für 42000 Thaler abgekaufet hat.

(2) Zweyhundert vier und funfzig adeliche Güter und Oerter.

(3) Das Erbhauptamt Gerdauen und Nordenburg, welches der Ritter Georg von Schlieben für sich und seine Nachkommen, wegen der den Ordensrittern wider Polen 1460 geleisteten Hülfe, kraft eines vom Hochmeister von Richtenberg 1469 verliehenen, und von der folgenden Landesherrschaft bestätigten Privilegiums erhalten hat, und noch der gräflich-schliebenschen Familie erb- und eigenthümlich zugehöret. Zu demselben gehören die beyden kleinen Städte Gerdauen am See Banctin, und Nordenburg am Flüßgen Aschwön.

5) Der Neidenburgische Kreis, welcher in Justizsachen unter den neidenburgischen Justiz-Commissions-Kreis gehöret, und begreift

(1) Folgende Königliche Domainen Aemter.

a. Das Amt Neidenburg, dessen Sitz das Schloß bey Neidenburg ist.

b. Das Amt Willemberg, dessen Einwohner Polen sind. Das Amthaus ist bey der Stadt dieses Namens.

c. Das Amt Ortelsburg, welches Polen zu Einwohnern hat. Sein Sitz ist auf dem Schloß bey der Stadt dieses Namens.

d. Das Amt Friderichsfeld:

e. Das

e. Das Amt Mensguth.

f. Das Amt Soldau, deſſen Sitz das Vorwerk Niederhof, ohnweit Soldau iſt.

(2) Das **Erbamt Gilgenburg**, welches der
gräflichen Finkenſteiniſchen Familie erb- und eigenthümlich zugehöret, und polniſche Einwohner hat.
In demſelben iſt außer Stadt und Schloß Gilgenburg, auf polniſch Dombrowno, zwiſchen den
beyden fiſchreichen Seen Groß- und Klein-Damerau,
welche der kleine Fluß Wicker verbindet, zu bemerken.

Tannenberg, ein Kirchdorf, woſelbſt am 14 Jul.
1410 zwiſchen dem deutſchen Orden und den Polen eine
große Schlacht vorgefallen iſt.

(3) Acht und achtzig adeliche Güter.

6) Der **Mohrungenſche Kreis**, welcher in
Juſtiz-Sachen unter dem ſaalfeldiſchen Juſtitz
Commiſſions-Kreiſe ſtehet, und begreift

(1) Folgende königliche Domainen-Aemter.

a. Das Amt Mohrungen, auf dem Vorwerk Neuhof bey Mohrungen.

b. Das Amt Preuſch-Holland, auf dem Vorwerk
Weeskenhof unweit Preußiſch Holland.

c. Das Amt Dollſtädt, auf dem Vorwerk Alt
Dollſtädt.

d. Das Amt Liebmühl, auf dem Schloß in der
Stadt Liebmühl.

e. Das Amt Preuſchmark, in dem Flecken dieſes
Namens, welcher ein mit einem Graben umgebenes
Schloß hat.

f. Das Amt Oſterode, auf dem Schloß in der Stadt
Oſterode.

g. Das Amt Hohenſtein, auf dem Schloß in der
Stadt Hohenſtein.

h. Das

h. Das Amt Behlenhof, dessen Sitz das Vorwerk dieses Namens ist.

(2) Drey Hundert und zehn adeliche Güter, unter welchen die gräflich Dohnaschen und die gräflich Dönhofischen die vornehmsten sind.

Die Dohnaschen werden von zwey Hauptlinien der Burggrafen und Grafen von Dohna besessen, nemlich von der Reichertswaldischen, die sich in die Lauckische und Reichertswaldische theilet, die unter sich ein kleines Majorat und Fideicommiß errichtet haben; und von der Vianischen (von der Herrschaft Vianen in Holland zubenamt,) welche 3 Majorate hat, deren eines auf Schlobitten, das zweyte auf die Prökelwitzischen und Leissenauischen Güter, und das dritte auf Schlodien, gegründet ist. Die Linie, welche das letzte besitzet, hat auch die Carwindenschen Güter, von ihren nach Schweden gegangenen Vettern gekaufet, von welchen Carwinden, das Hauptgut, das älteste Dohnaische Gut in Preußen, schon im 13ten Jahrh. erworben ist. Die genannten Familiensitze, sind wohl und schön gebauete Schlösser.

Die Dönhoffschen Güter dieser Gegend, sind die ansehnlichen Quittainenschen, und gehören der zweyten Hauptlinie der Grafen von Dönhof.

7) Der Marienwerderische Kreis, welcher aber unter der westpreußischen Krieges und Domainen-Kammer, auch in Justizsachen unter der Marienwerderschen Justiz-Commission stehet, und begreift

(1) Folgende königliche Domainen-Aemter.

a. Das Amt Marienwerder. Die Marienwerderische Niederung, hat einen einträglichen Boden, und ist stark bebauet; und zum Unterhalt des großen Weichseldamms, trägt das Amt, die Stadt und der umliegende Adel bey.

b. Das Amt Riesenburg.

(2) Fol-

1 (2). Folgende **Erbåmter.**

a. Das **Erbamt** Deutsch=Eylau, gehört der gräflich=
finkensteinischen Familie eigenthümlich und erblich zu.
Es hat zwey lutherische und zwey katholische Kirchspiele.
Das Erbamt, und die dazu gehörige Registratur, ist in
dem Wohnsitz des Erbamt=Hauptmanns zu Raudau.
Dazu gehört

Seewald, ein ansehnliches Schloß der Grafen von
Finkenstein, mit einem schönen Garten und einer Pa=
piermühle.

b. Das **Erbhauptamt** Schömberg, hat neun Kirch=
spiele, gehört auch der gräflich=finkensteinischen Familie ei=
genthümlich und erblich, und wird zu Heinrichau ge=
halten. Es gehöret dazu:

a) Schömberg, ein Städtchen und Schloß, der
gräflich=finkensteinischen Familie zugehörig. Es liegt an
einem Landsee.

b) Finkenstein, sonst Habersdorf genannt, ein
Flecken am Graudenz=See, mit einem prächtigen Schloß
und Garten der gräflich=finkensteinischen Familie.

c) Langenau, Kirchdorf und Rittersitz.

(3) Eine Anzahl adeliche Güter.

Anmerk. Der Braunsbergische und der Heilsbergi=
sche Kreis, aus welchem das Bistum Ermland beste=
het, wird zwar von den ostpreußischen Landes=Collegien
verwaltet, gehöret aber zu West=Preußen.

Das litauische Departement

begreift Klein=Litauen, welches vier und zwanzig
Meilen lang und acht bis zwölf breit ist, und aus
der alten Landschaft Schalauen, dem größten Theil
von Nadrauen, und einem kleinen Theil von Su=
dauen bestehet. Es gehöret aber ein kleiner District
von Litauen unter das ostpreußische Kammer=Depar=
tement,

tement, und das litauische erstrecket sich hingegen
auch über das halbe Natangen, nemlich über das
so genannte polnische. Es wurde 17 0, durch die
Pest von seinen Einwohnern fast ganz entblößet.
König Friederich-Wilhelm zog von 1712 an, viele
tausend Schweitzer, Franzosen, Pfälzer und Franken, und 1733 und 34 noch etwas mehr als 20000
Salzburger ins Land, welche diesen wüsten Strich
Landes anbaueten, die überflüssige Waldung und
Sträuche ausrotteten, die Moräste austrockneten,
Städte, Dörfer, Kirchen und Vorwerke anlegten,
so daß sich das Land in wenigen Jahren gar nicht
viel mehr ähnlich sahe, und die vielen Millionen
Kosten, welche der König auf seine Anbauung und
Einrichtung verwendet hatte, reichlich ersetzte. Von
dem Schaden, den 1757 die Russen in demselben
anrichteten, hat es sich bald wieder erholet. An sich
ist es der fruchtbarste Theil des Königreichs. Der
Boden ist ungemein ergiebig, und die Weide vortrefflich, wovon die viel tausend Lasten Getreide, die
theils in den königl. Vorrathshäusern aufgeschüttet,
theils ausgeführet werden, die guten Ochsen und
Kühe, vortrefflichen Pferde und guten Schäfereyen,
die gute Butter und schmackhaften Käse, unwider-
sprechlich zeugen. Fische, gute Hölzungen, und
Wildpret, giebt es in großer Menge. Manufakturen sind auch im Lande; insonderheit wird viel gro-
bes und feineres Tuch, Leder rc. verfertiget und zubereitet. Die Litauer, als die alten Einwohner, deren Anzahl aber nicht groß ist, haben eine mit der
curischen und lettischen verwandte Sprache, in welche man die Bibel und einige Religions-Bücher
über-

überſetzet hat. Sie ſind nicht die einfältigen und rohen
Leute, dafür man ſie gemeiniglich ausgiebt, ſon dern
haben ihre rühmlichen Eigenſchaften ſo gut, wie andere: wenigſtens ſind ſie unter den Königen Friderich Wilhelm und Friderich dem zweyten ganz andere
Menſchen geworden, und dieſe Verbeſſerung iſt vornehmlich durch die unter ihnen angelegten neuen
Schulen, deren 1756 über 1700 waren, herrorge-
bracht worden. Die Schweitzer verſtehen ſich ſehr
gut auf die Viehzucht, und die Franzoſen auf den
Handel und Tabacksbau, welchen letzten ſie eingeführet haben; die Salzburger aber verſtehen ſich unter allen Einwohnern am beſten auf die gute Wirthſchaft. Die Schweitzer, Franzoſen und Franken,
ſind durchgängig reformirt; daher es auch in Klein-
litauen zehn reformirte deutſche und franzöſiſche
Kirchſpiele giebt; die andern 62 ſind lutheriſch, es iſt
auch ein katholiſches vorhanden. Das litauiſche Departement begreift

1. Die Städte.

1) Folgende Städte haben einen gemeinſchaftlichen Steuerrath und Commiſſarius loci.

(1) Gumbinnen, eine 1724 in einer angenehmen und
vortheilhaften Gegend regelmäßig angelegte immediat
Stadt, an der mitten durch hin fließenden Piſſa, von ungefähr 200 Häuſern, in welchen man 1782 gezählet hat
4798 Menſchen. Sie iſt der Sitz der litauiſchen Kriegs-
und Domainen-Kammer, der Kämmer-Juſtitz-Depu-
tation, der Krieges- und Domainen-Ober-Salz-Kaſ-
ſe, der litauiſchen Accise- und Zoll-Direction, des
Inſterburgiſchen Kreis-Contributions-Amts, eines königl.
Proviant-Amts, des Uſchballen Forſtamts. Die öffentlichen Gebäude ſind das Conferenzhaus der Kriegs- und
Domai-

Domainen = Kammer, die deutsche und franz. reformirte Kirche in der Neustadt, die lutherische Kirche in der Altstadt, und das salzburgische Hospital, welches seinen eigenen Prediger hat. Es giebt hier eine gute Strumpf-Manufaktur. Unter dem hiesigen lutherischen Probst stehen 12, und unter dem reformirten Inspector 7 Kirchen.

(2) Insterburg, eine mittelmäßige immediat Stadt an der Angerap, welche unterhalb der Stadt sich mit der Inster vereinigt. Sie ist 1572 angelegt, und 1727 mit Pallisaden umgeben worden; hat ungefähr 350 Häuser, und 1782 hatte sie 4528 Einwohner. Unter der hiesigen Inspection stehen 22 Kirchen. Außer der evangelisch=luther. ist hieselbst auch eine reformirte Kirche. Vom Getreide-handel, und von dem starken und gesunden Bier, welches hier gebrauet wird, hat die Stadt ziemliche Nahrung. Das Schloß ist in der Mitte des vierzehnten Jahrhunderts erbauet, und vom König Friderich Wilhelm I. verbessert. Auf demselben hat das 1724 errichtete ostpreußische Hofgericht seinen Sitz. 1590 und 1690 hat sie großen Brandschaden erlitten.

(3) Darkehnen, ein geringes immediat Städtchen, an der Angerap, welches 1725 Stadtgerechtigkeit erhalten hat, und 1732 von den Salzburgern volkreicher gemacht worden ist. Es ist daselbst eine Tuch=Wollen-und Leder = Manufaktur. 1782 waren hier an 1600 Menschen.

(4) Goldap, eine ziemlich nahrhafte, aber gering gebaute immediat Stadt, an der polnischen Gränze, die Markgraf Albrecht 1564 gestiftet hat. Hier wird viel Meth gebrauet und ausgeführet. Nahe bey derselben ist der hohe Berg gleiches Namens, von welchem man eine Aussicht auf 12 Meilen weit hat.

(5) Stallupöhnen, eine immediat Stadt, welche 1722 Stadtgerechtigkeit bekommen hat. 1782 hatte sie 2354 Menschen. Sie treibt guten Handel mit Vieh.

(6) Pilkallen, ehemals ein Dorf, seit 1724 aber eine immediat Stadt, deren Einwohner gute Nahrung haben. Es ist hier eine lutherische und eine reformirte Kirche. 1782 waren hieselbst 1162 Menschen.

(7) Schir-

(7) Schirwind, eine geringe immediat Stadt, welche bis 1725 nur ein Dorf war, in welchem Jahr sie aber zu einer Stadt gemacht worden. 1782 hatte sie 1230 Menschen

(8) Ragnit, eine keine immediat Stadt an der Memel, welche 1722 mit Stadtgerechtigkeit begnadigt worden, weil der Ort bis dahin nur ein Marktflecken gewesen war. Das hiesige Schloß ist eines der ältesten im Lande, und schon zu der Heiden Zeit berühmt gewesen, 1255 vom Orden besser aufgeführt, und, nachdem es die Heiden verbrannt, 1357 abermals erbauet, und Landshuth genennet worden, bis man es hernach von dem vorbey fließenden Waßer Ragnit benannt hat. Unter der hiesigen geistl. Inspection stehen 10 Kirchspiele. Die Stadt ist 1757 von den Russen ganz eingeäschert, aber hernach besser wieder erbauet worden. 1782 hat man 1882 Menschen gezählet. Die Aussicht von dem sogenannten Königsberge ist ungemeine angenehm.

(9) Tilsit, Tilse, Chronopolis, eine immediat Stadt, die größte, wichtigste und nahrhafteste nach Königsberg. Sie hat 1552 Stadtgerechtigkeit erhalten, das Schloß aber soll schon 1289 erbauet seyn. Die Memel fließet an der Nordseite, und vermittelst derselben treibt sie nach Königsberg und Polen Handel mit Getreide, Leinsaat, Holz, Wachs, Butter und andern Lebensmitteln. Sie besteht eigentlich aus zwey langen und breiten Straßen, welche die deutsche und die hohe Gasse heißen, zu welchen noch die sogenannte Freyheit, als eine Vorstadt, kömmt. Die Anzahl der Häuser beläuft sich auf 600, und der Einwohner auf 7000. Ausser der evangelisch=deutschen und litauischen Kirche, ist hier auch eine reformirte Kirche; vor der Stadt ist noch eine lutherische Kapelle, und ½ Meile davon eine römisch=katholische Kapelle, Drangowski genannt. Neben der deutschen Kirche ist die 1586 gestiftet königliche Provinzialschule. Unter der hiesigen Kirchen=Inspection stehen 10 Kirchspiele. Im Hospital werden

den bis 90 Personen versorget. Im Pesthause werden jetzt arme und kranke Leute verpfleget, und im Pauper=haufe, 10 Knaben unterhalten. Es ist hier auch ein Wit=wenstift und eine Salzfactorey.

(10) Memel, von den Curen oder Letten Klaipada genannt, eine Handelsstadt, Festung und Hafen am curi=schen Haff, in welches hier die Dange fällt. Diese im=mediat Stadt ist 1250 erbauet, 1312 befestiget, und 1328 vom liefländischen Landmeister an den preußischen Hochmeister übergeben worden. Der Hafen hat einen guten 18 bis 20 Fuß tiefen Eingang, und ist durch zwey Rißbänke, die über 50 Ruthen weit ins Haff hinein ge=hen, und 11000 Thaler gekostet haben, noch sicherer ge=macht worden. Er liegt unter den Kanonen der Festung. Die Stadt wird in die Altstadt und Friderichsstadt abge=theilet, und ist mit einem Wall von 2 ganzen und 3 halben Bollwerken um=eben. Sie hat etwas schmale aber ge=rade Gaffen, und meistens steinerne Häuser. 1783 zählte man 514 Häuser, 5559 Menschen. Außer der deutsch n lu=therischen Stadt=Kirche, ist hier auch eine litauische, eine re=formirte, und eine Katholische Kirche. Unter der luther=schen Inspection, stehen 10 Kirchspiele. Die Bürger er=nähren sich vom Handel, Bierbau, Ackerwerk, Seifsie=den, Fischfang 2c. insonderheit wird von hier viel Flachs, Leinsaat, Garn, Hanf, und Holz ausgeführet. 1752 sind 70 Schiffe eingelaufen, und 69 ausgegangen, 1772 aber 439 Schiffe, und 1774 sogar 500 Schiffe, welcher starker Anwachs der Schifffahrt, durch die Ausfuhr des aus Litauen hieher gebrachten Holzes, verursachet wurde. Sie betrug 1772 auf 439 Schiffe. 1777 kamen 683 Schiffe an, und 681 giengen aus. Die Ausfuhr be=trug 641078 Rthlr. 1780 machte die Einfuhr auf 479 Schiffen, 82225 Rthlr. hingegen die Ausfuhr auf 474 Schiffen, 941398 Rthlr. aus. 1783 liefen 793 Schiffe aus. Das hier verfertigte Schiffbauwerk, ist berühmt, es ist auch ein Schifbauwerft angelegt worden. Ehemals gehörte die Stadt mit zu der Hanse; daher sie auch 1254 das Lübeckische Recht annahm. Die Citadelle bey

der

der Stadt, beſtand aus vier meiſt regelmäßigen Baſtio-
nen, nebſt den nöthigen Ravelinen und halben Monden.
Man hat ſie aber eingehen laſſen, und die Gebäude in
derſelben, ſo wie den Boden, verkauft. 1323, 1379,
1457, 1540 und 1678 iſt die Stadt abgebrannt, und
1757 von den Ruſſen nach einer kurzen Belagerung erobert worden.

2) Folgende Städte haben auch einen gemeinſchaftlichen Steuerrath und Commiſſarium loci.

(11) Angerburg, iſt eine 1571 aus dem Dorf Neuen-
dorf errichtete, und in neuern Zeiten gut angewachſene,
wohl angebaute, und mit Palliſaden umgebene immediat
Stadt, mit einem 1312 erbaueten feſten Schloß, am
Maur-See, aus welchem der aus dem See Strengel
entſtehende Fluß Angerapp hervor kömmt. Dieſer See
iſt 7 Meilen lang und 1½ breit, und der Aalfang in demſelben war ehedeſſen wichtig. Der Labah und Kiſain
ſind Buſen dieſes Sees. Man hat 1782 hier 2213 Menſchen vom Civilſtand gezählet. Es iſt hier eine geiſtliche
Inſpection über 14 Kirchen. 1734 und 1736 hielt ſich
K. Staniſlaus hieſelbſt eine Zeitlang auf.

(12) Lötzen, eine kleine immediat Stadt, mit einem
1285 aufgeführten Schloß, zwiſchen welchem und der
Stadt, ein 1765 gegrabener Kanal den See Leventin
mit dem großen Maur-See vereinizet. Sie iſt vom
Markgrafen Albrecht Friderich vor 1589 zu einer Stadt
gemacht, und mit dem Namen des Schloſſes belegt worden. 1782 waren hier 1154 Menſchen. In dieſer Gegend hat man römiſche Münzen gefunden.

(13) Marggrabowa, eine immediat Stadt, neben
dem Schloß Oletzko. Sie lieget an einem Landſee, und
hat den Namen von ihrem Stifter, dem Markgrafen
Albrecht, welcher ſie zum Angedenken der Unterredung
erbaute, die er nicht weit von hier mit dem polniſ. Könige Sigismund Auguſt gehalten, der in Polen an der
Gränze, 8 Meilen davon, die Stadt Auguſtowa 1560
anlegte. Nicht weit davon haben die ſchwediſchen und

churfürstl. Soldaten 1656 die Tatarn geschlagen, und
den gefangenen Fürsten von Radziwil befreyet.

(14) Lyk, eine 1435 erbauete nahrhafte immediat
Stadt, an dem Landsee Somnau, der auch von der
Stadt benehnet wird. Sie zählte 1782 über 2000 Men=
schen; es ist hier eine Inspection über 70 Kirchen, eine
1588 angelegte Provinzialschule, und ein Schloß, wel=
ches 1272 auf einer Insel in dem See aufgeführt ist.
1656 haben die Tatarn in dieser Gegend viele Grausam=
keit ausgeübet. 1688 und 95 hat die Stadt großen
Brandschaden erlitten.

. (15) Biala, eine kleine immediat Stadt, welche erst
1722 Stadtgerechtigkeit erhalten hat. 1782 waren hier
795 Menschen.

. (16) Johannesburg, von den Polen Hansbork oder
Pysch genannt, eine kleine immediat Stadt, von gutem
Ansehn, in einer Ebene, am Fluß Pysch, der unweit der
Stadt aus dem Groß Warschau=See kömmt, durch die
Stadt fließet, und vier Meilen von derselben bey der pol=
nischen Stadt Novigrod sich mit dem Fluß Narew verei=
niget. Die Stadt hat den Namen von dem bey ihr lie=
genden 1346 zuerst erbaueten Schloß bekommen. Bis
1645 ist sie ein Flecken gewesen, in diesem Jahr aber
vom Churfürsten Friedrich Wilhelm zu einer Stadt ge=
macht worden. Es ist hier eine kirchliche Inspection über
8 Kirchen, und ein königliches Vorrathshaus. Die Stadt
hat die freye Fischerey in dem See Klein=Pagandt. 1687
litte sie Brandschaden. 1698 unterredete sich Churfürst
Friederich III mit dem neuen polnischen König August II
hieselbst vier Tage lang. 1709 hielt sich K. Stanislaus
auf dem Schloß auf. In eben diesem Jahr und 1710
sturben die meisten Einwohner an der Pest. Es fänget
hier die Johannesburgische Heide an, welche 12 Mei=
len lang, und eine von den größten in Preußen ist.

. (17) Aris, eine geringe immediat Stadt am See
gleiches Namens, welcher König Friderich Wilhelm Stadt=
gerechtigkeit verliehen hat. 1782 wären hier gegen 900
Menschen.

(18) Nikolaiken, eine kleine immediat Stadt, welche 1722 Stadtfreyheiten erhalten hat. 1782 hatte ſie 1202 Menſchen. Sie lieget am Ende des Nikolaikenſees, der ein langer Arm des Spirdingſees iſt, welcher ſich bis Rhein erſtrecket.

(19) Sensburg, ein immediat Städtchen, an einem See, in einer ſchönen Gegend. Es iſt 1348 erbauet, 1520 von den Polen geplündert und angezündet, und 1568 durch eine Feuersbrunſt in die Aſche geleget worden. Man zählete 1782 an 1200 Menſchen.

(20) Rhein, eine kleine immediat Stadt, mit einem 1376 erbauetem Schloß, am Rheinſee, der ein Arm des Spirdingſees iſt.

2. Die landräthlichen Kreiſe.

1) Der Inſterburgiſche Kreis, welcher in Juſtizſachen unter dem Inſterburgiſchen und Memelſchen Juſtiz-Commiſſions-Kreiſe ſtehet. Dahin gehören

(1) Folgende königliche Domainenämter.

a. Das Amt Althof-Memel, auf dem Vorwerk dieſes Namens bey Memel. Zu demſelben gehöret die Hälfte der curiſchen Nehrung von 7 Meilen.

b. Das Amt Clemmenhof. Das Amthaus iſt unweit Memel, auf dem Vorwerk dieſes Namens.

c. Das Amt Prökel oder Prökuls, auf dem Vorwerk in dem Kirchdorf dieſes Namens.

d. Das Amt Heydekrug, in dem Marktflecken dieſes Namens, am Fluß Schiſche.

e. Das Amt Ruß, in dem gleichnamigen großen Kirchdorf, am Fluß gleiches Namens.

f. Das Amt Kukerneſe, bey dem nahrhaften Marktflecken Kaukehnen, an der Ruß, in der tilſitſchen Niederung, welche eine Meile unterhalb der Stadt Tilſit anfängt, alles niedrige Land um die Arme der Memel,

Gilge

Gilge und Ruße begreift, und sich bis an das curische Haff erstrecket. Sie ist eine von den fruchtbarsten Gegenden des ganzen Landes, ungefähr 4 Meilen lang und eben so breit. Die Einwohner ziehen viel Vieh, und versorgen nicht allein Preußen, sondern auch andere Provinzen mit guter Butter und Käse, haben auch wichtige Fischereyen. Die Pferde sind zwar groß und stark, aber weder schön noch dauerhaft. Außer der Gerste wächset hier fast gar kein Getreide und kein Holz. Dieses Marschland ist im Frühjahr den Ergießungen der Flüsse ausgesetzt, die oft großen Schaden anrichten.

g. Das Amt Balgarden, bey Tilsit, dazu das abgebauete Vorwerk Plauschwarren gehöret, auf welchem 1767 den Mennoniten ein öffentliches Bethhaus bewilliget werden.

h. Das Amt Baubeln.

i. Das Amt Winge, am Fluß Memel.

k. Das Amt Linkuhnen. In dem großen Kirchdorf Jßneytschken, werden jährlich zwey Jahrmärkte gehalten. Bey dem Schanzenkrug theilet sich der Memelstrom in die beyden Hauptarme Ruß und Gilge, und hier ist 1778 der neue Gilge-Kanal gegraben worden, durch welchen der Gilge bey ihrem Ausfluß aus der Memel ein gerader Lauf verschaffet worden.

l. Das Amt Heinrichswalde.

m. Das Amt Althof-Ragnit, bey Ragnit.

n. Das Amt Schreitlauken, da wo sich die Jura mit der Memel vereiniget.

o. Das Amt Kassigkemen, am Fluß Memel, welcher bey dem Dorf Schmallenikn-Augstogallen aus Polen kommt, daher daselbst ein Wasser-Zoll-Amt ist.

p. Das Amt Sommerau.

q. Das Amt Gerskullen.

r. Das Amt Budupöhnen.

s. Das Amt Lesgewangminnen, an der Inster.

t. Das Amt Löbegallen. Zu Lasdehnen ist auf der Scheschupe eine Fähre.

u. Das Amt Grumbkowkaiten.

x. Das

x. Das Amt Uſchpiaunen, unweit Pilkallen.

y. Das Amt Dirſchkemen, oder Dörſchkemen.

z. Das Amt Althof=Inſterburg. - Bey Groß=Jägerndorf iſt 1757 ein hitziges Gefecht zwiſchen den Preuſſen und Ruſſen vorgefallen, in welchem jene den Kürzern gezogen haben.

a. Das Amt Georgenburg. Der Ort dieſes Namens, iſt ein altes 1336 erbauetes Schloß und Kirchdorf. Bey demſelben entſtehet der Pregel aus Vereinigung der Inſter und Angerap.

b. Das Amt Moulinen.

c. Das Amt Ruſſen.

e. Das Amt Brakupöhnen.

f. Das Amt Kattenau.

g. Das Amt Stannaitſchen.

h. Das Amt Schirgupöhnen, welches von einem Pfarrdorf benannt wird.

i. Das Amt Dantzkehmen.

k. Das Amt Budwetſchen oder Budweitſchen, auf dem Vorwerk Sodargen

l. Das Amt Geritten oder Göritten.

m. Das Stut=Amt Trakehnen, an der Piſſe, beſtehet aus 8 Vorwerken, und 16 Dörfern, und iſt vortrefflich eingerichtet. Trakehnen iſt der Hauptort deſſelben.

n. Das Amt Mattiſchkehmen.

o. Das Amt Waldaukadel.

p. Das Amt Tolmingkehmen.

q. Das Amt Bredauen, auf dem Vorwerk Caſſuben.

r. Das Holzflößamt zu Naſſawen oder Groß-Naſſawen, an der Rominte, ſchaffet aus der romintſchen Heide, auf der Rominte, Piſſe und dem Pregel, jährlich eine große Menge Brennholz nach Königsberg.

s. Das Amt Kiauten, in einer gebirgichten Gegend, wo ein Eiſenhammer angeleget worden.

t. Das Amt Königsfelde.

u. Das Amt Weedern.

x. Das Amt Dinglaukſen.

α. Das Amt Büglien, auf dem Vorwerk dieses Namens.

a. Das Amt Plicken.

b. Das Amt Gaudischkemen, auf dem Vorwerk Didlacken.

c. Das Amt Gudwallen.

d. Das Amt Jurgaitschen.

(2). Zweyhundert acht und zwanzig adeliche Oerter. Unter denselben sind

die fürstlich = dessauischen Güter, welche einen schönen Strich Landes, am linken Ufer des Pregels, 4½ Meilen lang, und ½ b. ¾ Meilen breit ausmachen. König Friederich Wilhelm der erste, als Er Preußen in Gesellschaft des Fürsten Leopold von Dessau besuchte, hat denselben ermuntert und vermogt, einige wüste liegende Güter käuflich an sich zu bringen. Der Fürst hat sich dazu willig entschlossen, und nachstehende Güter und Dörfer mit baarem Gelde von den Eigenthümern, und derselben Erben und Gläubigern erkauft, nemlich, das Vorwerk und Dorf Groß = Bubainen, mit dem Kruge, Walde, und dem darinn gelegenen Vorwerk Milchbude, auch den Wiesen jenseits des Pregelflusses; den Krug Klein = Obelischken, mit dem dazu gehörigen Walde und Aeckern, und mit dem Walde genannt die vier Hufen; das Gut und Dorf Klein = Bubainen, mit dem dazu verschriebenen Kruge, das Vorwerk Abschraten; und die Dörfer Benkehmen, Klein = Obelischken, Jardzuhmen, Rosacken, Klein = Kassaunen, mit dem Kruge, Kermutschinen, Matteningken, Klein = Platenischken, Straschen und Jerlen; der Fürst hat auch mit königl. Erlaubniß dem Magistrat der Stadt Kneiphof = Königsberg den Canon, welchen er von diesen Gütern und Dörfern gehoben, für baares Geld abgekauft, um auch das dominium directum dieser Güter zu erlangen. Ferner hat Er durch ordentlichen Kauf an sich gebracht, das Vorwerk Schwagerau, mit dem dasigen Kruge und Walde,

sechs

sechs Bauern im Dorf Wippeningken, nebst der Gerechtigkeit, einen Krug in einem dieser Bauernhäuser anzulegen, eine Wiese zu Caseningken, ingleichen die Güter, Vorwerke und Dörfer Norkitten, samt dem Kruge,
Wilde und Ruchen-Lehn, Mangarben, Schloßberg,
Pardemichen, Schmilginnen, Woynothen, nebst
dem Kruge, Matschullen, mit dem Kruge zur Auer,
und dazu gehörigen Aeckern und Wiesen. Weil nun der
Fürst sich dem Könige durch den Ankauf dieser Güter
willfährig gezeiget, ansehnliche Summen Geldes daran
gewendet, auch aus seinen Landen und Deutschland, viele
Familien mit großen Kosten nach Preußen gebracht, dadurch die Güter in guten Stand gesetzet, und die königl.
Landes-Contribution vergrößert: so hat der König dieserwegen, und wegen seiner vieljährigen wichtigen Dienste,
ihm und seinen Fürstlichen Nachkommen, ein Gnaden-
Privilegium über alle vorerwähnte mit baarem Gelde er-
kaufte Güter gegeben, welches vom 28sten August 1770 ist.
Es brächten diese Güter 1736 schon 22000 Rthlr. ein, aber
1757 wurden sie von den Russen so verwüstet, daß einige
Dörfer seitdem nicht wieder aufgebauet worden sind. Bubainen, am Pregel, eine Meile von Insterburg, ist das
größte und beste Dorf; Norkitten, ein Kirchdorf, ist der
Sitz des fürstlichen Amts. Es liegt beym Einfluß der
Aurine in den Pregel.

Die Rautenburgischen Güter, welche von dem
Hauptort Rautenburg an der Gilge, den Namen haben,
gehören der gräflich Keyserlingschen Familie. Sie liegen
in der Tilsitschen Nehrung.

2) Der Oletzkosche Kreis, welcher zu dem
Insterburgischen Justiz-Commissions-Kreise
gehöret, und begreift

(1) Folgende königliche Domainen-Aemter.

a. Das Amt Oletzko, welches von dem Schloß Oletzko,
bey der Stadt Marggrabowa, den Namen, seinen Sitz
aber auf dem Vorwerk Seedranken hat.

E 4   b. Das

b. Das Amt Czichen,

c. Das Amt Polommen.

d. Das Amt Stradaunen, in welchem das Pfarrdorf dieses Namens ist.

e. Das Amt Czimochen, zu welchen der Flecken Kalinowen gehöret.

f. Das Amt Lyk, welches bey der Stadt Lyk auf einer Insel in dem See Sömnau seinen Sitz hat. —

Ostrokolln, ein Pfarrdorf, dazu das Dorf Proßken gehöret, bey welchem die Gränzen vom Herzogthum Litauen, von Polen und Preußen zusammen stoßen, und 1545 eine Gränzsäule errichtet worden ist.

g. Das Amt Drygallen, in welchem das Pfarrdorf dieses Namens ist.

h. Das Amt Johannisburg, welches seinen Sitz auf dem alten Schloß bey der Stadt dieses Namens hat. In demselben ist der Landsee Warschau, der drey Meilen lang, und in welchem eine Insel ist. Das Amt wird auch von dem Vorwerk Lupken benannt.

(2) Fünf und vierzig adeliche Güter.

Zu Andreswalde oder Koszinowen, ist eine unitarische Gemeine, welche 1776 die königl. Erlaubniß erhalten hat, ihrem gottesdienstlichen Versammlungshause auch die äußerliche Gestalt einer Kirche zu geben.

3) Der Sehestensche Kreis, welcher in Justitzsachen zu dem lykschen Justitz-Commissions-Kreise gehöret. Er begreift

(1) Folgende königliche Domainen-Aemter.

a. Das Amt Angerburg, auf dem Vorwerk, welches eine viertel Meile von der Stadt dieses Namens liegt.

b. Das Amt Popiollen.

c. Das Amt Sperling.

d. Das Amt Lötzen, oder Althof Lötzen, dessen Sitz das Schloß bey der Stadt dieses Namens ist.

e. Das Amt Sehesten, in welchem das Pfarrdorf gleiches Namens ist.

f. Das

f. Das Amt Schnitken.

g. Das Amt Rein, welches seinen Sitz auf dem Amts=vorwerk Lawken hat. In demselben ist der Spirding=see, welcher der größte Landsee in Preußen. Nicht weit von dem Dorf Quicka, kömmt der Fluß Vysch aus die=sem See, welcher hernach in den See Wilkuschkt und Warschau, und aus demselben nach Johannisberg fließet.

h. Das Amt Arys, auf dem Vorwerk Skómazko.

(2) Das Erbamt Neuhof, welches jetzt der Familie von Drigalski erb= und eigenthümlich zuge=höret, und seinen Namen von dem Rittersitz und Pfarrdorf Neuhof hat.

(3) Hundert und vier adeliche Güter, als die Steinortischen der Grafen von Lehndorf ꝛc.

II. West=

❦❦❦❦❦❦❦❦❦❦❦❦❦❦❦

II. Weſt-Preußen.

Von 1454 bis 1772, während welcher Zeit dieſes
Land von Oſt-Preußen getrennet geweſen, war
es ein eigener und beſonderer Staats-Körper, der
mit Polen nichts, als den König und deſſen einzige
Perſon, gemein hatte, und mit der Krone durch ein
gewiſſes Bündniß verknüpft war. Denn als es von
dem deutſchen Orden abfiel, und ſich unter des polniſchen Königs Caſimir IV Schutz begab, bedung
es ſich ausdrücklich aus, daß es mit der Republik
Polen nichts wolle zu ſchaffen haben, ſondern der
König ſolle die ſie angehenden Sachen ſelbſt beſchlie-
ßen und verordnen, auch zu dem Ende oft zu ihnen
kommen, und Landtage anſtellen. Es hat alſo immer behauptet, daß es als ein freyer Staat mit
gleichem Recht als Polen und Litauen, einen König erwähle, der nach der Krönung den Preußen
ihre Privilegien eidlich beſtätigen müſſe, und alsdenn erſt die Huldigung empfange, und daß derſel-
bige ohne Zuziehung der Stände in Sachen des Landes nichts vornehmen könne. Dieſe Stände waren
1) geiſtliche, nämlich der Biſchof von Ermland, Präſident des Landraths, und vornehmſter
Landesſtand, und der Biſchof von Culm. Der
König ernannte vier Canonicos aus dem ermländi-
ſchen Kapitel, von welchen das Kapitel einen, und
zwar denjenigen, welchen der König vorzüglich em-
pfahl, zum Biſchof von Ermland erwählte. Den
Biſcho

Bischof von Culm ernannte der König schlechthin, ohne Zuziehung des Kapitels. 2) weltliche, nämlich die adelichen, oder 3 Woiwoden, der culmische, mariénburgische und pomerellische, 3 Kastellane, und 3 Unterkämmerer, und die bürgerlichen, oder die 3 großen Städte Thorn, Elbing und Danzig. Aus diesen Gliedern bestand der Landrath. Die Bischöfe, Woiwoden und Kastellane, waren zugleich polnische Reichs=Senatoren, nachdem ihnen 1569 gewisse Stellen im Senat waren angewiesen worden. Die ordentlichen Landtage hörten schon im siebzehnten Jahrhundert auf, die außerordentlichen aber blieben, und wurden vom Könige ausgeschrieben, welcher auch Zeit und Ort derselben bestimmte. Wenn der König den gemeinen Landtag ausschrieb, setzte er auch die Zeit zu den kleinen Landtagen an, auf welchen die Landbothen erwählet und bevollmächtiget wurden. Zu den polnischen Reichstagen wurden zwar außer der Ritterschaft, auch die 3 großen Städte eingeladen, es war ihnen aber weder im Senat noch in der Landboten=Stube ein gewisser Platz angewiesen; daher sie nur ihr Anliegen den Landes=Instructionen einverleiben ließen, und die Beförderung desselben den adelichen Räthen und Boten empfahlen. Der sogenannten kleinen Städte, waren 27; nämlich, Marienburg, Christburg, Stum, Neuteich, Tolkemit, Graudenz, Strasburg, Lessen, Neumark, Rheden, Golub, Lautenberg, Schönsee, Dirschau, Mewe, Neuburg, Schwetz, Putzig, Stargard, Schöneck, Berend, Konitz, Baldenburg, Friedland, Tuchel, Hammerstein, Sluchau.

chau. Diese hießen königliche Städte, und die übrigen Städte waren die bischöflisch ermländischen und culmischen. Der Adel hatte in jeder Woiwodschaft seine Land- und Schloß-Gerichte, und das Tribunal zu Peterkau war desselben letzte Instanz. Von den Magisträten der 3 großen Städte, appellirte man an die königlichen Assessorial-Gerichte, und von den Magisträten der kleinen Städte, an die Starosten, und von diesen an den König von Polen.

Im sechzehnten Jahrhundert breitete sich hier die Reformation sehr aus, so daß in den vornehmsten Städten die Anhänger der evangelischen Kirche, den Gliedern der römisch-katholischen Kirche weit überlegen waren, und in kleinen Städten und auf den Dörfern gieng es zum Theil eben so zu; allein in der folgenden Zeit ward vieles geändert. Die Könige von Polen hatten zwar den Städten die freye Uebung des evangelischen Gottesdienstes bestätigt, es blieben aber wenige übrig, in welchem die Evangelischen Kirchen hatten, in den übrigen hatten sie dieselben den Katholiken abtreten müssen. Es wurde auch der Adel durch mancherley Mittel von der evangelischen Kirche abwendig gemacht.

In diesem Zustande blieb das Land bis 1772, da es wieder mit Ost-Preußen verbunden wurde, die Städte Thorn und Danzig ausgenommen, welche mit Polen in Verbindung blieben. König Friederich der zweyte gründete seine Anfoderung an Pomerellen, auf das Recht der Erbfolge, und auf das Recht der Oberlehns Herrschaft, wie hernach ausführlicher vorkommen wird, und die übrigen Provinzen des

Her-

Herzogthums Preußen, nahm er wegen des ſeinen Vorfahren ſo lange entzogenen Beſitzes der Provinz Pomerellen, und, wegen anderer nicht geltend ge-machten Anſprüche.

Es beſtehet Weſt-Preußen jetzt noch eben ſo wie vorher aus vier Theilen.

I. Die Culmiſche Provinz, oder Cul-merland, Culmigeria, welches bis 1772 eine Woiwodſchaft war. Das culmiſche Biſthum iſt das älteſte unter den Weſt-Preußiſchen, und ums Jahr 1215 oder 1222 von dem maſoviſchen Her-zog Conrad geſtiftet worden. Zu dem biſchöfliſchen Sprengel gehören die Kirchen im Culmiſchen und Marienburgiſchen. Daß er ſich auch einen Bi-ſchof von Pomeſanien nennet, iſt ein leerer Titul, außer daß die Stücke des ehemaligen pomeſaniſchen Bis-thums, welche 1466 an Polen kamen, unter ſeine geiſtliche Aufſicht geleget worden. Das Dom-Ka-pitel beſteht aus dem Suffragan und Archidiaccnus, aus dem Decanus und neun Canonſcis, welche von dem Biſchof und von den übrigen gewählet werden. Dieſe Provinz enthält

1. Die Städte, welche unter einem Kriegs- und Steuer-Rath ſtehen.

1) Culm, auf polniſch Chelmno, eine Stadt an der Weichſel, auf einem erhabenen Ort. Mit ihrer Erbau-ung iſt 1239 der Anfang gemacht worden. Sie wurde von einem maſoviſchen Herzog dem deutſchen Orden über-laſſen, fiel aber von demſelben ab, und begab ſich unter Polen. Als die Deutſchen die Herrſchaft über ſie beka-men, pflegte hier das höchſte Gericht von Preußen zu ſeyn,

seyn, daher das culmische Recht so berühmt, und fast von ganz Preußen und Masuren angenommen worden. Sie ist groß, aber schlecht bewohnt. Ehemals war sie eine Hansestadt, sie stund auch unter dem Könige, gehörte unter die sogenannten großen Städte, und also zum Landesrath; jetzt aber hat der Bischof darüber zu gebieten. Vom deutschen Orden hatte sie ehedessen die Freyheit, Münzen zu schlagen. 1554 wurde hieselbst ein Gymnasium errichtet, welches aber keinen langen Bestand gehabt hat. 1457 hat sich ihrer der deutsche Orden, von dem sie abgefallen war, wieder bemächtiget, sie ist aber in der folgenden Zeit von den Polen wieder eingenommen worden. 1544 litte sie großen Feuerschaden. Es sind hier eine katholische Akademie, und eine königliche Cadetten-Schule, 5 Klöster, und eine evangelisch-lutherische Kirche, und eine Kreis Justiz-Commission.

2) **Culmensee,** Chelmza, eine kleine Stadt, welche eine Meile von Culm entfernet, und der Sitz der Domkirche und des Domkapitels des Bisthums Culm ist. Die Stadt ist 1251 angeleget.

3) **Fridek,** Briesen, auf polnisch Wambrisna, eine kleine Stadt, welche 1331 erbauet worden.

4) **Gollup,** auf polnisch Golub, eine kleine königl. Stadt und Schloß, am Fluß Drebnitz, woselbst des Königs Sigismund III Schwester, Anna, sich aufzuhalten pflegte, der auch das umher liegende Gebiet gehörte. Es ist hier eine evangelisch-lutherische Kirche.

5) **Schönsee,** auf polnisch Kowalewo, eine kleine königliche Stadt, woselbst bis 1772 das Schloßgericht des Woiwoden, und außerdem der kleine Landtag dieser Woiwodschaft gehalten worden, und bey welcher der sächsische General Bose 1716 die conföderirten Polen geschlagen hat.

6) **Graudenz,** ehemals Grodek, auf polnisch Grudziadz, eine königl. Stadt, auf einer Insel, welche der Fluß Ossa macht, der hier mit zwey Armen in die Weichsel fließet. Das Schloß liegt auf einer Höhe, und hat eine Kirche. In der Stadt ist auch eine Kirche, welche

den

den Evangeliſchen 1598 genommen worden; daher ſie ihren Gottesdienſt auf dem Rathhauſe halten, dabey ſie
auch ihre Schulen haben. Die Jeſuiten haben hier 1643
ein Collegium errichtet, welches 1647 durch einen Reichs-
tagsſchluß beſtätiget worden, und jetzt ein kön. kath. Gymnaſium iſt. Es ſind hier auch 2 Klöſter. Die Stadt iſt
1299 erbauet. Ehedeſſen wurden hier und zu Marienburg die
preußiſchen Landtage wechſelsweiſe gehalten. Die wichtige
Feſtung bey dieſer Stadt hat König Friedr. II. anlegen laſſen.

7) Lautenburg, auf polniſch Lidzburg, eine kleine
königl. Stadt.

8) Ravernik, oder Rurczentik, eine kleine Stadt an
der Drebnitz.

9) Löbau, auf polniſch Lubawa, eine kleine Stadt
und Schloß, woſelbſt die culmiſchen Biſchöfe wechſelsweiſe mit Althaus, wohnen. 1545 brannte ſie ab, auſ-
ſer der katholiſ. Pfarrkirche, iſt hier noch eine Kirche und
ein Kloſter.

10) Neumark, auf polniſch Novemiaſto, eine kleine
königliche Stadt, an der Drebnitz, die 1319 erbauet
worden.

11) Straßburg, auf polniſch Brodnica, eine königl.
Stadt mit einem Schloß, am Fluß Drebnitz. Sie iſt
1285 errichtet, und weil ſie ehedeſſen feſt war, oft belagert und eingenommen worden. Es ſind hier außer der
kathol. Pfarrkirche noch 2 kathol. Kirchen, und eine lutheriſche.

12) Leſſen, auf polniſch Laſzyn, (Laſchin) eine kleine
1328 erbauete und faſt ganz mit Waſſer umgebene königl.
Stadt.

13) Rheden, oder Reden, auf polniſch Radzyn, eine kleine königliche Stadt mit einem Schloß.

2. Die landräthlichen Kreiſe.

1) Der Culmſche Kreis, in welchem

(1) Das Amt Culm oder Althauſen, Althaus, auf
polniſch Starogrod, ein Schloß, auf einem Hügel an
der

der Weichsel, mit einem Flecken. Das Schloß ist eine der beyden Residenzen des Bischofs von Culm. König Friedr. II. hat hier ein adliches Cadetten-Corps errichtet.

(2) Das Amt Culmsee.

(3) Das Amt Graudenz.

(4) Das Amt Engelsburg.

　Engelsburg, auf polnisch Pokrzywno, ein Flecken.

(5) Das Amt Roggenhausen, ehedessen eine königl. polnische Oekonomie. Es hat von einem Schloß und Dorf den Namen.

(6) Das Amt Rheden.

(7) Das Amt Lippinken.

(8) Das Amt Przydworsz.

(9) Das Amt Brzezinken.

(10) Das Amt Unislaw.

2) Der Michelausche Kreis, der seinen Namen von dem Schloß Michelau hat, und folgende Domainen-Aemter begreift.

(1) Das Amt Gollup.

(2) Das Amt Strasburg.

(3) Das Amt Lautenburg.

(4) Das Amt Löbau.

(5) Das Amt Brattian.

(6) Das Amt Krottoschin.

(7) Das Amt Longorrek oder Lonkorrek.

II. Die Marienburgische Provinz.

Sie hatte ehedessen einen Wojwoden, der unter den preußischen der erste war, und die marienburgische Starostey, war die vornehmste in Preußen. Sie begreift

1 Folgende Städte.

1) Elbing, auf polnisch Elblag (Elblang), eine ziemlich große und nach alter Art feste königliche Handelsstadt, am Fluß Elbing, der aus dem Drausensee kömmt. Sie ist 1239 an dem Ort, wo sie jetzt steht, gebauet worden. Ihr erstes Privilegium ist vom Jahr 1246, in welchem

ihr

ihr auch die Münzgerechtigkeit ertheilet worden. Die
neue Stadt iſt 1347 privilegirt. Zwiſchen der Altſtadt
und der Vorſtadt, in welcher die Speicher der Kaufleute
ſind, fließt die Elbing, und die Altſtadt iſt von der Neuſtadt durch Mauern und Graben abgeſondert. Die Häuſer ſind hoch, ſchmal und altmodiſch, faſt wie zu Danzig, und die Gaſſen, wegen der ſogenannten Beyſchläge,
enge. Die Katholiken haben ſeit 1616 die Pfarrkirche zu
S. Nikolai inne, welche 1777 vom Blitz entzündet abbrannte, die Lutheraner aber haben zwey Kirchen in der
Altſtadt, eine in der Neuſtadt, zwey in der Vorſtadt.
Sie beſtehen ſo wie die evangeliſchen Landkirchen in dem
elbinger Gebiet, unter der Aufſicht des hieſigen evangeliſchen Inſpectors. Die Reformirten haben auch eine Kirche, und die Mennoniſten oder Mennoniten verſammlen ſich in
einem Hauſe. Das Rathhaus brannte 1777 ab. Das
Gymnaſium iſt evangeliſch. Die Stadt hat mit zur
Hanſe gehöret; und weil ſie eine lübeckiſche Colonie iſt,
ſo bedienet ſie ſich des Lübiſchen Rechts, hat aber dabey
ihre beſondere Willkühr. Das ehemalige 1237 errichtete
Schloß, iſt 1454 von der Bürgerſchaft geſchleift worden.
Die Feſtungswerke ſind nach dem Werder zu nicht erheblich, auf der andern Seite aber ein wenig beſſer; indeſſen wird die Stadt für eine der ſtärkſten Feſtungen in
Preußen gehalten. Sie ſtehet in geiſtlichen Sachen, in ſo weit es ihrer verſchiedenen Religion und ihren
Rechten ungeſchadet geſchehen kann, unter dem ermlän-
diſchen Biſchof. Der Seehandel iſt unter der kön. preußiſchen Bothmäßigkeit ſehr empor gekommen; denn es ſind
hier 1783 eingegangen 276 Seeſchiffe, 614 polniſche Gefäſſe und Holz-Triften, und 106 Bordinge, und ausgegangen 276 Seeſchiffe, und 400 polniſche Gefäſſe. 1784
kamen an 400 Seeſchiffe, 1035 polniſche Gefäſſe und
Holz-Triften, und giengen aus 400 Seeſchiffe, 670 polniſ.
Gefäſſe, und 112 Bordinge. 1785 betrugen die ausge-
gangenen Waaren an Werth 3,258,919 Rthl. preuß.
Cour. 1440 vereinigten ſich hier die preußiſchen Edelleute
und Städte, zur Aufrechthaltung ihrer Geſetze und Pri-
vile-

-vilegien, Marienburg, Conitz und Neustadt Thorn aber
traten 1450 von diesem Bündniß wieder ab. Jedoch
1454 fiel auch diese Stadt so wie fast ganz Preußen von
dem teutschen Orden förmlich ab, und begab sich unter
polnischen Schutz. 1626 und 1656 ergab sie sich den
Schweden freywillig. 1657 wurde sie zwar im brombergischen Vergleich dem Churfürsten von Brandenburg,
Friderich Wilhelm, versprochen, daß er sie so lange zu
Pfande haben sollte, bis ihm 400000 Rthlr. ausgezahlt
seyn würden, und 1660 ward sie ihm aufs neue durch
eine schriftliche Versicherung zugestanden; allein, er bekam sie nicht, und das Geld ward ihm auch nicht bezahlt. 1698 nahm sie desselben Sohn ein, gab sie aber
durch einen 1699 geschlossenen Vertrag der Republik zurück, als er seine Schuldfoderung auf 300000 Th. herunter-
gesetzt hatte, und man ihm zum Unterpfand eine so genannte
russische Krone, und Juwelen, welche der Republik zu-
gehörten, mit der Zusage gegeben hatte, daß, wenn die
Schuld nicht innerhalb vier Jahren abgetragen würde,
ihm frey stehen solle, das Gebiet der Stadt in Besitz zu
nehmen und zu nutzen. Als nun diese Zahlung nicht erfolgte, ließ Friderich, nach angenommener königlichen
Würde, 1704 das Gebiet der Stadt Elbing in Besitz
nehmen, und schoß der Stadt in eben demselben Jahr
noch die Summe von 70000 Thalern vor, damit sie die
Contribution bezahlen konnte, welche Karl der zwölfte ihr
auferlegt hatte. 1703 wurde sie von den Schweden besetzt, und mit der vorhin genannten Contribution beleget,
und 1710 den Schweden von den Russen mit stürmender
Hand weggenommen. 1772 kam sie an den König von
Preußen. Sie wird von dem nahgelegenen Drausensee,
auch Urbs Drusiana genannt, und war ehedessen die zweyte
unter den sogenannten drey größen preußischen Städten.

2) Marienburg, auf polnisch Malborg, eine königl.
Stadt, im kleinen marienburgischen Werder, am Fluß
Nogat, auf der Höhe, in einer angenehmen und fruchtbaren Gegend. Gegen über schränkt der werdersche Damm
den Nogatstrom ein, ist aber der Befestigung des Schlosses

fes schädlich. Ueber die Nogat gehet eine 539 Schuh lange
hölzerne Brücke. Das altmodische feste Schloß, ist eher
als die Stadt, erbauet worden: denn jenes soll 1231, diese
aber 1302 errichtet, und der Name eines vorhin daselbst
gestandenen Orts Czantrin abgeschaft seyn. Auf diesem
Schloß ward ehedessen der preußische Landesschatz verwahret. Die Bürger der eigentlichen Stadt, sind der evan-
gelisch=lutherischen Kirche zugethan, in den Vorstädten
aber wohnen viele Katholiken. Es ist hier eine lutherische
geistliche Inspection über die Kirchen im großen Werder.
Sie ist ehemals der Hauptsitz der Hochmeister des deutschen
Ordens gewesen. Die preußischen Landtage wurden wechselsweise hier und zu Graudenz gehalten. Jetzt ist hier
eine Kreis=Justiz=Commission, und das Großwerder Vog-
teygericht. 1460 wurde sie von den Polen, 1626 und 1655
von den Schweden eingenommen. 1644 brannte das
Schloß ab.

3) Christburg, auf polnisch Kryszbork, eine königli-
liche Stadt, mit einem alten 1247 angelegten Bergschloß,
am Fluß Sorge, der über Elbing in den Drausen fällt.
Es ist hier eine evangelisch=lutherische, und eine katholische
Kirche, und ein Kloster. Hier ward ehedessen das Schloßgericht des Woiwoden gehalten. Sie ist 1400 abgebrannt, und 1626 von den Schweden in Besitz genommen
worden.

4) Neuteich, ein königl. Städtchen, im großen Werder, am Fluß Schwenty oder Tyge, welches 1329 erbauet, und sowohl 1400 durch eine Feuersbrunst, als
sonst in verschiedenen Kriegen, stark beschädiget worden.
Es ist hier eine lutherische Kirche.

5) Tolkemit, ein Städtchen am frischen Häff, welches 1361 erbauet worden. 1767 brannte es bis auf das
Schloß und einige Scheunen nach ab.

6) Stuhm, eine kleine königliche Stadt und
Schloß, in einem kleinen Landsee, wo ehedessen der kleine
Landtag der Woiwodschaft Marienburg, und ein Landgericht gehalten worden. Es ist hier eine lutherische Kirche. Sie soll 1249, oder, nach anderer Meynung, 1278

erbauet seyn. 1410, 1454 und 1461 ist sie dem deutschen Orden von den Polen entrissen, und 1626 und 56 von den Schweden eingenommen worden.

2) Der Marienburg = Christburg = und Elbingsche Kreis. Der Elbingsche Kreis, theilet sich in die Höhe und Niederung, welche letzte den Elbingschen Werder ausmachet. Der Marienburgsche Kreis, machet den Marienburgischen Werder aus. Man nennet Werder, (lateinisch Insula,) das Land, welches aus einem niedrigen Sumpf und Morast urbar und wohnbar gemacht worden. Die Werder sind an Gras und Getreide sehr fruchtbar; Hügel findet man nicht viel darinn; und der elbingische Wald ist unter allen der größte. An vielen Orten müssen sich die Einwohner mit Torf, ja mit Stroh oder Stoppeln behelfen. Außer Hasen und Rephühnern, und anderm Geflügel, findet man sehr wenig Wildpret in den Wäldern; es giebt aber Wölfe. Die Flüsse liefern gute Fische. Die Bienen = und Vieh = Zucht ist gut, insonderheit sind die Pferde in gutem Ruf. Die Einwohner der Werder, sind jederzeit freye Bauren gewesen, und werden königliche Untersassen und werdersche Leute genennet; sie haben auch cölmische Güter und cölmisches Recht von den Ordensherren erhalten; doch sind diejenigen, welche jetzt unter der Stadtobrigkeit stehen, eingeschränkter, als die königlichen im marienburgischen Werder. Sie reden deutsch und polnisch, und sind größtentheils lutherisch und katholisch; der Reformirten sind wenige, der Mennoniten aber giebt es viele. Der große marienburgische Werder, wird größtentheils von der Weichsel und Nogat einge-

geſchloſſen, erſtreckt ſich bis ans friſche Haff, und enthält über 2130 Hufen, welche in Zins- und Scharwerks-Hufen, in Schulzen- und Kirchen-Hufen, (welche die katholiſche Geiſtlichkeit beſitzet), eingetheilet werden; dazu auch die vierzig Hufen der Stadt Marienburg, und die zwanzig Hufen des Städtchens Neuteich gehören. Im montauiſchen Wald, entſteht der Fluß Tiege, (Tyge, Tye), welcher anfänglich Schwenty genennet wird, des Werders ganze Länge durchfließet, das Städtchen Neuteich mit zwey Armen ganz einſchließt, und endlich bey Haberhorſt ins friſche Haff fällt. Der große marienburgiſche Werder, hat ſeine ſogenannten fünf Winkel, nämlich den montauſchen, ſchönauſchen, lichtenauſchen, neuteichſchen, und leſwitzſchen, und enthält 13 evangeliſche Kirchſpiele. Im erſten Winkel ſind 5 Dorfſchaften, darunter 2 Kirchdörfer; im zweyten 7 Dorfſchaften, darunter 2 Kirchdörfer; im dritten 7 Dorfſchaften, darunter 4 Kirchdörfer; im vierten ſind, außer dem Städtchen Neuteich, 8 Dorfſchaften, darunter 3 Kirchdörfer; und im fünften ſind 14 Dörfer, darunter 3 Kirchdörfer. In allen dieſen Winkeln ſind auch vier einträgliche königliche Vorwerke, nämlich Klein-Montau, Leſken, Kaminken, und Kaltenhof. Das tiegenhofiſche Gebiet, welches über 632 Hufen enthält, iſt ein Theil dieſes großen Werders; außer dem Schloß und Flecken Tiegenhof, am Fluß Tiege, ſind darinn 20 Dörfer, und unter denſelben 3 evangeliſche. Das daran gränzende bärwaldiſche oder barenhöfiſche Gebiet, enthält 195 Hufen, 15 Morgen und 5 Dörfer, darunter 2 evan-

evangelische Kirchdörfer sind. Endlich ist noch zum großen marienburgischen Werder der scharpausche Winkel zu rechnen, welcher 96 Hufen und über 14 Dörfer enthält, und der Stadt Danzig gehört. Der kleine marienburgische Werder, liegt zwischen der Nogat und dem See Drausen, und hat ehedessen der fischausche Werder geheißen. Die preußischen und holländischen Hufen, nebst den Weideländern, welche darinn gefunden werden, und bewohnet sind, werden auf 966 Hufen 12¾ Morgen gezählet. Auf den preußischen Hufen sind 21 Dorfschaften, und auf den holländischen Hufen und den Weideländern sind 16. Es sind in diesem Werder vier evangelische Kirchspiele. Beyde marienburgische Werder sind 1525 an die Krone Polen gekommen, welche einen Starosten zum Ober-Oekonom dahin setze, der vor allen Starosten im polnischen Preußen den Vorzug hatte. Der elbingische Werder wird zum Theil zum marienburgischen kleinen Werder gerechnet.

1) Das Amt Marienburg, welches aus dem beschriebenen großen und kleinen Marienburgischen Werder bestehet.

2) Das Amt Christburg.

3) Das Amt Stuhm. Stuhmdorf, ein Dorf, woselbst 1635 der zwischen Schweden und Polen 1629 auf sechs Jahr geschlossene Waffenstillstand, auf 26 Jahre verlängert worden.

4) Das Amt Tolkemit.

5) Das Amt Strasburg.

III. Pomerellen oder Klein-Pommern.

Die Geschichte desselben, ist in der Ausführung der Rechte Sr. Königl. Majestät von Preußen

sen auf das Herzogthum Pomerellen, ꝛc. folgendermaßen erzählt worden. Pomerellen heißet
das Land zwischen der Weichsel, Netze, Ostsee und
dem brandenburgischen Pommern. Unter den Staaten, welche aus dem mächtigen Reich der Wenden
zwischen der Elbe und Weichsel, entstanden, war
derjenige der ansehnlichste, welcher das heutige Pommern, Pomerellen, die Neumark und Ukermark begriff. Das zuverläßige und nicht unterbrochene Ge-
schlechtregister der Herzoge von Pommern, fängt
vom Svantibor I an, welcher 1107 gestorben ist,
und unter dessen 4 Söhnen zwey gewesen, die Hauptlinien gestiftet haben. Wratislav I stiftete die Linie
der Herzoge von Pommern, Stavien und Cassuben,
die bald zu Stettin, bald an andern Orten ihre
Residenz hatte. Sie starb 1637 mit Bogislav dem
vierzehnten aus, und ihre Lande fielen, vermöge der
Erbverträge, an das Churhaus Brandenburg. Bogislav I stiftete die Linie der Herzoge von Pomerellen, welche das Land zwischen der Grabo, Weichsel
und Netze, oder das eigentlich sogenannte Pommern
besaßen, und die Stadt Danzig zu ihrer Residenz
hatten. Als diese Linie schon 1295 in männlichen
Erben ausgieng, hätte Pomerellen natürlicher Weise
an die Herzoge von der erstgedachten Stettinischen
Linie fallen sollen, sie wurden aber durch die Kunstgriffe und überwiegende Macht Primislavs des zweyten,
Herzogs von Polen, davon ausgeschlossen, der auch
dem Wendischen Adel in Pomerellen angenehmer
war, und bey dieser Gelegenheit den Titul eines Königs von Polen annahm. Seine Nachfolger auf
dem Thron, blieben zwar eine Zeitlang im Besitz

von Pomerellen, den sie aber nach 1306 theils durch die Marggrafen von Brandenburg, theils durch den deutschen Orden, verloren. Jene, welche entweder seit, oder auch vor der Verbindung des Landes der Slaven mit dem deutschen Reich, von den Kaisern zu Lehnsherrn der Herzoge von Slaven und Pommern verordnet waren, auch von diesen dafür erkannt wurden, (s. die Beweisurkunde Num. 1) forderten nach Mestwins II Tode, Pomerellen als ein erledigtes und ihnen heimgefallnes Lehn, konnten aber erst nach 1306 zum Besitz des größten Theils desselben, Danzig ausgenommen, gelangen, und überließen denselben 1311 dem deutschen Orden für 10000 Mark Silber, so daß sie nur das Land zwischen den Flüssen Leba und Grabo behielten, darinn Lauenburg, Bütow, Stolpe und Slave liegen. Der Orden mußte Pomerellen nebst dem Titul an Polen abtreten, welches besonders 1343 und 1436 geschah, und endlich mußte er 1466 den ganzen westlichen Theil von Preußen, oder das nachmals sogenannte polnische Preußen, an Polen überlassen. Was bisher kürzlich gesagt worden, kann man durch die glaubwürdigsten Urkunden und Geschichtschreiber beweisen, die auch angezeiget worden. Daß des oben erwähnten Mestwins II, letzten Herzogs von Pomerellen, nächste Vettern und Seitenverwandte, die Herzoge Bogislav und Otto gewesen, von welchen jener zu Stettin, und dieser zu Wolgast residirte, wird durch eine alte Stammtafel bewiesen, welche sich auf Mestwins II Geständniß, auf das Zeugniß vieler Urkunden, und auf die übereinstimmige Aussage der pommerschen Geschichtschreiber gründet. Sie hätten also sowohl

nach

nach der Ordnung der Natur, als nach der einge=
führten Lehnsfolge succediren, und alle übrige Prä=
tendenten sowohl von der weiblichen Linie, wie die
Herzoge von Polen, als die, welche ihr Recht auf
andere Gründe baueten, ausschließen sollen, und
Mestwin II selbst erkañte und bestätigte ihr Recht
durch einen öffentlichen Tractat von 1264, in wel=
chem er Barnim, Herzog von Stettin, seinen Bluts=
verwandten, (Consanguineum) nannte. Es waren
auch die Stände von Pomerellen von dem Erbrecht
der Herzoge zu Stettin also überzeuget, daß ver=
schiedene derselben, insonderheit die Abteyen Oliva,
Earnowitz, und Buckow, noch bey Lebzeiten Mest=
wins, und mit desselben Bewilligung, ihre Privi=
legien und Besitzungen durch die Herzoge von Stettin
bestätigen ließen, und diese nenneten in den Urkun=
den, den Herzog Mestwin ihren Vetter (Cogna=
tum). Aller dieser Gerechtsame ungeachtet, wur=
den doch die Herzoge von Stettin durch die Polen
von der Verlassenschaft Mestwins verdrungen. Wenn
es auch wahr wäre, daß die Ritterschaft von Pome=
rellen den Herzog von Polen Primislav den zweyten
zu ihrem künftigen Landesherrn erwählt, und Mest=
win der zweyte ihnen aus Schwachheit darinn nach=
gesehen hätte, welches die pommerschen Geschicht=
schreiber erzählen, ja, wenn auch Mestwin der zweyte
gedachten pölnischen Herzog zu seinem Nachfolger er=
nannt hätte, wie Dlugoß behauptet: so könnte doch
Polen daraus kein Recht an Pomerellen herleiten,
welches den Rechten der Herzoge zu Stettin, die sich
auf Blutsverwandschaft und Verträge gründeten, und
also älter und stärker waren, und der anerkañten

Ober=

Oberlehnsherrlichkeit der Marggrafen von Brandenburg, Eintrag thun könnte. Eine Oberlehnsherrschaft der Könige von Polen über Pomerellen, ist unerweislich, gesetzt aber, sie könnte erwiesen werden, so konnten sie doch die Herzoge zu Stettin von der Erbfolge ihrer Vettern und Seitenverwandten nicht ausschließen. Auf den Friedensschluß zwischen Polen und dem deutschen Orden von 1466, kann sich die Krone Polen nicht berufen, denn der deutsche Orden konnte ihr keine größere Rechte abtreten, als er selbst auf eine gültige Weise hätte. Die Herzoge zu Stettin, welche rechtmäßige Nachfolger der Herzoge von Pomerellen waren, konnten ihre Rechte an dieser Erbschaft nicht ausführen, sondern mußten dieselben bloß durch Protestationen verwahren. Sie brachten unterdessen bey aller Gelegenheit von Pomerellen so viel an sich, als möglich war, und fiengen aufs neue an, sich des Tituls der Herzoge von Pommern beständig zu bedienen. Sie haben niemals förmlich Verzicht auf Pomerellen gethan, und ihre Rechte auf ihre Nachfolger, die Churfürsten von Brandenburg gebracht. Es ist also der König von Preußen als Churfürst von Brandenburg und Herzog von Pommern, befugt, die Rechte, welche seine Vorfahren die Herzoge von Pommern von je her an Pomerellen gehabt, zu gelegener Zeit geltend zu machen. Zwar haben die alten Marggrafen dieses Land, und ihre Rechte, die sie als Marggrafen von Brandenburg an demselben gehabt, dem deutschen Orden verkauft, sie haben aber die Rechte, welche ihre Nachfolger lange hernach durch die Erbschaft der Herzoge von Pommern erworben haben,

und

und die viel ſtärker ſind, als die Anforderung der alten Marggrafen, weder verkaufen können, noch wollen: man kann auch wider die Gültigkeit oder fortdaurende Verbindlichkeit dieſes Verkaufs, ſehr wichtige Einwendungen machen, die hier angeführet werden. Es iſt alſo klar, daß der König Pomerellen aus zwey gleich wichtigen Rechtsgründen wieder gefodert habe, nämlich aus dem Erbfolgerecht, und aus dem Recht der Oberlehnsherrſchaft.

Die Einwohner dieſer Provinz ſind ehemals, zum Unterſchied von den andern, Pommerinken genennet worden. Sie hat zu polniſchen Zeiten einen Woiwoden gehabt, welcher der dritte unter den preußiſchen war, einen Unterkämmerer und Schwerdtträger. Der Staroſteyen waren fünf, nämlich die Sluchauiſche, Schweziſche, Tuchelſche, Dirſchauiſche und Puzigſche. Es folgen nun

I. Die Städte.

1) Folgende haben einen gemeinſchaftlichen Kriegs- und Steuer-Rath.

(1) Dirſchau, Derſau, auf polniſch Tezewo, (Tſchewo,) eine feſte königl. Stadt an der Weichſel, die 1209 erbauet ſeyn ſoll, ehedeſſen Sau geheißen hat, und der Hauptort einer Grafſchaft geweſen iſt. Mſczugius ſtiftete 1288 hieſelbſt ein Kloſter für Prediger-Mönche. 1310 und 1432 oder 33 iſt der Ort in die Aſche geleget worden, und 1577 brannte er abermals ab. 1626 und 1655 ward er von den Schweden eingenommen. Sie war ehedeſſen unter den kleinen Städten in Pomerellen die erſte ausſchreibende Stadt, der Sitz eines Landgerichts, und eine königl.

königl. polnische Oekonomie. Es ist hier eine lutherische Kirche, und ein Dominikanerkloster.

(2) Berend, auf polnisch Bernt, eine kleine Stadt, mit einer katholischen und einer lutherischen Kirche.

(3) Mewe, Gniewie, ein königliches Städtchen und Schloß, beym Einfluß des Fers in die Weichsel. Es kam 1283 an den deutschen Orden, der daselbst eine Festung anlegte. 1463 mußte es sich den Polen ergeben, und 1626 und 1655 den Schweden. Der Hauptkirche haben sich die Katholiken 1596 bemächtiget, die Lutheraner haben noch die andere Kirche.

(4) Neuburg oder Neuenburg, ein königliches Städtchen, welches mit der einen Seite die Weichsel, mit der andern aber Moräste berühret. Seiner wird schon beym Jahr 1310 gedacht. 1458 jagten die Bürger die polnische Besatzung hinaus, daher sich die Kreuzherren des Orts bemächtigten, denen er aber 1464 oder 65 von den Polen wieder abgenommen wurde. 1626 und 1655 nahmen ihn die Schweden in Besitz. Es ist hier eine lutherische Kirche, eine katholische Kirche, und ein Kloster.

(5) Neustadt, eine kleine Stadt.

(6) Putzig oder Pautzke, auf polnisch Pucko (Putz-ko,) ein Städtchen mit einem festen Schloß. Auf der einen Seite ist es mit Morästen umgeben. 1464 wurde der Ort nach einer langen Belagerung von den Dänen, 1626 von den Schweden, und im folgenden Jahr wieder von den Polen eingenommen. Die Ostsee macht zwischen Danzig und Pautzke einen Meerbusen, welcher Pautzkerwick genennet wird.

(7) Schöneck, am Fluß Fers, ein königliches Städtchen und Schloß. Es scheinet nach dem Jahr 1180 erbauet zu seyn. Sechs Jahre nach seiner Erbauung wurde es von den Preußen zerstöret, aber bald wieder erbauet, worauf es entweder durch Kauf, oder Tausch von den Johanniter Rittern an den deutschen Orden kam. Es ist hier eine evangelisch-lutherische geistliche Inspection und Kirche.

(8) Starzard, Starogard, eine kleine königliche Stadt, am Fluß Fers. Als der Ort noch ein Flecken war,

war, gab ihn der pommeriſche Fürſt Subislaw den Johanniter Rittern, welche die Johanneskirche darinn erbaueten. Auf der Stelle, wo er nun ſtehet, iſt er vom
deutſchen Orden 1339 erbauet, oder erneuert, und gänzlich vollendet worden; mit welcher Verlegung der Stadt
die Johanniter Ritter gar nicht zufrieden waren. 1645
wurde ſie von den Polen eingenommen, und 1655 ergab
ſie ſich den Schweden. Hier iſt der keine Landtag von
Pomerellen gehalten worden, und ſie iſt unter den kleinen
Städten in Pomerellen, die zweyte ausſchreibende Stadt
geweſen. Außer der lutheriſchen Kirche, iſt hier auch eine katholiſche, es iſt hier auch eine Kreis-Juſtiz-Commiſſion.

(9) Die verbundenen Städte vor Danzig.

a. S. Albrecht, woſelbſt 6 Patres miſſionis ſind.
b. Alt-Schottland, woſelbſt ein Kloſter der barmherzigen Brüder, und ein königl. kathol. akadem. Gymnaſium.
c. Stolzenberg, woſelbſt ein Kloſter der Reforma-
ten Barfüſſer, und eine Kreis Juſtizcommiſſion.
d. Schidlitz. e. Langefuhr. f. Neu-Schottland.

2) Folgende haben auch einen gemeinſchaftlichen
Kriegs- und Steuer-Rath

(1) Konitz, Choinitz, eine kleine königl. Stadt, an
der Gränze der Neumark. Bey derſelben hat ehedeſſen
ein feſtes Schloß geſtanden. Sie hat 2 lutheriſche, und
3 römiſch-katholiſche Kirchen, 1 Auguſtinerkloſter, und ein
kathol. Gymnaſium, welches ehedeſſen ein Jeſuiter-Collegium war, es iſt hier auch eine evangeliſch-lutheriſche Kir-
chen-Inſpection. Der ganze Rath iſt lutheriſch, und hat
ſeit der hier 1555 geſchehenen Reformation, keinen römiſch-
katholiſchen aufgenommen. Sie handelt vornehmlich mit
Teer, Tuch und Wolle. Unter den kleinen Städten in
Pomerellen, iſt ſie die dritte ausſchreibende Stadt geweſen, und hat die einverleibten vier Städte Friedland,
Schlochau, Hammerstein und Tuchel, zuſammen berufen. Es verſammleten ſich auch in derſelben die adelichen

chen Landgerichte des schlochauischen Gebiets jährlich dreymal: sie hielt auch auf dem Rathhause die Vor-Landtage
des benachbarten Adels, die vor dem allgemeinen preußischen Landtage hergiengen. 1454 siegete bey derselben
der deutsche Orden über die Polen. Sie ist dem deutschen
Orden bis 1466 treu geblieben, da sie sich dem Könige
Casimir IV. ergab, welcher ihr neue Vorrechte und Freyheiten schenkte. 1657 ist sie von den Schweden eingenommen und geplündert worden, und zwey Jahre hernach
hat sie dieses Schicksal noch einmal gehabt.

(2) Schwetz, Swiecie, ein königl. Städtchen
und Schloß, an der Weichsel. Herzog Suantopolk erbauete 1244 das Schloß wider den deutschen Orden; die
Stadt ist nach der Zeit angeleget, und 1340 befestiget
worden, nachdem sie 1310 in des Ordens Gewalt gekommen war. 1454 ward sie von den Polen, im folgenden Jahr vom deutschen Orden, 1466 wieder von den Polen, 1655 von den Schweden, und das Jahr darauf abermals von den Polen eingenommen.

(3) Tuchel, eine kleine königl. Stadt, mit einem
Schloß, am Fluß Bro, welche ehemals in den polnischen
und preußischen Kriegen berühmt, und woselbst ein Landgericht gehalten worden. 1181 brannte sie ganz ab, König Fridrich II ließ sie aber wieder aufbauen, und nicht
nur die katholische Kirche, sondern auch das Rathhaus
mit einem Thurm versehen. Im zweyten Stockwerke des
Rathhauses ist für die evangelische Gemeine ein Versammlungsort zum Gottesdienst eingerichtet. Es ist hier eine
kathol. Kirche.

(4) Friedland, oder Märkisch-Friedland, eine kleine königl. Stadt, woselbst eine lutherische und eine katholische Kirche.

(5) Schlochau oder Sluchau, ein königl. Städtchen mit einer katholischen Kirche.

(6) Hammerstein, eine kleine königl. Stadt, beym
Ursprung des Flusses Bro, welche sich 1466 den Polen
unterworfen hat. 1719 brannte sie ab. Es ist hier eine
utherische Kirche.

(7) Bal-

(7) **Baldenburg**, Bialenburſkie, ein Städtchen, mit einer katholiſchen und lutheriſchen Kirche.

(8) **Landek**, ein Städtchen.

2. Die landräthlichen Kreiſe.

1) Der Dirſchauſche Kreis, in welchem

(1) Das Amt Dirſchau.

(2) Das Amt Berend.

(3) Das Amt Putzig.

(4) Das Amt Oliva.

Oliva, ein berühmtes Kloſter, eine Meile von Danzig, welches der Herzog Subislav 1170, oder, nach anderer Bericht, Herzog Samborius von Pommern, im Jahr 1178 geſtiftet, und mit Benedictiner-Mönchen beſetzt hat. 1224 und 1234 oder 36 wurde es von den beidniſchen Preußen, und 1432 oder 33 von böhmiſchen Soldaten, die für polniſchen Sold dieneten, in die Aſche geleget. 1577 zerſtörten es die Danziger, mußten aber 20000 Gulden zur Wiederaufbauung deſſelben bezahlen. 1660 am dritten May wurde hier zwiſchen den Polen und Schweden ein Friede geſchloſſen, und im folgenden Jahr in die polniſchen Reichsgeſetze eingerücket. Das Kloſter iſt jetzt mit Ciſtercienſer-Mönchen beſetzet. Die Kirche iſt inwendig überaus ſchön, inſonderheit fallen der hohe Altar und die Kanzel wegen der vortreflichen Vergoldungen ungemein in die Augen. Man zählet auf 40 Altäre in derſelben, die insgeſammt aufs beſte geſchmücket ſind. Unter den angebrachten Kapellen, iſt die der Jungfrau Maria gewidmete, ſehr prächtig. Im Chor ruhen die Gebeine des Stifters des Kloſters und ſeiner Söhne, unter einem marmornem Grabſtein; und an den Seiten ſiehet man die Bildniſſe der hohen und vornehmen Wohlthäter, welche das Kloſter beſchenket haben. Im Kloſter findet man nahe beym Eingang in die Kirche eine marmorne Tafel in der Wand, welche zum Gedächtniß des oben gedachten Friedens dahin geſetzet worden. Die Apotheke iſt gut eingerichrichtet. Das Kloster hat das Recht, Bernstein zu sammeln. Um daſſelbe her iſt ein wohlgebaueter Flecken angeleget.

Daß der jetzige Hafen der Weichſel, auf einem Grund und Boden angeleget ſey, der in Anſehung des Eigenthums dem Kloſter Oliva, und in Anſehung der Landeshoheit dem Könige von Preußen als Fürſten von Pomerellen zugehöre, iſt 1773 in einer eigenen Schrift, genannt, preuves & defenſe des droits du Roi ſur le port & péage de la Viſtule, ausgeführet worden. In dieſer Schrift wird aus Urkunden von 1235, 1283, 1291 und 1342 gezeiget, daß die Landesherren von Pomerellen im Kloſter Oliva den eigenthümlichen Beſitz der ganzen weſtlichen Gegend zwiſchen der Oſtſee, Weichſel und den Bächen Etrieß und Svilina, nebſt dem Ufer der Weichſel und der Oſtſee, dem Kloſter verſichert, auch erkläret haben, daß der Seeſtrand, welcher dem Kloſter eigenthümlich zugehöre, vom Hafen in der Weichſel, das iſt, vom jetzt ſogenannten Vorder-Gatt, welches der alte damalige Hafen ſey, anfange, und ſich bis an den Bach Svilina erſtrecke. In dieſem Diſtrict ſey der jetzige Hafen der Weichſel, welcher das Weſter-Fahrwaſſer genannt werde, und die Plate, begriffen, denn beyde lägen zwiſchen dem alten Hafen und der Svilina. Als der alte Hafen durch Sand verſtopfet worden, und die Stadt Danzig mit dem Vorhaben umgegangen, den jetzigen Hafen anzulegen, habe ſie 1643 mit der Abtey Oliva einen Vertrag errichtet, in welchem ihr die Abtey den Boden, auf welchem er nachmals (und zwar mit Widerſpruch der Abtey) angeleget worden, auf 93 Jahre gegen einen jährlichen Zins von 100 Reichsthalern abgetreten; die Stadt habe in dieſem Vertrage erkannt, daß der Grund und Boden der Abtey ſich bis an das Ende des Seeſtrandes auf beyden Seiten erſtrecke; ſie habe auch ohnlängſt in einer öffentlichen Schrift zugeſtanden, daß der Boden, auf welchem der jetzige Hafen angeleget ſey, der Abtey Oliva zugehöre, ja daß dieſe noch jetzt das dominium directum über dieſen Boden habe. Sie wolle zwar behaupten, daß das ihr abgetretene dominium utile ihr eine Art des Eigenthums ver-

verschaft habe, und daß man also diesen Boden als ein
Stück des Danziger Gebiets ansehen müsse: es verschaffe
aber das dominium vtile kein dominium plenum, ge=
schweige ein territoriale, es habe auch die Abtey das ius
territoriale über den Boden, auf welchem der Hafen sey,
selbst nicht gehabt, und also auch nicht an die Stadt ab=
treten können. Der König, welcher iure postliminii den
Besitz von Pomerellen, und das ius territoriale über alle
Güter des Klosters Oliva bekommen habe, könne den em=
phiteutischen Contract, welchen die Abtey mit der Stadt
Danzig eingegangen, wieder aufheben: ja er könne als
nunmehriger Schutzherr der Abtey diesen Vertrag vernich=
ten, welchen die Abtey wider die canonischen Gesetze ein=
gegangen. — — Da nun der König als jetziger Landes=
fürst von Pomerellen und von der Abtey Oliva, Besitzer
des Hafens sey, so gehörten ihm auch die Abgaben, die
für die Schiffe und Waaren, welche in demselben ankom=
men, bezahlet werden müssen. Daraus, daß der König
von Polen bisher eine Hälfte der Pfalgeldes gezogen, die
zweyte Hälfte aber der Stadt Danzig für die Unterhaltung
des Hafens gelassen, erhelle schon, daß das Geld, wel=
ches in dem Hafen erleget wird, dem Landesfürsten, in
dessen Gebiet der jetzige Hafen ist, zugehöre, und dieser
sey der König von Preußen, die Stadt aber könne gar
keinen Anspruch an gedachten Abgaben machen, denn der
Hafen gehöre ihr nicht zu, sie unterhalte ihn auch nicht
mehr, und für die ehemals daran gewandten Kosten, sey
sie durch den vieljährigen Genuß hinlänglich bezahlet.

Der Danziger Werder, Zulawa Gdańska,
welcher von der Weichsel, der Motlau und ihren Laken
umgeben wird, begreift 33 Dörfer, die sich auf 1400
Hufen Landes belaufen. Es sind darinn 12 Kirchdörfer,
nämlich Stüblau oder Stieblau, Gütland oder Jüt=
land, Osterwick, Woschitz, Trutenau, Wyzlow,
Gotteswald, Reichenberg, Käsemark, Goßunder,
Lezkau, Nassenhuben, welches reformirt ist, und 2 Ka=
pellen. Von dem Kirchdorf Stieblau oder Stüblau,
hat der stieblauische Werder den Namen. In dem Kirch=
dorf Gütland, sind zu Kriegeszeiten Schanzen aufgewor=

fen worden. Zu Schmerblock an der Weichsel, wohnen
lauter Holländer. Die Motlau trennet den Danziger
Werder von der Danziger Niederung, welche mit der
folgenden Nehrung nicht verwechselt werden muß.

Die frische Nehrung, auf polnisch Nizina,
ist ein schmaler, aber langer Strich Landes zwischen der
Lische, den Armen der Weichsel und dem frischen Haff,
der sich bis nach Pillau erstrecket. Sie ist 11 Meilen lang, und ihre größte Breite beträgt 5 Meilen von
Danzig bey Stutthof, ungefähr eine halbe Meile. Das
nach der Weichsel liegende Land, ist urbar gemacht, und
dienet zu Acker-Wiesen- und Weide-Land, das seewärts
gelegene aber, und alles Land zwischen der See und dem
Haff, ist Waldung und Heide. Der von der Ostsee aus-
geworfene Sand, hat nicht nur einzelne Stellen des urbar gemachten Landes bedeckt und unbrauchbar gemacht,
sondern es sind auch in einem Strich, der anderthalb Meile
lang, und eine halbe Meile breit ist, alle daselbst gestan-
dene Bäume mit Sand bedecket. Daher gab die natur-
forschende Gesellschaft zu Danzig 1767 die Preisaufgabe
auf, wie weit dem weitern Anwachs der Sanddünen am
besten vorgebeuget werden könne. In derselben ist das
merkwürdigste die Festung Münde oder Weichselmünde,
welche am Ausfluß des westlichen Arms der Weichsel in
die Ostsee, liegt, und derselben gerade gegen über, jenseits
des Stroms, ist die Westerschanze. Sie hat den Namen von der Mündung der Weichsel, gehöret der Stadt
zu, ist stark, und hat eine Kirche und einen guten Hafen.
1734 ward sie von den Sachsen eingenommen. Sonst
sind hier die Kirchdörfer Bohnsak, Schönbaum, Kob-
belgrube, Neukrug, Prebernau und Tiegenorth belegen.

(5) Das Amt Langfuhr und Neuschottland.

(6) Das Amt Mirchau.

Mirchau, auf polnisch Mirachow, ein Flecken.

Marien-Paradies, ein Carthäuser-Kloster, unweit
Mirchau, zwischen zwey Seen, ist das einzige dieses Ordens in ganz Preußen.

(7) Das Amt Subkau.

(8) Das Amt Sobbewitz.

(9) Das Amt Brink.

10)

(10) Das Amt Starczin oder Starſien.

(11) Das Amt Carthaus.

2) Der Stargardſche Kreis, in welchem

(1) Das Amt Schöneck.

(2) Das Amt Stargard.

Peplin, ein Kloſter Ciſtercienſer-Ordens, deſſen Abt Commiſſarius, Vicarius generalis und Viſitator aller Klöſter dieſes Ordens in ganz Polen, iſt.

(3) Das Amt Mewe.

(4) Das Amt Kyſchow.

(5) Das Amt Neuenburg.

(6) Das Amt Mewe.

(7) Das Amt Berend.

(8) Das Amt Peiplin.

(9) Das Amt Vordcziſchow.

(10) Das Amt Komorsz.

(11) Das Amt Putzig.

(12) Das Amt Münſterwalds und Oſtrowitt.

2) Die Aemter.

a. Das Amt Schwetz.

b. Das Amt Tuchel.

c. Das Amt Schlochow.

d. Das Amt Hammerſtein.

e. Das Amt Jaſſienitz.

IV. Ermland, Varmia, Epiſcopatus Varmienſis, welches ganz von Oſt-Preußen umgeben iſt, und deswegen unter dem Landes-Collegium deſſelben ſtehet.

1. Der Städte Kreis, zu welchem gehören

1) Braunsberg, auf polniſch Brunsberg, eine ziemlich große Handelsſtadt an der Paſſarge, welche eine Meile davon ins friſche Haff fällt. Sie iſt 1255 erbauet, und nach dem Namen des pragiſchen Biſchofs Bruno benennet worden; wird durch den Fluß in die Altſtadt, welche bemauert iſt, und Neuſtadt, welche Palliſaden hat, abgetheilet, iſt volkreich, und brauchet das Lübiſche Recht.

1782 hatte sie mit den beyden Vorstädten, 621 Feuerstellen und 4370 Menschen. Es ist hier eine katholische geistliche Inspection. Das katholische Gymnasium und Schulen-Institut, war ehedessen ein Jesuiter-Collegium, welches der gelehrte und berühmte Cardinal und ermländische Bischof, Stanislaus Hosius, stiftete; daher es von ihm Hosianum genennet wurde. Es ist auch ein Nonnenkloster hieselbst. 1260 ward hier die ermländische Domkirche mit 16 Pfründen für so viel Domherren errichtet. 1461 jagten die Einwohner die polnische Besatzung aus der Stadt, und nahmen den ermländischen Bischof auf, der es mit dem deutschen Orden hielt. 1637 machte König Uladislaus durch eine öffentliche Urkunde die ersten hiesigen Patricier. Ehemals gehörte diese Stadt unter die sogenannten großen preußischen Städte, und also zum Landesrath, nachher kam sie unter den Bischof, und war die Hauptstadt des Bisthums.

2) Frauenburg, auf polnisch Framburg, eine kleine und offene Stadt, am frischen Haff, in welche sich hier der Kanal, die neue Bude genannt, ergießet. Mit ihrer Erbauung ist 1279 der Anfang gemacht worden, und sie bedienet sich des Lübischen Rechts. Das Domkapitel von 16 Domherren, hat hier seinen Sitz, und die Domkirche stehet auf einer Höhe. Der berühmte Mathematiker Nikolaus Kopernikus war hier Domherr, und starb hieselbst am 24 May 1543. Sie hatte 1782 nebst den Vorstädten 1808 Menschen.

3) Mehlsack, eine Stadt und Schloß an der Walscha, welche in die Passarge fließet. Die Stadt hat 314, und die beyden Vorstädte haben 100 Feuerstellen. 1782 fand man in jener und diesen über 2000 Menschen. Die Stadt ist 1326 erbauet.

4) Wormdit, auf polnisch Orneta, Stadt und Schloß, am Flüßchen Drewenz, erbauet 1316. Sie hatte 1782 nebst der Vorstadt, 348 Feuerstellen und über 2000 Menschen. Es ist hier ein Nonnenkloster. In der Vorstadt Pillau, sind 12 Feuerstellen.

5) Guttstadt, auf polnisch, Dobre Miasto, eine Stadt an der Alle, welche 1326 erbauet worden, und vie=

vieles ausgestanden hat. Es ist hieselbst eine Collegiat=
kirche von fünf Canonicis, und 1782 hat man über 2300
Einwohner gezählet.

6) Heilsberg, ehedessen Lecbarg, eine feine Stadt,
an der Alle, mit einem schönen Residenzschloß des Bi=
schofs von Ermland. Die Stadt an sich hat nur 273
Feuerstellen, mit den Vorstädten aber 400, und 1782
fand man über 3200 Menschen. Sie ist vor 1240 er=
bauet. 1521 brannte sie ab. 1703 hatte der schwedische
König Karl XII hier sein Hauptquartier. Es hat hier das
bischöfliche ermländische Landvogteygericht seinen Sitz, wel=
ches 1772 errichtet worden, und ein der ostpreussischen
Regierung unterworfenes Untergericht ist.

7) Bischofsstein, oder Bistein, ein Städtchen, wel=
ches 1385 erbauet, 1455 von dem deutschen Orden in Be=
sitz genommen, und 1589 abgebrannt ist. Die Stadt
selbst hat nur 240, mit den Vorstädten aber 370 Feuer=
stellen. 1782 waren hier 2141 Menschen. Die Pfarr=
kirche (erbauet von 1776 bis 1781) ist ein schönes Gebäude.

8) Roessel, oder Ressel, ein Städtchen und Schloß.
Die Stadt ist 1337 von dem Domkapitel erbauet; hat an
sich selbst nur 155, mit den Vorstädten aber 333 Feuer=
stellen, und ungefähr 1000 Menschen. Ein Theil des
Schlosses, ist zum Zucht= und Armen Hause eingerichtet.
Aus dem ehemaligen Jesuiter Gymnasium ist ein kathol.
Schulen=Institut errichtet worden. Man findet hier ein
Jungfernkloster

9) Seeburg, eine kleine und offene Stadt, welche
schon vor 1389 erbauet war, an sich 136, mit 3 Vorstäd=
ten aber 228 Feuerstellen, hat. 1782 zählte man 1534
Menschen. Es ist hier ein altes Schloß. 1783 brannte sie ab.

10) Bischofsburg, oder Bischburg, auf polnisch,
Biscupiec, eine keine und offene Stadt, am Fluß Dim=
mer, erbauet 1395, mit ungefähr 1400 Menschen. 1766
brannte sie ganz ab, und wurde nur schlecht wieder erbauet.

11) Wartenburg, eine kleine Stadt, mit einem
Schloß, zwischen den Flüssen Pissa und Keymes, welche
sich hernach vereinigen, und in den See Wadang fließen

1782 fand man in der Stadt und ihren Vorstädten 241 Feuerstellen und 1562 Menschen. 1455 ergab sie sich an den deutschen Orden. 1494 brannte sie ab. Es ist hier ein Bernhardiner Barfüßerkloster.

12) Allenstein, auf polnisch Olsztyn, eine kleine Stadt mit einem Schloß an der Alle, welche 1374 angeleget worden. An sich hat sie 222, und mit den beyden Vorstädten aber 283 Feuerstellen, und 1782 fand man über 2000 Einwohner.

2. Die landräthlichen Kreise, nemlich

1) Der Braunsbergische Kreis, in welchem folgende königl. Domainenämter

(1) Das Amt Braunsberg, dessen Sitz das Schloß in der Stadt dieses Namens ist.

(2) Das Amt Frauenburg, auf dem Vorwerk Rogitten.

(3) Das Amt Mehlsack, auf dem Schloß in der Stadt Mehlsack.

(4) Das Amt Wormdit, auf dem Schloß zu Wormdit.

(5) Das Amt Guttstadt, auf dem Vorwerk Schmolainen.

(6) Neun und zwanzig adeliche Oerter.

2) Der Heilsbergische Kreis, in welchem folgende königliche Domainen-Aemter.

(1) Das Amt Heilsberg, auf dem Vorwerk Neuhof.

(2) Das Amt Roessel, auf dem Vorwerk Bischofsdorf, am See Zain.

(3) Das Amt Seeburg, auf dem Schloß in der Stadt Seeburg.

(4) Das Amt Wartenburg, auf dem Schloß in der Stadt dieses Namens.

(5) Das Amt Allenstein, auf dem Schloß in der Stadt Allenstein.

Erster

Erster Anhang zu West-Preußen

von dem

Netz-District.

Der Netz-District, welcher seinen Namen von
der Netze, auf polnisch Notec, (Notez)
hat, auf deren beyden Seiten er lieget, bestehet aus
Stücken der groß-polnischen Woiwodschaften Posen,
Gnesen, Inowroclaw, und Brzesc, welche dem Könige
von Preußen 1773 von der Republik Polen abgetreten
worden. Das Stück desselben, welches zwischen den
Flüssen Netze, Drage und Kuddow liegt, hat im
vierzehnten und funfzehnten Jahrhundert zu der Neumark, und also den Markgrafen von Brandenburg
gehört, wie in der Ausführung der Rechte rc.
S. 29 f erwiesen worden. Die Gränzen des Netz-
Districts, den man ganz füglich das Netzeland
nennen könnte, sind 1776 und 1777 festgesetzt worden. Er ist in sofern zu West-Preußen geschlagen
worden, daß er unter der west-preußischen Regierung auch Kriegs- und Domainen-Kammer zu Marienwerder stehet, jedoch als ein besonderes Land, daher auch demselben zu Bromberg theils ein Hofgericht, theils eine Kammer-Deputation vorgesetzet worden. Bey Bromberg fängt in der Brahe
ein neuer schiffbarer Kanal an, welcher der brom-
berger Kanal genennet wird, und sich oberhalb
Nakel in der Netze endet. Er hat innerhalb der er-

sten

sten 2000 rheinländischen Ruthen, 8 Schleusen, nimmt alsdenn nach ungefähr 800 Ruthen einen Speise-Kanal auf, der aus der Netze abgeleitet worden, läuft von dannen noch 1600 Ruthen bis zu der neunten Schleuse, und vereiniget sich nach 700 Ruthen mit der Netze. Er nimmt seinen Weg durch eine morastige Gegend, über welche oberhalb Nakel der neue Damm führet, den der Kanal durchschneidet. Der Netzdistrict enthält

I. Folgende Städte, welche unter 2 Kriegs- und Steuer-Räthen stehen.

1. Unter dem ersten stehen

1) Camin, eine Stadt. Es ist hier ein Collegiatstift, und ein königl. Domainenamt.

2) Deutsch-Krone, auf polnisch Walęck, (Walezk) eine Stadt, welche ehedessen der Hauptort eines Prowiat, und der Sitz einer Starostey war. Jetzt ist hier ein Kreis-Justitiariat. In ältern Zeiten gehörte sie zu der Neumark, und die Familie von Wedel war im Besitz derselben. Hier ist ein kathol. Gymnasium, welches aus einer Jesuiter-Residenz entstanden.

3) Filehn, auf polnisch Wielyn, eine Stadt auf einer Insel in der Netze, welche dem fürstlichen Hause Sapieha zugehöret; das hier ein Patrimonialgericht hat. Es ist hier eine evangelisch lutherische Kirche, deren Prediger zugleich Inspector über eine Anzahl Kirchen ist.

4) Flatow, eine Stadt, in welcher eine evangel. Kirche.

5) Märkisch-Friedland, eine Stadt, in welcher eine lutherische Kirchen-Inspection ist.

6) Jastrow, auf polnisch Jastrowo, eine Stadt an der Kuddow, in welcher ein Kreis-Justitiariat.

7) Krojanke, eine Stadt, in welcher viele Juden wohnen.

8) Lobsens, auf polnisch Lubyczyniec, (Lubitschiniecz,) eine Stadt, in welcher viele Tuchweber, und fast lauter evangelisch-lutherische Einwohner sind, welche eine

Kir-

Kirche haben. Es ist hier ein Bernhardiner Barfüßer-Kloster.

9) Miasteczko, eine adeliche Stadt.

10) Mrotzen, auf polnisch Morsza, (Morscha) eine Stadt, welche dem Grafen Malachowski gehöret, der auch unterschiedene Dörfer in dieser Gegend besitzet.

11) Radolyn, ein Städtchen, unweit der Netze.

12) Schlop, auf polnisch Szlop, Slopa, eine adeliche Stadt, In welcher eine evangelisch lutherische Kirche ist.

13) Schneidemühl, auf polnisch Pyla, eine Stadt an der Kuddow, in welcher eine Kreis-Justiz Commission.

14) Schönlanke, auf polnisch Trzelanka, eine adeliche Stadt, in welcher eine evangelisch-lutherische Kirche ist, und einige 100 Tuchweber wohnen.

15) Tietz, ehedessen Tütz, (Tütsch,) auf polnisch Tuczno, (Tutschno,) eine adeliche Stadt, welche vor Alters zu der Neumark gehöret hat, und ein Eigenthum der Familie von Wedel gewesen ist.

16) Vandsburg, Vansburg, Wensburg, eine Stadt, gehöret dem Grafen von Potulicke, welcher auch viele Dörfer in dieser Gegend besitzet.

17) Wirsitz, eine adeliche Stadt.

18) Groß-Wissek, auf polnisch Wysoka, eine adeliche Stadt, in welcher ein Capitel von sechs Canonicis ist.

19) Zempelburg, eine Stadt.

20) Budzin, eine kleine Stadt.

21) Chodziesz, (Chodsiesch,) Chodziesa, eine Stadt auch an der Südseite der Netze, welche dem Grafen Grundzynsky gehöret. 1768 wurde sie von den Conföderirten verbrannt.

22) Tscharnikow, nach polnischer Schreibart Czarnikow, eine kleine Stadt an der Netze, auf der Südseite derselben, welche 1768 bis auf eine Vorstadt nach, abbrannte.

23) Exin, eine kleine Stadt.

Gol-

24) Gollancz, (Gollantsch,) eine Stadt, des Grafen Mieltschinski. Hier ist ein Bernhardiner Barfüßer-Kloster.

25) Margonin, eine Stadt, der gräflichen Familie von Skorzewski. Es giebt auch ein Dorf dieses Namens.

26) Szamoczin, Samoszin, eine Stadt.

27) Uscz, Uscie, eine Stadt an der Südseite der Netze.

2. Unter dem zweyten Kriegs- und Steuer-Rath stehen

1) Bromberg, oder Bramberg, auf polnisch Bydgosz, (Bidgosch,) eine Stadt an der Brahe, welche sich mit der Weichsel vereiniget. Sie ist der Sitz eines Hofgerichts, einer Kammer-Deputation, einer Kriegskasse, einer Domainenkasse, u. a. m. und eines königl. Amts, es fänget auch hier der schiffbare Kanal an, welcher sich oberhalb Nakel in der Netze endet. Es ist hier eine kathol. Pfarrkirche, Gymnasium, welches aus dem Jesuiten-Collegium entstanden, ein Carmeliter-Bernhardiner-Barfüßer- und Clarissen-Nonnen-Kloster. 1787 wurde die evangelische Kirche eingerichtet. Der Stadt-kämmerey gehören unterschiedene Vorwerke und Dörfer. 1657 wurde hier ein Vertrag zwischen Polen und Churbrandenburg errichtet.

2) Barczin, (Bartschin,) ein Städtchen, des Grafen Lachocki, an der Netze.

3) Polnisch-Krone, auf polnisch Koronow, eine Stadt an der Brahe, in welcher ein königl. Amt ist, dazu viele Dörfer und Mühlen gehören. Auch ist hier ein Cistercienser Mönchenkloster.

4) Fordon, auch Fordan, eine Stadt an der Weichsel, woselbst die vorbeygehenden Schiffe einen Zoll erlegen. Sie wird auch Polnisch-Fordon, zum Unterschiede von dem nah gelegenen Dorf Deutsch-Fordon, genannt. Es ist hier ein Kreis-Justitiariat, und katholischer Probst, dem das Dorf Jaruschin gehört.

5) Nakel

5) Nakel, auf polnisch Naklo, eine Stadt an der Netze, mit einem von Moräſten umgebenen Schloß. Ehedeſſen war hier ein Staroſt, jetzt iſt hier ein königl. Amt, zu welchem einige Dörfer und einige Mühlen gehören.

6) Szulice, (Schulitz,) Sulec, (Sulez,) eine Stadt an der Weichſel. Bey derſelben ſind ſogenannte Holländer angeſetzt.

7) Gembitz oder Gombice, eine Stadt.

8) Gniewkowo, eine Stadt.

9) Gonſawa, Gonzawe, eine Stadt.

10) Inowroklaw, oder Inowraklaw, nach polniſcher Schreibart Inowroclaw, auf deutſch Jungenleslau, eine bemauerte Stadt, welche unter polniſcher Herrſchaft der Sitz eines Wowoden, größern Kaſtellans und Staroſten war. Es iſt hier ein königl. Amt, und ein Franciſcaner-Kloſter.

11) Kruſchwitz, auf polniſch Kruszwica, (Kruſchwitza,) eine alte Stadt am See Goplo, mit einem Schloß. Es iſt hier ein königl. Amt. Unter polniſcher Herrſchaft, war ſie der Sitz eines keinen Kaſtellans, und eines Staroſten. Das cujaviſche Bißthum iſt zuerſt in dieſer Stadt geſtiftet worden. Außerhalb derſelben ſtehet die Peterskirche, bey welcher ein Kapitel von 20 Domherren iſt.

12) Kwieczyszewo, (Kwietſchiſchewo,) eine Stadt.

13) Labiſchin, nach der polniſchen Schreibart Labiszyn, eine Stadt auf einer Inſel in der Netze, mit einem Worwerke. Sie gehöret, nebſt vielen Dörfern, der gräfl. Familie von Skorzewſki. Es iſt hier ein Reformaten-Barfüßerkloſter.

14) Mogilno, eine Stadt, in welcher ein Benedictinerkloſter.

15) Pakoſt, eine Stadt an der Netze.

16) Rinarczew, (Rinartſchew,) ein Städtchen, der gräflichen Familie von Skorzewſki.

17) Szubin, (Schubin,) ein Städtchen, des Grafen Micielſki, welchem auch verſchiedene Dörfer gehören. Es iſt hier ein katholiſcher Probſt, welchem ein paar Dörfer gehören.

18) Strzelno, eine Stadt, in welcher Coronigi Præmonſtrat. ord. S. Norberti, auch Prämonſtratenſer-Nonnen.

19) Wilatowo, eine Stadt.

20) Kcin, Kcyna, Znin, lat. Znena, eine kleine königl. Stadt mit einem Vorwerk, außer welcher der König nichts, in dieſer Gegend beſitzet. Ehedeſſen war hier eine Staroſtey, welche der Oberſtaroſt von Großpolen beſaß, und es ward hier ein Landgericht gehalten, jetzt iſt hier ein Kreis-Juſtitiariat. Dem hieſigen katholiſchen Probſt gehören ein paar Dörfer. Es ſind hier Karmeliter-Mönche.

II. Die landräthlichen Kreiſe, ſind der Brombergiſche, der Caminſche, Cronſche, und Inowratzlawſche Kreis. Unter dieſelben ſind die königlichen Domainen-Aemter alſo vertheilet, daß

Der zu Bromberg wohnende Juſtitzbeamte verwaltet die Juſtitz in den Aemtern Bromberg, Niszewiz, Gniewkowo und Murſinno;

Der zu Nakel wohnende, die Juſtitz in den Aemtern, Nakel, Caronowo, Camin, und Mrotzey;

Der zu Schneidemühl wohnende, die Juſtitz in den Aemtern Zelgnizwo, Lebehnke, Neuhof, Deutſch-Crone, Poſtelitz und Bialoslio;

Der zu Inowratzlaw wohnende die Juſtitz in den Aemtern Inowratzlaw, Kroszwiz, Strzelno, Mogilno und Znin.

Zwey=

Zweyter Anhang,
zu West-Preußen.

Die Herrschaften Lauenburg und Bütow.

Diese Herrschaften haben ehedessen der Krone Polen gehöret. K. Casimir überließ sie 1455 an den Herzog Erich zu Pommern, jedoch ohne lehnsverbindlichkeit; hingegen von 1460 an haben die Herzoge zu Pommern dieselben als ein freyes Lehn der Krone Polen besessen. Diese suchte zwar in der folgenden Zeit die Herzoge wegen derselben zu Lehndiensten zu bringen; sie wollten sich aber nicht dazu verstehen, und 1526 wurde verglichen, daß die Herzoge zu Pommern diese Herrschaften als Erblehn ohne alle Dienstleistung besitzen, jedoch bey einer jeden Regierungsveränderung in Polen, die Lehnempfängniß suchen, dieselbige aber ohne Entgeld erhalten sollten. Nach dem Tode Herzogs Bogislaf XIV, wurden sie von der Krone Polen als eröffnete Lehen eingezogen, und von den Unterthanen die Huldigung und Eidespflicht eingenommen: allein, 1657 wurden sie durch den zu Welau geschlossenen, und zu Bromberg oder Bidgost bestätigten Vertrag, dem Churhause Brandenburg als ein freyes Lehn, wie solche die Herzoge zu Pommern gehabt, übergeben, und von demselben ohne Eidesleistung zu Lehn empfangen. Sie haben über 100 Jahre lang ihre eigenen

genen Gerichte gehabt, die beyde zu Lauenburg waren, nämlich das Grod- und Land-Gericht, welches
die erste Instanz war, und von welchem man sich
an das dasige Tribunal wendete. 1773 wurde das
Grod- und Land-Gericht in ein Landvogteygericht
verwandelt, und das Tribunal aufgehoben, die
Herrschaften aber wurden in Justiz- und kirchlichen
Sachen der westpreußischen Regierung untergeben.
In denselben wohnen noch viele Cassuben, daher
fast in allen Kirchen polnisch und deutsch geprediget
wird. Die Abgabe der jurium stolae von den pro-
testantischen Einwohnern an die katholischen Geistlichen, ist 1769 abgeschafft worden. Die Herrschaften begreifen

1. Die Herrschaft Lauenburg, welche ungefähr 8 Meilen lang, und 6 Meilen breit ist, und
vornehmlich enthält

1) Lauenburg, eine unmittelbare Stadt an der Leba. Der erste Prediger an der Stadtkirche, ist zugleich
Inspector über die beyden Landpfarren des Amts Lauenburg. 1682 brannte sie ab. Es gehören ihr 8 kleine Oerter.

2) Leba, ein Städtchen am Fluß gleiches Namens,
und nahe beym lebeschen See. In kirchlichen Sachen
stehet es unter der Charbrowschen Inspection.

2. Die Herrschaft Bütow, welche ungefähr
6 Meilen ins Gevierte hat, und deren vornehmster
Ort ist

Bütow, eine unmittelbare Stadt, mit einem Schloß.
Der Prediger an der Stadtkirche ist zugleich Inspector über
die 3 Landpfarren des Amts. Die Stadt brannte 1629
ganz ab. Ihr gehören 2 Oerter.

Polen

Polen und Litauen,

sammt

den mit ihnen

verbundenen Ländern.

Polen

Polen.

§. 1.

Mercators, Blaeu und Jansons Charten von Polen, sind einander gleich, sehr mangelhaft und unvollkommen, ohne Abtheilung in Provinzen und Woiwodschaften, und haben wenig Oerter. *Guillaume le Vasseur Sieur de Beauplan*, welcher 17 Jahre in polnischen Diensten als Krieges-Baumeister und Hauptmann gestanden, hat die erste gute Charte von Polen aufgenommen, welche diesen Staat nicht nur nach seinen Provinzen, sondern auch nach seinen Woiwodschaften vorstellet, aber sehr wenige Oerter hat. Sanson d' Abbeville stellte hierauf 1659 eine Charte von Curland und Schamaiten auf einem Bogen, 1665 Ober- und Nieder-Podolien auf zwey Bogen, die Masau und Podlachien auf einem Bogen, Ober- und Nieder-Wolhynien auf zwey Bogen, 1666 aber Ober- und Nieder-Polen auf zwey Bogen, und das Großherzogthum Litauen auf vier Bogen an das Licht. Er hat auch ganz Polen und Litauen nebst den dazu gehörigen Ländern, sowohl auf einen einzigen, als auf vier zusammenhangende Bogen gebracht. Die Kupferplatten und den Verlag von allen diesen sansonschen Charten, hat nachmals Robert von Vaugondy an sich gebracht, und seinen Namen mit auf dieselben gesetzt. Die Specialcharten sind groß genug, ha-

ben

ben aber nicht viel Oerter, und die Namen der Oerter sind oft unrichtig. Unterdessen sind die beau-
planischen und sansonschen Charten der Grund von
allen den Charten auf einem Bogen, welche Visscher, Jaillot, (nachgestochen von Covens und
Mortier, de Wit, (auch von Covens und Mortier nachgestochen), Dankerts, Valk, Allard,
Homann zu zweyen malen, Schenk und andere
herausgegeben haben. Wilhelm de l'Isle gab
seiner 1707 gestochenen Charte einige Verbesserungen,
und sie ist von Covens und Mortier, Schenk
und Lottern nachgestochen worden. Noch besser ist
diejenige Charte, welche Tobias Mayer verfertiget, und die Homannische Werkstäte 1750 bekannt
gemacht hat: sie hat aber nicht viel Oerter. Robert von Vaugondy gab 1752 eine Charte von Polen bloß unter seinem Namen aus, und Boudet
hat auch eine geliefert. An Chärten von einzelnen
Provinzen sind mir, außer den oben angeführten,
nur eine von der Woiwodschaft Posen, welche G.
F. M. gezeichnet hat, eine von den Herzogthümern
Oswietschim und Zator, und eine von der Masau
und Cujavien, bekannt. Von dem Großherzogthum
Litauen, ist Mercators Charte nicht brauchbar: allein, die große Charte, welche Nic. Christoph
Fürst von Radzivil, auf seine Kosten aufnehmen
lassen, und Jansson 1613 gestochen hat, ist schon
sehr schätzbar. Die Jansson-Waesberg sche Werkstäte hat dieselbige auf einem gewöhnlichen Bogen
geliefert, und die von Dankerts, Wit, Covens und
Mortier, Ottens und Lotter ausgegebenen Charten,
sind von gleicher Größe. Die Sansonsche auf vier

2 Th. 8 A. H Bogen

Bogen habe ich oben schon genannt. Beſſer als die bisher genannten, iſt die Charte des Jeſuiten Johann Nieprecki, welche Tob. Mayer in Anſehung des Mathematiſchen verbeſſert, und die Homanniſche Werkſtäte 1749 herausgegeben hat.

Von der ſogenannten Ukraine, hat der vorhin gerühmte *le Vaſſeur de Beauplan* eine Charte von acht Bogen gezeichnet, deren Original zu Paris iſt. Sie bildet die Woiwodſchaften Kiow, Braclaw und Podolien: auch die angränzenden Woiwodſchaften Wolhynien und Roth Rußland ab, und iſt zu ihrer Zeit ſehr brauchbar geweſen. Im blaeuiſchen Atlas findet ſie ſich auf vier Bogen, welche *Sanſon*, (wie oben ſchon erwähnet worden), auch Covens und Mortier, nachgeſtochen haben. Ein Auszug aus derſelben auf einem Bogen, iſt in des Verfaſſers Deſcription d' Ukraine enthalten, und zu Rouen, und zwar verkehrt, geſtochen. Nachher iſt eben dieſer Bogen umgezeichnet, und zu verſchiedenen malen geſtochen worden.

Alle bisher genannte Charten von Polen und Litauen ſchien diejenige große Charte von 16 Bogen, zu übertreffen, welche zur Zeit des Königs Johann Caſimir aufgenommen, und auf Befehl des jetzigen Königs Stanislaus Auguſtus verbeſſert ſeyn ſoll, und von welcher der Buchhändler Joh. Jacob Kanter zu Königsberg eine Copie an ſich gebracht hatte, die er 1769 zu Berlin einem Kupferſtecher überlieferte. Sie hätte das Neue, daß auch die einzelnen Diſtricte oder Powiaty der Woiwodſchaften angegeben waren: allein ich fand gar bald, daß ſie viele falſche Gränzen, auch viele unrichtige Lagen und Namen

Namen der Oerter habe, und widerrieth also den
Stich derselben. Weil er aber nicht zu hindern war,
verbesserte ich eine Anzahl Fehler in derselben, und
die angränzenden Länder wurden durch geschickte Männer beygefüget. Die Charte ward 1770 fertig, verlor aber den nur geringen Credit, welchen sie erlangte,
gar bald. Unterdessen brachte sie doch Georg Fridrich Uz zu Nürnberg, auf vier zusammenhangende
Bogen. Die noch größere Charte von 24 Bogen,
und einem allgemeinen, welche Herr von Pfau,
unter dem Titul Regni Poloniae, magni ducatus
Lituaniae nova mappa geographica, concessu Bo-
ussorum regis, geliefert, und deren Titulblat C. B.
Glassbach 1770 zu Berlin gestochen hat, ist auch
so genau, richtig und brauchbar nicht, als man ge-
wünscht hat, sie ist auch durch die angränzenden Länder um verschiedene Bogen unnöthiger Weise vergrößert worden. Die Carte generale et nouvelle
de toute la Pologne, du grand Duché de Lithua-
nie et des pais limitrofes, gravés par B. Folin, Ca-
pitaine au Corps d'Artillerie de la couronne de Po-
ogne, à Varsovie 1770, vier Bogen, würde zu
den ziemlich guten gehören, wenn sie nicht höchst undeutlich und schmutzig gestochen wäre. Besser als
alle diese angezeigte Charten, ist die Carte de la Pologne, welche Herr *I. A. B. Rizzi Zannoni* 1772
zu Paris auf 25 Bogen an das Licht gestellet, und
zu welcher der gelehrte Fürst Joseph Alexander Ja-
blonowski die Hülfsmittel geliefert hat. Diese bestunden aus Zeichnungen von Gegenden welche des
Fürsten Großvater selbst hatte aufnehmen lassen.
Die geometrische Richtigkeit der Charte, soll groß
H 2 seyn:

seyn:, sie hat aber Fehler in den Gränzen der Provinzen, und in den Namen. Keine Charte stellet diesen Staat nach dem kleinern Umfang, den er 1772 zu bekommen angefangen hat, vor. Im August 1772 sind zu Berlin vier Blätter von einer neuen Special-Charte von Polen fertig geworden, welche ein Supplement zu der Charte von 25 Bogen vom Jahr 1770 heißen, und gut gerathen sind.

§. 2 Das Wort Pole, bedeutet in der Landessprache ein plattes und ebenes Land; daß aber das Königreich und die ganze Nation davon den Namen habe, ist noch nicht ausgemacht. Es gränzet dieses Reich, die mit demselben verbundenen Länder mitgerechnet, an Rußland, Preußen, das osmanische Reich, Galicien und Lodomerien, Deutschland, und die Ostsee. Bis 1772 war es ungefähr 13400 geograph. Quadratm. groß, seit diesem Jahr aber mag es etwa noch 10000 deutsche Q. M. groß seyn. Seine Gränzen mit den russis. östreichis. und preußischen Ländern, sind 1776 und 77 durch eigene Commissionen und Recesse bestimmet. Auf der russischen Gränze gab es in der Woiwodschaften Kiow und Braclaw noch Ungewißheit und Streit, welche aber 1780 und 1781 völlig gehoben worden.

§. 3 Die Luft ist etwas kalt, aber gesund. Erdbeben sind in den Jahren 1000, 1016, 1200, 1257, 1303, 1348, 1358, 1785 und zwey im Jahr 1786, verspüret worden. Das Land ist fast allenthalben eben, hat wenig Berge, aber ungemein fruchtbare Felder, und daher einen Ueberfluß an Getreide, wie denn fast jährlich einige tausend Schiffe und Flöße, die mehrentheils mit Getreide beladen sind, die Weichsel und Nogat hinab gehen. In Podolien, Volhynien

und

und der Ukraine, wächset es in großer Menge ohne viele
Zubereitung und Düngung des Ackers, in Groß-
und Klein-Polen aber muß schon mehr Arbeit auf
den Ackerbau gewendet werden, da es denn aber auch
nicht an reichen Ernten fehlet. Litauen gleicht Podolien, und in Schamayten wächset, außer vielem
Getreide, auch viel Hanf und Flachs. Die Weide ist
vortrefflich. In Podolien wächset das Gras so hoch,
daß man manchmal kaum die Hörner der Ochsen,
welche darinn gehen, erblicken kann. Die Fruchtbarkeit des Landes und den Ueberfluß der Lebensmittel, kann man auch daraus erkennen, wenn man be-
denket, daß von 1701 bis 1718 beständig unterschiedene Kriegsheere in Polen gewesen sind, und daß
dennoch es niemals an Brodt gefehlet hat. Dem
ungeachtet bekommen die Reisenden in den Wirthshäusern auf dem Lande mehrentheils nichts zu essen,
sondern müssen alles nöthige in den Städten einkaufen und mit sich führen, woran die schlechte Bezahlung der einheimischen Reisenden Schuld ist, daher
sich die Wirthe mit nichts versehen, weil sie befürch-
ten, daß sie kein Geld dafür bekommen werden.

Das polnische Manna, eine Speise, welche
sehr häufig gebraucht wird, wächset in einem Kraut,
und sieht wie Hirsekörner aus. Die Landleute sämm-
len es auf den Wiesen und sumpfichten Orten, vom
zwanzigsten Jun. bis ans Ende des Julius. Die
polnischen Kermesbeeren müssen im May gesammlet werden, wenn sie noch nicht ganz reif sind, denn
im Julius kriechen Würmchen aus denselben, die
Bläschen hinter sich lassen, welche keine Tinctur
weder zum Färben, noch zur Arzeney geben. Sie

wach-

wachsen in der Ukraine in großer Menge, bey Warschau und Krakau, und sind ehedessen stark nach
Genua und Florenz geführet worden, jetzt aber be-
kümmert man sich nicht mehr darum. Der Wein-
stock kömmt an verschiedenen Gegenden gut fort,
man legt sich aber wenig auf den Weinbau. In
vielen Gegenden giebt es ansehnliche Tannen-Fich-
ten-Büchen- und Eichen-Wälder, noch mehrere
aber sind nach und nach ausgehauen, dünne geworden, und ausgerottet, so daß es in den Gegenden derselben, wo sie gestanden haben, nun an Holz
mangelt. Honig und Wachs ist häufig. Der
Meth, welcher in großer Menge bereitet wird, hat
seinen Namen von dem polnischen Wort Miod, welches Honig bedeutet.

Die Viehzucht ist wichtig. Es werden jährlich
viele tausend Ochsen ausgetrieben. An Pferden ist
ein Ueberfluß, und sie sind stark, schön und schnell.
Schafe und Ziegen sind in starker Anzahl vorhanden,
und jene geben zum theil feine Wolle. Das Wildpret ist häufig. Es giebt hier nicht nur viele wilde
Thiere, die auch in andern Ländern anzutreffen sind,
sondern auch einige, die daselbst selten oder gar nicht
gefunden werden. Das Elanthier (auf polnisch
Los), wird in Polen, Litauen, und Curland oft
gesehen und geschossen, sein Fleisch ist gut und schmak-
haft, und das Fell sehr brauchbar. Es ist so groß
als ein starkes Pferd, hat Haare, Füße und Klauen
wie ein Hirsch, einen Kopf wie ein Pferd, jedoch
mit einem Geweih, und Ohren wie ein Esel, kann
schnell laufen, und über die Flüsse schwimmen.
Wilde Widder werden hinter Bratzlaw in den
Wüsten

Wüsten gesehen, und haben nur ein Horn. Der Bison, polnisch Zubr, ist einem Ochsen nicht un-ähnlich, aber von dickerm Leibe, und hält sich in Li-tauen auf. Der Vielfraß, polnisch Rosomak, findet sich in den Wäldern zwischen Litauen und Ruß-land. Der Wolf thut vielen Schaden. Su-hak, ein Thier, welches einer wilden Ziege ähnlich, ist in Podolien. Mit den Bären wissen die Polen Geld zu verdienen, indem sie dieselben in fremde Länder führen, welches aber nun nicht mehr so häu-fig geschiehet als ehedessen. Der Auerochs wird in der Masau; aber jetzt sehr selten erblicket. Wilde Schweine sind ziemlich häufig. Füchse, Lüchse, Eichhörnchen, Marder, Hasen, Biber, Fischottern, giebt es in ziemlicher Menge. Die Rehböcke werden häufig von den Wölfen aufgefres-sen. Wilde Pferde hat die Ukraine in großer An-zahl, und sie wurden zu Husaren Pferden in großer Anzahl ausgeführet. Hirsche, Damhirsche und wilde Katzen sind selten. Der wilden und zahmen Vögel, kann ich nicht gedenken.

Durch die in den Woiwodschaften Sandomir und Krakau angelegten Salzsiedereyen, hat Polen wie-der eigenthümliches Salz bekommen, doch ersetzet es das verlorne Steinsalz von Bochnia und Wieliczka noch nicht, nach dessen Verlust Polen jährl. 153333⅓ Thl. für fremdes Salz ausgegeben hat. An Mineralien von vielerley Art, fehlt es nicht, sie sind aber bisher entwe-der aus Faulheit oder Eifersucht wenig aufgesuchet und zum Nutzen des Staates angewendet worden, oder man ist ungeschickt dabey zu Werke gegangen. Ums Jahr 1785 waren in Polen und Litauen 28¼

H 4

hohe

hohe Eisen-Oefen vorhanden, welche in 40 Wochen 85000 Centner Guß = Eisen lieferten, die 60763. Centner und 67⅓ Pf. neues Eisen ausmachten. Luppen-Feuer zählte man 41, und alles rein geschmiedete Eisen aus den Oefen und Luppen-Feuer, betrug jährlich 64863 Centner 67⅔ Pfund, s. mein Magazin Th. 19. S. 447. f. Außer den Eisengruben, sind auch Bleygruben im Gange, als bey Chęzciny: Das Bleyerz bey Olkusz enthält Silber, es ist aber in diesem alten Bergwerke nichts erhebliches mehr zu finden. Alter Kupferbergbau ist auch vorhanden, und an einigen halb Metallen, als Galmey und Zink, fehlt es auch nicht.

In Groß-Polen giebt es viel Seen, unter welchen einige fischreiche sind. Von dem See Goplo, gehört nur noch das südliche Ende zu Polen. Von den Flüssen sind nachfolgende acht insonderheit merkwürdig.

1) Die Düna oder Dzwina, Duna, Kubo, kommt aus Rußland, und macht zwischen demselben und Litauen die Gränze.

2) Die Memel, Chronus, auf polnisch Niemen, entspringet in der Woiwodschaft Novogrodek, und fließet durch Litauen und Preußen ins curische Haff.

3) Die Weichsel, Vistula, auf polnisch Wisla, das ist, ein hangendes Wasser, entspringt in Schlesien im Fürstenthum Teschen, beym Anfange des carpathischen Gebirgs, gehet durch Polen, und nachdem sie daselbst sowohl, als in Preußen, verschiedene Flüsse aufgenommen, fällt sie unter Dänzig in die Ostsee; durch zwey andere Arme aber,

Nogat

Nogat und Alt-Weichsel genannt, in das frische Haff. Sie ist zwar sehr breit, wird aber immer untiefer.

5) Der Dniestr, Dnéstr, Danastris, bey den Griechen Tyras oder Tyres, entspringet aus einem See am carpathischen Gebirge, und fließt zwischen Polen und der Moldau ins schwarze Meer.

6) Der Bog oder Bug, entspringt in Podolien, und fällt in den Dnieper.

7) Der Dnieper, Dnepr, Danapris, Borysthenes, entsteht in Rußland, und fällt, nachdem er einen Weg von 40 Tagereisen, oder 200 Meilen zurück gelegt hat, ins schwarze Meer.

8) Der Prsypietsch (Przypiecz), oder Przypetsch, (Przypecz) Pripetius, entspringt in Gallicien und Lodomerien, und fließet in den Dnieper.

§. 4 Polen und Litauen enthalten viele hundert Städte, sie sind aber mehrentheils schlecht gebauet. Der königlichen sind 230. s. mein Magazin Th. 16. S. 12. f. In einer 1771 gedruckten polnischen Schrift von dem Beytrage einer jeden Woiwodschaft zur Besoldung des Kriegesheeres, sind in Groß- und Klein-Polen 811 Städte genannt, in welchen damals Juden waren, die Kopfsteuer erlegten. Die Anzahl aller Menschen hat bis 1772 schwerlich über acht bis neun Millionen betragen, und in seiner gegenwärtigen Größe mag der Staat etwa fünf bis sechs Millionen Menschen haben. Hierunter sind sehr viel Deutsche, und Juden. Der letzten hat man in Polen (ohne Litauen) 1781 gezählet 187, 831, 1784 aber 199134 Köpfe. Man kann sich aber auf solche Zählungen gar nicht verlassen, denn

H 5 es

es ist bekannt, daß mehrmals die Hälfte der Juden, von dem Orte, wo die Zählung geschehen soll, entweicht, und erst wiederkommt, wenn der Lustrator wieder abgereiset ist, ja man hält auch für sehr wahrscheinlich, daß dieser sich bestechen lasse, und also durch die Finger sehe. Wahrscheinlicher weise ist die wirkliche Anzahl derselben in Polen noch einmal so groß, als das Verzeichniß ihrer Köpfe angiebt, und in Polen und Litauen zusammen machen sie vermuthlich ungefähr eine halbe Million aus. Es ist merkwürdig, daß sie die meisten Wirthshäuser inne haben, vornehmlich in Klein-Polen und im Großherzogthum Litauen. Der Ruf der Religions-Duldung lockte 1782 tausende fremder Familien nach Polen. Unterschiedene vom hohen und reichen Adel erhoben sich über alle Vorurtheile und Vorwürfe, setzten fremde Familien mit beträchlichen Kosten auf ihren Gütern an, erlaubten ihnen Kirchen zu bauen, und ließen Prediger für sie kommen; andere räumeten den neuen Ankömmlingen nur Felder und Häuser, entweder gegen einen jährlichen Zins, oder gegen Arbeit, ein, von diesen sind aber viele wieder aus dem Lande gegangen. Wenn man die Polen als Bürger des Reichs betrachtet, sind sie theils Edelleute, theils Stadtleute oder Bürger, theils Bauern. Ein Edelmann heißt auf polnisch Szlachcic, (Schlachziz), und die adeliche Würde Schlächetstwo. Der Adel ist sehr zahlreich, aber größtentheils arm. Die vornehmsten Familien sind reich, und nehmen viele hundert arme Edelleute in Dienste, welche sich zu Jungen, Dienern, Wirthschafts-Commissarien, Schatzmeistern, Marschällen, und unter

andern

andern Titeln gebrauchen laſſen. Sie ſtreben ſehr
nach Titeln, und die vielen Landämter in den Woiwodſchaften und Diſtricten, geben auch Gelegenheit
zu vielen Titeln, welche auf die Kinder erben. Ueberhaupt haben die polniſchen Edelleute große und
viele Privilegien und Vorrechte, ja die hochberühmte
polniſche Freyheit kömmt eigentlich nur dem Adel zu.
Sie haben über ihrer Bauern Leben und Tod zu gebieten, welche daher in ſehr ſchlechten Umſtänden,
und in einer elenden Leibeigenſchaft ſtehen. Ein jeder iſt unumſchränkter Herr über ſeine Güter, von
welchen der König keine Abgaben fordern kann, und
auf welche auch keine Soldaten geleget werden dürfen.
Stirbt ein Fremder auf eines Edelmannes Gut, und
hinterläßt keine Erben, ſo fällt ſeine Verlaſſenſchaft
dem Herrn des Guts anheim: ſtirbt aber ein Edelmann ohne Erben, ſo kann der König ſeine Güter
einem andern nicht verleihen, ſo lange noch Verwandte bis ins achte Glied da ſind. Wenn ein
Edelmann gar keine Erben und Verwandte hinterläßt, ſo kann der König ſeine Landgüter für ſich
nicht behalten, ſondern muß ſie einem andern wohl-
verdienten Edelmann verleihen. Die Häuſer der
Edelleute ſind eine ſichere Zuflucht für Leute, welche
ein Verbrechen begangen haben, denn ſie dürfen aus
denſelben nicht mit Gewalt herausgehölet werden.
Die Richter in den Städten, können auch keine adeliche Unterthanen und Güter mit Arreſt belegen. Die
Edelleute ſowohl, als ihre Unterthanen, erlegen keinen Zoll von ihrem Vieh, Getreide ꝛc. welches ſie
zum Verkauf ausführen. Ein jeder hat das Recht,
Salz- und Erz-Gruben auf ſeinen Gütern zu bauen.

Keine

Keine Obrigkeit, ja der König selbst nicht, kann einen Edelmann ohne vorhergegangene Citation und Ueberführung, gefangen nehmen; es wäre denn derselbe ein Dieb, den andere Diebe dreymal angegeben hätten, oder, wenn er in einem andern Verbrechen ertappet wird, imgleichen wenn er keinen Bürgen stellen kann, oder will. Ein Edelmann steht allein unter dem Könige: er darf sich aber außer Landes vor demselben in keinen Sachen stellen, wenn sie nicht die königliche Kammer angehen, sondern muß im Lande gerichtet werden. Die geist- und weltlichen Ehrenstellen und Aemter können nur aus dem Adel besetzet werden. Der Adel kann auch nur allein Landgüter b sitzen, daher die Landgüter auch adeliche Güter genennet werden; doch haben die Bürger einiger Städte, die bald hernach vorkommen, das Privilegium, Landgüter zu besitzen. Die Edelleute können ohne Unterschied in den Städten Häuser haben, müssen sich aber alsdenn den bürgerlichen Pflichten unterwerfen; und wenn sie bürgerliche Handthierung treiben, so verlieren sie ihre adelichen Rechte. Ein jeder Edelmann hat das Recht, den König mit zu wählen; ja, ein jeder ist der Krone fähig, wenn er von seinen Mitbrüdern durch freye Wahl dazu erhoben wird. Diese und andere dergleichen wichtige Vorrechte, hat der Adel theils durch die Freygebigkeit der Könige, theils durch die Gewohnheit erlanget. Ein alter und geborner Edelmann, hat vor einem neugemachten viele Vorzüge. Die adelichen, privat- und bürgerlichen Sachen werden in den Landgerichten abgehandelt; und wenn der Edelmann mit den königlichen Gütern

einen

einen Streit hat, so wird solcher von einem Com-
missorialgericht untersucht.

Was die Bürger anbetrift, so hatte schon Boleslaw der fünfte (1257) und Leszko der sechste oder
schwarze eingeführet, die deutschen Bürger, welche
sich in den polnischen Städten wohnhaft niedergelassen hatten, nach dem magdeburgischen Recht richten zu lassen, sie hatten denselben so gar erlaubet,
nach Magdeburg appelliren zu können. Weil aber
K. Casimir der dritte diese Appellation, wie Dlugoß
saget, für unschicklich und unanständig hielt, (welches sie auch wirklich war), so errichtete er 1356 ein
deutsches Landgericht zu Krakau, dessen 7 Assessoren
aus den Magistraten der nächsten Städte erwählet
wurden, und wenn von diesem Landgericht an das höchste
Landgericht appelliret wurde, so mußten in demselben
zwey Bürgermeister aus jeder der folgenden Städte,
Krakau, Sandomir, Bochnia, Wieliczka, Kasimir und Jlkusz, das Endurtheil sprechen. Als eben
dieser König Kasimir der dritte 1343 mit dem deutschen Orden einen Vertrag errichtete, ließ er denselben auch durch die Abgeordnete der Städte Krakau,
Polen, Kalisz, Sandomir, Sandecz, Wladislaw,
Brzest unterschreiben, und den 1436 mit eben diesem
Orden errichteten Vertrag unterschrieben, außer den
3 ersten Städten, auch Lemberg, Plock und Warschau. Zu den Conföderationen von 1438, 1668 und
allen folgenden, sind auch polnische Städte gezogen
worden, deren Abgeordnete sich nach den Landboten
unterschrieben haben; es ward auch in die Conföde-
rations-Acte von 1664 ausdrücklich gesetzet, daß die
Städte mit zu der Conföderation gehörten. Die
wich-

wichtige Acte der Vereinigung Polens mit Litauen, von 1569, unterschrieben auch 2 Deputirte aus der Stadt Krakau. Auf dem Reichstäge, der 1505 zu Radam gehalten wurde, erschienen auch städtische Deputirte. Selbst zu der Königswahl sind von 1632 an, da Wladislaw erwählet wurde, gewisse Städte berufen worden, und haben die pacta conventa mit unterschrieben, und dieses ist noch bey der Wahl K. Augusts II geschehen, es sind auch die städtischen Deputirte auf den Krönungs-Reichstagen eben so wohl als die Landboten, zu dem königl. Handkuß gelassen worden. Diese Städte sind, Krakau, Posen, Wilna, Lemberg, Warschau. Daß man sie von 1733 an nicht mit zu der Königswahl gezogen hat, ist gewaltthätig; und hebet ihre verjährten Rechte nicht auf. Haben gleich ihre Deputirte weiter nichts gethan, als daß sie den Stimmen der Landboten beygetreten sind, so muß man doch bedenken, daß auch die meisten adelichen Stimmen, nur Ehrenstimmen sind, und sich nach den ansehnlichsten richten.

Die Bauern sind zwar größtentheils Leibeigene der Edelleute, doch giebt es auch Beyspiele freygelassener Bauern.

§. 5 Die polnische Sprache, ist eine Mundart der slawonischen. Die deutsche Sprache wird in Polen stark geredet, und die deutsche Nation hat sich auch um die Polen sehr verdient gemacht; denn sie hat ihnen den Weg zum guten Geschmack in der Gelehrsamkeit und im Handel gebahnet, und viele Städte aufgebauet und in Aufnahme gebracht. Casimir der große ließ sichs insonderheit angelegen seyn, viele Deutsche durch Hoffnung ansehnlicher Vortheile

nach

nach Polen zu ziehen; räumete ihnen die fruchtbarsten Ländereyen ein, und erlaubte ihnen auch den Gebrauch ihrer eigenen Gesetze. Die lateinische
Sprache ist in Polen selbst unter dem Pöbel gewöhnlich; man achtet aber so wenig auf die Länge
und Kürze, oder den Accent der Silben, als auf
die Reinigkeit der Sprache.

§. 6. In Ansehung der Religion, ist zu bemerken, daß bald nach dem Anfang der Reformation
in Deutschland, dieselbige auch in Polen eingedrungen sey, und nicht nur bey dem gemeinen Mann, sondern auch bey dem Adel, den Senatoren und anderen Großen des Reichs, solchen Beyfall gefunden
habe, daß die Evangelischen die Katholiken an der
Zahl übertrafen, wenigstens ihnen gleich kamen, und
König Sigismund August, dem sie ihre Glaubens-
bekenntnisse übergaben, gestand ihnen bereits 1550
gleiche Rechte mit den Katholiken zu, verstattete
ihnen auch den Zutritt zu allen Ehren und Würden
des Reichs. Diese Privilegia wurden ihnen auf dem
Reichstage zu Vilna 1563, und auf dem Unions-
Reichstage zu Lublin 1569, von allen Ständen des
Königreichs Polen und Großherzogthums Litauen,
noch weiter bestätiget. Als durch den Tod dieses
Königs der jagellonische Stamm erloschen, und der
Thron erlediget war, wurde 1573 zu Warschau
zwischen allen Ständen des Reichs eine General-Con-
föderation geschlossen, die das Grundgesetz der nachmaligen Staatsverfassung der Republik Polen ward,
und darinn zugleich nach dem Muster des Religions-
friedens in Deutschland, zwischen allen der christlichen Religion zugethanen Partheyen, ein beständiger

ger Friede errichtet, und den Katholischen, Griechen, Lutheranern und Reformirten, welche die damals in Religionssachen Dissidirende waren, gleiche Freyheiten und Rechte zugestanden, und versichert wurden. Dieses Grundgesetz ist nachgehends von allen Königen beschworen, und in allen Reichsschlüssen bestätigt, und erst dadurch entkräftet worden, daß in dem am dritten Sept. 1716 zu Warschau geschlossenem, und am dreyßigsten Jan. 1717 bestätigtem Friedens-tractat, der den Evangelischen und Griechen so nach-theilige vierte Artikel eingerückt, auf dem Convoca-tions-Reichstage von 1733 aber, und auf dem Pa-cifications-Reichstage von 1736 noch mehr erweitert und bestätigt worden. Seit dieser Zeit sind die Pro-testanten und Griechen mit dem Namen der Dissi-denten beleget worden, der doch in den ältern Con-stitutionen, und namentlich in der von 1572 zuerst, von allen Religionspartheyen im Reich, die Katho-liken mit eingeschlossen, also gebraucht wird, daß sie Dissidentes quoad religionem genennet werden. K. August der zweyte versprach zwar in einer feyerlichen Erklärung, den nach neuer Schreibart so genann-ten Dissidenten, daß der angeführte und berüchtigte vierte Artikel ihren alten Rechten auf keinerley Weise schädlich oder nachtheilig seyn sollte: allein, sie leb-ten nichts desto weniger von dieser Zeit an in einer schweren Unterdrückung. Vermöge der Reichsver-fassungen, welche auf dem 1736 angesetzten Pacifica-tions-Reichstage errichtet worden, soll keiner zum König von Polen und Großherzog von Litauen er-wählet werden, wofern er sich nicht zur römisch-ka-tholischen rechtgläubigen Religion bekennet; und die

Köni-

Königinn soll auch entweder in eben diesem Glauben geboren seyn, oder sich doch dazu bekennen. Der König wird auch mit einem besondern Vorzuge Orthodoxus genennet. Die römisch=katholische Religion soll im Lande die herrschende und allein rechtgläubige seyn.

Auf dem Reichstage von 1768, nahmen sich Rußland, Preußen, Dänemark, Großbritannien und Schweden, der so genannten Dissidenten dergestalt an, daß ihnen nach vielen Schwierigkeiten durch eine förmliche Constitution zugestanden wurde, die Errichtung eigener Consistorien, die ungehinderte Haltung eigener Synoden, um auf denselben alles zu verordnen, was ihre Lehr, Ordnung und Kirchenzucht, Gebräuche und das Verhalten ihrer Kirchenlehrer angehe, die Entscheidung der Dispensations= und Ehescheidungs Fälle zwischen dissidentischen Eheleuten, die Verbesserung der alten Kirchen, in deren Besitz sie nach den Gesetzen der Jahre 1632, 1660, und 1717 geblieben sind, die Erbauung neuer Kirchen an die Stelle der verfallenen, freye Religionsübung und Verwaltung der Sacramente, und das Recht, ihre Verstorbenen in und bey den Kirchen in der Stille zu begraben. 1775 verloren zwar die Dissidenten etwas von den ihnen 1768 bewilligten politischen Würden, aber die Religions= und Kirchen-Freyheiten welche ihnen bestätiget wurden, blieben doch noch sehr erheblich. Die Evangelischen fingen nun sogleich an, die 1570 zu Sandomir errichtete, und auf den folgenden Synoden zu Posen 1582, zu Wodzislaw 1583, zu Wilna 1585 und zu Thorn 1595 erklärte politische und Kirchliche Union

2 Th. 8 A.   J   unter

unter einander zu erneuern, und schrieben in demselben Jahr eine General Synode nach Lissa aus, die
aber nicht wurde, was sie seyn sollte, sondern nur
eine Großpolnische. Der polnische Generallieutenant
August Stanislaus Freyherr von der Golz war
Schuld daran, daß die politische und kirchliche Union
zwischen den Reformirten und Lutheranern in Synoden und Consistorien nicht wieder allgemein wurde,
doch ist noch Hofnung vorhanden, daß sie es wieder
werden mögte, weil sie in Litauen noch nicht ganz
aufgehöret hat. Von den Griechen haben sich
viele mit der römischen Kirche vereiniget, und heißen
Uniten; andere aber beharren in der Trennung,
und heißen Disuniten. Die letzten wurden mit
unter den Dissidenten begriffen.

Die Güter und Einkünfte der katholischen Geistlichkeit sind sehr groß: denn sie machten sonst fast zwey
Drittheile der Güter in Polen aus, wenn man diejenigen dazu nimmt, auf welche sie Gelder vorge-
schossen hatten, und die sie unterpfändlich besaßen.
Der König und die gesammten weltlichen Stände,
besitzen also nicht mehr, als den dritten Theil der
Ländereyen des Reichs, und bloß die Zehnten, welche die Klerisey ziehet, nehmen nach Abzug der Unkosten den fünften Theil der Einkünfte aller Güter
im Königreich weg. Außerdem wachsen ihr noch unzäh-
lige andere Vortheile zu. Die Jesuiten hatten ehedessen
in Polen 16, und in Litauen 8 Collegien, und besaßen
in beyden verbundenen Staaten, 32 Millionen polnische Gülden. (5⅓ M. Thaler) an Güthern, das ist,
an Häusern und Ländereyen. Ihr Kirchengeräth
von Gold und Silber, welches in die Münze zu
War-

Warschau geliefert, geschmolzen, und vermünzet wurde, betrug 369120 polnische Gulden 11 gr. 2 Schillinge.

§. 7 Gleich nach der Einführung der christlichen Lehre in Polen, bekamen die Einwohner durch die fremden Geistlichen, welche häufig hieher kamen, einigen Geschmack an den Wissenschaften. Zu Boleslaus des ersten Zeit fieng man an, die Beredsamkeit zu treiben. Unter den Königen von Sigismund dem ersten an, bis auf Vladislav den sechsten haben die Wissenschaften am meisten in Polen geblühet, nach der Zeit sind die polnischen Musen eingeschlafen, und noch nicht ganz wieder aufgewachet. Man leget sich aber doch auf die Reinigkeit der lateinischen und polnischen Sprache, in welchen beyden auch Polen geschickte Dichter aufgestellet hat, als Naruszewicz und Sarbiewski, man machet auch die griechische Sprache, und die neuere Philosophie bekannter, lehret die mathematischen Wissenschaften, treibet die Naturlehre, suchet die Landesgeschichte zu verbessern, und die alten guten Schriftsteller zu nutzen. Daß in Polen nicht so viel gedruckt wird, als in den andern Ländern, kömmt zum Theil von dem Mangel vermögender Verleger, freygebiger Wohlthäter, und wohleingerichteter Buchdruckereyen her, doch hat der Hofbuchhändler Michael Gröll viele Bücher in die polnische Sprache übersetzen, und in derselben drucken lassen, und ist dadurch ein Beförderer nützlicher Kenntnisse in Polen geworden. Die besten und nützlichste Anstalten zur Beförderung der Wissenschaften, in diesem Staat, sind die Erziehungs-Commis-

J 2   miss-

miſſion, und das adeliche Cadetten Corps zu Warſchau, welche man dem König Stanislaus Auguſt
zu danken hat.

§. 8 Im 1776ſten Jahr wurde Polens Einfuhr
an fremden und Ausfuhr an einheimiſchen Waaren
und Producten, nach den Zollbüchern genau berechnet, und gefunden, daß die Einfuhr 48640669,
und die Ausfuhr nur 22, 09360 polniſche Gulden
betrage, alſo jene, dieſe um 26544308 polniſche Gülden übertreffe, ſ. mein Magazin T. 16. S. 32. 33.
1777 machte die Einfuhr 47, 488867, und die Ausfuhr 29, 839238, alſo jene 17, 649629 polniſche Gulden mehr als dieſe aus. Um das ſchreckliche Uebergewicht im Handel zu heben, der Schwelgerey Ein-
halt zu thun, und den einheimiſchen Manufakturen aufzuhelfen, wurde 1776 verordnet, daß keine
Perſon, weder von dem einem noch von dem andern
Geſchlecht, welche nicht zum Adel gehört, Gold,
Silber, Perlen, Edelſteine und Spitzen am Leibe
tragen, auch keine koſtbaren Pelzwerke gebrauchen ſolle.
Es ward auch außer dem Adel, allen andern Einwohnern der Republik verboten, zur Bekleidung ihrer Bedienten ſich anderer Tücher, Borten, Hüte,
Mützen, ꝛc. und anderer Stoffen, zu bedienen, als
die in dem Gebiet der Republik verfertiget ſind.
Gold und Silber ſolle zu ſolchen Livereyen nicht gebraucht werden. Auch auf die Uniform der gemeinen Soldaten bey dem Kriegsheer der Republik, ſolle
ſich dieſes Verbot erſtrecken. Es ſolle auch kein fremdes Leder zu Beinkleidern, Sätteln, Geſchirr, ꝛc.
gebraucht werden, man ſolle keine auswärts ge-
mach-

machte Kutschen und Wagen, irdene Geschirre und Fayance, einführen. Jede Woiwodschaften sollen das Recht haben, sich eine Farbe zu einer Uniform zu erwählen, und diese sollten nur die Senatoren und Minister, welche in den Woiwodschaften Sitz und Stimme oder Besitzungen haben, und die Edelleute dieser Woiwodschaften tragen: diese Uniformen aber sollen nur von Tuch, das in Polen gemacht ist, verfertiget seyn. Dieses Gesetz soll vom 1sten May 1778 an seine Kraft bekommen. Durch diese und andere nachmalige Verfügungen, ist die Einfuhr um etwas beträchtliches vermindert worden. Die Polen führen aus allerley Getreide, und Hülsenfrüchte, Manna, Flachs, Hanf, Leinsaat, Hopfen, Honig, Wachs, Talg, Ochsenhäute, Juften, Schafwolle, Pech, Weid- und Pott-Asche, Salpeter, Mastbäume, Bretter, Schiff-Bau- und Stab-Holz, Ochsen, Pferde, Leinwand, Stricke von Hanf, und andere Landes-Producte und wieder ein, Weine, Gewürze, Tücher, seidene und reiche Zeuge, feine Leinwand, Perlen, Edelgesteine, Silber, Kupfer, Messing, Stahl, Pelzwerk und andere Waaren.

Vom 1 Oct. 1752 bis letzten Dec. 1756 wurden zu Leipzig für Polen und Litauen 402,112 Thaler 6 gr. Gold, und 6,230,807 Thaler 6 gr. 11⅞ Pf. Silber gemünzet. 1769 ward ein neues Münzwesen eingerichtet, und man verfertigte aus 72572 Mark 5 Loth feinen Silbers 5,805785 Gulden oder Viergroschenstücke, 80 auf die feine Mark gerechnet, und 16¾ auf einen Dukaten. 1779 und 80 wurde neues Geld von feinem Gepräge gemacht. Die Dukaten wurden zu 16¾

J 3 Gul.

Gulden in der königl. Casse angenommen. Sie sowohl, als alle Silbermünzen bis zu den Gulden herunter, diese mit eingeschlossen, bekamen des Königs Stanislaus Augustus Bildniß. Das Silbergeld wurde nach dem Conventionsfuß ausgepräget; folglich aus der feinen cölnischen Mark zehn Thaler Stücke, zwanzig halbe Thaler Stücke, vierzig zwey Gulden Stücke, (8 ggr.) achtzig polnische Gulden Stücke, (4 ggr.) hundert und sechzig halbe Gulden Stücke, (2 ggr.) dreyhundert und zwanzig Silbergroschen Stücke, (1 ggr.) also war das kleine Silbergeld von gleichem Gehalt mit dem groben. An Kupfergelde, bekam man drey Kupfergroschen Stücke, Kupfergroschen, halbe Kupfergroschen, und Schillinge (solidi.) Auch zu dem Kupfergelde waren die Stempel sehr gut geschnitten. Auf dem Reichstage von 1786 war man der Meynung, daß dieser beschriebene Münzfuß die einzige Ursache sey, warum man im gemeinen Leben kein Silbergeld mehr sehe, aber die wahre Ursache des Mangels an demselben war, weil die Schatz-Commission geduldet hatte, daß der Dukaten von 16½ auf 18 Gulden, also 5 gr. über seinen wahren Werth gestiegen war. Und dennoch wollte man den Münzfuß des Silbergeldes nicht ändern. Die Münzverständigen sagten voraus, daß in ganz kurzer Zeit man gar kein Silbergeld mehr sehen werde, und daß hingegen die kön. Cassen nichts als Dukaten bekommen würden. Die Schatz-Commission fand, daß dieses wahr sey, und ließ neues Silbergeld ausprägen, von welchem 83½ auf die cölnische feine Mark gehen, oder einen polnischen Gulden ausmachen.

§. 9.

§. 9 Alles, was vom Lech, als dem Anfän-
ger des polnischen Volks und Reichs, und seinen
Nachkommen bis auf den Piast, gesaget wird, ist
dunkel, fabelhaft und falsch. Der erste polnische
Annalist, welcher des Lechs in der polnischen Geschichte gedenkt, ist ein Ungenannter, welcher seine
chronicam principum Poloniae cum eorum gestis,
erst am Ende des vierzehnten Jahrhunderts geschrieben hat, und dieser schreibt ausdrücklich, daß er
ihn aus böheimischen Annalisten genommen habe.
Unter diesen ist Dalemil der erste, welcher den
Tschech hat, und bey ihm kommt das Wort Lech
in der Bedeutung eines Jünglings vor. Aus diesem Nennwort, hat man nachmals einen eigenthümlichen Namen, gebildet, wie Prof. Schlözer wahrscheinlich gemacht hat. Piast, welcher ungefähr
840 aus einem Landmann ein Fürst des Volks soll
geworden seyn, ist vornehmlich deswegen merkwürdig, weil sein Stamm viele Jahrhunderte in Polen
und Schlesien geblühet hat, und weil von ihm noch
heutiges Tages alle einheimische Könige, oder auch
die einheimischen Candidaten zur Krone, Piasten
genennet werden. Miecislaus der erste, der vierte
nach Piast, und desselben Großenkel, soll die Regierung 964 angetreten haben. Er nahm 965 den
christlichen Glauben an, und beredete auch sein Volk
dazu. Sein Sohn und Nachfolger Boleslaus der
erste maßte sich der königl. Würde an, welchen Titel auch seine Nachfolger Miecislaus der zweyte, Casimir der erste und Boleslaus der zweyte gebraucht
haben, mit dem letzten aber soll er aufgehöret haben,
und erst vom Premislaus gegen das Ende des drey-

J 4 zehn-

zehnten Jahrhunderts wieder hergestellet seyn. Boleslaus der dritte, einer der streitbarsten Fürsten,
theilte 1138 die Länder unter vier seiner Söhne, mit
Uebergehung des fünften oder jüngsten, welche Theilung zu vielen Streitigkeiten und Unruhen Gelegenheit gab. Vorhin gedachter Premislaus, ein Fürst
von Groß-Polen, nahm 1295 den königl. Titel wieder an. Uladislaus der kleine kam 1309 zum Besitz
von ganz Polen, welches auch von der Zeit an unter
einem Fürsten blieb. Sein einziger Sohn Casimir
der Größe, eignete sich Roth-Rußland zu, und
machte es zu einer polnischen Provinz, gab den Juden große Freyheiten, und beschloß 1370 den piasti-
schen Stamm. Ihm hat Polen seine Gesetze, Gerichte, Ordnung, die meisten Städte, Schlösser
und andere Gebäude zu danken. Nach ihm wurde
der ungarische König Ludewig zugleich König in Polen, und nach seinem Tode, ward seine zweyte Prinzessinn Hedwig 1384 zur Königinn gekrönt, um
welche sich der Großherzog von Litauen Jagello be-
warb, 1386 die christliche Religion annahm, bey der
Taufe Uladislaus genennet wurde, sich mit der Königinn vermählte, gekrönet ward, und einen neuen
königl. Stamm anfieng, welcher der jagellonische
heißt, und bis 1572 den polnischen Thron besessen hat.
Er brachte das Großherzogthum Litauen an das
Reich, Schamayten unter seine Gewalt, und überwand die deutschen Ritter 1410 in der tannenbergischen Schlacht. Sein zweyter Sohn Casimir der
vierte nahm den Theil von Preußen, welcher heutiges Tags West-Preußen heißet, in seinen Schutz,
und den andern mußte der deutsche Orden von ihm

zu

zu sehn nehmen. Unter desselben jüngstem Sohn Sigismund dem ersten, ward Markgraf Albrecht 1525 aus einem Hochmeister ein Herzog von Preußen, und ein Belehnter des polnischen Königs und Königreichs. Sein Sohn Sigismund August machte den neuen Herzog von Curland, Gotthard Ketlern, zu seinen Lehnsmann, und brachte 1569 die Vereinigung des Großherzogthums Litauen mit dem Königreich völlig zum Stande, Liefland ergab sich an Polen, und es wurden auch Volhynien, Podolien, Podlachien und Kiovien mit Polen verknüpft. Mit ihm hörte 1572 die männliche jagellonische Linie auf. Hierauf wurde der Staat von Königen aus mancherley Häusern beherrscht. Heinrich Herzog von Anjou, Königs Heinrichs des zweyten in Frankreich Sohn, erhielt die Krone 1573 unter gewissen Bedingungen; und es wurden einige Gesetze gemacht, nach welchen der König und seine Nachfolger das gemeine Wesen regieren sollten. Er gieng heimlich aus Polen nach Frankreich, daher ihm 1575 das Reich genommen, und dem siebenbürgischen Fürsten Stephanus Bathori gegeben ward, welcher 1578 die beyden großen Tribunalgerichte zu Peterkau und Lublin anlegte, und, wenn er länger gelebt hätte, den Ruhm und die Macht des Reichs vermuthlich erweitert haben würde: er ward demselben aber zu früh entrissen. Sigismund der dritte, ein schwedischer Prinz von des polnischen Königs Sigismund August Schwester Catharina, verlor Liefland, welches Gustav Adolph von Schweden wegnahm. Sein Sohn Wladislaus der vierte, befestigte die Ruhe des Reichs, und stand demselben nicht ohne Ruhm

J 5　　　　　　　vor.

vor. Er wollte einen neuen Ritterorden unter dem Namen der Ritter von der unbefleckten Jungfrauen stiften, welches Vorhaben aber ins Stecken gerieth, und legte 1647 die Briefposten an. Nach seinem Tode war ein unruhiges und wegen der Unglücksfälle betrübtes Interregnum, indem die abgefallenen Kosaken das Reich gewaltig erschütterten. Der 1649 erwählte neue König Johann Casimir, des vorigen Bruder, war gegen die Schweden unglücklich, welchen er 1660 im olivischen Frieden Liefland abstehen mußte; legte 1668 die Regierung misvergnügt nieder, und gieng nach Frankreich. Er war der letzte aus dem weiblichen Stamm von jagellonischer Herkunft in Polen. Der Papst beehrete ihn mit dem Titel eines Rechtgläubigen, (Wisniowiecki). Ihm folgte Michael Thomas Wisniowiczki, ein gelehrter Herr, aber ein Edelmann ohne Ehrenstelle und Güter, und auf diesen 1674 der Kron-Großmarschall und Großfeldherr Johannes der dritte Sobiesky, der sich durch einen Sieg über die Türken bey Chotschin, den Weg zur Krone bahnte, und Wien entsetzen half. Er schloß 1686 mit den russischen Zaren Johann und Peter einen Frieden, kraft dessen der größte Theil der Herzogthümer Kiow und Smolensk an Rußland abgetreten wurde. Nach seinem 1696 erfolgten Tode ward August der zweyte, Churfürst von Sachsen, zum König erwählet, welcher durch den carlovitzischen Frieden die Festung Kaminiez wieder an Polen brachte; aber 1706 im ránstädtischen Frieden dem Stanislaus Leszczinski das Reich abtreten mußte, welches er doch nach der schwedischen Niederlage bey Pultawa, wieder in

Besitz

Besitz nahm, da Stanislaus weichen mußte. Er
stiftete den Ritterorden vom weißen Adler; und starb
1733. Sein Sohn und Nachfolger August der zweyte,
behauptete mit Hülfe eines russischen Kriegsheers, 1734
wider Stanislaus den Thron, welcher letzte Lothringen bekam. Nach seinem Tode ward 1764 Stanislaus Augustus Poniatowski zum König erwählet,
unter dessen Regierung wegen der Freyheiten der
Dissidenten ein grausamer innerlicher Krieg entstund,
während dessen die benachbarten Mächte Rußland,
Oestreich und Preußen sich verbanden, ihre Ansprüche an Provinzen des Staats geltend zu machen, wie
sie denn 1772 Besitz von denselben nahmen, es auch
dahin brachten, daß sie ihnen 1773 auf einem Reichstage förmlich und feyerlich abgetreten wurden. Die
Gränzen wurden 1776 durch Commissarien bestimmet, und weil in Ansehung des Königreichs Preußen Schwierigkeiten entstunden, so verzog es sich
mit der völligen Bestimmung dieses Theils der Gränzen bis 1777. Wenige Staaten haben so gewisse
bestimmte Gränzen als jetzt der polnische, und das
ist der größte Vortheil den er für den Verlust fast
des dritten Theils seiner ehemaligen Größe, erlangt
hat. Man rechnete damals, daß bloß die jährlichen Einkünfte des Königs aus dem Salzbergwer-
ken, Kammergütern, Oekonomien, Zöllen, u. s. w
in Ansehung des östreichischen Landes-Antheils

	2,698000
des russischen	824000
des preußischen	513580
also überhaupt	4,035580

polnische Gulden betrügen, s. mein Magazin Th. 16.
S. 96.

S. 96. Diese harten Schickſale hatten doch den Nuben, daß von 1776 an alle Reichstage fried‐lich, ruhig und ordentlich gehalten und vollendet wur‐den, inſonderheit der Grodnolſche von 1784. Es gab ſich nemlich der König alle mögliche Mühe, um ſelbſt in ſolchen Materien eine völlige Uebereinſtim‐mung zu Stande zu bringen, in welchen er gewiß voraus wuſte, daß die meiſten Stimmen auf ſeiner Seite waren. Das ſonderbare, welches ſich auf dem Warſchauer Reichstage von 1786 zugetragen hat, wird hernach (§. 12) vorkommen.

§. 10. Der Titel des Königs, lautet nach der gewöhnlichen aber nicht richtigen Schreibart der Na‐men, im deutſchen alſo: König in Polen und Großherzog in Litaüen, Reußen, Preußen, Maſovien, Samogitien, Kyovien, Volhy‐nien, Podolien, Podlachien, Liefland, Smo‐lenſko, Severien und Tſchernichovien ꝛc. Das Wapen des Reichs, iſt ein ſilberner Adler im ro‐then Felde wegen Polen, und ein ſilberner Reuter im rothen Felde wegen Litauen. Der Ritterorden vom weißen Adler, welchen König Auguſt der zweyte, 1705 erneuret hat, und der an einem blauen Bande getragen wird, hat zum Zeichen ein durch‐ſichtig roth emaillirtes goldenes Kreuß, mit einem weißen Rande, und zwiſchen den Spißen ſtehen vier Feuerflammen. Auf der vorderſten Seite iſt der polniſche weiße Adler, welcher auf der Bruſt ein weißes Kreuß mit den Churſchwerdtern trägt; auf der andern Seite aber ſteht in der Mitte des Königs Name A. R. mit der Umſchrift: pro fide, rege et lege. Ueber dem Kreuß iſt eine mit Diamanten ver‐

verſetzte Krone. Den Stanislaus-Orden, hat König Stanislaus Auguſtus geſtiftet.

§. 11 Polen war ehemals ein Erbreich, nachgehends gieng vor dem Antrit der Regierung des neuen Königs die Erklärung deſſelben zum König von den Ständen vorher, die Könige aber nenneten ſich nicht bloß durch Bewilligung des Volks, ſondern zugleich durch Succeſſionsrecht, Erben des polniſchen Reichs, und der damit verbundenen Länder. Dieſen Titel hat Sigismund Auguſt zuletzt gebraucht; nach deſſen Abſterben das Geſetz gegeben wurde, daß kein König bey ſeinen Lebzeiten einen Nachfolger beſtimmen, oder erwählen, noch zur Wahl einen Reichstag anſetzen, noch endlich auf irgend eine Weiſe jemanden zur Nachfolge in der Regierung verhelfen ſolle: ſondern es ſolle zu ewigen Zeiten nach dem Tode des Königs die Wahl allen Reichsſtänden frey bleiben, welches auch bisher beobachtet worden. Es iſt alſo Polen nun ein Wahl-Königreich. Der Wahlplatz, iſt bey dem Dorf Wola, unweit Warſchau, an einem auf freyen Felde belegenen, und mit einem Graben und Wall umgebenen Ort, welcher 3 Pforten hat, eine gegen Morgen für Groß-Polen, eine gegen Mittag für Klein-Polen, und eine gegen Abend für Litauen. Zur Bequemlichkeit des Reichsraths, wird daſelbſt ein hölzernes Haus aufgerichtet, welches ſie Schopa heißen. Die Landboten verſammlen ſich außerhalb deſſelben, und ihr Ort heißt Kolo, d. i. ein Kreis, worinn ein Rath gehalten wird; der übrige Adel aber, welcher zur Wahl ſich einfindet, hält ſich weiter davon in aufgeſchlagenen Zelten auf. Die Wahl geſchiehet

von

von den geiſt- und weltlichen Reichsräthen, und von dem
geſammten Adel, der ſeine Landboten dazu abſchicket,
es ſkann aber auch ein jeder Edelmann ſelbſt kommen; von den Städten Krakau, Poſen, Wilna,
Lemberg und Warſchau, welche aber weiter nichts
thun, als daß ſie dem Adel beytreten, und von den
ehemaligen großen preußiſchen Städten, Thorn und
Danzig. Die Conföderation von 1688, hat zuerſt
das Geſetz gemacht, daß kein anderer, als ein rö-
miſch-katholiſcher, auf die Wahl kommen ſlle.
Der gewählte König muß die von den Ständen in
polniſcher Sprache vorgelegten *Pacta conventa*, welche
ſeit 1572 gewöhnlich ſind, entweder in eigener Perſon, oder durch ſeinen Geſandten, beſchwören, alsdenn wird er als König ausgerufen, und in der kra-
kauiſchen Hauptkirche vom Erzbiſchof von Gneſen
gekrönet.

§. 12 Polen und das mit demſelben vereinigte
Großherzogthum Litauen, machen eine ſolche Republik aus, in welcher der König zwar als das Haupt
angeſehen wird, der Reichsrath, nebſt dem übrigen
Adel, aber das meiſte zu ſagen hat. (*penes regem
majeſtas, penes ſenatum auctoritas, penes ordinem
equeſtrem libertas).* Die Verſammlung der Reichs-
ſtände, wird der Reichstag genannt. Die Reichstage werden aus zweyerley Urſachen gehalten, nämlich wegen der Rathſchläge, welche das gemeine Weſen betreffen, und wegen der Gerichte. Sie ſind
entweder ordentliche oder außerordentliche: jene werden nach den Geſetzen alle zwey Jahre angeſetzet;
dieſe aber im Nothfall auch vor Ablauf derſelben.
Der Ort derſelben iſt ordentlicher Weiſe Warſchau,

und

und allemal der dritte Reichstag sollte zu Grodno in Litauen gehalten werden, allein in der zwanzigjährigen Regierung Königs Stanislaus Augustus, wurde 1784 der erste Reichstag zu Grodno angestellt. Vor demselben gehen die Landtage, oder besondere Zusammenkünfte des Adels her, welche der König setzt, und dazu in jeder Woiwodschaft und Landschaft gewisse Oerter bestimmt sind. Auf denselben werden die Abgeordneten des Adels, oder die Landboten, (nuntii terrestres, oder, delegati provinciales) gewählet, welchen entweder besondere Befehle auf den Reichstag mitgegeben werden, oder man giebt ihnen überhaupt die Macht, das gemeine Beste zu beobachten. Hiernächst wurden ehemals allgemeine Zusammenkünfte, oder General=Landtage angestellet, nämlich in Großpolen zu Kolo, in Kleinpolen zu Korkschin, welche Stadt auch Nowe Miasto heißt, in Litauen zu Slonim, in der Masau und Podlachien zu Warschau, in Wolhynien zu Wlodimir, dazu die vornehmsten Beamte, die neuerwählten Landboten, und diejenigen Edelleute, welche Lust dazu hatten, zu kommen pflegten, und von da sie zum Reichstage selbst giengen. Allein, sie sind nach und nach eingegangen, ausgenommen die Masauer, kommen nach den besondern Landtagen, noch zu einem allgemeinen zu Warschau, zusammen. Ehedessen konnte ein jeder Reichstag durch eines einzigen Landboten Widerspruch zerrissen werden, er mogte die in Ueberlegung gekommene Sache selbst, oder etwas entferntes und mit Gewalt herbeygezogenes betreffen. Ein solcher Widerspruch vernichtete zugleich alles, was vorhin schon ausgemacht war; daher

daher ⸗es so viele vergebliche Reichstage in Polen gegeben hat, und unter der Regierung Königs
August des dritten, ist kein einziger zum Stande gekommen. Durch die 1768 eingeführte neue Reichs-
tages Ordnung, ist dieses unvernünftige alte Vorrecht
der Landboten, welches dem Eigensinn eines einzigen
das Uebergewicht über die Einsicht und den Wunsch
hundert vernünftiger Patrioten gab, auf die Mate-
rias status eingeschränkt worden, das ist auf Krieg
und Frieden, neue Auflagen und Truppenvermehrung,
denn nur in diesen Fällen sollte eine völlige Einför-
migkeit des Landboten zu einem gültigen Schluß nöthig seyn. 1786 trug sich auf dem Warschauer
Reichstage das sonderbare zu, das zwar ein Landbote
ein förmliches widersprechendes Manifest gegen den
Reichstag eingab, aber dabey erklärte, daß er dadurch denselben nicht unterbrechen wolle. Was von
den Landboten, dem Reichsrath und dem Könige be-
willigt wird, das hat die Kraft eines reichstägigen
Schlusses und Gesetzes, und wird gedruckt. Wenn
sich der Adel entweder zur Zeit des Interregni, oder
bey Lebzeiten des Königs verbindet, wird solches
eine Conföderation genennet.

§. 13 Ohne Zuziehung und Bewilligung der
Reichsstände, kann der König keinen Krieg führen,
keine Armee zusammen bringen, keinen Frieden schließen, kein öffentliches Bündniß mit jemanden errich-
ten, keine Gesandten in wichtigen Angelegenheiten
absenden, keine Schatzungen, Steuern und neue
Zölle auflegen, den Münzfuß nicht verändern und
bestimmen, keine Gesetze machen, keine Gerichte anlegen, keine Religionsstreitigkeiten schlichten, nichts
von

von den königl. Gütern veräußern, und keine Hauptsache, die das gemeine Wesen angeht, vornehmen
und ausmachen. Unter seinen eigenen Rechten, welche
er allein und nach seinem freyen Belieben ausübet,
war bis auf den Reichstag von 1773 und 74 das
vornehmste, daß er für zwölf Millionen polnische
Gulden Einkünfte von Staroßeyen austheilen, auch
nach seinem Gefallen Senatoren und Minister machen konnte, ob er gleich ohne Bewilligung der
Stände, die Ehrenämter weder vermehren noch ver-
mindern, einer Person nicht mehrere wichtige Aemter zugleich geben, noch einer eine Ehrenstelle nehmen durfte: allein auf dem genannten Reichstage,
sind nach dem Vorschlage und Willen der benachbarten drey Mächte, welche den Staat eingeschränkt
hatten, (§. 9) auch der Gewalt des Königs noch engere Gränzen gesetzt worden. Es ward nämlich anstatt des ehemaligen Reichsraths, ein sogenannter
immerwährender oder beständiger Rath, (Con-
seil permanent), errichtet, und dem Könige an die
Seite gesetzt, welcher mit ihm für die Vollziehung
der Gesetze, und für die äußerliche und innerliche
Ruhe sorgen, den Unterthanen, die sich mit Bitt-
schriften an denselben wenden, die gehörige Antwort
ertheilen, und die Ungehorsamen an ihre Pflicht
erinnern soll. Auf dem Reichstage von 1776 wurde
noch dieses festgesetzt, daß der immerwährende
Rath von einem Reichstage zu dem andern Macht
und Gewalt haben, zwar keine Gesetze geben, noch
sich gerichtliche Gewalt anmaßen, aber doch die Vollziehung der Gesetze besorgen, und den Jurisdictionen
keine Auslegung der Gesetze erlauben soll. Es sollen

2 Th. 8 A.   K   auch

auch alle Minister, Gerichtsbarkeiten und Einwohner der Republik, wes Standes sie auch sind, verbunden seyn, die Antworten, Requisitorial- und Ermahnungs-Schreiben, die von dem immerwährenden Rath ertheilet worden, vollkommen zu hören und anzunehmen, widrigenfalls sie von dem immerwährenden Rath suspendiret werden können. Wenn aber jemand meynet Grund zu haben über diesen zu klagen, so kann er solches auf dem nächsten Reichstage thun, auf welchem dergleichen Klagen durch die Mehrheit der Stimmen entschieden werden sollen. Die Glieder dieses immerwährenden Raths, werden aus Großpolen, Kleinpolen und Litauen, und zwar theils aus den Senatoren, theils aus dem Ritterstande, auf jedem Reichstage erwählet. Von demselben hangen die Departements und Reichs Collegia ab, unter welche die Staatsgeschäfte vertheilet sind, und das Departement der auswärtigen Staatssachen bestehet aus Gliedern des immerwährenden Raths, der so gar das Recht die Gesetze zu erklären ausübet. Der Marschall desselben, hat den Rang über alle Reichsbeamte beyder Nationen. Zu allen erledigten geist- und weltlichen Stellen, bis auf die, welche 1775 dem Könige allein vorbehalten sind, schläget der immerwährende Rath drey Candidaten vor, aus welchen der König einen erwählet. Wenn sich aber ein Bischof einen Coadjutor wünschet, so wird der König nicht eher seine Einwilligung dazu geben, bis der Rath durch die Mehrheit der Stimmen die Person genehmiget hat. In Abwesenheit des Kanzlers, der im Rath sitzt, bekommt der Marschall das Siegel. Alle Räthe des Raths sind ver-
bun-

bunden, sechs Monate in der Residenz zu verbleiben, und bey jeder Session unausbleiblich zu erscheinen. Wer dawider handelt, wird das erste mal mündlich daran erinnert, zum zweyten male schriftlich vom ganzen Rath in Pleno requirirt, und zum dritten male gänzlich davon ausgeschlossen, und ein anderer aus derselben Provinz an seine Statt, wie gewöhnlich, erwählet. Wenn der Präses in einem Departement nicht erscheinen kann, vertritt dessen Stelle der erste in der Ordnung. Condemnate schaden keinem Rath, wenn er schon ernannt ist, wohl aber, ehe er erwählet worden. Wenn es die Nothwendigkeit erforderte, daß ein Rath aus dem Ritterstande, etwas auf dem Reichstage vorzutragen hätte: so kann er, gleich einem Landboten, von dem Reichstags-Marschall eine Stimme verlangen, wenn der Rath durch eine Deputation davon benachrichtiget ist. In Abwesenheit des Marschalls im Rath, vertritt der erste in der Ordnung vom Ritterstande, oder aus der Provinz, aus welcher der Marschall ist, seine Stelle. Wenn eine anwesende oder abwesende Person auf dem Reichstage zum Rath erwählet worden, diese Function aber nicht annehmen wollte, so ist er gehalten, sich binnen Zeit von sechs Wochen zu entschließen, damit der Rath in Pleno aus derselben Provinz und von eben dem Stande, einen andern erwählen könne. Auf dem Reichstage von 1778 bot der Adel dem Könige die Verleihung der Starosteyen wieder an, er nahm sie aber nicht an, doch ließ er sichs gefallen, die eigene Verleihung einer Anzahl kleiner Starosteyen oder königlicher Güther wieder zu übernehmen.

K 2 Die

Die Reichstags-Gerichte, sollen vermöge dessen, was auf dem Reichstage 1776 festgesetzet worden, zu Warschau gehalten werden. Zu jeder Cadenz sollen 24 Richter aus dem Senat und Ritterstande nöthig seyn, und daher allezeit 26 dergleichen Richter dem Könige zur Seite bleiben, außer d nen die zur Cadenz berufen sind, um im Nothfall die fehlenden zu ersetzen. Die erste Cadenz fieng 1776 am ersten October an, und dauette sechs Wochen, die zweyte am ersten Febr. 1777, beyde für Polen, die dritte am ersten Junius für Litauen, und so wird alle vier Monate eine neue Cadenz bis zu dem künftigen Reichstage angefangen. Das Gericht urtheilet über das crimen laesae majestatis, über das crimen perduellionis, über die Processe des unterdruckten Bürgers, über die Beschwerden über die Minister des Reichs, und über die Glieder des beständigen Raths, und in der letzten Instanz über einen Richter, welcher sich einer jeden Bestechung schuldig gemacht hat.

§. 14 Die hohen Ehrenstellen in der Republik, oder die Reichsbeamte, haben fünferley Titel, aber völlig gleiche Rechte. Ich lasse diejenigen weg, welche von Provinzen und Oertern benannt werden, die jetzt nicht mehr zu der Republik gehören. Alle diejenigen, welche dieselben bekleiden, bekommen den Titul Excellenz. Den Anfang machen der Erzbischof von Gnesen, und zehn Bischöfe. Der Erzbischof von Gnesen, ist ein stets verordneter Gesandter des römischen Hofs, (Legatus natus), oberster Geistlicher, (Primas,) und der vornehmste im Reich, (Primas regni, oder primus Princeps). Er verrichtet die Krönung des Königs
und

und der Königinn; und iſt Canonicus natus der
Kirche zu Plotzk. 1749 hat er auch vom Pabſt Be-
nedict XIV das Recht bekommen, ſich wie die Cardinäle roth zu kleiden, den Huth derſelben ausgenommen. Seinen Sitz hat er in der Stadt Lo-
witſch, er hat auch einen eigenen Marſchall, Kreutz-
träger und Kanzler. Die Biſchöfe folgen alſo auf
einander: 1) Der Biſchof von Krakau, welcher
Herzog von Severien iſt, deſſen geiſtliche Gewalt
ſich über die drey Woiwodſchaften von Kleinpolen
im eigentlichen Verſtande, erſtrecket, und der an Einkünften alle Biſchöfe, auch ſelbſt den Erzbiſchof von
Gneſen, übertrifft. Es ſind ſchon verſchiedene krakauiſche Biſchöfe Cardinäle geweſen. 2) Der Biſchof von Wladislaw, in Cujavien, welcher,
wenn der Erzbiſchof von Gneſen abweſend, oder gar
keiner vorhanden iſt, deſſelben Stelle vertritt. 3)
Der Biſchof von Poſen, zu deſſen Diöces nicht
nur die Woiwodſchaft Poſen, ſondern auch ein Theil
von Maſuren und Warſchau gehöret. Wenn der
Primas und der Biſchof von Cujavien nicht gegenwärtig ſind, hat er den Vorſitz bey der Königswahl.
4) Der Biſchof von Wilna, deſſen Diöces ſich
durch Litauen und Weiß-Rußland bis an die Gränzen von Maſuren erſtrecket. Dieſer und der vorhergehende wechſeln im Range mit einander um. 5)
Der Biſchof von Plotzk, welche über den pulto-
wiſchen Diſtrict in Maſuren die oberlandesherrliche
Gewalt hat, ſo daß man von ihm ſich nicht an den
König wenden kann. Zu ſeiner geiſtlichen Gerichtsbarkeit gehört auch der dobrziniſche Diſtrict. 6) Der
Biſchof zu Lutzk in Wolhinien, zu deſſen Diöces

K 3 auch

auch ein Theil von Masuren und Poblachien, und von der Woiwodschaft Brsest in Litauen gehört. Dieser und der vorhergehende Bischof wechseln im Rang ab. 7) Der Bischof von Schamaiten, welcher sich zugleich einen Bischof von Pilten in Curland nennet. 8) Der Bischof von Chelm. 9) Der Bischof von Kiow und Tschernichow, 10) Der Bischof von Kaminietz in Podolien. Es folgen die Woiwoden, Palatini. Eines Woiwoden (Woiewoda) Verrichtung ist, daß er in den Feldzügen den Adel auf seiner Woiwodschaft (Woiewodtzwo) anführet, daher er auch den Namen von Woyna, der Krieg, und Wodz, ein Anführer, hat; und in Friedenszeiten die Zusammenkünfte des Adels besorget, denselben und bey den Gerichten den Ausschlag giebet und sie regieret; die Preise der Sachen, welche zu Markte kommen, setzet, (ausgenommen, wenn der Reichstag ist, und Krieg geführet wird;) die Aufsicht über Gewicht und Maaß hat, und die Juden in seiner Woiwodschaft schützet und richtet. Einige Woiwoden, wollen Generalwoiwoden heißen. Keiner kann zwey Woiwodschaften zugleich haben. Sie haben ihre Unter-Woiwoden. Unter die Woiwoden sind einige größere Castellane gemischet, und sie folgen also auf einander: der Castellan von Krakau, der Woiwode von Krakau, von Posen, (welche beyde in Sitz und Stimme mit einander abwechseln), von Wilna, von Sondomir, der Castellan von Wilna, der Woiwode von Kalisch, Troki, Siradien, der Castellan von Troki, der Woiwode von Lentschitza, der Starost von Scha-
mait

maiten, der Woiwode von Brsetz in Cujavien, Kijow, Wolhinien, Podolien, Lublin, Nowogrod, Plotzk, Masuren, Podlachien, Rawa, Brsetz in Litauen, Mstis-
law, Bratzlaw, Minsk, und 1766 ist noch ein
Woiwode gemacht worden, nämlich der von Gnesen. Nach diesen folgen die Castelläne. (Castellani). Sie sind in Friedenszeiten weiter nichts,
als Reichsräthe, und haben keine Gerichtsbarkeit;
in Kriegeszeiten aber bey einem allgemeinen Aufsitz,
vertreten sie die Stellen der Woiwoden, deren Gene-
rallieutenants sie sind, und unter welchen sie den
Abel anführen. In der Landessprache werden sie
mit einem Vorzug Herren genennet, da denn der
Ort, über welchen ein Castellan gesetzt ist, in seiner Benennung noch mit ki oder ski, verlängert wird;
z. E. Pan Posnanski, der Herr von Posen; Pan
Plotzki, der Herr von Plotzk. Sie werden in
größere (Castellani majores), und kleinere (Castellani minores), abgetheilet; jene haben von den Woiwodschaften, diese von den Districten, in welche dieselben abgetheilet sind, den Titel: jene sitzen mit den
Woiwoden in einer Linie, und auf Lehnstühlen, diese
sitzen hinter den Woiwoden auf Bänken. Uebrigens aber haben sie gleiche Rechte und Würde. Die
größern sind, der Castellan von Posen, Sondomir, Kalisch, Woynitsch, Gnesen, Siradien, Lentschitza, Schamaiten, Bisetz
in Cujavien, Kijow, Wolhynien, Kaminietz, Lublin, Bielsk, Nowogrodek, Plotzk,
Tschern, Podlachien, Rawa, Brsetz in Litauen, Mstisläw, Brazlaw, Danzig, Minsk.

Die

Die kleineren sind der Castellan von Miendsir-
sitsch, Wisliz, Rogoschno, Radom, Sawichost, Landek, Schrem, Sarnowo, Ma-
lo-gost, Wielun, Chelm, Dobrsyn, Pola-
niez, Prsemetsch, Kriziwin, Tschechow,
Rospirs, Biechowo, Brsesiny, Spizi-
miersch, Inowlods, Kowal, Ssantok,
Sochatschow, Warschau, Gostin, Wizna,
Razions, Ssierptsch, Wischogrod, Ripin,
Sakrotschim, Tziechanow, Liw, Sslonsk,
Konar in Siradien, Konar in Lentschiza,
und Konar in Cujavien.   Endlich folgen die
Staats- und Krieges-Bediente, (Ministri or-
dinr. senatorii), welche sind, der Kron-Großmarschall, der Großmarschall von Litauen;
der Kron-Groß-Feldherr, der Groß-Feld-
herr von Litauen; der Kron-Großkanzler,
der Großkanzler von Litauen; der Kron-Un-
terkanzler, der Unterkanzler von Litauen, der
Kron-Großschatzmeister, der Großschatzmeister von Litauen; der Kron-Hofmarschall,
der Hofmarschall von Litauen; der Kron-
Unter-Feldherr, der Unter-Feldherr von
Litauen; der Kron-Hof-Schatzmeister, der
Hof-Schatzmeister von Litauen.   Diese sechzehn Personen haben im Reichsrath den Vorsitz vor
den größern und kleinern Kastellanen. Sie haben
große Macht und Ansehen, und ein jeder unter
ihnen kann zu den höchsten Reichs-Ehrenämtern
gelangen.

§. 15 Der Ober-Secretair des Reichs und
der von Litauen, vertreten bey Hofe und bey dem
Hof-

Hofstaat der Kanzler Stellen, in Abwesenheit derselben, haben auch den Rang über alle Land Beamte und Hof-Bediente, den Hofmarschall angenommen. Sie sind allezeit von geistlichem Stande. Nach ihnen haben die Referendarien den nächsten Rang, deren Polen zwey, und Litauen auch zwey hat, und von welchen einer ein geistlicher, und der andere ein weltlicher ist. Sie haben heutiges Tags mit der Anhörung und Vortragung der Klagen der Privatpersonen nichts mehr zu thun, sondern schlichten die Streitigkeiten, welche unter den Besitzern der königlichen Güter und Oekonomien und derselben Bauern vorfallen, in ihren besondern Gerichten, welche Referendariatus genennet werden. Sie sitzen auch mit in den Assessorial- und Relations-Gerichten. Die übrigen Beamten des Reichs und Großherzogthums Litauen, sind, der Oberkämmerer, der Hof-Schatzmeister, die Kanzley-Directores, Instigatores oder General-Procuratores, die Fähnriche, Hoffähnriche, Schwerdtträger, Ober- und Unter-Stall-Meister, Küchenmeister, Mundschenken, Vorschneider, Truchsesse, Untertruchsesse, Jägermeister, u. s. w.

§. 16 Eine jede Woiwodschaft und District hat folgende Landbeamte, welche *Dignitarii* genennet werden, nämlich einen Unterkämmerer, Fähnrich, Richter, Truchses, Obermundschenk, Unterrichter, Untertruchses, Untermundschenk, Jägermeister, Rottmeister, Schwerdtträger, Unterrottmeister, Schatzmeister. Einige unter denselben, als der Schwerdtträger, Ober- und Unter-Mund-

K 5 schenk,

ſchenk, Ober- und Unter-Truchſes und Schatzmeiſter, haben nur den Namen und das Anſehen, aber keine wirkliche Verrichtungen; doch würden ſie dieſelben noch wohl haben, wenn der König ſich in ihren Woiwodſchaften aufhielt. Die übrigen verwalten ihr Amt noch wirklich. Der Unterkämmerer hat jetzt nur mit den Sachen, welche die Gränzen und die Landgüter betreffen, zu thun. Die Schloß-Beamte gehören auch hieher. Unter denſelben ſind die Staroſten, oder Schloß-Amtmänner, (Capitanei judiciales) die vornehmſten; als welche nicht allein die Aufſicht über die königlichen Schlöſſer haben, ſondern auch den Frieden und die öffentliche Ruhe in ihren Staroſteyen beſorgen, und dieſelben vor Gewalt, Dieben und Räubern ſchützen. Sie können die Landleute, Bürger und Adeliche richten und beſtrafen, vollſtrecken zuletzt die Urtheile, welche die höchſten Gerichte gefället haben, beſorgen den Nutzen und die Einkünfte des Königs, welche demſelben aus der Wirthſchaft und aus den Schatzungen, oder Lieferungen der Land- und ſtädtiſchen Leute zufließen, und haben die Schlöſſer, Dörfer und Bauerhöfe, imgleichen die königl. Flecken und Dörfer unter ſich. Jeder Staroſte hat ſeinen Verweſer, den man insgemein den Unterſtaroſten nennet, welcher in ſeinem Namen die ganze Staroſtey verwaltet; imgleichen einen Burggrafen, der die öffentliche Sicherheit erhält, und die richterlichen Ausſpüche zur Erfüllung bringt; ferner bey den ordentlichen Gerichten einen Grod- oder Schloß-Richter, und einen Gerichtſchreiber, welcher ein Grodſchreiber heißet. Die Staroſteyen ſind nicht nach

den

den Woiwodschaften, sondern meistentheils nach den
Schlössern und Landesstrichen unterschieden; einige
haben auch mehr als einen Bezirk unter sich. Es
sind auch Starosten ohne Gerichtsbarkeit, deren Anzahl größer, als der vorigen, und einige Bischöfe,
große Herren und begüterte Edelleute haben auch ihre
Schlösser und Starosten. In den Städten sind
Bürgermeister und Rathmänner, und auf den Dörfern Schulzen mit ihren Gerichtsverwaltern und
Schöppen. Der gemeine Mann in Städten, Flecken und Dörfern stehet theils unter dem Könige,
theils unter den großen Herren und Edelleuten, theils
unter den Geistlichen. Er wird mehr nach Gutdünken, als nach gewissen Gesetzen, beherrschet.

§. 17 Die hohen Gerichte, sind, 1) das
Kron-Tribunal, welches in bürgerlichen und peinlichen Sachen des Adels das letzte Urtheil spricht,
und erst zu Peterkau für Großpolen, und hernach zu
Lublin für Kleinpolen, von einerley Richtern gehalten wird; die theils geistliche, theils weltliche Personen sind. Ein gleiches Tribunal für Litauen,
wird erst zu Wilna, und hernach entweder zu Minsk,
oder zu Nowogrodek gehalten, hat aber nur weltliche
Richter. 2) Die Schatz-Commission für Polen und Litauen, welche die Rechnungen der Gros-
schatzmeister, die Register der Zollbedienten, und
mit einem Wort, alle Sachen, welche die Kronein-
künfte betreffen, untersuchen. Der Reichstag wählet dieselben, so bald der immerwährende Rath zu
Stande gekommen ist. Unter den Regierungen vor

dem

dem König Stanislaus Augustus, wurde der Schatz
der Republik von den Schatzmeistern beynahe willkührlich verwaltet.; denn ob sie gleich keine neue
Auflagen machen konnten, so waren sie doch in der
Art der Beytreibung und Verwendung der einmal angenommenen, bloß und unmittelbar von dem Reichstage abhängig. Da nun unter der Regierung Augustus des driten, von 1734 an, keiner zu Stande gekommen war, so hatte ein Schatzmeister nach dem
andern den Schatz in Verwirrung übernommen, und
sich diese bald mehr bald weniger zu Nutze zu machen
gewußt. K. Stanislaus Augustus suchte dieser Un-
ordnung gleich beym Antritt seiner Regierung abzuhelfen, die alten Rechnungen, wurden so gut als es
sich thun ließ, geschlossen, und beyden Schatzmeistern
eine von ihnen unabhängige Commission an die Seite
gesetzet. Seitdem werden die Einkünfte der Republik treu und ordentlich verwaltet. Es sind aber, auf
eine sonderbare Weise, diese Commissionen, welche
bloß mit der Verwaltung der Staatseinkünfte sich
beschäftigen sollten, zugleich Richter in allen Zoll-
Wechsel- und Handlungs-Sachen überhaupt, und
entscheiden in denselben ohne weitere Appellation. Der
bey diesem Gericht eingeführte summarische Proceß,
ziehet noch sehr viele andere Sachen dahin, weil es
bey jedem Contract den Parteyen frey stehet, den
Richter auf dem Fall eines daraus entstehenden
Streits, voraus zu bestimmen, ohne daß ein Gericht sich unterstehen darf, dergleichen Proceß abzu-
weisen. Diese ausgebreitete Rechtspflege, hat den
Schatz-Commissionen großes Ansehen verschaffet, und
daher wird die Stelle eines Schatz-Commissairs keinem

nem zu Theil, der sich nicht sehr darnach bemühet,
und viele Gönner und hohe Freunde hat. 3) Die zusammengesetzte Hof- oder Kanzley-Gerichte beyder Nationen, die in alle Sachen, welche die
Städte und Tenutarien der königl. Güter betreffen,
richten, an welche auch die Appellationen von den
Municipalstädten, und von den Gerichten der Woiwoden in Sachen der Juden, gelangen. 4) Das 1768
errichtete Assessorialgericht, welches aus Assessoren
der katholischen und evangelischen Kirchen in gleicher
Zahl bestehet, und deswegen Collegium mixtum genennet wird, ist 1745 in die Hofgerichte beyder Nationen versetzet worden, und seitdem ist die Bene-
nung der zusammengesetzten Hofgerichte gewöhnlich.
Es sitzen die beyden Kanzler in denselben, und der
Reichstag wählet die Beysitzer derselben nach den
Schatz-Commissionen. 5) Das Gericht der Referendarien, welches die Streitigkeiten zwischen den
Hebungsbedienten des Königs und den Tenutarien
der königl. Güter an einer, und den Bauern auf
denselben an der andern Seite, schlichtet. 6) Das
Gericht der Obermarschälle, welches dem Hof
folget, sich bis auf drey Meilen von der Residenz erstrecket, und in allen Sachen richtet, die zur Erhaltung der öffentlichen Ruhe dienet. 7) Die Gränz-
gerichte, welche an den Gränzen von Rußland
und von der Walachey, gehalten werden, und
die Streitigkeiten zwischen Privatpersonen beyder
Nationen schlichten. Zu den Untergerichten
gehören die Landgerichte in den Districten der Woiwodschaften, die Gerichte derjenigen Starosten,
welche Gerichtsbarkeit haben, die Gerichte der Un-

terkämmerer, die Magistratgerichte in den
Städten, u. a. m.

Die gottesdienstlichen Personen, stehen ins=
gesammt unter den Bischöfen und dem Erzbischof.
Die Haupteinrichtung des geistlichen Gerichts haben
die Bischöfe, deren Stellen durch Verweser, oder
Vicarios, imgleichen durch Kanzler und Officiale
vertreten werden, unter welchen letzten der vornehmste
der Haupt= oder allgemeine Official heißet; die übri=
gen aber werden Kriegsofficiale genennet. Von den
Bischöfen und von denenjenigen, welche ihre Stellen
vertreten, appelliret man an den Erzbischof, end=
lich aber an den Pabst. Die geistlichen Richter be=
strafen die Leute ihres Standes unmittelbar, gegen
weltliche aber müssen sie sich zur Vollstreckung ihres
Urtheils den Beystand der Stadt= und Land=Beam=
ten ausbitten. Durch die Tractate von 1768 und
75 sind die Dissidenten von den katholischen geistlichen
Gerichten befreyet, und in ihren Kirchensachen, ihren
Synoden und Consistorien untergeben worden.

§. 18 In Ansehung des Stats=Einkünfte,
und Ausgaben, ist 1775 eine neue Constitution ge=
macht worden. 1776 übergab man auf dem Reichs=
tage ein Verzeichniß der Ausgaben und Einnahmen,
vermöge dessen die Ausgaben

zum Civil=Aufwand   12,838152 poln. Gulden
zum Militär Aufwand 18,656000 — — —
zu Pensionen   3,326036 — — —

also überhaupt   34,820188 Gulden,

hingegen die Einkünfte nur 15,070175 Gulden betru=
gen. Um nun den großen Mangel von 19,750008
                                            Gul=

Gulden zu heben, ſetzte der Reichstag die Ausgaben auf 16 Millionen 836569 Gulden herunter, nachdem der König, welcher jährlich 2, 666666 Gulden haben ſollte, freywillig eine Million fahren ließ. Die Ausgabe wurde nun feſtgeſetzt zu 23686922 poln. Guld.

Vom 1 Sept. 1776 bis letzten Auguſt 1778 nahm der Kron-Schatz in Polen ein, 23154975 pölniſche Gulden, und gab aus 23092867 p. G. ſo daß 62085, p. G. übrig blieben.

Vom 1 Sept. 1778 bis letzten Auguſt 1780, war die Einnahme 25832706, und die Ausgabe 23537406 p. G. es blieben alſo 1306228 p. G. im Schatz.

Von 1780 bis 1782 blieben im Schatze 2,044088. poln. G. übrig, von 1782 bis 84, 2,364,289 p. G. Vom 1 Sept. 1784 bis dahin 1786 betrug die zweyjährige Einnahme des Kronſchatzes 26,661,971 p. G. und die Ausgabe 24,500,614 p.G. 23 gl. und der Beſtand 2,161,356 p.G. 7 gl. Die Einnahme des litauiſchen Schatzes mit dem Beſtände von der letzten Rechnung, 10,800,670, und die Ausgabe 10,774,360 p. G. alſo der Beſtand 26,310 p. G. Folglich hat in dieſen beyden Jahren betragen die Einnahme aus Polen und Litauen zuſammen, (die Beſtände von den beyden vorhergehenden Jahren mitgerechnet,) 37,462,641 p. G. welche 6,243,773½ Thaler betragen, alſo in 1. Jahr 3,021,886 Thaler 18 gl. Die Ausgabe, 35,274,974 polniſche Gulden, welche 5,879,162 Thaler ausmachen, alſo in 1 Jahr 2,939,581 Thaler. Eine genauere Nachricht von den Einkünften und Ausgaben der Rep. Polen von 1775 bis 86, findet man in meinem Magazin für die Hiſtorie und Geo- gragráphie, Th. 16, S. 55 bis 105, Th. 17, S. 568 bis 576, Th. 19, S. 455 bis 462 Th. 21, S. 482. Die ordentlichen Ausgaben sind 1776 angeſetzet, zu 11,628,461 polniſche Gulden, und von dieſer Summe ſind für den König beſtimmt 2,666,666 Gulden, welche 444,444⅓ Thaler betragen.

§. 19 Endlich iſt noch des Kriegsweſens zu gedenken. Die Republik könnte ein mächtiges Kriegsheer auf den Beinen halten, weil ſie eine große Menge vortrefflicher Pferde ziehet, und die Polacken durch gute Zucht zu ſehr brauchbaren Soldaten gemacht werden können, wie diejenigen, welche bey der königlich-preuſſiſchen Armee befindlich ſind, beweiſen: allein, in ganz Europa iſt kein Staat ſo ſchwach, und

mals wußte man in Polen von keiner in Sold ſtehenden beſtändigen Miliz, ſondern ganz Polen zog zu Felde, wenn ein allgemeines Aufgebot (Polpolite Ruſchenie) auf einem Reichstage beſchloſſen wurde. Die Litauer fiengen 1551 zuerſt an, zur Beſchützung ihrer Gränzen eine beſtändige Mannſchaft auf den Beinen zu halten und zu beſolden, und die Polen folgten ihrem Beyſpiel; indem ſie zur Beſchützung der Gränzen gegen die Streifereyen der räuberiſchen Nachbaren, gewiſſe Soldaten bewilligten, die ihren Sold von dem dazu gewidmeten vierten Theil der Einkünfte der königl. Tafelgüter bekamen, welcher in der Land-Schatzkammer auf dem Schloß zu Rawa verwahret wurde, und davon dieſe Soldaten Quartianer genennet wurden. Weil dieſelben aber zur Vertheidigung des Landes nicht hinreichten, ſo wurden noch andere Soldaten geworben, und beſtunden aus

Reu-

Reuterey und Fußvolk. Alle Truppen werden in die
Kron- und Litauische-Armee eingetheilet. Nach dem
1776 festgesetzten Etat, soll bestehen

  1 Die Kron-Armee
      an Reuterey aus   5522
      an Fußvolk aus   7860
      zusammen aus   13409 Köpfen.

Die Litauische Armee
      an Reuterey aus   2670
      an Fußvolk aus   2075
      zusammen aus   4770 Köpfen.
beyde Armeen aus   18179 Köpfen.

Sie ist aber gemeiniglich nicht ganz vollständig,
wie denn 1784 nur 17649 Köpfe vorhanden waren.
Genauere Tafeln von den polnischen und litauischen
Truppen stehen in meinem Magazin für die Historie und Geographie Th. 16, S. 109 — 112. Th. 20,
S. 316. 317. Ein allgemeines Aufgebot ist jetzt nicht
mehr gewöhnlich, schaffet auch der Republik gar keinen Nutzen mehr.

§. 20 Das polnische Reich bestehet aus drey
Hauptheilen, welche sind Groß- und Klein-Polen, und das Großherzogthum Litauen. Diese
Eintheilung hat im polnischen Staatsrecht ihren grossen Nutzen, weil dreyer Völker und dreyer Provinzen
gedacht, und auf den Reichstagen aus allen dreyen
wechselsweise ein Marschall gewählet wird; davon
man ein mehreres in Lengnichs jure publ. regni
Poloni T. I. p. 18 lesen kann. Gemeinschaftlich zu
Polen und Litauen gehören die Herzogthümer Curland und Semgallen

  Th. 8 U   **L**   **I. Groß-**

I. Groß-Polen.

Wielkopolska Prowincya,

welches auch Nieder-Polen genennet wird. Im engern Verstande, bestehet es nur aus den Woiwodschaften Posen, Kalisch, und Gnesen, (welche letzte erst in neuern Zeiten von der zweyten abgesondert ist;) denn der Starost dieser Woiwodschaften, heißt der Ober-Starost von Groß-Polen, und der Landtag, welchen diese Woiwodschaften zu Srodka halten, wird der Landtag von Großpolen genannt. Man nimmt aber auch den Namen Groß-Polen in einer so weiten Bedeutung, daß er folgende Woiwodschaften und Länder begreift.

I.

Die Woiwodschaft Posen

Wojewodztwo Posnanskie

Palatinatus Posnaniensis.

Sie hat 1772 ein Stück verloren, welches nun zu dem preußischen Netz-District gehöret, und bestehet nun noch aus zwey Districten (Powiaty,) welche sind Powiat Poznanski und Powiat Koscianski; und eben so viel Starosteyen. Der Starost von Posen, heißt Ober-Starost von Groß-Polen, (Starosta general Wielkopolski,) weil er sieben Starosteyen und Grods vorstehet, von welchen zwey in dieser Woiwodschaft, die übrigen aber in den beyden folgenden sind. Die Landtage dieser Woiwodschaft

schaft werden zugleich mit dem Landtage der Woiwodschaften Kalisch und Gnesen, zu Srodka gehalten.
Alle drei Woiwodschaften zusammen erwählen zwölf
Landboten, vier Deputirte, und zwey Commissarien.
In der Woiwodschaft Posen, sind 9 Senatoren, 3
vom ersten Rang, nämlich der Bischof, der Woiwode und der Castellan von Posen, und 5 vom zweyten Rang, nämlich die Castellane von Miedzyrzic,
Rogoszno, Szrem, Przement, und Krziwin. Noch
sind in der Woiwodschaft fünf Abteyen, von welchen
der König zwey vergiebet. Die Fahne dieser Woiwodschaft, enthält einen weißen Adler, mit zum
Flug ausgebreiteten Flügeln, im rothen Felde. Es
folgen nun die beyden Districte insonderheit.

I Powiat Posnanski, der District Posen.

1. Die Land- oder adelichen Güter, zu welchen, außer den Dörfern, folgende Städte und
Städtchen gehören.

1) Goslina murowana, ein Städtchen von 104
Rauchfängen.

2) Kazmierz, ein Städtchen von 27 Rauchfängen.

3) Kamienno Rähmen, ein Städtchen an einem
kleinen Fluß, der sich in die Warta ergießet, von 77
Rauchfängen.

4) Lwowek, Polnisch-Neustadt, eine kleine Stadt
von 255 Rauchfängen.

5) Miedzychod, eine Stadt von 314 Rauchfängen,
an der Warta, mit einer evangelischen Kirche.

6) Oborniki, ein Städtchen von 92 Rauchfängen,
an der Warta.

7) Obrycko, eine Stadt von 180 Rauchfängen.

8) Ostrorog, ein Städtchen von 68 Rauchfängen.

9) Pniewi, ein Städtchen von 98 Rauchfängen.

10) Ryczywot, ein Städtchen von 84 Rauchfängen.

11) Szamotaly, Sambter, eine keine Stadt von 145 Rauchfängen an einem Bach, der in die Warta fließet.

12) Grzymalow, eine Stadt von 415 Rauchfängen.

13) Stobnica, ein kleines Städtchen von 27 Rauchfängen, an der Warta.

14) Sierakow, Zirkau, eine kleine Stadt von 160 Rauchfängen, an der Warta.

15) Stenzewo, ein Städtchen von 71 Rauchfängen.

16) Trzciel Tirschtiegel, eine kleine Stadt von 114 Rauchfängen, an der Obra.

17) Trzciel nowo, eine kleine Stadt von 140 Rauchfängen.

18) Wronki, eine Stadt von 214 Rauchfängen, an der Warta. Sie brannte 1768 größtentheils ab.

2. Die **geiſtlichen Güter,** zu welchen außer den Dörfern gehören

1) Bledzew, Blesen, ein Städtchen von 105 Rauchfängen, an der Obra. Es ist hier eine Abtey Cistercienser Ordens.

2) Buk, eine keine Stadt von 220 Rauchfängen.

3) Chwalszewo, eine kleine Stadt von 142 Rauchfängen.

4) Pszczew, ein Städtchen von 108 Rauchfängen.

5) Piotrowo, ein kleines Städtchen von 14 Rauchfängen.

6) Srzodka, ein Städtchen von 49 Rauchfängen.

7) Wenetowa, ein kleines Städtchen von 21 Rauchfängen.

8) Paradyz, Paradis, eine Abtey Cistercienser Ordens, am Fluß Pachlitsch oder Jordan, welcher das Städtchen Liebenau in dem benachbarten schlesischen Fürstenthum Glogau gehöret. Der König vergiebt dieselbige.

3. Die **königlichen Güter,** zu welchen außer den Dörfern, folgende Städte gehören

1) Poznan, Posen, Posnania, die Hauptstadt von Groß-Polen, eine ziemlich große Stadt an der Warta und

Pros=

Prosna, zwischen Hügeln, welche mit einer doppelten Mauer und einem tiefen Graben umgeben ist, und jenseits der Warta, die Vorstädte Schrodka und Walischewo hat, die mit einem großen Sumpf umgeben, und sowohl, als die Stadt selbst, den Ueberschwemmungen des austretenden Flusses manchmal sehr unterworfen sind. Das Schloß liegt auf einem Hügel zwischen der Warta und Prosna, und ist fest. Es hat hier der Woiwode, ein größerer Castellan, und der Ober=Starost von Groß Polen seinen Sitz, dem letzten gehöret die hiesige Starostey. Außer verschiedenen Kirchen und Klöstern, ist hier ein ehemaliges Jesuiter=Collegium, welches der Bischof Adam Konarski, nach dem Muster des braunsbergischen gestiftet hat, in der Vorstadt ein akademisches Gymnasium, welches der Bischof Joh. Lubranski errichtet hat, daher es Athenaeum Lubranscianum, genennet wird, ein Stifts=Seminarium, und eine Commenthurey des Johanniter-Ordens, welche 1170 errichtet worden. Der bischöfliche Hof ist neben der Domkirche, welche 1772 abbrannte, und liegt zwischen Morästen. Das hiesige Bisthum ist das erste und älteste in Polen, vom Kaiser Otto I. zur Zeit Mietschislavs I gestiftet, und dem Erzbisthum Magdeburg untergeben worden, unter welchem es auch eine geraume Zeit gestanden hat, bis es unter das gnesensche Erzbisthum gekommen. Der Handel mit Deutschland, hat die Stadt in Aufnahm gebracht, welche auch das Stapelrecht, nebst vielen andern Privilegien, hat Hier wird ein Landgericht gehalten. In dieser Gegend hat das Christenthum in Polen seinen ersten Anfang genommen. 1703 wurde die Stadt von den Schweden, und 1716 von den Polen eingenommen. 1764 erlitte sie großen Brand=schaden, insonderheit brannte die ganze Judengasse ab.

2) Skwirzyna, Schwerin, eine Stadt von 324 Rauchfängen, an der Warta, welche hier die Obra aufnimmt. Es ist hier eine evangelische Kirche.

3) Rogoszno stare, eine Stadt von 216 Rauchfängen. Hier ist ein keiner Kastellan.

L 3   4) Ro=

4) Rogoszno nowe, ein Städtchen von 103 Rauch=
fängen.

4. Die Landschaft Frauenstadt, Ziemia
wschowska, in welcher

1. Die adlichen Güter, zu welchen außer den
Dörfern gehöret

Slichtyngow, Schlichtingheim, eine kleine Stadt
von 166 Rauchfängen, an der schlesischen Gränze. Sie
ist zur Zeit des dreyßigjährigen Krieges von evangelischen
Schlesiern angeleget worden. Es ist hier eine evangeli=
sche Kirche.

2. Die geistlichen Güter, zu welchen außer
den Dörfern gehöret
Swięciechowo, eine kleine Stadt von 261 Rauch=
fängen.

3. Die königlichen Güter, zu welchen außer
2 Dörfern gehören

1) Wschowa, Fraustadt, eine bemauerte Stadt
von 1035 Rauchfängen, auf einer Ebene, 11 Meilen von
Posen, an der schlesischen Gränze, welche von Deutschen
erbauet worden, auch noch viele deutsche Einwohner hat. Es
sind hier drey evangelische Kirchen. Mit Ochsen und
Wolle wird ein starker Handel getrieben. Es ist hier eine
Starostey, und eur Landgericht. Sie gehörte in alten
Zeiten zu dem schlesischen Fürstenthum Glogau, König
Casimir aber nahm sie 1343 weg, versprach aber sie bey
ihren Privilegien und Freyheiten, worunter auch die Münz=
gerechtigkeit war, welche sie von den glogauischen Fürsten
bekommen hatte, zu erhalten. 1644 brannte sie fast ganz
ab. 1706 erlitten die vereinigten Sachsen und Russen
hieselbst von den Schweden eine starke Niederlage.

2) Neysztadt, die Neustadt, von 173 Rauch=
fängen.

II. Po=

II. Powiat Kościanſki, in welchem

1. Die Land- oder adelichen Güter, zu welchen außer den Dörfern gehören

1) Czempin, ein Städtchen von 93 Rauchfängen.

2) Dubin, ein Städtchen von 93 Rauchfängen.

3) Goſtyn, eine Stadt von 259 Rauchfängen.

4) Koſtarzewo, ein Städtchen von 87 Rauchf.

5) Grodzisko, Grätz, ein Städtchen von 93 Rauchfängen.

6) Bojanow, eine Stadt von 429 Rauchfängen. Sie hat eine evangeliſche Kirche.

7) Bogaſtawo, ein Städtchen von 109 Rauchf.

8) Kargowa, Unruhſtadt, eine Stadt von 296 Rauchfängen, welche einem Grafen von Unruh gehöret, und eine evangeliſche Kirche hat.

9) Xiadz, ein Städtchen von 72 Rauchfängen.

10) Leszno, Liſſa, Polniſch-Liſſa, eine Stadt von 1445 Rauchfängen. Dieſer Ort war ehedeſſen nur ein Dorf: als aber Graf Raphael Leſchzinſki viele Evangeliſche, welche aus Schleſien, Böhmen, Mähren und Oeſtreich ſich eingefunden, liebreich aufnahm, und ihnen freye Religionsübung verſtattete, nahm der Ort zu, und ward zu einer Stadt. Die Einwohner treiben guten Handel. Es iſt hier eine lutheriſche Kirche und lateiniſche Schule, und eine reformirte Kirche und Gymnaſium illuſtre. Es wohnen hier ſehr viele Juden, welche eine große Synagoge haben. Dieſe Stadt iſt der Stammort der Grafen Leſchzinſki, von welchen der letzte Staniſslaus, König von Polen, und Herzog von Lothringen geworden iſt. Dieſer hat die Stadt 1738 an den damaligen Reichsgrafen und nachherigen Fürſten Alexander Joſeph Sulkowſki verkaufet, bey deſſen Familie ſie noch iſt, und mit ihrem Zugehör den Titel einer Grafſchaft führet. 1656 verließen die Einwohner die Stadt aus Furcht vor den polniſchen Truppen, welche auch die leere Stadt plünderten und in die Aſche legten. 1707 wurde ſie auch von den Ruſſen verwüſtet, aber nachher viel beſſer wieder

L 4   auf-

aufgebauet. 1767 verlor sie in einer schrecklichen Feuersbrunst 986 Gebäude.

11) Rydzyna, Reissen, eine Meile von polnisch
Lissa, ein Schloß, welches vor 1705, da es von den Sachsen verheeret wurde, eines der schönsten Gebäude in Polen war, in einer überaus angenehmen Gegend lag, auf
einer Insel, im Fluß und nahe an einem Walde, durch
welchen man in gerader Linie nach Lissa sehen konnte.
Es hat auch der leschzinskischen Familie zugehöret, jetzt
aber ist es fürstlich Sulkowskisch.

12) Mieycko gorna, eine Stadt von 201 Rauchfängen.

13) Osieczna, Storchnest, eine Stadt von 253
Rauchfängen.

14) Opalenica, ein Städtchen v. 103 Rauchfängen.

15) Poniec, eine Stadt von 266 Rauchfängen.

16) Rakoniewice, eine kleine Stadt von 178 Rauchfängen.

17) Rawicz, eine Stadt von 1041 Rauchfängen,
unweit der schlesischen Gränze, welche mit einem schlechten Wall umgeben ist. Die Einwohner sind insgesammt
Deutsche und Lutheraner, und unter denselben sind viele
Tuchmacher, daher auch der Handel des Orts größtentheils in Tüchern bestehet. Die Stadt gehöret dem fürstlichen Hause Sapieha. König Karl XII hatte hier 1704
sein Winter- und Haupt Quartier, blieb auch hieselbst bis
in den August des folgenden Jahres. 1707 ward sie von
Russen angezündet, und 1768 von Conföderirten ganz
abgebrannt.

18) Rydzyryna, oder Rydzyna, eine kleine Stadt
von 168 Rauchfängen.

19) Piaseczna gora, ein kleines Städtchen von
39 Rauchfängen.

20) Sarnowo, eine keine Stadt von 198 Rauchfängen.

21) Szmigiel, Schmiegel, Smigel, eine Stadt
von 477 Feuerstellen. Sie hat eine evangelische Kirche.

22) Wolsztyn, eine Stadt von 221 Rauchfängen, mit einer evangelischen Kirche.

23) Zębłow, ein Städtchen von 62 Rauchfängen.

24) Zbąszyn, Bentschen, eine keine Stadt von 162 Rauchfängen, an der Obra.

25) Zaborowo, eine kleine Stadt von 181 Rauch-fängen, in welcher eine evangelische Kirche ist.

2. Die geistlichen Güter, zu welchen außer ben Dörfern gehören

1) Dolsk, eine keine Stadt von 132 Rauchfängen.

2) Krobia, Kreben, eine keine Stadt von 189 Rauchfängen.

3) Krzywin, Krieben, ein Städtchen von 79 Rauchfängen, der Sitz eines Kastellans.

4) Przement, Priment, ein Städtchen von 33 Rauchfängen, auf einer Insel in der Obra. Es ist hier ein kleiner Kastellan, und eine Cistercienserabtey.

5) Wielickowo, ein Städtchen von 95 Rauch-fängen.

3. Die königlichen Güter, zu welchen außer ben Dörfern gehören

1) Babimost, Bomst, ein Städtchen von 250 Rauchfängen, mit einer evangelischen Kirche.

2) Broyce, Brätz, eine keine Stadt von 155 Rauchfängen, in welcher eine evangelische Kirche.

3) Kopanica, Köpnitz, ein Städtchen, von 77 Rauchfängen, an der Obra, mit einer evangelischen Kir-che. Nicht weit davon liegt das Kloster Obra.

4) Kościan, die Hauptstadt des Districts, von 198 Rauchfängen, an der Obra, zwischen Morästen. Es ist hier eine Starostey, auch wird hier ein Landgericht ge-halten.

5) Moszna, ein Städtchen von 71 Rauchfängen, unweit der Warta.

6) Szrzem

6) Szrzem, eine kleine Stadt von 243 Rauchfängen, auf einer Insel an der Warta. Hier ist ein kleiner Kastellan.

II.

Die Woiwodschaft Gnesen
Wojewodztwo Gniezninskie
Palatinatus Gnesnensis,

welche 1768 von der Woiwodschaft Kalisch abgesondert worden, aber wenige Jahre hernach den größten Theil ihres Zugehörs verloren hat, nämlich die Districte Kcin und Nakel.

I Powiat Gniezkinski

1 Die Land- oder adelichen Güter, zu welchen außer den Dörfern gehören

1) Czerniejewo, ein Städtchen von 85 Rauchfängen.

2) Jornowice, ein Städtchen von 58 Rauchfängen.

3) Kiszkowo, ein Städtchen von 38 Rauchfängen.

4) Copienno, ein Städtchen von 60 Rauchfängen.

5) Xoyowo, ein kleines Städtchen von 19 Rauchfängen.

6) Skoki, Schoken, eine kleine Stadt von 157 Rauchfängen.

7) Wrzesnia, Wreschen, eine kleine Stadt von 202 Rauchfängen.

8) Wilkowo, eine kleine Stadt von 160 Rauchfängen.

9) Dobra Wnesinskie, von 6 Dörfern.

2 Die geistlichen Güter, zu welchen außer den Dörfern gehören

Trze-

Trzemeszno, (Trsemeschno), eine keine Stadt, von 171 Rauchfängen. In derselben ist eine Abtey Canonicorum regularium S. Augustini. Der Abt ist beständiger Canonicus bey der Metropolitankirche zu Gnesen. Das Kloster hat eine schätzbare Bibliothek, die in einem schönen Saal aufgestellet ist.

3. Die königlichen Güter, zu welchen außer den Dörfern gehören:

1) Gniezno, Gnesen, die Hauptstadt von Großpolen, von 454 Rauchfängen die älteste Stadt im Reich, liegt 7 Meilen von Posen, und 14 von Kalisch, in einer Ebene, zwischen Seen und Hügeln, ist bemauert, groß, und der Sitz eines im Jahr 1000 gestifteten Erzbisthums. Boleslaus der erste kaufte den Preußen den Leichnam des von ihnen erschlagenen heil. Adalberts oder Albrechts ab, und ließ denselben hieher bringen, und in der Hauptkirche begraben, und König Sigismund der dritte, schenkte ihm ein silbernes Grabmal; ob seine Gebeine aber hieselbst noch vorhanden, oder von den Böhmen 1038 weggeführet und nach Prag gebracht sind? darüber ist zwischen den Polen und Böhmen ein unnützer und nie zu hebender Streit. Das Domkapitel hat einen eigenen Kanzler. Es ist hier ein Woiwode, ein großer Castellan, eine Starostey, welche der Oberstarost von Großpolen besitzt, und ein Gymnasium; auch wird hier ein Landgericht gehalten. Ehemals wurden hieselbst die Könige gekrönt. 1613 brannte fast die ganze Stadt ab.

2) Klecko, ein Städtchen von 84 Rauchfängen.

3) Miescisko, ein Städtchen von 43 Rauchfängen.

4) Pobiedziska, eine keine Stadt von 153 Rauchfängen.

5) Powiedz, ein Städtchen von 65 Rauchfängen.

II Powiat Kcynski,

1 Die adelichen Güter, zu welchen außer den Dörfern gehören

1) Lekno, ein kleines Städtchen von 48 Rauchfängen.

2) Zer-

2) Zerniki, ein kleines Städtchen von 43 Rauchfängen.

2 Die geiſtlichen Güter, zu welchen außer den
Dörfern gehöret

Wagrowiec, eine kleine Stadt von 613 Rauchfängen, mit einer Abtey Ciſtercienſer-Ordens.

III

Die Woiwodſchaft Kaliſch

Wojewodztwo Kaliſkie,

Palatinatus Galiſienſis;

Von derſelben iſt 1768 die Woiwodſchaft Gneſen abgeſondert worden, und 1772 iſt von dieſer ein Stück
verloren gegangen. Vor der Theilung und dem
Verluſt, beſtund ſie aus 6 Diſtricten. Von den
6 Grods, hatte nur eins einen beſondern Staroſten,
die 5 übrigen hiengen von dem Oberſtaroſten von
Großpolen ab. Der Adel hielt die Landtage gemeinſchaftlich mit dem Adel der Woiwodſchaft Poſen zu
Szroda, um 12 Landboten, 4 Deputirte, und 2
Commiſſarien zu erwählen. Die Woiwodſchaft hatte
8 Senatoren, 4 vom erſten Rang, nämlich den Erzbiſchof zu Gneſen, den Woiwoden von Kaliſch, und
die größern Kaſtellane zu Landen, Naklo, Biechow
und Kamin. Es waren in der Woiwodſchaft vier
Abteyen, von welchen der König drey vergab. Dieſe
Verfaſſung hat ſich nun ſtark geändert, wie zum
Theil aus der folgenden Beſchreibung erhellen wird.
In dieſem Abſchnitt iſt die Rede von der Woiwod-
ſchaft Kaliſch, zu welcher drey Diſtricte gehören.

Die

Die Fahne derselben, enthält den Kopf eines Auerochsen, welcher zwischen den Hörnern eine goldene Krone, in der Nase aber einen goldenen Ring trägt, in einem von Silber und roth geschachteten Felde.

1 Powiat Kaliski.

1. Die adelichen Güter, zu welchen außer den Dörfern gehören

1) Chocz, eine keine Stadt von 115 Rauchfängen.

2) Chorob, ein kleines Städtchen von 22 Rauchfängen.

3) Dobrzyca, ein Städtchen von 82 Rauchfängen.

4) Jwanowice, ein Städtchen von 86 Rauchfängen.

5) Kozminek, ein Städtchen von 96 Rauchfängen.

6) Ostrow, eine Stadt von 366 Rauchfängen.

7) Reszow, eine kleine Stadt von 211 Rauchfängen.

8) Kaszkow, eine kleine Stadt von 135 Rauchfängen.

9) Zduny, eine Stadt von 791 Rauchfängen, mit einer evangelischen Kirche.

2. Die geistlichen Güter, zu welchen außer den Dörfern nur das Städtchen

Opatowek, von 80 Rauchfängen. gehöret

3) Die königl. Güter, zu welchen außer den Dörfern gehören

1) Kalisz, die Hauptstadt der Woiwodschaft von 649 Rauchfängen. Sie ist mit Morästen, Mauern und Thürmen umgebene, und dadurch befestigte Stadt, zwischen zwey Armen des Prosna. Das hiesige bey der politischen Nation in dem größten Ansehn gewesene ehemalige Jesuiter-

ter Collegium, hat der gnesensche Erzbischof Stanislaus
Karkowski auf seine Kosten angeleget: Es hat hier seinen
Sitz der Wonvode und ein größerer Kastellan, auch ist
hier eine Starosten, welche der Oberstarost von Großpolen besitzet, und ein Landgericht. 1655 wurde die Stadt
von den Schweden besetzet. 1706 ward dieselbst der schwedische General Mardefeld mit seinen Truppen von der
zusammen gesetzten Armee unter des polnischen Königs
August II Commando, aufs Haupt geschlagen und gefangen genommen.

2) Salmirzyce, Salmirschütz, eine kleine Stadt
von 210 Rauchfängen.

3) Stary Kalisz, ein kleines Städtchen von 16
Rauchfängen.

4) Odalanow, Adelnau, eine keine Stadt von
128 Rauchfängen.

5) Stawiszyn, ein Städtchen von 93 Rauchfängen.

II. Powiat Koninskie.

1 Die adelichen Güter, zu welchen außer den
Dörfern gehören

1) Brudzew, ein Städtchen von 59 Rauchfängen.

2) Grzmiszew, ein Städtchen von 60 Rauchfängen.

3) Kazimierz, ein Städtchen von 42 Rauchfängen,
woselbst 1707 der schwedische König Karl XII den unglücklichen Patkul lebendig rädern ließ.

4) Kleczew, eine kleine Stadt von 142 Rauchfängen.

5) Rychwald, ein Städtchen von 53 Rauchfängen.

6) Slezin, ein Städtchen von 42 Rauchfängen.

7) Tuliszkow, ein Städtchen von 49 Rauchfängen.

8) Wła-

8) Wladislawow, ein Städtchen von 86 Rauchfängen.

2 Die geistlichen Güter, zu welchen außer
den Dörfern gehören.

1) Lądek, ein Städtchen von 44 Rauchfängen.

2) Zagerow, ein Städtchen von 87 Rauchfängen.

3 Die königl. Güter, zu welchen außer den
Dörfern gehören

1) Brdow, ein Städtchen von 47 Rauchfängen.

2) Konin, ein Städtchen von 112 Rauchfängen,
an der Warta, mit einem alten Schloß, 8 Meilen von
Kalisch. Die hiesige Starostey besitzet der Oberstarost
von Großpolen. Es wird hier das Landgericht gehalten.

3) Kolo, ein Städtchen von 53 Rauchfängen, auf
einem Berge, den die Warta mit zwey Armen einschließt.
Hier versammeln sich alle Landboten von Großpolen vor
dem General-Landtage, und bey einem allgemeinen Aufgebot die Edelleute aus Großpolen.

III Powiat Pyzdrski.

1 Die adelichen Güter. Außer den Dörfern

1) Bnin, eine kleine Stadt von 119 Rauchfängen.

2) Borek, eine kleine Stadt von 171 Rauchfängen.

3) Jarocin, ein Städtchen von 95 Rauchfärgen.

4) Zaniemysl, ein Städtchen von 47 Rauchfängen.

5) Juraczew, ein Städtchen von 64 Rauchfängen.

6) Juttrosin, eine kleine Stadt von 191 Rauchfängen.

7) Nowe Miasto, Neustadt, eine kleine Stadt
von 106 Rauchfängen.

8) Kornik, eine kleine Stadt von 112 Rauchfängen.

9) Kobylin, eine Stadt von 258 Rauchfängen.

10) Krotoszyn, eine Stadt von 295 Rauchfängen.

11) Kuz-

11) Kuzmin ſtary (alt Kuzmin) eine Stadt von
216 Rauchfängen.

Kuzmin novy, (neu Kuzmin) hat nur 77.

12) Miroſlaw, eine kleine Stadt von 122 Rauchfängen.

13) Mielzyn, ein Städtchen von 67 Rauchfängen.

14) Pogorzela, eine kleine Stadt von 104 Rauchfängen.

15) Zberkow, eine keine Stadt von 104 Rauchfängen.

2 Die geiſtlichen Güter, von 57 Dörfern und
Etupca, eine kleine Stadt von 168 Rauchfängen.

3 Die königlichen Güter, von 16 Dörfern,
und 2 Städten, welche ſind

1) Pyzdry, Peiſern, eine Stadt an der Warta,
von 201 Rauchfängen, 9 Meilen von Kaliſch. 1768 brannte
ſie ab. Die hieſige Staroſtey gehöret dem Oberſtaroſten
von Großpolen. Es wird hieſelbſt das Landgericht gehalten. Hier ſtürzte 1707 der ſchwediſche König Karl XII
vom Pferde in den Fluß, und gerieth in große Lebens-
gefahr.

2) Srzoda, eine Stadt von 193 Rauchfängen.

IV

Woiewodztwo Sieradzkie
Die Woiwodſchaft Sieradien
Palatinatus Siradienſis,

enthält 4 Diſtricte, und 2 Staroſteyen. Die Landtage werden an zwey Orten gehalten, zu Szadek,
um 4 Landboten, und zu Piotrkow, um 2 Deputirte
und einen Commiſſarius zu erwählen. Die Woi-
wod-

wodschaft hat fünf Reichsbeamte, zwey vom ersten
Rang, nämlich einen Woiwoden und einen größern
Kastellan, und drey vom zweyten Rang, nämlich
die kleinern Kastellane zu Rosp'rs, Spicimierz und
Konary in Sieradien. In derselben sind zwey Abteyen. Die Fahne dieser Woiwodschaft, zeiget einen aufrechtstehenden halben schwarzen gekrönten Löwen im goldenen Felde, und einen halben schwarzen
gekrönten Adler, im rothen Felde. Vor Alters war
diese Provinz ein Herzogthum, und wurde den jüngern königlichen Prinzen gegeben.

I Powiat Sieradsky.

1 Die adelichen Güter, zu welchen außer
vielen Dörfern, gehören

(1) Barzenin, ein Städtchen von 47 Rauchfängen.

(2) Blaszki, ein Städtchen von 56 Rauchfängen.

(3) Dobra, eine kleine Stadt von 131 Rauchfängen.

(4) Widawa, eine kleine Stadt von 130 Rauchfängen, an einem Bach der in die Warta fällt.

(5) Staczew, ein Städtchen von 54 Rauchfängen.

(6) Staw, ein Städtchen von 68 Rauchfängen.

2 Die geistlichen Güter, welche außer 34
Dörfer begreifen

1) Turck (Turzk,) eine kleine Stadt von 120 Rauchfängen.

2) Uniejow, eine kleine Stadt von 110 Rauchfängen, an der Warta, welche dem Erzbischof von Gnesen
gehöret. 1331 brannte sie ab. 1376 war hier ein Versammlung der polnischen Geistlichkeit.

3 Die königlichen Güter, zu welchen außer
den Dörfern gehören

1) Sieradz, Siradia, die Hauptstadt der Woiwodschaft, von 260 Rauchfängen, liegt in einer Ebene, und

2 Th. 8 A. M hat

hat an der Warta ein Schloß. Sie ist der Sitz des Woi=
woden, und eines größern Kastellans, eines Starosten,
und des Landgerichts, 1290 wurde sie von den Tatarey,
1292 von den Böhmen, und 1331 vom deutschen Orden
verwüstet.

2) Szczeczow, eine kleine Stadt von 116 Rauch=
fängen.

3) Warta, eine Stadt von 186 Rauchfängen, am
Fluß gleiches Namens.

II Powiat Szadkowskie.

1 **Die adelichen Güter.** Außer einer großen
Anzahl Dörfern.

1) Lutomiersk, eine kleine Stadt von 136 Rauch=
fängen.

2) Lask, eine kleine Stadt von 167 Rauchfängen.

2 **Die geistlichen Güter.** Außer den Dör=
fern

1) Pabianice, eine kleine Stadt von 106 Rauch=
fängen.

2) Rzgow, eine kleine Stadt von 121 Rauchfängen.

3 **Die königlichen Güter,** außer 15 Dörfern
Szadek, eine kleine Stadt von 101 Rauchfängen,
in welcher der Landtag zur Erwählung 4 Landboten, und
das Landgericht gehalten wird.

III Powiat Pjotrowskie.

1 **Die adelichen Güter.** Außer vielen Dör=
fern

Kozprza, ein Städtchen von 75 Rauchfängen.

2 **Die geistlichen Güter.** Außer vielen Dör=
fern

1) Grocholice, ein Städtchen von 46 Rauchfängen.

2) Welborz, eine kleine Stadt von 156 Rauch=
fängen.

3 Die

3 Die königlichen Güter. Außer 9 Dörfern

1) Piotrkow, Petrikaü, Peterau, Petricovia, die Hauptstadt des Districts, liegt zwischen Morästen, und ist bemauert. Vor Alters sind hier die Könige erwählet, auch ist hier eine Zeitlang der Reichstag gehalten worden. Jetzt wird hier das hohe Tribunal für Großpolen, der Provinzialsynodus der Geistlichkeit, der Landtag zur Wahl zweyer Deputirten und eines Commissarii, und das Landgericht gehalten. Es ist hier eine Starostey, ein ehemaliges Jesuiter-Collegium, und ein Collegium piarum scholarum. 1640 und 1731 brannte die Stadt ab, und 1784 verlor sie durch eine neue große Feuersbrunst ihre meisten und besten Häuser.

2) Sulejów, ein Städtchen von 78 Rauchfängen, in welchem eine Abtey Cistercienser Ordens.

3) Tuszyn, ein Städtchen von 79 Rauchfängen.

IV. Powiat Rademski.

1 Die adelichen Güter. Außer vielen Dörfern

1) Kamiensko, ein Städtchen von 68 Rauchfängen.

2) Konicepol, eine kleine Stadt von 159 Rauchfängen.

3) Platyno, ein Städtchen von 64 Rauchfängen.

4) Zytne, ein Städchen von 69 Rauchfängen.

2 Die geistlichen Güter, welche aus lauter Dörfern bestehen

3 Die königlichen Güter. Außer den Dörfern

Radomsk, eine Stadt von 203 Rauchfängen,

M 4   V Das

V

Das Land Wielun,

Ziemia Wielumskie,

Terra Velunensis,

hat zwey Districte, erwählet zwey Landboten, einen Deputirten, und einen Commissarium, und hat einen kleinern Kastellan. Die Fahne dieser Provinz enthält ein so genanntes Lamm Gottes, welches eine weiße Fahne an einem Kreutz träget, und aus dessen Brust Blut in einen goldenen Kelch sprützet; im rothen Felde.

I Der Wielunsche District, in welchem

1) An adelichen Gütern, außer den vielen Dörfern.

   (1) Dziatoszyn, eine Stadt von 252 Rauchfängen.
   (2) Osiakow, ein Städtchen von 49 Rauchfängen.
   (3) Praszka, eine kleine Stadt von 122 Rauchfängen.
   (4) Wieruszow, eine Stadt von 178 Rauchfängen.

2) An geistlichen Gütern, 44 Dörfer und Güter.

3) An königlichen Gütern, außer 28 Dörfern,

   (1) Wielun, die Hauptstadt des Landes und des Districts, der Sitz eines kleinern Kastellans, eines Starosten, des Landtags und Landgerichts, und eines Collegii piarum scholarum. Sie hat 283 Rauchfänge.
   (2) Bolesławice, eine Stadt von 149 Rauchfängen.

II Der Ostrsewschowsche District, in welchem

1 An adelichen Gütern; außer den Dörfern,

1) Ba-

1) Baranow, eine Stadt von 80 Rauchfängen.

2) Kempno, eine Stadt von 291 Rauchfängen.

3) Kobylo gora, Schildberg, ein Städtchen von 51 Rauchfängen.

2 An geistlichen Gütern, ein Dorf von 30 Rauchfängen.

3 An königlichen Gütern, außer 9 Dörfern,

1) Ostrzeszow, die Hauptstadt des Districts, in welcher eine Starostey ist, und das Landgericht gehalten wird. Sie hat 165 Rauchfänge.

2) Grabow, eine Stadt von 135 Rauchfängen.

3) Mirtat, auch Myszat, (Myschat) Mielstadt, eine kleine Stadt von 94 Rauchfängen.

4) Borek, ein Städtchen von 47 Rauchfängen.

VI

Die Woiwodschaft Rawa

Wojewodztwo Rawskie

Palatinatus Ravensis,

bestehet aus drey kleinen Ländern, und in einem jeden derselben hält der angesessene Adel seinen besondern Landtag. Die Woiwodschaft erwählet sechs Landboten, zwey Deputirten und einen Commissarium, welche letzten von den drey Ländern wechselsweise erwählet werden. Sie liefert vier Senatoren, zwey vom ersten Rang, nämlich den Woiwoden, und einen größern Kastellan, und zwey vom zweyten Rang, nämlich zwey kleinere Kastellane. Die Landesfahne enthält im rothen Felde einen schwarzen Adler, auf dessen Brust der Buchstabe R stehet.

M 3 I Ziemia

I. Ziemia Rawska.

1. Die adelichen Güter, bestehen in einer grosßen Anzahl Dörfer, und folgenden Städten.

1) Bialla, ein Städtgen von 31 Rauchfängen, von welcheim der District Bielsk den Namen hat.

2) Głowno, ein Städtchen von 60 Rauchfängen.

3) Newe miasto, eine kleine Stadt von 99 Rauchfängen am Fluß Pilcza.

2. Die geistlichen Güter, zu welchen außer den Dörfern gehören,

1) Jezow, eine kleine Stadt von 91 Rauchfängen.

2) Stierniewice, eine Stadt von 169 Rauchfängen.

3) Mogilnica, ein Städtchen von 75 Rauchfängen.

3. Die königlichen Güter, zu welchen außer 16 Dörfern, gehören

1) Rawa, die Hauptstadt der Woiwodschaft und des Landes dieses Namens, am Fluß Rawa, mit einem Schloß, welches auf einem Felsen stehet. Sie hat 165 Rauchfänge, ist der Sitz des Woiwoden, eines größern Kastellans, und eines Stárosten, es wird auch in derselben ein Landgericht und ein Landtag gehalten. Auf dem hiesigen Schloß wird der vierte Theil von den Einkünften der königl. Güter zur Bezahlung der Gränzsoldaten niedergelegt, und die Staatsgefangenen werden auch daselbst verwahret.

2) Stara (alt=) Rawa, ein Dorf von 53 Rauchfängen.

II. Ziemia Sochaczewska, das Land Sochatschew, welches auch den District Mszczanow begreift, und unter dem Grod= und Stárosten zu Sochaczew stehet.

1. Die adelichen Güter. Außer den Dörfern,

Grodzisk, ein Städtchen von 62 Rauchfängen.

2. Die

2) Die geistlichen Güter. Außer den Dörfern,

Lowicz, eine Stadt von 474 Rauchfängen, am Fluß Bsura, mit einem Schloß, welche außer der Dom-kirche, noch drey Pfarrkirchen, einige Klöster, ein Gym-nasium, und ein Collegium piarum scholarum hat. Sie ist der Hauptort eines Herzogthums, welches vermöge einer Abtretung von 1240, dem Erzbischof von Gne-sen gehöret.

3) Die königlichen Güter. Außer den Dör-fern,

  (1) Bolimow, ein Städtchen von 69 Rauchfängen.

  (2) W. Kiszki, ein Städtchen von 75 Rauchfängen.

  (3) Ms;c;onow, ein Städtchen von 86 Rauch-fängen.

  (4) Sochaczew, die Hauptstadt dieses Landes, von 75 Rauchfängen, liegt am Fluß Bsura, und hat auf einem hohen Felsen ein Schloß. Sie ist der Sitz eines kleinern Kastellans, und eines Starosten, es wird auch hieselbst der Landtag und das Landgericht gehalten.

III Ziemia Gostynska, das Land Gostin, welches auch die Districte Gombin und Ga-binskie, begreift, und unter dem Grod und Staro-sten zu Gostin stehet.

  1. Die adelichen Güter. Außer den Dörfern,

  1) Ilow, eine kleine Stadt von 110 Rauchfängen.

  2) Kutno, eine kleine Stadt von 164 Rauchfängen. Sie brannte 1783 ab.

  3) Kiernozia, ein Städtchen von 33 Rauchfängen.

  2 Die geistlichen Güter, welche lauter Dör-fer sind. Unter denselben sind große, als Jamno, von 48, Radziwie von 66, Zlakow, von 53 Rauchfängen.

  3 Die königlichen Güter. Außer den Dör-fern

1) Ga-

1) **Gąbin, Gombin,** eine Stadt von 99 Rauchfängen, von welcher ein District benannt wird, in welcher auch der Landtag des Landes Goſtin gehalten wird.

2) **Goſtynin,** ein Städtchen von 43 Rauchfängen.

3) **Osmolin,** ein Städtchen von 45 Rauchfängen.

VII

Die Woiwodſchaft Lentſchitz,

Woiewodztwo Leczycki,

Palatinatus Lancienſis,

hat vier Diſtricte, welche von den Städten **Leczyca, Orlow, Brzeziny** und **Jnowlodz,** benennet worden. Die Landtage derſelben werden zu Lentſchitz gehalten, um vier Landboten, zwey Deputirte und einen Commiſſarium zu erwählen. In dieſer Woiwodſchaft ſind zwey Senatoren vom erſten Rang, nämlich der Woiwode und größere Kaſtellan von Lentſchitz, und dreye vom zweyten Rang, nämlich die kleinern Kaſtellane von **Brzeziny, Jnowlodz** und **Konary.** Die Fahne enthält einen halben weißen gekrönten Adler und einen halben ſchwarzen linksſitzenden, gekrönten Löwen, im rothen Felde.

1 Im Diſtrict **Lenczyca,** ſind lauter adeliche Güter, zu welchen außer einer großen Anzahl Dörfer, gehören

1) **Krosniewice,** ein Städtchen von 36 Rauchfängen.

2) **Parzenczow,** ein Städtchen von 84 Rauchfängen.

2 Der

2 Der District Brzeziny, von lauter adelichen Gütern, zu welchen, außer den Dörfern gehören,

1) Brzeziny, eine Stadt von 242 Rauchfängen, 7
Meilen von Lentschitza, am Fluß Pelica. Hier ist ein
kleiner Kastellan, es wird auch hieselbst das Landgericht
gehalten.

2) Będkow (Bendkow) ein Städtchen von 89 Rauchfängen.

3) Ujazd, ein Städtchen von 52 Rauchfängen.

4) Strykow, eine kleine Stadt von 101 Rauchfängen.

3 Der District Ortowski, in welchem

1 Die adelichen Güter; außer vielen Dörfern,

1) Bielawy, ein Städtchen von 74 Rauchfängen.

2) Sobota, ein Städtchen von 44 Rauchfängen.

3) Zychlin, ein Städtchen, von 59 Rauchfängen.

2 Die geistlichen Güter, welche außer vielen
Dörfern, sind,

1) Piątek, (Piontek), eine kleine Stadt von 107
Rauchfängen, welche dem Erzbischof zu Gnesen gehört.
Sie liegt zwischen Morästen am Fluß Bsura.

2) Grzegorszew, ein Städtchen von 72 Rauchfängen.

3) Kazimierz, ein Städtchen von 48 Rauchfängen.

4) Lodz, ein Städtchen von 64 Rauchfängen.

3 Die königlichen Güter, welche außer den
Dörfern sind,

1) Dąbie (Dombie) ein Städtchen von 41 Rauchfängen.

2) Inowlodz, ein Städtchen von 46 Rauchfängen,
am Fluß Pilcza.

3) Klodawa, eine Stadt von 151 Rauchfängen.

4) Dąbrowice, eine Stadt von 139 Rauchfängen.

5) Lęzcycv, (Lentschitza), Lancicia, die Hauptstadt
der Woiwodschaft, von 203 Rauchfängen, welche in Morästen am Fluß Bsura liegt, mit einer Mauer und einem

Gra-

Graben, umgeben ist, und ein Schloß auf einem Felsen
hat. Sie ist der Sitz des Woiwoden, eines größern
Kastellans, und eines Starosten; auch wird hier der
Landtag, das Landgericht, und ein Provincial-Synodus
der Geistlichen gehalten. 1462 brannte sie ab; 1294
wurde sie von den Litauern, und 1656, als die Schweden sie beseßt hatten, von den Polen in die Asche gelegt,
und alle Einwohner, sonderlich aber die Juden, mußten über die Klinge springen.

VIII

Die Woiwodschaft Brzesie,

Woiewodztwo. Brzeskie Kujawskie,

Palatinatus Bresliensis,

liegt in Cujavien, welche Landschaft aus dieser und
der folgenden Woiwodschaft, und aus dem Land
Dobrzin bestehet. Sie ist fruchtbar, hat auch viele
fischreiche Seen, unter welchen das südliche Ende des
Sees Goplo ist. Der Bischof von Cujavien,
hieß vor Alters Bischof von Kruswica, weil das
Bisthum zuerst in der Stadt dieses Namens angeleget wurde. Nach dem Dlugloß hat es Mieczislaw I im Jahr 966 gestiftet, Boguphalus aber schreibet die Stiftung desselben Mieczislaw II zu. Als
es von dannen nach der Stadt Wladislaw verleget
ward, bekam der Bischof den Namen des wladis-
läwischen, jetzt aber wird er der cujavische genannt. Er heißt auch Bischof von Pommern,
weil der größte Theil der Woiwodschaft Pomerellen

M 4   seit

seit dem zwölften Jahrhundert mit zu seinem Kirchsprengel gehöret.   Er wohnet auf seinem Residenzschloß zu Wolborz.   Die Woiwodschaft Brsesz
bestehet aus vier Districten, nachdem der District
Kruswica an den preußischen Netzdistrict gekommen
ist.   Die Landtage derselben und der Woiwodschaft
Inowroclaw, werden gemeinschaftlich zu Radziejow
gehalten.   Man erwählet auf denselben vier Landboten, zwey Deputirte, und einen Commissarium.
Die Woiwodschaft hat drey Senatoren vom ersten
Rang, nämlich den Bischof von Cujavien, den Woiwoden, und einen größern Kastellan, und drey vom
zweyten Rang, nämlich drey kleinere Kastellane.
Die cujavische Fahne enthält einen halben weißen gekrönten Adler, und einen halben schwarzen linkssitzenden Löwen, beyde im rothen Felde.

I Powiat Brzescie Kujawskie.

1 Die adelichen Güter, welche außer den
Dörfern, sind,

Lubranie, eine kleine Stadt von 95 Rauchfängen.

2 Die geistlichen Güter, welche außer den
Dörfern, sind,

Wloctawek, eine Stadt von 179 Rauchfängen.

3 Die königlichen Güter. Außer den Dörfern,

Brzescie Kujawskie, Brestia Cujaviæ, die Hauptstadt der Woiwodschaft und eines Districts, liegt in einer
Ebene zwischen Morästen, ist mit Graben, Wall und
Mauern umgeben, der Sitz des Woiwoden, eines grössern Kastellans, und eines Starosten; es wird auch hieselbst das Landgericht gehalten. Sie hat nur 65 Rauchfänge.

3 Die

2 Powiat Kowalskie.

1 Die adelichen Güter. Außer den Dörfern, Lubien, ein Städtchen von 41 Rauchfängen.

2 Die geistlichen Güter. Acht Dörfer.

3 Die königlichen Güter. Eilf Dörfer, und Kowál, eine Stadt von 144 Rauchfängen, der Hauptort des Districts, woselbst das Landgericht dessel= ben gehalten wird, eine Starostey und ein kleiner Ka= stellan ist.

III Powiat Radziejowski.

1 Die adelichen Güter. Lauter Dörfer.

2 Die geistlichen Güter. Zehn Dörfer.

3 Die königlichen Güter. Neun Dörfer und
1) Radziejow, ein Städtchen von 78 Rauchfängen, welches der Hauptort des Districts, und woselbst eine Starostey ist, auch der Landtag der Woiwodschaften Brsesß und Jnowroclaw gehalten wird. Die P. P. pia= rum scholarum haben hier eine Residenz.
2) Sapolno, (Sompolno) ein Städtchen von 35 Rauchfängen.

IV Powiat Przedecki.

1 Die adelichen Güter. Außer den Dörfern,
1) Chodecz, ein Städtchen von 35 Rauchfängen.
2) Stara (Alt) Izbica, ein Städtchen von 53 Rauchfängen.
3) Nowa (Neu=) Izbica, ein Städtchen von 13 Rauchfängen.

2 Die geistlichen Güter, von 5 Dörfern.

3 Die königlichen Güter, von 17 Dörfern, und Przedecz, (Prsedetsch) einer Stadt, welche der Haupt= ort des Districts, woselbst auch eine Starostey ist, und das Landgericht des Districts gehalten wird.

IX Die

IX.

Die Woiwodschaft Inowrotlaw,

Wojewodztwo Inowroclawskie,

Palatinatus Juni-Vladislaviensis,

ist auch ein Stück von Cujavien, und bestand aus zwey Districten, deren Adel zugleich mit dem aus der vorhergehenden Woiwodschaft, seinen Landtag zu Radziejow hielt. Sie hatte drey Seratores, zwey vom ersten Rang, nämlich den Woiwoden, und einen größern Kastellan, und einen vom zweyten Rang, nämlich den kleinern Kastellan zu Bydgosc. Es ist aber der größte Theil dieser Woiwodschaft an den König von Preußen abgetreten worden, und machet jetzt einen besondern Kreis des Netz-Districts aus. Die Landesfahne enthält einen halben rothen gekrönten Adler in der einen, und in der andern Hälfte einen halben schwarzen linkssitzenden gekrönten Löwen, im goldenen Felde. Die Woiwodschaft machet jetzt nur 1 Powiat aus, in welchem

1 Die adelichen Güter, von 28 Dörfern und zwey Städten, welche letzten sind

1) Stuszew, ein Städtchen von 73 Rauchfängen.

2) Raciazek, eine kleine Stadt von 116 Rauchfängen.

2 Die königlichen Güter, von 12 Dörfern, und

Podgurze, ein Städtchen an der Weichsel, von 45 Rauchfängen.

X Das

X

Das Land Dobrzyn,
Ziemia Dobrzynska,

Dobrinensis terra,

begreifet drey Districte, welche unter dem Gröd zu Bobrownik stehen. Der Landtag wird zu Lipiny gehalten, und auf demselben werden zwey Landboten, ein Deputirter und ein Commissarius erwählet. Es sind hier drey kleinere Kastellane. Die Landesfahne enthält einen Mannskopf mit Hörnern, welcher nicht nur oben, sondern auch am Hals eine Krone träget, im röthlichen Felde.

1 Der Dobrzynsche District, welcher aus lauter adelichen Dörfern bestehet.

2 Der Rypinsche District, welcher auch bloß adeliche Dörfer enthält.

3 Der Lipinische District.

1) Die adelichen Güter. Außer den Dörfern: Skępe, (Skenpe) ein Städtchen von 85 Rauchfängen.

2) Die geistlichen Güter, von 37 Dörfern.

3) Die königlichen Güter, zu welchen außer den Dörfern gehören.

1) Dobrzyn, Dobrinia, die Hauptstadt des Land: und eines Districts, von 162 Rauchfängen, welche an der Weichsel auf einem Felsen liegt. Es ist hier ein kleiner Kastellan, auch wird hieselbst das Landgericht des Districts gehalten.

2) Bo:

2). Bobrowniki, ein Städtchen von 61 Rauchfängen, an der Weichsel, der Sitz eines Staroften, unter deſſen Grod die ganze Landschaft ſiehet.

3) Nieszawa, eine kleine Stadt von 131 Rauchfängen.

4) Rypin oder Repin, ein Städchen von 72 Rauchfängen, am Fluß Odlek, von welchem ein Diſtrict benannt wird, und welches der Sitz eines kleinern Kaſtellans, und des Landgerichts des Diſtricts.

5) Lipiny, ein Städtchen von 88 Rauchfängen, von welchem der Diſtrict benannt, und in welchem der Landtag dieſer Landschaft, und das Landgericht, gehalten wird.

Anmerk. Vermöge der Gränzreceſſe vom 22 Auguſt 1776 und 17 Jul. 1777, welche mit Preußen errichtet worden, machet der Fluß Drewianta, oder Drewenza, oder Drewenz von da an, wo er ſich mit der Weichſel vereiniget, bis dahin, wo er die Piſſa aufnimmt, und hernach eben dieſe Piſſa, die Gränze zwiſchen dem polniſchen und preußiſchen Gebiet. An der Piſſa oder Piſſa ſtehet der zwanzigſte Gränzpfal bey dem Wirthshauſe Birkenkrug, auf polniſch Brzozowa Karozma, und die Gränze gehet an dem Fluß gegen Oſten alſo fort, daß auf der polniſchen Seite die Dörfer Krecki Wielkie, Smolniki, der Moraſt Oſtrowek, Dzierzno puſte, Dzierno Ziemanſkie, Kokitnica, Oſtrow, Cotkowa Cienkuſz, Szczutowo, Plociczno, Galomin, Ruda Zielunſka und Zielun bleiben. Hierauf zeiget ſich ein Gränzſtein, der von des deutſchen Ordens Zeit her, mit einem Kreutz bezeichnet iſt, und an dem Fluß Dzialdowka, auf deutſch Soldau, ſtehet. Dieſer Fluß macht ferner die Gränze, bis an den Ort, welcher die ſchwediſche Schanze genennet wird, woſelbſt bey dem Dorf Leck wielkie, welches zu Preußen gehöret, der letzte Gränzpfal ſtehet.

XI Die

XI

Die Woiwodschaft Plotzk
Woiewodztwo Plockie
Palatinatus Plocensis,

bestehet aus 5 Powiaty oder Districten, und aus dem Lande Zawskrzyn. Alle diese kleinern Landschaften stehen unter dem Grod zu Plotzk. Die Landtage werden zu Raciaz gehalten, und auf denselben werden vier Landboten, zwey Deputirte und ein Commissarius erwählet. Es sind drey Senatoren vom ersten Range, nämlich der Erzbischof von Plotzk, und der dasige Woiwode und grössere Kastellan, und zwey vom zweyten Range, nämlich die kleinern Kastellane zu Raciaz und Sierpek. Die Landesfahne enthält im rothen Felde einen schwarzen Adler, auf dessen Brust der Buchstabe P stehet.

I Der Plotzkische District.

1 Die adelichen Güter, welche in lauter Dörfern bestehen.

2 Die geistlichen Güter, auch insgesammt Dörfer.

3 Die königlichen Güter, neun Dörfer, und Plock, (Plotzk) die Hauptstadt der Woiwodschaft und dieses Districts, eine bemauerte Stadt von 389 Rauchfängen an der Weichsel, von deren hohem Ufer sie eine angenehme Aussicht hat. Sie hat ein Schloß, und ist der Sitz eines Bischofs, der unter dem Erzbischof von Gnesen steht, und Fürst vom pultuskischen Gebiet im Lande Liw in Masuren ist, des Woiwoden, eines großen Kastellans und eines Starosten, unter dessen Grod die ganz

ganze Woiwodschaft, stehet, und des Landgerichts dieses Districts. Das Domkapitel hat fast gleiche Einkünfte mit dem Bischof. Der Probst desselben, ist Herr von dem sielunschen Gebiet, und von den Edelleuten, die darinn wohnen, daher er sich einen Fürsten dieses Gebiets nennet. Es ist hier eine Benedictiner-Abtey, welche der König vergiebt, ein Gymnasium und ehemaliges Jesuiter-Collegium. Die Einwohner treiben guten Handel. Im Jahr 1754 brannten über 1200 Häuser ab.

2 Der Plonskische District.

1) Die adelichen Güter, lauter Dörfer

2) Die adelichen Güter, auch bloß Dörfer.

3) Die königlichen Güter, außer einen Derf,
Plonsk, (Plonsk), der Hauptort desselben, ist eine Stadt von 108 Rauchfängen, acht Meilen von Plotzk. Hier wird das Landgericht des Districts gehalten.

3 Der Bielskische District, in welchem

1) Die adelichen Güter, welche aus vielen Dörfern bestehen.

2) Geistliche Güter sind nicht vorhanden.

3) Zu den königlichen Gütern gehöret, außer einem Dorf,
Bielsk, ein Städtchen in einer Ebene, zwey Meilen von Plotzk, der Hauptort des Districts, in welchem auch das Landgericht desselben gehalten wird. Es hat 45 Rauchfänge.

4 Der Sierpskische District.

1) Die adelichen Güter. Außer vielen Dörfern

(1) Biezun, eine keine Stadt von 149 Rauchfängen.
(2) Zuromin, ein Städtchen von 52 Rauchfängen.

3) Sierpca Potowa, ein Städtchen von 46 Rauch=fängen.

2) Die geistlichen Güter. Außer 8 Dörfern,

Alt= und Neu=Sierpc (Sierpz) eine Stadt auf ei=nem Hügel zwischen Morästen, fünf Meilen von Plotzk, von 138 Rauchfängen. Sie ist der Hauptort des Di=stricts, und Sitz eines kleinen Kastellans.

3) Königliche Güter, sind nicht vorhanden.

5 Der Razionschische District.

1) Die adelichen Güter, bestehen in lauter Dörfern.

2) Die geistlichen Güter, sind 7 Dörfer, und

Raziąż, (Razionsch), eine Stadt, zwischen Mo=rästen, acht Meilen von Plotzk. Sie ist der Hauptort des Districts, dessen Landgericht auch darinn gehalten wird, und hat 62 Rauchfänge, und einen kleinern Kastellan.

6 Das Land Zawskrzyn, Ziemia Zawskrzyn=ska, welches aus 3 Districten bestehet.

1) Der Mlawische District, in welchem eine beträchtliche Anzahl adelicher Dörfer, 5 geistliche Dörfer, eben so viel königliche, und die königliche Stadt

Mlawa, zum Leven, von 157 Rauchfängen. Hier wird das Landgericht des Districts gehalten.

2) Der Srzenskische District, welcher lauter adeliche Güter begreift, die außer vielen Dörfern, sind,

(1) Kneborg, ein Städtchen von 35 Rauchfängen.

(2) Radzanow, Ratzenburg, ein Städtchen von 54 Rauchfängen, am Fluß Ukra, mit einem Schloß, wel=ches auf einem Felsen steht, 8 Meilen von Plotzk.

(3) Srzensk

(3) Szenß, ein Städtchen auf einer Ebene, von 77 Rauchfängen, mit einem Schloß, welches von großen Morästen umgeben ist. Hier wird das Landgericht des Districts gehalten.

3) Der Niedszborzische District, der von dem Dorf Niedszborz den Namen hat, welches aus 34 Rauchfängen bestehet.

XII

Die Woiwodschaft Masuren oder Masau.

Woiewodztwo Mazowieckie

Palatinatus Masoviensis,

wird auch wohl die Woiwodschaft Tschersk genannt. Die Masau, oder Masuren, Masovia, ist vom Anfang des polnischen Reichs an, als ein Theil desselben angesehen worden; und ob es gleich nach dem Tode Mietschislavs II abgefallen seyn soll, so soll es doch Casimir I sich wieder unterwürfig gemachet haben. Als Boleslaus III, 1138 die polnischen Landschaften unter seine vier Söhne theilte, bekam der zweyte Boleslaus IV, die Masau, von dem sie sein Sohn Lesco erbte, der sie seines Vaters Bruder Casimir vermachte, dessen jüngstem Sohn Conrad sie hierauf durch Erbschaft zufiel. Solchergestalt hatte diese Landschaft ihre eigenen Herzoge, von welchen Wenceslaus 1329 ein Lehnsmann des Königs Johann von Böhmen wurde. Als aber dieses Königs

nigs

nigs Sohn Karl solche Lehnsherrlichkeit dem polnischen König Casimir dem Großen abtrat, mußte der
masauische Herzog Siemovit sein Land von demselben
zu Lehn nehmen. 1526 starb der männliche Stamm
der masauischen Herzoge aus, worauf das Land ganz
unter Polen kam; und obgleich König Sigismund I
gebeten wurde, seinen Sohn Sigismund August zum
Herzog über dasselbe zu machen: so that er doch solches nicht, sondern bestätigte die Rechte des Landes,
und verknüpfte es 1529 mit Großpolen. König
Stephan nahm es 1576 in die Gemeinschaft der Rechte
des Reichs auf, wiewohl mit Beybehaltung einiger
Gewohnheiten desselben. Zweymal ist es den Königinnen zum Leibgeding gegeben, und eine Zeitlang
ist es durch einen königlichen Statthalter regieret
worden; 1576 aber bekam der Woiwode der Masau
gleiches Ansehen mit den übrigen. Staravolscius
schätzte die Anzahl der adelichen Familien in der Masau, zu seiner Zeit auf 45000.

Die Woiwodschaft Masau, ist die größte
in ganz Polen, denn sie bestehet aus zehn Ländern
oder kleinen Landschaften, welche unter 16 Grods
oder Starosteyen vertheilet sind. Der Adel erwählet
zwanzig Landboten, zwey Deputirte und zwey Commissarien, welche letzten nach der Reihe aus einem
jeden der zehn Länder genommen werden. Es sind
hier zwey Senatoren vom ersten Range, nämlich der
Woiwode der Masau, und der größere Kastellan zu
Czersk, und sechs vom zweyten Range, nämlich die
kleinern Kastellane zu Warschau, Wiznia, Wiszo-
grod, Zakroczym, Ciechanow, und Liw. Die Landtage werden zu Warschau gehalten. Die Fahne der
Woi-

Woiwodschaft enthält einen gekrönten weißen Adler, der seine Flügel ausgebreitet hat, im röthlichen Felbe. Es folgen nun die einzelnen Länder.

I Der Warschauer District.

1 Die adelichen Güter, welche aus einer großen Anzahl Dörfer bestehen. Einige sind merkwürdig, als

(1) Wola, eine halbe Meile von Warschau, woselbst, vermöge der Constitution von 1587., die Könige von Polen, auf einem viereckigten Platz unter freyem Himmel gewählet worden. Es sind hier

(2) Willanow, ein Dorf von 111 Rauchfängen, mit einem prächtigen Schloß, welches König Johannes der dritte, oder Sobieski erbauet hat, der auch 1696 hieselbst gestorben ist. Jetzt gehöret es der fürstl. Familie Czartoryski. 1732 errichtete König August der zweyte hieselbst ein Lager von den auf deutschen Fuß eingerichteten Truppen, und ließ dieselben allerhand Kriegesübungen machen.

Die Städte, welche hieher gehören, sind
(1) Nadarzyn, ein Städtchen von 50 Rauchfängen.
(2) Okuniew, ein Städtchen von 58 Rauchfängen.
(3) Radzymin, ein Städtchen von 50 Rauchfängen.

2 Die geistlichen Güter, bestehen aus lauter Dörfern

3 Die königlichen Güter, sind außer den Dörfern

1) Warszawa, (Warschawa), Warschau, die Hauptstadt in der Masau, und Residenz des Königs von Polen, in welcher die Reichstage gemeiniglich gehalten werden, die auch der Sitz des Woiwoden von der Masau, eines kleinern Kastellans, eines Starosten, eines Landgerichts und Landtags ist. Sie liegt fast mitten in

N 3 Polen,

Polen, an der Weichsel, in einer großen und sandichten Ebene, und besteht ans der Stadt selbst, und aus den Vorstädten Neustadt, Szolec, Bielino, Leschno, Grzybow, Wielopole, Nowy-Swiat, (Neue Welt), Alexandria und Krakow. Die Stadt selbst, besteht aus einer langen, engen und unreinen Hauptstraße, und aus unterschiedenen Nebenstraßen. Die Vorstädte sind schön, haben breite und reine Straßen, viele steinerne Gebäude, ansehnliche und schöne Palläste, Kirchen und Klöster. 1767 waren in wenigen Jahren hieselbst einige zwanzig neue Straßen angeleget, und über 200 neue Häuser erbauet. 1787 hat man in Warschau und Praga gezählt 3141 Häuser oder Possessionen, welche mit Zahlen versehen sind, an Rauchfängen aber sind in Warschau selbst 11692, und in Praga 655 vorhanden. Man hat in diesem Jahr auch gezählet, in Warschau selbst 89448, in Praga 66913, überhaupt 96,143 Menschen von Civilstande. Vorzüglich ist daselbst die kostbare zaluskische Bibliothek, welche die Gebrüder Andreas Stanislaus Kostka und Joseph und Andreas, Grafen Zaluski, gesammlet, und dem Königreich und der polnischen Nation geschenket haben. Sie besteht aus mehr als 200,000 Bänden, und ist 1747 eröffnet worden. In der Stadt selbst findet man die Collegiatkirche zu S. Johannes, welche die Hauptkirche ist, ein ehemaliges Jesuitercollegium mit einer Kirche, und ein Augustiner-Mönchenkloster mit einer Kirche. In der Neustadt, sind die Kirche und das Kloster der Pauliner-Eremiten, das Hospital des heiligen Lazarus, die Kirche und das Kloster der Dominicaner, die Kirche und das Kloster der Benedictiner-Nonnen, die Kirche des heil. Benno, welche den Deutschen zum Gottesdienst dienet, die Pfarrkirche der heil. Jungfrau Mariä, die Kirche und das Kloster der Franciscaner, das Hospital und die Kapelle der barmherzigen Brüder, die Kapelle des heiligen Georgs, die Kapelle und das adeliche Collegium clericorum regularium Theatinorum, die Kirche und das Collegium P. P. piarum scholarum, die Kirche und das Kloster der Nonnen vom Orden der

heil.

heil. Brigitta, die Kirche und das Kloster der Kapuziner, das Zeughaus, und unterschiedene Palläste, als, der Pallast des päbstlichen Nuntius, der gräflich zalusкische, der radzivilsche, u. a. m. Leschno hat eine besondere Gerichtsbarkeit, und ist von der leschinskischen Familie angelegt worden. Sie liegt höher, als die Stadt. Die vornehmsten Gebäude in derselben, sind die Kirche und das Kloster der Karmeliter, und die am Ende des Jahrs 1781 eingeweihete schöne Kirche der augsburgischen Confessionsverwandten. In der Vorstadt Grzybow, ist nichts merkwürdiges; in der Vorstadt Wielopole aber findet man die Kirche und das Kloster der Franciscaner, eine ehemalige Residenz oder sogenanntes Terragium der Jesuiten, und zwey Häuser des Bischofs von Krakow. Die Häuser, welche zwischen dem krakauischen Thor und der Neustadt stehen, werden mit dem gemeinschaftlichen Namen Podwale beleget, und daselbst ist der Pallast des litauischen Metropoliten, mit einer Kapelle, in welcher die mit der römischen Kirche vereinigten Griechen Gottesdienst halten. Vor dem krakauischen Thor, steht das metallene und vergoldete Bild Königs Sigismunds der dritte auf einer marmornen 26 geometrische Schuhe hohen Säule, welches Denkmal K. Wladislaw der vierte im J. 1643 und 44 errichtet hat. Das nicht weit davon entfernte königliche Schloß, welches K. Sigismund der dritte hat erbauen lassen, steht in der Vorstadt Krakau, auf einer Höhe, und ist ein weitläuftiges Gebäude, welches aus drey Theilen besteht, nämlich aus dem Kastel, auf polnisch Grod, woselbst der Starost von Warschau seine Gerichtsbarkeit verwaltet, aus dem eigentlichen Schloß, woselbst die königl. Wohnung, der Senatoren Saal, die Landbotenstube, und das Reichsarchiv, und aus dem dritten Theil, woselbst der Schatzmeister der königl. Oekonomien seine Wohnung hat. Am 15 Dec. 1767 brannte die Seite desselben, welche gegen die Krakauer Vorstadt lieget, ab, und am 15 Dec. 1783 war dieser Pallast weit schöner und prächtigen durch den Baumeister von Mertini widerhergestellt. Nahe beym königl.

N 4 Schloß

Schloß ist die Kirche und das Kloster der Franciscaner Nonnen, welchem das Mannskloster eben dieses Ordens und desselben Kirche gegen über steht., Auch findet man in der krakauischen Vorstadt noch ein Karmeliter Nonnen- und Mönchen-Kloster, jedes mit einer Kirche; ein Kloster, welches von der Heimsuchung Mariä benamet wird, die Pfarrkirche zum heil. Kreuz, und die sogenannte moskowitische Kapelle, in welcher der russische Zar Wasili Iwanowitsch Schuiskoi eine Zeit lang begraben gewesen ist. Der dritte Theil der Einwohner der Stadt, bestehet aus Ausländern, insonderheit Deutschen. König Sigismund der dritte, hat hier zuerst seine Residenz aufgeschlagen, welche seine Nachfolger beybehalten haben. 1569 ward den Litauern zu gut der Reichstag hieher verlegt. 1655 wurde die Stadt von den Schweden besetzt, die hier eine große Beute aus Polen zusammen schleppten; es hielten sich auch einige vornehme schwedische Kriegs- und Staats-Bediente, imgleichen verschiedenes vornehmes Frauenzimmer hieselbst auf, als die Polen 1656 die Stadt belagerten, und nach einer scharfen Gegenwehr mit Accord einnahmen. Die Schweden bekamen zwar einen freyen Abzug, die Beute aber ward den Polen zu Theil. Als aber Karl Gustav heranrückte, und der polnische König Johann Casimir ihm mit seiner Armee entgegen gieng, kam es bey Praga zu einer Schlacht, die drey Tage währte, bis die Polen mit Hinterlassung ihres Lagers und Geschützes sich zurück zogen; worauf die Stadt abermals von den Schweden mit einer kleinen Besatzung versehen, und die Befestigung beschädigt wurde. 1702 nahm Karl der zwölfte Warschau ein, welches keine Besatzung hatte, und setzte sich in Praga.

2) Praga, eine Stadt, welche gerade gegen Warschau über, jenseits der Weichsel liegt, so daß sie gemeiniglich als eine Vorstadt derselben angesehen wird. Sie hat 655 Rauchfänge, und 1787 waren hier 6695 Menschen.

3) Ujazdow, ein königl. Lustschloß unweit Warschau, an einem angenehmen Ort, woselbst Bäder sind.

4) Piaseczno, ein Städtchen von 88 Rauchfängen. Es ist der Hauptort einer Starostey ohne Gerichtsbarkeit.

5) Sta-

5) Stanislawow, ein Städtchen von 75 Rauch=
fängen.

II. Der Blonische District. Die adelichen und
geistlichen Güter, sind lauter Dörfer, zu den königli=
chen gehören außer 5 Dörfern,

Blonie, eine Stadt, 4 Meilen von Warschau, der
Hauptort des Districts, von 104 Rauchfängen. Nicht
weit davon liegt das Kloster Szpikow, (Schpikow).

III. Der District Tarczynski.

1 Die adelichen Güter, sind lauter Dörfer.

2 Zu den geistlichen Gütern, gehören, auß
ser 9 Dörfern,

Tarczyn, ein Städtchen, von 58 Rauchfängen, 5
Meilen von Warschau.

3 Königliche Güter sind nicht hier.

IV Das Land Liw, Ziemia Liwska, machet
nur einen Powiat, und eine Starostey aus.

1 Die adelichen Güter. Außer vielen Dör=
fern

1) Dobre, ein Städtchen von 42 Rauchfängen.

2) Kaluszczyn, ein Städtchen von 73 Rauchfängen.

2 Die geistlichen Güter. Außer den Dör=
fern

Kamieńczyk, ein Städtchen von 78 Rauchfängen.

3 Die königlichen Güter. Außer den Dör=
fern

Liw, ein Städtchen von 71 Rauchfängen, am Fluß
Liwyecz, der Hauptort des Landes, und Sitz eines klei=
nern Kastellans und eines Starosten, es wird auch in
demselben das Landgericht gehalten.

N 5　　　　　V Das

V Das Land Czerſk, Ziemia Czérſka.

1 Der Czerſkiſche Diſtrict, in welchem

1) Die adelichen Güter, welche in lauter Dörfern beſtehen

2) Die geiſtlichen Güter, zu welchen außer
den Dörfern, gehöret
Gora, eine kleine Stadt von 95 Rauchfängen, an
der Weichſel.

3) Die königlichen Güter, zu welchen außer
9 Dörfern gehöret
Czerſk, (Tſcherſk), Cirna, Ciricium, Cyriſcum,
ein Städtchen von 32 Rauchfängen an der Weichſel, der
Hauptort des Landes und Diſtricts dieſes Namens, 5
Meilen von Warſchau. Sie hat ein auf einem hohen
Felſen liegendes Schloß, iſt der Sitz eines größern Kaſtellans, und eines Staroſten, und vor Alters iſt ſie der
gewöhnliche Sitz der Herzoge von Maſuren geweſen. Es
wird hier das Landgericht des Landes gehalten.

2 Der Grodzieſkiſche Diſtrict,

1) Die adelichen Güter, ſind eine große Anzahl Dörfer

2) Die geiſtlichen Güter. Außer 18 Dörfern,
Przybyszewo, ein Städtchen von 78 Rauchfängen.

3) Die königlichen Güter. Außer 4 Dörfern,
1) Grodziec, (Grodzietz) ein Städtchen von 59
Rauchfängen, 7 Meilen von Warſchau.

2) Goszczyn, ein Städtchen von 66 Rauchfängen.

3 Der Warctzkiſche Diſtrict.

1 Die adelichen Güter. Viele Dörfer und
(1) Białobrzeg, ein Städtchen von 38 Rauchfängen.

(2) Glo-

(2) Glowaczew, ein Städtchen von 44 Rauchfängen.

(3) Zeliszewo, ein Städtchen von 30 Rauchfängen.

(4) Minsk, ein Städtchen von 75 Rauchfängen.

(5) Karczew, ein Städtchen von 48 Rauchfängen.

(6) Paryszew, ein Städtchen von 73 Rauchfängen.

(7) Seroczyn, ein Städtchen von 43 Rauchfängen.

(8) Sennica, ein Städtchen von 50 Rauchfängen.

(9) Wodynie, ein Städtchen von 55 Rauchfängen.

2 Die geistlichen Güter, 7 Dörfer und

Wyszymierzyce, ein Städtchen von 59 Rauchfängen.

3 Die königlichen Güter. Außer den Dörfern,

Warka, ein Städtchen von 82 Rauchfängen, am Fluß Pilcza.

3 Der Garwolinskische District.

1 Die adelichen Güter. Viele Dörfer und

(1) Glinianka, ein Städtchen von 36 Rauchfängen

(2) Kolbiel, ein Städtchen von 33 Rauchfängen.

2 Die geistlichen Güter, 30 Dörfer, und

(1) Stoczek, ein Städtchen von 78 Rauchfängen.

(2) Ceglow, ein Städtchen von 43 Rauchfängen.

4 Die königlichen Güter. Außer den Dörfern

(1) Garwolin, ein Städtchen von 81 Rauchfängen.

(2) Latowicz, eine kleine Stadt von 166 Rauchfängen.

—

VI Das Land Ciechanow, Ziemia Ciechanowska, bestehet aus 3 Districten, welche unter einem Grod stehen.

1 Die

1 Die adelichen Güter, bestehen in einer grossen Anzahl Dörfer.

2 Die geistlichen Güter. Außer 20 Dörfern Czerwinsk, ein Städtchen von 48 Rauchfängen.

3 Die königlichen Güter. Außer den Dörfern,

(1) Ciechanow, die Hauptstadt des Landes und Districts, von 132 Rauchfängen. Sie liegt in einer Ebene, ist mit einem Wall umgeben, und hat ein Schloß, welches zwischen Morästen lieget. Von Warschau ist sie zwölf Meilen entfernet. Sie ist der Sitz eines kleinern Kastellans, und eines Starosten, es wird auch hieselbst das Landgericht gehalten.

(2) Janow, eine Stadt von 159 Rauchfängen.

(3) Przasnysz, eine Stadt von 167 Rauchfängen, am Fluß Walbusch. Sie brannte 1769 ab.

(4) Chorzele, eine keine Stadt von 108 Rauchfängen.

(5) Sochocin, ein Städtchen von 42 Rauchfängen.

2 Der Przasnytzkische District, in welchem lauter adeliche Güter sind. Außer vielen Dörfern gehöret hieher

Krzynowloga Mala, ein Städtchen von 78 Rauchfängen.

3 Der Sochotzkische District, der lauter adeliche Güter enthält, welche Dörfer sind.

VII Das Land Rozonska.

1 Die adelichen Güter. Lauter Dörfer.

2 Die geistlichen Güter. Auch lauter Dörfer.

3 Die königlichen Güter. Funfzehn Dörfer, und

1) Rożan, die Hauptstadt des Landes von 65 Rauch= fängen, am Fluß Narew, mit einem Schloß, welches auf einem Felsen stehet. Es ist hier ein Starost, auch wird hieselbst das Landgericht gehalten.

2) Makow, eine kleine Stadt von 152 Rauch= fängen.

VIII Das Land Zakroczym, Ziemia Zakro= czymsko,

1 Der Sakrotschimsche District. Die adell= chen und geistlichen Güter sind lauter Dörfer; zu den königlichen Gütern aber gehören außer den Dörfern,

1) Zakroczym, (Sakrotschim), ein Städtchen an der Weichsel, von 69 Rauchfängen, mit einem auf ei= nem Hügel stehenden Schloß. Sie ist der Hauptort des Landes und Districts dieses Namens, der Sitz eines klei= nern Kastellans und eines Starosten; es wird auch hie= selbst das Landgericht gehalten.

2) Nowe Miasto, ein Städtchen von 47 Rauchfängen.

2 Der Serozkische District.

1 Die adelichen Güter: lauter Dörfer, und Nasielsk, eine kleine Stadt von 92 Rauchfängen.

2 Die geistlichen Güter. Außer den Dörfern, Pultusk, eine Stadt von 342 Rauchfängen, am Fluß Narew, welche völlig unter der Oberherrschaft des Bischofs von Plozk stehet. In derselben ist ein ehema= liges Jesuiter=Collegium. 1324 und 64 wurde sie von den Litauern verbrannt. 1703 schlug der schwedische Karl der zwölfte hieselbst die Sachsen.

3 Der Nowomycyschische District, bestehet in geistlichen Gütern, welche Dörfer sind.

IX Das Land Lomza, Ziemia Lomzenska,

1 Der Lomzische District, welcher größtentheils aus adelichen Gütern und Dörfern, und

Sym=

Smokodowo, einem Städtchen von 80 Rauch=
fängen, bestehet. Die geistlichen Güter sind 17 Dörfer,
und die königlichen Güter sind, außer den Dörfern

1) Łomza, eine Stadt an dem schiffbaren Fluß
Narew, der Hauptort des Landes und des Districts die=
ses Namens, 20 Meilen von Warschau. Hier ist eine
Starostey, auch wird hieselbst das Landgericht gehalten.

2) Nowogrod, eine kleine Stadt von 139 Rauch=
fängen, am Fluß Narew, welcher hier den Pysch auf=
nimmt.

3) Kutno, eine Stadt von 189 Rauchfängen.

2 Der Zambrowsche District, welcher aus
lauter adelichen Gütern und Dörfern bestehet.

3 Der Kolinsche District, hat lauter adeliche
Dörfer, und

1) Skawißka, eine keine adeliche Stadt von 14½
Rauchfängen.

2) Konopki utraque Biatyston.

4 Der Ostrolenskische District, in welchem 2
königliche Städte

1) Ostrolenka, eine Stadt von 278 Rauchfängen,
am Fluß Narew.

2) Zambrow, ein Städtchen von 72 Rauchfängen.

X Das Land Nur, Ziemia Nurska.

1 Der Nursche District.

1) Die adelichen Güter. Eine große Anzahl
Dörfer.

2) Die geistlichen Güter. Lauter Dörfer.

3) Die königlichen Güter. Außer den Dörfern,
Nur, der Hauptort des Landes und Districts, ein
Städtchen von 63 Rauchfängen, liegt am Fluß Bug,
welcher hier den Fluß Nurcze (Nurtsche) aufnimmt. Es
ist hier eine Starostey, auch wird hieselbst das Landge=
richt gehalten.   2) Der

2 Der Oſtrowſche Diſtrict.

1) Die adelichen Güter. Viele Dörfer, Oſtrow, eine kleine Stadt von 163 Rauchfängen, begreift

2) Die geiſtlichen Güter, unter welchem Brok, eine keine Stadt von 111 Rauchfängen.

3 Der Kamienietzkiſche Diſtrict.

1) Die adelichen Güter, welche lauter Dörfer ſind

2) Die geiſtlichen Güter. Außer vielen Dörfern Wyſzkow, ein Städtchen von 72 Rauchfängen.

XI Das Land Wiſka, Ziemia Wiska.

1 Der Wiskiſche Diſtrict.

1 Die adelichen Güter. Eine große Anzahl Dörfer, und

(1) Graiewo, ein Städtchen von 43 Rauchfängen.

(2) Jedwalme, ein Städtchen von 51 Rauchfängen.

(3) Szczucin, eine Stadt von 270 Rauchfängen.

2) Die geiſtlichen Güter; nur 4 Dörfer.

3 Die königlichen Güter; 22 Dörfer und 3 Städte.

(1) Radzilow, ein Städtchen von 32 Rauchfängen.

(2) Wizka oder Wizna, die Hauptſtadt des Landes und des Landes dieſes Namens, von 141 Rauchf. am Fluß Narew, welche der Sitz eines kleinern Kaſtellans und eines Staroſten iſt, in welcher auch das Landgericht der Provinz gehalten wird.

(3) Waſoſz (Wonſoſch) eine keine Stadt von 129 Rauchfängen.

XII

XII Das Land Wyßzogrod, Ziemia Wyssogrodska,

1 Die adelichen Güter. lauter Dörfer.

2 Die geiſtlichen Güter. Dörfer, und 2 Städte

1) Bodzanow, ein Städtchen von 40 Rauchfängen.

2) Czenſinſk, ein Städtchen von 29 Rauchfängen, an der Weichſel, in welchem eine Abtey Clericorum regul. welche der König vergiebet.

3 Die königlichen Güter, Dörfer, und

Wyßzogrod, (Wiſchogrod), eine Stadt von 195 Rauchfängen an der Weichſel, mit einem Schloß auf einem Hügel, 12 Meilen von Warſchau. Sie iſt der Hauptort des Landes, in welchem das Landzericht deſſelben gehalten wird, auch der Sitz eines kleinern Kaſtellans, und eines Staroſten. 1747 brannte ſie halb ab.

Anhang zu Groß-Polen
von den Städten
Danzig und Thorn,
welche im Umfange des Königreichs Preußen liegen.

Danzig, Dantiſcum, Gedanum, auf polniſch Gdanſk, eine berühmte Handelsſtadt und Feſtung am Weichſelſtrom, eine Meile von der Oſtſee. Die zwey kleinen Flüſſe Radaune und Motlau gehen durch die Stadt, auf jener iſt eine Mühle von 18 Gängen, und dieſer fließet zwiſchen der Alt- und Neu-Stadt in zwey Armen, die ſich beym Ausgang aus der Stadt wieder vereinigen, und, ſo wie die Radaune, in die Weichſel fallen. Sie
iſt

ist groß, nach alter Art schön, hat aber mehrentheils
enge Straßen, woran die sogenannten Beyschläge viel
schuld sind, die in Gallerien oder Altänen vor den Häusern bestehen, auf welche man vermittelst einiger Stufen steigt, und über dieselben in die Häuser geht. Unter
denselben sind mehrentheils gute gewölbete Keller. Die
Stadt hat wenigstens 60000 Einwohner, die vielen
Fremden, welche theils des Handels wegen dahin kommen, theils durchreisen, ungerechnet. Ihre Privilegia
und Freyheiten sind wichtig; denn sie hat Sitz u. Stimme
auf dem polnischen Reichstag und bey der Königswahl,
darf Münzen schlagen, Bernstein sammlen ꝛc. K. Casimir ertheilte 1657 dem Magistrat, den Schöppen und
Hundertmännern, die adeliche Würde, daß sie künftig
Nobiles genennet werden sollten. Die Stadt besteht eigentlich aus zwey Städten, der Alt= und Neu=Stadt,
und einigen Vorstädten. Es sind hier zwölf lutherische
Kirchen, die Kirchen im Lazareth, Zuchthause und Spend-
hause nicht mitgerechnet, zwey reformirte und sieben katholische, auch ein ehemaliges Jesuiter=Collegium und
einige Klöster. Die lutherische Marien= oder große
Pfarr=Kirche ist die ansehnlichste unter allen. Der erste
Prediger an derselben ist Senior des Ministeriums, dessen
Glieder einander an Würde und Ansehen gleich sind, und
von welchen zwey allemal Doctores der Theologie seyn
müssen. Auf dem lutherischen akademischen Gymnasium
im grauen Kloster, lehren sieben Professores, und ein
Lector der polnischen Sprache. Um die Stadtbibliothek,
die darinn steht, hat sich Adrian Engelke sowohl in Ansehung ihrer Einrichtung, als Vermehrung, sehr verdient gemacht. Die Rathhäuser in der Alt= und Neu-
Stadt, unter welchem letzten die Pfundkammer ist, wo
der Waarenzoll erlegt wird, der Junkernhof, die öffentliche Wage, und das Zeughaus, sind altväterische Gebäude. Auf der Kaufmannsbörse, welche der Artushof
genannt wird, hat die Bürgerschaft dem König August
dem dritten im Jahr 1755 eine marmorne Bildsäule errichtet. Ehemals war die Stadt eine der vornehmsten Han-

2 Th. 8 A.   O   sestäd-

festädte, und sie gehört jetzt noch unter die vornehmsten
Handelsstädte in Europa. Es laufen aus der See jährlich über 1000 (im 1768sten Jahr 1151) Schiffe ein, welche Wolle, Leder, Talch, Butter, Wachs, Potasche,
Klapholz, Pelzwerk, und andere Güter und Waaren,
die durch polnische Fahrzeuge auf der Weichsel eingebracht
worden sind, abholen; und Weine, Gewürze, Tücher,
seidene und wollene Zeuge, Oel, Heringe, Apotheker-
waaren, Salz, Eisen, Bley, und andere Waaren ein-
bringen. Die meisten europäischen Mächte, haben hier
ihre Residenten und Consuls. Die meisten Einwohner
sind lutherisch, hingegen die vornehmsten und reichsten
sind mehrentheils reformirt. Sie hält eine eigene Besatzung. Die Festungswerke sind ansehnlich, sonderlich
gegen Abend und Mitternacht, wo die Stadt von Bergen oder Hügeln umgeben ist, die höher sind, als die
Stadtthürme, und unter welchen der Bischofsberg und
Hagelsberg die vornehmsten sind. Auf dem ersten hat der
Doctor der Arzneywissenschaft Nathanael Mathäus von
Wolf, (gest. 1784) eine Sternwarte an- und ein-gerich-
tet, und der hiesigen Naturforschenden Gesellschaft zur
Verwaltung überlassen, auch 4000 Ducaten zu einem
Capital vermacht, dessen Zinsen zum besten der Stern-
warte angewendet werden. Auf dem letzten hat in alten
Zeiten ein Schloß gestanden, das so, wie der Berg, von
einem Namens Hagel benennet worden, der wegen seiner Tyranney in demselben erschlagen, und sein Schloß
eingeäschert ist. Es ist auch daselbst ein herrschaftliches
Erbbegräbniß gewesen, wovon die Urnen-Statue oder
Fürstinnen-Seule ein offenbarer Beweis ist, die man
daselbst ums Jahr 1664 gefunden. Nahe dabey zeiget
man nicht nur den Ort, wo die Russen 1734 vergeblich
Sturm geloffen, sondern auch das große Grabmal, welches diejenigen in sich schließet, die bey dieser Gelegenheit
umgekommen sind. Was die Geschichte der Stadt anbetrifft, so ist aus alten Nachrichten erweislich, daß die
alte Stadt Danzig schon ums Jahr 997 eine nahmhafte
Stadt, und kein bloß Dorf oder Flecken mehr gewesen
sey,

sey, denn Cosmas von Prag berichtet, daß Adalbert oder der heil. Albrecht im Jahr 997 (nach der preuß. Samm- lung B. 1. S. 372, schon 965) nach der Stadt Gidanie oder Gedanie gekommen sey, welches die jetzige alte Stadt Danzig ist. Die neue Stadt ist 1311 von den Kreutzher- ren angelegt, und erst 1343 mit Mauern und Graben be- festiget worden. 1454 entzog sie sich dem Joch der Kreutz- herren, und unterwarf sich unter gewissen Bedingungen dem polnischen König Casimir, von welchem sie unter an- dern die Münzgerechtigkeit erhielt. Als sie dem König Stephanus ohne vorhergegangene Bestätigung ihrer Rechte nicht huldigen wollte, ward sie 1577 von demselben in die Acht erklärt, und belagert; der Streit wurde aber durch Vermittelung beygeleget, und der König nahm die Stadt nach einer öffentlichen Abbitte zu Gnaden an, und be- stätigte ihre Rechte, nebst der freyen Ausübung der evan- gelischen Religion; sie mußte aber dem König eine Sum- me Geldes erlegen. 1734 nahm sie den König Stanis- laus auf, mußte aber darüber von der russischen und säch- sischen Armee eine harte Belagerung, und starke Bombar- dirung, ausstehen; da sie sich denn endlich, nachdem alle Hoffnung des französischen Entsatzes zu Wasser geworden war, und Stanislaus einen Weg gefunden hätte, zu entkommen, dem Churfürsten von Sachsen, August dem dritten, als ihrem rechtmäßigen König und Herrn, unter- warf. In der neuesten Zeit sind zwischen dem Magistrat und der Bürgerschaft heftige Streitigkeiten gewesen, die mühsam beygeleget, und durch die Ordinatio regia civi- tati Gedanensi praescripta von 1752 gehoben worden, aus welcher die ganze Regierungsform der Stadt, und die Rechte derselben zu ersehen. Sie liegt in der Diöces des cujavischen Bischofs, den sie auch ehret, in so weit ihre verschiedene Religion und ihre Rechte es zulassen. Pto- lemäus setzet nahe an die Weichselminde eine Stadt, wel- che er Skurgon nennt. Der Stadt gehört außerhalb ih- rer Mauern.

1) Der Danziger Werder, und.

D 2 2) Die

2) Die frische Nehrung, welche oben beschrieben worden.

3) Die sogenannte Höhe, poln. Wyzyna, auf welcher das Städtchen Hela oder Heel ist, welches auf der äußersten Spitze des krummen und schmalen Strich Landes liegt, der sich in die Ostsee erstrecket, und den Paug-Kerwick macht. Hier legen sich Schiffe vor Anker. 1572 brannte dieses Städtchen ab. Sonst sind auf der Höhe noch acht Kirchdörfer, nämlich All Gottes Engeln, Obra, Müggenbahl, Prauß, Gischkau, Cöblau, Wonnenberg, Rambeltsch.

Thorn, auf polnisch Torun, an der Weichsel, ist die älteste Stadt in Preußen, und war ehedessen die erste unter den 3 großen preußischen Städten, verwahrte auch das preußische Landesarchiv. Ihre Erbauung hat sie dem ersten Landmeister des deutschen Ritterordens, Herman Balk, zu danken, welcher 1231 die Burg Thorn erbauete, bey der im folgenden Jahr eine Stadt angelegt worden, die der unbequemen Lage halber schon 1235 wieder abgebrochen, und eine Meile weiter die Weichsel hinauf an den jetzigen etwas erhabenern Ort verleget seyn soll. Den Namen hat sie vermuthlich daher, weil den Ordensbrüdern dadurch ein Thor oder Eingang ins Land Preußen eröffnet worden. Sie ist nach und nach zu einer berühmten Handelsstadt, und mit in den Bund der Hansestädte aufgenommen worden. Ehemals hatte sie ein festes Schloß, welches 1454 abgebrochen worden, war auch sonst befestiget. Sie wird in die alte und neue Stadt abgetheilt, welche letzte vor Alters ihren eigenen Magistrat gehabt, 1454 aber mit jener vereiniget, und aus beyden eine Stadt und ein Magistrat gemacht worden, doch sind sie noch inwendig durch eine Mauer und einen Graben von einander abgesondert. Die Bürgerschaft ist jetzt wohl nicht über 1000 Mann stark, und größtentheils evangelisch; es sind aber den Evangelischen nach und nach von den Römischkatholischen ihre Kirchen genommen worden, so daß die Neustädter ihr ehemaliges Rathhaus zu einer Kirche zubereitet, die Altstädter aber

aber 1755 am Markt eine neue Kirche zu bauen angefangen haben. Das lutherische Ministerium, bestehet aus einem Senior und acht Predigern. Sie haben ein Gymnasium, welches 1594 eingeweihet worden, und gelehrte und berühmte Rectores und Professores gehabt hat. An demselben stehen fünf Professores, und ein Lector der polnischen Sprache. Die Reformirten haben einen Prediger, und halten ihren Gottesdienst in einem großen Hause. Die Juden haben eine kleine Schule. Die Katholiken haben nun in der Stadt drey Kirchen, nebst zwey Klöstern mit Kirchen. Die Jesuiten hatten hier ein Collegium, welches zuerst 1605 angelegt, und 1699 von neuem erbauet wurde. Die Bürger besitzen viele Landgüter mit adelichen Rechten. Die thornischen Pfefferkuchen, angenehmen Steckrüben, und gute Seife sind berühmt. Die hölzerne Brücke über die Weichsel, ist fast eine halbe Stunde lang, und bestehet aus zwey Theilen, welche die Insel Bazar macht. Die Hälfte nach der Stadt zu, wird die deutsche Brücke über die deutsche Weichsel, und die andere nach Polen zu belegene Hälfte, die polnische Brücke über die polnische Weichsel, genannt. Der Strom wird immer breiter, und folglich auch die Brücke, von welcher, weil sie unfest und wankend ist, das Eis fast jährlich ein Drittel wegnimmt, so daß sie sehr kostbar zu unterhalten ist. In der Johanniskirche findet man ein Epitaphium des hieselbst 1472 am 19 Jänner gebohrnen berühmten Mathematikers Nikolaus Copernikus. 1454 fiel die Stadt von dem deutschen Orden ab, und begab sich unter die Krone Polen. 1485 erhielt sie das Stapelrecht. 1629 wurde sie vom schwedischen Könige Gustav Adolph vergeblich belagert, und um diese Zeit mit Wällen umgeben. 1645 veranstaltete König Uladislaus der vierte hieselbst ein sogenanntes liebreiches Gespräch zwischen den Katholiken, Lutheranern und Reformirten, um dieselben zu vereinigen, welches sich aber mit Zänkereyen fruchtlos endigte. 1655 nahm der schwedische König Karl Gustav die Stadt mit Accord ein, und ließ sie ziemlich befestigen. 1658 ward sie von

D 3 den

den Polen und Brandenburgern, und 1703 von Karl dem
zwölften bombardirt und erobert; und im letztgedachten
Jahr wurde alles, was zur Befestigung der Stadt diente,
geschleift. 1708 bis 1710 wurde die Stadt durch die Pest
von ihren Einwohnern sehr entblößt; sie ist auch sonst in
Kriegeszeiten sehr mitgenommen worden. 1724 am 16
Julius entstund aus einer geringen Ursache, da ein jesuiti-
scher Student bey einer Procession die evangelischen Zu-
schauer aus Uebermuth angriff, ein Auflauf, welcher des
folgenden Tages noch heftiger wurde; so daß der Pöbel
mit Gewalt in die Schule, und das Jesuiter-Collegium
dräng, und allerhand Gewaltthätigkeiten ausübete, wofür der Präsident Rößner, nebst einigen andern, den
Kopf hergeben, und die Stadt eine Geldbuße erlegen
mußte. Der Stadt gehören über 25 Dörfer mit vier
evangelischen Kirchen. Eine Meile von der Stadt liegt
die katholische Kapelle zur heiligen Barbara, dahin am
dritten Pfingsttage eine große Procession aus der Stadt
angestellet wird.

II Klein-Polen.
Malopolska Prowincia,

welches auch Ober-Polen genannt wird, und eigentlich nur die drey Woiwodschaften, Krakau, Sendomir und Lublin, begreifet; es sind aber auch die
Landschaften Rußland, Volhinien, Podolien, Kiovien und Podlachien dazu geschlagen worden. Diese
Provinz hat 1772 einen starken Verlust erlitten, denn
das Haus Oestreich hat aus den davon abgerissenen
Stücken ein ganzes Königreich unter dem Namen
Galizien und Lodomerien errichtet, und seine Rechte
an denselben in einer eigenen Schrift ausgeführet.

Jetzt

Jetzt gehören zu Klein-Polen im weitläuftigen Verstande noch die folgenden Stücke.

I.

Die Woiwodschaft Krakow,

Wojewodztwo Krakowskie,

Palatinatus Cracoviensis,

welche, nachdem sie 1772 alles, was jenseits der Weichsel liegt, verloren hat, nur noch drey Powiaty oder Districte begreifet, die unter fünf Starosteyen stehen; welche der Oberstarost von Kleinpolen (Starosta General Malo Polski,) besitzet. Der Adel hält seine Landtage zu Prószowice, und der Unter-Kämmerer des Districts Krakow, hat das Recht, ihn zusammen zu berufen. In dieser Woiwodschaft sind drey Senatoren vom ersten Range, nämlich der Bischof, der größere Kastellan, und der Woiwode von Krakow. Die große krakauische Procuratur (Wielkorzady Krakowskie) ist zur Verwaltung gewisser königlicher Güter und Einkünfte in der Gegend von Krakow verordnet worden, und kömmt beym Dugloß schon im Jahr 1356 vor. Allein, heutiges Tags verdienet sie den Namen der großen, gar nicht mehr. Ihre Einkünfte bestehen, außer den hernach vorkommenden Oertern, jetzt nur aus gewissen Gefällen von Wirthshäusern, Mühlen, der Accise, welche in den Thoren der Stadt Krakau erleget wird; und aus dem Zehnten von dem Holz, welches die Weichsel hinab geführet wird. Der Pách-

D 4   ter

ter zahlet dafür jährlich in den königlichen Schaß ungefähr 20000 polnische Gulden guter Münze, und
das zu dieser Procuratur gehörige Amt Niepolo-
miß, bringet ungefähr eben so viel ein. Die Woiwodschaft hat Mangel an Holz, daher die 1787
entdeckten Spuren von Steinkolen, wichtig sind.
Der Michinsche Berg, enthält schönen Marmor.
Zu Busko ist eine Salzsiederey. Die Fahne
der Woiwodschaft, enthält einen gekrönten weißen
Adler mit goldenen Kleestengeln in den Flügeln, im
rothen Felde. Es folgen nun die Districte.

I Der District Krakow.

1 Die adelichen Güter. Außer den Dörfern,
1) Chrzanow, eine Stadt auf einem Berge, von
201 Rauchfängen.
2) Modrzejow, ein Städtchen von 26 Rauchfängen.
3) Nowagora, eine Stadt von 115 Rauchfängen.

2 Die geistlichen Güter, eine Anzahl Dörfer, und
1) Slawkow, eine Stadt von 225 Rauchfängen.
2) Skala, eine kleine Stadt von 128 Rauchfängen.

3 Die königlichen Güter; außer den Dörfern,
1) Krakow, Cracovia, Carodunum, die Hauptstadt
des ganzen Königreichs, liegt an der Weichsel und Rudawa, welche letzte hieselbst in die erste fällt, in einer
fruchtbaren Gegend. Die eigentliche Stadt Krakow, ist
mit Mauern, Wall und Graben umgeben, und enthält
viele Klöster und Kirchen, unter welchen letzten die Ma-
rienkirche die vornehmste ist. An der Abendseite ist eine
Vorstadt, in welcher schöne Gärten sind; und neben derselben ist das königl. Lusthaus mit den dazu gehörigen
Gebäuden, Gärten und Fischteichen, die mit einer Mauer
umgeben sind. Auf der Süderseite nach der Weichsel zu,
erblicket man das weitläufige königl. Schloß auf einem
Felsen, welches mit Mauern, Thürmen und Bollwerken umgeben ist, und einer kleinen Stadt ähnlich siehet.

Es

Es gehören dazu der königl. Pallaſt, welcher ehedeſſen die Reſidenz des Königs geweſen iſt, die Domkirche, zwey andere Kirchen und verſchiedene Häuſer. Gedachte Domkirche wird von dem heil. Stanislaus benannt, der hier Biſchof geweſen, und 1076 von Boleslaus dem zweyten beym Altar mit eigener Hand umgebracht worden, weil er demſelben mit ſeinen vielen Ermahnungen zur Laſt gefallen. Er liegt hieſelbſt in einem ſilbernen Sarge begraben. In dieſer Kirche, in welcher der Gottesdienſt bey Tag und Nacht fortgeſetzet wird, iſt ein wichtiger Schatz vorhanden, es wird auch in derſelben ein Theil der Reichskleinodien verwahret, und die übrigen ſind im königlichen Pallaſt; woſelbſt der Reichsſchatzmeiſter die Aufſicht über dieſelben hat. Die Schlüſſel zu den Behältniſſen derſelben, ſind in den Händen des Kaſtellans von Krakow, und der Woiwoden von Krakow, Poſen, Wilna, Sandomir, Kaliſch und Trotzk. In der Domkirche werden ſeit 1320 nach der Gewohnheit, und ſeit 1564 und 69, vermöge der Geſetze, die Könige gekrönet, ſie haben hieſelbſt auch ihr Begräbniß. Der krakauiſche Biſchof iſt zugleich Herzog von Severien, und von ſeiner großen und einträglichen geiſtlichen Gewalt, iſt oben in der Einleitung gehandelt worden. Das Bisthum träget jährlich 40000 Thaler ein. Das Domkapitel beſteht aus 36 Canonicis und andern Prieſtern, die insgeſammt reiche Einkünfte haben. Gleich neben dem Schloß liegt die Vorſtadt Stradom, in welcher einige Kirchen, Klöſter und Hoſpitäler ſind, und aus derſelben kömmt man über die Weichſel, vermittelſt einer Brücke, in die von dem Könige Caſimir dem zweyten benannte Stadt Kazmierz oder Kaſimirs, welche als der zweyte Theil der geſammten Stadt Krakau anzuſehen, derſelben gegen Morgen jenſeits eines Arms der Weichſel liegt, mit Mauern umgeben, und von Caſimir dem Großen angelegt iſt. Das vornehmſte in derſelben iſt die Univerſität, zu deren Errichtung der König Caſimir 1343 den Anfang machte, und 1364 den Stiftungsbrief gab, an ihrer Vollendung aber durch den Tod gehindert wurde,

D 5 daher

daher sie 1401 vom König Wladislav Jagello und seiner Gemahlinn Hedewig zum Stande gebracht ward. Sie hat eilf Collegia, und der Bischof von Krakow ist beständiger Kanzler derselben. 1780 ist sie zur Hauptschule der Künste und Wissenschaften in dem Königreich Polen eingerichtet, und ein Seminarium angelegt worden, in welchem diejenigen gebildet werden sollen, die Lehrer der Nationalschulen zu werden wünschen. Anstatt der ehemaligen 4 Facultäten sind nun 4 Collegia, von welchen das vierte nicht philosophicum, sondern physicum heißet, und jedes hat einen Präses. Die Bibliothek hat 4400 Handschriften, ohne die hebräischen. Die ehemalige Universität, litte 1549 einen gewaltigen Stoß, als alle Studenten an einem Tage wegreiseten, weil sie glaubten, man habe ihre Mitbrüder nicht genug gerochen, die in einer geringen Sache theils zu Tode kamen, theils verwundet wurden. Es ist hier auch ein ehemaliges Jesuiter Collegium, und ein Collegium piarum scholarum. Mit dieser Stadt hängt die Judenstadt zusammen. Endlich ist noch gegen Norden das Städtchen, oder die Vorstadt Klepars, (Clepardia), zu merken, welches keine Mauern hat, aber einige Kirchen und den bischöflichen Pallast enthält. Die Stadt Krakau ist groß, und war ehemals sehr ansehnlich und blühend; ist aber sehr in Abnahm gerathen, nachdem die Residenz von hier verlegt, und sie in den beyden schwedischen Kriegen stark mitgenommen worden. Sie ist nicht mehr so volkreich, als sie ehedessen gewesen. 1778 zählte man in der eigentlichen Stadt nur 8894 Menschen, unter welchen 600 Weltgeistliche, Mönche und Nonnen, und 132 Studenten waren. Die Deutschen und Italiener brachten die Handlung ehedessen hieselbst in große Aufnahme, sie ist aber nun gering. Die krakauischen Bürger haben dieses Vorrecht, daß von dem Stadtrath nicht anders, als an den König appellirt werden, dieser aber sowohl ihre, als auch die Sachen von der Städte Kazimierz und Klepars, nicht anders, als in Krakau, richten kann. Der hiesige Woiwode hat das Recht, den Rath zu wählen, aber nicht abzusetzen. Der Kastellan

von

von Krakau, hat von Alters her, einer unbekannten Ursache wegen, den Rang vor dem hiesigen Woiwoden, und
allen andern Woiwoden, und bekömmt den Titel, Va-
stris. Sonst hat er außer dem Namen und den Einkünften, mit den andern Kastellanen nichts gemein, sondern ist bey seiner Ehrenstelle von allen andern Aemtern
ganz frey; im Rath aber muß er doch mit sitzen. Es ist
hier auch eine Stärostey, welche der Oberstärost von
Kleinpolen besitzt. Auf dem Schloß wird das Landgericht des krakauischen Districts gehalten. Die Einwohner haben das Recht, sich Landgüter anzukaufen, und
dieselben zu besitzen, doch müssen sie nicht über zehn Meilen von der Stadt entfernet seyn. Was die Geschichte
der Stadt betrifft, so soll sie im Jahr 700 von einem polnischen oder böheimischen Fürsten, Namens Cracus, angeleget seyn, welches aber ganz ungewiß ist. Das hiesige
Bißthum ist im Jahr 1000 errichtet worden. Die Stadt
hat 1257 das magdeburgische Recht bekommen. Sie ist
oft abgebrannt, als 1241, 1260, 1439, 1462, 1473, 1494,
1504, 1652 und 1702; 1707 und 1708 hat die Pest hieselbst viele tausend Menschen aufgerieben. 1559 ward sie
von den Schweden belagert und erobert; 1657 aber mußte
sie sich wieder an die Polen ergeben. 1702 wurde sie von
den Schweden eingenommen. 1768 wurde hier eine Conföderation errichtet, und die Conföderirten wurden in der
Stadt von den Russen belagert, auch, nachdem die Stadt
mit stürmender Hand erobert worden, zu Gefangenen
gemacht. Während der Belagerung brannten die Conföde-
derirten die Vorstädte Klepars, Wessela und Piasek ab.

2) Claratomba oder Mogila, eine reiche, schöne und
feste Cistercienser Abtey, eine Meile gegen Osten von Krakau, an der Weichsel, die wegen des Grabes der Königinn Vanda berühmt ist, und ein Gymnasium hat, welches von der gesammten polnischen Cistercienser Congre-
gation unterhalten, und von den jungen Mönchen desel-
ben besucht wird.

3) Bedzin, eine Stadt von 229 Rauchfängen.

3) Ol-

4) Olkusz, (Olkusch,) oder Olkosz, eine kleine Stadt, von 133 Rauchfängen. Sie war ehedessen wegen ihrer Bley- und Silber-Bergwerke berühmt, die sehr ergiebig waren, seit vielen Jahren aber verfallen sind.

4 Die große krakauische Procuratur. Außer 18 Dörfern,

1) Slomniki, eine kleine Stadt von 155 Rauchfängen.

2) Proszowic, (Proschowitz) eine keine Stadt von 147 Rauchfängen. Sie ist ein Landsitz der ältesten Könige gewesen.

3) Koßyce, eine kleine Stadt von 97 Rauchfängen.

II Der Proszowizkische District,

1 Die adelichen Güter. Außer den Dörfern,

Dzialoszyce, eine keine Stadt von 159 Rauchfängen, dem Bischof von Krakow zugehörig, in einem tiefen Thal.

2 Die geistlichen Güter. Außer den Dörfern,

1) Brzesko nowe, eine Stadt von 138 Rauchfängen.

2) Skalmierz, eine keine Stadt von 132 Rauchfängen, in einem tiefen Thale, an dem kleinen Flusse Skalmierka.

III Der Xionsische District.

1 Die adelichen Güter. Außer den Dörfern,

1) Koszow, ein Städtchen von 27 Rauchfängen.

2) Wodzislaw, eine Stadt von 210 Rauchfängen.

3) Xiąz, (Ksions), oder Wielki (Groß) Xiąz, eine Stadt, von 130 Rauchfängen 7 Meilen von Krakow, der Hauptort des davon benannten Districts, in welchem das Landgericht desselben gehalten wird. Die hiesige Starostey besitzt der Oberstarost von Kleinpolen.

4) Maly, (Klein) Xiąz ist ein Dorf in eben diesem District, von 49 Rauchfängen.

2 Die geistlichen Güter. Eine Anzahl Dörfer, und

1) Jedr=

1) Jędrzejow, eine kleine Stadt von 175 Rauch= fängen, in einem Thal an einem Bach. Sie gehöret dem hiesigen Klöster.

2) Miechow, eine Stadt von 181 Rauchfängen, deren Lage der Gegend um Jerusalem ähnlich seyn soll, von welcher ihr Stifter Gryphius Jara, zum Angedenken sei= ner dahin vorgenommenen Wallfahrt, das Muster ge= nommen, und diesen Ort den Rittern des Grabes Christi eingeräumet hat, welche regulirte Chorherren sind.

3 Die königlichen Güter. Zwanzig Dör= fer, und

1) Wolbrom, eine Stadt, von 137 Rauchfängen.

2) Zarnowiec, eine Stadt an einem See, von 151 Rauchfängen.

IV Der Lelowsche Kreis.

1 Die adelichen Güter. Viele Dörfer, und

1) Janow, eine kleine Stadt von 103 Rauchfängen.

2) Kromolow, eine kleine Stadt von 153 Rauch= fängen.

3) Mrzyglod, eine kleine Stadt von 162 Rauch= fängen.

4) Ogrodzieniec, ein Städtchen von 74 Rauch= fängen.

5) Pilca, eine Stadt von 290 Rauchfängen, in deren Nachbarschaft der Fluß Pilca, welcher auch Pilcza genennet wird, entstehet.

6) Szczekociny, eine Stadt von 191 Rauchfängen.

7) Włodowice, eine kleine Stadt von 113 Rauch= fängen.

8) Żarki, eine Stadt von 299 Rauchfängen.

2 Die geistlichen Güter. Außer den Dörfern,

1) Klobucko, eine kleine Stadt von 171 Rauchfängen.

2) Mstow, eine kleine Stadt von 108 Rauchfängen.

3 Die königlichen Güter. Außer den Dör= fern,

1) Cze=

1) Czeſtochowa, (Tſchenſtochowa,) iſt der Name eines gedoppelten Orts. Neu-Tſchenſtochowa, iſt eine kleine Stadt am Fuß des Klarenbergs, auf welchem ein Kloſter vom Orden des heiligen Pauls des Eremiten ſtehet, dahin zu einem Marienbilde gewallfahrtet wird. Dieſes Kloſter, welches auch Jasno Gura genennet wird, iſt befeſtiget, und hält ſeine eigene Beſatzung. Ehedeſſen war allezeit einer der vornehmſten Ordensleute Commandant, und wurde von dem Orden ſelbſt geſetzet, 1765 aber verordnete die Krönungs-Reichstags Conſtitution, daß der Commandant künftig ein Weltlicher ſeyn, und von dem Könige beſtellet werden, auch die Einkünfte von den Gütern, welche zu dieſer Feſtung gehören, dem Reich berechnen ſollte. Man hat dieſes Kloſter immer für eins der reichſten in der Welt gehalten, und behauptet, daß deſſelben Güter und Herrſchaften wohl den funfzehnten Theil von Polen ausmachten. Die unter dem Klarenberge ſtehende Stadt Neu-Tſchenſtochowa, hat eine abgeſondert liegende Vorſtadt, Namens S. Barbara. Eine halbe Stunde von der Stadt, in der Ebene, ſiehet die Stadt Czeſtochowa ſtara, (Alt-Tſchenſtochowa,) von 283 Rauchfängen, in welcher auch ein Paulinerkloſter iſt. Dieſer Ort wurde im Anfange des Jahrs 1771 verbrannt. Das Kloſter auf dem Klarenberge, ward 1655 von den Schweden vergeblich belagert. Bey der Stadt fiel 1665 zwiſchen den königl. und lubomirſkiſchen Truppen ein Treffen, zum Nachtheil der erſten vor. 1579 vermählte ſich hieſelbſt König Michael mit Kaiſer Leopolds Schweſter Eleonora. 1772 eroberten die Ruſſen das Kloſter nach einer langen Einſchließung, welche mit einer ernſtlichen Belagerung ſich endigte.

2) Krzepice, eine kleine Stadt von 186 Rauchfängen.

3) Lelow, eine Stadt von 133 Rauchfängen, welche am Fluß Pilica, 11 Meilen von Krakow liegt. Sie iſt bemauert, hat eine Staroſtey, welche der Oberſtaroſt von Kleinpolen beſitzet, und iſt der Ort, in welchem das Landgericht dieſes Diſtricts gehalten wird.

4) Olsz-

4) Olsztyn, ein Städtchen auf einem Berge, von 83 Rauchfängen.

5) Prupow, eine kleine Stadt von 130 Rauch= fängen.

Anhang.

Das Herzogthum Siewierz, Severien, kann nur Anhangsweise bey dieser Woiwodschaft be= schrieben werden. Es liegt zwischen derselben und Schlesien, und hat ehedessen zu Schlesien gehöret. Herzog Primizlav von Teschen, kaufte 1359 die Stadt Sewer nebst dem ganzen Weichbilde, von Her= zog Bolokhen zu Schweidnitz und Herrn zu Fürsten= berg, für 2300 Mark, welchen Kauf K. Karl der vierte im Jahr 1359 bestätigte. Sommersberg Script. rer. sil. Tom. I. pag. 729. 1443 verkaufte Herzog Wenzel zu Teschen diesen District, an das Bisthum Krakow, für 6000 Mark Prager Gro= schen, welches drey Jahre hernach zum wirklichen Besitz desselben kam. Der Bischof von Krakow, welcher sich von demselben einen Herzog nennet, ist vollkommener Ober= und Landes=Herr desselben, und selbst die darinn wohnenden Edelleute, sind seine Un= terthanen; er ertheilet auch die adeliche Würde, wel= che jedoch aber den Gränzen des Herzogthums nicht erkannt wird. Die Republik Polen siehet dieses Land nicht als ein ihr zugehöriges Stück an, und kein polnischer Edelmann nennet einen Severischen, seinen Herrn Bruder. Die merkwürdigsten Derter desselben, sind

1) Sie=

1) **Siewierz,** Severia, die Hauptstadt, mit einem festen Schloß auf einer Insel in einem großen See.

2) **Kozieglowki** oder **Koziglowy,** ein Städtchen.

3) **Soncow,** (Sonzow), auf der Folinschen Charte **Soliszow,** (Solischow), ein Städtchen.

4) **Czeladz,** (Tschelads), oder **Czelacz,** (Tschelatsch), ein Städtchen.

II

Die Woiwodschaft Sandomir,

Wojewodztwo Sadomirzki,

Palatinatus Sandomiriensis,

begreift, nachdem sie alles, was jenseits der Weichsel liegt, 1772 verloren hat, noch sechs Districte, welche unter sechs Grods und Starosteyen stehen. Der Landtag des Adels, wird zu Opatow gehalten. Es sind hier zwey Senatoren vom ersten Range, nämlich der Woiwode und grössere Kastellan von Sandomirz, und fünf vom zweyten Range, nämlich die kleinern Kastellane von Wizlice, Radom, Zawidhost, Malagest, und Polanice. Die Landesfahne enthält einen von oben herab getheilten Schild, in dessen einen Hälfte drey rothe und drey weiße Linien, in der zweyten aber auf einem lasurfarbichten Grunde drey Reihen von Sternen erblickt werden. Es folgen nun die Districte.

I. Der Sondomirsche District.

1. Die adlichen Güter. Außer den Dörfern,

1) **Bogorya,** ein Städtchen von 81 Rauchfängen.

2) **Cmielow** (Smielow), eine Stadt von 179 Rauchfängen.

3) Den=

3) Denkow, eine Stadt von 125 Rauchfängen.

4) Gliniany, ein Städtchen von 43 Rauchfängen.

5) Janikow, ein Städtchen von 51 Rauchfängen.

6) Iwanisko, eine Stadt von 138 Rauchfängen.

7) Klimontow, eine Stadt von 142 Rauchfängen.

8) Ostrowiec, eine Stadt von 210 Rauchfängen.

9) Opatow, eine Stadt von 478 Rauchfängen, in einer fruchtbaren und angenehmen Gegend, mit einer ansehnlichen Stiftskirche. Hier wird der Landtag der Woiwodschaft gehalten.

10) Ozarow, eine kleine Stadt von 197 Rauchf.

11) Rakow, war ehemals eine volkreiche Stadt, in welcher die Socinianer, oder, wie sie in Polen heissen, die Arianer, ein Gymnasium und eine Buchdruckerey hatten, 1643 aber verjaget wurden. Der rakowische Catechismus hat davon den Namen. Jetzt ist der Ort eine geringe Stadt, von 126 Rauchfängen.

12) Staszow, eine Stadt von 348 Rauchfängen.

13) Lasocin, eine kleine Stadt von 107 Rauchf.

14) Tarkow, eine Stadt von 149 Rauchfängen.

2) **Die geistlichen Güther.** Außer den Dörfern,

1) Bodzecin, (Bodrecin), eine Stadt von 135 Rauchfängen.

2) Koprzywnica, eine Stadt von 215 Rauchfängen.

3) Kunow, eine kleine Stadt von 131 Rauchfängen, welche unter des Bischofs von Krakow Bothmäßigkeit stehet. In dieser Gegend sind gute Marmorbrüche.

4) Lagow, eine Stadt von 199 Rauchfängen.

5) Slupia, ein Städtchen von 91 Rauchfängen.

6) Wazniow, ein Städtchen von 36 Rauchfängen.

7) Wachocko, (Wonchozko) eine Stadt von 113 Rauchfängen.

8) Zawichost, (Sawichost,) eine keine Stadt von 164 Rauchfängen, mit einem Schloß an der Weichsel, woselbst ein kleiner Kastellan und ein Nonnenkloster ist. 1205 wurden hier die Russen geschlagen.

2Th. 8A.   P   3) Die

3) **Die königlichen Güter.** Außer 12 Dörfern,

(1) **Sandomierz,** (Sondomiers,) oder Sandomirz, oder Sędomir, (Sendomir,) Sandomiria, Sendomiria, die bemauerte Hauptstadt dieser Woiwodschaft, von 616 Rauchfängen, der Mündung des Flusses San gegen über, 22 Meilen von Krakow. Ihre Lage ist ungemein angenehm, daher Casimir der Große und andere Könige sich gern daselbst aufgehalten haben. Sie ist der Sitz des Woiwoden, eines großern Kastellans, und eines Starosten, es wird auch das Landgericht des Districts Sondomirs hieselbst gehalten. Sie enthält ein reiches Collegium Canonicorum, ein ehemaliges Jesuitercollegium, und andere Collegia. Das Schloß, welches auf einem steilen Felsen liegt, ist 1656 von den Schweden in die Luft gesprenget worden. Die sendomirsche Starostey, ist unter allen die einzige, welche, vermöge eines besondern Vorrechts, weder verpfändet, noch auf ewig verpachtet werden kann. 1259 haben die Tataren und Russen hieselbst ein gräuliches Blutvergießen angerichtet. In der Kirchengeschichte ist die Versammlung berühmt, welche 1570 hieselbst von böhmischen, lutherischen und reformirten Geistlichen angestellet, und auf welcher zwischen diesen drey Kirchen ein Bündniß errichtet, auch der sogenannte Consensus Sendomiriensis abgefasset worden. 1702 am 2 August machte der Adel hier der Religion, dem König August II, und der Freyheit zum Besten, unter sich ein Bündniß, welches mit einem Eide bekräftiget wurde.

(2) **Prosperow**, ein Städtchen von 41 Rauchfängen.

(3) **S. Krzyz,** (S. Krsys,) Mons sanctæ crucis, sonst auch der Kaleberg, Mons calvus, genannt, weil keine Bäume darauf stehen, ist der höchste in ganz Polen. Auf demselben stehet die regulirte Benedictiner=Abtey gleiches Namens, zu welcher viele Wallfahrten geschehen.

II Der

II Der Radomsche District.

1 Die adelichen Güter. Außer vielen Dörfern,

1) Ciepielow, ein Städtchen von 93 Rauchfängen.

2) Jedlinsko, ein Städtchen von 92 Rauchfängen.

3) Janowiec, eine keine Stadt von 175 Rauchfängen, unweit der Weichsel.

4) Zygmantow, ein Städtchen von 14 Rauchfängen.

5) Kazanow, ein Städtchen von 55 Rauchfängen.

6) Lipsko, eine kleine Stadt von 117 Rauchfängen.

7) Przysucha, eine Stadt von 190 Rauchfängen.

8) Przytyk, eine keine Stadt von 130 Rauchfängen.

9) Granica, ein Städtchen von 59 Rauchfängen.

10) Grabowiec, ein Städtchen von 79 Rauchfängen.

11) Klwow, ein Städtchen, von 91 Rauchfängen.

12) Szydlowiec, (Schidlowietz,) eine Stadt von 203 Rauchfängen, in welcher mehr Juden als Christen wohnen, welche letzten mit den in hiesiger Gegend zubereiteten Waaren, als Stab = und Guß=Eisen, Nutz= und Bau=Holz, Mühl= und Schleif=Steinen, wie auch mit Kalk, Getreide, Häuten, u. a. m. handeln. Sie werden bis Solec auf Wagen, hier aber auf die Weichsel gebracht. Das Eisenwerk ist 2 Meilen von hier und heißet Brin.

13) Sienno, eine keine Stadt von 118 Rauchfängen.

14) Gniewoszow, ein Städtchen von 64 Rauchfängen.

15) Wola, ein Städtchen von 27 Rauchfängen.

2 Die geistlichen Güter. Außer vielen Dörfern,

1) Granica, ein Städtchen von 7 Rauchfängen.

2) Itza, eine kleine Stadt von 207 Rauchfängen.

3) Skrzynno, ein Städtchen von 71 Rauchfängen.

4) Sie=

4) Sieciechow, ein Städtchen von 81 Rauchfängen.

5) Skaryszow, eine kleine Stadt von 100 Rauch=
fängen.

6) Jastrząb, ein Städtchen von 55 Rauchfängen.

7) Wirzbica, eine kleine Stadt von 116 Rauchf.

8) Wierzbrzik, ein Städtchen von 34 Rauchfängen.

3 Die königlichen Güter. Außer den Dör=
fern,

1) Radom, die Hauptstadt dieses Districts, von 252
Rauchfängen, welche mit Wall und Mauern umgeben,
der Sitz eines kleinern Kastellans, eines Starosten, und
des Landgerichts dieses Districts, vornehmlich aber des
polnischen Schatz=Tribunals, (Tribunal thesauri,) oder
der Rechnungskammer für Polen ist, welches am Mon=
tage nach dem Fest des heil. Stanislaus anfängt, und sechs
Wochen währet. Auch ist hier ein Collegium piarum
scholarum.

2) Kozienice, eine kleine Stadt von 209 Rauch=
fängen.

3) Przczywof, eine kleine Stadt von 115 Rauch=
fängen.

4) Zwolin, eine kleine Stadt von 169 Rauchfängen.

5) Solec, eine Stadt von 262 Rauchf. an der Weichsel.

III Der Opotschinsche District.

1 Die adelichen Güter. Außer den Dörfern,

1) Białaczow, ein Städtchen von 72 Rauch=
fängen.

2) Drzewica, (Drsewitza,) eine kleine Stadt von 102
Rauchfängen, am Fluß gleiches Namens, der sich in die
Pilica ergießet. Ihr Besitzer hatte sie 1775 dadurch in
Aufnahme gebracht, daß er viel deutsche Künstler und
Handwerksleute dahin gezogen, und das meiste auf deut=
schen Fuß eingerichtet hatte.

3) Gielnow, ein Städtchen von 61 Rauchfängen.

4) Gawarczow, ein Städtchen von 87 Rauch=
fängen.

5) Konz=

5) Kopzkie, eine Stadt von 271 Rauchfängen.
6) Odrzywół, ein Städtchen von 56 Rauchfängen.

2 Die geiſtlichen Güter. 32 Dörfer, und
Zarnow, ein Städtchen von 32 Rauchfängen.
Kloſter Sarzowſki, von 16 Rauchfängen.

3 Die königlichen Güter, 17 Dörfer und
Opoczno, (Opotſchno,) die Hauptſtadt des Diſtricts, von 262 Rauchfängen, in welcher eine Staroſtey iſt.

IV Der Chenzinſche Diſtrict.

1 Die adelichen Güter. Eine große Anzahl Dörfer und

1) Piotrkowice, ein Städtchen von 31 Rauchfängen.
2) Ora, ein Städtchen von 40 Rauchfängen.
3) Secenzin, ein Städtchen von 80 Rauchfängen.
4) Sobkow, ein Städtchen von 90 Rauchfängen.
5) Wlonczanow, eine kleine Stadt von 131 Rauchfängen.

2 Die geiſtlichen Güter. Außer den Dörfern,

1) Kurzelew, eine kleine Stadt von 143 Rauchfängen.
2) Kielce, eine keine Stadt, am Fuß eines Berges, auf welchem ein Kloſter ſtehet. Sie hat 351 Rauchfänge, eine Collegiatkirche und einen Pallaſt des Biſchofs von Krakow, die von ihr benannte anſehnliche Herrſchaft, und die in derſelben befindlichen Erzgruben, gehören, welche ebedeſſen Kupfer, Bley und Eiſen geliefert haben. Eiſen wird noch geſchmolzen. Die Erzgruben ſind bey dem Dorf Midzina gora geweſen.
3) Dalszyca, eine kleine Stadt von 152 Rauchfängen.

3 Die königlichen Güter. Außer den Dörfern,

P 3 1) Che-

1) Chęciny, (Chenzini,) die Hauptstadt des Districts, von 250 Rauchfängen, welche 13 Meilen von Krakow, auf einem ebenen Ort, über derselben aber auf einem Felsen ein Schloß liegt. Es ist hier eine Starostey mit Gericht, auch wird hieselbst das Landgericht des Districts gehalten. Der größte Theil der Einwohner sind Juden, welche zu dem Verfall der Stadt viel beygetragen haben. Bey derselben sind alte Bley- und Silber-Gruben, welche jetzt dem hiesigen Starosten gehören, ehedessen aber königlich waren. Man bereitet mehr Glätte als Bley. Die alten Marmorbrüche, sind theils verfallen, theils verwachsen. Es fand sich ehedessen auch Lasurstein in dieser Gegend.

2) Małogoszcz, (Malogoschtsch,) oder Małogost, eine Stadt von 179 Rauchfängen, in welcher ein kleiner Kastellan seinen Sitz hat.

3) Przedborz, eine Stadt von 154 Rauchfängen.

4) Radoszyce, eine kleine Stadt von 117 Rauchfängen.

V Der Wislitzkische District.

1 Die adelichen Güter. Außer den Dörfern,

1) Dębno, ein Städtchen von 37 Rauchfängen.

2) Chmielniki, eine Stadt von 253 Rauchfängen.

3) Kurozweki, eine kleine Stadt von 144 Rauchfängen.

4) Olesnica, eine kleine Stadt von 130 Rauchfängen.

5) Pacarzow, eine keine Stadt von 164 Rauchfängen.

6) Die Markgrafschaft Pinczow, (Pintschow,) welche der gräflichen Familie Wielopolska, als eine Ordinacye oder Ordination, das ist, als ein Majorat gehöret. Der Besitzer derselben muß allezeit den Namen Myszkowski, (Mischkowski,) führen. Der Hauptort Pynczow, (Pintschow,) ist eine Stadt von 616 Rauchfängen, in welcher ein Gymnasium.

2 Die

2. Die geiſtlichen Güter. Außer den Dörfern,

1) Bucko (Butzko,) eine Stadt von 180 Rauchfängen.

2) Opatowicc, eine kleine Stadt an der Weichſel,
von 118 Rauchfängen.

3 Die königlichen Güter. Außer den Dörfern,

1) Korczyn, eine Stadt von 280 Rauchfängen.

2) Szydłow, eine Stadt von 195 Rauchfängen.

3) Pierzchnica, ein Städtchen von 75 Rauchfängen.

4) Stobnica, eine kleine Stadt von 176 Rauchfängen.

5) Wislica, eine Stadt von 189 Rauchfängen.

III

Die Woiwodſchaft Lublin,

Woiewodztwo Lubelſkie,

Palatinatus Lublinenſis,

hat drey Diſtricte, zwey Grods und Staroſteyen,
zwey Senatoren vom erſten Range, nämlich den
Woiwoden und einen größern Kaſtellan, und erwählet auf dem Landtag zu Lublin, drey Landboten, zwey
Deputirte, und einen Commiſſarius. Die Landesfahne enthält einen rechts laufenden weißen Hirſch,
der um den Hals eine Krone trägt, im rothen Felde.
Es folgen die Diſtricte.

I Der Lublinſche Diſtrict, Powiat Lubelſki.
In meiner Topographie fehlet er, ich ſetze ihn aber
hieher wegen der Hauptſtadt

Lublin, die Hauptſtadt der Woiwodſchaft und des
Diſtricts gleiches Namens, liegt an dem kleinen Fluß

P 4   Byſtrzica,

Byſtrzica, in einer fruchtbaren und angenehmen Gegend, 14 Meilen von Sgdomirz, 36 Meilen von Krakow, 24 von Warſchau, iſt mit Mauern, Gräben und großen Seen umgeben, und hat ein Schloß auf einem hohen Fel-ſen an einem großen See. Sie iſt der Sitz des Woiwo-den, eines größern Kaſtellans und eines Staroſten. Es wird auch hieſelbſt der Landtag des Adels dieſer Woiwod-ſchaft, das Landgericht des lubliniſchen Diſtricts, und von Quaſimodogeniti bis S. Thomas das Kron-Tribunal für Klein-Polen gehalten. Die Stadt enthält verſchiedene Kirchen und Klöſter, unter welchen auch ein ehemaliges Jeſuiter-Collegium iſt. In den Vorſtädten wohnen größ-tentheils Juden, die eine anſehnliche Synagoge haben. Auf die drey Meſſen, oder Jahrmärkte, die hier jährlich gehalten werden, und deren jede einen Monat dauret, kommen deutſche, griechiſche, armeniſche, ruſſiſche, tür-kiſche und andere Kaufleute in großer Menge. 1240 wurde die Stadt von den Tataren angezündet, und hierauf war ſie eine Zeitlang in ruſſiſchen Händen. 1447, 1606 und 1768, litte ſie großen Brandſchaden, und 1656 ward ſie von den Schweden ausgebrannt. 1703 wurde ſie von den Schweden eingenommen, und in eben dem Jahr wurde hier ein außerordentlicher Reichstag gehalten.

II Der Urſendowſche Diſtrict.

1 Die adelichen Güter. Außer einer großen Anzahl Dörfer,

(1) Bylchawo, eine kleine Stadt von 101 Rauch-fängen.

(2) Baranow, eine keine Stadt von 118 Rauch-fängen.

(3) Bſknpice, ein Städtchen von 63 Rauchfängen.

(4) Betżyce, eine kleine Stadt von 150 Rauchfängen.

(5) Czemrniki, eine Stadt von 199 Rauchfängen.

(6) Gkuſko, ein Städtchen von 94 Rauchfängen.

(7) Chodel, ein Städtchen von 62 Rauchfängen.

(8) Jozefow, eine kleine Stadt von 172 Rauch-fängen an der Weichſel.

(9) Pra-

(9) Práwno, ein Stådtchen von 39 Rauchfången.

(10) Kurow, eine Stadt von 267 Rauchfången.

(11) Konskowola, eine Stadt von 212 Rauchfången.

(12) Kamionka, eine Stadt von 171 Rauchfången.

(13) Leczno, (Lentschno), eine Stadt von 253 Rauchfången. 1775 brannte sie ganz ab.

(14) Lubartow, eine Stadt von 415 Rauchfången.

(15) Markuszow, eine kleine Stadt von 120 Rauchfången.

(16) Opole, eine Stadt von 226 Rauchfången.

(17) Mnichow, ein Stådtchen von 72 Rauchfången.

(18) Kluczkowice, ein Stådtchen von 30 Rauchf.

(19) Piaski, eine keine Stadt von 140 Rauchfången, drey Meilen von Lublin, in welcher eine Reformirte Kirche ist.

(20 Annopoli, ein Stådtchen von 42 Rauchfången.

(21) Rawa, ein kein Stådtchen von 20 Rauchf.

(22) Firley, ein Stådtchen von 67 Rauchfången.

(23) Wysokie, ein Stådtchen von 90 Rauchfången.

(24) Winiawa, ein Stådtchen von 96 Rauchfången.

(25) Bilgoray, eine Stadt von 368 Rauchfången.

(26) Trampol, ein Stådtchen von 72 Rauchfången.

(27) Goray, eine Stadt von 293 Rauchfången.

(28) Janow, eine Stadt von 290 Rauchfången.

(29) Modliborzyce, eine kleine Stadt von 162 Rauchfången.

(30) Zaklikow, eine kleine Stadt von 130 Rauchfången.

2 Die geistlichen Güther. Außer 45 Dörfern, Pachaczow, ein Stådtchen von 68 Rauchfången.

3 Die königlichen Güther. Acht und vierzig Dörfer, und

(1) Kazimierz, Casimiria, eine Stadt von 293 Rauchfången zwischen Felsen an der Weichsel, 7 Meilen von Lublin, die guten Handel treibet. Sie ist eine von den Städten, welche das sogenannte sechsstädter Gericht ausmachen. Hier setzte der schwedische König Karl Gu-

stav

ſtav 1656 über die Weichſel, und ſchlug Czarniecki, den Kaſtellan von Kiow.

(2) **Kazimierz nowy,** ein Städtchen von 25 Rauchfängen.

(3) **Słomiany Paprek,** ein Städtchen von 58 Rauchfängen.

(4) **Partzew,** eine Stadt von 274 Rauchfängen.

(5) **Oſtrow,** eine Stadt von 294 Rauchfängen.

(6) **Urzędow,** (Urſendow) eine Stadt von 289 Rauchfängen, an einem See, der Hauptort des Diſtricts, 7 Meilen von Lublin.

(7) **Wąwolnica,** (Wonwolniza) ein Städtchen von 78 Rauchfängen.

III Das Land Stenſizka, Ziemia Steżycka.

1 Die adlichen Güter. Viele Dörfer, und

(1) **Adamow,** ein Städtchen von 68 Rauchfängen.

(2) **Bobrownki,** eine kleine Stadt von 126 Rauchfäugen.

(3) **Drązgow** (Dronsgow), ein Städtchen von 65 Rauchfängen.

(4) **Okrzeja,** ein Städtchen von 59 Rauchfängen.

(5) **Lyſobyki,** ein Städtchen von 89 Rauchfängen.

(6) **Maczejowice,** eine kleine Stadt von 118 Rauchfängen.

(7) **Nowodwor,** ein Städtchen von 30 Rauchfängen.

(8) **Woycieſzkow,** ein Städtchen von 43 Rauchfängen.

(9) **Zeleckow,** eine Stadt von 203 Rauchfängen.

2 Die geiſtlichen Güter. Fünf Dörfer, und Łaſkarzew, ein Städtchen von 71 Rauchfängen.

3 Die königlichen Güter. Fünf und zwanzig Dörfer, und

(1) **Steżyca,** (Stenſitza) auch Steżycz, (Stenſitſch) die Hauptſtadt des Landes am Fluß Bieprz, unweit der

Weich=

Weichsel. Sie hat 126 Rauchfänge, und ist der Sitz einer Starostey. - Sie ist in der polnischen Geschichte, wegen des 1575 hieselbst zur Absetzung Königs Heinrichs gehaltenen Reichstags, und wegen einer 1606 hier angestellten Versammlung des Adels, bekannt.

(2) Okrzeja, ein klein Städtchen von 18 Rauchfängen.

IV. Das Lukowsche Land, Ziemia Lukowska.

1 Die adlichen Güter. Viele Dörfer, und

(1) Kock (Kozk) eine Stadt am Fluß Wieprz, von 272 Rauchfängen.

(2) Radzyn, eine Stadt von 182 Rauchfängen.

(3) Siedlce, eine keine Stadt von 170 Rauchfängen.

(4) Serokomla, ein Städtchen von 58 Rauchfängen.

2 Die geistlichen Güter. Sieben Dörfer.

3 Die königlichen Güther. Fünf und dreißig Dörfer, und

Lukow, die Hauptstadt des Landes, 14 Meilen von Lublin. Sie liegt in einer Ebene, hat auf einer Seite einen Morast, auf der andern einen Wall. 248 Rauchfänge, ist der Sitz einer Starostey, und des Landgerichts dieses Districts, und hat ein Collegium piarum scholarum.

Anmerk. Obige drey Wojwodschaften machen das eigentliche Klein-Polen aus.

IV

IV

Die Woiwodschaft Podlachien,

Woiewodztwo Podlaskie,

Palatinatus Bielcensis.

Diese Landschaft haben die Polen und Boleslaw der fünfte im dreyzehnten Jahrhundert dem Volk der Jatwingen abgenommen. Nachmals ist wegen derselben zwischen Polen und Litauen viel Streit gewesen, sie ist aber 1569 unterm König Sigismund August, auf dem Reichstage zu Lublin, mit Polen verknüpft worden. Die Einwohner sind Masuren, Russen und Polen. Die Woiwodschaft besteht aus drey Ländern, stehet unter eben so viel Grods und Starosteyen, hält auch ihre Landtage an drey Orten, und erwählet auf denselben sechs Landboten, zwey Deputirte und zwey Commissarien. Sie hat zwey Senatoren vom ersten Range, nämlich den Woiwoden und Kastellan von Podlachien. Ihre Fahne enthält das Wapen des Großherzogthums Litauen im weißen Felde, nämlich einen bewaffneten Mann zu Pferde, welcher ein Schwerdt in der rechten aufgehobenen Hand, und auf der andern Seite einen weißen Adler im rothen Felde führet. Es folgen nun die Districte.

I Das Land Bielsk, Ziemia Bielska.

1 Die adelichen Güter. Außer den Dörfern,
1) Białystok, eine Stadt, der Branitzkischen Familie zugehörig. Sie ist als Residenz des Kron-Groß-Feld-
Herrn

Herrn Grafen Branicki sehr bekannt geworden, und hat in der Neustadt ein sehr schönes Schloß.

2) Bocki, eine kleine Stadt von 224 Rauchfängen.

3) Jassionowka, ein Städtchen von 58 Rauchfängen.

4) Orla, ein Städtchen von 90 Rauchfängen.

5) Tykoczin, (Tikotschin,) oder Tykocin, eine Stadt in einer Ebene am Fluß Narew, 10 Meilen von Bielsk, von 293 Rauchfängen, mit einem festen Schloß, welches theils von dem Fluß, theils von Morästen umgeben ist, in welchem ehemals der königl. Schatz verwahret, auch die Münze gepräget worden. König Sigismund August stellete das Schloß aus dem Verfall wieder her. König August II stiftete hier den weißen Adler-Orden.

2 Die geistlichen Güter. 24 Dörfer.

3 Die königlichen Güter. Eine große Anzahl Dörfer, und folgende Städte,

1) Augustow, eine Stadt von 218 Rauchfängen, an einem See, erbauet von dem K. Sigismund August.

2) Bransk, eine Stadt von 176 Rauchfängen, am Fluß Nur, 3 Meilen von Bielsk, woselbst der Landtag der Woiwodschaft, und das Landgericht des Districts gehalten wird.

3) Bielsk, die Hauptstadt der ganzen Woiwodschaft, und des Landes dieses Namens, der Sitz des Woiwoden und eines größern Kastellans, von 215 Rauchfängen. Sie liegt am Füßchen Bialla, welcher sich mit dem Fluß Narew vereiniget, und hat einen weitläuftigen Umfang. Die Juden treiben hier starken Handel.

4) Knyszyn, (Knischin) eine Stadt von 227 Rauchfängen. Hier ist König Sigismund August 1572 gestorben.

5) Goniodz, eine Stadt von 243 Rauchfängen.

6) Kleszczele, (Kleschtschele,) eine kleine Stadt von 181 Rauchfängen.

7) Narew, ein Städtchen am Fluß gleiches Namens, vier Meilen von Bielsk, von 79 Rauchfängen.

8) Raygrod, eine Stadt an einem See, von 154 Rauchfängen.

9) Su-

9) Suraz, ein Städtchen von 99 Rauchfängen, zwischen Hügeln am Fluß Narew, 3 Meilen von Bielsk.

II Das Land Mielnick, Ziemia Mielnicka.

1 Die adlichen Güter. Außer den Dörfern,

(1) Horodyszcze, eine kleine Stadt von 108 Rauchfängen.

(2) Konstantynow, eine kleine Stadt, von 189 Rauchfängen.

(3) Międzyrzecz, ein Städtchen von 62 Rauchfängen.

(4) Miedzyrecz, eine Stadt von 362 Rauchfängen.

(5) Niemirow, ein klein Städtchen am Bug, von 19 Rauchfängen.

(6) Koszosz (Koschosch) eine kleine Stadt von 151 Rauchfängen.

(7) Sarnaki, ein Städtchen von 56 Rauchfängen.

2 Die geistlichen Güter. Zwölf Dörfer.

3 Die königlichen Güter. Sechs und zwanzig Dörfer, und

(1) Losice, (Lositze), eine Stadt von 192 Rauchfängen.

(2) Mielnik, die Hauptstadt dieses Districts, und der Sitz seines Landtags, Grods und eines Starosten, liegt am Fluß Bug, hat 103 Rauchfänge, und auf einem Hügel ein Schloß. Sie ist von Drohiczyn fünf Meilen entfernet.

III Das Land Drohiczyn.

1 Die adlichen Güter. Eine große Anzahl Dörfer, und

(1) Ciechanowiec, eine Stadt von 298 Rauchfängen.

(2) Grodzisk, ein Städtchen von 31 Rauchfängen.

(3) Koßow (Koschow) eine kleine Stadt von 100 Rauchfängen.

(4) Mor-

(4) Mordy, eine kleine Stadt von 129 Rauch=
fängen.

(5) Miedzna, eine kleine Stadt von 100 Rauch=
fängen.

(6) Rudka, ein Städtchen von 58 Rauchfängen.

(7) Sokolow, eine Stadt von 230 Rauchfängen.

(8) Siemiatycze, (Siemiatitsche) eine Stadt von
285 Rauchfängen.

(9) Sterdynia, ein Städtchen von 58 Rauchfängen.

(10) Wysokie Mazowieckie, eine kleine Stadt von
122 Rauchfängen.

(11) Mokobudy, eine kleine Stadt von 129 Rauch=
fängen.

(12) Wegrow, (Wengrow), eine Stadt am Fluß
Liwiez, in welcher die Lutheraner und Reformirten eine
gemeinschaftliche Kirche haben. Sie hat 303 Rauch=
fängen, gehört dem Grafen Krasinski, und liegt 10 Mei=
len von Warschau.

2 Die geistlichen Güter. Ein und zwanzig
Dörfer.

3 Die königlichen Güter; zwey Dörfer, und
Drohiczyn, (Drohitschin); oder Drohicin, die
Hauptstadt dieses Landes, und der Sitz eines Starosten:
es wird auch der Landtag und Grod da gehalten. Sie
liegt am Fluß Bug, 10 Meilen von Bielsk, 30 von
Warschau, und hat 236 Rauchfänge.

V

Das Land Chelm,

Chelmska Ziemia,

Chelmensis terra,

ist das einzige von Roth=Rußland, oder von der
russischen Woiwodschaft, bey Polen gebliebene
Stück,

Stück, hat zwey Districte, von welchem aber der Krasnostawsche 1772 ein Stück verloren hat, und hält seinen Landtag zu Chelm, auf welchem es zwey Landbo'en, einen Deputirten und einen Commiſſarium erwählet. In demſelben ſind zwey Senatoren, näm-lich der Biſchof zu Chelm, und der kleinere Kaſtellan daſelbſt. Die Landesfahne enthält einen gehenden weißen Bären zwiſchen drey Bäumen, im grünen Felde.

1 Der Chelmſche Diſtrict.

1) Die adelichen Güter; außer den Dörfern;

1) Luboml, eine Stadt von 563 Rauchfängen.

2) Mnichntonka, ein Städtchen von 82 Rauch-fängen.

3) Maiejow, eine Stadt von 336 Rauchfängen.

4) Orchowek, ein Städtchen von 74 Rauchfängen.

5) Regowiee, eine kleine Stadt von 143 Rauch-fängen.

6) Swierze y Staryki, eine keine Stadt von 122 Rauchfängen, am Bug.

7) Siediszcze, ein Städtchen von 39 Rauchfängen.

8) Sosnowica, ein Städtchen von 15 Rauchfängen.

9) Woystawice, eine Stadt von 221 Rauchfängen.

10) Pawkow, ein Städtchen von 86 Rauchfängen.

11) Sawin, ein Städtchen von 78 Rauchfängen.

2) Die königlichen Güter; außer den Dörfern,

1) Chelm, die Hauptſtadt des Landes und des Di-ſtricts dieſes Namens, welche der Sitz eines Biſthums iſt; der Biſchof aber hat ſeine Reſidenz nicht hier, ſondern zu Krasnoſtaw. Es iſt hier auch ein griechiſcher mit der römiſchen Kirche vereinigter Biſchöf, und ein Collegium piarum ſcholarum. Noch ſind hier ein kleiner Käſtellan, und ein Staroſt; es wird auch hieſelbſt der Landtag des Landes, und das Landgericht des Diſtricts, gehalten. Das Schloß

Schloß liegt auf einem hohen Hügel. Die Stadt hat 402 Rauchfänge.

2) Opalin, ein Städtchen am Bug, von 64 Rauchf.

3) Ratno, ein Städtchen von 99 Rauchfängen.

2 Der Krasnostawsche District.

1) Die adelichen Güter. Außer den Dörfern;

1) Gorzkow, ein Städtchen von 44 Rauchfängen.

2) Turobin, eine Stadt von 286 Rauchfängen.

3) Zolkiewka, ein Städtchen von 73 Rauchfängen.

4) Krasniczyn, ein Städtchen von 80 Rauchfängen.

2) Die königlichen Güter. Außer 20 Dörfern,

1) Krasnostaw oder Krasnystaw, die Hauptstadt des Districts, von 481 Rauchfängen. Sie ist bemauert, und stehet an einem großen See, hat auch ein Schloß, neben welchem der Fluß Wieprz fließet. Sie ist der Sitz des Bischofs von Chelm, des Grods dieses Districts, und eines Starosten. Hier saß Maximilian, Erzherzog von Oestreich, 1588 gefangen, nachdem er von Zamoyski an der schlesischen Gränze zu Bitschin war geschlagen, und zur Uebergabe genöthiget worden.

2) Tornogura, eine kleine Stadt von 113 Rauchfängen.

VI
Der Ueberrest der Belzkischen Woiwod-schaft,

von welcher das meiste zu Gallizien und Lodomerien gehöret.

1) Die adelichen Güter, welche bestehen in 16 Dörfern, und

Korytnica, einem Städtchen von 84 Rauchfängen.

2) Die geistlichen Güter, welche 2 Dörfer sind.

3) Die königlichen Güter, welche sind 11 Dörfer, und

Dubienka, eine Stadt von 274 Rauchfängen.

2 Th. 8 A.   Q   VII

VII

Die Woiwodſchaft Wolhyn,
Wojewodztwo Wolynſkie,
Palatinatus Voliniæ,

haben ſich lange Zeit ſowohl die Litauer, als Polen
zugeeignet. Jene verlangten 1448 auf dem Reichstage zu Lublin, daß ſie ihnen zuerkannt werden mögte:
dieſes aber geſchah nicht nur damals nicht, ſondern
1569 auf einem andern zu Lublin gehaltenen Reichstage, wurde ſie mit Polen verknüpfet. Sie iſt groß,
hat viel Wald, und einen Ueberfluß an Getreide.
In den Wäldern findet man Rosmarin, Spargel
und andere Gewächſe von ſolcher Güte, wild gewach-
ſen, daß ſie von den gebaueten faſt nicht unterſchieden werden können. Die Seen ſind reich an Fiſchen.
Es hat aber dieſes Land einigemal große Verwüſtungen erfahren, inſonderheit 1618, da die Tataren
30000 Menſchen, nebſt anderer Beute, daraus
wegführten. Die Einwohner ſind Ruſſen, wie ihre
Sprache, Religion und Sitten bezeugen, auch mu-
thige und kriegeriſche Leute. Der größte Theil der
Woiwodſchaft gehöret zu der Ordination Oſtrog; der
übrige iſt in drey Diſtricte vertheilet, deren jeder ſeinen Grod hat. Die Landtage werden wechſelsweiſe
zu Luck und Wlodzimirzec gehalten. Auf denſelben
erwählet man ſechs Landboten, drey Deputirte und
einen Commiſſarium. Es ſind hier drey Senatoren
vom erſten Range vorhanden, nämlich der Biſchof
von Luck, der Woiwode, und der Kaſtellan von Wolyn.

lyn. Die Kriegesfahne enthält ein weißes Cavalier=Kreuß, im blauen Felde, in deſſen Mitte ein rothes Schildlein mit einem goldenen Kreuß iſt. Auf des Fürſten Radzivils Charte von Litauen, iſt Wolyn in das dieſſeitige und jenſeitige abgetheilet: jenes liegt auf der Weſtſeite, dieſes auf der Oſtſeite des Fluſſes Slucz.

I Der Krzemieniezkiſche Diſtrict.

1 Die adelichen Güter. Eine große Anzahl Dörfer, und folgende Städte,

1) Baranowka, eine kleine Stadt von 166 Rauch=fängen.

2) Bialozurka, eine Stadt von 207 Rauchfängen.

3) Berezdow, eine kleine Stadt von 171 Rauch=fängen.

4) Krasnyſtaw, ein Städtchen von 73 Rauch=fängen.

5) Bazylia, eine Stadt von 288 Rauchfängen, am Fluß Slucz.

6) Hrycow, eine Stadt von 242 Rauchfängen.

7) Horynha, eine kleine Stadt von 155 Rauch=fängen.

8) Jampol, eine Stadt von 282 Rauchfängen, am Fluß Horyn.

9) Konſtantynow, eine Stadt am Fluß Slucz, von 672 Rauchfängen.

10) Kurczyk, ein Städtchen von 65 Rauchfängen.

11) Kozin, eine kleine Stadt von 148 Rauchfängen.

12) Kuniow, eine kleine Stadt von 138 Rauch=fängen.

13) Kraſikow, eine Stadt von 274 Rauchfängen.

14) Kulczyn, eine kleine Stadt von 165 Rauch=fängen.

15) Kamionka, ein Städtchen von 65 Rauchfängen.

16) Krupiec, ein Städtchen von 72 Rauchfängen.

Q 2 17) Kuz=

17) Kuzmin, eine Stadt am Fluß Elucz, von 282 Rauchfängen.

18) Lachowce, eine Stadt von 400 Rauchfängen.

19) Teofipol, ein Städtchen von 55 Rauchfängen.

20) Lubar, eine Stadt von 543 Rauchfängen.

21) Lubar nowy (neu) eine Stadt von 248 Rauchfängen.

22) Labuń, eine Stadt von 532 Rauchfängen.

23) Lanowce, eine keine Stadt von 156 Rauchfängen.

24) Oſtropol, eine keine Stadt von 192 Rauchfängen.

25) Serbinowka, eine keine Stadt von 133 Rauchfängen.

26) Olexieniec nowy (neu) eine keine Stadt von 154 Rauchfängen.

27) Olexieniec ſtary (alt) ein Ort von 171 Rauchfängen.

28) Ozochowce, eine keine Stadt von 170 Rauchfängen.

29) Polonne ſtare (alt) eine Stadt von 479 Rauchfängen.

30) Polonne nowe, (neu) eine Stadt von 334 Rauchfängen.

31) Ptycza, eine kleine Stadt von 126 Rauchfängen.

32) Podhereszcze, ein keines Städtchen von 1... Rauchfängen.

33) Poczajow, ein Städtchen von 21 Rauchfängen

34) Radziwikow, eine keine Stadt von 146 Rauchfängen.

... ... me Stadt von 109 Rauchfängen.

36) Szepekowka, eine Stadt von 241 Rauchfängen

37) Narwuta, ein Städtchen von 75 Rauchfängen

38) Szumſk, eine Stadt von 192 Rauchfängen.

39) Szudykkow, eine Stadt von 252 Rauchfängen.

40) Wisniowiec, oder Wisnowiec, (Wisnowietz,) eine Stadt von 365 Rauchfängen, auf der Nordseite des Flusses Horyn, welche der Hauptort eines Herzogthums ist. Auf der Südseite des Flusses liegt Nowe Miasto, das ist die Neustadt.

41) Wyszgrodek, eine kleine Stadt von 120 Rauch= fängen.

42) Wołoczyska, eine Stadt von 291 Rauchfängen.

43) Werba, ein kleines Städtchen von 30 Rauch= fängen.

44) Zastaw, eine Stadt von 844 Rauchfängen, am Fluß Horyn, der Hauptort eines Herzogthums.

2 Die geistlichen Güter. Vierzehn Dörfer.

3 Die königlichen Güter, Achtzehn Dörfer, und

Krzemieniec, (Krsemienietz,) eine königliche Stadt von 607 Rauchfängen, der Hauptort des Districts, der Sitz des Grods desselben, und eines Starosten. Das Schloß liegt auf einem hohen Felsen.

II Der Lutzkische District.

1 Die adelichen Güter. Viele Dörfer, und folgende Städte,

1) Annopol, eine Stadt von 229 Rauchfängen.

2) Kilikicow, ein Städtchen von 75 Rauchfängen.

3) Alexandrya, eine kleine Stadt von 122 Rauch= fängen.

4) Michałowka, ein kleines Städtchen von 14 Rauchfängen.

5) Berezne, eine kleine Stadt von 143 Rauch= fängen.

6) Bereznica, eine Stadt von 262 Rauchfängen.

7) Berest, eine Stadt von 286 Rauchfängen.

8) Czartorysk, (Tschartorisk,) eine Stadt von 272 Rauchfängen, mit einem Schloß am Fluß Ster, der

Q 3 Haupt=

Hauptort eines Fürstenthums, gehöret dem fürstlichen Hause Radziwil.

9) Dereznia, ein Städtchen von 100 Rauchfängen, am Fluß Horyn.

10) Leczna, ein kleines Städtchen von 9 Rauchf.

11) Druszkopol, eine kleine Stadt von 108 Rauchfängen.

12) Dubno, eine Stadt am Fluß Irwa, von 1127 Rauchfängen, in welcher seit 1774 die Contracte des polnischen Adels am heiligen Dreykönigstage gehalten werden, welche vorhin zu Lemberg gehalten wurden. Sie gehöret dem fürstl. Hause Lubomirski.

13) Horochow, eine Stadt von 367 Rauchfängen.

14) Mossor, ein Städtchen von 43 Rauchfängen.

15) Horyngrod, eine Stadt von 166 Rauchfängen.

16) Hulewiczow, ein Städtchen von 65 Rauchf.

17) Huszcza, eine kleine Stadt von 145 Rauchfängen.

18) Klewan, eine Stadt von 275 Rauchfängen.

19) Warkowice, eine Stadt von 185 Rauchfängen.

20) Kaszogrod, ein Städtchen von 65 Rauchfängen.

21) Kolki, eine Stadt von 299 Rauchfängen.

22) Nowe Miasto, (Neustadt) eine kleine Stadt von 179 Rauchfängen.

23) Konec, eine Stadt von 272 Rauchfängen.

24) Horodnica, ein Städtchen von 57 Rauchfängen.

25) Kustyn, ein Städtchen von 93 Rauchfängen.

26) Lobaczowka, ein Städtchen von 91 Rauchf.

27) Mielnica, eine kleine Stadt von 103 Rauchfängen.

28) Meedzynec, eine Stadt von 239 Rauchfängen.

29) Miedzynecz, eine kleine Stadt von 164 Rauchfängen.

30) Morawica, ein Städtchen von 65 Rauchfängen.

31) Olyka, eine Stadt von 594 Rauchfängen, der Hauptort eines Herzogthums, welches eine Ordinacye oder ein Majorat ist, und dem fürstlichen Hause Radziwil gehöret.

höret. Die Republik hat diese Ordination 1589 bestäti=
get. Es ist hier eine Universität, ein Seminarium und
ein Collegiatstift. 1752 litte die Stadt großen Brand=
schaden.

32) Ostrog, die Hauptstadt, der davon benannten
Ordination, von 765 Rauchfängen, nicht weit vom Fluß
Horyn, an einem kleinern Fluß, welcher sich unterhalb
der Stadt mit jenem vereiniget. Auf der andern Seite
des Flusses liegt eine Neustadt oder Nowe Miasto. Es
ist zu Ostrog ein adeliches Collegium Nobilium.

Die Ordination Ostrog, begreift einen großen
Theil von Wolyn. Sie ist ein ehemaliges Herzogthum,
dessen letzter Besitzer, Herzog Janusz von Ostrog, Kastel=
lan von Krakow, 1609 zum Nutzen der Republik Polen
verordnete, daß der jedesmalige Besitzer dieses Landes,
zum Dienst der Republik 600 Mann auf den Beinen hal=
ten sollte, daß auch nach Abgang des Mannsstamms sei=
ner Familie, aus dieser Ordination eine Commenthurey
des Johanniter=Ordens gemacht, und dieselbige von den
Woiwodschaften einem Ritter desselben verliehen werden
sollte. Als nun 1673 Alexander Ostrogski starb, ohne
männliche Erben zu hinterlassen, schritte der Adel der Woi=
wodschaft Krakow zur Wahl eines Johanniterritters, wel=
cher die Güter dieser Ordination gedachter Stiftung, ge=
mäß besitzen sollte, und sie fiel auf den Fürsten Hierony=
mus Lubomirski. Die übrigen Woiwodschaften waren
langsamer in ihrer Wahl, und die Republik selbst schob
von einer Zeit zu der andern die Bestätigung der Wahl auf,
welche die Woiwodschaft Krakow angestellet hatte. Diese
Ungewißheit, und die Nachsicht des Fürsten Hieronymus
Lubomirski, veranlassete den Fürsten Joseph Lubomirski,
sich der ganzen Ordination unter dem Vorwand zu bemäch=
tigen, weil seine Gemalinn aus dem Hause von Ostrog
sey. Er hinterließ die reiche Erbschaft seinem Sohn, und
als dieser 1720 starb, brachte sie seine Tochter, unter Be=
günstigung Königs Augusts II, ihrem Gemal, dem Für=
sten Sangusko zu. Dieser wollte im Anfang des Jahrs

1754 die Güter der Ordination vertheilen, welches doch der Stifter eben sowohl, als die Veräußerung derselben, verboten hatte. Darüber entstanden große Bewegungen. Der König befahl, die Sache bis zum Reichstage in ihrer Verfassung zu lassen, der Reichstag aber zerriß, wegen des Zanks über die Ordination. Hierauf verordnete der König auf Vorstellung von 36 Senatoren, daß die Güter der Ordination verwaltet werden sollten, und setzte zu dem Ende eine Commission und Administration nieder. Von den zehn Commissarien sollte jeder jährlich 12000, und von den fünf Administratoren jeder jährlich 8000 polnische Gulden aus den Einkünften der Ordination bekommen, dem Fürsten Sangusko sollten 100,000 Gulden ausgezahlet werden, und das, was alsdenn von den Einkünften noch übrig bleibe, sollte nach Warschau in Verwahrung gebracht werden. In dieser Verfassung blieb die Ordination bis 1758, da der König dem Fürsten Janus Sangusko, unter den vorigen Gerechtsamen, wieder in den Besitz dieser Güter setzte. 1766 wurde auf dem Reichstage verordnet, daß die Besitzer der Ordinationsgüter jährlich 300000 polnische Gulden zahlen, diese aber zur Unterhaltung eines Regiments Soldaten zum Dienst der Republik angewendet werden sollten. Auf dem folgenden Reichstage von 1773, wurden Commissarien ernennet, um diese Constitution zur Erfüllung zu bringen, es machte aber der Johanniterritter-Orden abermals Ansprüche an die Ordinations-Güter, und wurde von Oestreich, Rußland und Preußen unterstützet. Die Republik verordnete also eine Commission zur Untersuchung dieser Ansprüche, und ungeachtet dieselben nicht für gültig gehalten wurden, so verordnete sie doch, daß ein Groß-Priorat und sechs Commenthureyen für polnische und litauische Edelleute gestiftet werden, und für die sieben Pfründen 120000 polnische Gulden, von den vorhin erwähnten 300000 Gulden genommen, die übrigen 180000 Gulden aber zum Nutzen des errichteten Regiments angewendet werden sollten. Der bevollmächtigte Minister des Ordens Graf von Sagramoso, nahm diese Verordnung im Namen desselben an,

und

und entsagte allen weitern Ansprüchen an die Güter der Ordination, die drey Minister der genannten drey Höfe aber garantirten diese Entsagung. 1774 am 7 December wurde ein Gesetz gemacht, daß das Priorat aus einem Groß=Prior, Baillif oder Großkreuz, und sechs Commenthuren bestehen, die Besitzer dieser Pfründe aber jährlich zehn Procent Respons=Gelder nach Malta schicken sollten.

33) Ostrowiec, eine kleine Stadt von 115 Rauchfängen.

34) Milatyn, ein Städtchen von 48 Rauchfängen.

35) Rafalowka, ein Städtchen von 67 Rauchfängen.

36) Rowne, eine Stadt von 545 Rauchfängen.

37) Hubkow, ein Städtchen von 51 Rauchfängen.

38) Ostrozek, ein kleines Städtchen von 17 Rauchfängen.

39) Sokul, ein Städtchen von 99 Rauchfängen.

40) Stepan, eine Stadt von 521 Rauchfängen, am Fluß Horyn.

41) Stobychwa, eine kleine Stadt von 105 Rauchfängen.

42) Szpanow, eine kleine Stadt von 118 Rauchfängen.

43) Targowica, eine kleine Stadt von 182 Rauchf.

44) Taykury, eine kleine Stadt von 153 Rauchfängen.

45) Trojanowka, eine kleine Stadt von 122 Rauchfängen.

46) Tuczyn, eine kleine Stadt von 149 Rauchf.

47) Janowka, ein kleines Städtchen von 35 Rauchfängen.

48) Wlodzymirzec, (Wlodsimirsetz,) eine kleine Stadt von 118 Rauchfängen, in welcher ein Grod und wechselsweise mit Luck der Landtag der Woiwodschaft gehalten wird. Sie ist auch der Sitz eines Starosten.

b) Die geistlichen Güter. Eine Anzahl Dörfer, als Biatystor, von 53 Rauchfängen, und

1) Lesniowka, ein Städtchen von 66 Rauchfängen.

Q 5   2) Kozy

2) Kozyszcze, ein kleines Städtchen von 39 Rauch=
fängen.

3) Torczyn, eine Stadt von 251 Rauchfängen.

3) **Die königlichen Güter.** Fünf Dörfer,
und

Luck, (Luzk,) Luceoria, die Hauptstadt in Wolyn,
am Fluß Styr oder Ster, mit einem Schloß, auf wel=
chem der hiesige Bischof wohnet, und die Jesuiten ein Col=
legium gehabt haben. In der Stadt selbst, welche 597
Rauchfänge hat, ist ein griechischer mit der römischen Kir=
che vereinigter Bischof, welcher den Rang vor den Polot=
scher und Smolenskischen Bischöfen zu haben behauptet, und
sich in öffentlichen Unterschreibungen des Titels eines Exar=
chæ totius Rußiæ bedienet. Es ist hier der Sitz des Woi=
woden, eines größern Kastellans, und eines Starosten,
auch wird hieselbst der Grod der Landschaft, und wechsels=
weise mit Wlodzimirzce der Landtag derselben gehalten.
1429 war hier eine ansehnliche Zusammenkunft, auf wel=
cher Kaiser Sigismund, zwey Könige und andere fürstli=
che Personen erschienen. 1752 brannte sie größtentheils ab.

III Der District Wlodzimir.

1 Die adelichen Güter. Eine Anzahl Dör=
fer, und

1) Kisselna, ein Städtchen von 97 Rauchfängen.

2) Kamien, eine Stadt von 233 Rauchfängen.

3) Niesuchacze, eine keine Stadt von 148 Rauch=
fängen.

4) Ozduitycze, ein Städtchen von 56 Rauchfängen.

5) Poryck, eine kleine Stadt von 108 Rauchfängen.

6) Turzysk, eine Stadt von 307 Rauchfängen.

7) Uscikug, eine Stadt von 211 Rauchfängen, bey
welcher der Fluß Lug sich mit den Bug vereiniget.

2) Die geistlichen Güter, Dörfer und

1) Wlodzimirsz, (Wlodsimrsch,) eine Stadt von 521
Rauchfängen, am Fluß Lug, welcher sich mit dem Bug
vereiniget. Es ist hier ein griechischer mit der römischen
Kirche

Kirche vereinigter Bischof, welcher den griechischen Erzbischöfen von Polock und Smolensk vorgehen will, und sich Protothronium metropoliæ Kioviensis schreibet. Das lutzkische Bisthum ist hier zuerst angeleget worden.

2) Jezierzany, ein Städtchen von 63 Rauchfängen.

3) Die königlichen Güter. Dörfer, und

1) Kowel, eine Stadt von 263 Rauchfängen, der Hauptort eines Herzogthums.

2) Milanowica, eine kleine Stadt von 121 Rauchfängen.

3) Wyzwa, eine kleine Stadt von 118 Rauchfängen.

4) Swinuichy, eine kleine Stadt von 102 Rauchfängen.

VIII

Die Woiwodschaft Podol,

Wojewodztwo Podolskie,

Palatinatus Podoliae,

oder wie die Deutschen gemeiniglich sagen, Podolien, ist ein ungemein fruchtbares Land, sowohl in Ansehung der Weide, als des Getreides, sowohl in Absicht auf die Bienen- als Vieh-Zucht. Guagnini schreibet, das Getreide vervielfältige sich hundertmal, und aus dem Grase rageten kaum die Hörner der Ochsen hervor. Um die Mitte des Landes ist das Gebirge Nedoborschetz, welches sich von Norden gegen Süden erstrecket, aber die Flüsse Sebrutsche und Smotrfitz durchläßt. Podol hat vor Alters eigene

gene Herzoge gehabt. Casimir der Große brachte
es an Polen. Wladislaw Jagello gab es 1396 dem
krakowschen Woiwoden Melstin, und 1403 seinem
Bruder, Boleslaw Svidrigal, zu Lehn. Als dieser im folgenden Jahr es mit dem deutschen Orden
in Preußen hielt, kam Podol an Polen zurück. Da
machten die Litauer Anspruch daran, drangen auch
besonders 1448 auf dem Reichstage zu Lublin stark,
und noch mehr 1456 auf dem Reichstage zu Peterkau darauf, daß es zu Litauen geschlagen werden
sollte. Allein, 1569 ward es auf dem Reichstage zu
Lublin mit Polen vereiniget, wobey es auch blieb,
bis es unterm König Michael 1672 den Türken,
welche es erobert hatten, abgetreten wurde, welche
auch bis 1699 im Besitz desselben blieben, da es durch
den Carlowitzer Frieden an Polen zurück kam. Es
wird als ein Stück der Ukraine, und zwar der polnischen, angesehen. Wenn die Woiwodschaft Braclaw mit zu Podol gerechnet wird, so nennet man sie
Nieder-Podol, hingegen die podolische Woiwodschaft, wird alsdenn Ober-Podol genannt. Diese
wird in die Districte Czerwonogrodski, Kami-
niecki und Latyczewski, abgetheilet: allein die
beyden letzten sind unter einem Starosten vereiniget,
welcher Starosta general Ziem Podolskich genennet wird, und der erste gehöret nun fast ganz zu
dem Königreich Gallizien und Lodomerien. Der Landtag wird zu Kaminiec gehalten, und auf demselben
werden sechs Landboten, zwey Deputirte und ein
Commissarius erwählet. Es sind hier drey Senatoren vom ersten Range, nämlich der Bischof und der
größere Kastellan von Kaminiec. Die podolische
Fahne

Fahne enthält die Sonne, im hellblauen Felde. Es folgen nun die Districte.

1 Der Latitschewsche District.

1) Die adelichen Güter. Außer einer großen Anzahl Dörfer,

1) Joltuszkow, eine Stadt von 254 Rauchfängen.

2) Joltuszkow Podlesny, von 235 Rauchfängen.

3) Sloboda Joltuszkawa, von 114 Rauchfängen.

4) Mezyrow, eine keine Stadt von 106 Rauchfängen.

5) Sloboda Mezyrowka, von 93 Rauchfängen.

6) Dereznia, eine Stadt von 199 Rauchfängen, am Fluß Wolczek.

7) Dereznia Huta, von 71 Rauchfängen.

8) Sloboda Derezniansta, von 37 Rauchfängen.

9) Dereznia Kalna, von 102 Rauchfängen.

10) Czarny Ostrow, (Tscharny Ostrow,) eine Stadt von 224 Rauchfängen, bey welcher der Bog entstehet. In dieser Gegend hat vor Alters Korosten oder Iskorest, die Hauptstadt der Drewler oder Drewlianer, gestanden.

11) Czerniejowce, ein Städtchen von 102 Rauchfängen.

12) Jaryszow, eine Stadt von 299 Rauchfängen, nicht weit vom Dniester.

13) Konstantynow nowy, (neu) eine Stadt von 308 Rauchfängen.

14) Luczyniec, eine Stadt von 205 Rauchfängen.

15) Mochylow, eine Stadt am Dniester, von 1167 Rauchfängen.

16) Miedzyborz, (Miendsibors,) eine Stadt am Fluß Bog, von 706 Rauchfängen, welche mit großen Morästen umgeben ist, daher man nur auf Bracken zu derselben kommen kann.

17) Mikołajow, eine Stadt von 374 Rauchfängen.

18) Mi-

18) **Michalpol**, ein Städtchen von 93 Rauchfängen.

19) **Czanynce**, eine Stadt von 201 Rauchfängen.

20) **Pilawa**, eine Stadt von 262 Rauchfängen.

21) **Pikow**, eine Stadt von 224 Rauchfängen.

22) **Szarawka**, eine Stadt von 250 Rauchfängen.

23) **Stara** (alt) **Szeniawa**, eine Stadt von 344
Rauchfängen.

24) **Nowa** (neu) **Sziniawa**, von 189 Rauchf.

25) **Szarogrod**, eine Stadt von 1124 Rauchfängen.

26) **Snitowka**, ein Städtchen von 89 Rauchfängen.

27) **Snitkow**, eine Stadt von 202 Rauchfängen.

28) **Wonkowce**, eine Stadt von 383 Rauchfängen.

29) **Zinkow**, eine Stadt von 358 Rauchfängen.

30) **Zamiechow**, eine Stadt von 240 Rauchfängen.

31) **Bar**, eine Stadt von 406 Rauchfängen, in
welcher 1768 eine berüchtigte Conföderation errichtet
worden.

2) **Die geistlichen Güter.** Neun Dörfer.

3) **Die königlichen Güter.** Viele Dörfer, und

1) **Latyczew**, oder **Latyczow**, (Latitschew,) die
Hauptstadt des Districts, und der Sitz des Grods desselben, der aber mit dem zu Kaminiez vereiniget ist. Sie
liegt am Fluß Wolczek, (Woltschek,) der unterhalb derselben sich mit dem Bog vereiniget, und hat 366 Rauchf.

2) **Chmielnik**, eine Stadt von 497 Rauchfängen.

3) **Jaruga**, ein Städtchen von 63 Rauchfängen.

4) **Kopaygrod**, eine kleine Stadt von 171 Rauchfängen.

5) **Letniowce**, eine kleine Stadt von 172 Rauchfängen.

6) **Podole**, eine kleine Stadt von 109 Rauchfängen.

7) **Plostirow**, eine Stadt von 312 Rauchfängen.

8) **Utunow**, eine Stadt von 264 Rauchfängen.

9) **Wierzbowiec**, eine kleine Stadt von 144 Rauchfängen.

2) Der

2. Der Kaminietzische District.

1) Die adlichen Güter. Außer den Dörfern,

1) Brzczie, eine kleine Stadt von 140 Rauchfängen.

2) Dunajow, eine Stadt von 300 Rauchfängen.

3) Sulsztyn, eine keine Stadt von 136 Rauchfängen.

4) Grodek, eine Stadt von 452 Rauchfängen.

5) Jarmulince, ein Städtchen von 56 Rauchfängen.

6) Kupin, ein Städtchen von 76 Rauchfängen.

7) Kalusz, eine Stadt von 136 Rauchfängen, am Dniestr, über welchen hier 1769 die russische Armee in die Moldau gieng, und bey welcher 1672 die Tataren geschlagen wurden.

8) Kuzmin, ein Städtchen von 46 Rauchfängen.

9) Kitaygrod, eine kleine Stadt von 150 Rauchfängen.

10) Minkowce, ein Städtchen von 80 Rauchfängen.

11) Makow, eine kleine Stadt von 142 Rauchfängen.

12) Orynin, ein Städtchen von 73 Rauchfängen.

13) Studzienica, eine kleine Stadt von 157 Rauchfängen.

14) Salanow, eine Stadt von 527 Rauchfängen.

15) Sokolec, eine keine Stadt von 137 Rauchfängen.

16) Smotrycz, eine Stadt von 287 Rauchfängen, am Fluß gleiches Namens.

17) Solopkowce, eine kleine Stadt von 118 Rauchfängen.

18) Trampol, ein Städtchen von 88 Rauchfängen.

19) Szalawa, eine keine Stadt von 114 Rauchfängen.

20) Jwaniec, eine Stadt von 250 Rauchfängen.

2) Die geistlichen Güter. Ein und zwanzig Dörfer, und

Czerce, eine kleine Stadt von 121 Rauchfängen.

3) Die

3) Die **königlichen Güter.** Außer den Dörfern, und

1) **Kaminiec (Kaminietz) Podolski,** Camenecum Podoliae, die Hauptstadt der Woiwodschaft, und des Districts dieses Namens, zwey Meilen von Choczyn in der Moldau, mit einem mehr von der Natur, als durch die Kunst, befestigten Schloß, welches auf einem Felsen liegt, und ehedessen für eine starke Festung gehalten wurde, nun aber sehr verfallen, jedoch die beste Festung in Polen ist! Unter derselben fließt der Fluß Smotrica, welcher in den Dniester fällt. Die Stadt hat 943 Rauchfänge, ist der Sitz des Woiwoden, eines größeren Kastellans, des Starosten, welcher dem hiesigen und Latitschewschen Grod vorstehet, des Landtags der Woiwodschaft, eines römisch = katholischen, und eines armenischen Bischofs. Das katholische Bißthum ist 1375 entstanden. 1651 ward die Festung von den Kosaken vergeblich belagert, 1672 aber von den Türken mit Gewalt zur Uebergabe gebracht, und erst 1699 im carlowitzischen Frieden wieder abgetreten. Nahe dabey ist das Fort der Dreyeinigkeit, in welchem eine Besatzung lieget.

2) **Balin,** ein Städtchen von 36 Rauchfängen.

3) **Uszyca,** eine kleine Stadt von 123 Rauchfängen.

IX

Die Bratzlawsche Woiwodschaft

Braclawski Woiewodztwo,

Palatinatus Bratzlaviensis,

ist ein Theil der sogenannten polnischen Ukraine, wird auch als ein Stück von Podol angesehen, und in diesem Fall **Niederpodol** genannt. Es besteht

aus

aus drey Districten (Powiaty), welche von den
Städten Winnica, Braclaw, und Zwinogrod,
benannt werden, und welche insgesammt ihren Grod
zu Winnica haben, woselbst auch der Landtag gehalten wird, auf welchem man sechs Landboten, zwey
Deputirte, und einen Commissarium erwählet. Diese
Wahl ist in Kriegeszeiten zu Wlodomir in Wolyn
angestellet worden. Es sind hier nur zwey Senatoren vom ersten Range, nämlich der Wolwode und
Kastellan von Braclaw. Ihre Kriegsfahne enthält
ein goldenes Cavalier-Kreuz, in dessen Mitte ein
blauer Schild, mit dem halben abnehmenden Mond,
im rothen Felde.

1 Die adelichen Güter. Eine große Anzahl
Dörfer, und

1) Buki, eine kleine Stadt von 136 Rauchfängen.

2) Berszada, eine Stadt von 342 Rauchfängen.

3) Brachikow, eine keine Stadt von 213 Rauchfängen an einem See, aus welchem der Fluß Now kommt.

4) Baßwka, eine kleine Stadt von 109 Rauchfängen.

5) Ezeczelnik, eine kleine Stadt von 114 Rauchfängen.

6) Czurykow, eine kleine Stadt von 149 Rauchfängen.

7) Czpikowk, ein Städtchen von 87 Rauchfängen.

8) Czaszczowa, eine kleine Stadt von 118 Rauchfängen.

9) Däszow, eine kleine Stadt von 112 Rauchfängen.

10) Dziemkow, ein geringes Städtchen von 21
Rauchfängen.

11) Granow, eine kleine Stadt von 179 Rauchfängen.

12) Januszgrod, ein Städtchen von 55 Rauchfängen.

13) Jozefgrod, eine kleine Stadt von 100 Rauchfängen.

14) Janow, eine kleine Stadt von 281 Rauchfängen.

15) Henice, eine kleine Stadt von 202 Rauchfängen.

16) Komárgrod, eine kleine Stadt von 174 Rauchfängen.

17) Kruke, ein kleines Städtchen von 19 Rauchfängen

18) Konela, ein Städtchen von 62 Rauchfängen.

19) Kalnik, eine kleine Stadt von 154 Rauchfängen.

20) Krasne, eine Stadt von 398 Rauchfängen.

21) Lipowiec, eine kleine Stadt von 126 Rauchfängen.

22) Ladyszyn, eine kleine Stadt von 180 Rauchfängen.

23) Lukaszowka, eine kleine Stadt von 190 Rauchfängen.

24) Monasterzyszczo, ein Städtchen von 68 Rauchfängen.

25) Mosny, eine kleine Stadt von 197 Rauchfängen.

26) Muraffa, eine keine Stadt von 183 Rauchf.

27) Miastowka, eine Stadt von 386 Rauchfängen.

28) Niemierow, eine Stadt von 326 Rauchfängen,
in welcher 1737 ein Friedenscongreß, zwischen römisch-
russisch- und türkisch-kaiserlichen Gevollmächtigten, angestellet wurde. Sie gehöret der fürstl. Familie Potocki.

29) Obodowka, eine kleine Stadt von 133 Rauchfängen.

30) Pikow, eine kleine Stadt von 147 Rauchfängen.

31) Peczera, eine kleine Stadt von 203 Rauchf.

32) Pnytuka, ein Städtchen von 64 Rauchfängen.

33) Raszków, eine Stadt von 321 Rauchfängen.

34) Raygrod, eine kleine Stadt von 100 Rauchf.

35) Szawran, eine kleine Stadt von 121 Rauchf.

36) Strzyzawka, eine kleine Stadt von 201 Rauchfängen.

37) Siedliszcze, ein Städtchen von 70 Rauchf.

38) Tulczyn, eine kleine Stadt von 179 Rauchfängen.

39) Wieszchowka, ein Städtchen von 60 Rauchfängen.

40) Troscianiec, ein Städtchen von 59 Rauchfängen.

41) Tetijow, eine kleine Stadt von 102 Rauchfängen.

42) Piatyhory Miasto, ein Städchen von 77 Rauchf.

43) Targowica, eine kleine Stadt von 188 Rauchfängen, am Fluß Sinucha, der in den Bog fällt. Sie hat den Namen von dem Handel, welcher hier als an einem Gränzort mit Neu-Servien, oder wie es nun heißt, Neu-Rußland getrieben wird, und vorher mit den Saporoger Kosaken getrieben worden.

44) Teplik, eine kleine Stadt von 137 Rauchfängen.

45) Tywrow, eine kleine Stadt von 102 Rauchf.

46) Tomaszpol, eine kleine Stadt von 104 Rauchfängen.

47) Human oder Uman, eine befestigte Stadt und Herrschaft des Hauses Potocki, welche 1768 von den aufrührischen Bauern jämmerlich verwüstet worden. Sie hat 418 Rauchfänge.

48) Woroszylowka, ein Städtchen von 59 Rauchfängen.

49) Zywotow, ein Städtchen von 96 Rauchfängen.

50) Zerniszcze, ein Städtchen von 86 Rauchfängen.

51) Balta, ein Gränzort am Flüßchen Kolima.

2 Die geistlichen Güter. Vier Dörfer.

3) Die

.3 Die königlichen Güter. ... Eine Anzahl Dörfer, und

1) Braclaw, ein Städtchen von 53 Rauchfängen, welches mit Wall und Gräben umgeben ist, und am Bog stehet. Es wird auch S. Petersstädt genannt, weil es S. Peters-Bildniß im Wapen führet. 1654 ward es den Kosaken weggenommen.

2) Lityn, eine Stadt von 233 Rauchfängen.

3) Taraszcza, eine kleine Stadt von 114 Rauchfängen.

4) Winnica oder Winnicza (Winnitscha,) eine Stadt von 244 Rauchfängen, der Sitz des Landtags, Grods und der Starosten der ganzen Woiwodschaft, stehet am Bog, ist mit einem Wall umgeben, und hat ein ehemaliges Jesuiter-Collegium. 1650 würden bey derselben die Tataren geschlagen.

5) Stare Miasto, (Altstadt) ein Städtchen von 94 Rauchfängen.

IX

Die Woiwodschaft Kijow,

Woiewodztwo Kijowski,

Palatinatus Kióviensis,

ist auch ein Theil von der so genannten Ukraine. Nach langem Streit zwischen den Polen und Litauern, ob sie zu Polen oder Litauen gehören solle? hat K. Sigismund August dieselbige 1569 zu jenem geschlagen. Im andrussowischen Vergleich von 1667, trat die Republik das Stück von der Ukraine, welches jenseits des Dnieper liegt, nebst desselben Einwohnern den Kosaken auf ewig, die Stadt Kiow aber auf zwey
Jahre

Jahre an Rußland ab. Dieses wurde von 1686 al=
so bestätiget, daß auch die Stadt Kiow auf ewig an
Rußland überlassen ward, und der König von Polen
machte sich anheischig, in Briefen an den russischen
Hof sich des Titels von Kiow nicht zu bedienen. Es
ist also bey Polen nur der kleinste Theil der Woiwod=
schaft Kiow geblieben. Diese bestehet aus den Di=
stricten Zytomirski, Kijowski und Owruczki,
welche unter eben so viel Grods und Starosteyen ste=
hen. Die Landtage werden in Friedenszeit zu Zyto=
mirz, in Kriegszeit aber zu Wlodimir in Wolyn ge=
halten. Man erwählet auf denselben zwey Landbo=
ten, zwey Deputirte und einen Commissarius. Es
sind hier drey Senatoren vom ersten Range, näm=
lich der Woiwode und Bischof von Kiow, und ein
größerer Kastellan. Die Kriegesfahne enthält einen
weißen Engel, mit einem Schein um den Kopf, in
der rechten Hand die Spitze eines gezogenen Schwerdts,
gegen die Erde, und dessen Scheide, eben so in der
linken Hand haltend, im goldenen Felde.

1. Der Kijowsche District,

1 Die adelichen Güter. Viele Dörfer, und

1) Bialopol, ein Städtchen von 89 Rauchfängen,

2) Bilylowka, eine Stadt von 223 Rauchfängen.

3) Boradzanka, eine kleine Stadt von 172 Rauch=
fängen.

4) Barszozaiowka, ein Städtchen von 78 Rauch=
fängen, am Fluß Ros.

5) Brusilow, eine Stadt von 381 Rauchfängen.

6) Czerwona, eine kleine Stadt von 134 Rauch=
fängen.

7) Chodorkow, eine Stadt von 555 Rauchfängen.

8) Demidow, ein Städtchen von 57 Rauchfängen.

9) Rysyczow, eine kleine Stadt von 191 Rauch=
fängen.

10) Jasnohorodka, ein Städtchen von 80 Rauch=
fängen.

11) Jwuica, ein Städtchen von 77 Rauchfängen.

12) Kotelnia stara (alt) eine keine Stadt von 177.
Rauchfängen.

13) Nowe (neu) Kotelnia, ein Städtchen von 41
Rauchfängen.

14) Lissianka, eine Stadt von 457 Rauchfängen.

15) Stemblaw, eine keine Stadt von 181 Rauch=
fängen.

16) Olchowiec, eine Stadt von 280 Rauchfängen.

17) Leszczyn, eine keine Stadt von 173 Rauch=
fängen.

18) Miedzynecz, (Miendsinetsch) ein Städtchen
von 71 Rauchfängen.

19) Makarow, eine kleine Stadt von 147 Rauch=
fängen.

20) Nowosiołki, ein Städtchen von 87 Rauchfängen.

21) Pawolocz, eine Stadt von 396 Rauchfängen,
am Fluß Rastawica.

22) Pohrebyszczo, eine Stadt von 432 Rauch=
fängen.

23) Ruzyn, eine Stadt von 262 Rauchfängen.

24) Chodorow, ein Städtchen von 90 Rauchfängen.

25) Smiło, eine Stadt von 348 Rauchfängen, der
Hauptort einer Herrschaft, welche dem fürstlichen Hause
Lubomirski gehöret.

26) Horodyszcze, ein Stadt von 388 Rauch=
fängen.

27) Olszana, eine Stadt von 261 Rauchfängen.

28) Turya, eine Stadt von 281 Rauchfängen.

29) Szpola, eine Stadt von 260 Rauchfängen.

30) Wasiłow, ein Städtchen von 52 Rauchfängen.

31) Włodarka, eine kleine Stadt von 272 Rauch=
fängen.

32) Za=

32) Zabolyn, eine Stadt von 213 Rauchfängen.

33) Kamionka, eine kleine Stadt von 152 Rauchfängen.

2 Die geistlichen Güter. Eine Anzahl
Dörfer, und

1) Fast:w, eine Stadt von 347 Rauchfängen.

2) Radomysl, ein Städtchen von 63 Rauchfängen.

3 Die königlichen Güter. Eine große
Anzahl Dörfer, und

1) Biaocerkiew, eine Stadt am Fluß Roß, von
613 Rauchfängen, bey welcher die Tataren 1626 eine große
Niederlage litten.

2) Stawiszcza (Stawistscha) eine Stadt von 447
Rauchfängen.

3) Bohuslaw, eine Stadt von 381 Rauchfängen.

4) Czerkasy, (Tscherkasi,) eine Stadt von 528
Rauchfängen, am Dnieper, welche ehedessen eine Regi-
mentstadt der Kosaken war. 1637 wurde sie von den Polen eingeäschert.

5) Brialozor, eine Stadt von 372 Rauchfängen.

6) Comowate, eine kleine Stadt von 175 Rauchfängen.

7) Dymir, eine kleine Stadt von 185 Rauchfängen.

8) Hermanowka, eine Stadt von 231 Rauchfängen.

9) Korsun, eine Stadt von 182 Rauchfängen, am
Fluß Roß, welche ums Jahr 1581 vom König Stephan
erbauet worden.

10) Sachnowka, ein Städtchen von 75 Rauchfängen.

11) Kwihtki, eine kleine Stadt von 169 Rauchfängen.

12) Koczowata, eine Stadt von 271 Rauchfängen.

13) Raniow, oder Kaniew, eine kleine Stadt
von 251 Rauchfängen, am Dnieper, mit einem Schloß
und griechischen Kloster.

14) Rozow, ein Städtchen von 86 Rauchfängen.

15) Rowanowka, ein Städtchen von 75 Rauch=
fängen.

16) Skwira, eine kleine Stadt von 277 Rauch=
fängen.

17) Szawulicha, ein Städtchen von 75 Rauch=
fängen.

18) Trehtamirow, ein kleines Städtchen von 25
Rauchfängen.

19) Zwinogrod, eine kleine Stadt von 204 Rauch=
fängen.

20) Kalnoblota, eine Stadt, von 315 Rauch=
fängen.

2. Der Zytomirsische District.

1 Die adelichen Güter. Eine große Anzahl
zahl Dörfer und

1) Berdiczow, eine Stadt von 447 Rauchfängen.
Sie hat berühmte Jahrmärkte.

2) Raygrodek, ein Städtchen von 92 Rauch=
fängen.

3) Czartoryia stara, (alt) eine kleine Stadt von
113 Rauchfängen.

4) Czartoryia nowa (neu), ein Städtchen von 79
Rauchfängen.

5) Czudnow, (Tschudnow) alt und neu, eine
Stadt von 555 Rauchfängen, auf beyden Seiten des
Flusses Teterow.

6) Piatka, eine kleine Stadt von 181 Rauch=
fängen.

7) Januszpol, eine Stadt von 277 Rauchfängen.

8) Czerniechow, eine kleine Stadt von 203 Rauch=
fängen.

9) Hornostaypol, eine kleine Stadt von 114 Rauch=
fängen.

10) Iwanköw, ein Städtchen von 97 Rauchfängen.

11) Rodnia, eine kleine Stadt von 182 Rauchfängen.

12) Korostoszow, eine Stadt von 357 Rauch=
fängen.

13) Kras=

13) Krasnopol, eine kleine Stadt von 203 Rauch=
fängen.

14) Ilinsk, ein kleines Städtchen von 20 Rauch=
fängen.

15) Malin, ein Städtchen von 59 Rauchfängen.

16) Mropol stary (alt,) ein Städtchen von 80
Rauchfängen.

17) Miropol nowy, (neu,) eine kleine Stadt von
168 Rauchfängen.

18) Prazow, ein Städtchen von 65 Rauchfängen.

19) Slobodyszcza, eine kleine Stadt von 111 Rauch=
fängen.

20) Trojanow, eine Stadt von 293 Rauchfängen.

21) Uszomierz, ein Städtchen von 40 Rauch=
fängen.

22) Xiawercze, ein Städtchen von 42 Rauchfängen.

23) Zwiachel, eine kleine Stadt von 234 Rauch=
fängen.

2 Die geistlichen Güter, 5 Dörfer.

3 Die königlichen Güter. 7 Dörfer, und
Zytomierz, die Hauptstadt des Districts, und
der Sitz seines Grods und Starosten, woselbst auch der
Landtag der Woiwodschaft gehalten wird. Sie liegt am
Fluß Teterow, und hat 303 Rauchfänge.

3. Der District Owrutsch.

1 Die adelichen Güter. Außer einer großen
Anzahl Dörfer,

1.) Brachin, eine Stadt von 249 Rauchfängen.

2) Czarnobyl, eine Stadt von 250 Rauchfängen,
am Fluß Przypiec.

3) Choynik, ein Städtchen von 109 Rauchfängen.

4) Labrie, eine Stadt von 118 Rauchfängen.

5) Luchyny, ein Städtchen von 90 Rauchfängen.

6) Narodycze, eine kleine Stadt von 175 Rauch=
fängen, am Fluß Uscha.

R 5   7) Nor=

7) **Norzyrisk**, ein Städtchen von 72 Rauchfängen.

8) **Olewsk**, eine kleine Stadt von 112 Rauchfängen.

9) **Wielendniki**, eine kleine Stadt von 146 Rauchfängen.

2 **Die geistlichen Güter.** 37 Dörfer.

3 **Die königlichen Güter.** 18 Dörfer, und

Owrucz, (Owrutsch) die Hauptstadt des Districts, der Sitz seines Grods und Starosten. Sie hat nur 162 Rauchfänge.

Anmerk. Czernichowski Woiewodztwo, die Woiwodschaft Tschernichow, ein ehemaliges Fürstenthum, wurde 1618 von Rußland an Polen durch den im Dorf Diwilin geschlossenen Frieden, abgetreten, und diese Abtretung ward 1634 also bestätiget, daß sich der russische Zar auch des Titels eines Fürsten von Tschernichow begab. Allein, unterm König Johann Casimir, nahmen die Russen außer andern Landschaften, auch diese den Polen weg, und behielten sie 1667 im andrussowischen Frieden, welches 1686 durch den moskowischen Frieden bestätiget wurde. Es haben zwar noch zwey Senatoren vom ersten Range, von Czernichow den Titel, nämlich ein Woiwode und ein größerer Kastellan: es werden auch auf dem Landtäge dieser Woiwodschaft, der zu Wlodimir in Wolyn gehalten wird, vier Landboten, zwey Deputirte und ein Commissarius erwählet, und man rechnet zwey Districte mit ihren Grods und Starosten, zu derselben, nämlich den von Czernichow und Nowogrod: allein, die Städte, von welchen diese Districte den Namen haben, gehören zum russischen Reich, und es läuft alles, was von dieser Woiwodschaft gesaget wird, blos auf Namen und Titel hinaus.

III

III Das Großherzogthum Litauen.

§. 1.

Litauen, bey den Einheimischen Litwa, war ehemals ein sehr waldichtes und wenig angebautes Land. Nachdem es aber unter Sigismund I und den nachfolgenden Königen zu mehrerer Ruhe gekommen ist, sind die Waldungen dünner gemacht, und das Land ist mit mehrerem Fleiß bearbeitet worden. Es liefert viel Pott- und Weid-Asche, bauet viel Getreide und Buchweitzen, verfertiget aus dem vielen Honig wohlschmeckende Getränke, als Meth, Lippitz, Mallinieck; hat vortrefliche Wiesen, gute Viehzucht, Schafe, deren Wolle sehr fein ist, wichtige Fischereyen wegen der vielen Landseen; und in den Wäldern sind Bären, Wölfe, wilde Schweine, Auerochsen, Rehe, und ungemein viel Haselhühner. Allein, so gut auch das Land ist, so schlecht ist doch die Wirthschaft. Der beste Acker liegt wüste, das Heu verdirbet auf den guten Wiesen, und die Wälder gerathen durch Verwahrlosung in Brand. Alle Lebensmittel sind ungemein wohlfeil, aber es ist wenig Geld unter den Leuten, daher von 100 an Zinsen 10 bezahlet werden.

§. 2 Außer den Römisch-katholischen, sind auch viele Lutheraner, Reformirte, Griechen, Socinianer, Juden und Muhammedaner im Lande. Das Land hat, seiner genauen Verbindung mit Polen ungeachtet, seine eigenen Gesetze, Aemter und Armee.

§. 3 Die

§. 3 Die älteste Geschichte desselben ist dunkel, ungewiß und fabelhaft. So viel ist gewiß, daß vor Alters, als die Litauer in Curland, Schamaiten und einen östlich an diesem liegenden nicht breiten Strich Landes, eingeschränket waren, alles übrige Land, welches nachmals den Titul des Großherzogthums Litauen bekommen hat, zu Rußland gehöret hat. Nessor, der älteste russische Geschichtschreiber, rechnet Litwa zu den russischen Provinzen, und Polozk zu den russischen Städten, welchen der Großfürst Oleg im Jahr 907 von den griechischen Kaisern einen Tribut ausmachte. Die eben genannte Stadt Polozk, ist merkwürdig, denn sie war im letzten Viertel des zehnten Jahrhunderts der Sitz des Fürsten Rogwold, dessen Tochter Rogneda der russische Großfürst Wladimir der Große, zur Gemalinn begehrte, und als die Prinzessinn sich nicht dazu entschließen wollte, derselben Vater mit Krieg überzog, und sich seiner Hauptstadt bemächtigte, wobey Rogwold nebst zwey Söhnen erschlagen, die Rogneda aber dem Sieger zu Theil ward. Dieser zeugte mit ihr den Jasaslaw, und als er sich von ihr schied, ließ er Polozk wieder aufbauen, schickte die Rogneda mit ihrem ältesten Sohn Isaslaw dahin, und räumte ihr die Stadt und das dazu gehörige Land als ein abgetheiltes Fürstenthum ein. Dieses Fürstenthum, welches Isaslaw und seine Nachkommen besaßen, und Polozk zur Hauptstadt hatte, begriff ganz Litauen, bis an den Fluß Niemen oder Memel, und einen großen Theil von Liefland. Nach Abgang dieser Fürsten, entstund im dreyzehnten Jahrhundert das Großherzogthum Litau-

Litauen, und Ringold nahm 1230 zuerst den Titul
eines Großfürsten von Litauen an. Die rußischen
Geschlechtsbücher, (Rodoslownie,) leiten diese Großfürsten von den ehemaligen polozkischen Fürsten her:
es fehlet aber der Beweis dieser Abstammung. Die
Großfürsten bezwungen Polozk, und unterwarfen
sich alle übrige rußische Oerter derselben Gegend.
Mit dem Wolstinik gieng der alte herzogliche Stamm
1268 aus. Gegen das Ende des dreyzehnten Jahrh.
erhielt Witen aus Schamaiten die großherzögli-
che Würde; dessen Sohn Gedimin ihm 1315 in der
Regierung folgte, welcher Wilna erbaute, und zu
seiner Residenz machte. Er überwand den rußischen
Großfürsten Stanislav zu Kiow, und wurde, als
er diese Hauptstadt erobert hatte, zum Großfürsten
von Rußland ausgerufen, welchen Titel ihm aber die
polnischen und litauischen Geschichtschreiber nicht geben. Sein Enkel Jagello hielt um des polnischen
und ungarischen Königs Ludewig hinterlassene Prinzeßinn Hedwig, die zur Königinn gekrönet war, an,
und versprach, daß er mit seinem ganzen Volk zum
christlichen Glauben treten, Litauen mit Polen verbinden, und die verlornen Länder wieder an das Reich
bringen wolle. Den Polen gefiel dieser Antrag: der
Großherzog wurde durch öffentliche Gesandte eingeladen, kam 1386 nach Krakow, wurde getauft, und
Uladislaus genannt, und, nachdem er mit der Königinn vermählet war, gekrönet. Im folgenden
Jahr gieng er nach Litauen, schafte die alten aber-
gläubischen Gebräuche ab, bewegte viel tausend Menschen zur Annehmung der christlichen Religion, stiftete das Bisthum zu Wilna, und ordnete die Kir-
chen-

chengebräuche. 1392 machte er seinen Vetter Ale-
rander oder Vitold zum Großherzog von Litauen, jedoch der Vereinigung mit dem Reich ungeschadet,
weil der König die Oberherrschaft behielt. 1401 ward
die Vereinigung von Litauen auf dem Landtag zu
Wilna, durch einen Bekräftigungsbrief befestiget.
1408 nahm der Großherzog den deutschen Rittern
Schamaiten ab. 1413 wurden auf einem Landtage
im Städtchen Horodlo die Litauer in Ansehung der
Bedienungen und Gesetze den Polen gleich gemachet,
viele von ihren Geschlechten unter die polnischen ein-
geschoben, und die Wapen vereiniget. Es ward
auch verordnet, daß die Litauer ihren Großherzog
vom König von Polen erhalten, und die Polen, wenn
ihr König ohne Kinder oder ohne erbliche Nachkommen abgienge, zugleich mit den Litauern den König
wählen sollten. Schamaiten nahm den christlichen
Glauben an, und es wurde daselbst ein Bisthum,
nebst andern geringern geistlichen Aemtern, gestiftet.
1499 wurde mit den Litauern das 1413 errichtete Bündniß erneuert, wozu noch diese Erläuterung kam, daß
weder die Litauer ohne Vorwissen der Polen einen Großherzog, noch diese einen König ohne die Litauer erwählen sollten. 1561 unterwarfen die Schwerdträger
sich und ihr noch übriges Theil von Liefland, der
Bothmäßigkeit des Königs von Polen, als Großherzogs von Litauen, und der neue Herzog von Curland, wurde ein litauischer Lehnsmann. 1569 ward
auf dem Reichstage zu Lublin, den die Polen und Litauer gemeinschaftlich hielten, das Großherzogthum
also mit dem Königreich vereiniget, daß es nur ein
gemeines Wesen und unter einem Fürsten seyn sollte.

te. Diesen sollten beyde Völker in Polen, und zwar
zum König von Polen und Großherzog von Litauen,
erwählen; der gemeinschaftliche Reichstag sollte jederzeit in Warschau gehalten werden; beyde Völker sollten
einen Rath und eine Landbotenstube, und die Münze
von gleichem Werth, auch die Bündnisse, Hülfsvölker
und alles gemein haben. Ueberdieß wurden den litauischen Reichs-Räthen und adelichen Landboten,
ihre Stellen unter den polnischen Ständen angewiesen, und es kam zugleich Liefland, welches bisher
Litauen sich allein angemaßet hatte, solchergestalt an
das Reich, daß es zu Polen und Litauen zugleich gerechnet wurde. In den Reichsgesetzen von 1673, 1677
und 1685 ward ausgemacht, daß immer der dritte
Reichstag zu Grodno gehalten werden solle; doch
wurde der Convocations- Wahl- und Krönungs-
Reichs-Tag ausgeschlossen. 1697 wurden die polnischen und litauischen Rechte einander gleich gemacht.
1772 nahm Rußland einen Theil von Litauen in Besitz.

§. 4 Litauen bestehet jetzt noch aus sechs Woiwod-
schaften, die dem Range nach also auf einander folgen: die wilnaische, trokische, polotskische,
novogrodeksche, brseßische, und minskische.
Die ersten beyden machen das eigentliche Litauen
(Litwa sama,) und die folgenden das litauische
Rußland (Rus Litewska,) aus, welches wieder
eingetheilet wird, theils in Weiß-Rußland, (Rus
Biala,) dazu die Woiwodschaften Polozk, und
Minsk gehören; theils in Schwarz-Rußland,
(Rus tscharna,) dazu die Woiwodschaft Nowogrodek, und die Districte Rsetsch und Mosirski gehören, theils in Polessien, (Polesie,) dazu die Woi-
wod-

wodſchaft Brzeſc gehöret. Zu dieſen Woiwodſchaften kömmt noch das Fürſtenthum Schamaiten,
auf polniſch Żmujds oder Xzieſtwo Żmudeſki.
Eine jede Woiwodſchaft wird in gewiſſe Diſtricte
(Powiaty) abgetheilet; was aber zu jedem Diſtrict
gehöre? das zeigen die Landcharten an. Es giebt
in Litauen noch beſondere Fürſtenthümer, die von ihren eigenen Fürſten regieret werden; dergleichen ſind
Służk, Nieswitſch ꝛc. Ich beſchreibe nun die einzelnen Theile, aber nicht ſo genau als Polen, weil
es mir dazu an Hülfsmitteln fehlet.

I. Das eigentliche Litauen, Litwa ſamā.

1. Die Woiwodſchaft Wilno. Woie-
wodztwo Wilenſki, Palatinatus Vilnenſis,

begreift fünf Diſtricte, deren jeder ſeinen Landtag be-
ſonders, und zwar an dem Ort, wo er ſeinen Grod
hat, hält, auf demſelben aber zwey Landboten, und
zwey Deputirte zum Tribunal von Litauen wählet.
Die Fahne der Woiwodſchaft, zeiget auf einer Seite
im blauen Felde, das Wapen des Großherzogthums,
nämlich einen gewaffneten Mann, der auf einem wei-
ſen und laufenden Pferde ſitzet, mit der rechten Hand
ſeinen Säbel über dem Kopf hält, und am linken
Arm einen Schild mit Kreutzen führet: auf der andern Seite der Fahne aber im rothen Felde, das alte
Wapen der Litauer, welches dieſe Geſtalt hat, ꝃ,
und den Namen der drey weißen Säulen hat.

1) Powiat Wilenſki. Er hat 4800 Feuerſtellen.

(1) Wilna, Wilda, Wilno, die Hauptſtadt des
Groß-

Großherzogthums, und der Sitz eines Woiwoden und
größern Kastellans, des Landtags und Grods des Di=
stricts Wilna, welcher letzte von dem Woiwoden abhänget.
Sie liegt an dem schiffbaren Fluß Wilia, da, wo die Wi=
lika hineinfällt, und stehet in einer bergichten Gegend,
auf vielen Hügeln; ist sehr groß, und hat zwey große
Vorstädte Antokolla und Rudaischka. In dem alten
verfallenen königlichen Schloß ist das Zeughaus, und der
Tribunalsaal, und gegen über die 1386 erbauete kostbare
Schloßkirche, die einen großen Schatz verwahret, und
die prächtige marmorne Kapelle des heiligen Casimirs ent=
hält, welches Heiligen silberner Sarg 30 Centner wiegen
soll. Es sind in der Stadt über 40 Kirchen, darunter eine
lutherische, eine reformirte, eine Juden=Synagoge, eine
tatarische, eine griechische, und die übrigen sind katholisch.
Der ältern Verwüstungen, welche die Stadt 1610 und
1655 von den Russen, 1737 aber von einem Brande er=
fahren hat, nicht zu gedenken, so hat sie 1748 durch eine
erschreckliche Feuersbrunst 13 Kirchen, die jüdische Syna=
goge, 25 Paläste, 469 steinerne Häuser, Hospitäler, Höfe,
Badstuben, Klöster, Mühlen, 146 Krambuden und Apo=
theken, und sehr viele Speicher und Waarenbehältnisse,
und 1749 noch 6 Kirchen, das Rathhaus, 8 Paläste, und
277 andere steinerne Gebäude, verloren. An der Kapelle des
heiligen Casimirs allein sind ganze Millionen verloren ge=
gangen 1760 und 1775 haben neue heftige Feuersbrünste
viele Kirchen, Klöster und Häuser in die Asche geleget. Das
hiesige römisch=katholische Bisthum ist 1387 gestiftet; es
ist hier auch das Domkapitel, und es halten sich hier viele
Geistliche und Ordensleute auf. Die 1570 vom Bischof Va=
lerian Schuskowski Protasewitz gestiftete und 1579 vom Kö=
nig Stephan bestätigte Universität, ist in dem ehemali=
gen Jesuiter=Collegium. Der Bischof ist ihr beständiger
Kanzler, und mit derselben ist ein Collegium nobilium, ver=
einiget. Die Patres piarum scholarum haben hier ein
Collegium. Es ist hier auch ein griechischer Metropolit,
und ein griechisches Studium theologiae speculativae. Das
Tribunalgericht, welches hier gehalten wird, fänget in

2 Th. 8 A.   S   der

der zweyten Woche nach Oſtern an, und währet zwanzig Wochen lang, alsdenn die Richter ſich entweder nach Novogrodek oder Minſk begeben. Der Magiſtrat iſt 1568 durch ein Privilegium vom König Sigismund Auguſt dem Adel gleich gemacht worden; daher die Kinder der Magiſtratsperſonen Landgüter beſitzen können. Weil hier viel Juden und Muhammedaner ſind, ſo werden wöchentlich drey Feyertage gefeyert. Die Stadt treibet ſtarken Handel, und ſchickt ihre Wittinnen bis Königsberg. Sie iſt vom Großherzog Gedimin erbauet.

2) Kiernow, ein Städtchen am Fluß Wilia, woſelbſt die erſte Reſidenz der Großherzoge geweſen iſt.

3) Giedrovcie oder Grotvoice, ein Städtchen.

4) Dubinki, eine Stadt, der Hauptort eines Fürſtenthums, welches dem fürſtl. Hauſe Radzivil gehöret.

5) Inturki, ein offenes Städtchen.

6) Niemęczyn, (Niementſchin,) oder Niemienczik, (Niemientſchik,) ein Städtchen.

7) Międniki, ein Flecken.

8) Zyzemſk, ein Städtchen.

9) Krudzewo, ein Flecken.

10) Dworzyszcze, (Dworſiſchtſche,) ein Städtchen.

11) Soleczniki, (Soletſchniki,) ein Städtchen.

2) **Powiat Lidzki**, hat 5030 Rauchfänge.

1) Lida, eine Stadt und Schloß, woſelbſt der Landtag und das Landgericht des Diſtricts gehalten wird, und eine Staroſtey iſt.

2) Dubicy, ein Städtchen.

3) Nacz, (Natſch,) und Koniawa, offene Städtchen.

4) Beniakony, ein Städtchen.

5) Blottno, eine Stadt.

6) Zyrmuny, oder Zermony, ein Städtchen.

7) Biálogrod, Milaw, Labieda, Jelna, Bielica, kleine Städte.

8) Zo-

8) Zoludek, und Rozanka, kleine Städte.

9) Szczuczyn, (Schtschutschin,) ein Städtchen, in welchem ein Collegium P. P. piarum scholarum ist.

10) Kamionka, Wasiliski, Wawieck, (Wawieski,) Zablocie und Nowydwor, kleine Städte.

3) **Powiat Oszmianski**, hat 8420 Rauchfänge.

1) Oszmiana, (Oschmiana,) die Hauptstadt des Districts, und der Sitz des Landtags, Grods und Starosten desselben, 7 Meilen von Wilna.

2) Zuprany, ein offenes Städtchen.

3) Smorgonie, eine Stadt.

4) Bystrzyca, (Bistrsitza,) eine Stadt am Fluß Wilia.

5) Daugieliszki, ein Städtchen.

6) Luczay, (Lutschai,) ein Städtchen.

7) Hlubokie, oder Glybokie, ein Städtchen, welches nach der Folinschen Charte zu Polozk gehöret.

8) Osünhorodok, eine Stadt.

9) Danilowicze, (Danilowitsche,) eine Städt.

10) Miadziol, oder Miedzial, eine Stadt.

11) Serwecz, (Serwetsch,) oder Sierwecz, ein Städtchen.

12) Dolhinow, ein Städtchen.

13) Kraysk, eine Stadt.

14) Wileyka, oder Wylika, ein Städtchen.

15) Zodziszki, oder Sodziski, eine Stadt am Fluß Wilia.

16) Horodek Pieczkowski, ein Städtchen.

17) Slowinsk, ein Städtchen.

18) Olszany, (Oischany,) oder Olsiany, ein Städtchen, hätte vor Alters den Titel eines Herzogthums.

19) Traby, und Dziewieniszki, Städte.

20) Sierwiliszki, (Sierwilischki,) ein Städtchen.

21) Bogdanowo, ein Städtchen.

22) Sobotniki, ein Städtchen.

23) Lipnyszki, (Lipnischki,) ein Städtchen.

24) Iwie, eine Stadt.

25) Du

25) Duda, oder Dudy, Naliboki, und Kamien, Städtchen.

26) Wiszniow, (Wischniow,) eine kleine Stadt.

27) Woloczyn, eine kleine Stadt.

28) Mlodziczno, oder Molodeczna, eine Stadt.

29) Piercząie, (Piertschaie,) ein Städtchen.

4) Powiat Braslawski, hat 1160 Rauch-fänge.

1) Braslaw, Bratislavia, die Hauptstadt des Districts, der Sitz seines Landtags, Grods und Starosten, 20 Meilen von Wilna, stehet an einem See, aus welchem der Fluß Druja in die Düna fließet, und hat neben sich auf einem Felsen ein Schloß. Es ist hier eine griechische mit der römischen Kirche vereinigte Abtey.

2) Druja, ein Städtchen an der Düna.

3) Uzmiata, eine kleine Stadt, welche auf der Folinschen Charte in der Woiwodschaft Polotzk liegt.

4) Pohost, ein Flecken.

5) Widzy, eine kleine Stadt, welche auf der Folinschen Charte zu dem vorhergehenden District gerechnet wird.

6) Pelikany oder Belikany, ein Städtchen.

7) Opsa oder Opieszko, eine kleine Stadt.

8) Dryswiaty, ein Städtchen und Schloß am See gleiches Namens, fünf Meilen von Braslaw.

9) Druiwar, ein Städtchen.

10) Raiszany, eine kleine Stadt.

11) Jezioroczke, (Jesiorotsche,) oder Jeziorce, ein Städtchen.

5) Powiat Wilkomirzki, hat 4580 Rauch-fänge.

1) Wilkomirz, Wilkomeria, die Hauptstadt des Distrikts, und der Sitz des Landtags, Grods und Starossien desselben, stehet am Fluß Swięta (Swienta,) und hat ein Collegium piarum scholarum. Ehemals hat sie auf einem Felsen ein Schloß gehabt.

2) Onyx

2) Onyrszty, (Onirschti) oder Onirzty, eine offene Stadt.

3) Uszpole, (Uschpole) eine Stadt.

4) Sapiehof, ein Städtchen.

5) Dunstany, ein Städtchen.

6) Solok, ein Städtchen, welches auf der zannenyschen Charte zu dem vorhergehenden District gerechnet wird.

7) Wiewaszow, ein Städtchen.

8) Dogely und Satan, Städtchen.

9) Koltinyany, eine kleine Stadt, welche in der Folinschen Charte zu dem Oschmianschen District gerechnet wird.

10) Bolniky und Poboisko, keine Städte.

11) Szerwęty, (Scherwenti) oder Szirwęty, ein Städtchen.

12) Muszniki, eine Stadt.

2. Trokie Woiewoztwo, die Woiwodschaft Troki,

Palatinátus Trocensis, begreift vier Districte, und hält eben so viel Landtage in den Hauptstädten dieser Districte, auf deren jedem zwey Landboten und zwey Deputirte erwählet werden, hat auch vier Grods und Starosteyen. Es sind hier zwey Senatoren, nämlich der Woiwode und Kastellan von Troki. Die Fahne der Woiwodschaft enthält den litauischen Reuter im blauen Felde.

1) Powiat Troki, hat 2120 Rauchfänge.

1) Troki, von einigen auch Trock, (Trozk) genannt, die Hauptstadt der Woiwodschaft, der Sitz des Woiwoden, eines größern Kastellans, des Landtags und Grods dieses Districts, stehet an einem See, in welchem es vorzügliche Muränen giebt, in welchem sie auch auf einer Insel ein Schloß hat. Die hiesige Starostey hänget von dem Woiwoden ab. In der Pfarrkirche ist das Ar-

S 3   chiv

chiv der Woiwodschaft, und ein berühmtes Marienbild.
Außer derselben sind hier noch zwey Kirchen. Die Stadt
ist von dem Großherzog Gedimin 1321 erbauet. 1390
wurde sie abgebrannt, und 1655 von den Russen zerstöret.
Sie ist vor Alters eine Zeitlang der Sitz der Großherzoge
von Litauen gewesen, ehe derselbige nach Wilna verleget
worden. Sie wird Neu-Trokt zum Unterschied von dem
Dorf Alt-Troki genannt, welches letzte etwa eine halbe
Meile davon entlegen ist, und eine Benedictiner Abtey hat.

2) Poporcie, oder Poporzy, ein Städtchen.

3) Rudniki, ein Städtchen, welches auf der Folinschen Charte in dem wilnoischen District stehet.

4) Olkieniki oder Olknik, ein Städtchen am Fluß
Merecz.

5) Orany, eine keine Stadt.

Fluß gleiches Namens, welcher sich unterhalb derselben
mit dem Fluß Niemen vereiniget. Ihre Lage ist sehr angenehm, daher König Wladislaw IV sich hier oft aufhielt,
und 1648 hieselbst starb.

7) Niemanowice, ein Städtchen am Fluß Niemen.

8) Olyta, ein Städtchen auf beyden Seiten des
Flusses Niemen, ist ein königl. Schlüssel, d. i. ein Tafelgut.

9) Wisztiniec, (Wischtinietz) ein Städtchen an einem See.

10) Niemanowice, am Niemen, ein Städtchen.

11) Wizan oder Wyjainy, ein Städtchen an einem
See.

12) Przerosl, eine keine Stadt.

13) Philipow und Lodzyce, ein Städtchen.

14) Calvarie, eine kleine Stadt, in einem Walde,
an der Scheschupe, fünf Meilen von der preußischen
Gränze, woselbst 120 christliche und 300 jüdische Familien
wohnen, welche letzten weitläuftigen Handel treiben. Sie
gehöret dem Hause Sapieha, welches auch die drey Meilen davon belegene Herrschaft Kirsna besitzt,

2) Po-

2) **Powiat Grodzienski**, hat 8800 Rauchfänge. In alten Zeiten ist dieser ansehnliche District ein Herzogthum gewesen.

· 1) Grodno, die Hauptstadt des Districts, der Sitz
seines Landtags, Grods und Starosten, ist mittelmäßig
und unordentlich gebauet, aber nach Wilna die beste
Stadt in Litauen. Sie liegt am Fluß Niemen, theils auf
einem Berge, theils im Grunde, und ist mit andern
Bergen umgeben. Das alte mit einem sehr tiefen
Graben umgebene Schloß, ist verfallen, so daß nur noch
ein Flügel davon bewohnet werden kann. Das neue
Schloß ist groß, regelmäßig und schön. Der große
Saal, die Senatstube und die Kapelle sind vor andern Zimmern schön. Am Schloßplatz stehet das schöne Kanzleyhaus. In der Stadt sind neun katholische und zwey griechische Kirchen, und die Juden haben
eine steinerne Synagoge. Das ehemalige Jesuiter-Collegium hat eine prächtige Kirche; die neue Kirche der Car-
meliter Nonnen ist auch schön. Die griechische Abtey ist
mit der römischen Kirche vereiniget. Der radziwilsche Palast, ist ein sehr großes, und der sapiehische ein schönes Gebäude am Markt. Der Markt, die Schloßstraße und
der Schloßplatz sind sauber und gepflastert, die andern
Straßen aber nicht, sondern sehr unrein. 1673 ist ausgemacht worden, daß hier allemal der dritte Reichstag
gehalten werden solle. Zur Zeit des Reichstags sind wohl
eher vier Zimmer mit den Stallungen an einem gelegenen
Ort auf sechs Wochen mit 400 Ducaten Miethe bezahlet
worden. Nahe bey der Stadt ist ein wohl gebauetes königlich Vorwerk, und in der umliegenden Gegend waren
1777 verschiedene königl. Manufacturen in einem guten
Gange. 1753 ist fast die ganze Stadt abgebrannt.

2) **Skydel**, Kotra oder Kodra, Ostrynia und Je-
zioro, Städtchen, das letzte lieget an einem See.

3) **Hoza**, Przelom, Przywalka, und Lyszkow,
(Lischkow,) kleine Städte am Fluß Niemen.

4) Kot-

4) **Rotnica** und **Salata**, Städtchen.

5) Die Herrschaft **Serrey** oder **Sieraje**, hat ehedessen den Fürsten Radzivil zugehöret, und ist nach des Fürsten Bogislav 1569 erfolgtem Tode, an desselben Tochter Ludovicia Carolina gefallen, welche Markgraf Ludwig von Brandenburg heirathete, dem sie 1687 diese Herrschaft eigenthümlich schenkte, und nach dessen Tode sie an das Churhaus Brandenburg fiel. Sie wird jetzt durch einen Generalpachter verwaltet, welcher die Pachtgelder an die königliche preußische Landrentey zu Gumbinnen bezahlet. Sie begreifet

a **Serrey** oder **Sieraje**, ein Städtchen, in einer bergichten Gegend, am Flüschen Pers, welches aus dem See Duschna kömmt, und sich mit dem Niemen vereiniget. Es hat eine katholische und eine reformirte Kirche, und eine Judenschule. Es sind auch in und um Serrey Lutheraner.

b. Drey Vorwerke und 22 Dörfer.

6) **Mietela**, ein Städtchen.

7) **Szyenny**, oder **Sienny**, ein Städtchen.

8) **Berezniki**, ein Städtchen.

9) **Dowspodal**, auf der Folinschen Charte **Duspuda**, ein Städtchen.

10) **Bakalorzow**, auf der Folinschen Charte **Bakaliarz**, eine kleine Stadt an der Gränze von Preußen.

11) **Szepokiny**, oder **Sopockiny** (**Sopotzkini**,) ein Städtchen.

12) **Perstun**, oder **Prestum**, eine kleine Stadt.

13) **Lipsk**, eine Stadt.

14) **Nowydwor**, **Sidra**, **Dąbrow**, (**Donbrow**,) **Zabulew**, **Novinkowice**, keine Städte.

15) **Konudy**, **Sokolka**, **Janow**, oder **Janowa**, **Kuryczyn**, (**Kuritschin**,) **Rudzin**, **Straza**, kleine Städte.

16) Za-

16) Zabludow und Grodek, keine Städte.

17) Supraël, ein uraltes und sehr reiches griechisches Kloster, welches einen großen Zulauf hat, und mit der römischen Kirche vereiniat ist. Es steht unmittelbar unter dem Pabst, und es ist hier eine Stifts-Buchdruckerey und Bibliothek.

18) Krynki, Odelsk und Indura, auf der Folinschen Charté Midura, Städtchen.

19) Swislocz, (Swislotsch), oder Swislosz, (Swillosch), Holowaczyn, (Holowatschin), und Stydel, Städtchen.

3) Powiat Kowienski, hat 1550 Rauchfänge.

(1) Kowno, oder Cauen, die Hauptstadt des Districts, der Sitz seines Landtags, Grods und Starosten, ist eine ziemliche Handelsstadt, an dem Ort, wo der Fluß Wilia in den Fluß Niemen fließt. Sie ist des guten Lippitz und Meths wegen berühmt, hat viele deutsche Einwohner, ein ehemaliges Jesuiter-Collegium mit einer prächtigen Kirche, überhaupt zehn katholische Kirchen, und eine lutherische.

(2) Der Friedensberg, liegt $1\frac{1}{2}$ Meile von Kowno, im Walde an der Wilia. Auf demselben steht ein berühmtes Kloster, welches 24 Einsiedler vom Orden Kamaldoli bewohnen. Es hat dieses 1674 angelegte prächtige Gebäude dem Großkanzler von Litauen, Christoph Paz, seinem Stifter, an acht Tonnen Goldes gekostet. Der Marmor ist daran verschwendet, die Kirche ist mit vortrefflicher Alfresco-Malerey an der Decke und Kuppel, und andern Original-Schildereyen der berühmtesten Meister versehen. Es gehört ein Bezirk von 300 Bauern dazu. Der Stifter ist hier mit seiner Gemählinn begraben.

(3) Preny am Niemen, Zyzmory, oder Zyzmonyn, Rumszyßky, oder Romiszyszki, und Pozayscie, Städtchen.

4) Po-

4) **Powiat Rupitski**, hat 5020 Rauchfänge.

(1) **Rupiszki**, eine Stadt.

(2) **Poniewisz Nowy**, eine Stadt, in welcher der Landtag und Grod dieses Districtsgehalten wird, auch ein Collegium P. P. piarum scholarum ist.

(3) **Poniewisz Stary**, ein geringes Städtchen.

(4) **Jurgiany**, ein Städtchen.

(5) **Poniemuny**, oder **Ponimany** und **Rankuszki**, Städtchen.

(6) **Nersten in Litauen**, ein Städtchen.

(7) **Pozwole**, ein Städtchen.

(8) **Prokroye**, eine Stadt

(9) **Zwabiszki**, ein Städtchen.

(10) **Salaty**, (Salonti), eine keine Stadt.

(11) **Birze**, (Birse), eine keine Stadt, der Haupt-ort eines dem Hause Radzwil zugehörigen Fürstenthums, mit einer katholischen, einer lutherischen und einer reformirten Kirche. 1625 wurde sie vom schwedischen Könige Gustav Adolph eingenommen. Bey dieser Stadt sind durch Erdfälle viele Gruben entstanden, welche 30, 40 bis 60 Schritte im Umfange haben.

(12) **Radziwiliszky**, (Radsiwilischki), eine Stadt, in welcher eine reformirte Kirche ist.

II. Das litauische Rußland, bestehet

1 Aus der Landschaft Podlesie, oder **Polesie**, welche aber gemeiniglich **Brzeskie Woiewodztwo, die Woiwodschaft Brsestz in Litauen**, Palatinatus Brestiensis in Lituania, genannt wird. Die Moräste sind in dieser Woiwodschaft so groß, daß sie das Ansehn einer offenen See haben, und von denselben hat sie den Namen Podlesie bekommen. An Honig und Fischen hat sie einen

nen Ueberfluß, insonderheit werden die Fische in großer Menge an der Luft getrocknet, und in die benachbarten Provinzen geführet. Wenn der Fluß Mu-
chaviec, (Muchawietz) welcher in den Bug fällt,
mit dem Fluß Pina, welcher in den Pripetz fällt,
durch einen kurzen Kanal vereiniget würde, so
würde dadurch die Schifffarth aus der Weichsel in
den Dnieper, und also zwischen der Ostsee und dem
schwarzen Meer, zum großen Nutzen des Landes
eröffnet. Es hat aber Graf Oginski eine andere
Verbindung zwischen der Ostsee und dem schwarzen
Meer dadurch bewerkstelliget, daß er zwischen den
Flüssen Szczara, (Schtschara) und Pripetz,
einen Kanal zu Stande gebracht, weil der erst genannte Fluß in den Niemen, und der zweyte in den
Dnieper fällt. Dieser Kanal dienet zugleich zur
Austrocknung der großen Moräste im pinskischen
District. Es fänget acht polnische Meilen von der
Stadt Slonim in der Szczara an, gehet durch den
See Swiznica, und endiget im Fluß Jasiolda,
welcher in den Pripetz fällt, sieben Meilen von der
Stadt Pinsk. Seine Länge wird ungefähr acht
Meilen betragen. 1784 befuhr ihn der König; es
gieng auch ein Schiff von 35 Lasten aus Cherson durch
denselben nach Königsberg, und 1787 eines mit 100
Tonnen Salz. Die ganze Gegend, durch welche
er gehet, gehört dem gräflichen Hause Oginski, und
ist im pinskischen District.

Die Woiwodschaft Brzesc begreift zwey Districte
jeder hat seinen eigenen Grod, und hält seinen besondern Landtag, auf welchem zwey Landboten, und
zwey

zwey Deputirte erwählet werden. Die Senatoren sind der Woiwode und Kastellan von Brzesc. Die Fahne enthält die litauischen Reuter im blauen Felde.

1) **Powiat Brzeski,** hat 17000 Rauchfänge.

1) **Brzesc,** (Brsetz), die Hauptstadt der Woiwodschaft und des Districts dieses Namens, der Sitz des Woiwoden und eines größern Kastellans, des Landtags, Grods und Starosten des Districts, ist eine befestigte Stadt, mit einem auf einem Felsen gelegenen Schloß, am Fluß Bug, in einer morastigen Gegend. Außerhalb der Stadt ist ein königlicher Pallast und Garten. Die hiesige berühmte Synagoge der Juden, wird von dieser Nation aus allen europäischen Ländern und Reichen besucht, sowohl Studiens als Promovirens halber. Es ist hier ein griechischer Bischof.

2) **Rykowice,** ein Flecken.

3) **Olyzarostow** oder **Oleyzrostaw,** ein Städtchen.

4) **Wislyce** und **Czarnawszyce,** (Tscharnawschice) oder **Czornawczice,** Städtchen.

5) **Wolczyn,** (Wolrschin), eine kleine Stadt, welche 1783 durch ein Ungewitter verwüstet wurde.

6) **Ruzna** in Litauen, ein Flecken.

7) **Wysokie** in Litauen, ein Städtchen.

8) **Wierszchownice,** (**Wierschchownitz**) ein Städtchen.

9) **Puscza** (Pustscha) und **Mialawiska** oder **Miolawisla,** Städtchen.

10) **Szereszow,** (Schereschow), und **Pruszany,** (Pruschani), Städtchen. Das erste gehört dem Grafen von Flemming, und brannte 1755 fast ganz ab.

11) **Rzeczyca,** (Rsetschitza) Städtchen.

12) **Kobryn,** ein Städtchen, welches vor Alters den Titel eines Herzogthums gehabt hat. Es ist hier eine griechische mit der römischen Kirche vereinigte Abtey.

13) **Horodek,** ein Städtchen.

14) **Antopol** oder **Zantopol,** ein Städtchen.

15) **Kamien** und **Dwin,** Städtchen.

16) **Za**

16) Zablocie, ein Flecken.

17) Oltusz, ein Städtchen.

18) Slawatyce am Bug, ein Flecken, Wisznice, ein Städtchen.

19) Lomazy oder Ljemosy, ein Städtchen.

20) Koden oder Kodenof, ein Städtchen am Bug.

21) Pięsciasz, (Piensciatsch), ein Flecken.

22) Biala, ein Städtchen am Fluß Kisna, der Hauptort einer Grafschaft, dem fürstlichen Hause Radzivil zugehörig.

23) Therespol, ein Städtchen am Bug.

24) Pratulin, ein Flecken am Bug.

25) Janow, ein Flecken am Bug.

2) Powiat Pinski, hat 5000 Rauchfänge.

1) Pinsk oder Pinsko, die Hauptstadt des Districts, der Sitz des Landtags, Grods und Starosten desselben, liegt am Fluß Pina, mitten zwischen ungeheuren Morästen. Sie wird sowohl von Juden, welche hier eine Synagoge haben, als von allerhand Glaubensgenossen, insonderheit von Griechen bewohnt. Die letzten haben hier einen Bischof, der mit der römischen Kirche vereiniget ist. In dem ehemaligen Jesuiter-Collegium war eine Apotheke, eine Seltenheit in diesen Gegenden. Das Juchtenleder, welches hier verfertiget wird, hält man für das beste im ganzen Reich.

2) Strumien, ein Städtchen.

3) Dawidow, ein Städtchen zwischen zwey Armen des Flusses Slucz.

4) Turow, ein Städtchen am Przypiec.

5) Sniadin, eine Stadt am Fluß Przypiec.

6) Doroskiewice oder Doroskjowice, ein Städtchen.

7) Lukowa, ein Städtchen.

8) Zarecze und Olewska, Städte am Fluß Olewska,

9) Zubkowice, ein Städtchen.

10) Derby, ein Städtchen.

11) Rokitno, ein Städtchen.

12) Nowy Kowel, und Ratno, kleine Städte.

13) La

13) Lachowitz, (Lachowitsch) ein Flecken.

14) Janow, ein Städtchen.

15) Bedzycza, (Bedsitscha), eine Stadt.

16) Chomsk, ein Städtchen.

17) Bereza, ein Städtchen mit einer Karthause.

18) Pieski und Olzanv, Städtchen.

19) Podhacie und Lahyszyn, (Lahischin), Städt-chen.

20) Wychoniec oder Wychonice ein Städtchen.

21) Kozangrodek, oder Kosangorodek, ein Städt-chen.

22) Lachwa, ein Städtchen.

23) Wielkie Wielice, und Kolno, Städtchen.

2 Aus Schwarz = Rußland, Rus Tscharna,

welches größtentheils aus der Woi-wodschaft Nowogrodek, Woiwodztwo Nowogrodzkie, bestehet; die auf lateinisch Palatinatus Novogrodensis genannt wird. Sie ist in drey Districte abgetheilet, von welchen jeder sei-nen eigenen Landtag, Grod und Starosten hat, auch zwey Landboten, und zwey Deputirte erwählet. Es sind hier zwey Senatoren vom ersten Range, näm-lich der Woiwode und Kastellan von Nowogrodek. Die Fahne eines jeden Districts ist roth, und ent-hält den litauischen Reuter im blauen Felde.

1) Powiat Nowogrodzki.

1) Nowogrodek, die Hauptstadt der Woiwodschaft und des Districts gleiches Namens, stehet auf einem Berge, und ist der Sitz des Woiwoden, eines größern Kastellans, des Landtags, Grods und Starosten dieses Districts; es wird auch hier und zu Minsk, ein Jahr um das andere, das litauische Tribunalgericht 20 Wochen lang gehalten. Es sind hier unterschiedene katholische und griechische Kirchen und Klöster, und ein ehemaliges
Jesui-

Jesuiter = Collegium. Vor Alters wurde die Stadt und ihr District abgetheilten Prinzen des großherzoglichen Hauses eingeräumet. Die Stadt ist 1340 und 1390 zerstört worden.

2) Wsielub und Dolatycze, Städtchen.

3) Lubecz, (Lubetsch), eine Stadt am Fluß Niemen.

4) Korelice und Jeremice, Städtchen.

5) Turczec (Turtschek) ein Städtchen.

6) Rubiczewice, (Rubitschewitze) ein Städtchen.

7) Stolpce, oder Stolpcy, eine kleine Stadt am Fluß Niemen.

8) Swierzno oder Swierzyn, ein Städtchen am Fluß Niemen, woselbst ein griechisches Studium theol. dogmaticae et moralis und ein Seminarium ist.

9) Kunosy, ein Städtchen.

10) Mir, eine keine Stadt und festes Schloß mit einer Grafschaft, welche dem Hause Radzivil gehöret.

11) Nieszwiesz, (Nieschwiesch) oder Nieswiz, eine fürstlich Radzivilsche Residenzstadt, und der Hauptort eines Herzogthums und Majorats, welches 1589 bestätiget worden. Sie liegt am Fluß Uscha, hat ein ehemaliges Jesuiter Collegium, und eine regulirte Benedictiner Abtey. 1706 wurden die Festungswerke von den Schweden zerstöret.

12) Iskolosz, (Iskolosch) oder Iskoloz, eine Stadt.

13) Kleck, (Kletzk) eine keine Stadt, der Hauptort eines Fürstenthums, welches dem Hause Radzivil gehört.

14) Lipa, Czernichow, Zarylowo, Darew, Podlesie, Städtchen.

15) Nacza, (Natscha) und Cepr, Städtchen.

16) Lachowice oder Lachowicze, (Lachowitsche) eine keine Stadt, welche der Hauptort einer Grafschaft ist. Bey derselben wurden die Kosaken und Russen 1660 geschlagen. 1706 wurde sie von den Schweden eingenommen und verwüstet.

17) Lipsk, ein Städtchen.

18) Polonka, ein Städtchen, welches fast nur von Juden bewohnet wird.

19) Je=

19) Zeleznica, (Selesnißa) ein Flecken.

20) Nowy Mysz, (Misch) eine kleine Stadt, der Hauptort einer Grafschaft.

21) Stolowice, ein Städtchen und Commenthurey des Johanniter-Ordens, welche der Fürst Nic. Christoph Radziwil 1610 für seine Familie gestiftet hat.

22) Molczads, (Moltschads) auf andern Charten Molcarz, ein Städtchen.

23) Gure, ein Städtchen.

24) Dworzec, (Dworseß) ein Städtchen.

25) Waluwka, eine keine Stadt.

26) Nowagydle, ein Städtchen.

27) Zdziędciol, (Sdsiendziol) ein Städtchen.

28) Czyrin, (Tschirin) eine Stadt.

2) Powiat Slonimski,

1) Slonim, die Hauptstadt des Districts, und Sitz des Landtags, Grods und Starosten desselben. Hier wird auch der General-Landtag von Litauen gehalten. Es war hieselbst ehedessen eine Residenz der Jesuiten. Vor Alters wurde diese Stadt mit ihrem District abgetheilten Prinzen des großherzoglichen Hauses unter dem Titel eines Herzogthums eingeräumet.

2) Iniow, Driwina, Jargoma und Sczurecz, (Stschuretsch) Städtchen.

3) Mosty, eine keine Stadt, welche auf andern Landcharten zu dem Powiat Lidski in der Woiwodschaft Wilno, gerechnet wird.

4) Piaski, ein Städtchen am Fluß Zelwia.

5) Miedzyrzec, (Miendsirseß) ein Städtchen.

6) Dereczyn, (Deretschin), ein Flecken.

7) Rosz, (Rosch) ein Städtchen.

8) Lyszkow oder Luszkow (Lischkow, Luschkow), ein Städtchen.

9) Zdzytowo oder Zdzydow, ein Städtchen.

10) Roszow, (Roschow) ein Städtchen.

11) Zurowice oder Zyrowice, ein Städtchen.

12) Buszacz, (Buschatsch), Bytin und Zeziernica, Städtchen.

3) Pos

3) Powiat Wolkowyski.

1) Wolkowisk, die Hauptstadt des Districts, der Sitz des Landtags, Grods und Starosten desselben.

2) Izabelin und Jelwia, Städtchen.

3) Prozow oder Porozow, ein Städtchen.

4) Nowy Dwor, ein Städtchen.

4) Xziestwo Sluckie, das Herzogthum Slutzk,

Ducatus Slucensis, ist auf 30 Meilen lang und breit, und gehört dem Hause Radzwil.

1) Sluck, (Slutzk), eine große hölzerne Stadt am Fluß gleiches Namens, mit drey Schlössern, unterschiedenen katholischen und griechischen Kirchen, auch einer lutherischen und reformirten Kirche, und einem reformirten Gymnasium.

2) Horozow und Kozmin, keine Städte.

3) Kopyl, ein Städtchen, mit dem Titel eines Herzogthums, hat eine reformirte Gemeine und Kirche.

4) Radzylow, ein Städtchen.

5) Branczyce (Brantschize) ein Städtchen.

6) Romanow, ein Städtchen.

7) Kyewice, ein Städtchen

8) Siemieszow oder Siemiczow, ein Städtchen.

9) Bielowieze, (Bielowitsche), ein Städtchen.

10) Kaczlowice, (Katschlowitze), ein Städtchen.

11) Urzecze, (Ursetsche), eine Stadt.

12) Oresa, eine Stadt.

13) Pohost, ein Städtchen.

14) Roza, ein Städtchen.

15) Luban, eine Stadt am Fluß Oresa.

16) Wolczyn oder Wielczyny, eine kleine Stadt.

17) Petrykowo, eine Stadt am Fluß Prypiec.

18) Rzaryce, ein Städtchen.

Anmerk. Die Powiaty Mozyrski und Rzecziki gehören zwar auch zu Schwarz-Rußland, aber zu der Woiwodschaft Minsk.

2 Th. 8 A.   T   3 Aus

3 **Aus Weiß-Rußland, Rus Biala,** Ruſſia alba, welches ehemalige Stück von Rußland vermuthlich von den Litauern also genannt worden, um diese von ihnen eroberte Provinz von dem übrigen ruſſiſchen Reich, oder von Groß-Rußland, zu unterscheiden. Es ist aber nicht gewiß bekannt, woher das Beywort weiß kommt? oder, was es anzeigen soll? Es begreift seit 1772 nur noch folgende Woiwodschaften, nachdem das übrige an Rußland gekommen ist.

1) **Woiewodztwo Minskie, die Minskische Woiwodschaft,** Palatinatus Minſcenſis. Sie hat drey Diſtricte, in deren jedem ein Landtag gehalten wird, um zwey Landboten und zwey Deputirte zu erwählen. In derselben sind zwey Senatoren vom erſten Range, nämlich der Woiwode und Kaſtellan von Minsk. Ihre Fahne iſt, purpurfarbig, und enthält den Litauiſchen Reuter im rothen Felde.

(1) **Powiat Minſki,** hat 5000 Rauchfänge.

1) **Minsk,** die Hauptſtadt der Woiwodſchaft und des Diſtricts dieſes Namens, ſtehet am Fluß Swiſlotſch. Sie iſt der Sitz des Woiwoden, eines größern Caſtellans, einer Staroſtey, des Landtags und Grods dieſes Diſtricts, und alle zwey Jahre eines Tribunalgerichts, ſ. Wilna und Novogrodek. Es ſind hier zwey Schlöſſer, ein ehemaliges Jeſuiter-Collegium, und eine griechiſche mit der römiſchen Kirche vereinigte Abtey. 1656 wurde ſie von den Ruſſen eingenommen.

2) **Horodyszcze** (Horodiſchtſche) eine kleine Stadt, in welcher eine regulirte Benedictiner-Abtey iſt.

3) **Horodek Oſtrowczycki,** eine kleine Stadt.

4) **Horodek Solomireczki,** eine kleine Stadt.

5 **Koy-**

5 Kordanow, ein Städtchen, der Hauptort einer Grafschaft, welche dem Hause Radziwil gehört. Es ist hier eine reformirte Kirche.

6) Krasnojesielo, ein Städtchen.

7) Bielorucz (Bielorutsch) ein Städtchen.

8) Chorow, ein Städtchen.

9) Wolna, ein Städtchen.

10) Kakow und Zaslaw, Städtchen.

11) Radzoszkowice oder Radoszkowicze, (Rádoschkowitsche) eine Stadt.

12) Kolodziele oder Kolodzieje, ein Städtchen.

13) Berezyna oder Bereczyna, ein Städtchen am Fluß gleiches Namens.

14) Dolszyce, (Dokschitze) eine Stadt, bey welcher der Fluß Berezyna entspringt.

15) Gruska und Krupki, Flecken.

16) Bobr, eine keine Stadt.

17) Nieszyce, Kryczin und Zabin, Städtchen.

18) Radziwilow ein Flecken.

19) Boryszow, (Borisschow) ein Städtchen am Fluß Berefina.

20) Antopol und Smolewice oder Smolewicze, Städtchen.

21) Jhumny oder Igumny, eine keine Stadt.

22) Lubaszyn, (Lubaschin), ein Städtchen.

23) Brodzrec, (Brodsietz), und (Swislocz, Swisslotsch), kleine Städte.

24) Boguszowice, (Boguschowitze), Eczyce (Otschitze) und Dukora, Städtchen.

25) Citwa und Hrebnia, kleine Städte.

26) Mohylna, ein Städtchen.

27) Szak, (Schak) ein Städtchen.

28) Piaseczná, (Piasetschna), ein Städtchen.

29) Zyczyn, (Sitschin) ein Städtchen.

T 2　　　　　(2) Po

(2) **Powiat Rięcyck**, hat 850 Rauchfänge.

1) **Rzeczyca**, (Rsentschitza) eine Stadt, am Dniepr.

2) **Smiczok**, (Smitschok) ein Städtchen.

3) **Horwal**, ein Städtchen am Fluß Bereſing.

4) **Strzeszyn**, (Strseschin) ein Flecken.

5) **Popolowa** und **Doboszna**, Städtchen.

6) **Bobryſk**, eine kleine Stadt am Fluß Bobruia, der ſich hier mit der Bereſina vereiniget.

7) **Sloboda Krolowſka**, am Fluß Bereſina.

8) **Herbasze**, (Herbaſche) oder **Horbáczewicze** (Horbatſchewitſche) ein Städtchen.

9) **Sluſko Dobrowiecki** und **Sluſko Poharyale**, Städtchen.

(3) **Powiat Mozyrſki**, hat 1000 Rauchfänge.

1) **Mozyr**, die Hauptſtadt des Diſtricts, der Sitz des Landtags, Grods und des Staroſten deſſelben, ſtehet am Fluß Pripetz.

2) **Babica**, eine Stadt am Fluß Pripetz.

3) **Antoniow**, ein Städtchen.

2) **Woiewodztwo Polockie, die Woiwodſchaft Polock**, Palatinatus Polocenſis, hat alles Land jenſeits der Düna, und alſo auch die Hauptſtadt, von welcher ſie benannt wird, verloren. In dem Stück dieſſeits der Düna, welches bey Litauen geblieben iſt, ſind die folgende Städte. Die purpurfarbichte Fahne, enthält den litauiſchen Reuter im rothen Felde.

1) **Pſuja**, ein Städtchen an einem See.

2) **Prozoroki**, auf einigen Charten Proſorony, ein Städtchen.

3) Bo=

3) Bobynicze, (Bobinitsche), ein Städtchen an eben dem See, an welchem Pfuja steht.

4) Plysa, eine Stadt an einem See.

5) Kublicze, (Kublitsche), ein Städtchen, und Uszaczka, (Uschatschka), ein Flecken am Fluß gleiches Namens, der sich unterhalb desselben mit der Dwina vereiniget. Er war ehedessen ein fester Platz.

6) Sieliszcze, (Sielischtsche), ein Städtchen.

7) Woron, ein Städtchen.

8) Stary und Nowy Lepel, zwey Städtchen an einem See.

9) Susza, (Suscha), ein Städtchen an einem See.

10) Kamien, ein Städtchen an eben demselben See, an welchem das vorhergehende steht.

11) Ula, ein Städtchen am Fluß Düna, bey welchem die Russen 1564. geschlagen wurden.

12) Czaszniki, (Tschaschniki) ein Städtchen, woselbst die Russen 1567 geschlagen worden.

13) Czereja, eine kleine Stadt.

14) Krasnislaw, ein Städtchen.

III. Xzieſtwo Zmundzkie, das Herzogthum Smuids, oder in der Landessprache Szamaiten, (Schamaiten), lateiniſch Ducatus Samogitiae,

hat von alten Zeiten her den Litauern gehört, und ist mit denselben entweder von einerley, oder von einem besondern Herzog regieret worden. 1404 wurde es den deutschen Rittern überlassen, vier Jahre hernach aber wieder genommen, und 1411 versprochen, daß sie es nach des Königs Uladislaus Jagello und Großherzogs Alexanders Tode wieder haben sollten. 1431 nahm es den christlichen Glauben

T 3   an,

an, und außer einem Bisthum, wurden daselbst
noch andere geringe geistliche Aemter gestiftet. Das
Land ist waldicht, hat aber doch viel fruchtbaren
Boden und ungemein viel Honig. Es hat drey Senatoren vom ersten Range, nämlich einen Bischof,
Starosten und größern Kastellan. Der Starost
wird von dem Adel gewählet, hat mitten unter den
Senatoren seinen Sitz, denn er hat unter den weltli-
chen Senatoren des Großherzogthums Litauen, den
fünften Platz. Man rechnet in Schamaiten 6300
Feuerstellen. Das Land ist in fünf und zwanzig
Districte abgetheilet, welche heißen: Wilkis,
Wielona, Eyragoly, Jaswony, Tendzias
gol, Rosiene, Widuklew, Arozki, Kor-
schew, Birzniany, Malik Dirwian, Wie-
schwian Pogur, Tives, Wiekiech Dirwian,
Schawdowo, Telsze, Uzwidy, Retow,
Gondin, Berzan, Zorany, Polongow und
Plotele. In einem andern Verzeichniß, lauten
unterschiedene Namen ganz anders. Sie stehen insgesammt unter der Starostey zu Rosien. Eben daselbst werden die Landtage gehalten, um zwey Landboten und drey Deputirte zu erwählen. Die Districte sind nirgends abgezeichnet und beschrieben, daher ich die Oerter nach denselben nicht ordnen kann.
Es sind aber folgende Oerter die merkwürdigsten.

In dem südlichen Theil der Landschaft.

1) Rosiene, die ehemalige Hauptstadt des Landes,
ist jetzt nur in einem geringen Zustande, aber doch noch
der Hauptort eines Districts, und der Sitz des Landtags,
Grods und Starosten dieses Herzogthums. Es ist hier
ein Collegium P P piarum scholarum. Sie liegt am
Fluß Dubisza, (Dubischa). ‒

2) Wi=

2) Widukle, ein Städtchen, der Hauptort eines Districts.

3) Taurogi, Tauroggen, ein Städtchen am Fluß Jura, der Hauptort einer Herrschaft, welche gute Pferde= und Hornvieh=Zucht, auch Fischerey und Wildpret hat. Sie ist durch Ludovica Carolina, Prinzeßinn von Radziwil, welche Markgrafen Ludwig von Brandenburg zum Gemahl gehabt hat, an das churbrandenburgische und königl. preußische Haus gekommen, dem sie noch gehört.

4) Woynuta, ein Städtchen.

5) Gardensk, ein Städtchen.

6) Seydany, ein Städtchen.

7) Twery, ein Städtchen.

8) Retow, ein Städtchen, der Hauptort eines Districts.

9) Zorany, ein Städtchen, der Hauptort eines Districts.

10) Plongiany, oder Plouguny, ein Städtchen.

11) Uswidy, oder Uzwieta, (Uswienta), ein Städtchen, der Hauptort eines Districts.

12) Kurtowiany, ein Städtchen.

13) Radzywilowka, ein Städtchen.

14) Koginiany, ein Städtchen.

15) Szawdowo, (Schawdowo), ein Städtchen, der Hauptort eines Districts.

16) Szawlany, (Schawlani), ein Städtchen.

17) Wornie, oder Miednik, eine keine Stadt, der Sitz des Bischofs von Schamaiten. Dieses Bisthum ist 1417 von Wladislaw Jagello gestiftet worden.

18) Kielmy, ein Städtchen.

19) Kroze, eine Stadt, mit dem Titel einer Graffschaft.

20) Koltyniani, ein Städtchen.

21) Lydowiany, ein Städtchen.

22) Beysagola, ein Städtchen.

T 4

23) Cy=

23) Cytowiany, ein Städtchen.

24) Grynkiszki, (Grinkischki), ein Städtchen.

25) Szydlow, und Krokinow, Städtchen.

26) Kroki, ein Städtchen, der Hauptort eines Districts.

27) Betygola, oder Bietigola, und Surwiliszki, (Surwilischki), oder Sierweliszki, Städtchen.

28) Gidrakol, ein Städtchen.

29) Evragola, eine kleine Stadt, der Hauptort eines Districts.

30) Pernarewo, ein Städtchen.

31) Jaswoyny, oder Jaswony, eine kleine Stadt.

32) Jeslok und Czogiszki, (Tschogischki), Städtchen.

33) Kieydany, Cajodunum, eine Stadt am Fluß Niewioga, der Hauptort einer Grafschaft, welche dem fürstlichen Hause Radziwil gehört. In der Stadt ist außer einer katholischen Kirche und einem Karmeliter Kloster, auch eine lutherische Kirche, eine reformirte mit einem Gymnasium, und eine russische Kirche.

34) Wielona, ein kleine Stadt am Fluß Niemen, der Hauptort eines Districts.

35) Jurborg, Georgenburg, eine kleine Stadt, am Fluß Niemen, der Hauptort eines Districts.

36) Gielgady und Szaski, (Schaski), Städtchen.

37) Bogoslawienstwo, ein Städtchen.

38) Szrednik, ein Städtchen am Fluß Niemen.

39) Czerwony Dwor, (Tschetwony Dwor), ein Städtchen am Fluß Niemen.

40) Sapiezyszki, ein Städtchen am Fluß Niemen.

41) Kubile, ein Städtchen.

42) Grzyszkabudzie, ein Städtchen.

43) Wladislawow, ein Städtchen.

44) Wierzbolow, ein Städtchen.

In

In dem nördlichen Theil der Landschaft liegen,

45) Piątek, (Piontek), eine Stadt.

46) Szawle, (Schawle), ein Städtchen.

47) Kurszany, ein Städtchen.

48) Popielany, ein Städtchen.

49) Mozeiky, ein Städtchen.

50) Okmiany, ein Städtchen.

51) Szakinow, (Schakinow), ein Städtchen.

52) Janiszki, (Janischki), eine kleine Stadt.

53) Zagory, ein Städtchen.

54) Byrziniany, eine keine Stadt, der Hauptort eines Districts.

55) Tyrkszlew, (Tirkschlew), ein Städtchen.

56) Szkudy, (Schkudi), Schoden, ein Städtchen.

57) Masiady, ein Städtchen.

58) Plotéle, eine kleine Stadt der Hauptort eines Districts.

59) Tryszki, (Trischki), eine keine Stadt, der Hauptort eines Districts.

60) Telsze, (Telsche), eine kleine Stadt, der Hauptort eines Districts.

61) Lukinga, ein Städtchen.

62) Olsiady, eine keine Stadt.

63) Kretinga, Krotingen, ein Städtchen.

64) Polaga, (Polonga), Polangen, ein Städtchen, der Hauptort eines Districts.

65) Korszany, (Korschani), ein Städtchen.

IV. Zu Polen und Litauen zugleich,

gehören

die Herzogthümer Curland und Semgallen.

§. 1.

Diese Lande sind zugleich mit Lief- und Esth-Land auf unterschiedenen ältern Charten, jedoch sehr mangel- und fehlerhaft abgebildet. Eine besondere und gute, obgleich nicht vollkommene Charte von denselben, hat M. Adolph Groot, ehemaliger Prediger zu Windau, verfertiget, und desselben Sohn Adolph Groot, vollendet: und sie ist 1747 zu Nürnberg bey den homannischen Erben auf zwey Bogen unter des curländischen Ober-Baumeisters Barnikel Namen, ans Licht getreten. Im Jahr 1770 erschien sie in Kanters Verlage zu Berlin von Schleuen gestochen, von dem jüngern Groot verbessert, und in die Kirchspiele abgetheilt.

§. 2 Das Wort Curland, in der lettischen Sprache Kur-Semme, soll so viel als Juhr-Semme, das ist, ein Land, das sich an oder in die See erstrecket, auf deutsch Seeland, heißen. Es hat zu Gränzen gegen Abend die Ostsee, gegen Mitternacht den rigischen Meerbusen und Liefland, gegen Morgen das eigentliche Litauen, (mit welchem die Gränze nicht ganz richtig ist), und gegen Mittag Schamaiten. Die Länge desselben beläuft sich über 50 und die größte Breite auf 30 Meilen,

an

an andern aber nicht die Hälfte, ja es läuft gegen Osten ganz spitzig zu.

§. 3 Das Land hat mehrentheils, im Golding-schen, Windauschen, Alschwangschen ꝛc. ausgenommen, einen starken, setten und thonichten Boden, und es sind viele Wälder und Sümpfe darinn anzutreffen; daher sind die curländischen Wege so beschrien. Im Herbst und Frühjahr stehen die niedrigen Wiesen unter Wasser, welches aber eine Art der Düngung für sie ist. Die ehemaligen guten Landwirthe haben sich bemühet, die sumpfichten Oerter trocken, und zu Teichen, die sie Stauungen nennen, zu machen; diese werden drey Jahre nach einander mit Sommersaat besäet, hierauf aber wieder drey Jahre unter Wasser gesetzt, und mit Fischen versehen, da sie denn ruhen. Sonst giebt es in Curland gute Aecker, vortreffliche Wiesen, guten Flachsbau, einen Ueberfluß an Seefischen, in den Wäldern, Bären, Wölfe, Lüchse, Füchse, Marder, und Elanthiere, Hasen und wilde Schweine, und insonderheit vielerley Federwildpret, an der Ostsee viel Bernstein; und außerdem Eisen-Stein-und Gyps-Gruben, und Gesundbrunnen. Die vornehmsten Flüsse sind außer der Düna; die Curland von Liefland scheidet, die Windau, lettisch Wenta, welche in Schamaiten entspringt, und bey der Stadt Windau in die Ostsee fällt; und die Aa, lettisch Leela Uppe, d. i. der große Bach, welche diesen Namen erst bey Bauske bekömmt, wo die Muß und Memel, litauisch Musch und Niemen, sich vereinigen. Beyde entspringen in Schamaiten, und alle Höfe in Litauen, die an der Musch liegen, heissen

sen

sen Pomusch, und die an der Memel heißen Po-
niemen. Die kleinen Flüsse sind, Abau, Berse,
Bartau, Anger, Eckau, Sussey, u. a. m.

§. 4 Die Einwohner des Landes, sind theils
Deutsche, theils Letten, theils Lieben oder Lie-
wen, welche letzten aus Liefland nach der Gegend
Kolke, vier Meilen dießseits und vier Meilen jenseits Domesneß, nach der windauischen Seite zu,
gekommen zu seyn scheinen, zwar unter sich noch ihre
alte Sprache reden, ihren Gottesdienst aber in letti-
scher Sprache haben. Es sind also die deutsche
und litauische Sprache, die Hauptsprachen in
Curland, und in beyden wird in allen Kirchen Gottesdienst gehalten, nämlich erst in der lettischen, und
alsdenn in der deutschen. Die Wohnungen der Letten in Semgallen, sind ganz schwarze Rauchstuben,
die, weil sie bloß von über einander gelegten und
mit Moos verstopften Balken erbauet, und mit
Stroh gedeckt sind, gar leicht in Brand gerathen.
In dem eigentlichen Curland wohnen sie etwas ordentlicher. Die wenigsten Letten können lesen, woran
der Mangel an Schulen Schuld ist. Curland nahm
1522 die evangelische Lehre an, vereinigte sich auch
darüber 1532 durch ein besonderes Glaubensbündniß
mit den rigischen; es war daher ganz lutherisch,
als es sich der Krone Polen unterwarf, und man
fand keinen Katholiken im Lande. Allein, die nachmaligen Irrungen, welche zwischen den Herzogen
und Edelleuten entstanden, und verschiedene polnische Befehle und Commissionen nach sich und ins
Land zogen, haben der Katholischen Religion den
Weg ins Land geöffnet, und ihr Kirchen verschaffet,

so

so daß sie nunmehr mit der lutherischen einerley Vorrechte hat, die 1717, 27 und 68 sehr erweitert worden. Da auch einige Edelleute die katholische Religion angenommen, und in ihren Kirchen einzuführen gesuchet haben: so ist derselben Ausbreitung dadurch ansehnlich befördert worden; ja, 1758 bekam das Land auch einen römisch-katholischen Herzog. Durch die Vermählungen der Herzoge mit Prinzessinnen von dem reformirten Glaubensbekenntniß, sind auch Reformirte in das Land gekommen, welche Kirchen erbauen dürfen, aber durch die Gesetze von allen Landesbedienungen ausgeschlossen sind. Seit 1754 ist das Gesetz, daß die Juden dieses Land ganz vermeiden sollen, fest geblieben, doch ist es nicht strenge beobachtet worden. Die evangelisch-lutherischen Kirchen, sind entweder in den Städten, oder auf dem platten Lande. Jene, sind entweder Kirchspiels-Kirchen, d. i. solche, bey welchen der Landesherr das Patronatrecht, der eingesessene Adel aber nebst den Städten selbst das Compatronatrecht besitzen: oder solche, über welche die Städte durch landesfürstliche Privilegia das Patronatrecht ganz allein haben. Die Landkirchen, werden eingetheilet, in Kirchspiels- Amts- und adeliche Kirchen. In den ersten sind entweder die eingesessenen Edelleute allein, oder zugleich mit dem Fürsten, Patronen, in den zweyten ist der Herzog allein Patron, und in den dritten hat der Adel, ganz allein das Recht die Prediger zu wählen und zu berufen, und es ist keine fürstliche Bestätigung nöthig. Alle Prediger ohne Ausnahm, stehen unter dem fürstlichen Consisto-

rium,

rium, und unter der Aufsicht des Superintendenten,
der Pröbste, und der Kirchen=Visitatoren. Den
Superintendenten und die Pröbste setzet der Herzog
allein, die Kirchen-Visitatoren aber schläget auf einem Landtage die Landschaft vor, und der Herzog
bestätiget sie durch den Landtageabschied.

§. 5 Der curländische Adel, oder eine wohl-
gebohrne Ritter= und Landschaft der Herzogthümer Curland und Semgallen, hat große
Vorrechte, und unterscheidet den alten von dem
neuen Adel sehr sorgfältig. Weil aber nur in den Jahren 1620, 31 und 34 Ritterbänke, gehalten worden
den; so sind sehr viel neue Geschlechter hinzu gekommen, die nicht mit in den Verzeichnissen gedachter
Ritterbänke stehen. Nach Maßgebung eines Rit-
terbankschlusses vom Jahr 1634, und einer Verordnung vom Jahr 1676, kann kein neuer Edelmann
bis ins dritte Geschlecht eine Ehrenstelle erlangen,
oder ein obrigkeitliches Amt verwalten; man kann
ihn auch nicht zum Gesandten machen; es sey denn,
daß er sich um die Republik gar sehr verdient gemacht habe, oder von einigen alten Häusern aufgenommen sey. Ein curländischer Edelmann hat das
Recht des Indigenats in Polen, so wie ein polnischer in Curland, beyde aber genießen die damit verknüpften Vorrechte nur alsdenn, wenn sie sich an
Ort und Stelle ansässig gemacht haben, und ein
Curländer gelanget jetzt schwerlich zu einem Ehren-
amt in Polen, wenn er nicht katholisch wird; ein
katholischer Pole aber kann in Curland eine der ersten Stellen erhalten, die Kanzlerwürde ausgenommen. An den polnischen Reichstagen nimmt der
curische

curiſche Adel kein Theil. Ein Edelmann, der am
Seeſtrande wohnet, hat das Strandrecht. Ein Edelmann kann nicht leicht gefangen genommen werden.
Noch andere Verordnungen von 1569, 76, 87, 88
und 1650 befreyen ihre Unterthanen, Vaſallen und
Hausgenoſſen von Auflagen, Zoll und Acciſe von
dem, was ihnen zugehört, und man darf keine Soldaten auf ihren Gütern einquartieren. Sie beſitzen
ihre Güter erb- und eigenthümlich, und zur Erhaltung der Geſchlechter iſt das Recht der Erſtgeburt
eingeführt. Sie geben von ihren Erbgütern ganz
und gar keine Steuern noch andere ordentliche Abgaben, ſondern nur in Kriegeszeiten den Roßdienſt, in
Anſehung deſſen 1727 beliebet worden, daß er künftig aus 200 Reutern (von ungefähr eben ſo viel Haken) beſtehen, oder der Adel an deſſelben Statt im
erſten Jahr des Kriegs 30,000 Thaler, und in den
folgenden jährlich 10,000 Thaler geben ſolle. Der
Adel hat ſeine Unterthanen auf den Erbgütern allein
zu ſeinen Dienſten, und der Herzog kann ſie zu keinen andern Dienſten zwingen. Der Adel kann auch
ſeinen Unterthanen eigne Ordnungen machen, doch

in Civilſachen unter ſeinen Unterthanen nach Gutdünken, und die Leibesſtrafen ſtehen ganz in ſeiner
Gewalt, daher er ſeinen Bauer mit Ruthen ſtrei-
chen laſſen kann, ſo oft er es nöthig findet. Der
eigentliche Staupenſchlag durch Büttels Hand, iſt
hier ſo wenig als die Landesverweiſung gewöhnlich,
weil der Erbherr dadurch einen Unterthan verlieren
würde, den er doch aufs möglichſte zu erhalten ſucht.
Hat der Bauer ein Verbrechen begangen, auf welches

ches die Lebensstrafe gesetzt ist, so muß der Gutsherr
ein Criminalgericht ansetzen, und darüber erkennen
lassen, welches in den Statuten bey hundert Gülden
Strafe befohlen worden. Die Edelleute sind insgesammt einander gleich. Sie haben in den Kirch-
spielskirchen das Patronatrecht mit dem Herzog gemeinschaftlich; außerdem aber hat der Herzog solche, davon er allein Patron ist, und der Adel gleichfalls, in dessen Kirchen der Superintendent mit Zuziehung einiger benachbarten Prediger, die neuen
Prediger auf Verlangen des Adels ordiniret und ein-
führet. Sie können jagen, wo sie wollen; unter
Herzogs Karl Regierung aber sind die alten Kam-
merjagden um Mitau wieder hergestellt, und dem
Adel ist untersagt worden, daselbst und auf fürstlicher Gränze zu jagen. In Kriegszeiten, oder wenn
die Verbindungen mit der Republik Polen es mit
sich bringen, leisten sie ihren durch Verträge aus-
gemachten Roßdienst, und der Herzog sein Vasalla-
gium besonders; sollen sie aber sämmtlich aufsitzen,
so muß sie der Herzog persönlich anführen. Jetzt
ist kein Fall abzusehen, da ein Herzog von Curland
das Recht zum Kriege auszuüben Gelegenheit haben sollte.

§. 6. Curland gehörte ehedessen zu Liefland, und
hat mit demselben bis ins dreyzehnte Jahrhundert
einerley Veränderungen erfahren. Beydes ward
von dem deutschen Orden eingenommen, welcher
auch bis 1561 darinn regieret hat. Als aber um
diese Zeit die Russen in das Land fielen, und der Orden
sich selbst nicht mehr zu helfen wußte: trat der letzte
Herrenmeister, Gothard Ketler, Liefland an den
König

König von Polen, als Großherzog von Litauen, ab, und ließ sich dagegen von demselben mit Curland und Semgallen, als weltlichen Herzogthümern, erblich belehnen. Solchergestalt nahmen 1561 die Herzogthümer Curland und Semgallen ihren Anfang, welche 1569 auf dem Reichstage zu Lublin eben sowohl mit Polen als Litauen vereiniget wurden. Der neue Herzog führte die evangelische Religion völlig ein. Zwischen desselben Söhnen und Nachfolgern, den Herzogen Friderich und Wilhelm an einer, und dem curländischen Adel an der andern Seite, entstanden im Anfange des siebzehnten Jahrhunderts große Unruhen, welche eine polnische Commißion nach sich zogen, die 1617 eine Regiments-Formel und gewisse Statuten errichtete, dadurch die herzoglichen Rechte in vielen Stücken geschwächet wurden; es ward auch den Katholiken die freye Religions-Uebung, und den Polen und Litauern das Indigenat, ja wenn sie sich anseßig machten, der Zutrit zu allen Ehrenämtern verschaffet. Herzog Jacob verbesserte seine Finanzen und den Handel sehr, errichtete Handels-Verträge mit verschiedenen europäischen Höfen, es ward ihm 1664 von England die caribische Insel Tabago in Amerika abgetreten, er rüstete für andere Mächte Kriegesschiffe aus, und schickte dem polnischen Könige 1652, außer seiner Lehnspflicht, tausend Mann zu Fuß zu Hülfe. Unter dem sechsten Herzog Friderich Wilhelm, wurde das Land im Anfang des achtzehnten Jahrhunderts von den Schweden und Russen sehr mitgenommen; er vermählte sich aber 1710 mit der russischen Prinzeßinn Anna, die nach seinem 1711 er-

2 Th. 8 A.   U   folg-

folgten Tode, unter dem Schutz ihres Oheims, des
Zaren Peters des erſten, im Beſitz des Herzogthums
blieb, und 1716 ihren Wittwenſitz in Mitau nahm.
Es mußten ihr die meiſten und beſten herzoglichen
Aemter, welche nicht verpfändet waren, eingeräumet
werden, ſie löſete auch von den verpfändeten die ein-
träglichſten ein, ſo daß von den übrigen Aemtern
unmöglich ein fürſtlicher Hofſtaat unterhalten werden konnte. Es kam zwar des verſtorbenen Herzogs Vaters Bruder, Ferdinand, die Regierungsnachfolge zu, welche er auch antrat, aber nicht wegen der Religionsveränderung, die falſch iſt, ſondern um deswillen mit dem Adel viele Streitigkeiten
hatte, weil er ſich meiſtens außerhalb Landes aufhielt, und abweſend die Regierung verwalten wollte,
auch Pfandhalter mit Gewalt aus fürſtlichen Gütern
verſtieß. Daher mußte 1717 eine eigene Commiſ-
ſion aus Polen nach Curland abgehen, welche dem
Herzog Ferdinand, ſo lange er abweſend wäre, und
das Lehn nicht empfangen hätte, die Regierung abnahm, und den Oberräthen ließ, welche ſie auch
bis 1737 führten. Es berathſchlagten ſich auch die
polniſchen Stände darüber, wie ſie das Land nach
dem Tode des Herzogs Ferdinand dem Königreich einverleiben, und es in Woiwodſchaften theilen wollten.
Dieſes verurſachte den curländiſchen Ständen allerley Sorgen wegen ihrer Religion und übrigen Freyheiten, daher ſie, des königl. Verbots ungeachtet
am Ende des Junius 1726 zu Mitau einen außerordentlichen Landtag hielten, und auf demſelben der
Königs in Polen natürlichen Sohn, Grafen Mori
von Sachſen, mit allen ſeinen Nachkommen männliche

lichen Geschlechts, zum Nachfolger Ferdinands,
nach dem Tode desselben, bestimmeten. Gegen diese
Wahl, setzte sich nicht nur der Herzog Ferdinand, sondern auch Polen erklärte sie 1727 auf dem Reichstage zu Grodno für ungültig, und setzte die nähere
Verknüpfung des Landes mit dem Königreich nach
dem Tode Ferdinands, durch ein neues Gesetz fest.
Die patriotisch-gesinneten Curländer beschwerten sich
über diesen Eingriff, welchen die Republik Polen
in ihre Freyheiten gewagt, aufs stärkste, und behaupteten, daß die Stände des Herzogthums das Recht,
einen Fürsten zu wählen, von ihren Vorfahren erhalten, und durch keinen einzigen versuchten Eingriff verloren hätten. Sie beriefen sich auf die Un-
terwerfungs-Verträge, in welchen ausgemacht sey,
daß Curland zu ewigen Zeiten eine mittelbare deutsche Obrigkeit, folglich auch das Recht behalten solle,
sich nöthigenfalls einen Fürsten zu erwählen. Ich
fahre aber in der Erzählung fort. Als Anna Iwa-
nowna nach Peters II Tode im Jahr 1730 den
russischen Thron bestieg, vermählte sich der fünf und
siebzigjährige Herzog Ferdinand mit Johanna Mag-
dalena, einer Prinzessinn von Sachsen-Weissenfels,
und empfieng 1731 durch seinen Gesandten Friderich
Goth. von Bülow zu Warschau die ordentliche Belehnung vom Könige. Weil er aber dem Lande
nicht traute, sondern glaubte, es sey voll von Mis-
vergnügten und seinen Feinden, so kam er nicht zum
wirklichen Besitz desselben. Unterdessen ließ die
Kaiserinn Anna nach dem Tode des polnischen Königs August des zweyten, ihre Truppen in Curland
einrücken, weil sie es zur Errichtung eines Waffen-

U 2   pla-

plaßes, und Anlegung eines Theils der Magazine,
für sehr bequem ansah. Eben dieselbe hatte schon
vorher 1732 am polnischen Hof erklären lassen, daß
sie in die unmittelbare Einverleibung des Landes niemals willigen, sondern dasselbe bey seinem Recht,
als ein Lehn der Republik unter seinen eigenen Herzogen zu stehen, beschützen würde. Dieses ließ sich
auch die Republik Polen endlich gefallen, und beschloß 1736 auf dem Pacifications-Reichstage zu
Warschau, daß nach Abgang des Kettlerischen
Stamms mit dem Herzog Ferdinand, das Herzogthum Curland, vermittelst freyer Wahl der Stände,
seine eignen Herzoge haben sollte. Da nun im folgenden Jahr nach Ferdinands Tode, mit welchen
der Kettlerische Mannsstamm ganz ausgieng, die
Wahl der Stände, auf Empfehl der russischen Kaiserinn, ihren Ober-Kammerherrn, des heiligen
römischen Reichs Grafen Ernst Johann von Biron, einen gebornen Curländer, und desselben männliche Nachkommen, traf: wurde dieselbe 1737 durch
ein Senatus Consilium zu Fraustadt bestätigt, und
die wirkliche Belehnung des neuen Herzogs erfolgte
1739 an seinen Bevollmächtigten. Allein, sein
Glück wurde bald unterbrochen; denn die russische
Großfürstinn und Regentinn Anna ließ ihn 1740
mit seiner ganzen Familie in Verhaft nehmen, und
schickte ihn 1741 ins Elend. Die curländischen
Stände erwählten zwar 1741 den Herzog von Braun-
schweig-Wolfenbüttel, Ludewig Ernst, der russischen
Regentinn Gemahls Bruder, zum neuen Herzog;
es ist aber diese neue Wahl nie zur Wirkung gekommen, hat auch ohne Gewalt nicht dazu kommen können.

nen. 1758 wurde durch ein Senatns Confilium der herzogliche Stuhl für erledigt erkläret, und der königlich polnische und churfürstlich-sächsische Prinz Karl zum Herzog von Curland ernennet, zu dessen Vortheil die russische Kaiserinn Elisabeth auf alle ihre Forderungen an dieses Herzogthum, Verzicht that. Im Anfang des Jahrs 1759 erfolgte seine Belehnung: doch wollten sich die curländischen Landstände nicht eher zur Huldigung verstehen, als bis der neue Herzog ihnen gewisse Reversalien, welche die Sicherheit der evangelischen Religion betrafen, ausgestellet hatte, worauf die Huldigung noch in eben demselben Jahr erfolgte. 1762 geschahen in Ansehung Curlands wichtige Dinge; denn erstlich rief der russische Kaiser Peter der dritte der Herzog Ernst Johann und seine Familie, von Jaroslawl, wo er viele Jahre lang gewohnet hatte, zurück, und setzte ihn in völlige Freyheit; hiernächst aber gieng er mit dem Vorhaben um, nach vorhergegangener Verzichtleistung Herzogs Ernst Johann auf Curland, seinen Oheim, den Herzog Georg Ludewig von Holstein-Gottorf, zu der Würde eines Herzogs von Curland und Semgallen zu verhelfen. Als aber seine Absetzung und sein Tod die Ausführung dieses Vorhabens hinderte, gab die Kaiserinn Katharina die zweyte nicht nur dem Herzog Ernst Johann die ihm ehemals zuständig gewesenen Güter in Curland, welche bis dahin unter russischer Verwaltung gestanden hatten, zurück, sondern entließ ihn auch mit seiner Familie nach Curland, und versicherte ihn und die Seinigen Ihrer Gnade und Beschützung. Der Herzog ließ von S. Petersburg aus

U 3   unterm

unterm 20 Jul. ein Refcript an die curländifchen
Oberräthe und Landfchaft ergehen, darinn er fich
dem vom Herzog Karl auf den 5ten Auguft ange-
fetzten Landtag widerfetzte, und erklärte, daß, da er
fich keines Lehnfehlers gegen die Republik und den
König von Polen bewußt fey, er auch nicht gewillet
fey, feine auf die Herzogthümer Curland und Semgallen unftreitig erworbenen Rechte fahren zu laffen.
Der vorgewefene Landtag wurde dadurch rückgängig
gemacht, und Herzog Ernft Johann reifete am 23
Auguft a. St. von S. Petersburg ab, um von Curland wieder Befitz zu nehmen. Er kam nicht allein
1763 wirklich dazu, und Herzog Karl mußte weichen; fondern es ward auch auf dem polnifchen Con-
vocations-Reichstage von 1764 der Schluß gefaßt,
daß Ernft Johann Biron, als der einzige rechtmäf-
fige Herzog von Curland erkannt und erklärt, die
1758 gefchehene Inveftitur aufgehoben, und für null
und nichtig erkläret, der Herzog Ernft Johann aber
von dem künftigen neuen Könige die Belehnung per-
fönlich empfangen, oder, wenn fein Alter, ihm fol-
ches nicht zuließe, fein ältefter Prinz Peter für ihn,
und auch zugleich fchon mit für fich felbft, als Nachfolger folche empfangen, niemals aber fich jemand
von ihnen in auswärtige Dienfte begeben, und bis
zum Abfterben der männlichen bironfchen Linie, bey
diefer Familie die herzogliche Würde verbleiben, nachher, aber es mit diefem Herzogthum weiter, wie es
die Verträge erfordern, gehalten werden folle. Auf
dem Reichstage von 1768 wurden Conftitutionen für
Curland gemacht, und in denfelben gewiffe Rechte
des Herzogs, die von der Landfchaft in Zweifel gezogen

gen waren, festgesetzet. 1769 trat der alte Herzog
die Regierung des Landes seinem Erbprinzen Peter
ab, der 1770 die Huldigung einnahm. Der alte
Herzog starb am 28 Decemb. 1772. Im Jahr
1774 ward zu Warschau abermals eine Constitution
für Curland gemacht. Der Herzog stiftete 1775 aus
seinen eignen Mitteln zu Mitau ein akademisches
Gymnasium. Auf dem Reichstage von 1776 bestätigte die Republik Polen dem Herzog, der Ritterschaft
und Landschaft, den Städten und allen Einwohnern der Herzogthümer Curland und Semgallen, ihre
Rechte, Privilegien, Freyheiten und Vorzüge, die
ihnen gegeben worden, insonderheit die Investitur
des Herzogs, die pacta Subiectonis, das dem Adel
ertheilte Privilegium, das Privilegium des Herzogs
Gothard, die Regierungs-Formel, das pactum
des Herzogs Ernst Johann, welches am 8 Junii
1737 gemacht worden, und den Vergleich vom August 1776 zwischen dem Herzoge und den Ständen.

§. 7 Der erste Herzog Gothard, hat den bisher beybehaltenen Titul angenommen, von Gottes
Gnaden — — in Liefland, zu Curland und
Semgallen, Herzog. Das curische Wapen
besteht aus vier Feldern. In dem ersten und vierten ist ein rother Löwe mit einer goldnen Krone im
weißen Felde, wegen Curland; und wegen Semgallen im zweyten und dritten Felde ein gekröntes
halbes Elanthier, mit natürlichen braunen Farben,
im blauen Felde. In der Mitte des Schildes liegt
sonst ein kleines nach der Länge in zwey Felder ge-
theiltes Mittelschildlein, welches sich aber nach dem
regierenden Hause richtet. Um das Wapen ist ein

U 4 Für-

Fürstenmantel von Purpur und Hermelin gehängt, welchen zwey goldne gekrönte Löwen halten; das ganze Wapen aber ist mit einem Fürstenhut bedecket.

§. 8 Die herzoglichen Einkünfte, sollen sehr ansehnlich seyn, und die Domainen über ein Drittel des ganzen Landes ausmachen. Weil nun überdieß das Land zum Handel an der See sehr bequem liegt: so kann sich ein Herzog von Curland sehr bereichern, wenn er ein guter Haushalter ist. In Kriegeszeiten, wenn das Land von fremden Völkern mit Auflagen gedrücket worden, hat das herzogliche Haus allezeit den dritten Theil davon übernommen, womit der Adel nicht zufrieden gewesen, sondern eine Untersuchung, welche Haaken=Revision genennet wird, vorgeschlagen, dazu man es aber an herzogli her Seite nie kommen lassen.

§. 9 Vermöge der Regierungsform der Herzogthümer Curland und Semgallen, welche 1617 durch eine königlich=polnische Commission eingerichtet worden, sind im Lande vier Oberräthe; nämlich ein Land=Hofmeister, Kanzler, Ober=Burggraf und Landmarschall, nebst noch zwey Rechtsgelehrten, welche in der Regimentsformel Doctoren der Rechte heißen, jetzt aber fürstliche Räthe genennet werden. Diese sechs Personen machen den Geheimenrath des Herzogs aus. Die Oberräthe verwalten in Abwesenheit, Minderjährigkeit, Krankheit, oder nach dem Tode des Herzogs, die Gerechtigkeit, und fertigen Befehle, Urtheile und andere zur Regierung gehörige Sachen in desselben Namen aus. Nächst denselben sind vier Oberhauptleute, zwey in Semgallen, nämlich

zu

zu Mitau und Seelburg, und zwey in Curland,
nämlich zu Goldingen und Tukum. Diese sprechen
den Adelichen und Unadelichen in den ihrer Gerichtsbarkeit anbefohlnen Kreisen, in Sachen der ersten Instanz, Recht. Aus denselben werden die Stellen der
abgehenden Oberräthe besetzet, und unter einem jeden
stehen zwey Hauptleute, aus welchen der Herzog
die Stellen der abgehenden Ober Hauptleute besetzt.
Von dem Gericht der Ober-Hauptleute, gehen die
Appellationen an das fürstl. Hofgericht, worinn
der Herzog und die Oberräthe richten, welches jährlich zweymal gehalten wird, und sich in das Appella-
tions-Criminal- und Consistorial-Gericht theilet, in
welchen letztern beyden es noch andere Beysitzer erhält.
Von da gelangen die Appellationen, wenn sich die
Sachen über 600 polnische Gulden erstrecken, an
den König von Polen. Des Adels peinliche Sachen, werden vom fürstlichen Hofgericht mit Zuziehung der vier Oberhauptleute entschieden, wovon
man an den König appelliren kann, außer in Sachen, die vorsetzlichen Mord, Brand, Schändung,
Raub und öffentliche Gewaltthätigkeit betreffen.
Der Kanzler richtet auch in Kirchensachen, mit
Zuziehung des Superintendenten und vier Pröbste.
Die Streitigkeiten zwischen dem Fürsten und Adel,
gehören unmittelbar vor den König. Das Gericht
in den Städten, gehört entweder dem Magistrat,
oder dem Hauptmann des Districts, in welchem der
Beklagte ist, zu, nachdem die Sachen sind, und
die zweyte und letzte Instanz ist das Hofgericht.
Bey Schuldforderungen, werden die Mannrich-
ter (Executoriales) gebrauchet. Alle zwey Jahre

schrei-

schreibet der Herzog nach Mitau einen Landtag aus, und jedes Kirchspiel läßt einen Bevollmächtigten dazu abfertigen.

§. 10 Das Recht des Herzogs von Curland, Gesandte abzuschicken, besonders auch an die Republik Polen, habe ich in meinen wöchentlichen Nachrichten Jahrgang 14 St. 6 und 7 bewiesen.

§. 11 Man nennet Curland und Semgallen, im Gegensatz des piltenschen Districts, das ordensche, und diesen letzten District, das stiftische. Curland und Semgallen sind in Ober = Hauptmannschaften, und diese in gewisse Kreise oder Districte, welche Kirchspiele genennet werden, abgetheilet.

I. Das eigentliche Curland. Dazu gehört

1 Die Oberhauptmannschaft Goldingen, welche aus acht Kirchspielen besteht. Diese sind

1) Das goldingsche Kirchspiel, in welchem zu bemerken:

(1) Goldingen, lettisch Kuldiga, eine kleine Stadt, am Fluß Windau, in welcher hier ein Fall ist, mit einem alten Schloß. Goldingen und Windau sind die ältesten Städte in Curland. In einem der Stadt Goldingen 1355 ertheilten Privilegium, werden ihre Burgemeister, Rathmann und Bürger genennet. Ihr Schloß war vor Alters der Sitz eines Commenthurs. Sie war ehemals eine ansehnliche Handelsstadt, die gute Nahrung hatte, weil sich hier die Herzoge zuweilen aufhielten. Außer der lutherischen Kirche, ist hier auch eine katholische. Hier ist ein fürstliches Amt.

(2) Der Ort Ehden, wobey ein Eisenwerk und Kupferhammer.

2) Das windausche, dazu gehört

(1) Windau, lettisch Wente, eine Stadt, am Fluß gleiches Namens, der hier in die Ostsee fällt, von mittel=

telmäßiger Größe, mit einem Hafen. Es ist hier eine
Hauptmannschaft. Ehedessen war hier ein Schiffbau=
Werft. Sie macht mit Goldingen die ältesten Städte
des Landes aus, hat aber kurz vor 1495 durch Brand
ihre Privilegia verloren, daher ihr in dem genannten
Jahr der Heermeister Wolter von Plettenberg ihre alten
Privilegia und Freyheiten erneuerte. Ihr Schloß war
der Sitz eines Commenthurs. Außer der Stadtkirche
ist hier auch eine Schloßkirche.

(2) Das fürstliche Amt Rohthof.

3) Das alschwangsche; darinn Alschwan=
gen, ein Schloß, bey welchem ein Flecken liegt.

4) Das hasenpothsche; darinn der Flecken und
das alte Schloß Hasenpoth, welches gegen einem
gleichnamigen Schloß im piltenschen District über liegt.

5) Das grubinsche

(1) Libau, eine fürstliche See= und Handels=Stadt
an der Ostsee, ist offen, von mittelmäßiger Größe, und
besteht aus lauter hölzernen Häusern, die ein Stockwerk
hoch sind. Sie ist von den Letten erbauet, und soll den
Namen von dem lettischen Wort Leepaja haben, wel=
ches so viel ist, als ein Ort, wo Linden stehen, derglei=
chen hier auch ehedessen viele gewesen sind. Die heutigen
Letten nennen die Stadt noch immer Leepaja. Im
dreyzehnten Jahrhundert sind hier schön deutsche Einwoh=
ner gewesen; am Ende des funfzehnten und im Anfange
des sechzehnten Jahrhunderts nahm der Ort merklich zu;
und da sich hieselbst die Deutschen vermehrten, so ward
eine wirkliche Stadt daraus, die 1625 ihr Privilegium
erhielt, in welchem ihr der freye Handel mit allerley Waa=
ren, wie sie solchen vor Alters her gehabt, gelassen wurde.
Wegen der Baufälligkeit der alten lutherischen Stadtkirche,
ward 1742 der Grund zu einer neuen gelegt, die nach
der neuesten Bauart aufgeführt ist, ein italienisches
Dach, und um dasselbe her eine Gallerie hat. Die
Stadtschule hat drey Collegen, und einen Schreib= und
Rechen=Meister. Die Katholischen haben hier auch eine
Kirche. Der Hafen ist nicht tief genug, daß schwer be=

ladene

ladene Schiffe in denselben einlaufen könnten, die daher
auf der Rehde liegen bleiben müssen; außerdem aber ist
er für erleichterte Schiffe sehr bequem; nachdem ihn
Herzog Ernst Johann 1737 vertiefen, und durch eine
Wasserarbeit vor der Verschlemmung verwahren lassen.
Es laufen hier manches Jahr über 150 Schiffe ein, die
Hanf, Leinsaamen ꝛc. einladen. Es ist hier eine Strand-
vogtey.

Neben der Stadt ist ein Landsee, welcher von ihr
den Namen hat.

(2) Grubin, ein geringes Städtchen mit einem Schloß,
einer deutschen und einer lettischen Kirche. Es ist hier
eine Hauptmannschaft.

(3) Der Ort heiligen Aa, woselbst eine Kirche und
Strandvogtey ist, liegt an dem Flüßchen gleiches Namens, welches die Gränze zwischen Curland und Scha-
mauen ist.

6) Das durbensche Kirchspiel, in welchem
Durben, ein altes Schloß, und geringer Flecken
mit einer Kirche. Von diesem Ort hat ein kleiner
Landsee den Namen. Es ist hier eine Hauptmannschaft.

7) Das gramsdensche Kirchspiel, in welchem Gramsden, ein adeliches Kirchdorf.

8) Das frauenburgsche; darinn Frauenburg, woselbst ein verfallenes Schloß, fürstliches
Amt und eine Kirche: auch ist hier eine Hauptmannschaft. Schrunden an der Windau, hat
ein verfallenes Schloß, und eine Kirche. Es ist
hier eine Hauptmannschaft.

Anmerkung. Zu dieser Ober-Hauptmannschaft
gehören zwey Probsteyen, nämlich die goldingsche, mit
dreyzehn fürstlichen und acht adelichen Kirchen; und die
grubinsche, mit acht fürstlichen und neun adelichen Kirchen.

2 Die

2 Die tukumsche Ober=Hauptmannschaft, dazu folgende Kirchspiele gehören

1) Das tukumsche; darinn das Städtchen Tuskum, mit einem verfallenen Schloß.

2) Das candausche; darinn

(1) Candau, ein Städtchen am Fluß Abau, mit einem fürstlichen Amt. Das ehemalige Schloß ist eingegangen. Es ist hier eine Hauptmannschaft.

(2) Angern, woselbst eine Kirche und ein Eisenwerk.

3) Das zabelnsche; darinn Zabeln, ein Flecken am Fluß Abau, woselbst Ueberbleibsel von einem Schloß zu sehen.

4) Das talsensche; zu welchem das Amt und der Flecken Talsen gehört.

5) Das antzische, in welchem die Kirchdörfer Groß=Antz, Neu=Antz und Alt=Antz.

Anmerkung. Zu dieser Ober=Hauptmannschaft gehört die candausche Probstey, unter welcher acht fürstl. und vierzehn adeliche Kirchen stehen. Unter jener ist die römisch=katholische zu Schmen.

II. Semgallen, Semigallia; dazu gehöret

1 Die mitauische Ober=Hauptmannschaft, welche aus neun Kirchspielen bestehet. Diese sind

1) Das mitausche.

(1) Mitau, Mitavia und Mitoa, lettisch Jelgawa, die Haupt= und herzogliche Residenz=Stadt am Fluß Aa, ist ziemlich weitläuftig, enthält aber in ihrem Umfange viele Gärten und ledige Plätze. Außer zwey lutherischen Kirchen, nämlich der deutschen Hauptkirche, bey welcher der Superintendent beyder Herzogthümer Ober=Pastor

stor ist, und der lettischen Kirche, giebt es hier auch eine 1740 vollendete schöne reformirte, und eine katholische. Der Herzog und die Landesregierung hat hieselbst ihren Sitz. Außer der Stadtschule, ist hier noch ein akademisches Gymnasium, welches von seinem Stifter dem Herzog Peter benennet wird, und im Anfange des 1775sten Jahrs eingeweihet worden ist. Es hatte damals neun Professores. Außerhalb der Stadt, doch nahe bey derselben, ist das herzogliche Schloß, welches Herzog Ernst Johann vor seinem Fall zu bauen angefangen, nach wieder erlangtem Herzogthum aber der prächtigen Anlage gemäß fortgesetzet hat. Es liegt in einer angenehmen Gegend, auf der Stelle des alten Schlosses, und ist zwey Stockwerke hoch. Unter einem Flügel des Gebäudes, stehen in einem hellen Gewölbe die herzoglichen Leichen in mehrentheils zinnernen und inwendig kostbar ausgezierten Särgen. Mitau ist schon 1435 eine Stadt gewesen, welche ein eigenes Gericht, und eigene Ordnungen gehabt. Anstatt der alten Polizey-Verordnungen von 1590 bis 93, gab ihr Herzog Friderich 1626 eine ordentliche Polizey.

(2) Annenhof, Dorf und Amt, mit einem verfallenen Schloß.

(3) Würzau, ein herzogl. Lustschloß unweit Mitau.

2) Das ekausche; darinn Ekau, ein Kirchdorf am Fluß gleiches Namens.

3) Das baldonsche; darinn Baldonen, ein Kirchdorf.

4) Das neugutsche; darinn Neugut, ein Kirchdorf.

5) Das sessausche; darinn Sessau, am Fluß gleiches Namens, ein Kirchdorf.

6) Das bauskische; darinn

(1) Bauske, oder Bauschke, eine Stadt zwischen den Flüssen Muß und Memel, mit einem nicht weit davon

auf

auf einem Felsen liegenden Schloß, Bauskenburg ge=
nannt, wo die zwey Flüsse sich vereinigen, und hernach
als ein einziger Strom den Namen Aa führen. Gegen
dem Schloß über, auf der andern Seite der Muße, ist
das Amt Bauske. Die Stadt hat sich ehemals bis an
das Schloß erstrecket, ist aber durch oftmalige Feuers=
brünste verringert worden. Sie hat eine deutsche, und
eine lettische Kirche. Herzog Friderich hat ihr 1635 eine
Polizey=Ordnung nach Art der mitauischen gegeben, sie
ist aber schon lange vorher eine Stadt gewesen. Es ist
hier eine Hauptmannschaft.

(2) Ruhendahl, ein Amt, mit einem großen und kost=
baren Lustschloß, welches Herzog Ernst Johann, vor er=
langter herzoglichen Würde anlegen lassen, und nach wie=
der erlangtem Herzogthum völlig ausgeführt hat. Seine
Bauart und innere Einrichtung zeugen von gutem Ge=
schmack.

Außer demselben hat der Herzog noch die Lustschlösser
Friderichslust und Schwerdthof in den Gegenden der
Hauptstadt.

(3) Bey Groß= und Klein=Barbern, ist ein Sauer=
brunnen.

(4) Schönberg, am Fluß Memel, ein adelicher
lutherischer Hof, mit einer schönen katholischen Kirche,
und einer ehemaligen Jesuiter=Residenz.

7) Das gränzhoffsche: darinn Gränzhof,
mit einer Kirche. Bey Gemäurthof am Flüßchen
Swethe, fiel 1705 eine Schlacht zwischen Schweden
und Russen zum Vortheil der ersten, vor.

8) Das doblehnsche; darinn Doblehn, ein
altes Schloß, ein fürstliches Amt, und eine Kirche:
auch ist hier eine Hauptmannschaft.

9) Das neuburgsche; darinn Neuenburg,
ein Schloß und eine adelische Kirche.

Anmerkung. Zu dieser Ober=Hauptmannschaft ge=
hören drey Probsteyen, nämlich die mitauische, mit
acht

acht fürſtlichen Kirchen, und einer adelichen; die baußkiſche, mit eilf fürſtlichen und vier adelichen Kirchen; und die doblehnſche, mit zehn fürſtlichen und dreyzehn adelichen Kirchen.

2 Die ſeelburgiſche Ober = Hauptmannſchaft, dazu fünf Kirchſpiele gehören, welche ſind

1) Das aſcheradenſche; darinn Herbergen, ein adelicher Hof und eine Kirche am Fluß Suſſey.

2) Das ſeelburgſche; darinn

(1) Seelburg, lettiſch Sehnspills, ein ehemaliges Städtchen und Schloß am Fluß Düna, welches in alten Zeiten der Sitz des Biſchofs von Semgallen geweſen, der davon der ſeelburgſche genennet wörden; jetzt aber ein Amt mit einer kleinen Slobode. Aus einer päbſtlichen Urkunde vom Jahr 1245 erhellet, daß bey Errichtung des Erzbiſthums zu Riga, ganz Semgallen, den dritten Theil, welcher dem deutſchen Orden gehört, ausgenommen, zu gedachtem Erzſtift geſchlagen, und das ſemgallenſche oder ſeelburgſche Biſthum aufgehoben worden. Das Städtchen kommt ſchon in alten Urkunden vor, und 1621 erhielt es vom Herzog Friderich ein neues Privilegium, es iſt aber ganz verfallen.

(2) Friderichſtadt, oder Neuſtädtchen, lettiſch Jauna Rihga, ein Städtchen an der Düna, mit einer lutheriſchen Kirche. Es hat dem Herzog Friderich ſeinen Urſprung zu danken, deſſen Witwe es 1647 aus dem Verfall, darein es in der Kriegszeit gerathen war, wieder hergeſtellet hat. Von hier an wird Semgallen bis an ſeine äuſerſte Spitze, das Oberland genennet.

(3) Jacobſtadt, ein Städtchen an der Düna, mit einer katholiſchen und ruſſiſch = griechiſchen Kirche. 1771 hat es durch das aufgethürmte Eiß der hoch angeſchwollenen Düna, unſäglichen Schaden erlitten. Die daſigen Lutheraner halten ſich zu der kreuzburgiſchen Kirche, die jenſeits der Düna im ruſſiſchen Gebiet iſt. Es haben die

diesen Ort ruſſiſche Exulanten angelegt, und Herzog Jacob hat ihn 1670. mit Stadtrecht und Freyheit begabet. Es wohnen hier viele Bärenleiter, die als privilegirte Müßiggänger mit ihren Tanzbären weit und breit umher ziehen.

Anmerkung. Der in dieſem Kirchſpiel belegene ſaukenſche See, iſt zwey geographiſche Meilen lang, und über eine halbe Meile breit, und ſehr fiſchreich: inſonderheit aber ſind die Kaulbarſche deſſelben im Lande berühmt. Er ſoll durch einen Erdfall entſtanden ſeyn, bey welchem alle an dieſem Ort geſtandene Wohnungen mit verſunken, welches theils dadurch wahrſcheinlich wird, weil man zuweilen mit den Netzen Ueberbleibſel von Häuſern herauszziehet, theils durch die Erdfälle bey Buſen.

3) Das nerftenſche; darinn das Schloß und die adeliche Kirche Nerften.

4) Das düneburgſche und Ueber = Lanziſche; darinn

(1) Illurt, ein adelicher Flecken, mit einer ſchönen katholiſchen Kirche und einem ehemaligen Jeſuiter = Collegium, wie auch mit einer griechiſchen unirten Kirche. Ehemals waren Herrſchaft und Kirche lutheriſch.

(2) Subbat, ein adelicher Flecken, mit einer katholiſchen Kirche, an einem kleinen See, auf deſſen andern Seite Neu = Subbat mit einer lutheriſchen Kirche, liegt.

Anmerkung. 1) Zur ſeelburgſchen Probſtey gehören eilf fürſtliche und achtzehn adeliche Kirchen.

2) Der Herzog beſitzet auch das Herzogthum Sagan, und die freye Standesherrſchaft Wartenberg, beyde in Schleſien.

2 Th. 8 A.   X   Anhang.

Anhang.

Der piltensche District, welcher ehemals das
curländische Bisthum oder Stift genennet ward, und im eigentlichen Curland liegt, hat
den Namen von dem alten Schloß Pilten, welches
der dänische König Waldemar der zweyte um das
Jahr 1220 erbauen ließ, da er in dieser Gegend zur
Bekehrung der ungläubigen Einwohner ein Bisthum errichtete. Als er den Bischof, der auf demselben seinen Sitz haben sollte, fragte wo das Schloß
stehen solle, antwortete derselbe, da, wo Pilten,
das ist, der Junge, steht, und mit diesem Namen ward das Schloß belegt. Dieses piltensche
Bisthum kam einige Jahre hernach, so wie ganz
Curland, an die Deutschen; und die Sachen blieben in solchem Zustande bis auf das Jahr 1559, da
der letzte Bischof, aus Furcht vor dem Einfall der
Russen, die beyden Bisthümer Pilten und Oesel an
König Friderich den zweyten von Dänemark verkaufte,
welcher sie seinem Bruder Magnus, anstatt desselben Antheils, an Holstein, gab, der 1560 Besitz
davon nahm, das Bisthum secularisirte, und vielen seiner Freunde und Diener ansehnliche Güter darinn schenkte. Als Gothard Ketler im folgenden
Jahre Liefland der Krone Polen unterwarf, wurde
ausgemacht, daß Herzog Magnus anstatt des curländischen Bisthums das Schloß Sonneburg auf
Oesel bekommen, jenes aber dem neu n Herzog Ke-
ler mit zu Theil werden solle: allein, nach Herzogs
Magnus im Jahr 1583 ersolgtem Tode, wollte sich
der piltensche District weder dem Herzog von Cur-

land

land, noch dem polnischen Reich unterwerfen, sondern verließ sich auf dänischen Schutz. Diese Streitigkeiten wurden endlich 1585 also beygelegt, daß König Friderich der zweyte von Dänemark für seine Anfoderung an diesem Lande 30000 Rthlr. von der Krone Polen annahm, welches Geld der Herzog von Preußen und Markgraf von Brandenburg, Georg Friderich, auszahlte, dafür ihm dieses Land in eben diesem Jahr 1585 von Polen zum Unterpfand gegeben wurde. Den Einwohnern ward die freye Uebung des evangelischen Gottesdienstes bestätigt. 1597 erkannte eine verordnete Commission dem Herzog Friderich von Curland das Recht zu, den piltenschen District von dem Markgrafen Georg Friderich zu Brandenburg, gegen den Pfandschilling von 30000 Thalern, einzulösen, und eben dieses erlaubte König Sigismund der dritte im folgenden 1598sten Jahr dem Herzog Friderich dergestalt, daß der Herzog und seine Nachfolger diesen District so lange besitzen sollten, bis der König oder seine Nachfolger dem Herzog gedachte Summen wieder bezahlt haben würden. 1617 brachte ein curländischer Edelmann, Namens Herrmann Maydel, diese Hypothek an sich, und sie wurde ihm vom Könige von Polen unter dem Namen einer Starostey bewilliget. 1656 lösete Herzog Jacob dieselbige vom Maydel wieder ein, und kaufte in eben diesem Jahr auch die Schweden aus, welche sich des Districts bemächtiget hatten, dafür sich zwar der piltensche Adel unter seine Bothmäßigkeit begab, sich ihm aber bald hernach widersetzte, bis er sich 1661, vermöge des grobinschen Vertrags vom 25 Februar, unter sehr vortheil-

X 2   haften

haften Bedingungen abermals unterwarf. Friderich Casimir brachte diesen Vergleich nach zwanzig Jahren völlig zum Stande. Der piltensche District bekam einen besondern Oberhauptmann, der sich zu Hasenpoth aufhielt, und unter ihm stunden sechs Landräthe, und der Hauptmann zu Neuhausen. Vermöge der Regierungsformel dieses Districts von 1717, wird derselbe durch sieben polnische Landräthe regieret, und die Appellationen gehen von der Regierung bloß an den König. Auf dem Reichstage von 1776 hat die Republik Polen folgendes verordnet: Wir erhalten unsern piltner District bey seinem weltlichen Stande, bey der Regierungsform, bey der bürgerlichen und geistlichen Gerichtsbarkeit, und bey den Verordnungen, die durch uns und unsere Vorfahren in Ansehung desselben gemacht und gegeben worden. — Wir wiederholen und befestigen alle alte und neue Tractaten und Rechte, die sich darauf beziehen und ihn angehen; besonders erhalten wir die Einwohner und Städte bey ihren Privilegien, und dem ruhigen Besitze ihrer Güter, auf ewige Zeiten. Da wir uns nach den Constitutionen von 1631, 35, 69, 1720 und 64 richten, welche dem Ritterstande die Sicherheit seiner Güter gewähren, und nach der Constitution des Convocations-Reichstags von 1764, unter dem Titul des Herzogthums Curland; so erstrecken wir solche mit eben dieser Versicherung auch auf den piltener District, geben und befestigen dem Adel das Recht, Güter, welche von nicht adelichen Personen besessen werden, durch Recht und am gehörigen Ort wieder an sich

zu

zu bringen. Es hat dieser District seinen eigenen Superintendenten, und, sein eigenes Consistorium. Zu demselben gehören sieben Kirchspiele.

1 Das hasenpothsche; darinn Hasenpoth, ein verfallenes Schloß auf einem Berge.

2 Das neuhausensche.

3 Das sackenhausensche; darinn Sacken-hausen, ein Schloß.

4 Das ambotensche; darinn Amboten, ein Schloß, auf einem Berge.

5 Das piltensche, darinn

1) Pilten, eine keine Stadt, am Fluß Windau, mit einem Schloß und einer Starostey.

2) Angermünde, ein Kirchdorf am Fluß Irbe, wo-bey ein altes verfallenes Schloß.

6 Das dondangensche, darinn

1) Dondangen, ein Schloß, welches ehedessen ein Tafelgut des rigischen Erzbischofes gewesen, nachher von einem piltenschen Bischof gekauft worden, hiernächst 1561 an den Herzog Magnus von Holstein gekommen, der es, nebst andern Gütern verpfändet hat, worauf es nach vielen Veränderungen, endlich in neuern Zeiten an den Obristlieutenant, Johann Ulrich von Sacken, und dessel-ben Nachkommen gelanget ist. Es gehören zehn Dörfer dazu, darunter Anstruppen, woselbst ein guter Gesund-brunn ist.

2) Das Vorgebirge Domesneß, welches die hol-ländischen Schiffer *de curische Vorst van de blaue Berg* nennen, erstrecket sich gegen Norden in den liefländischen Meerbusen hinein, und von demselben geht auf vier Mei-

len

len eine Sandbank in die See, davon die äußere Hälfte
unterm Wasser unsichtbar, und überdieß, ostwärts bey
derselben ein unergründlicher stiller Abgrund ist. Damit
nun die Schiffer, die nach Liefland segeln, vor diesem
ihnen sehr gefährlichen domesnesischen Ref gewarnet
werden; so sind am Ende des Landes, nahe bey der do=
mesnesischen Kirche, gegen die Sandbank zu, zwey vier=
eckichte Feuerbaken gegen einander über gebaut, deren
eine zwölf Faden, oder Klafter, die andere aber 8½ Fa=
den hoch ist, auf welchen vom 1 Aug. bis 1 Jenner alten
Stils, von der Abenddemmerung an bis zum Anbruch
des Tages, starke Feuer unterhalten werden. Erblicken
die Seefahrenden nur ein Feuer, so sind sie recht am
Ende des Refs, und außer Gefahr; sehen sie aber beyde
Feuerbaken, so sind sie in Gefahr. Auf diesen Baken
werden jährlich ungefähr 8 bis 900 Faden Brennholz,
und 100 Faden Kienholz verbrannt. Sie gehören zum
adelichen Gut Dondangen, von dem sie sechs Meilen
entfernet sind, und welches für ihre Unterhaltung von der
Stadt Riga jährlich 2500 Thaler grober Münze em=
pfängt. Der nahgelegene sehr große Wald reicht Holz
genug dar. Die Besitzer haben die Freyheit, mit den
Holländern zu handeln, und der adeliche dondangensche
Strand, ist eilf Meilen lang.

7 Das erwahlensche, welches mit dem pilten=
schen verbunden, ist. Der hiesige Ort Erwahlen,
wird zum Unterscheid von einem andern gleichnami=
gen im tuckumschen Kirchspiele, Groß=Erwah=
len genennet.

Die

Die Königreiche Gallizien und Lodomerien.

§. 1.

Man hat von denselben eine Landcharte, welche die Homannischen Erben zu Nürnberg 1775 an das Licht gestellet haben. Sie ist aus der Zannonyschen Charte von Polen gezogen, hat aber gegen Osten das Stück von Wolyn und Podol, welches das Haus Oestreich noch zu diesem Staat gezogen hat, und ihm abgetreten worden ist, nicht in ihrer Gränze, ist auch nicht in Kreise abgetheilet, sondern hat noch die alten Namen der polnischen Provinzen und Districte. 1782 stellte Joh. Mich. Probst zu Augsburg eine andere Charte von diesen Königreichen auf 1 Bogen an das Licht, welche zwar die Gestalt des Landes richtig zeiget, weil sie ein Nachstich von einer zwey Jahre vorher gestochenen Charte ist, aber viele Fehler in den Namen hat, und der Eintheilung des Staats in 18 Kreise, ermangelt. Die auf kaiserlichen Befehl durch Herrn Liesganig aufgenommene Originalcharte, bestehet aus 80 Quadraten, deren jedes 32 Wienerzoll lang, und 24 Zoll breit ist, und eine Meile beträgt in derselben 4 Zoll.

§. 2. Es haben diese Königreiche nicht die Gränzen der Länder Gallizien und Lodomerien, oder Halitsch und Wladimir, von welchen sie benennet werden, sondern sie bestehen aus folgenden Stücken, welche von

X 4

Klein-

Kleinpolen getrennet sind, nämlich aus einem Theil
der Woiwodschaften Krakow, Sandomir und Lublin,
aus einem Theil des Landes Cheim, aus den ganzen
Woiwodschaften Belz und Rußland, oder Roth-Rußland, und dem Lande Halitsch, und aus Stücken
der Woiwodschaften Wolyn und Podol. Sie gränzen
gegen Westen an das östreichische Schlesien, gegen
Norden an Polen, gegen Osten auch an Polen und
an den District Bukowina, welchen das Haus Oestreich von der Moldau bekommen hat, gegen Süden
an Siebenbürgen und Ungarn. Die Größe derselben berechnete der Ingenieur-Lieutenant von Möller
1773 auf 2700 Quadratmeilen jede von einer Stunde Wegs. Nach des Abts Liesganig Charte von
diesem Staat, beträgt die Größe desselben ungefähr
1200 deutsche Quadratmeilen, und gleichet also der
Größe des Königreichs Preußen, nach einer andern
Berechnung aber 1300 deutsche Quadratmeilen.

§. 3 Die Südseite desselben, liegt an dem carpathischen Gebirge, dessen Gipfel zuweilen im
Sommer mit Schnee bedecket, und in unterschiedenen Gegenden niemals von Schnee entblößet werden,
auch an andern Gebirgen, welche als eine Fortsetzung
des carpathischen angesehen werden können. Die
Weichsel machet gegen Norden bis dahin, wo sie
den Fluß San aufnimmt, die Gränze: dieser hat
seinen Ursprung auf der ungarischen Gränze am Berge Sanna. Der Dniester entstehet auch an einem
Berge, welcher auf der Gränze von Ungarn liegt,
und der Pruth an einem Berge, der auf der Gränze
von Siebenbürgen ist. Seit der Zeit das Haus
Oestreich im Besitz dieses Landes ist, sind die vorher
                                        sehr

sehr schlechten Wege ungemein verbessert worden.
Jährlich werden große Summen angewendet, um
Sümpfe auszutrocknen, Dämme anzulegen, und
durch morastige Gegenden fahrbare Wege zu bahnen.
Die großen Heiden sollen mit Colonisten besetzet, und
urbar gemachet werden. Dieses ist schon mit der
Heide zwischen Stanislaw und Tschlalow geschehen.

Der ebene Theil des Landes ist noch lange nicht
genug angebauet, aber sehr fruchtbar an Getreide,
und in seinen südlichen Gegenden auch an Flachs und
Hanf, es ist auch die Viehweide gut; der bergichte
Theil ist reich an Mineralien. Zu diesen gehören
Erdfarben, Talk, Marienglas, Marmor, Alaba-
ster, Belemnite, Achate, Chalcedonier, Carneole,
Onyche, Opale, Jaspis, Bergkristall, Amethyste,
Granate, Topase, Sapphire, auch Rubine und
Diamanten, Steinsalz bey Bochnia und Wielitschka,
Brunnensalz, Vitriol, Quecksilber, Spiesglas,
Gallmey, Eisen, Bley, etwas Zinn, Kupfer, Sil-
ber und Gold, auch versteinert Holz. Die Rind-
viehzucht ist hin und wieder wichtig. Honig und
Wachs hat man überflüßig.

§. 4. Mir ist berichtet und versichert worden,
daß man 1776 in diesen Reichen gezählet habe 254
Städte, 57 Flecken, 6395 Dörfer, und 2,580,796
Einwohner, nämlich an Katholiken, Griechen und
Protestanten, männlichen Geschlechts; 1,221,038, und
weiblichen Geschlechts 1,215,558, und an Juden,
männlichen Geschlechts 71281, und weiblichen Geschlechts 72919. Die Richtigkeit dieser Summen,
muß ich dahin gestellet seyn lassen, so wie die Richtigkeit der 1785 öffentlich bekannt gemachten Sum-

men, von gezählten (ohne die Bukowina) 3,501789
Menschen, unter welchen 19427 Edelleute, 4858
Geistliche, 17440 Ausländer, und 193399 Juden
gewesen seyn sollen. Eine andere Angabe von 1786,
welche auf 2,797000 Menschen gehet, und unter denselben 157000 Juden rechnet, ist glaubwürdiger.
Bloß in den Jahren 1783 und 84 hat man die Vermehrung auf 100000 Köpfe geschätzet, uner welchen
10000 Colonisten, die insonderheit aus Polen gekommen, nicht mit begriffen gewesen. K. Joseph II hat
verordnet in den Gerichtsstellen die deutsche Sprache
einzuführen.

§. 5 Die Evangelischen haben vom Kaiser Joseph II in diesem größtentheils römisch-katholischen
Lande öffentliche Religions-Freyheit bekommen, als
zu Lemberg, in der Cameral-Herrschaft Jaronnow,
und an andern Orten. Die römisch.katholischen Geistlichen, werden nach und nach aufgeklärter und vollkommener.

§. 6 Durch die Colonisten, welche aus Deutschland hieher gekommen, hat das Land viel Handwerker und Künstler bekommen; auf deren Vermehrung
man überhaupt bedacht, und deswegen auch der Hand-
werkszins so wie die Gewerbsteuer überall aufgehoben ist. Auch die Juden werden nach und nach so wie
an den Ackerbau, also auch an nützliche Handwerke
gewöhnet. Die Schafzucht und die wollen Manufacturen sind noch sehr zurück. Nun ist zu Sambor
eine Leinewand-Manufactur.

§. 7 Zu Lemberg ist eine neu errichtete Universität von 4 Facultäten. Eben daselbst ist ein Gymnasium und eine Normalschule. Zu Jaroslaw, Bue-
jacz, Drohobitz und Tyniec, sind 4 Hauptschulen,
und

und zu Bochnia, Staniontek, Sandez, Ducla, Tarnow, Rzeffow, Przemisl, Zamosc, Brody, Brzezany, Tarnopol, Zalesczit, Stanislawow und Stryi, sind vierzehn Kreisschulen.

§. 8 Das Land führet aus, viele tausend gemästete Ochsen, welche nach Schlesien und Sachsen getrieben werden, Ochsenhäute und daraus bereitete Leder-Waaren, Honig und Wachs, insonderheit viel Salz, mit welchem der Handel frey ist.

§. 9 Die eigentlichen Königreiche Gallizien und Lodomerien, oder Halitsch und Wladimir, sind ehedessen mit unter dem Namen Roth-Rußland begriffen worden, welches von Alters her Russen bewohnet haben, auch in alten Zeiten zu dem russischen Reich gehöret hat. Als des russischen Großfürsten Wladimir des Großen Sohn Jaroslaw, Roth-Rußland beherrschte, war es viel größer, als nachmals. Unter Jaroslaws Söhnen, ward es im eilften Jahrhundert in unterschiedene Fürstenthümer vertheilet, unter welchen auch Halitsch und Wladimir waren. Der ungarische König Ladislaus brachte schon 1084 einen Theil von Roth-Rußland unter seine Botmäßigkeit, wie Thurocz versichert. Casimir Herzog von Polen, verjagte den Herzog Wladimir von Halitsch 1182, und verordnete erst Miecislaw, und 1185 den Herzog Romanus von Wladimir zum Herzog von Halitsch. Der vertriebene Herzog Wladimir nahm seine Zuflucht zu dem ungarischen König Bela III, welcher ihn aber in Verwahrung nahm, und auf Bitte der Einwohner des Fürstenthums Halitsch, welche den Romanus nicht haben wollten, seinen zweyten Sohn Andreas, mit einem Kriegsheer nach Halitsch schickte, der für sich Besitz davon nahm.

Jedoch,

Jedoch Wladimir entwischte 1187 aus der Gefangenschaft, kam durch Hülfe des polnischen Herzogs Casimir 1188 wieder zum Besitz von Halitsch, und vertrieb den Andreas. Der Streit, welcher darüber zwischen den Ungarn und Polen entstund, ward zwey Jahre hernach beygeleget. Als Wladimir 1198 ohne Kinder starb, bemächtigte sich Romanus Herzog zu Wladimir des Herzogthums Halitsch, und beherrschte also Halitsch und Wladimir, ja er machte sich ganz Roth-Rußland unterwürfig. Er kam 1208 in einer Schlacht mit den Polen um, und obgleich Romanus Igorewitsch durch Hülfe des ungarischen Königs Andreas II zur Regierung gelangte, so verlor er sie doch schon 1212 mit seinem Leben, und die Unterthanen baten den König Andreas II, daß er ihnen seinen Sohn Kolomann zum König geben mögte, welcher auch 1213 dazu gekrönet wurde, aber 1221 das Reich des oben genannten Herzogs Romanus Enkel Micislav Micislawitsch abtrat, der ein Vasal von Ungarn blieb. Nach desselben Tode um das Jahr 1225, setzte sich zwar der russische Prinz Daniel Romanowitsch in den Besitz von Halitsch, es kam aber zwischen ihm und den Ungarn zum Kriege, in welchem diese um das Jahr 1236 den Sieg davon trugen, und König Bela IV ernannte den Radislav zum Herzog von Halitsch. Nachmals sollen die ungarischen Könige diesem Lande einheimische russische Fürsten zu Regenten gegeben, unter Bela IV und Stephan V aber soll es Ungarn auf gleiche Weise wie Dalmatien und Croatien zugehöret und gehorchet haben. Es werden verschiedene Zeugnisse und Beweise beygebracht, daß Halitsch und Wladimir auch den ungarischen Königen

Ladis-

Ladislao IV und Ludewig dem Großen zugehöret habe. Der letzte trat Roth-Rußland 1352 an den polnischen Casimir unter der Bedingung ab, daß wenn Casimir männliche Erben bekäme, Roth-Rußland gegen hunderttausend ungarische Gulden an Ungarn zurückfallen, wenn er aber ohne männliche Erben sein Leben beschlösse, Roth-Rußland ohne Erlegung einer Summe Geldes wieder an Ungarn kommen, und K. Ludewig die polnische Krone erlangen solle. Das letzte geschah 1370, und K. Ludewig gab Roth-Rußland an Ungarn zurück, worauf demselben ein Statthalter vorgesetzet wurde. Ludewig starb 1382, und hinterließ zwo Töchter, von welchen Maria, die älteste, Königin von Ungarn, und Hedwig, die jüngere, Königin von Polen wurde. Jene vermälte sich mit Sigismund, welcher die Regierung von Ungarn übernahm, diese entriß auf Antrieb des Jagello, Großherzogs von Litauen, der Krone Ungarn Roth-Rußland und Podolien. Von dieser Zeit an blieben diese Länder bey Polen, und die Könige von Ungarn führten nur Titul und Wapen von Gallizien und Lodomerien. Endlich machte die Kaiserin Königin Maria Theresia ihre in einer besondern Schrift ausgeführte Ansprüche auf diese Länder, geltend, und nahm dieselben 1772 in Besitz, sie wurden ihr auch 1773 von dem Könige und der Republik Polen förmlich und feyerlich abgetreten, und 1776 wurden die Gränzen völlig bestimmet und festgesetzet. Sie vereinigte aber Gallizien und Lodomerien nicht wieder mit Ungarn, ungeachtet die Stände dieses Reichs solches verlangten, sondern sie erklärte dieselben für einen besondern Staat.

§. 10

§. 10. Die Kaiserin Königin Maria Theresia hat Gallizien und Lodomerien in ihrem Titul nach Slavonien, und also zuletzt unter den Königreichen gesetzt. Das Wapen von Galizien, sind zwey goldene Kronen in rothen Felde, und das Wapen von Lodomerien, ist ein blauer Schild mit 2 Querbalken, welche mit rothen und weißen Vierecken besetzet sind.

§. 11 Das K. K. Landes-Gubernium ist die oberste Landesstelle. Der Vorsitzer in demselben heißet nur Landesfürstlicher Commissarius, ist aber gemeiniglich so wie jetzt, K. K. wirklicher Geheimerrath, und also eine Excellenz. Der nächste nach demselben hat den Character eines wirklichen Hofraths, und alsdenn folgen die Gubernialräthe.

Die Wielitzkaer- und Bochner Salinen-Werke, stehen unter der Direction eines wirklichen k. k. Hofraths. Zu Lemberg ist eine Domainen- und Sub-Salz-Administration, und der Administrator ist ein Gubernial-Rath. Ueber derselben stehen ein paar Cameral-Directionen, und die Sub-Salz-Aemter. Ein jeder der 18 Kreise, in welche diese Königreiche abgetheilet sind, hat sein eigenes Kreis-Amt. Maut-Siegel-und Tabacks-Gefälle, haben auch ihre besondere Administrationen.

Die oberste Justiz-Stelle, hat 2 Präsidenten, welche den Character der wirklichen Geheimenräthe führen, und die Räthe heißen wirkliche Hofräthe. Das Appellations-Gericht ist mit einem Präsidenten, Vice-Präsidenten, und Räthen besetzet, und eben dieses gilt von den beyden Landrechten.

Das General-Militair-Commando, hat zum Haupt einen Feldmarschall-Lieutenant, welcher der
com-

commandirende General in beyden Königreichen ist.

§. 12 Die Landes-Erb-Aemter sind, der Obrist-Land-Hofmeister, der Obrist-Land-Marschall, der Obrist-Land-Kämmerer, der Obrist-Land-Küchenmeister, der Obrist-Land-Jägermeister, der Obrist-Land Stallmeister, der Obrist-Land-Mundschenk, der Obrist-Land-Silber-Kämmerer, und der Stuben-Meister oder Erbtruchseß.

§. 13 Unter polnischer Herrschaft brachten diese Länder ein 1,936777 polnische Gulden, und die Salzwerke 1,870000 Gulden, also überhaupt 3,800774 Gulden: als sie aber an das Haus Oestreich kamen, wurden alte Einkünfte wieder hervorgesucht, und die Einnahme ward durch 10,532745 polnische Gulden vermehret, ohne die Zölle, militärische Contribution, und die auf die Erbgüter gelegte Abgabe, von zwölf Procent, zu rechnen.

§. 14 Die Königreiche sind in 18 Kreise eingetheilet. Ein Kreishauptmann hat 1500 fl. Gehalt, der erste Commissarius 600 fl. drey andere Commissarii haben jeder 500 fl. ein Secretär 400 fl. ein Cassirer 500 fl. ein Controlleur 400 fl. zwey Canzellisten jeder 300 fl. Es befinden sich auch in jedem Kreise ein Wundarzt und eine Hebamme, es hat auch ein jeder, oder soll doch haben einen Physicus. Es folgen nun die Kreise.

I Der Myslenizer Kreis, in welchem

1) Myslenice, die Kreißstadt, am Fluß Baba.

2) Landskron, Landskorona, eine Stadt, über welcher ein Schloß auf einem Felsen liegt.

3) Skawyna, eine Stadt.

4) Pod-

4) Podgorze, eine königl. Colonie= und Manufactur=
Stadt, nahe bey Krakow und Casimirz, von welcher 1783
versichert wurde, daß sie durch neue Einwohner schon in
güte Aufnahme gekommen sey.

5) Brzeznica, eine Stadt.

6) Das Herzogthum Oswiecim oder Auschwitz,
nebst Zator, und den gleichnamigen Städten, ist von
der Woiwodschaft Krakow, von Schlesien und Ungarn
eingeschlossen. Es hat vor Alters zum krakauischen Ge=
biet gehöret, bis der polnische Herzog Casimir es 1179
seines jüngsten Bruders Wladislaw, jüngstem Sohn Mie=
cislaw, Herzog von Ober=Schlesien, oder Oppeln, Ra=
tibor, Teschen und Troppau, gegeben. Desselben Nach=
kömm Johannes, Dom=Scholasticus zu Krakow, bekam
es zum Erbtheil, und nennete sich einen Herzog von Os=
wiecim. Dieser bekannte sich, nach dem Beyspiel der
meisten schlesischen Fürsten, 1327 für einen Vasallen Jo=
hannes Königs zu Böheim und Polen, und nennet in der
darüber ausgefertigten Urkunde, die Stadt Oswiecim,
das Schloß Zator, und die Städte und Marktflecken Kant,
Zips, Wadowicz und Spinowicz, als Oerter des Landes
Oswiecim, welches er und seine Erben und Nachfolger
vom gedachten Könige zu Lehn trage und tragen sollten.
Er starb aber ohne Erben, und Oswiecim kam wieder an
den Herzog zu Teschen und Groß=Glogau. Es hatte hier=
auf aus diesem Hause einen Prinzen zum besondern Her=
zog bis auf Janussius, welcher von dem polnischen Kö=
nige Casimir IV bekriegt wurde, weil er Polen hatte aus=
plündern heißen, und sich genöthiget sahe, sein Herzog=
thum Oswiecim 1457 an gedachten König Casimir und an
die polnische Krone für 50000 Mark breiter pragischer
Groschen, 48 Stücke auf eine Mark gerechnet, zu verkau=
fen. In der darüber abgefasseten Urkunde, werden die
Oerter, welche zu dem Herzogthum gehören, folgender=
maßen angegeben: die Städte Oswieczym und Kant,
die Dörfer Bielany, Lauki, Babicze, Lipnik, Osyek,
Brzescze, Monowicze und Duvory, und die adelichen
Dörfer Alt= und Neu=Polanka, Wlosyenicza, Poram=
ba,

ba, Grodczyecz, Sparovicze, Nidek, Vitkovicze, Glabovicze, Bulovicze, Czanicze, Malecz, Czacuga, Novawyescz, Rovziny, Sbroskovice, Brzezinka, Raysko, Francyskovicze, Przeccyessyn, Skiedcziey, Vithkovice, Vilamowice, Helznarovice, Bnyakow, Dzvekosse, Miklussovice, Pissarovice, Halenow, Bijertolovice, Komorovice, Zebraca, Restvina, Rabkovice, Staravyeß, Janussovice, Tharmassy. Eben dieser Herzog Janussius, verkaufte 1494 an den polnischen König Johann Albrecht, und an die Krone Polen, auch das Herzogthum Zator für 80000 ungarische Goldgulden, der König aber machte sich anheischig, dem Herzog und desselben Gemalin auf Lebenslang jährlich 200 Mark gemeiner Münze, und 16 Fässer Salz zu geben; es sollte auch das Herzogthum erst nach beyder Eheleute Tode in des Königs und der Republik Gewalt kommen. In der über diesen Kauf und Verkauf ausgefertigten Urkunde, werden als Zugehör des Herzogthums, das Schloß und die Stadt Zator, Flecken und Dörfer genannt. Es sind aber die angeführten Urkunden in Sommerbergs silesiacarum rerum scriptoribus T. I. pag. 807=813 zu finden. Endlich hat König Sigismund August 1564 beyde Herzogthümer zu einem Körper, und diese genauer mit Polen verbunden, auch die Einwohner derselben, mit Vorbehalt ihrer Gewohnheiten, den übrigen Einwohnern des Reichs gleich gemacht.

1) Oswiecim, oder Oswieczyn, (Oswietschin,) Auschwitz, die Hauptstadt des Landes, unweit welcher der Fluß Sola fließet, der sich mit der Weichsel vereiniget.

2) Kenti, eine kleine Stadt.

3) Biella, ein Städtchen an der schlesischen Gränze.

4) Zywiec, (Siwietz,) Seypusch, ein Städtchen.

5) Bärwald, ein Städtchen.

6) Wadowice, ein Städtchen.

7) Zator, eine Stadt am Fluß Skawa, der in die Weichsel fließet.

II Der Bochnische Kreis, in welchem

1) Bochnia, die Kreisstadt, welche ihrer Salzbergwerke wegen berühmt ist, und zu der Zeit, als die dasigen Salzgruben zuerst entdecket wurden, nämlich 1251,
nur noch ein Dorf war. Nicht weit von derselben flies-
set der kleine Fluß Raab, der in die Weichsel fällt. Die
Stadt hat rings umher Berge und Hügel. In derselben
ist ein Gymnasium. Die Bochnier Salzgruben, machen
nur einen langen und schmalen Strich aus, der ungefähr
75 fünfelligte Lachter von Mittag nach Mitternacht breit,
1000 von Morgen nach Abend lang, die größte Tiefe
aber 100 und etliche 20 ist. Das Salzgebirge fänget
sich sogleich mit Flötzwerk an, und das Salz liegt darinn
auch alles gangweise. Das Salz ist noch etwas feiner,
als das zu Wielitschka, insonderheit wenn man tiefer hin-
unter kömmt. Es wird alles klein gehauen, und in Fässer
geschlagen. Man findet schwarze Stücke zertrümmert
Holz unter dem Salz. So weit als das Salz gehet, ist
alles dermaßen trocken, daß es stiebt. Man trift hier auch
Alabaster an.

2) Wieliczka (Wielitschka,) eine Stadt, mit einem
berühmten Salzbergwerk, in einem Thal, eine Meile
von Krakau. Die Stadt ist nicht nur ganz untergraben,
sondern es reichen auch die Gruben auf jeder Seite noch
einmal so weit hinaus, als sie groß ist. Sie erstrecken
sich von Morgen gegen Abend auf 600, von Mittag gegen Mitternacht auf 200, und in der größten Tiefe auf
80 Lachter, die Lachter zu 5 Dresdner Ellen oder 10
Fuß gerechnet. Es höret aber damit das Salz noch nicht
auf, sondern gehet noch immer in die Tiefe, und in der
Länge nach Morgen und Abend, man weiß nicht wie weit,
fort; in der Breite aber hat es seine Gränze. Der
Schächte sind jetzt zehn, und das ganze Salzgebirge ist
inwendig durchaus ohne Quellen. Die Gänge oder Stre-
cken unter der Erde, sind sehr geräumig; in vielen finden
sich hin und wieder Altäre und Kapellen, die in das Salz
oder feste Gebirge gehauen sind, und darinn bey einem
Crucifix, oder anderm Gedächtnißbilde eines Heiligen,
　　　　　　　　　　　　　　　　　bestä-

beständig ein brennendes Licht unterhalten wird. Die Oerter, wo das Salz ausgehauen worden, oder noch ausgehauen wird, nennen sie Kammern; und einige davon sind so groß, daß gar füglich eine große Kirche in denselben stehen könnte; andere sind Magazine, entweder für die Fässer mit Salz, oder zum Heu für die Pferde, und noch andre sind Ställe, darinn nach Beschaffenheit der Arbeit in der nächsten Gegend, zehn bis funfzehn Paar Pferde beysammen stehen. In einigen Kammern, wo vordem Wasser gestanden, sind die Wände und der Fußboden mit vielen tausend Salzkristallen, die manchmal ein halb Pfund und mehr wiegen, über und über besetzt, welches wenn viel Licht an dergleichen Oerter kömmt, ungemein schön anzusehen. In einigen sind zur Unterstützung des Gebirgs starke Pfeiler von Salz gelassen. Das Salz liegt oben in großen unförmlichen Klumpen, aus welchen Würfel von 30, 40 bis 50 Ellen gehauen werden könnten, unten aber ist Flötzwerk. Die schlechtste und wohlfeilste Art, ist das sogenannte Zielona, das ist, Grünsalz, welchen Namen es vermuthlich daher erhalten, weil grauer Berg oder Letten mit eingemischt ist, und daher etwa einigen grünlich geschienen hat. Es besteht aus lauter Salzkristallen von verschiedener Größe. Eine reinere und theurere Art ist das Szybikowa, und die dritte Gattung, Kristallsalz, oder Sal gemmae, findet sich in kleinen Stücken mit dem Gebirge vermengt, wovon es abgelöset wird, da es denn allemal entweder in Würfel, oder in rechtwinklichte Prismata ausfällt. Zum Verkauf wird dergleichen ordentlich nicht ausgearbeitet. Die Farbe der Salzsteine, ist dunkelgrau mit gelb untermengt. Man hat zwar aus der Sole, welche sich in den Gruben sammlet, bis 1724 Salz gesotten, nach der Zeit aber sind die Siedereyen zur Ersparung des Holzes unterlassen worden. Es finden sich im Salz sowohl, als im Gebirge, einzelne Stücken schwarz Holz, manchmal wie starke Aeste eines Baums, welches das gemeine Volk für das Vieh braucht. Die Entdeckung des Salzes, soll ungefähr 1251 geschehen seyn, und zwar soll man es zuerst

in

in Bochnia, einige Zeit darauf aber in Wielitschka gefunden haben. 1644 und 1696 ist durch Versehen Feuer in die Gruben gekommen, welches lange gebrannt hat. In der Stadt ist ein Gymnasium.

3) Uscie Solne, eine Stadt.

4) Staniotek, eine Stadt.

5) Brzesko, eine kleine Stadt.

6) Woyniez (Woinitsch), oder Woynick (Woinitz), ein Städtchen am Fluß Dunajetz, 9 Meilen von Krakow.

7) Tuchow, eine offene Stadt.

8) Wysznica oder Wysnicz (Wisnitsch), eine Stadt.

III Der Sandetsche Kreis, in welchem

1) Nowy Sandecz, Neu Sandetsch, die Kreisstadt am Fluß Dunajetz, in welcher eine Collegiatkirche ist.

2) Stary Sandecz, Alt Sandetsch, ein geringer Ort.

3) Tymbark, eine Stadt.

4) Limanow, eine Stadt.

5) Nowitary, eine Stadt.

6) Krosienko, eine Stadt.

7) Piwnicza (Piwnitscha), eine Stadt.

IV Der Tarnowsche Kreis, in welchem

1) Tarnow, die Kreisstadt. In derselben ist ein Bisthum für den Landstrich, welcher ehedessen unter dem Bischof zu Krakow gestanden hat, errichtet worden.

2) Zabno, eine Stadt.

3) Dabrowa, (Donbrowa) eine Stadt.

4) Pilsno, eine Stadt am Fluß Wisloka.

5) Ctenskowice, eine Stadt.

6) Radowisl, eine Stadt.

7) Bolowa, eine Stadt.

8) Biecz (Bietsch), eine Stadt.

9) Uyscie, eine kleine Stadt an der Weichsel.

V Der

V Der Duklasche Kreis, in welchem

1) Dukla, die Kreisstadt.

2) Krosno oder Krossen, eine Stadt zwischen den Flüßen Insiolda und Wisloka, in welcher die ungarischen Weine und ándern Waaren niedergeleget werden.

3) Brzozow, eine Stadt.

4) Frislak, eine Stadt.

5) Stryzow, eine Stadt.

6) Czudz, (Tschuds) eine Stadt.

7) Niebilec, (Niebiletz) eine Stadt.

8) Kanczuga, (Kantschuga) eine Stadt.

9) Przeworsk, eine Stadt auf einem Hügel.

10) Lancut (Lanzut) oder Landshut, eine Stadt,

VI Der Rseschowsche Kreis, in welchem

1) Rzeszow (Rsischow), die Kreisstadt.

2) Rudnik, eine Stadt am Fluß San.

3) Rozwadow, eine Stadt.

4) Baranow, eine Stadt.

5) Mielec, (Mieletz) eine Stadt am Fluß Wisloka.

6) Kolbuszow, (Kolbuschow), eine offene Stadt mit einem 1769 von den Conföderirten zerstörten fürstlich Lubomirskischen Schloß.

7) Przeclaw, eine Stadt am Fluß Wisloka.

8) Dembica, eine Stadt an eben diesem Fluß.

9) Sediszow, (Sendischow), eine Stadt.

10) Lezaysk, eine Stadt.

VII Der Przemyslische Kreis, in welchem

1) Przemysl, *Premislia*, die Kreisstadt am Fluß San, jenseits dessen auf einem hohen Felsen ein Schloß stehet. Sie ist der Sitz eines römisch-katholischen und eines griechischen mit der römischen Kirche vereinigten Bischofs.

2) Krakowiec, eine Stadt.

3) Bobrowka, eine Stadt.

4) Sieniawa, eine Stadt.

5) Jaroslaw, eine Stadt am Fluß San.

6) Pruch=

6) Pruchnik, eine Stadt.

7) Dubieko, eine Stadt.

8) Dynow, eine Stadt.

9) Mrzyglod, eine Stadt.

10) Babice, eine Stadt.

11) Hussakow, eine Stadt.

12) Rybotycze (Rybotitsche), eine Stadt.

VIII Der Sanokſche Kreis, in welchem

1) Sanok, die Kreisſtadt am Fluß Ean, über welcher auf einem Hügel ein Schloß ſtehet.

2) Lisko, eine Stadt.

3) Tyrawa, eine Stadt.

4) Byaligrod, eine Stadt.

5) Lutowſka, eine Stadt.

IX Der Samborſche Kreis, in welchem

1) Sambor, die Kreisſtadt welche am Dnieſter liegt, und ein Schloß hat. 1779 brannte ſie ab. 1786 iſt hier eine große Leinewand-Manufactur, auch eine Leinewand- und Zwirn-Bleiche nach ſächſiſcher Art, angeleget worden.

2) Stary Sambor, (alt Sambor,) eine geringe Stadt.

3) Drohobicz, (Drohobitſch) eine Stadt.

4) Turka, eine Stadt.

5) Skolie, eine Statt am Fluß Oriwa.

6) Stry, eine Stadt am Fluß gleiches Namens.

7) Woloszca, (Woloſchza), eine Stadt.

8) Laſki, eine Stadt.

9) Dobromil, eine Stadt. -

10) Krokienice, eine Stadt.

X Der Lembergiſche Kreis, in welchem

1) Lemberg, Lwow, bey den Osmanen Ilwuw, Leopolis, die Hauptſtadt des Reichs, in einem Thal, am Fluß Peltew, welche groß, mit Mauern, Wall, Bollwerken und Gräben befeſtigt, auch mit Hügeln und Bergen, von welchen man ſie überſehen kann, umgeben iſt, und auch ſchöne Häuſer hat. Sie iſt der Sitz

des

des Landes-Gubernii, der Contracte, eines römisch=katholischen Erzbischofs, eines griechischen Bischofs und armenischen Erzbischofs, welche beyde mit der römischen Kirche vereiniget sind, eines griechischen Studii theologiae speculativae, Collegii pontificii clericorum regularium Theatinorum, f. Sedis apostolicae in regno Poloniae Missionariorum, einer Universität, und Bibliothek, und einer Normal=Schule. Sie hat zwey Schlösser, eines innerhalb und eines außerhalb der Mauern, welches letzte auf einem hohen Berge liegt, und kann sich des befestigten Barfüßer=Klosters anstatt einer Citadelle bedienen. Außer der prächtigen Kathedralkirche, giebt es hieselbst noch verschiedene andere Kirchen, unter welchen auch eine russische, eine armenische, und eine evangelisch=lutherische ist, reiche Klöster, unter welchen sich das Dominicaner=Kloster am meisten hervorthut, darinn ein Marienbild verehret wird, und zwey Judenschulen. Bis 1773 sind hieselbst die Contracte des polnischen Adels am heil. Dreykönigstage gehalten, in diesem Jahr aber nach Dubno verlegt worden, wodurch die Stadt einen großen Theil ihrer Nahrung verloren hat. Sie treibet starken Handel. Die Einwohner sind aus verschiedenen Nationen vermischet, und es sind hier jetzt an 30000 Menschen vorhanden. Das hiesige katholische Erzbisthum, ist 1361 oder 62 errichtet, 1375 nach Halitsch verleget worden, 1416 aber schon hier wieder gewesen. 1656 wurde die Stadt von den Russen und Kosaken zwey Monate lang vergeblich belagert; 1672 stund sie eine Belagerung von den Türken aus, die sie endlich mit 80000 Thalern abkaufte, und 1704 wurde sie vom schwedischen Könige Karl dem zwölften durch Sturm und mit dem Degen in der Faust erobert, da sie vorher noch nie erobert worden war.

2) Jarizow, eine Stadt.

3) Bilka, eine Stadt.

4) Dawidow, eine Stadt.

5) Bobrka, eine Stadt.

6) Wibranowka, eine Stadt.

7) Strzeliska, eine Stadt.

Y 4   8) Cho=

8) Chodorow, eine Stadt.

9) Rozdol, eine Stadt.

10) Komarno, eine Stadt.

11) Rudki, eine Stadt.

12) Lubin, eine Stadt.

13) Nawaria, eine Stadt.

14) Grodek, eine kleine Stadt, deren Neustadt 1787 fast ganz abbrannte.

15) Mosczyska, (Mostschyska), eine Stadt.

16) Wisnia, eine Stadt.

17) Sandowa, eine Stadt.

18) Bruchnal, eine Stadt.

19) Jawokow, eine Stadt.

20) Sklo, eine Stadt.

21) Janow, eine Stadt.

22) Jariczow, (Jaritschow,) eine Stadt.

23) Kulikow, eine Stadt.

24) Zolkiew, eine Stadt.

25) Kamionka, eine Stadt.

XI Der Tomaschowische Kreis, in welchem

1) Tomaszow, die Kreisstadt.

2) Laszowka, eine Stadt.

3) Jocefow, eine Stadt.

4) Krzeszow, eine Stadt.

5) Tarnogrod, eine Stadt.

6) Cieszanow, eine Stadt.

7) Wielky, eine Stadt.

8) Oczy, eine Stadt.

9) Lubaczow, eine Stadt.

10) Lubica, eine Stadt.

XII Der Zamoscische Kreis, in welchem

1) Zamosc, die Kreisstadt. Die Neustadt ist beträchtlicher, als die Altstadt.

2) Szebreszin, eine Stadt.

3) Krasnobrod, eine Stadt.

4) Krynice, eine Stadt.

5) Rachonie, eine Stadt.

6) Tys=

6) Tyszowice, eine Stadt.
7) Krylow, eine Stadt.
8) Grabowice, eine Stadt.
9) Skierbezow, eine Stadt.
10) Horodlo, eine Stadt.

XIII Der Belzische Kreis, in welchem
1) Belz, die Kreisstadt.
2) Sokal, eine Stadt.
3) Kristianpol, eine Stadt.
4) Mosty, eine Stadt.
5) Radziechow, eine Stadt.
6) Sokolowka, eine Stadt.

XIV Der Brodische Kreis, in welchem
1) Brody, die schlecht gebauete Kreisstadt, in welcher starker Handel mit dem Osman. Reich getrieben wird. 1779 ist sie in Handelssachen von Gallizien und Lodomerien ausgeschlossen, und hat gleich den Seehafen Triest und Fiume, besondere Handelsfreyheiten bekommen.
2) Lesniow, eine Stadt.
3) Olesko, eine Stadt.
4) Podkamin, eine Stadt.
5) Markopol, eine Stadt.
6) Stary Zbaraz, eine Stadt.
7) Nowy Zbaraz, eine Stadt.
8) Die Altstadt ist der Hauptort eines Herzogsthums. 1649 hatten hier die Polen ein Lager, in welchem sie von den Kosaken und Tataren eingeschlossen wurden, und große Noth ausstuuden.
9) Jezerna, eine Stadt.
10) Zborow, eine Stadt.
11) Kozlow, eine Stadt.
12) Tarnopol, eine Stadt.

XV Der Zloczowsche Kreis, in welchem
1) Zloczow, (Slotschöw) eine Kreisstadt.
2) Dobrotwur, eine Stadt.
3) Busk, eine Stadt, in welcher eine Leder-Manufaktur ist.

Y 5   4) Gli

4) Glinian, eine Stadt.

5) Olszenica, eine Stadt.

6) Przemislany, eine Stadt.

7) Dunajow, eine Stadt.

8) Narajow, eine Stadt.

9) Firlejow, eine Stadt.

10) Brzezany, eine Stadt.

11) Rohatyn, eine Stadt.

12) Knichnicze, eine Stadt.

13) Jurow, eine Stadt.

14) Burztyn, eine Stadt.

15) Kozowa, eine Stadt.

16) Mikulince, eine Stadt.

17) Strusow, eine Stadt.

18) Skalat, eine Stadt.

19) Gryzamolow, eine Stadt.

20) Crzembowla, eine Stadt.

21) Toste, eine Stadt.

22) Janow, eine Stadt.

XVI Der Mariampolsche Kreis, welcher unter polnischer Herrschaft das Halitscher Land hieß, in welchem

1) Mariampol, eine Kreisstadt am Dniester.

2) Halicz (Halitsch,) auf russisch Galitsch, lateinisch Halicia, eine Stadt am Dniester, welche vor Alters die Hauptstadt eines besondern Herzogthums, und ansehnlich war. Von derselben wird Gallizien benannt. Es sind hier ergiebige Salz-Quellen und ein Salzamt.

3) Woinilow, eine Stadt.

4) Zurawna, eine Stadt.

5) Zydaczow, (Sidatschow,) eine Stadt am Fluß Skip, der sich unterhalb derselben mit dem Dniester vereiniget. Das Schloß liegt auf einem hohen Hügel.

6) Lissiatyce, eine Stadt.

7) Sokolow, eine Stadt.

8) Bolechow, eine Stadt.

9) Jesupol, eine Stadt am Dniester.

10) Ho-

10) Horozanka, eine Stadt.

11) Jawalow, eine Stadt.

12) Podhaice, eine Stadt.

13) Zlotniki, eine Stadt.

14) Wisniowzyk, eine Stadt.

15) Monasteriska, eine Stadt.

16) Buczaz, eine Stadt.

17) Banysz, eine Stadt.

18) Potok, eine Stadt.

XVII Der **Stanisláwówsche Kreis**, in welchem

1) Stanislawow, eine Kreisstadt.

2) Rozniatow, eine Stadt.

3) Kalusz, eine Stadt.

4) Dolina, eine Stadt.

5) Lysice, eine Stadt.

6) Podhoroczany, eine Stadt am Fluß Bystrica.

7) Solotwina, eine Stadt.

8) Ottynia, eine Stadt.

9) Tysmenice, eine Stadt.

10) Thomaz, eine Stadt.

11) Chozimirz, eine Stadt.

12) Mihalze, eine Stadt.

13) Obertyn, eine Stadt.

14) Delatyn, eine Stadt.

15) Peczynyzince, eine Stadt.

16) Jablanow, eine Stadt.

17) Kutty, eine Stadt.

18) Pistyn, eine Stadt.

19) Zablatow, eine Stadt am Pruth.

20) Kolomea, eine Stadt am Pruth, mit einer Salzsiederey.

XVIII Der **Zálestschykische Kreis**, in welchem

-1) Zalesczyk, eine Kreisstadt.

2) Grudek, eine Stadt am Dniester.

3) Kro-

3) Kroluwka, eine Stadt.

4) Bilze, eine Stadt.

5) Usieczka, eine Stadt.

6) Capowce, eine Stadt.

7) Jaslowiec, eine Stadt.

8) Czortkow, eine Stadt.

9) Budzanow, eine Stadt.

10) Chorsstkow, eine Stadt.

11) Husiatyn, eine Stadt.

12) Probuzna, eine Stadt.

13) Czortkow, eine Stadt.

14) Kolendžany, eine Stadt.

15) Skalat, eine Stadt.

Anmerkung. Der kleine Fluß Sebrawce, oder Sobrucze, nun Podorze genannt, macht die östliche Gränze von Gallizien und Lodomerien, von dem Bog an bis zum Dniester, und fällt eine Meile unterhalb Choczim in den Dniester. Man hat ihm den Namen Podorze gegeben, weil der in der Zannonyschen Charte also genannte Fluß, den man in dem östreichischen Manifest von 1772 zur Gränze angenommen hatte, sich nachher unter diesem Namen nicht finden wollte, da man denn diesen weiter nach Osten fließenden Fluß, mit dem Namen Podorze belegte.

Anhang

Anhang
von der Bukowina.

§. 1

Dieses von dem Hause Oestreich neu erworbene
Land, welches auch die Bukreine, und vom
Sarnicius, Bucovetia. genannt wird, gränzet gegen
Westen an Siebenbürgen und an Gallizien und Lodomerien, gegen Norden an den Onestr, gegen
Osten und Süden an die Moldau. Diese Gränze
mit der Moldau fängt dreyviertel Stunde von Chotin oder Chotschin an, gehet quer über den Pruth,
gerade gen Süden bis an den Fluß Sereth, welcher
bis dahin, wo er die Moldava aufnimmt, die Gränze
ist. Alsdenn gehet sie die Moldava hinauf bis an
den Fluß Pistritz oder Pistricza oder Bistercza, und
denn an dem Fluß Totrusch hin bis an Siebenbürgen.

§. 2 Die Größe des Landes, wird auf 178
deutsche Quadrat Meilen berechnet. Nach des moldauischen Fürsten Demetrius Kantemir Bericht, hat
ein Theil dieses Landstrichs ehedessen zu Siebenbürgen gehöret, ist aber von dem Fürsten Stephan dem
fünften oder großen an die Moldau gebracht worden.
Dem Hause Oestreich, welches Anspruch daran gemacht, und ihn in Besitz genommen hatte, ward er
durch den Gränz-Scheidungsvertrag vom 27 Februar
1777 um desto williger auf ewig abgetreten, weil
dem Hofe zu Constantinopel, wegen seines Zwistes
mit Rußland, an der Freundschaft des Wiener Hofs
viel gelegen war. Allein der Fürst von der Moldau
Gre-

Gregorius Ghika, war mit dieser Abtretung sehr unzufrieden, und ob gleich sein Widerspruch die Huldigung, welche das Haus Oestreich am 11 October 1777 zu Czernovicz einnehmen ließ, nicht hinderte, so veranlaßte er doch, daß er am folgenden Tage auf Befehl des Sultans hingerichtet wurde.

§. 3 Es ist ein bergichtes und waldichtes Land. Der Ursprung des großen Eichenwaldes wird so erzählet. 1496 gieng ein polnisches Heer von 80000 Mann nach der Moldau, und belagerte Sutschava vergeblich. Auf dem Rückmarsch, ward es von des Fürsten Stephan des Großen Truppen so angefallen und geschlagen, daß eine große Menge umkam, und über 20000 gefangen genommen wurden, welche mehrentheils Edelleute waren. Der Fürst wollte diese nicht auslösen lassen, sondern er ließ sie an Pflüge spannen, und das Feld, auf welchem die Schlacht geschehen war, umpflügen, und mit Eicheln bepflanzen. Hieraus entstand ein trefflicher Eichenwald, den die Moldauer wegen des polnischen Bluts, mit welchem er war gefärbet worden, den rothen Wald nenneten, und das ist der Wald Bukowina. Das Land hat vermuthlich Metalle und andere Mineralien, wenigstens führen die Bäche Goldkörner unter ihrem Sande.

Die Pferde, welche hier fallen, sind zwar klein und unansehnlich, aber sehr dauerhaft und stark, und haben einen so harten Huf, daß er die rauhesten Wege ohne Hufeisen vertragen kann.

§. 4 Im Märzmonat 1777 hat man in diesem Lande gezählet, 4 Städte, 2 Marktflecken, 284 Dörfer, und viele einzelne Hütten, 17047 christliche, 526

jüdische,

jüdische, und 294 Zigeuner-Familien.   1786 gab
man ungefähr 132000 Einwohner an.   1787 ist verordnet worden, daß der Adel nicht mehr in Bojaren
und Masilen (gemeinadeliche Familien),   sondern
in den Herrn- und Ritter-Stand eingetheilet werden solle: zu dem ersten gehören die Grafen, Freyherren, und der Bischof des Landes.   Die Zigeuner
sind entweder Goldwäscher,- (Kudari), oder Löffel-
macher, (Lingmani).   Die Einwohner des Landes
sind der griechischen Kirche zugethan, und die Geistlichkeit besteht aus einem Bischof, der zu Radaucz
wohnet, aus 415 Popen, 96 Diaconen, 466 Ka-
lugiern oder Mönchen, und 88 Nonnen.   Sie ist
unter östreichischer Regierung dem illyrischen Patriarchen zu Carlowitz in Syrmien untergeben worden.

§. 5 Das Land ist, 1786 als ein Kreis zu Galizien und Lodomerien geschlagen worden.   Man hat
zwey Räthe, einen Criminalrichter, zwey Assessoren
und einen Kanzellisten angesetzet.

Die merkwürdigsten Oerter sind folgende.

1) Czernovicz, Czernauc, (Tschernovusch, Tscher-
nautz), die Hauptstadt, und der Sitz der Landesver-
waltung.   Sie liegt am Fluß Pruth.

2) Cosmin, ein Dorf am Fluß Catschur, der sich
in den Pruth ergießt, nicht weit von jener Stadt.   In
der Nachbarschaft desselben siehet man die Trümmer einer sehr alten Stadt.

3) Szeret, Siret, eine Stadt am Fluß gleiches
Namens.

4) Suczava (Sutschawa), eine Stadt am Fluß
gleiches Namens, welche ehedessen die Hauptstadt der
Moldau, und der Sitz des Fürsten war.   Sie liegt auf
einem ebenen Hügel, hat hohe Mauern und Graben, und
zählte ehedessen 40 steinerne und hölzerne Kirchen, und
16000

16000 Häuser, ohne die Palläste des Fürsten und der Bojaren. Nachdem aber die fürstliche Residenz von hier verlegt worden, ist die Stadt ganz in Verfall gerathen. Um ihr aufzuhelfen, hat sie Kaiser Joseph der zweyte 1786 zu einer freyen Handelsstadt erkläret, und ihr unterschiedene Privilegia ertheilet.

5) Radautz oder Radauz, ein Marktflecken am Fluß Suczava, in welchem der obengenannte griechische Bischof wohnet.

6) Piatra, ein Marktflecken, am Fluß Bistriza.

7) Bistriza, eine kleine Stadt am Fluß gleiches Namens.

Das

Ungarn,

mit

den einverleibten Ländern

und

Siebenbürgen.

Das Königreich Ungarn.

§. 1

Unter den vielen Charten von Ungarn, deren Verfertigung durch die häufigen Kriege mit den Osmanen veranlaßet worden, ist diejenige eine der merkwürdigsten, welche der Hauptmann Müller auf Veranlassung der königlich-ungarischen Kammer verfertiget, und 1709 mit einer Zuschrift an den Kaiser Joseph, ans Licht gestellet, Homann aber auf vier großen Bogen nachgestochen hat. Häsens *Tabula Ungariae* ampliori significatu — ex recentissimis pariter et antiquissimis relationibus et monumentis concinnata &c. welche die Homannischen Erben 1744 herausgegeben haben, ist mit mühsamen und langwierigem Fleiß, und großer kritischer Geschicklichkeit verfertiget, und stellet sowohl den neuen, als alten Zustand dieses Königreichs vor, ist aber in Absicht des letzten vollkommener, als in Ansehung des ersten. Keine Charte leget Ungarns ehemalige Abtheilung in vier Kreise und in Gespanschaften, so deutlich und richtig vor Augen, als diejenige, welche auf einem kleinen Bogen unter folgendem Titel ans Licht getreten ist: Tabula noua inclyti regni Ungariae, iuxta nonnullas obseruationes Samuelis Mykoviny concinnata ab Andrea Erico Fritsch, Posonii 1753. Man hat auch von dem Rector Szaszky einen kleinen Atlas in der Größe eines gemeinen halben

ben

ben Bogens, welcher außer dem Titulblatt, neunzehn Blätter von der alten, mittlern und neuern Geographie dieses Reichs, enthält. Das jetzige Ungarn bilden ein allgemeines Chärtchen, welches nach den vier Kreisen abgetheilet ist, und vier besondere Blätter von eben so viel Kreisen, ab. Alle diese Blätter sind 1750 und 51 zu Presburg gestochen, und zur Erläuterung derselben, dienet das Compendium Ungariae geographicum, dessen erste Ausgabe zu Presburg 1753; die zweyte stark vermehrte und verbesserte aber 1767 gedruckt worden. Wäre Matthiae Belii Notitia Ungariae nouae ganz heraus gekommen, so hätten wir in derselben von jeder Gespanschaft eine besondere von Mikoviny gezeichnete Charte erhalten; da aber außer dem Prodromus nur zwey Tomi gedrucket worden, so sind auch nur von den Gespanschaften, Posony, Lipto, Thuroz und Zolyom, besondre Charten erschienen. Die erste haben die Homannischen Erben nachgestochen. Die Charte von der Grafschaft Zips im Prodromus, hat Paul Kray de Rokusch gezeichnet, Franc. Flor. Czaki aber hat eine bessere geliefert. Die prächtige und sehr kostbare Description du Danube, depuis la montagne de Kalenberg en Autriche, jusqu'au confluent de la riviere Jantra dans la Bulgarie, — — par Mr. le Comte Louis Ferd. de Marsigli, traduite du Latin, à la Haye 1744 in größem Folioformat, fünf Bände, beschreibet den Lauf der Donau von dem Kalenberge oberhalb Wien an, bis Giorgio und Roscig in Bulgarien, theils auf zwey allgemeinen, theils auf siebenzehn besondern Charten, auf welchen aber keine andere Oerter stehen, als die auf beyden Seiten an dem

Strom

Strom liegen. Schön und prächtig, aber nicht sehr richtig und genau, ist die Charte von Ungarn und von den demselben einverleibten Ländern auf 16 großen Bogen, die zusammengesetzet werden können, welche der K. K. Feldmarschall Graf von Lacy, durch den Major Müller zeichnen, und 1769 hat in Kupfer stechen lassen. Klein, von 1 Bogen, im gewöhnlichen Format, aber schöner und richtiger als die eben genannte Charte, bildet Ungarn und die einverleibten Länder, die Charte ab, welche Sam. Krieger, ein Ingenieur, gezeichnet hat; und die 1780 in Carl Gottlieb von Windisch, Geographie von Ungarn, an das Licht getreten ist.

§. 2 In alten Zeiten hieß Ungarn Pannonia, welcher Name von den Pannoniern herrühret, die Abkömmlinge von den Slawen gewesen, und sich aus Hochmuth Panowe, d. i. Herren, von dem slawischen Wort Pan, ein Herr, genennet haben; daher sie bey den Ausländern Pannonier heißen. Es hat aber das alte Pannonia nicht das ganze jetzige Ungarn in sich gefaßet, und das jetzige Ungarn, begreift nicht das ganze Pannonia. Der Theil des jetzigen Ungarns, welcher von dem carpathischen Gebirge, der Donau und der Theis eingeschlossen wird, hieß vor Alters *Iazygum Metanastarum regio*. Metanastae wurden sie genennet, weil sie von andern Orten hieher gekommen waren; und Jazyges, in alten Urkunden Jazi, auch Balistarii und Balistaei, weil sie gute Schützen waren, von Jäß, ein Bogen. Woher der Name Hungarn oder Ungarn komme? wird unten §. 13 untersuchet werden. Die Ungaren selbst, nennen ihr Land Magyar Orszag, wie auch

§. 13

§. 13 vorkommen wird, die Osmanen nennen es Ma-
giar Jli, die Polen Wengierskie.

§. 3 Das Wort Ungarn, wird bald im engen,
oder eigentlichen, bald im weiten Verstande genommen; nimt man es in jenem, so hat es zu Gränzen
gegen Mittag den Fluß Drave, der es von Slawonien und Serwien absondert; gegen Morgen die
Wallachey und Siebenbürgen; gegen Mitternacht
das carpathische Gebirge, durch welches es von Gallizien und Lodomerien getrennet wird, und gegen
Abend Mähren, Oestreich und Steiermark; einige
aber nehmen es in so weitläuftigem Verstande, daß
sie auch Slawonien, Dalmatien, Bosnien, Serwien und Siebenbürgen, ja auch wohl die Moldau,
die Wallachey und Bulgarien dazu rechnen. Der
königl. ungarische Statthalterey Ingenieur Krieger
hat berechnet, daß das eigentliche Ungarn, das Temescher Gebiet mitgerechnet, 2790, Siebenbürgen 630, Dalmatien, Croatien und Slawonien 810
Quadratmeilen groß sey, also betrüge Ungarn mit
den einverleibten Ländern, 4230 Quadratmeilen.

§. 4. Die vornehmsten Gebirge in Ungarn sind:
1) das carpathische, (Tatra,) welches auf der mäh-
tischen, schlesischen, gallizischen und lodomerischen
Gränze ist, und Ungarn nebst Siebenbürgen gegen
Norden in Gestalt eines halben Mondes umgiebt. In
der Zipser und Liptauer Gespanschaft ist es am höchsten, so daß man es bey heiterm Himmel zu Erlau
in Ungarn, und zu Krakau in Polen, erblicken kann.
Die dasige höchste Spitze, des eigentlichen Tatra,
heißet Krywàn. Ein paar andere hohe Gegenden
des Tatra, heißen Fatra und Matra, jene ist zwi-

schen

schen der Thuroßer= und Liptauer=Gespanschaft, diese
in der Heweser=Gespanschaft. In der untersten Ge=
gend ist es mit gemeiner Waldung, in der zweyten
mit dem Linbaum, welcher mit dem Kienbaum
viel ähnliches, aber längere Tangeln hat, die auch
von dunkeler Farbe sind, in der dritten mit Krumholz
(einem Strauch des Linbaums,) bewachsen; und die
oberste bestehet aus ungeheuren steilen Feisen, welche
beständig mit Schnee bedecket, und zwischen welchen
verschiedene Seen von klarem Wasser sind. 2) Die
weißen Berge, gegen Morgen, und 3) die Beske=
reder Berge, gegen Rußland zu. 4) Die Cezi=
schen Berge, Montes Cetii, jenseits der Donau,
welche bey dem Fluß Leitha anfangen, und Steyer=
mark und Oestreich von Ungarn scheiden. 5) Der
Wald Bakony, um die Mitte des Kreises diesseits
der Donau, der über 12 Meilen lang, 4 bis 5 Mei=
len breit, und fast bloß mit Eichenbäumen bewach=
sen ist.

§. 5 Die vornehmsten Flüsse sind:

1) Die Donau, bey den Ungarn Duna, bey
den Slaven Dunay, latein. Danubius, welche in
Schwaben, und zwar im Fürstenbergischen Gebiet
bey Don=Eschingen entspringet, aus Deutschland ge=
gen Morgen mitten durch Ungarn, und das osman=
sche Reich fließet, und nachdem sie ungefähr 60 mei=
stentheils schifbare, und die geringern mitgerechnet,
über 120 Flüsse aufgenommen hat, durch einige Ar=
me mit großer Heftigkeit in das schwarze Meer stürzet,
so daß man ihren Strom und ihr Wasser auf ver=
schiedene Meilen weit in demselben bemerken kann.
Ehemals führte dieser Strom von da an, wo er die
deut=

deutschen Gränzen verläßet, den Namen Ister. Das
Vorurtheil, daß er bey dem so genannten eisernen
Thor, und bey den Ueberresten der trajanischen Brücke,
für große Schiffe nicht schifbar sey, hat die Erfah-
rung widerlegt, insonderheit ist 1785 ein Schiff mit
einer kaiserl: Flagge die Donau hinab gegangen, welches 32 Kanonen führet. Der Hausen ist sein be-
rühmtester Fisch), und aus dem Rogen desselben wird
Caviar gemachet.

2) Die March, Morawa, Marus, Marchus,
scheidet Oestreich und Mähren von Ungarn, und
fällt etliche Meilen von Presburg in die Donau. Bey
Mähren wird sie ausführlicher beschrieben.

3) Die Waag, Vagus, vor Alters Cusus, bey den
Ungarn Vag-Viz, bey den Slaven Wah, entstehet
aus dem carpathischen Gebirge, in der Liptauer Gespanschaft, nicht weit von Wäsetz, aus zwey Quellen,
und fließet in die Donau. Sie hat einen schnellen
und reißenden Lauf, und trit oft aus ihren Ufern. Sie
hat Lachse von ansehnlicher Größe.

4) Die Grän, bey den Ungarn Garom, bey
den Slaven Hron, latein. Granus, entspringet in
der Gömörer Gespanschaft, auf dem sogenannten
Königsberge, und fließet, nach einem Lauf von 24
Meilen, in die Donau.

5) Die Teiß, ungar. Tiszsza, slaw. Tyssa,
latein. Tibiscus, entstehet in der Marmoroscher Gespanschaft aus zwey Quellen, deren eine die schwarze,
und die andre die weiße genannt wird. Beyde sind
auf dem carpathischen Gebirge. Der Fluß ist, so
lange er zwischen den Bergen fließet, schnell und klar,
nachher aber langsamer und trüber, nimmt die klei-

Z 4   nern

nern Flüsse Bodroch, Zornat, Szamos, (Samosius,) Körös (Chrysius) und Maros, (Marusius,) auf, und ergießet sich vier Meilen über Belgrab in die Donau. Er ist sehr fischreich, insonderheit an Hechten und Karpfen.

6) Temes, Temessus, entstehet aus den siebenbürgischen Gebirgen, fließet bey Caransebes, Lugos und Temesvar vorbey, zertheilet sich, und machet verschiedene Moräste, bis er endlich nicht weit von Panczowa in die Donau fällt.

7) Die Drave, Draw, Drava, Dravus, kömmt aus Steiermark, machet die Gränzscheidung zwischen Slawonien und Ungarn, und fällt endlich unter dem Dorfe Darda in die Donau.

8) Die Arrabo, gemeiniglich Raab, entspringet in Steiermark, und fließet unter Raab in die Donau.

9) Die Leitha, Litaha, ein kleiner Fluß, der zwischen Oestreich und Ungarn fließet, und bey Altenburg in die Donau fällt.

Es giebt auch drey merkwürdige Seen, nämlich 1) den Plattensee, oder Balaton, in der Simeghier Gespanschaft, welcher zwölf Meilen lang und an einigen Orten zwey Meilen breit ist, an dessen Ableitung in die Donau und Verwandelung in urbares Land, schon lange gearbeitet worden. 2) Den Neusiedlersee, auf lateinisch, aber unrichtig, Peiso, auf ungarisch Fertö, zwischen der Oedenburger und Wieselburger Gespanschaft. Der Ort den er einnimmt, ist ehedessen mit Dörfern besetzet gewesen. Bey dem Erdbeben im 1763sten Jahr brausete und schäumte er stark. 1735 wurde das Wasser etwas sälzig. Er hat zwar keinen merklichen Zufluß von Wasser, durch

Bä-

Bäche und Flüsse, schwillt aber doch zuweilen auf, und tritt aus seinen Ufern. Er ist zum Theil ausgetrocknet, und hat Sümpfe hinterlassen, die mit Erlen bewachsen sind. Sein südliches Ende ist ein Rohrgebüsche. 3) Den Palitscher See, in der Botscher-Gespanschaft. Er ist fast 6 Klafter tief, hat beynahe 3 Meilen im Umfang, und sein fester und reiner Boden ist mit dem besten alkalischen Salz bedecket. Die Einwohner der daran liegenden Dörfer, gebrauchen ihn als ein Gesundbad.

§. 6 Ungarn lieget in dem nordlichen gemäßigten Erdgürtel. Der obere oder mitternächtliche Theil ist bergig, kalt, und zum Theil unfruchtbar, aber gesund; der mittlere Theil ist ebener und wärmer, aber wässerig und zum Theil sandig; und der untere oder südliche Theil ist eben, warm und fruchtbar, aber der vielen Moräste und Sümpfe wegen ziemlich ungesund. Die im besondern Verstande also genannte ungarische Krankheit, (Csömör, Tschömör, welches Wort eigentlich Eckel bedeutet,) besteht dem Anfange nach in Knoten, die unter der Hand am Arm entstehen. Wenn sie mit Knoblauch, Essig und Salz zur rechten Zeit so lange gerieben werden, bis sie zergehen, so wird der völlige Ausbruch der Krankheit gehindert. An dieser Krankheit, welche eine Art des hitzigen Fiebers ist, ist vornehmlich die Unmäßigkeit im Essen und Trinken schuld, und hiernächst trägt auch viel dazu bey, daß, wenn bey Tage die Hitze sehr groß gewesen, die Nächte kalt sind, daher man sich leicht verkälten kann. Die Pest kömmt aus der Türkey, und wird durch Ansteckung hieher ausgebreitet.

Z 5 §. 7.

§. 7 Es ist Ungarn mit allem demjenigen, was zur Nothdurft und Bequemlichkeit des Lebens erfordert wird, so reichlich versehen, daß jemand gesaget hat: *extra Ungariam non est vita, si est vita, non est ita.* Das ebene Land bringet hervor an Gewächsen, Gras, (in vielen Gegenden mehr als Manns hoch,) Tabak, Safran, Spargel, Zucker- und Wasser-Melonen, Hopfen, alle Arten des Getreides, insonderheit vortreflichen Weitzen, und Meiß, Hülsenfrüchte, Reiß, Hirse, Buchweitzen, Waid, Krapp, Baumwolle, verschiedene Arten von Baum-Früchten, als Pfirsiche, Abrikosen, Mandeln, Maulbeeren; der Aepfel, Birnen, Pflaumen und Zwetschen, (aus welchen die Sliwawitza, ein Magenstärkendes Getränk, gebrannt wird,) und anderer, nicht zu gedenken, verschiedene Gartengewächse, als, rothen und weißen Kopf-Kohl, der groß und schmackhaft wächset, u. a. m. auch Hanf und Flachs. An den Bergen und auf den Hügeln, wachsen vortrefliche Weintrauben. Die besten Reben hat Mathias Corvin, aus Syrmien nach Ungarn verpflanzen lassen. Der edelste und berühmteste Wein, ist der Tokayer, welcher in der Zempliner Gespanschaft, in einem nicht großen District wächset, daher die Menge desselben nicht groß ist; es werden aber Weine aus den benachbarten Gegenden mit unter dem Namen des Tokayer Weins verkaufet. Die so genannte Essenz, ist der köstlichste Wein, hernach folgen der Ausbruch, der Maschlasch, und alsdenn die gemeinen Weine, welche aber wieder sehr verschieden sind. Die häufigen Wälder, liefern Bau- und Brenn-Holz. An Mineralien, hat man Gold, Silber, beyde selten gediegen,

Kupfer,

Kupfer, Eisen, Bley, Zinnopel, (ein alkalisches
Silbererz, davon der Centner 6 bis 8 Loth giebt,)
Queckſilber, Zinnober, Spiesglas, Arſenik, Stein=
kolen, die meiſten Arten von Auripigment, Schwe=
fel, Vitriol, Markaſit, Steinſalz und gekochtes
Salz, Salpeter, Magnete, Asbeſt, Marmor
von mancherley Farbe, Alabaſter, Sandſteine, und
Edelſteine, die freylich geringer als die aſiati=
ſchen, zum Theil aber ſehr gut ſind. An Thieren,
hat man gute Pferde *), Ochſen, meiſtens weißgrau,
(deren Zucht abnimmt,) Büffel, Kühe, Eſel,
Maulesel, Schafe, (deren Zucht ſich vermehret und
verbeſſert,) Ziegen, Schweine, und mancherley
Gattungen von wilden Thieren, Vögeln und Fiſchen,
unter welchen Hirſche, Damhirſche, Rehe, Gemſe,
Bären, Lüchſe, Füchſe, Marder, Iltiſſe, Kanin=
chen und Haſen, Biber, Trappen, Auerhühner,
Rephühner, Birkhühner, Haſelhühner, Phaſanen,
ſehr viele Bienen, Hauſen, Lachſe, u.ſ.w.

Ungarn iſt auch reich an Saurbrunnen, kalten
und warmen Bädern, und die meiſten Geſpanſchaf=
ten ſind mit denſelben verſehen. D. J. N. Cranz,
hat ſeiner Analyſi Therm. Herculanarum Daciae
Trajani, — ein Verzeichniß dieſer Geſundbrunnen
angehänget, welche nach den Kreiſen und Geſpan=
ſchaften des Königreichs eingerichtet iſt. Es giebt
auch Quellen von anderer Art, als, die neuſohli=
ſchen in Herrengrund, und die ſchmölnitziſchen, wel=
che Cementwaſſer mit ſich führen; tödtende
Quel=

*) Deren Zucht zu befördern, 1785 eine eigene Verordnung
ergangen iſt.

Quellen, in der altsohler Gespanschaft;; versteinernde, in der Liptauer Gespanschaft, und Eisquellen, in der torner Gespanschaft.

§. 8 Ungarn hat 1776 gehabt, 65 Städte, (vrbes, ciuitates,) 376 privilegirte Marktflecken, (oppida priuilegiis donata,) 8548 Dörfer. Geringe Dörfer, die nicht viel über dreyßig Häuser haben, sind mit Marktgerechtigkeit versehen, daher man sich nicht wundern darf, wenn in einer Gespanschaft hundert und mehrere Marktflecken sind. Ofen, Pesth, und Preßburg, sind schöne Städte. Schöne Lust- und Land-Häuser fehlen nicht. Man hat in Ungarn 1776 gezählet, 3, 170000 Menschen, Siebenbürgen, Slawonien und Kroatien ungerechnet, welche zusammen an 2 Millionen Menschen haben sollen. Ungarn könnte weit mehr Menschen, als es wirklich hat, ernähren. In neuern Zeiten hat man sich Mühe gegeben, schlecht bewohnte Gespanschaften besser zu bevölkern: allein von den vielen Bauern, welche aus Deutsch-Lothringen, aus Schwaben und andern Ländern an der Donau, hieher gekommen, ist fast die Hälfte bald nach ihrer Ankunft gestorben, theils wegen der ungewohnten und ungesunden Luft, theils wegen des wohlfeilen Preises der hitzigen Getränke. Die Einwohner des Landes sind verschiedener Herkunft. Die eigentlichen Ungarn, sind zwar weit gesitteter, als ihre Vorfahren, aber es ist doch bey dem gemeinen Volk noch manches Merkmal des Ursprungs übrig. Die Jazygen und Cumanen werden mit zu den Ungarn gerechnet. Die jetzigen Jazygen halten die ungarischen Geschichtschreiber nicht
für

für Abkömmlinge von den alten Jazygen, deren
§. 2 gedacht worden, sondern meynen, daß sie von
gewissen Pflichten, die sie in Kriegszeiten und Feldzügen geleistet, und von den dafür erhaltenen Freyheiten den Namen hätten. Ihr Land ist nach ihnen
von den Cumanen oder Cunern bewohnt worden,
welche daher bey ungarischen Schriftstellern auch
Jazygen heißen, und bey den alten Schriftstellern
auch Uzen oder Gazen. Von den Jazygen und
Cumanen kommt hernach bey der Landschaft Klein-
Cumanien noch etwas vor. Sie hatten, ehedessen große Privilegien, die aber 1638 aufgehoben worden. Der Großgraf (Palatinus),
des Reichs, führet unter seinen Titeln auch diesen,
daß er Comes et Iudex Cumanorum heißet: und
bekömmt von den Jazygen und Cumanen jährlich
3000 Ducaten. Ein anderer Theil der Einwohner
ist slawischen Ursprungs, und dazu gehören die
Böhmen, Croaten, Serwier oder Raitzen,
Russen und Wenden. Sie bewohnen den östlichen und nördlichen Theil von Ungarn in der presburger, neutraer, trentschiner, arvaer, liptauer,
thuroßer, altsohler, bacser, honter, neograder,
gömörer, und ödenburger Gespanschaft, sind auch
sonst noch durch Ungarn zerstreut. Es scheint, daß
sie von den ältesten Zeiten her hieselbst gewohnet haben. Zu der deutschen Nation, gehören Oestreicher, Steiermärker, Bayern, Franken, Schwaben
und Sachsen. Es scheint, daß sie zu eben der Zeit
nach Ungarn gekommen sind, als die Sachsen sich
in Siebenbürgen niedergelassen haben: nach der Zeit
aber hat der Krieg, der Handel, und die Frucht-

bar-

barkeit des Landes, noch mehrere Deutsche ins Land
gezogen, welche sich sonderlich unter der Regierung
des östreichischen Hauses vermehret haben. Die
Wlachen, von uns gemeiniglich Walachen genannt, welche neben Siebenbürgen und der Walachey wohnen, haben mit den übrigen Walachen in
Thracien, Macedonien, Thessalien und Albanien,
einerley Ursprung. Sie nennen sich selbst Rumane,
oder Rumunje, das ist, Römer, weil ihre Vorfahren römische Unterthanen und Bürger gewesen
sind. Den Namen Wlachi, welchen sie selbst mit
Unwillen verwerfen, haben vermuthlich die Slaven aufgebracht, er wird auch von den Griechen gebraucht. Er bedeutet ein nomadisches oder herumziehendes Volk, daher ihn die türkischen Völker
durch Tjuban übersetzt haben, welcher Name hernach in Polen und Albanien bekannt geworden ist.
Zu den Fremdlingen in Ungarn, gehören die
Griechen, welche der Handel veranlaßet hat, hieher zu kommen; die Juden, deren Anzahl hieselbst
ehemals weit größer war, als sie jetzt ist, (denn die
Tabellen von 1776 gaben nur 32943 an), die Türken, und die Zigeuner, (Zingari, oder Czingáni),
welche letzten sonst ein herumschweifendes Volk waren, nun aber genöthigt werden, sich an bestimmten
Orten aufzuhalten, den Acker zu bauen, und den
Grundherren eben das zu leisten, wozu andre Unterthanen und Bauern verpflichtet sind. Die Ungarn,
(dazu auch die Slawen kommen), und die Deutschen, werden in den Reichsverordnungen allein regni-
colae, und die Stände des ungarischen Reichs, genennet; alle übrige heißen externi, extranei und
fo-

forenſes. Es können aber die Deutſchen und überhaupt die Ausländer, in Ungarn keine adeliche Güter erkaufen, bevor ſie ſich das Indigenat erworben
haben, wofür ſeit 1741 in die Landes-Caſſe 1000
fremnißer Ducaten erleget werden müſſen: wenn
aber ein geborner Ungar, der kein Edelmann iſt,
daſſelbige erlanget, entrichtet er dafür nur die Hof-
Taxe, welche ungefähr 1000 Gulden beträgt. Alle
Ausländer ſind des Indigenats fähig, ausgenommen die Venetianer und Polen, welche durch die
Reichsgeſetze davon ausgeſchloſſen, und als gefährliche Feinde des Reichs angeſehen worden, weil jene das Königreich Dalmatien zu fünfmalen an ſich
geriſſen haben, und dieſe wegen der ehemaligen vielen Kriege. Aus obigem erhellet, daß die Einwohner von verſchiedener Gemüthsart ſeyn müſſen;
doch hat das gemeinſchaftliche Verkehr ſie einander
ſehr ähnlich gemacht. Sie ſind größtentheils von
ſanguiniſch-choleriſchem Temperament. Der Adel
iſt zahlreich, und eben ſo gut geſittet, als der Adel
in andern europäiſchen Staaten. Seit Kaiſers
Karls des ſechſten Zeit, verheirathen ſich viele Magnaten mit deutſchem Frauenzimmer: es kleidet ſich auch
jetzt faſt alles hieſige vornehme Frauenzimmer auf
deutſche Weiſe, und verläßt alſo den ungariſchen
Anzug, der doch viel vorzügliches zu haben ſcheinet.
Der Adel hat inſonderheit ſeit Königs Andreä des
zweyten Zeit, große und mancherley Vorrechte und
Freyheiten, zu welchen inſonderheit dieſes gehört,
daß er von ſeinen Gütern, die er ſelbſt unmittelbar
gebrauchet, ohne ſeinen Unterthanen die Nutzung
derſelben zu überlaſſen, dem Könige nichts entrichtet.

Weil

Weil aber dieses eine Veranlaſſung geweſen iſt, daß viele bürgerliche Perſonen ſich haben in den Adel-ſtand erheben laſſen, um der damit verknüpften Freyheiten zu genießen, und ſolches zur Schmäle-rung der königlichen Einkünſte gereichet: ſo iſt nun-mehr die Erlangung des Adelſtandes auf mancher-ley Weiſe eingeſchränket worden. Ein Edelmann, der keine Landgüter hat, wird ein Armaliſt genannt. Es giebet viele Edelleute, welche ihrem Adel unge-ſchadet ein Handwerck treiben. Das Wort Joba-gyion, welches ehedeſſen von edlen Perſonen ge-braucht wurde, hat nachher die Bedeutung eines an den Boden ſeines Sitzes gebundenen Unter-thanen bekommen; Kaiſer Joſeph der zweyte aber hat 1786 verordnet, daß es in dieſem Verſtande gar nicht mehr gebrauchet werden ſolle, ſondern alle Unterthanen ſollten ohne Unterſchied ihrer Nation und Religion, für ihre Perſonen als freyzügige Leute (für welche ſie damals erkläret wurden), ange-ſehen, und allenthalben als ſolche gehalten und geach-tet werden. Einem jeden ſtehet nun frey, nach Be-lieben, auch ohne Einwilligung ſeiner Grundherr-ſchaft, zu heirathen, zu ſtudiren, Künſte und Hand-werke zu erlernen, und das erlernte aller Orten aus-zuüben. Keiner, noch ſein Sohn oder Tochter, noch eine andere zu ſeiner Familien gehörige Perſon, kann zu Hofdienſten ſeiner Grundherrſchaft gezwungen werden, ſondern es ſteht bey ihm, ob er ſie für Lohn annehmen will oder nicht. Ein jeder Unterthan kann ſein bewegliches und erworbenes Vermögen nach Be-lieben verkaufen, verſchenken, vertauſchen, verſetzen, vermachen, doch dem darauf haftenden beſtändigem

Recht

Recht der Grundherrschaft ungeschadet. Alle sollen im ruhigen und ungestörten Genuß ihrer Besitzungen gelassen, und nicht wider ihren Willen von einem Comitat und Ort nach dem andern versetzet werden.

In den Gegenden, wo es an Holz zum Bauen mangelt, wohnen die Bauern, und vornehmlich die Raitzen, in der Erde, in Hölen oder Kellern, welche sie zur Wohnung eingerichtet haben, und zwar so, daß entweder nichts, oder doch nur der Rauchfang, oder das ganze Dach, hervorraget und zu sehen ist.

§. 9 Es giebt in Ungarn vier Hauptsprachen. Die ungarische Sprache, oder die landessprache der eigentlichen Ungarn, ist mit den Sprachen der Wogulen, Kondinischen Ostiaken, Finnen, Syrjänen, Permiaken, Wotiaken, Tscheremissen und Mordwinen, verwandt; es sind auch tatarische und alte persische Wörter in derselben. Im Schreiben bedienen sich die Ungarn der lateinischen Buchstaben. Die deutsche Sprache, hat hieselbst nach der Verschiedenheit der deutschen Nationen, auch verschiedene Mundarten. Die slawonische Sprache, wird nach der Anzahl der Nationen, in die böhmische, kroatische, wendische, raitzische, russische und illyrische abgetheilet. Von der walachischen Sprache, wird bey der Walachey gehandelt werden. Hiernächst wird auch die lateinische Sprache nicht nur von gelehrten und vornehmen Leuten, sondern auch wohl von dem gemeinen Mann, vom letzten aber sehr schlecht, geredet, ja in den ungarischen Hofstellen und Gerichten, wird alles in lateinischer Sprache

verhandelt. Die Sprache der Ziganer, ist aus walachischen, slawischen, ungarischen und anderer Nationen verdorbenen Wörtern zusammengesetzt.

§. 10 Die christliche Lehre ist, aller Ver-
muthung nach, bald nach den Zeiten des Herrn in
diesen Ländern zuerst bekannt geworden; denn da
aus dem Briefe des Apost. an die Römer K. 15, 19.
erhellet, daß er das Evangelium von Jerusalem
an bis nach Illyrien verkündiget habe; Illyrien
aber das heutige Dalmatien, Croatien und Slavonien gutentheils in sich begriff: so ist wohl nicht zu
zweifeln, daß einige Nachricht davon bis in das
benachbarte Pannonien eingedrungen sey. Im vierten Jahrhundert hatte Sirmien schon Bischöfe, und
die Gothen, welche Dacien bewohnten, hatten auch
dergleichen. Unter den Ungarn aber ist das Christenthum erst im zehnten Jahrhundert recht ausgebreitet worden, als der Fürst Geysa nach 974, und
zwar wie man aus Aloldo Peklarn beweiset, 980,
sich taufen ließ; und noch mehr unter desselben Sohn
und Nachfolger Stephan, der seiner eifrigen Bemü-
hungen wegen, den Namen eines Apostels und Heiligen bekommen hat. 1523 fieng hieselbst die Reformation an, als Martinus Cyriacus, aus Leutschau
gebürtig, zuerst die gereinigte Lehre predigte; in
Siebenbürgen aber wurde sie schon 1521 durch einige
lutherische Schriften veranlasset. Von der Zeit an
giengen viele Ungarn Studirens halber nach Deutschland zurück. Zwingli Lehrsatz vom heiligen Abend-
mahl, wurde kurz vor oder gleich nach 1530 von einem Namens Matthias Devay, der es anfänglich
mit Luthern gehalten, in Ungarn bekannt gemacht,
                                                und

und vor dem Jahr 1557, wußte man auch schon von
Calvins Lehrsätzen, die von diesem Jahr an häufiger angenommen wurden. Von der Zeit an, da
die Jesuiten nach Ungarn und Siebenbürgen gekommen sind, hat die evangelische Kirche manchen Angriff erlitten, sonderlich aber vom Anfang des siebzehnten Jahrhunderts an. Diesen Druck aber hat
K. Joseph durch sein Toleranz-Patent aufgehoben,
und den Protestanten die freye Religionsübung, Kir-
chenbau, u. s. w. verstattet, aber die ihnen von den
Katholiken genommene Kirchen, haben sie nicht wieder
bekommen. Sie haben Superintendenten und Se-
nioren. Die Vorsteher der römisch katholischen
Kirche, sind Erzbischöfe und Bischöfe, die vom Könige gewählet, und vom Pabst bestätiget werden. Die
Namen der Erzbisthümer und Bisthümer kommen
hernach §. 16 vor. Die Aebte und Pröbste werden
auch vom Könige ernennet, und bedürfen der päbstlichen Bestätigung nicht. Der apostolische König hat
auch das Recht die Canonicos zu ernennen, ungeachtet bisher die meisten von den Bischöfen sind ernennet worden. Die Prälaten haben größtentheils
große Einkünfte, welche hernach bey ihren Sitzen
angegeben werden sollen. Die Gewalt des Pabstes
ist aber in Ungarn so groß nicht, als in andern Reichen; denn man darf nicht an ihn appelliren, und
er kann die geistlichen Güter nicht vergeben, sondern
nur bestätigen. Der König genießet die Einkünfte
von den erledigten Bisthümern so lange, bis es ihm
beliebet, dieselben wieder zu besetzen; daher pflegte
ehedessen das Erzbisthum Gran jederzeit einige Jahre
lang ledig zu bleiben. Diese und andere Gerecht-

Aa 2 same

same der ungarischen Könige in Kirchensachen, hat Adamus Franc. Kollarius in seinem Libro singulari de originibus et usu perpetuo potestatis legislatoriae circa sacra apostolicorum regum Ungariae, Wien 1764 in groß 8, ausgeführet.

Die illyrische Nation, hat besondere bürgerliche und gottesdienstliche Rechte. Zu Wien ist ein Buch in Folio gedruckt worden, welches das von der Kaiserin-Königin Majestät am 2 Jänn. 1777 unterschriebene Reglement für die Illyrische Nation enthält, welches demjenigen gemäß ist, was 1774 u. 76 auf den zu Karlowitz gehaltnen nicht unirten bischöflichen Synoden gemeinschaftlich abgehandelt worden. Es ist zwar schon unter dem 27 Sept. 1770 ein illyrisches National-Reglement bekannt gemacht worden, welches dasjenige enthält, was 1769 auf einem National-Congreß verabredet worden, und die Privilegien, das Religionswesen, und die Personen der illyrischen Geistlichkeit angehet: allein es haben sich seitdem die Umstände geändert, und daher ist auch das National-Reglement geändert worden. So wie es nun lautet, soll es die Vorschrift für alle in Ungarn, Croatien, Slavonien, dem Temeswarer Banat, (Gebiet) den Carlstädter und Warasdiner Generalaten, imgleichen in den Provinzial-Militär- und Kameral-Bezirken befindliche höhere und niedere nicht unirte Geistlichkeit graeci ritus, seyn. In demselben werden die Privilegien, welche der illyrischen Nation 1743 und 1763 ertheilt worden, bestätiget. Die Nation soll nicht unter der ungarischen Hof-Kanzley, sondern unter einer eigenen illyrischen Hof-Deputation stehen. Der
Erz-

Erzbischof und Metropolit soll blos als der illyrischen Nation Vorsteher in Geistlichen Sachen, aber keinesweges in weltlichen Sachen, angesehen, von ihr gewählet, und von dem Könige bestätiget werden. Seine Einkünfte bestehen in 6000 Fl. aus der Esseger Cameral-Casse, in 3000 Fl. aus der Temeswarer Cameral-Casse, und in den Zinsen von 38000 Fl. Capital, welches bey dem königl. Hof als Schuld stehet, und zur Hypothek das Kammergut Dallya hat. Er hat auch den Nutzen von den Gütern Neradin und Pankofcze. Unter demselben stehen folgende nicht unirte Bisthümer, das Verschecz- oder Caranbeser, das Temeswarer, das Bacser, das Arader, das Pakratzer, das Ofner und das Carlstädter Bisthum. Die erzbischöflich Syrmische Diöces, begreift sechs Protopopiats-Bezirke, mit 175 Pfarren und Oertern, und noch 28 Filialen, welche zu andern Pfarren gehören, zehn Protopopiats-Bezirke, welche 287 Pfarren und Oerter, und 37 zu andern Pfarren gehörige Filiale, begreifen. Zu der Temeswarer Diöces gehören zehn Protopopiats-Districte, welche 207 Pfarren und Oerter, nur 37 zu andern Pfarren gehörige Filiale begreifen. Die Verscheczer Diöces, enthält 6 Protopopiats-Bezirke, in welchen 239 Pfarren und Oerter, und 29 zu andern Pfarren gehörige Filiale sind. Die Arader Diöces, bestehet aus 14 Protopopiats-Bezirken, in welchen 481 Pfarren und Oerter, nebst 126 zu andern Pfarren gehörige Filiale, sind. Die Ofner Diöces, hat nur 2 Protopopiats-Bezirke, welche 48 Pfarren und Oerter, und 17 zu andern Pfarren gehörige Filiale enthalten. Die

Aa 3　　　　Bac-

Bacser Diöces, hat vier Protopopiats-Bezirke, zu welchen 61 Pfarren und Oerter gehören. Die Pakrazer Diöces, hat neun Protopopiats-Bezirke, in welchen 100 Pfarren und Oerter, und 473 zu andern Pfarren gehörige Filiale, sind. Endlich die Carlstäter Diöces, begreift 9 Protopopiats-Bezirke, in welchen 118 Pfarren und Oerter, und 300 Filiale, die andern Pfarren zugehören, sind.

Die Bischöffe, sollen aus den Klöstern genommen, und vorzüglich geschickte Personen dazu ausgesuchet werden. Zu jeder Synodal-Versammlung, sie geschehe wegen der Wahl eines Bischofs, oder wegen anderer Ursachen, muß vorher die landesfürstliche Genemhaltung gesuchet, und die Ankunft eines kaiserl. königl. Commißarii abgewartet werden. Dem Metropoliten werden für die auszufertigende Bulle entrichtet, von dem neuen Bischof zu Verschecz oder Caransebes und zu Temeswar, 200 Kremnitzer Ducaten, von dem Bacser und Arader Bischof 150, von dem Pakrazer 125, und von dem Ofner und Karlstädter, 100 Kremnitzer Ducaten. Die Ordination und Priesterweihe, muß umsonst ertheilet werden, 2c. Für die landesfürstliche Bestätigung, bezahlet ein Erzbischof und Metropolit an die illyrische Hofdeputation 2000, und an die ungarische Hofkanzley 1000 Fl., ein Bischof zu Bacs und Temeswar, jeder zweymal 1000 Fl., von den übrigen vier, jeder zweymal 500 Fl. und einer 500 Fl. Die Anzahl der Protopresbyteriate oder Protopopiate, ist vorher schon angezeiget worden. Zu Popen oder Pfarrern, sollen nur Unterthanen aus den kaiserlich-königlichen Erblanden bestellet werden. Ein Kirchspiel von 130 Häu-

Häusern, soll nur einen, eins von 250 Häusern nur zwey, eines von mehr als 250 Häusern nur drey fungirende Popen haben, und diese Anzahl soll ohne ausdrückliche landesfürstliche Bewilligung nicht überschritten werden. Diesseitige Unterthanen, sollen sich nicht zu Jppeck, oder an andern unter türkischer Bothmäßigkeit stehenden Orten zu Priestern weihen, und zu Archimandriten erwählen lassen. Der in den canonischen Rechten der griechischen Kirche keinesweges gegründete Gebrauch, die Popen nach dem Tode ihrer Weiber in die Klöster zu verstoßen, zum Klostergelübde gegen die Gesetze der Religion zu zwingen, und ihre Kinder dem äußersten Elende zu überlassen, wird abgeschafft, und die verwitweten Pfarrer sollen künftig bey ihren Pfarren gelassen werden. Jedes Kloster soll zwey geistliche Vorsteher haben, entweder einen Archimandriten und Jguman, oder einen Jgumen und Vicarium. In den Klöstern sollen nicht bloß Hieromonochi, sondern auch einige Monachi seyn, jene sind Priester, diese sollen nützliche Handwerke verstehen, als die Gärtnerey, das Kochen, die Kellnerey, das Schuster- und Schneider-Handwerk. Jede Diöces soll ihr Consistorium haben, und bey dem Erzbischof ein Consistorium, an welches appelliret werden kann, seyn. Von dem letzten kann man sich an den kön. Thron wenden. Die Consistorien haben nur in geistl. Sachen zu richten, doch können sie auch die Gefangennehmung eines Geistlichen besorgen, und die Streitigkeiten zwischen zwey Geistlichen in Amtssachen, schlichten. In Criminal- und Civil-Sachen, hängt der Clerus eben so wie der Layenstand, von der weltl.

Obrig-

Obrigkeit ab, als, von dem Hof-Kriegesrath, von der obersten Justitzstelle, und von der ungarischen Hof-Kanzley. Alle 1754, 58, 59 u. 61, wider die um sich greifende Bigamie ergangene Verordnungen, werden erneuret. Zur Verschaffung der Bücher, welche zum Unterricht der Jugend, zum öffentlichen Gottesdienst und zur Hausandacht nöthig sind; ist zu Wien unter Aufsicht der illyrischen Hof-Deputation, eine Buchdruckerey der illyrischen und orientalischen Sprachen errichtet worden. Zu einem National-Congreß sollen 75 Deputirte kommen, nämlich 25 aus dem Kriegsstande, 25 aus dem Provinciali, und 25 aus dem Clero. Wegen Haltung der Feyertage, wird zwar der illyrischen Nation der freye Gebrauch des alten Calenders nach den dieserwegen erhaltenen Privilegien bestätiget, sie soll aber an Orten, wo auch Römisch-Katholische wohnen, die vier größern römisch-katholischen Feyertage, als Ostern, Pfingsten, Weihnachten und Fronleichnam, den ersten Tag mit feyern, wenigstens den ganzen Tag die Handlungs- und Handwerks-Gewölbe verschliessen, und keine grobe oder knechtische Arbeit verrichten. Der griechische Calender, welcher 1774 auf der bischöflichen Synode zu Carlowitz vorgelegt worden, wird bestätigt. In offenen Orten, wo nur nicht unirte Glaubensgenossen graeci ritus, wohnen, und schon Popen sind, können Kirchen ohne Anfrage erbauet werden. Hingegen in geschlossenen Orten, und in solchen, wo Einwohner von verschiedener Religion sind, auch in solchen, wo schon eine griechische Kirche ist, und eine zweyte erbauet werden soll, muß kein Kichenbau ohne Erlaubniß der illyrischen Hof-

Depu-

Deputation vorgenommen werden. Die Verbesse-
rung der Kirchengebäude, kann ohne Anfrage geschehen, 2c. In dieser Verfassung ist nachher die Veränderung entstanden, daß am vierten Dec. 1777 die illyrische Hof-Deputation aufgehoben, und die Angelegenheiten der illyrischen Nation in dem Provinciali der ungarischen Hof-Kanzley zu Wien, im Militari aber dem Hof-Kriegsrath, aufgetragen worden.

Ein Theil der Unterthanen von der griechischen Kirche, hat sich mit der katholischen Kirche vereiniget, und diese Unirten stehen unter ihren Bischöfen zu Ofen und Munkatsch. Die Wiedertäufer oder Mennoniten, welche in der presburger, neutraer und trentschiner Gespanschaft gewesen, sind 1761 und in den nachfolgenden Jahren von dem Erzbischof von Gran, Franz, Grafen Barkoczy, unterdrücket und ausgerottet worden. Die Juden werden hin und wieder in den Städten und Flecken geduldet. Sie zahlen nur ihren Grundherren Abgaben, in die Kriegs-casse aber geben sie nichts.

§. 11 Der Gelehrsamkeit, beflissen sich unter den Römisch-Katholischen ehedessen am meisten die Jesuiten, welche auf den Universitäten zu Tirnau, Ofen, Raab und Caschau, und auf verschiedenen Gymnasien, die Theologie, Philosophie, Mathematik, Beredsamkeit, und andre freye Künste lehreten. Nachdem aber dieser Orden aufgehoben worden, sind die Schulen der patrum piarum scholarum mehr empor gekommen. In den Klöstern legen sich die Benedictiner, Paulliner und andre Orden, nach ihrer Art, auch auf das Studiren. Die ratio educationis totiusque rei scholasticae per regnum Hun-

gariae

gariae et provincias eidem adnexas, Wien 1777,
zeiget die Einrichtung der neuen Universität zu Ofen,
und die Beschaffenheit der alten und neuen Gymnasien, und der gemeinen Schulen. Für die ungarische
adeliche Jugend, ist durch königliche Huld 1763 zu
Wartberg in der presburger, und 1768 zu Waitzen
in der pesther Gespanschaft, eine Ritterschule angeleget
worden. Die Lutheraner und Reformirten legen auf
ihren Schulen und Gymnasien den Grund der Wissenschaften, und begeben sich alsdann, auf die hohen Schulen in Deutschland, in den Niederlanden
und in Helvetien. Die griechisch-morgenländischen
Christen, fangen auch an, besser zu studiren. In
der Rechtsgelehrsamkeit wurde sonst nur Privatun-
terricht ertheilet; nun aber wird sie zu Tirnau auf der
Akademie, und zu Erlau im juristischen Collegio,
öffentlich gelehret.

§. 12 Die Bürger befleißigen sich der Handwerke und Künste noch nicht so stark und gut, als ihnen
nützlich wäre. Zu Miskolz hat 1786 die Tuchwebe-
rey stark zugenommen. Sonst erstrecket sie sich meistens nur auf grobe Tücher. Die Handlung haben
die Griechen und Raitzen im untern Theil des Reichs
größtentheils an sich gezogen: es treiben auch die
Juden starken Handel. Bisher aber sind der Mangel an Kunstfleiß bey den Einwohnern, und die nicht
vortheilhafte Lage zum Absatz der Landes-Producte bey auswärtigen, Hindernisse eines ausgebreiteten und vortheilhaften Handels gewesen. Der
letzten Schwierigkeit könnte abgeholfen werden, wenn
man die Flüsse zum Beschiffen bequemer machte,
und durch Canäle mehr verbände. Man führet aus
Ungarn aus, Weine, Heu, Stroh, Gerste, Safran,

ran, Oel, Taback, Waid, Krapp, Hanf, Flachs,
Metalle und Mineralien, (als Kupfer, Bley,
Spiesglas, Regulus, Zink, Messing, Gallmey in
großer Menge, Vitriol), blaue Farbe, Salz, Vieh,
Häute, Leder, sehr viel Wolle, auch sehr viele
Pottasche, Hasenbälge und anderes Pelzwerk, Talch
Wachs, und vornehmlich Getreide, insonderheit
Weitzen und Hafer. Von einigen dieser Landeswaa=
ren ist besonders etwas zu sagen. Aller ungarischer
Wein, welcher nach Oestreich gehet, muß an der
Gränze aus den Schiffen genommen, und auf der
Achse nach Wien gebracht werden: nach andern deut=
schen Ländern aber kann er auf der Donau weiter ge=
führet werden. Oestreich empfänget jährlich unge=
fähr sechsmal hundert tausend östreichische Metzen
Getreide aus Ungarn. Es werden dahin jährlich
ungefähr hunderttausend Ochsen, und über vierzig=
tausend Schweine getrieben: allein beyde Arten der
Thiere kommen guten Theils aus den türkischen Län=
dern an der Donau. In Ungarn werden wieder ein=
geführet, Gewürze, Zinn, Seide, Oel, mancher=
ley Manufakturwaaren, und andre auswärtige Sa=
chen. Die Geldsorten, welche in Ungarn gewöhn=
lich, sind: 1) seit 1765 von Kupfer, ein Ungrisch,
(in ungarischer Sprache Pene, in slavonischer
Kralovszky), deren fünfe einen Kaisergroschen aus=
machen, ein Gröschl, (Patak), welcher der vierte
Theil eines Kaisergroschen ist, ein Kreuzer, (Grai=
zar), welcher der dritte Theil eines Kaisergroschen
ist, Polturak, (in ungarischer Sprache Poltura,
in slavonischer Pulgros), welcher ein halber Kai=
sergroschen ist; 2) von Silber, ein Groschen oder

Kais

Kaisergroschen, (in ungarischer Sprache Garas; iu flavon. Groß,; deren zwanzig einen rheinischen Gulden ausmachen; ein Fünfer (5 Kreuzer), ein Siebner, (in ungarischer Sprache Hetesch, in flavonischer Schedmak), welcher sieben Kreuzer ausmacht; ein Zehner (10 Kreuzer), ein Siebenzehner, (ungar. Mariasch, flavon. Seztak oder Sseftak), welcher siebenzehn Kreuzer beträgt; ein halber Gulden, (ungarisch Ful-Forint, flavonisch Pul-Slaty), ein Gulden, und ein Thaler. Nun ist auch alles sogenannte Conventions-Geld, welches in den deutschen Landen des Hauses Oestreich gilt, in den ungarischen Ländern gangbar, als, harte Thaler, Zwanzig- und Zehn-Kreuzerstücke. 3) von Golde. Seit dem 1sten May 1771 gilt ein Kremnitzer Ducat hier, so wie in allen Landen des Hauses Oestreich, vier Gulden achtzehn Kreuzer, ein Nagy Banier oder kaiserlicher Ducat aber zwey Kreuzer weniger, (von beyden Arten hat man auch doppelte), ein kaiserlicher Souverainsd'or, zwölf Gulden vierzig Kreuzer.

§. 13 Was nun die Geschichte des Landes betrifft, so ist aus alten historischen Denkmalen erweislich, daß die alten westlichen Einwohner von Ungarn Pannonier, die mitternächtlichen aber Jazygen geheißen haben. (§. 2) Die Römer brachten Pannonien unter ihre Gewalt, und beherrschten es fast 400 Jahre lang; ihnen nahmen es die Vandalen am Ende des dritten Jahrhunderts weg, und behielten es 40 Jahre. Als sie aber im Jahr 395 nach Gallien giengen, bemächtigten sich die Gothen ihrer Sitze, welche von den Hunnen aus ihren alten Woh-

Wohnungen vertrieben waren, und ihnen bald darauf auch diese neuen Sitze einräumen mußten. Die
Geschichte der Hunnen, Awaren und Ungarn,
in sofern sie zur Erläuterung der alten Geschichte dieses Landes, und seiner Einwohner dienet, beschreibet
der Jesuit Georg Pray, welcher die asiatische
Geschichte der genannten Völker aus Deguignes
histoire generale des Huns, geschöpfet hat, kürzlich
folgendermaßen. Die Hunnen, von den Sinesen
Hiong-nu genannt, haben in den ältesten Zeiten
das Land, welches Sina gegen Norden lieget, bewohnet, und die Sinesen haben wider ihre Einfälle
die berühmte Mauer erbauet. Nachdem ihr Reich
von den Sinesen zerstöret worden, haben sich die mitternächtlichen Hunnen gegen Abend gewendet, und
sich erst an der Wolga, hernach aber zwischen der
asowschen und caspischen See niedergelassen. Im
Jahr 374 giengen sie über den Donstrom, und kamen in Europa an. Sie bezwungen erst die Alanen,
hernach im Jahr 376 die Gothen, welche in Dacien,
d. i. zwischen dem schwarzen Meer und der Teiße
wohnten. Im Jahr 377 nahmen sie beyde Pannonien ein, und im Jahr 397 fiengen sie an, sich tau-
sen zu lassen. Unter ihrem König Attila, war ihre
Herrschaft am weitesten ausgebreitet, doch gerieth ihr
Reich nach desselben 454 erfolgtem Tode in Verfall,
und mit desselben Sohn Dengizich gieng es 489 ganz
unter, nachdem sie von den Gepidern und Gothen
waren bezwungen worden. Ihr Ueberrest wohnte
vom Dniester bis über den Don, und theilte sich in
die cuturgurischen und uturgurischen Hunnen
ab. Die Awarer sind in Asien unter dem Namen
der

der Geugener bekannt gewesen. Um die Mitte des
sechsten Jahrhunderts wurden sie von den Türken,
welche Ueberbleibsel der Hunnen waren, und das
altaische Gebirge bewohnten, überwunden, da sie
sich denn theils nach Sina, theils nach Europa begaben. Diese letzten sind von den griechischen und
lateinischen Schriftstellern durch einen Irrthum Awarer genennet worden, ob sie gleich die eigentlichen
Awarer nicht gewesen, auch anfänglich mit dem Namen der Varchoniten, (vielleicht von einem Chan,
Namens Var), beleget worden. Die lateinischen
Schriftsteller legen ihnen auch den Namen der hun-
nischen Awarer bey, entweder weil sie geglaubt,
daß sie ursprünglich Hunnen gewesen, oder weil sie
sich mit den Ueberbleibseln der Hunnen zu einem Volk
vermischet haben, nachdem sie dieselben überwunden
hatten. Wahrscheinlicher Weise haben sie schon vor
553 die Moldau und das Land auf beyden Seiten des
Dniesterstroms inne gehabt, und hernach auch das
Land der Gepider oder Dacien eingenommen. 568
räumten ihnen die Longobarden Pannonien ein. 598
und 599 nahmen sie Dalmatien weg, welches ihnen
aber 640 die Croaten und Serwier wieder abnah-
men. Hingegen erweiterten die Awarer ihr Gebiet
gegen Bayern zu, und beherrschten auch das Land
zwischen der Ens und Save. Allein, im achten
Jahrhundert wurden sie von Karl dem Großen sehr
eingeschränkt, unterwürfig gemachet, und zur Annehmung der christlichen Religion gebracht. Endlich
schlugen sie sich zu den Ungarn, welche aus Asien
kamen. Diese Ungarn sind den lateinischen Geschichtschreibern schon zu der Zeit, als sie noch in

Asien

Aſien waren, unter dieſem Namen, oder unter dem
Namen Hunugari, bekannt geweſen, haben alſo
denſelben nicht erſt von dem Schloſſe Hungu bekommen. Von den griechiſchen Geſchichtſchreibern ſind
ſie Türken genennet worden. Im ſechſten Jahrhundert wohnten die Ueberbleibſel der Hunnen unter dem Namen der Türken nahe bey den Sineſen,
und theilten ſich in die öſtlichen und weſtlichen. Zwiſchen beyden war der Fluß Irtiſch die Gränze. Die
weſtlichen Türken erſtreckten ſich von dieſem Fluß
bis an den aſowſchen See, wurden aber im achten
Jahrhundert ſo eingeſchränket, daß ſie zwiſchen den
Strömen Wolga und Don wohnen mußten. Als
ſie aber auch von dannen durch die Pazinaciten,
(Petſchenegen), vertrieben wurden, gieng ein Theil
von ihnen gen Oſten, und ließ ſich in einer Gegend
von Perſien nieder, (davon vermuthlich die heutigen
Türken herkommen), die übrigen aber wandten ſich
gegen Weſten, und nahmen Siebenbürgen und die
Moldau ein, welches wahrſcheinlicher Weiſe vor
dem achthundert und zwey und zwanzigſten Jahr
geſchehen iſt. Sie wurden aber 889 von den Pazinaciten, (zu welchen vermuthlich auch die Cunen
oder Cumanen gehöret haben) aus Siebenbürgen
vertrieben, und ließen ſich hierauf an der Teiſſe nieder. Im Jahr 896 nahmen ſie auch das Land zwiſchen den Flüſſen Gran und Waag ein. So weit
Pray.

Nach dieſer Geſchichte, ſind die Hungari und
Ungri, einerley Nation, und aus Ueberbleibſeln
der Hunnen entſtanden. Allein, man kann dieſes
nicht für gewiß annehmen. Der Name Ungar
heißet

heißet eigentlich Uger, und nach einer andern
Schreibart Utgur und Jugur, und ist kein ei=
genthümlicher Name, sondern ein allgemeines Nenn=
wort, welches (eben so, wie die Wörter Tschüd,
Scyth, Ostiak oder Uschtak; Barbar, u.a.m.)
einen Fremden, oder einen Ankömmling aus ei=
nem andern Lande, bedeutet, und diese Bedeutung
noch heutiges Tags in der mongolischen Sprache hat.
Nach dem Abulgasi sind die Ugern ein mongolischer
Stamm, oder haben erst im Lande der Mongolen,
zwischen den Gebirgen Tugra Tubusluk, Uskun Luk,
Tugna und Kutt gewohnet: sie sind aber endlich un=
ter einander uneinig geworden, und ein Theil von
ihnen ist in den alten Wohnsitzen geblieben, ein
anderer aber hat sich an den Fluß Irtisch begeben.
Hiermit stimmen die sinesischen Annalen überein,
welche Deguignes gebraucht hat; denn nach diesen
haben die Ugri in der untersten Gegend des Irtisch=
Flusses, oder in der Gegend von Turfan, gewohnet.
Von hieraus müssen sie weiter gegen Westen gegan=
gen seyn, und sich da niedergelassen haben, wo jetzt
auf und an dem Gebirge Ural die ufische Statt=
halterschaft ist, von welcher man Th. 1. S. 1078 s.
nachsehen kann. Denn der Mönch Carpin, in der
Beschreibung seiner im dreyzehnten Jahrhundert an=
gestellten Reise, nennet diese Gegend Groß=Un=
garn, und Rubruquis stimmet nicht nur darinn mit
ihm überein, sondern setzet auch hinzu, daß die Spra=
che der Einwohner dieser Landschaft, mit der Sprache
der Ungarn einerley sey, und daß die Ungarn von daher=
gekommen wären. Die russischen Annalisten müssen
                                        geglaubt

geglaubet haben, daß sich die Ugri noch weiter gegen
Norden in die Gegenden, welche von den Wogulen
bewohnet werden, hinbegeben hätten; denn sie nennen die Wogulen auch Ugritschi, d. i. Ugern, und
dieses ist auch um deswillen nicht unwahrscheinlich,
weil die wogulsche Sprache mit der ungarischen nahe
verwandt ist. Alsdenn hat auch das jugorische Gebirge, welches Rußland von Sibirien trennet, den
Namen von den Ugern. Von dem Gebirge Ural,
oder aus den Gegenden, wo die Quellen des Jaiks
sind, wurden sie durch die Petschenegen oder Pazinaciten vertrieben, und begaben sich an die Wolga.
Wie weit sich dieses Volk in seinen Stämmen, sowohl gegen Süden, als gegen Norden, ausgebreitet habe, erhellet in Ansehung der nordlichen Gegenden daraus, weil die ungarische Sprache mit der
Sprache der Wogulen, Esthen, Lappen, Finnen,
Sirjänen, Permiaken, Wotiaken, Tscheremissen,
Mordwinen und kondischen Ostiaken, verwandt ist,
davon Johann Eberhard Fischers Untersuchung de
origine Ungrorum, in seinen Quaestionibus Petro-
politanis, nachzusehen. Gegen Süden hat man eine
Spur von ihnen in dem Namen der Stadt Madschar, deren Trümmer im kaukasischen Gouvernement des russischen Reichs am Fluß Kuma, bis auf
den heutigen Tag zu sehen sind, (S. 1253) und von welchen ich im fünften Theil meines Magazins für die
Geographie und Historie, Abbildungen geliefert
habe. Es hat nämlich diese Stadt von den Ungarn,
welche eine Zeitlang in der Nachbarschaft der Perser
gewohnet haben, ihren Namen, denn dieselben nennen sich nicht nur, bis auf den heutigen Tag selbst

Magyar oder Madschar, sondern werden auch von den Osmanen, Arabern, andern Asianern, und von den slawischen Nationen an der Donau, also genennet, haben auch diesen Namen schon gehabt, als sie am Jaik und an der Wolga wohneten, (Abulgasi S. 45). Die Russen und Polen aber haben den Namen Wengry oder Ungarn behalten, welchen die Ungarn von sich selbst nie gebrauchet haben. Alles bisher gesagte, erläutert auch, woher es komme, daß die Sprache der Ungarn nicht nur mit der Sprache der Wogulen, (welche sich selbst Mantschi nennen), und anderer vorhin genannten Völker, verwandt ist, sondern auch tatarische und alte persische Wörter hat. Nach dem Bericht der russischen Annalisten, sind die Ungarn oder Madschar im Jahr 898 über Kiow nach der Donau gegangen, haben die Wolochen vertrieben, und das Land derselben eingenommen, welches hierauf von ihnen benannt worden.

Im Jahr 973 fiengen sie an, die christliche Religion anzunehmen, dazu ihr Fürst Geysa den Weg bahnte, dessen Sohn Stephan vermuthlich im Jahr 983 getauft; auch nach des Vaters 997 erfolgtem Tode, der erste einheimische König der Ungarn geworden ist, doch hat er den königlichen Titul erst im Jahr 1000 zu führen angefangen. Er führte die christliche Religion in seinem Lande vollends ein, errichtete Bisthümer, Abteyen und Kirchen, und wurde nach seinem Tode unter die Zahl der Heiligen versetzt. Ihm folgten noch zwanzig einheimische Könige, von welchen der zweyte, Namens Peter, sich und sein Reich, jedoch ohne Einwilligung der Stände, in des Kaisers Heinrich des dritten Schutz

begab;

bégab; der dritte, Andreas der erſte, das Reich in
drey Theile abtheilte, und einen ſeinem Bruder Bela,
unter dem Namen eines Herzogthums, gab: der
achte, Ladislaus der Heilige, Croatien und Dalmatien an das Reich brachte, und in großer Hochachtung
bey ſeinem Volk ſtand; der zwölfte, Geyſa der zweyte
im Jahr 1154 die Sachſen nach Siebenbürgen rief;
der ſiebzehnte, Andreas der zweyte, dem Adel große
Privilegien ertheilte, darunter auch dieſes war, daß
derſelbe die Macht haben ſollte, ſich den Königen zu
widerſetzen, wenn ſie etwas wider die Reichsgeſetze
unternähmen, welches erſt 1687 aufgehoben und ab-
geſchafft worden; der neunzehnte, Stephan, ſich Bulgarien zinsbar machte; und der letzte, Andreas der
dritte, im Jahr 1301 ſtarb. Hierauf folgten zwölf
auswärtige Könige, unter welchen Ludewig der erſte
im Jahr 1356 das von den Venetianern ſo oft ange-
griffene Dalmatien endlich ganz wieder mit dem Reich
vereinigte; Siegmund 1390 die Moldau und Walachey zum Abtrag eines Tributs nöthigte, aber hingegen dreyzehn Städte der zipſer Geſpanſchaft, nebſt den
Schlöſſern Podolin uud Lublyo, und den dazu gehörigen zwey Städten, und etlichen Dörfern, an Polen
verpfändete; Matthias Schleſien, Mähren und Lauſitz
von den Böhmen erhielt. Unterm Uladislaus dem
zweyten, kam das ius conſuetudinarium, welches tri-
partitum genennet wird, zum Stande; und Ludewig
der zweyte, der letzte von dieſen Königen, blieb 1526 in
einer unglücklichen Schlacht wider die Osmanen bey
Mohacs. Hierauf kam das Reich an das öſtreichiſche
Haus, bey welchem es bis auf dieſen Tag geblieben.
Der erſte König aus dieſem Hauſe, Ferdinand der

Bb 2   erſte,

erſte, Karls des fünften Bruder, hatte mit ſeinem Ne-
benbuhler Johannes von Zapolya, viel' zu ſchaffen,
und mußte ihm Siebenbürgen, nebſt einigen Stücken
von Ungarn, abtreten; welche Abtretung ſein Sohn
und Nachfolger Maximilian der zweyte beſtätigte.
Rudolph der zweyte mußte das Reich bey ſeinen Lebzeiten ſeinem Bruder Matthias überlaſſen, dazu die
Ungarn halfen. Dieſem folgte Ferdinand der zweyte,
Ferdinands des erſten Enkel, dem der ſiebenbürgiſche
Fürſt, Bethlen Gabor, das Reich 1620 entriß, welches
er aber im folgenden Jahre wieder abtreten mußte.
Ferdinand der dritte ward in einen Krieg mit dem Fürſten von Siebenbürgen, Georg Rakotzy, verwickelt;
und obgleich ſein Sohn, Ferdinand der ſechſte, zum König von Ungarn erwählet und gekrönet wurde, ſo ſtarb
er doch noch vor ſeinem Herrn Vater; und ſein Bruder
Leopold wurde 1654 König. Unter ſeiner Regierung,
brachen die wegen der Religion und anderer Urſachen
entſtandene Unruhen, in einen innerlichen blutigen
Krieg aus, in welchen der Graf Tököly die Osmanen
mit hinein zog, die aber keinen Vortheil davon hatten. Siebenbürgen wurde wieder an das Reich gebracht. Die mißvergnügten Ungarn fanden hernach
an Franciscus Rakotzy ein Haupt, unter welchem ſie
nach dem Abſterben des Kaiſers Leopold, deſſelben
Nachfolger Joſeph zu bekriegen fortfuhren, bis ſie
1711 wieder zum Gehorſam gebracht wurden. In
eben dieſem Jahre ſtarb Joſeph, und ſein Bruder
Karl der ſechſte, welcher den Thron beſtieg, brachte
1718 durch den paſſarowitzer Frieden den ganzen temeswarer Bannat, ein Stück von der Walachey, den
größten Theil des Königreichs Serwien, mit der
Haupt-

Hauptstadt Belgrad; ein Stück von Croatien und Bosnien, und den übrigen kleinern Theil von Slawonien, an sich. 1739 gieng Belgrad, nebst ganz Serwien, die östreichische Walachey, die Insel und Festung Orsava, das Fort S. Elisabeth, und der erworbene nordliche Theil von Bosnien, welcher an der Save liegt, wieder verloren, und gerieth den Osmanen in die Hände. 1722 wurde auf dem Reichstage zu Presburg dem östreichischen Hause die Erbfolge in Ungarn dergestalt versichert, daß, in Ermangelung männlicher Nachkommenschaft, die weibliche der königlichen Würde fähig seyn solle. Als daher Kaiser Karl der sechste im Jahr 1740 mit Tode abgieng, bestieg desselben älteste Prinzessinn, Maria Theresia, Gemahlinn des nachmaligen römischen Kaisers Franz, den ungarischen Thron, und wurde 1741 gekrönet. Ihrem Gemahl trugen die Reichsstände 1741 die Mitregentschaft auf: und eben dieses thaten sie auch 1765 desselben Sohn, dem Kaiser Joseph dem zweyten. 1772 wurden die an Polen verpfändet gewesenen 13 Marktflecken, wieder an Ungarn gebracht.

§. 14 Ein König von Ungarn wird nach Vorschrift des Gesetzes, der katholische, und wegen der Bemühung, welche Stephan der erste in Bekehrung der Ungarn zum Christenthum angewendet hat, der apostolische genennet, welchen Titel Pabst Clemens XIII, 1758 für die Kaiserinn Königinn Maria Theresia, und alle ihre Nachfolger bestätiget hat. Die Reichskleinodien, nämlich die goldene Krone, das Zepter, das Schwerdt des Königs Stephan, und desselben Mantel, Handschuhe und Schuhe, imgleichen das silberne Kreuz, welches das Apostelamt bezeichnet, wurden sonst zu Presburg auf dem Schlosse verwahrt,

Bb 3

wahret; Kaiser Joseph der zweyte aber hat sie nach
Wien bringen laſſen. Zu Presburg ſollte auch die
Krönung durch den Erzbiſchof zu Gran geſchehen,
K. Joseph der zweyte aber hat ſich nicht krönen laſſen.
Das Wapen des Königreichs, iſt ein in die Länge
herab getheilter Schild, deſſen rechtes Feld roth, und
durch vier ſilberne Streifen geſpalten iſt; das linke
Feld iſt auch roth, und hat ein ſilbernes erzbiſchöfli-
ches Kreutz, welches auf einem dreyfachen grünen
Hügel ſtehet.

§. 15. Ungarn iſt ſeit 1687 ein Erbreich des erz-
herzoglich-öſtreichiſchen Hauſes, und kraft der 1723
zu Presburg gemachten Verordnung, ſind auch die
Prinzeſſinnen der Reichsnachfolge fähig, dergeſtalt,
daß, wenn die karolinſche Nachkommenſchaft erlö-
ſchen ſollte, die joſephinſche, und nach deren Abgang die leopoldinſche in Portugal, auf den Thron
kömmt. Der erſte Erbprinz wurde ehedeſſen ein Herzog von Ungarn genennet, jetzt aber heißt er ein Erzherzog von Oeſtreich. 1764 hat Königin Maria
Thereſia den Ritterorden des heil. Stephani, erſten
apoſtoliſchen Königs in Ungarn, erneuert, und am
5ten und 6ſten May die erſten Großkreuze, Commenthure und Ritter aufgenommen. Das Ordens-
zeichen iſt das ungariſche Kreutz, welches die Großkreutze an einem breiten Bande von der rechten Schulter zur linken Seite herab, die Commenthure aber
an einem Bande auf der Bruſt, und die Ritter an
dem Knopfloch tragen. Die Bänder ſind von rother Seide mit einem grünen Streif an beyden En-
den. Neben dem Kreutz ſind die Buchſtaben M. T.
zu ſehen, es iſt auch die Umſchrift Publicum merito-
rum praemium zu leſen. Auf der Rückſeite des
Kreu-

Kreutzes stehen in einem Kranz von Eichenblättern auf weißem Felde folgende Worte: Sancto Stephano Regi I. Apostolico. Die Großkreutze tragen auf der Brust einen mit Silber gestickten Stern, in dessen Mitte ein Kranz von Eichenlaub, und darinn das Ordenskreutz zu sehen ist.

§. 16 Es soll zwar ein König zu Uagarn in Regierungssachen nicht thun was er will, sondern die Reichsgesetze binden ihm in vielen Stücken die Hände: die Macht desselben nimmt aber so wie die Gewalt der Fürsten anderer Staaten, je länger je mehr zu, und Kaiser Joseph der zweyte hat sie sehr erhöhet. Es giebet in Ungarn eben so wie in England, eine Hofparthey, und eine Gegenparthey derselben: jene suchet die Königliche Gewalt zuerweitern, diese bemühet sich, dieselbe in ihren alten Schranken zu erhalten. Seit Karls des sechsten Töde, ist jene allezeit die stärkste gewesen, und die Ursachen sind leicht zu finden. Der Hof ertheilet den Magnaten hohe civil- und militärische Aemter nicht nur in Ungarn, sondern auch in Oestreich, und ziehet sie dadurch zu seiner Parthey. Sie verheyrathen sich gern mit östreichischem Frauenzimmer, und werden eben dadurch östreichisch gesinnet. Die meisten Magnaten wohnen zu Wien, lassen auch daselbst ihre Kinder erziehen. Alle Bischöfe sind dem Hofe völlig ergeben. Die meisten Protestanten sind auf mancherley Weise gewonnen, Kaiser Joseph der zweyte, ist von einem ungarischen Magnaten erzogen worden, spricht die ungarische Sprache sehr gut, erscheinet zuweilen in ungarischer Kleidung, durchreiset das Königreich oft, und läßt

sich

sich in demselben allenthalben sehen und sprechen las=
sen. Dadurch hat er die Herzen aller Einwohner des
Reichs gewonnen. Am Hofe ist eine ungarische
Leibwache, und der Kaiserl. Königl. Schwiegersohn,
der Herzog von Sachsen Teschen, hat in Ungarn gewohnet. Seit dem 1763 geendigten Kriege, liegen verschiedene deutsche Regimenter in Ungarn, hingegen die
Ungarischen Regimenter sind theils in Deutschland,
theils in Galizien und Lodomerien, theils in den
italienischen Staaten des Hauses Oestreich, in Besatzung. Jetzt darf der Hof manches thun, das
im vorigen Jahrhundert eine Empörung nach sich
gezogen haben würde. Gesetzt auch, daß es eini=
ges Geschrey erreget, so ist es doch nicht stark, wäh=
ret auch nicht lange, denn das Volk wird von den
Großen nicht mehr aufgewiegelt, sondern vielmehr
zum Gehorsam ermahnet. König Andreas der
zweyte, ertheilte den Edelleuten im Anfange des drey=
zehnten Jahrhunderts, große Freyheiten. Sie soll=
ten weder Contribution, noch irgend eine andere
Abgabe von ihren Güthern und Insaßen entrichten,
hingegen mit solchen ihren Gütern und Insaßen
willkürlich schalten und walten; daher jeder Reichs=
stand auf seinen Gütern auf gewisse Art einen Landesherrn vorstellte. Kein Reichsstand sollte gefäng=
lich angehalten, oder gar verurtheilet werden, er
wäre denn gehörig vorgeladen, und durch Urtheil
und Recht eines Verbrechens überwiesen worden.
Wenn eines dieser dreyen Vorrechte verletzet würde,
so sollte ein jeder befugt seyn, sich dem Könige un=
gestraft, und ohne des Verbrechens der beleidigten
Majestät beschuldiget zu werden, öffentlich zu wi=
dersetzen. Daraus entstanden so viel Unruhen,

Meu=

Meutereyen und Empörungen, daß schon K. Karl der sechste dieses letzte Vorrecht ganz aufhob. Die ersten Vorrechte wurden in sechzehnten und siebenzehnten Jahrhundert, da das Haus Oestreich wegen der benachbarten Osmanen sehr viel nachgeben mußte, gewaltig ausgedehnet. Allein die Umstände haben sich geändert, und die Reichsstände werden nach und nach in die alten Schranken zurück gebracht, und für den Hof willfähriger gemacht.

§. 17 Die ungarischen Reichsstände werden in 4 Klassen getheilet; und in den Reichsgesetzen unter dem Namen Populus verstanden.

1) Zu der ersten gehören die Prälaten, welche die Gewalt über geistliche oder Kirchen-Sachen, und den Rang über alle übrige haben, ausgenommen, daß der Palatinus des Reichs den Rang vor allen hat. Diese sind:

a. Der Erzbischof von Gran und der von Colozscha. Jener ist Primas von Ungarn, Ober-Secretär und Kanzler, des päbstlichen Stuhls legatus natus, und Fürst des heil. röm. Reichs. Er allein hat das Recht, den König zu krönen, ist beständiger Obergespan der Graner Gespanschaft, machet Edelleute auf seinen Gütern, u. s. w. Unter ihm stehen sechs Bischöfe, nämlich der von Erlau, Nitra, Raab, Vatz, Fünfkirchen und Veszprim, dazu noch die griechischen Bischöfe zu Ofen und Munkats, welche sich mit der römischen Kirche vereiniget haben, gerechnet werden können. Seine jährlichen Einkünfte wurden ehedessen über 360000 Gulden geschätzet. Darunter sind 12 bis 13000 Gulden, welche er als ehemaliger Oberwardein von ganz

Bb 5 Ungarn

Ungarn aus den Bergwerken empfänget, nämlich
von jeder Mark feinen Goldes 1 Fl. 36 Kr. und von
jeder Mark Silbers neunzehn Denarien.   Der Erz=
bischof von Colocsa, hat die zweyte Stelle nach
jenem, und ist auch Bischof von Bats; seine Suf=
fraganei sind die Bischöfe von Großwaradein,
Csanad, Zagrab, Sirmien, Bosnien, Sie=
benbürgen und Bakow in der Walachey.   Am
ersten Jänner 1777 ist das große Erzbisthum Gran
zerstücket, und es sind die Bisthümer Varallya in
der Grafschaft Zips, Neusohl in den Bergstädten,
und Rosenau in der Gömörer Gespanschaft davon
abgesondert worden.   Es sind auch in eben demselben
Jahr noch neue Bisthümer zu Stuhl=Weissen=
burg und Stein am Anger errichtet worden, welche
unter dem Erzbischof von Gran stehen.

b. Die Bischöfe, welche eben genennet worden.[1]
Sie stellen eine gedoppelte Person vor, nämlich eine
geistliche und weltliche, sind meistens Ober=Gespane
der Gespanschaften, in welchen sie ihren Sitz haben,
und die vornehmsten im Reichsrath.   Aus dem vor=
hergehenden Verzeichniß derselben erhellet, daß drey=
zehn in Ungarn, und vier außer Ungarn sind.

c. Die Aebte, unter welchen der Abt von des
heil. Martins Abtey der vornehmste war; denn der
heil. Stephan hat diese Abtey gestiftet, und der Abt
stand unter keinem Bischof noch Erzbischof, sondern
unmittelbar unter dem Pabst.   Er hatte auch zwey
Suffraganeos, welche waren der Abt im Walde Bako=
ny, und der zu Tihany. Es ist aber die Abtey Martins=
berg aufgehoben.

d. Die vornehmsten Pröbste (Praepositi maio-
res,) als der Probst des Kapitels des heil. Martins
auf

auf dem Hügel bey dem Schloſſe Zips, der presbur=
giſche Probſt, der Probſt des Prämonſtratenſer=Or=
dens zu Leleſz, der großwarabeinſche ꝛc. Dieſe ha=
ben auf dem Reichstage gemeinſchaftlich mit den Ka=
piteln eine Stimme. Von dem Probſt zu Stuhl=
Weißenburg iſt noch anzumerken, daß er den ungari=
ſchen Biſchöfen gleichet.

Anm. Die Paulliner und Prämonſtratenſer Mönche, wer=
den auch zu den Ständen gerechnet, und haben Sitz und Stim=
me auf dem Reichstage bey den Magnaten.

2) Zu der zweyten Klaſſe, gehören die Ma=
gnaten oder Reichs=Barone.

(1) Die größeren Reichs=Barone, welche vor=
züglich Reichs=Barone heißen, und die Erzämter
des Reichs verwalten, (die aber nicht erblich ſind,)
nämlich der königliche Groß=Graf, Palatinus
regni, welcher der vornehmſte iſt, in den wichtig=
ſten Angelegenheiten des Reichs des Königs Stelle
vertritt, und alſo allezeit Locumtenens regius iſt,
an deſſen Stelle die Könige auch wohl einen Locum=
tenéntem, oder Statthalter ſetzen, der nicht Groß=
Graf iſt: der Reichs=und Hof=Richter, Iudex
curiae regiae; der Ban (*Prorex*) von Dalma=
tien, Croatien und Slawonien; der Schatz=
meiſter, Magiſter Tauernicorum (Tavar heißt
bey den Ungarn ein Schatz,) regalium; oder The=
ſaurarius regni Ungariae, welche Würde, nachdem
ſie über hundert Jahre erlediget geblieben, 1782
wieder ertheilet worden; der Ober=Mund=
ſchenke, Magiſter pincernarum; der Ober=
Truchſes, Magiſter dapiferorum; der Ober=
Stallmeiſter, Magiſter agaſonum; der Ober=
Kammerherr, Magiſter cubiculariorum; der
Thür=

Thürhüter oder oberste Trabantenhauptmann,
Magister ianitorum; der Hofmarschall, Magister curiae; und der Capitaneus von der königs
lich-ungarischen Leibgarde, welcher 1765 eine
Stelle unter den Reichs-Baronen bekommen hat.
Siehe Car. Andr. Belii; commentationem de ar-
chiofficiis regni Ungariae, Ungari Baronatus vo-
cant, Lipsiae 1749 in 4to. Diese Reichs-Barone haben einen sehr geringen Gehalt, wie denn in Ungarn
die meisten Aemter nur Ehrenstellen sind: der Palatin aber hat einen Gehalt von 30000 Gulden.

2) Die kleineren-Reichs-Barone, oder die
Grafen und Freyherren. Unter diesen haben der
Preßburger Obergespann und die beyden Kron-
hüter, und nach denselben die übrigen Ober-Ge-
spane, (Supremi comites,) den Rang vor den übrigen Grafen und Freyherren.

3) Zu der dritten Klasse gehören die Ritter
oder Edelleute, die entweder adeliche Güter, oder
nur adeliche Privilegien haben; jene werden nobiles possessionati; diese aber armalistae genennet.

4) Zu der vierten Klasse gehören die Königlichen Freystädte, (ciuitates liberae atque regiae,)
welche mit zum Reichstage berufen werden, und nicht
unter den Grafen stehen; sondern dem Könige zugehören, (peculium sacrae coronae,) und einen Rath
haben, dem gemeiniglich ein Stadtrichter und Bürgermeister vorsteht. Sie sind von zwiefacher Art:

(1) Solche, die unter dem königl. Schatzmeister
stehen, und bey demselben belanget werden müssen,
als: Bartfa, Karpona, Caschau, Comorra,
Debrezen, Eisenstadt, Eperies, Günz,
Leut-

Leutſchau, Modra, Neuſatz, Oedenburg, Ofen, Peſth, Presburg, Raab, Szathmar, Nemethi, Szakolza, Szeged, Tunau, Zagrab in Croatien, und Zombor. (2) Solche, die unter dem Perſonali praeſentiae regiae ſtehen, als: Altſohl, Baka-Banya, Bazin, Brezno, Cremnitz, Bela-Banya oder Ungariſch-Neuſtadt, Gran, Kesmark, Königsberg, Leutſchau, Libeth-Banya, Nagy-Banya, Neuſohl, Ruſt, S. Georgen, Schemnitz, Stuhl-Weiſſenburg, Trentſchin, Zeben, und andre mehr. Einige unter dieſen königlichen Freyſtädten ſind Bergſtädte, und ſtehen unter ihrem Kammer-Grafen, welcher von der Hofkammer zu Wien abhänget; nämlich Cremnitz, Schemnitz, Neuſohl, Libeth-Banya, Bela-Banya, Baka-Banya, Königsberg, von deren Gemeinſchaft getrennet ſind Königsberg und Felſo-Banya, in der ſzathmariſchen Geſpanſchaft.

Hiernächſt giebt es auch Freymärkte, oppida libera, unter welchen: (1) die Sechzehn ſogenannte Städte oder vielmehr Marktflecken in der Graſſchaft Zips. Dieſe ſind: Bela, Laibitz, Menhardsdorf, Deutſchendorf, Gniſen, Michelsdorf, Neudorf, Riſtdorf, Vallendorf, Fülk, Pudlein, Varallya, Matzdorf, Georgenberg, Lüblau, und Durandsdorf. (2) Die Heyducken-Flecken, (oppida Haidonicalia,) welche beſondere Vorzüge haben, nämlich Vamos-Perts, Hathaz, Böszörmeny, Dorog, Nanas, Szoboszlo, Polgar. (3) Die Bergflecken, (oppida metallica,) als: Schmölznitz, niß, Schwedler, und so weiter, welche unter dem königlichen Fisco stehen. (4) Die Husaren-Flecken, (oppida militaria,) der Serwier oder Raißen, in der batscher und bodroger Gespanschaft, und im temeschwarer Gebiet, welche unter dem Hof-Kriegsrath stehen.

Mit der ungarischen Ritterschaft haben gleiche Freyheiten die erzbischöflichen und bischöflichen Edelleute, welche Prädialisten genennet werden; wenn ihr Adel vom Könige bestätiget worden, werden sie der Reichsritterschaft gleich geachtet. Unter denselben sind heutiges Tags die Edelleute oder Vasallen des Erzbischofs von Gran, in zwey Gerichtsstühle, (Sedes,) vertheilet, in den vaikischen und verebelischen; sie sind von der Gerichtsbarkeit der Gespanschaften ausgenommen, und haben ihre besondern Obrigkeiten, sowohl in Ansehung des Groß-Grafen, als der Vice Grafen und der Richter der Adelichen.

§. 18 Ungarn wird von dem Könige und von den Reichsständen regieret, durch die Reichstage, die ungarische Hofkanzley, den königl. Statthalterey-Rath, die königl. Kammer, die Gespanschaften, und den Senat der königl. Städte.

Ein Reichstag (comitia regni,) welcher diaeta heißet, soll alle drey Jahre, wenn es des Königs, oder des Reichs Beste zu erfordern scheint, vom Könige nach Presburg, durch kön. Briefe ausgeschrieben werden. Solchem kön. Befehl zufolge erscheinen alsdenn an dem bestimmten Tage die geist- und weltlichen Magnaten persönlich in dem Zimmer der Magnaten; die Ritterschaft und Städte aber schicken zwey Abgeordnete,

nete, welche in dem Zimmer der Stände zusammen kommen. Die abwesende geist=und weltliche Magnaten schicken auch ihre Abgeordnete, welche man allegatos absentium zu nennen pfleget. Die Reichsstände tragen dem Könige ihre Angelegenheiten vor, und der König legt ihnen dasjenige, was er für sich und für das gemeine Beste verlanget, in gewissen Propositionen vor, zu welchen sie ihre Einstimmung geben.

Die hohe ungarische Hofkanzley, welche os & manus regis genannt wird, ist zu Wien, und wird von einem königlichen Hofkanzler regieret, außer welchem geheime Referendarien, Secretäre, und viele Subalternen darinn sitzen, welche Glieder derselben von den fast täglich einlaufenden Targeldern unterhalten werden. Von den Referendarien besorget einer die Publica, zwey die Angelegenheiten der Städte, einer die Justiß, einer die Religionssachen, und einer die Angelegenheiten des ungarischen Cleri. Sie fertiget die Edicte des Königs in bürgerlichen, Kirchen= und rechtlichen Sachen für Ungarn und die einverleibten Reiche, Croatien, Dalmatien und Slavonien, aus. Es gehören dahin alle Sachen, welche an den König gelangen, und bloß von desselben Willkühr abhangen. Alle diejenigen, welche persönliche Audienz bey dem Könige haben wollen, u. s. w. müssen sich zuerst bey derselben melden. Sie hat aber übrigens gar keine Verbindung mit dem Reiche, sondern richtet nur des Königs Willen aus; sie hat auch jetzt keinen Einfluß mehr auf die Rechtssachen.

Die

Die hohe königliche Statthalterey (Consilium regium Locumtenentiale,) zu Ofen (ehedessen zu Preßburg,) hat den Palatinum zum Präsidenten, und bestehet aus 23 Räthen, welche der König aus den Prälaten, Magnaten und Rittern willkührlich wählet. Kaiser Karl VI. hat sie 1723 angeleget. Sie besorget aus königlicher Gewalt die öffentlichen bürgerlichen Sachen, welche entweder durch die Landesgesetze verordnet, oder mit denselben übereinstimmig sind, in Ungarn und den einverleibten Reichen. Sie stehet unter der ungarischen Hofkanzley, an welche alle bey derselben angebrachte Sachen, gelangen, damit sie die Meynung dieses Collegii prüfe, und entweder bestätige oder ändere. Die königlichen Befehle, welche in der Hofkanzley ausgefertiget werden, befördert der statthalterische Rath weiter. Sie heissen Intimata excelsi consilii regii Locumtenentialis.

Die königliche Schatzkammer, wird in die ungarische und Bergwerks-Kammer, (Ungarica et metallica camera,) abgetheilet, und besorget die königlichen Güter, Einkünfte und Rechte. Die hohe königlich-ungarische Hofkammer, ist von Presburg nach Ofen verleget worden, hat einen Präsidenten und 24 Räthe, und besorget die königl. Domainen und Regalien, die dem königlichen Fisco anheim fallenden Güter, das Salz- und Zoll-Wesen. Zu derselben sind die königl. Kammerverwaltung zu Caschau, und in Ansehung der Contributionen acht Provinzial-Commissariate, geleget worden. Jene heißet die königl. zipsische Kammerverwaltung, (Administratio Scepusiensis,) weil sie in dieser Gespanschaft so lange ihren Sitz gehabt, bis
Kai-

Kaiser Maximilian der zweyte, sie 1567 nach Caschau verlegt hat. Die königliche Bergwerkskammer, hat ihren Sitz zu Schemnitz, besorget in den Bergstädten das Bergwerks- und Münz-Wesen, und stehet unter der Hofkammer zu Wien. Unter derselben aber stehen die Bergkammern zu Kremnitz, Neusohl, in der zipser Gespanschaft und zu Königsberg.

Die ungarischen Grafschaften oder Gespanschaften, Comitatus, auf ungarisch Varmegye, auf slaw. Stolice, sind kleine abgemessene Provinzen, welche in zwey, oder mehrere Districte abgetheilet sind. Eine jede hatte ihren Obergespan oder obersten Grafen, einen Untergespan, Steuereinnehmer oder Rentmeister, (Perceptor), Notarius, obere Stuhlrichter, und Unter-Stuhlrichter. Die ersten nennet man im Lande Supremos iudices, die anderen Vice-iudices nobilium. Eine jede Gespanschaft hat alle diese Beamten, welche adeliche, und in der Grafschaft mit Gütern versehen seyn müssen. Der Untergespan hat 600 Fl. der Rentmeister 300, der Notarius 300, von den Oberstuhlrichtern jeder 150, und von den Unterrichtern jeder 50 Fl., außer einigen Accidentien. Der Obergespan hat von dieser Würde ordentlich 1500 Fl. Alle diese Besoldungen werden aus der Gespanschafts-Cässe bezahlet. Der Name Obergespan, rühret daher, weil vor Zeiten, als die ungarischen Könige ihr Kriegsheer selbst anführten, die Herren der Grafschaften dieselben begleiten, und ihnen mit ihren Soldaten zur Seite seyn mußten, deswegen sie comites regis hießen. Diese Würde ist in zwölf Gespanschaften erblich, in andern aber ist sie entweder mit

2 Th. 8 A.   Cc   einem

einem hohen Reichsamte, oder mit der bischöflichen
Würde verbunden. K. Joseph II hat die Obergespanswürde mit den ihr anklebenden Rechten, denjenigen,
welche sie hatten, gelassen, wirkliche zu der Verwaltung der Obergespansgeschäfte aber andere
Obergespane und königliche Commissarien ernennet, die allezeit gegenwärtig seyn müssen. Die
Adel erwählet, und der oberste Graf hat nur das
Recht, drey vorzuschlagen, aus welchen der Adel
einen erwählet. Diese Aemter bedürfen der Bestätigung des Hofs nicht, und dauren so lange, bis der
Obergespan den Comitat erneuret, (welches alle sechs
Jahre geschehen soll), alsdann entweder andere Beamten erwählt, oder die alten bestätigt werden, wenn
der Adel mit ihnen zufrieden ist. Auf den Versammlungen oder Landtagen dieser Gespanschaften, werden bürgerliche, rechtliche und ökonomische Sachen
berathschlaget und verfüget. Alle diese Gespanschaften haben ihre Benennungen von darinn belegenen
Schlössern bekommen, wie denn der ungarische Name Varmegye, eigentlich das Gebiet oder den District eines Schlosses bedeutet. Man macht aber in
Ungarn einen Unterschied zwischen Arx oder Castrum,
und Castellum. Der letzte Name wird eigentlich
von den Sitzen der Edelleute gebraucht. Ehedessen
als die Schlösser den Feind noch aufhalten konnten,
hieß der Befehlshaber auf einem Schloß, Castella-
nus, auch Comes castri, heutiges Tags, da die
meisten Schlösser verwüstet stehen, sind keine Castellane mehr in Ungarn.

§. 18 Die öffentlichen Einkünfte, bestehen
in den Contributionen, Zöllen, Bergwerken und
Mine-

Mineralien, Salzwerken, (die der Krone zugehören), königl. Domainen, zu welchen die Frey- und
Bergstädte gehören, und in den Gütern und Rechten, welche dem königlichen Fiscus beygelegt sind.
Kaiser Joseph der zweyte hat das Steuerwesen auf
einen andern Fuß gesetzt. Die Contribution von ganz
Ungarn, betrug sonst jährlich 3,300000 Gulden, 1764
aber war sie auf 4,700000 Fl. gesetzt. Alle Abgaben und königl. Einkünfte sind erhöhet. Die Bergwerke zu Schemnitz und Kremnitz werden fast ganz
allein vom Hofe gebaut. Sie haben von 1740 bis
73 fast für hundert Millionen Gold und Silber aufgebracht, welche zu Kremnitz ausgemünzet worden.
Seit 1773 liefern sie jährlich für drey Millionen Gold
und Silber, ohne die andern ganzen und halben Metalle zu rechnen. 1770 bestunden die königl. Einkünfte in folgenden Summen.

Das Camerale betrug	4,253003 Fl.		
Das Montanisticum	5,300118	42 $\frac{5}{8}$ Kr.	
Das Bancale —	2,890731	15 $\frac{1}{2}$	
Das Politicum —	58992	20	
Das Contributionale	5,473579	15 $\frac{1}{2}$	
Das Commerciale	27728	44	

18,004153 Fl. 18 $\frac{2}{8}$ Kr.

§. 19 Das Königreich Ungarn kann leicht eine
Kriegsmacht von 100000 Soldaten auf die Beine
bringen; darunter 50000 Mann in Sold stehen, und
eben so viel von den Provinzen geliefert werden, diejenigen ungerechnet, welche die einverleibten Reiche
stellen. Die Infanteristen heißen Heyducken, oder

nach

nach einer königl. Verordnung von 1741, Husaren zu Fuß; und die Reuter Husaren. Der Name Huszar bedeutet den zwanzigsten, von dem ungarischen Wort Husz, zwanzig, denn vermöge des Vertrags von 1445, mußten zwanzig Ackerleute einen Reuter stellen, welcher Huszar genennet wurde. Gespanschafts = Heyducken sind Infanteristen, welche den Gespanschaften dienen, um die Straßen von Dieben, Räubern und andern Unordnungen rein zu halten. Sie werden auch zum Dienst der Gespanschafts = Beamten, und zur Züchtigung derjenigen gebraucht, welche wegen ihrer Verbrechen eine geringere als die Todesstrafe auszustehen haben. Die Panduren sind sehr gute Soldaten. Sie können alle Beschwerlichkeiten des Kriegs ausstehen, scheuen keine Widerwärtigkeit und Gefahr, und sind dem Landesherrn und ihren Officiers so getreu, daß sie das Entweichen für das verabscheuungswürdigste Verbrechen halten. Anstatt des Soldes, besitzen und nutzen sie gewisse Landstriche in Croatien, Slawonien und im temeschwarer Gebiet, und sind keiner Contribution unterworfen.

§. 20 Die Verwaltung des Rechts in bürgerlichen Sachen, ist bis 1786 sehr ungewiß, parteyisch und despotisch gewesen, in diesem Jahr aber sind die Gerichtshöfe und Gerichtsstühle geändert und verbessert worden. Die oberste Justizstelle, der die höchste Einsicht und Leitung der untergeordneten Gerichte obliegt, hat den alten Namen der *Septemviral-*Tafel, (Tafel der 7 Männer, aus welchem sie anfänglich bestand,) behalten, es darf aber kein Rechtshandel an dieselbige zur Revision gebracht werden, es wäre

wäre denn, daß die streitenden Partheyen zwey verschiedene Rechtssprüche erhalten hätten. Hernach ist
ein anderes Appellations-Gericht unter dem alten Namen, einer königlichen Tafel, errichtet worden,
welches zwiefache Sitzungen hat, und alle aus den
Gerichtshöfen in Ungarn und Kroatien errichteten
Gerichtshöfen der ersten Instanz, durch Appellation
an sie gelangende Prozesse revidiret. Beyde Collegia
sind zu Ofen, und halten ihre Sitzungen das ganze
Jahr hindurch. Jedes hat einen Präsidenten, Vice-
Präsidenten, und eine Anzahl adelicher Beysitzer.
Die 4 District-Tafeln, und in Kroatien die Gerichts-Tafel, sind Gerichte der ersten Instanz.
Die Comitats-und privilegirte Bezirks-Ge-
richte, sind für Streitigkeiten von geringerm Belange,
denn alle wichtigere werden gleich bey den District-
Tafeln anhängig gemachet. Auch die Gerichte der
freyen königl. Städte, und die Berg-Gerichte,
für das Landvolk aber die Herrenstühle, und für
die Marktflecken der Local-Magistrat, sind auch
Gerichte der ersten Instanz, die niemand vorbey gehen kann; doch wird der Prozeß in diesen Gerichten
nur summarisch behandelt, und wer mit dem Urtheils-
spruch nicht zufrieden ist, kann den Prozeß vor dem
Comitatsgericht mit allen Formalitäten anfangen.
Alle genannte Gerichte, halten ihre Sitzungen das ganze
Jahr hindurch. Die Gerichtshöfe und Gerichte,
welche andere Namen hatten, sind aufgehoben. Cri-
minal-Prozesse der adelichen und unadelichen, werden bey den Comitatsgerichten und Localmagisträten
als der ersten Instanzen abgehandelt, von denselben
aber gehen sie, wenn sie adeliche Personen betreffen,

Cc 3 an

an die königliche Tafel, und wenn sie unadeliche und bürgerliche betreffen, an die Districtstafeln. Den adelichen stehet auf dem Wege der Gnade der Recurs zu der Septemviral-Tafel, und den unadelichen zu den königlichen Commissarien offen. Die Beysitzer der Gerichte müssen die Prozesse eigenhändig ausarbeiten, auszeichnen und vortragen, denn die Landrichter (Protonotarii) sind abgeschaffet. Es ist eine neue Gerichts- und Prozeß-Ordnung herausgekommen.

Das geistliche Gericht, welches zur Untersuchung der geistlichen Sachen verordnet ist, wird in jedem Bisthum und Kapitel gehalten, von dar die Sachen nach dem Sitz des Erzbischofs, hierauf an den päbstlichen Hof gelangen. Was aber der Primas regni entscheidet, wird nicht an den Nuncium apostolicum gebracht.

§. 21 Ungarn wird von allen in Ober- und Nieder-Ungarn abgetheilet, aber doch auf verschiedene Weise. Einige nennen den Theil von Ungarn, welcher über der Donau nach Gallizien zu liegt, Ober-Ungarn, und den unter der Donau liegenden Nieder-Ungarn; andere aber ziehen von der Caschauer Gespanschaft bis da, wo das temeschwarer Gebiet und die firmische Gespanschaft zusammen stößt, eine Mittagslinie, und nennen den nach Abend zu liegenden Theil Nieder-Ungarn, und den, welcher nach Morgen zu liegt, Ober-Ungarn. Den letzten wollen wir folgen. Hiernächst ist Ungarn im corp. iur. ungar. von 1723 art. 31, in Ansehung der Regierung, nach den vier Dicasterien in vier große Kreise, und zwey und funfzig Gespanschaften, (comitamitatus,) die auf ungarisch Vármegye, heißen, abgetheilet.

Eine große Veränderung hat K. Joseph II dadurch machen lassen, daß Er die Abtheilung der Gespanschaften nach Nieder = und Ober = Ungarn, und nach den 4 alten Kreisen, aufgehoben, und dafür eine Abtheilung in zehn Gebiete, eingeführet hat, bey welcher die Gespanschaften der Königreiche Slavonien und Kroatien mit unter den ungarschen stehen.

Anmerk. Ich hätte sowohl die ungarischen als slawonischen Namen der Oerter so geschrieben, wie sie ausgesprochen werden müssen, wenn sie nicht dadurch für die Ungarn und Slawonier unkenntlich geworden wären: es ist aber ihre Aussprache erst in Klammern beygefüget worden. S wird in ungarischen wie sch, Cs wie zsch oder tsch, j fast wie g ausgesprochen.

Das

✶✶✶✶✶✶✶✶✶✶✶✶✶✶✶✶✶✶✶

Das Königreich Sclavonien und Syrmien.

§. 1

Die Charte von Sclavonien, Istrien, Cärnthen, Bosnien, Kroatien, und Dalmatien, die Seb. Münster gemachet hat, ist sehr klein, roh und unvollkommen. Augustin Hirschvogel, zeichnete eine etwas bessere, welche Ortelius lieferte, und nachher 1571 auch eine von Illyrien, an das Licht stellete, die Joh. Sambucus gezeichnet, und die Lage unterschiedener Oerter, die in der Hirschvogelschen Charte unrichtig angegeben war, verbessert hatte. Mercator zeichnete von Sclavonien, Kroatien, Bosnien, und einem Theil Dalmatiens, eine neue Charte, welche Wilh. Blaeu und Matthias Quade wiederholten, die aber auch noch nicht viel bedeutete. Der Feldmarschall Graf von Khevenhüller ließ 1720 durch Joseph Gadea, eine große Charte von Sclavonien und Syrmien auf zwey Bogen zeichnen, und zu Wien durch Joh. Adam Schmutzer in Kupfer stechen. Diese Charte hat aber viel Fehler, ist auch nicht graduirt. Die Homannischen Erben zu Nürnberg, brachten dieselbige 1745 auf einen Bogen, und gaben ihr auch Grade der Länge und Breite, die aber unrichtig sind.

§. 2. Es ist gleich viel, ob man den Namen des Landes Sclavonien oder Slavonien, schreibet.

Die

Die erste Schreibart, ist den alten griechischen, lateinischen und fränkischen Schriftstellern, den Urkunden, Münzen und Siegeln der ehemaligen Könige des Landes, wenigstens vom eilften Jahrhundert an, gemäß, und jetzt wird in der Landessprache der Name im Anfange mit den Buchstaben *Szl* geschrieben; hingegen die Russen, Niederdeutschen, Holländer, Engländer, Dänen und Schweden, schreiben den Namen mit einem *Sl.* Das Königreich gränzet gegen Abend an Kroatien, auf den drey übrigen Seiten aber ist es von den schifbaren Strömen Drave, Save und Donau, von den Illyriern Dunay genannt, eingeschlossen. Die beyden ersten vereinigen sich mit dem dritten. Ueber dieselben ist nirgends eine Brücke gebauet. Durch diese Ströme wird es von Ungarn, Servien und Bosnien, geschieden. Mit Kroatien und den gesammten Militär-Districten, mag es 879 Quadrat-Meilen groß seyn.

§. 3 Es wird in seiner Länge von einer Kette hoher Berge durchschnitten, welche sich aus Kroatien hieher erstrecket, immer schmäler wird, sich bey Vukovár der Donau nähert, bey Illok dieselbige berühret, hierauf vom südlichen Ufer den Strom abwärts gehet, und endlich eine Stunde unterhalb Carlowitz aufhöret. Die höchsten Berge sind, nach des Regierungsraths von Taube Versicherung, 458 Klafter, oder 2748 Schuhe über die Ströme erhoben. Alle Berge sind entweder mit Gebüschen, oder mit hohen Bäumen, oder mit Weinstöcken, oder mit Obstbäumen bewachsen. Die Wälder sind beträchtlich, und bestehen aus Eichen, welche bis Syrmien einen fast an einander hangenden Wald ausmachen, hiernächst aber

Cc 5

aber aus Büchen, Birken, Pappelbäumen, Erlen, türkischen Haselnußbäumen, wilden Obstbäumen, und wilden Weinstöcken. Die meisten Arten der zahmen Obstbäume, sind ziemlich selten, weil sie nicht genug angepflanzet werden, doch sind außer zahmen Kastanienbäumen, die Zwetschen- und Pflaumen-Bäume häufig, weil die Illyrier aus den Früchten derselben ihr angenehmstes geistiges Getränke brennen, welches sie Raky, auch Schlivavicza, oder Slibowice nennen, auch ist an Kastanien- Mandel- und Feigen-Bäumen kein Mangel. Die weißen Maulbeerbäume, werden um des Seidenbaues willen in großer Menge gezogen. Das Süßholz ist überflüßig vorhanden, mit Weinstöcken sind alle Hügel und niedrige Berge bepflanzet, und man hat weissen und rothen Wein. Der beste und meiste Wein wächset in Syrmien, und der dasige dunkelrothe Wein, ist so gut als der von Montepulciano. Es giebet sehr viele Sümpfe, Moräste und Seen im Lande, und die ersten, welche durch Austretung der Ströme entstehen, mögen wohl den achten Theil des Bodens einnehmen. Sie verderben durch die faulen Dünste, welche aus ihnen aufsteigen, die Luft, und es würde also sehr nützlich seyn, wenn sie abgezapfet würden. Von da an, wo die vorhin beschriebene Kette von Bergen aufhöret, bis Zemlin, und auch am südlichen Ufer der Drave, und nördlichen der Save, bestehet Syrmien theils aus kleinen Hügeln, theils aus flachem Lande und fruchtbaren Ebenen, die mit Morästen untermischet sind. Der Boden ist ein fetter Thon, und also schwer. Man dünget die Aecker nicht, und bestellet sie überhaupt schlecht; sie tragen aber

doch

doch Weitzen, Mayß, (Kukerucz,) Roggen, Hafer, Erbsen, Kichern, Bohnen, Linsen, Dinkel oder Spelt, Hirse und Schwaden, (welcher in Syrmien wild wächset,) reichlich. Wenn der Acker gedünget wird, und die Witterung vortheilhaft ist, vermehret sich der Weitzen dreyßigfältig, und im ungedüngten Boden zwanzigfältig, der Mayß aber auf gedüngten Aeckern dreytausend, und auf unge-düngten, zweytausendmal. Der Mayß hat oft Aeh-ren, die einen Schuh lang sind. Das Getreide blei-bet in Haufen unter dem freyen Himmel liegen, wird auch nicht gedroschen, sondern von Pferden und Ochsen ausgetreten. Der Tabacksbau wird gut ge-trieben, vornemlich in der Poscheganer Gespanschaft, und der dasige Taback giebet dem türkischen nichts nach. Die Viehzucht ist die Hauptbeschäftigung der Illyrier. Die Ochsen werden an den Pflug und Wagen gespannet, und häufig nach Deutschland zum Verkauf getrieben. Die Büffel werden zu der Ar-beit gebrauchet, aber nicht gegessen. Die Kühe nu-tzet man nicht zu Butter, Käse und Milch, und die meisten Kuhkälber werden geschlachtet. Die Schwei-nezucht ist sehr stark, doch wird wohl der drite Theil der Schweine aus Servien und Bosnien hieher ge-trieben, und in den Eichen- und Büchen-Wäldern ge-mästet. Es werden sehr viele Schweine nach Deutsch-land getrieben. In dem eigentlichen Sclavonien ist die Schafzucht geringe, in Syrmien ist sie stärker und besser, auch die Wolle ist daselbst besser. Auch die Pferde sind in Syrmien größer und besser. Alles Vieh muß im Winter und Sommer unter freyem Himmel bleiben, weil keine Ställe gebauet werden

und

und vorhanden sind. Die Bären, Wölfe, Füchse und Marder, thun dem Vieh großen Schaden. Luchse und Dachse werden um der Felle willen verfolget. Die Fischottern sind häufiger als die Biber. Die Bergmäuse oder Biliche, auf illyrisch Puh, sind häufig. Die Adler, Geyer, Habichte und Falken, thun viel Schaden. Eßbares wildes Geflügel ist überflüßig vorhanden, als, Trappen, Berg-Hasel-Birk- und Reb-Hühner, Fasanen, Schnepfen, wilde Gänse und Enten, Wachteln, Drosseln, Krammsvögel, u. a. m. Die drey Hauptströme, und die kleinen Flüsse und Bäche, sind sehr fischreich. Der Hausen wird in der Donau häufig gefangen, und aus seinem Rogen Caviar, aus der Schwimmblase aber Fischleim bereitet. Die Heuschrecken thun oft großen Schaden, desto nützlicher aber ist die Seidenraupe, welche man seit 1761 ziehet, und schon viel Seide gewinnet. Der bergichte Theil des Landes, hat einen Ueberfluß an warmen Bädern und Gesundbrunnen. Die berühmtesten Bäder sind zu Daruvar und Pakracz. Im Sommer ist es hier sehr heiß; der Winter ist zwar im Gebirge scharf, dauert aber selten über zwey Monate. Im Gebirge ist die Luft rein und gesund, an den drey Hauptströmen aber sehr ungesund.

§. 4 Schöne Städte, Marktflecken, Schlösser, und adeliche Höfe, muß man hier nicht suchen, vielmehr ist die Bauart sehr schlecht. Wenn man Peterwardein und Essek ausnimmt, so sind die Gassen in den Städten nicht einmal gepflastert, und

man

man findet selten steinerne Häuser, sondern die
meisten sind von Holz und Leimen erbauet, auch
zum Theil mit Schilf und Rohr gedecket. Die
besten Gebäude sind die Kirchen, Klöster und Ka-
sernen. Die ehemals so häufigen Einfälle und
Verwüstungen der Osmanen und Tataren, haben die
Edelleute abgeschrecket, sich schöne Wohnsitze zu erbauen, und obgleich mehr als die Hälfte des Königreichs aus adelichen Herrschaften und Landgü-
tern bestehet, so sind doch die Besitzer derselben
fast immer abwesend, und wohnen in Ungarn,
Deutschland und Italien. Dörfer sind erst seit
der Mitte des achtzehnten Jahrhunderts angeleget,
denn vorher gab es nur zerstreuete Bauerhäuser,
sie sind aber sehr schlecht gebauet. Die adelichen
Herrschaften sind zu groß, daher schlechter Anbau
und geringe Bevölkerung des Landes rühret. Die
alten Einwohner nennet man Illyrier, sie sind
aber slavonischen Ursprungs, und durch Neuan-
kömmlinge von ihrer Nation aus Albanien, Dalmatien, Kroatien, Bosnien, Servien und andern Ländern, von Zeit zu Zeit verstärket worden,
welches auch noch geschiehet. Insonderheit kam
1696 in dieses durch Krieg fast ganz entvölkerte
Land, ein zahlreicher Haufen Illyrier aus dem
Osmanischen Gebiet. Mit den Illyriern haben sich
viele Wlachen oder Walachen vermischet, und
derselben Sprache angenommen. Die nach und
nach hieher gekommene Deutschen, mögen etwa
den zehnten Theil der Einwohner ausmachen. Die
Ungarn waren ehedessen zahlreich, haben sich
aber nach und nach wieder verloren. Die Zi-
geu-

geuner sind nun Bauern, und dürfen nicht mehr
herum ziehen, daher sie hier und in Ungarn Neu-
bauer genennet werden. Die Einwohner werden
jährlich gezählet, die Magnaten und Edelleute mit
ihrem Gesinde ausgenommen. 1777 hat man in
dem ganzen Königreiche nur 235000 Menschen gefunden, die Geistlichen und sclavonischen Soldaten
mitgerechnet, jedoch die deutschen und ungarischen
Regimenter ausgenommen. Eine kleine Anzahl
für ein Land von dieser Größe und Fruchtbarkeit.
Es sind zwar in neuern Zeiten neue Illyrier aus
dem Venediger Dalmatien, und ziemlich viele
Deutsche, welche hier so wie in Ungarn insgesamt
Schwaben genennet werden, hieher gekommen,
und haben sich angebauet: weil sie aber sich selbst
haben Häuser bauen müssen, und die Edelleute ihnen
nur drey Freyjahre gegeben, ja sie wohl gar zu
Leibeigenen gemachet haben: so sind sie größtentheils wieder davon gegangen. Die Hauptspra-
che des Landes, wird zwar die illyrische genannt,
ist aber nicht die alte wahre illyrische Sprache,
welche nur noch auf dem Gebirge in Albanien geredet wird, sondern eine Mundart der sclavonischen,
die seit dem vierzehnten Jahrhundert mit der türkischen Sprache vermischt ist, daher, um die neu
aufgenommenen Worte auszudrücken, noch ein
Buchstabe erfunden worden, so daß die illyrische
Sprache jetzt 45 Buchstaben hat. In Syrmien
soll die beste Mundart geredet werden. Die deutsche Sprache breitet sich in Sclavonien, so wie
in allen ungarischen Ländern, stark aus, weil die
Edelleute und andre sich gern mit deutschem Frauen-
zim-

zimmer verheirathen, welches die Kinder deutsch er-
ziehet, weil die jungen Edelleute zu Wien in der
theresianischen Ritterschule deutsch erzogen werden,
auch zum Theil unter der adelichen ungarischen Leibwache daselbst dienen, und weil in Sclavonien deutsche Regimenter liegen, auch deutsche Bauern, Handwerker, Postknechte und Postmeister hier sind. Zu
Essek und Peterwardein wird fast lauter Deutsch gesprochen, auch eben daselbst, so wie zu Zemlin und
an einigen andern Orten, in den katholischen Kirchen wechselsweise deutsch und illyrisch geprediget.
Zu Zemlin und an andern Orten werden deutsche
Schauspiele aufgeführet, in den Soldaten-Bezirken
der Gränz-Regimenter, unter welchen viele deutsche
Officiere dienen, werden alle öffentliche Geschäffte in
deutscher Sprache abgehandelt, und bey den Waffen-
übungen aller Regimenter, wird die deutsche Sprache
gebrauchet. Die ungarische Sprache nimmt je
länger je mehr ab.

§. 5 Aus des Apostels Paulus Brief an die Römer Kap. 15, 19 erhellet, daß er die christliche Religion in Illyrien verkündiget hat. Im Anfange
des vierten Jahrhunderts war die damalige Stadt
Syrmien der Sitz eines Bischofs, und wenn die
Stadt Mursia da gestanden hat, wo jetzt Essek ist,
so ist auch daselbst in der ersten Hälfte des vierten
Jahrhunderts ein Bischof gewesen. Von dem vierzehnten Jahrhundert an, da die Osmanen in diese Länder einzudringen angefangen haben, sind viele in der
christlichen Religion schlecht unterrichtete Illyrier zu
der muhammedanischen Religion getreten. Von 1557
an ist der reformirte Lehrbegriff aus Ungarn hieher
gekom-

gekommen, und im siebzehnten Jahrhundert hatten
die Reformirten ein Paar hundert Kirchen; 1776
aber waren nur noch drey reformirte Kirchdörfer in
der Gegend von Essek. Jetzt sind die Einwohner
des Königreichs theils der rechtgläubigen morgenländischen oder griechischen, theils der römisch-katholischen Kirche zugethan. Ein Theil der ersten hat sich
unter gewisser Bedingung und Vorbehalt mit der
letzten vereiniget, und diese mit gerechnet, machen
die römisch-katholischen etwas mehr als die Hälfte
aller Einwohner aus, es ist aber nur ein einziger römisch-katholischer Bischof im Lande, welcher sich
1739 aus Bosnien hieher begeben, und dem die adeliche Herrschaft Diakowar zu seinem Unterhalt angewiesen worden, wie er denn auch in dem Marktflecken dieses Namens wohnet. Mit dem Bosnischen
Bisthum, von welchem er sich benennet, ist 1773
auch das Syrmische vereiniget worden. Seine Einkünfte betragen jährlich 25000 Fl, von welchen er
aber, so wie alle katholische Bischöfe in den ungarischen Ländern, jährlich 25 Procent zur Erhaltung
der Festungen abgeben muß. Zu seinem Kirchsprengel gehöret Syrmien, nur Vukovar ausgenommen,
welcher Ort unter dem Bisthum Fünfkirchen stehet,
und ein kleiner Theil von Sclavonien, insonderheit
Essek und die umliegende Gegend. Die übrigen katholischen Gemeinen in Sclavonien, stehen unter dem
Bischof zu Agram in Croatien. Die Franciscaner-
mönche haben funfzehn wohlgebaute Klöster, in welchen 1776 über 1200 Köpfe waren, die Kapuziner 1,
und nach Poschega sind 6 Paulinermönche gesetzt,
und

und anstatt der ehemaligen Jesuiten das Schulwesen
zu besorgen.

Die Illyrier und Wlachen, welche der
rechtgläubigen morgenländischen Kirche zugethan sind, dürfen, vermöge landesfürstl. Verordnungen, von den Katholiken nicht Schismatiker genennet werden, sondern Nicht Unirte, und in öffentlichen Befehlen und Verordnungen heißen sie,
die uns liebe illyrische Nation. Ihr Kirchenwesen war einer großen Verbesserung bedürftig, welche
auch auf einer unter dem Vorsitz eines landesfürstlichen weltlichen Commissarius, am 21 Septemb. 1776
zu Carlowitz angefangenen, und am dritten Jänner
1777 geendigten Kirchenversammlung ihrer Bischöfe,
zu Stande gebracht worden. Die Schlüsse derselben haben nicht nur die landesfürstliche Bestätigung erhalten, sondern sind auch in ein förmliches
landesfürstliches am zweyten Jänner 1777 unterschrie-
benes Edict gebracht, und als ein öffentliches landes-
gesetz in deutscher und illyrischer Sprache zu Wien
gedruckt worden. Ein Auszug daraus, stehet oben
S. 1463 in der Einleitung zu Ungarn. Der Metropolit und Erzbischof, welcher 1740 sich von Belgrad
nach Carlowitz begeben hat, wird von der illyrischen
Nation ein Patriarch genannt, und den vier andern Patriarchen der rechtgläubigen morgenländischen
Kirche gleich geachtet. Er bekommt zwar von dem
Landesfürsten den Titul eines Patriarchen nicht, aber
gemeiniglich den Charakter eines Geheimenraths,
welcher ihm den Titul Excellenz, bringt. Sein
Kirchsprengel erstrecket sich jetzt nur über Syrmien,
über die Stadt Essek, und die benachbarte Gegend,

2 Th. 8A.　　　　　Dd　　　　　und

und über die Bukowina. Ein mehreres von demselben stehet oben S. 1464. Unter ihm stehen acht Bischöfe, nämlich von Temesvar, von Caransebes, welcher zu Werschetz wohnet, von Bacs, welcher zu Neusatz wohnet; von Arad, von Ofen, von Pakracz, von Karlstadt, welcher zu Kostainicz wohnet, und von Raducz. Von allen diesen Bischöfen ist nur einer in Sclavonien, nämlich der von Pakracz. 1776 waren im ganzen Lande achtzehn griechische Mönchenklöster, und unter denselben einige prächtige Gebäude, es nahm aber die Kirchenversammlung von 1776 zum Grundsatz an, daß alle Klöster, die nicht wenigstens acht Mönche, die Vorsteher mit eingeschlossen, aus eignen Mitteln unterhalten könnten, eingehen, und mit andern verbunden werden sollten. Ihr Vermögen bestehet mehrentheils in Ländereyen und Grundstücken, selten in Capitalien.

§. 6 An die illyrischen Bischöfe und morgenländischen ist 1776 der landesfürstliche ernstliche Auftrag ergangen, Land-Schulen anzulegen, und fleißig zu besuchen, damit die Jugend besser unterrichtet würde: es ist auch 1776 zu Wien sowohl ein Handbuch für Schulmeister der illyrischen nicht Unirten Privat-Schulen in den kaiserlich-königl. Erblanden, als ein von der carlowitzer Versammlung bestätigter Catechismus in illyrischer, wlachischer und deutscher Sprache auf landesfürstliche Kosten gedruckt, und in allen ungarischen Ländern ausgetheilet worden, einer zu gleicher Zeit gemachten Schulordnung nicht zu gedenken. Die jungen Geistlichen dieser Kirche, werden bloß in den Klöstern unterrichtet, und zwar nur in der Theologie. Für die katholischen Illyrier,

besor-

beſorgen die Franciſcaner das Schulweſen. Die
hohe Schule zu Poſega, iſt nach Aufhebung des Je-
ſuiterordens eingegangen, und 1776 in ein Gymnaſium verwandelt worden, deſſen Beſorgung ſechs aus
Ungarn berufene Paulinermönche bekommen haben.

Die Illyrier haben eine natürliche Gabe und
Neigung zur Dichtkunſt, welche aber nicht ausge-
bildet iſt. Die Gelehrten aus dieſer Nation, haben ihre Gelehrſamkeit in andern Ländern erlanget.

§. 7 Es iſt hier ein großer Mangel an Hand-
werksleuten, Manufakturiſten, Fabrikanten und
Künſtlern, daher die rohen Materien, welche das
Land hervorbringet, nicht verarbeitet werden. Auf
landesfürſtlichen Befehl ſollen die Geſpanſchaften
und der befehlende General, ausländiſche Handwerksleute in das Land ziehen, es laſſen ſich auch von Zeit
zu Zeit deutſche Handwerksleute hieſelbſt wohnhaft
nieder, ſie ſollen auch aus den Landeskindern inſonderheit Maurer und Zimmerleute machen. Das
Landvolk macht faſt alles, was es nöthig hat, ſelbſt.
Für die Wollenmanufaktur in dem Marktflecken Podborje, der zum Schloß Daruvar gehört, welche
deutſche Tuchmacher errichtet haben, waren 1776
noch keine Färber und Tuchſcheerer vorhanden.

§. 8 Zur Handlung ſind die Illyrier ſehr geſchickt und geneigt, allein die Schifffahrt auf den
drey Strömen, wird durch Untiefen, Sandbänke,
Bäume und Schiffmühlen ſehr beſchwerlich gemacht.
Die vornehmſte Ausfuhr des Landes, beſtehet in
natürlichen Landesgütern, vornehmlich in Getreide
und Schlachtvieh; jenes gehet ſeit 1770 vornehmlich
nach Italien, über Fiume, theils auf der Save,

theils

theils auf Wagen und Packpferden, und die Ausfuhr desselben beträgt jährlich etwa eine halbe Million Gulden: dieses wird am meisten durch Ungarn
nach Deutschland getrieben, auch etwas nach Venedig. Die gesammte Ausfuhr der Landesgüter
bringet jährlich wenigstens anderthalb Millionen Gulden fremdes Geldes hieher, und die Einfuhr aller
fremden Waaren mag ungefähr eine halbe Million
betragen. Das Land wird aber doch nicht reicher,
weil der Vortheil im Handel durch die Abgaben an
den Landesfürsten, und durch die Einkünfte der adelichen Güter, welche außerhalb Landes verzehret werden, wieder fortgehet. Wenn man holländische
Ducaten und deutsches Conventions-Geld ausnimmt, so ist hier kein anderes Geld als östreichisches
gewöhnlich.

§. 9 Dieses Land gehörte vor Alters zu Pannonien, den Namen Sclavonien aber hat es von den
Sclaven bekommen, welche sich hier im siebenten
Jahrhundert festsetzten. Im achten Jahrhundert
hatte es Herzoge, und wie es scheinet, so wurde es
im neunten Jahrhundert in Ober- und Nieder-Sclavonien getheilet, gerieth aber bald darauf in die Gewalt der Ungarn. Der ungarische König Stephan
vereinigte 1031 Ober-Sclavonien mit Croatien.
Der heilige Ladislaw vereinigte es wieder mit Ungarn. Der von dem König Matthias 1470 ernannte
Bann von Croatien und Slavonien, sog das Land
aus, ohne es gegen die Osmanen zu vertheidigen, welche es 1471 zum erstenmal verwüsteten, und 1562
behielten. 1587 wurden die den Osmanen entrissene
Stücke von Ober-Sclavonien, zu Croatien geschlagen,

gen, und das vereinigte Land ward das Reich Sclavonien genannt. Nachher ward auch Nieder-Sclavonien den Osmanen abgenommen, und hieß das Reich
Sclavonien, jenes Croatien aber mit Ober-Sclavonien zusammen genommen, wurde Croatien genannt. Seit dem carlowitzer Frieden von 1699, ist
Sclavonien beständig bey dem Hause Oestreich geblieben, es war aber durch die Osmanen gar sehr verwüstet. Bis 1745 bestund es bloß aus Soldaten-
Bezirken, die Einwohner waren frey von aller Contribution, aber verpflichtet, die Gränzen besetzt zu
halten, und in Kriegeszeiten viele Truppen zu stellen.
1745 fieng man an, einige den Soldaten entbehrliche,
und abwärts von den türkischen Gränzen liegende
Bezirke, anders einzurichten, Gespanschaften daraus
zu machen, dieselben der Krone Ungarn einzuverlei-
ben, die Einwohner von allen Kriegsdiensten zu befreyen, und ihnen eine mäßige Contribution aufzule-
gen. Diese Einrichtung kam erst 1747 völlig zum
Stande, und die Bezirke der Gränz-Soldaten wurden auch besser eingerichtet. Nun hat mehr als die
Hälfte des Landes eine bürgerliche Verfassung, und
ist in drey Gespanschaften eingetheilet, welche der
Krone Ungarn einverleibet sind, nichts dessoweniger
wird Sclavonien als ein Zugehör des Königreichs
Croatien angesehen, dessen Stände 1729 auf dem
Reichstage zu Presburg verlangten, daß Sclavonien
wieder mit Croatien vereiniget werden mögte. Die
bürgerliche Provinz, heißet hier, so wie in allen ungarischen Ländern, das Provinciale, und die Sol-
datenbezirke werden das Militare genannt. In jenem legen sich die Einwohner bloß auf Ackerbau,

Vieh-

Viehzucht, Fischerey und andere bürgerliche Gewer-
be, in diesem auch auf den Krieg, so daß sie Bürger, Bauern und Soldaten zugleich sind.

§. 10 Die Reichsstände, welche Sitz und Stim-
me auf den ungarischen Reichstagen haben, (es ist
aber seit 1764 keiner gehalten worden,) sind nur in
den Gespanschaften, und ihre Reichsstandschaft hänget bloß von dem Besitz adelicher Güter ab. Sie
sind der Bischof zu Diakovar, oder der katholische
Bischof von Sclavonien, die Magnaten oder
Reichs-Barone, d. i. die Fürsten, Grafen, und
Freyherren, die gemeinen Edelleute, welche adeliche
Güter besitzen, und die königliche Freystadt Posega.
Der Bischof und ein jeder Magnat hat eine besondere
Stimme, alle Edelleute einer Gespanschaft haben zusammen nur zwey Stimmen, und die Stadt Posega hat eine Stimme. Die Edelleute, welche
keine adeliche Güter besitzen, sondern Bauerhöfe bewohnen, heißen hier so wie in den andern ungarischen Ländern, Armalisten, und werden als Bauern
angesehen, von welchen man sie auch im äußerlichen
Ansehn nicht unterscheiden kann. Nicht nur die
Bauern, sondern auch die Bürger in den Städten
und Marktflecken, ja auch viele begüterte Kaufleute,
sind Leibeigene. Alle Illyrier, die 1690 aus den
türkischen Ländern hieher gekommen, sind Leibeigene
geworden: Kaiser Joseph II. aber hat die Leibeigenschaft hier eben so wie in Ungarn, aufgehoben. In
den Gespanschaften wird die landesfürstliche Gewalt
durch die großen Freyheiten der Reichsstände vermindert, in den militärischen Bezirken aber, in welchen keine Reichsstände sind, regieret der König un-

um-

umſchränkt, jedoch mit Beobachtung der Reichsgeſetze.

§. 11 In jeder Geſpanſchaft, ſind ſo wie in Ungarn und Kroatien, ein Obergeſpan, (der aber gemeiniglich abweſend,) ein Untergeſpan, ein Rent-
meiſter, ein Einnehmer, ein Secretär nebſt Unter-
Secretären, vier Ober-Stuhlrichter, zwölf Unter-
Stuhlrichter. Der Obergeſpan wird vom Könige
ernannt, alle übrige Beamte werden von den Magnaten und begüterten Edelleuten erwählet, doch
bringt der Obergeſpan bey jeder Wahl drey in Vor-
ſchlag, aus welchen einer erwählet wird. Alle Beamte müſſen Edelleute ſeyn, 1777 aber beſtunden ſie
aus gebornen Ungarn, Kroaten und Deutſchen,
weil man die Sclavonier zu ſolchen Aemtern noch nicht
fähig hält. Weil die drey Geſpanſchaften aus adelichen Gütern beſtehen, welche die Erbgerichtsbarkeit
haben, ſo werden daſelbſt die meiſten Rechtsſachen
von den adelichen Gerichten entſchieden. Betrifft die
Sache einen bäuriſchen Edelmann, ſo wird ſie bey
dem Untergeſpan und den Stuhlrichtern im Namen
der Herrſchaft, unter welcher der Edelmann einen
Bauerhof beſitzet, ordentlich entſchieden. Von den
adelichen Gerichten kann an das Geſpanſchafts-Ge-
richt, und von dieſem in gewiſſen Fällen an die königliche Tafel appelliret werden. Von dem Stadtgericht zu Poſega, gelangen die Sachen auch an die
königliche Tafel. In weltlichen Rechtsſachen und
peinlichen Fällen, haben die Sclavonier von der katholiſchen und griechiſchen Kirche, wenn ſie weltlichen Standes ſind, einerley Obrigkeit, Richter und
Geſetze: aber in Sachen, welche das Religionswe-

Dd 4 ſen

sen, und die Privilegien des illyrischen Volks betreffen, stehen die Sclavonier und alle Illyrier unmittelbar unter der 1767 zu Wien errichteten kaiser-
lich-königlich-illyrischen Hof-Deputation, vor
welche auch alle Angelegenheiten der griechischen Geistlichen gehören, sie mögen aus den militärischen Bezirken, oder aus den Gespanschaften seyn. Wer
mit derselben Ausspruch nicht zufrieden ist, kann
seine Beschwerden bey dem Landesfürsten selbst an-
bringen.

§. 12 Das Land mag für den Landesfürsten jährlich ungefähr eine Million Gulden aufbringen, von
welcher etwa die Hälfte zur Besoldung der Beamten
und Kriegesvölker, und zur Erhaltung der Festungen,
öffentlichen Gebäude, 2c. wieder angewendet wird.
Der wichtigste Theil derselben, bestehet in der Contribution, welche stark ist, und bloß in den drey Gespanschaften jährlich 170000 fl. beträget, und in den
Zöllen von aus- und eingehenden Waaren, welche insonderheit zu Zemlin beträchtlich sind. In den
Freystädten Pakracz, Daruwar, Illok und Kuhe-
wo, hat der Landesfürst auch den Zehenten von Getreide, Ziegen und Schafen.

§. 13 Die Gespanschaften desselben, kommen hernach unter den ungarischen vor, weil es dem Königreich Ungarn ganz einverleibet, und von dem militärischen Gränz-Bezirk, kommt unten eine besondere
Nachricht vor.

Das

Das Königreich Kroatien
und Dalmatien.
Croatia.

Kroatien, auf ungarisch Horwath Orßág, erstrecket sich vom Fluß Drave bis an das adriatische Meer, gränzet gegen Morgen mit Sclavonien und Bosnien, gegen Abend mit Steiermark und Krain. Die Kroaten stammen von den Sclaven ab, und sind zur Zeit des Kaisers Heraclius im Jahr 640 in diese Gegend Dalmatiens gekommen, aus welcher sie die Awaren vertrieben haben. Sie haben ehedessen Hrwaten oder Hrowaten, d. i. Bergbewohner, geheißen, woraus die Griechen Chrobaten machten. Im achten Jahrhundert entstanden unter den Kroaten Herzoge von Kärnthen, Friaul, Sclavonien, Krotien oder Dalmatien zu Jadra, Kroatien oder Liburnia, und der Awaren in Pannonien. Sie geriethen zwar unter die Oberherrschaft Kaisers Karl des Großen, machten sich aber von 845 bis 853 größtentheils frey, und vereinigten sich mit den Bulgaren. Die dalmatischen Kroaten unterwarfen sich 867 dem griechischen Kaiser, und nachher erhob sich unter ihnen ein König Criscimir, dessen Sohn Dircesla 994 vom Hofe zu Constantinopel als König erkannt wurde. Demetrius Zwinimir, ein jüngerer kroatischer König, entzog Dalmatien der griechischen Hoheit, und ließ dieses Reich,

Dd 5   nicht

nicht aber Kroatien, 1079 vom Pabſte zu einem Königreich erheben. Mit Kroatien wurde durch Freygebigkeit des ungariſchen Königs Stephan, 1031
Ober-Sclavonien vereiniget. Nach des Demitrii
Zwinimir Tode, wurden Ober-Sclavonien, Kroatien und Dalmatien von dem ungariſchen Könige dem
heil. Ladislao erobert, und mit Ungarn wieder verbunden. Dalmatien ward von Kroatien getrennet,
dieſes aber 1091 als ein Zinsreich dem ungariſchen
Prinzen Almus gegeben, doch kam es durch freywillige Ergebung der Kroaten 1102 wieder an den König
Coloman von Ungarn, deſſen Nachfolger ſeit dieſer
Zeit ſtets Könige von Dalmatien und Kroatien geweſen ſind. Im Jahr 1587 legte man die den Osmanen entriſſenen Stücke von Ober-Sclavonien zu
Kroatien, und nannte das vereinigte Land das Reich
Sclavonien. Als nachher auch Nieder-Sclavonien
den Osmanen entriſſen wurde, nannte man dieſes
das Reich Sclavonien, und jenes Kroatien mit Ober-
Sclavonien zuſammengenommen, Kroatien. (ſ.
1. Th. S. 1664) Es iſt eine unrichtige Benennung,
wenn der Theil Kroatiens, der an der See liegt,
das bergigte Dalmatien, und der jenſeits der
Berge belegene Theil, das mittelländiſche Dalmatien genennet wird. Als der Name Dalmatien aufhörte, wurde von den einheimiſchen ganz Il-
lyricum und Liburnia für Kroatien genommen, und
dieſes in das rothe, weiße und ſerviſche Kroatien
eingetheilet. Das jetzige Königreich Kroatien
iſt zwar mit Ungarn verbunden, aber demſelben nicht
einverleibet, ſondern ein beſonderes Reich, welches
ſein jetziges Erbwapen 1496 bekommen hat.

Die

Die Kroaten kommen in der Sprache unter allen sogenannten illyrischen Völkern den Polen am nächsten. Ein jeder Kroat ist ein geborner Soldat, und wird von Kindesbeinen an in den Waffen geübet. Sie ziehen mit Freuden in den Krieg, und bleiben ungern zu Hause. Sie werden zu Kriegeszeiten mit Gewehr versehen, und empfangen den gewöhnlichen Sold. Ihr Land bringet guten Wein; sie bauen aber nicht mehr, als sie selbst verbrauchen. Sowohl im Lande selbst, als außer demselben im Kriege, leben sie wie Brüder zusammen, und stehen allesammt für einen Mann. Bisweilen fangen sie Unruhe an, weil sie dem Landesfürsten von ihren Aeckern Grundzins entrichten müssen; denn sie wollen entweder Soldaten oder Bauern seyn, und in jenem Fall von ihren Aeckern nichts erlegen. Sie sind theils der römisch-katholischen, theils der morgenländischen oder griechischen Kirche zugethan, welche letzten sich auch Altgläubige nennen, aber keine adliche Güter besitzen dürfen, doch können sie bey den Kriegesvölkern zu den höchsten Ehrenstufen steigen. Die geistliche Macht des Königs in Kroatien ist eben so groß als in Ungarn, er kann Bischöfe und Aebte ein- und absetzen, Kirchenversammlungen anordnen und halten, u. s. w. Die Gränze zwischen dem Militair- und Provinzial-Districte, machen seit 1781 die Flüsse Save und Kulpa aus.

Nun folgen die neuen Gebiete von Ungarn.

I Das Raaber Gebiet, von 7 Gespanschaften in Nieder-Ungarn.

1 Die **Wieselburger** Gespanschaft, unga-risch **Mosony-Vármegye**, Mosoniensis comita-tus, wird meistens von Deutschen, auch von einigen Ungarn und Kroaten bewohnet. Sie ist durchgehends eben, an Getreide und Gras sehr fruchtbar, und füh-ret ihren Ueberfluß nach dem Lande unter der Ens. Die Laitha theilet sie in zwey Districte, nämlich in den District dieß- und jenseits der Laitha.

1) Dießseits der Leitha liegen

(1) Altenburg, ungarisch Altenburg, O-vár, Stare Hrady, ein gut gebaueter Marktflecken, bey welchen die Laitha in die Donau fließet, und dessen Schloß fast ganz in ein Kornhaus verwandelt worden ist. Er ist größtentheils ein Eigenthum der ungarischen Königinn, aber, nebst der darzu gehörigen Herrschaft, welche jähr-lich 80000 fl. einbringt, und dem Schloß Halbthurn, 1766 von der Kaiserinn Königinn Maria Theresia deroselben Frau Tochter Maria Christina, Gemalinn des Prinzen Albert von Sachsen, angewiesen worden. Durch diese Gegenden gehet kein anderer Weg aus Ungarn nach Deutsch-land, als neben dem Schloß hin. Er wurde 1529 von den Osmanen eingenommen, 1605 angezündet, 1619 bemäch-tigte sich seiner Bethlen Gabor, 1663 zogen sich hier die kaiserl. Völker zusammen.

(2) Carlburg, ung. Oroszvár, ein Marktflecken und Castel der Grafen von Zichy, an einem Arm der Donau.

(3) Rajka, Rackendorf, ein Marktflecken, woselbst viele adeliche Höfe sind, an einem Arm der Donau.

(4) Rit-

(4) Kitsee, ung. Köptsény, ein geräumiger Markt= flecken, mit einem Castel, in einer großen Ebene. Er ge= hört den Fürsten Esterhazy.

(5) Potz=Neusiedl, ung. Laithfalu, ein Marktfle= cken, am Fluß Laitha. Es ist hier eine gute Leder=Ma= nufactur.

2) Jenseits der Laitha.

(1) Wieselburg, ung. Moson oder Mosony, in alten Urkunden Musun, lat. Musonium, ein offener Marktflecken, in einer fruchtbaren Gegend, der zum al= tenburgischen Gebiet gehöret. Ehedessen war er eine feste und ansehnliche Stadt.

(2) Neusiedl, Nesider, ein Marktflecken in einer Gegend, die guten Wein und Getreide trägt, liegt am Neusiedler See, und gehöret zur altenburgischen Herr= schaft. Es war hier ehedessen ein königl. Residenzschloß.

(3) Gallos, Gols, ein wohlbewohnter Marktflecken, der zum Ackerbau bequem ist, und fast mitten in der Pro= vinz liegt.

(4) Zorndorf oder Zundorf, und Weiden, Viden, Marktflecken.

(5) Jois, Gois, Nyulas, ein Marktflecken.

(6) Halb=Thurn, ung. Fél=Toróny, Hemipyrgum, ein wohlgebauter Ort mit einem königl. Lustschloß, welches Kaiser Karl VI erbauen lassen, liegt an einer Anhöhe in einer ebenen Gegend, zwischen Fasanenhöfen. Eben ge= nannter Karl verfiel hier am zwölften Oct. 1740 in eine tödtliche Krankheit, an welcher er zu Wien starb. 1768 ist er auch der Erzherzoginn Maria Christina gegeben worden.

(7) Szent=Miklos, St. Niklas, Fanum S. Nicolai, ein Castel, welches mit einem Graben umgeben ist, nebst einem Pfarrdorf dieses Namens, liegt in einer freyen Ebe= ne, und gehöret den Grafen von Zichy.

2 Die Oedenburger Gespanschaft, ung. Soprony Vármegye, Sopronienfis comitatus, gränzet an Oestreich, und hat im obern Theile Deut=
sche,

sche, im untern Theile aber Kroaten zu Einwohnern. Sie ist eine der besten, fruchtbarsten
und volkreichsten in Ungarn, dazu die Nachbarschaft
von Oestreich viel beyträgt, dahin die Einwohner ihre
Landesfrüchte verkaufen. Die Obergespanschafts-
würde besitzet das Haus Esterhazy erblich. Sie bestehet theils aus fünf Districten, und sind theils
aus unterschiedenen Herrschaften.

1) **Der obere District außerhalb des Raab-**
flusses. Er enthält

1) Drey königl. Freystädte.

(1) Oedenburg oder Edenburg, ung. Soprony
(Schoprony,) oder Suprun, latein. Sopronium oder
Sempronium, die beste unter den königl. Freystädten in
diesem District. Sie ist zwar nicht groß, aber wohlge-
bauet und bewohnet, und hat große Vorstädte. Es sind
hier unterschiedene kathol. Kirchen und Klöster, seit 1779 ein
Domkapitel, ein luther. Gymnas. und eine luther. Kirche, an
welcher zwey Prediger stehen. Die Einwohner legen sich
vornehmlich mit großem und sorgfältigem Fleiß auf den
Weinbau. 1605 wurde die Stadt vergeblich belagert,
1619 von Bethlen Gabor eingenommen, und 1676 brannte
sie meistentheils ab. Unter den Landtagen, welche hier
gehalten worden, ist sonderlich der von 1681 merkwürdig,
als auf welchem den Protestanten vom Kaiser Leopold die
freye Religionsübung bestätiget, aber auch ziemlich stark
eingeschränket worden. Der hiesige Wein ist beliebt und
berühmt, und wird stark ausgeführet.

(2) Rust, Rustinum, eine kleine Stadt, welche
aber doch unter die königl. Freystädte gehöret; Sie liegt
nicht weit vom Neusiedler See, und ernähret sich vom
Fischfang, Acker- und Wein-Bau. Der letzte ist ansehnlich und vortreflich, und der hiesige edle Wein ist nach dem
Tockaier der stärkste. Nach Deutschland, Polen und
Italien, werden viele hundert Eymer desselben geschickt,
und

und daselbst für Tockaier getrunken. Ob er gut sey, prüfet man daran, wenn er wie Weingeist brennet. Man darf nur ein Messer ins Glas tunken, und an das Licht halten.

(3) Eisenstadt, ung. Kis-Márton, slaw. Zelézne Mesto, eine königl. Freystadt. Die Stadt liegt an den Gränzen von Oestreich, hat auch ehemals eine Zeitlang dazu gehöret, bis die ungarischen Stände 1625 auf dem oedenburgischen, und 1637 und 38 auf dem preßburgischen Reichstage um die Wiedereinlösung dieser verpfändeten Stadt angehalten. 1768 ist sie größtentheils, und mit ihr zugleich der esterhazische Pallast abgebrannt. 1776 blieben in einer neuen Feuersbrunst, nicht viel über zwanzig Häuser übrig.

2) Folgende Marktflecken

Dundelskirchen, Sehér-Egyház, dessen weisser Wein berühmt ist, Groß-Höflein, Maria Lauretten, gemeiniglich Loretto ung. Lóretom, Margerethen, ung. Szent Margita, der bemauert ist, S. Martin, ung. Szent Marton, Mattersdorf, ung. Nagy-Marton, Nekenmark, ung. Nyek, Purbach ung. Fekete Varos, welcher bemauert ist. Hier ist guter Weinwachs.

3) Die Herrschaften des fürstlichen Hauses Esterhazy.

(1) Die Herrschaft Eisenstadt, von dem Schloß benannt, welches bey Eisenstadt auf einer Anhöhe liegt.

(2) Die Herrschaft Hornstein, deren Hauptort der Marktflecken Hornstein, ung. Szárukó, ist.

(3) Die Herrschaft Landsee, von dem Marktflecken Landsee, ung. Lansée, benannt.

(4) Die Herrschaft Kabersdorf, deren Hauptort Kabersdorf, ung. Kábold, ein Marktflecken ist.

(5) Die Herrschaft Forchenstein, welche den Namen von dem festen Bergschloß Forchenstein, ung. Frák-no, hat, unter welchem das Pfarrdorf Forchtenau, ung. Srakno-Allya, lieget.

(6) Die

(6) Die Herrschaft Lukhaus.

(7) Breitenbrunn, ung. Szeles-Kut, ein bemauerter Marktflecken, woselbst guter Weinwachs ist.

(4) Kroisbach, ung. Rakos, das ist, Krebsbach,
ein Marktflecken mit einem Castel, gehöret dem Bischof
zu Raab.

2) Der obere District, unterhalb Oedenburg, in welchem ein Marktflecken.

1) Die Marktflecken Steinberg, ung. Köhalom,
Lutzmannsburg, Schützen, ung. Lövő, und Szent-
Miklos.

2) Schöttern, Söjtör, ein Pfarrdorf, bey welchem
das prächtige Lustschloß Esterházy, ung. Erzerház, nicht
weit von dem Neusiedler See.

3) Der untere District außerhalb des Raabs-
flusses, zu welchem die Marktflecken Csepreg oder
Tschapring, Beó und Sajtoskál gehören.

4) Der obere Insel-District, in welchem
die fürstlich esterhazische Herrschaft Kapuvar, von
einem Marktflecken und Schloß benannt.

5) Der untere Insel-District, in welchem
die Marktflecken Csorna, Szany und Szill. Der
erste liegt auf der Insel Rabakos, die Rabau,
Rabae insula, die vom Fluß Raab gemacht wird, hat
ein geräumiges und fruchtbares Feld, in welchem eine Probstey des Prämonstratenser-Ordens ist, der
er zugehöret.

3 Die Raaber Gespanschaft, ungär. Győr
Vármegye, Jauriensis comitatus, wird gröſtentheils von Ungarn bewohnet. Der jedesmalige Bischof zu Raab, ist Obergespan dieser Grafschaft. Sie
hat 4 Districte.

1) Der

1) Der Schokurer District. Ein Dorf ausgenommen, welches deutsche Einwohner hat, haben alle übrige Ungarn.

2) Der Tokoscher District. Er hat Deutsche und Ungarn zu Einwohnern, und bestehet aus lauter Dörfern.

3) Der wüste District, an der Donau. In einem Dorf wohnen Deutsche, in einem Croaten, in allen übrigen Oertern, Ungarn. Der merkwürdigste Ort ist

Szent=Marton, Martinsberg, Fanum S. Martini, ein ehemaliges Kloster in Gestalt eines Schlosses, an einem Berge, welcher davon Mons sacer Pannoniae genennet worden. Herzog Geysa hat es angefangen, K. Stephan aber vollendet, und mit Benedictiner=Mönchen besetzet. Der Abt führte den Titul eines Erzbischofs, und stand unmittelbar unter dem Pabst, es ist aber das Kloster 1786 im December aufgehoben worden. Der Berg ist ganz mit Weinstöcken bepflanzet, und rund um ihn her, ist eine große und fruchtbare Ebene. 1594 wurde das Kloster von den Osmanen eingenommen, 1597 aber von den Kaiserlichen wieder erobert.

4) Der Tschiliskösser District, am Fluß Tschilis, in welchem

Raab, ung. Györ, Jaurum, Javarinum, bey den Römern Arrabo, ist erst seit 1742 eine kön. Freystadt, aber eine alte und starke Festung, in einer angenehmen ebenen Gegend, da, wo die Donau, der Fluß Raab und die Rabnitz zusammen fließen, von deren Gewässer sie rund umgeben ist. Sie hat lauter steinerne Häuser, breite und gerade Gassen, einen Bischof, (welcher jährlich 20000 Gulden Einkünfte hat,) und ein Domkapitel. Man findet hier noch einige römische Alterthümer. Den Kaisern Ferdinand I und Maximilian II hat Stadt und Schloß in Ansehung der Befestigung vieles zu danken. 1529 verließ die Besatzung die Stadt aus Furcht

Furcht vor den Osmanen freywillig, und zündete das Schloß an. 1566 brannte sie ab. 1594 kam sie durch Accord in der Osmanen Hände, denen sie 1598 Graf Adolph von Schwarzenberg durch eine Kriegslist wieder wegnahm. 1749 wurden den Lutheranern und Reformirten ihre Kirchen und Schulen in der Vorstadt und Neustadt abgenommen.

4 Die **Komorner Gespanschaft, Komárom Vármegye,** Comaromiensis comitatus, liegt über und unter der Donau. Der erste Theil ist etwas bergigt, der zweyte eine fruchtbare Ebene. In jenem bricht man schönen Marmor, dieser hat einen Ueberfluß an Getreide, Weinen, und wegen der guten Weide auch an Rindvieh. Es sind Gesundbrunnen vorhanden. An einigen wenigen Orten wohnen deutsche und böhmische Slawen, die meisten Einwohner aber sind Ungarn. Die Würde eines Obergespans, gehöret der Leopold Nadasdischen Familie erblich zu. Sie bestehet aus 4 Districten.

1) Der **Insel-District,** ist ein Theil der Insel Schütt.

(1) **Komorn, Komárom, Komárno, Komaronium,** ist seit 1751 eine königliche Freystadt, lieget in den äußersten Winkel der Schütt, und gleich darneben ist eine noch nicht überwundene Festung, welche gegen Abend mit einem tiefen Wassergraben, gegen Mittag und Mitternacht aber mit der Donau und Wag umgeben ist, welche Gewässer gegen Mittag zusammenfließen. Kaiser Ferdinand I hat sie erbauet, und sie ist von den Osmanen niemals erobert, 1594 aber belagert, und 1663 angefallen worden. 1763 wurde die Stadt von einem heftigen Erdbeben, und 1767 und 68 durch starke Feuersbrünste, sehr verwüstet. 1783 erfolgte abermals ein starkes Erdbeben, durch welches das Schloß zur Bewohnung unbrauchbar wurde, welches auch noch in eben diesem Jahr abbrannte.

Die

Die Stadt gehörte ehedessen ganz den Juden, welche in derselben eine Münze hatten.

(2) Gutta, ein Marktflecken auf der Schütt, an dem östlichen Arm der Donau, dessen Einwohner von der Fischerey leben. 1664 ward eine Schanze bey demselben aufgeworfen.

(3) Megyer, Nagy-Megeyer, ein Marktflecken, der gut gebauet und bewohnet ist.

2) Der Gestescher District, von dem verfallenen Schloß Gesztes benannt.

Szőny, oder, wie ihn andere nennen, Schene, ein adelicher Ort, am westlichen Ufer der Donau, woselbst man in einem Felde, welches die Einwohner Pannorten nennen, Ueberbleibsel der alten Stadt Bregetium, und mancherley Alterthümer findet. Dieser ehemalige Flecken, ist 1781 zu einem Marktflecken gemacht worden.

3) Der Udwarder District, welcher seinen Namen von dem Dorf Udward hat.

4) Der Dotiser District.

(1) Tata, (Data,) Theodatum, ein ansehnlicher Marktflecken, welcher auf einem Marmorberg liegt, hatte ehemals ein schönes königl. Schloß, welches insonderheit Matthias Corvinus sehr auszierte. Er ist jetzt ein nahrhafter Ort, und gehöret zum gräflich-esterhazyschen Gebiet. Das hiesige Bad wird stark besuchet.

(2) To-Város, ein Marktflecken.

(3) Almás, ein Dorf, am westlichen Ufer der Donau, welches wegen einer Wasserleitung, die der königliche Baumeister Samuel Mikowini im Jahr 1747 auf Befehl der königlichen Kammer angeleget hat, und wegen eines Schwefelbades, merkwürdig ist.

(4) Neszmély, ein Dorf, woselbst Kaiser Albrecht 1439 an einem Durchfall, den er von vielen genossenen Melonen bekommen, gestorben ist. Er hat fast lauter Reformirte zu Einwohnern.

5 Die

5 Die Eisenburger Gespanschaft, ungar.
Vas-Vármegye, Castriferrei comitatus, an den
steyermärkischen Gränzen. In derselben wechseln
Ebenen und Hügel angenehm ab. Jene geben zum
ergiebigen Ackerbau und zu einträglicher Viehzucht
Gelegenheit. Diese hat man mit Weinreben aus
Champagne bepflanzet, die wohl angeschlagen sind,
und einen Wein geben, welcher dem champagner sehr
ähnlich ist. Die Wälder liefern Bau- und Brenn-
Holz, Wildpret und Schweine-Mast. Baumfrüchte
hat man in Menge, insonderheit große und schmack-
hafte Pfirsichen. Sie wird von Ungarn, Deutschen,
Wenden und Kroaten bewohnet. Die Obergespanswürde besitzet das gräfliche Haus Batthyan erblich.
Sie ist in 5 Districte abgetheilet.

1) Der Günser District.

(1) Günz oder Güns, ung. Kőszög, slaw. Kyseg,
Ginsium, seit 1649 eine königl. Freystadt am Fluß gleiches Namens, in einer angenehmen und an Wein und
Getreide fruchtbaren Gegend, nebst einem nach ungarischer Art mit einem Wall und Graben umgebenen esterha-
zischen Schloß, unter einem mit Weinstöcken besetzten Hügel. Es war hieselbst das höchste Gericht, des jenseits der
Donau liegenden Kreises. Sie hat 1729 viel vom Feuer erlitten, und 1777 u. 78 brannte die Stadt nebst dem Schloß
ab. Ehemals war sie eine Zeitlang an Oestreich verpfändet. 1532 belagerte der osmanische Sultan Solyman
die Stadt vergeblich, und 1621 wurde sie von des Gabriel Bethlen Truppen auch vergebens angegriffen.

(2) Pinkafeld, Pinkafei, ein Marktflecken mit einem
Castel, in einer angenehmen Gegend, am Fluß Pinka.
Es ist hier ein angenehmer und nützlicher Sauerbrunnen.

(3) Schleining, Schlaning, ungar. Szálonak, Sa-
lonica, ein Schloß auf einem steilen Berge, nebst einem
bemau-

bemauerten Marktflecken. Er gehöret der Battyanischen Familie.

(4) Groß-Petersdorf, Nemet Szent Mihály, ein Marktflecken von Deutschen, welche man Hienzen nennet, bewohnet.

(5) Rechnitz, und Hadasch, oder Hoderis, Marktflecken. Beyde gehören der Battyanischen Familie.

2) Der District Stein am Anger, in welchem

(1) Stein am Anger, ung. Szombathely, vor Alters Sabaria, ein gut gebaueter, volkreicher und bemauerter Marktflecken, in einer angenehmen Ebene, am Fluß Günz, welcher aus den Ruinen der alten römischen Stadt Sabaria entstanden ist, aber eine ganz andre Gestalt als dieselbe hat. Man hat in der umherliegenden Gegend altes Gemäuer und alte Münzen gefunden. Er ist der Geburtsort des heil. Martins, Bischofs zu Tours in Frankreich, und seit 1777 der Sitz eines Bischofs. Es werden auch die Gespanschaftsversammlungen hieselbst gehalten. Bey demselben stehet ein Schloß auf einer Anhöhe.

(2) Sár-Vár, (d. i. Koth-Burg,) ein adeliches altes Schloß, am Fluß Raab, welches mit Mauern und Graben umgeben ist, und bey welchem ein Marktflecken liegt.

(3) Ikevaár, ein Marktflecken am Fluß Herpenyd.

3) Der Giesinger District.

(1) Giesing, gemeiniglich Güßing, ung. Nemeth-Uj-Vár, ein volkreicher Marktflecken, der mit einer Mauer umgeben ist, und bey welchem ein Schloß auf einem sehr hohen Felsen, dieser Felsen aber ganz frey und von andern Bergen abgesondert liegt. Ehemals gehörte dieser Ort dem Herzog Lorenz in Sirmien, nach dessen Tode, als seine wichtigen Güter der Krone anheim fielen, ihn König Ludewig ums Jahr 1523 dem Franciscus Battyani, damaligem Bann in Dalmatien und Illyrien, schenkte, bey dessen Familie er noch ist, und zwischen Wäldern, Weinhügeln und fruchtbaren Aeckern, eine sehr angenehme Lage hat.

(2) Ro-

(2) Rothen-Thurn, ung. Vörös-Vár, Arx rubra ein Schloß auf einer anmuthigen Ebene, am Fluß Pinka, gehöret den Grafen Erdödy.

(3) Sanct Gotthard, ungar. Szent Gotthard, Fanum S Gotthardi, ein Marktflecken mit einem Schloß, an der Raab, über welcher hier eine Brücke von Holz gebauet. 1664 wurden die Osmanen hieselbst von den Kaiserlichen überwunden.

4) Der Neu-Körmender District.

(1) Körmend, ein Marktflecken am Fluß Raab, in einer fruchtbaren Gegend, mit einem schönen Schloß, den Grafen Battyani gehörig. 1605 im botschkaischen Krieg, mußte sich das Schloß aus Hungersnoth ergeben, ward aber bald wieder erobert, und gieng alsdenn abermals verloren. 1621 nahm Battyani es wieder ein.

(2) Eisenburg, ung. Vas-Vár, Castrum ferreum, war ein sehr festes Schloß in dieser Gegend, und das vornehmste in dieser Grafschaft, welche den Namen davon hat; es sind aber die Festungswerke, nebst den Gebäuden, geschleift, und das hiesige Domkapitel ist nach Stein am Anger verleget worden. Jetzt ist hier noch ein Marktflecken.

5) Der Kemenyeschallyer District, in welchem nur ein Marktflecken ist, nemlich Jákosháza, am Fluß Marzal. Er gehöret den Genuesern.

6 Die Wesprimer Gespanschaft, ungarisch Veszprim Vármegye, Vesprimiensis comitatus, wird meistens von Ungarn, außer denselben von deutschen und böhmischen Slaven bewohnet. Der Boden ist sehr fruchtbar an Getreide und guten Wein. Hölzungen, und in denselben allerhand Wildpret, sind häufig. Der Bakonyer Wald bestehet meistens aus Eicheln, und mästet große Heerden Schweine. Das Eisenbergw · · · Vis-Lód, kann erheblich werden,

ben, denn es enthält auch Alaun, Vitriol, Antimonium, und Berggrün. Die Gespanschaft ist in den obern, mittlern und untern District abgetheilet.

1) In dem obern District, ist

Pápa, ein großer und wohlbewohnter Marktflecken, am Fluß Marzal, neben welchem ein Castel auf einer Ebene liegt. Ehemals war er mit einem Wassergraben und einer gedoppelten Mauer, und das Schloß auch mit einem Graben umgeben, so, daß er eine Festung abgab, die 1594 in der Osmanen Hände gerieth, ihnen aber 1597 vom Erzherzog Marimilian wieder weggenommen wurde. 1600 wurde sie von den Osmanen vergeblich angegriffen. 1702 sind die Festungswerke geschleifet worden. Die ehemalige hiesige reformirte Schule, ist 1751 zerstöret worden. Der Ort gehöret den Grafen Esterhazy.

2) In dem mittlern District.

(1) Devetser, ein Marktflecken am Fuß des Bergs Somlyó, auf welchem sehr guter Wein wächset.

(2) Vasárhely, ein guter Marktflecken, der viel Wein bauet.

(3) Tüskevár, ein Marktflecken.

3) In dem untern District.

(1) Veszprim, Wesprim, eine Stadt, in einem Thal, woselbst ein Bischof und Domkapitel ist: jener hat jährlich 50000 Gulden Einkünfte. Seit 1702, da die Festungswerke geschleifet worden, ist sie ein ofner Ort. Bey denselben stehet auf dem Rücken eines Berges ein Schloß, welches mit einer alten Mauer umgeben ist. Nach des Matthias Corvinus im Jahre 1490 erfolgtem Tode, wurde sie von den Deutschen eingenommen, 1551 von den Osmanen belagert und erobert; 1565 bemächtigten sich ihrer die Christen, 1593 abermals die Osmanen, und 1598

Ee 4 wie=

wiederum die Chriſten. 1655 wurde ſie von den Osmanen vergebens angegriffen, welche 1663 die Stadt plünderten und anzündeten, von der Beſatzung des Schloſſes
aber geſchlagen wurden.

(2) Palotta, Palatium, ein viereckichtes Schloß,
nebſt einem guten Marktflecken, unten am bakonyſchen
Walde, war ehedeſſen ein Luſthaus oder Palaſt des Matthias Corvinus, und, weil es mit einem breiten Graben
und einer hohen Mauer umgeben war, eine gute Feſtung
wider die Osmanen, von welchen ſie 1565 vergeblich belagert, 1593 aber durch Accord eingenommen, fünf Jahre
hernach aber freywillig wieder verlaſſen worden. Jetzt
gehöret der Ort der gräflich ſitſchyſchen Familie.

(3) Waſchon, ungar. Nagy-Vaſonkö, ſlaw. Wa-
zon, ein wohlbewohnter Marktflecken, mit einem alten
Schloß, gehöret den Grafen Sitſchy.

7 Die Graner Geſpanſchaft, ung. Esztergom Vármegye, Strigonienſis comitatus, lieget
an beyden Seiten der Donau, iſt mehrentheils bergicht, hat aber auch einige Ebenen, welche mit ſanf-
ten und niedrigen Hügeln abwechſeln, wird von
Ungarn, böhmiſchen Slawen, und einigen Deutſchen
bewohnet, und in den Graniſchen und Parkaner
Diſtrict abgetheilet. Der jedesmalige Erzbiſchof
von Gran iſt Obergeſpan dieſer Grafſchaft: wenn
aber kein Erzbiſchof vorhanden iſt, wird die Geſpanſchaft durch einen Adminiſtrator verwaltet.

1) Der Parkaner Diſtrict, welcher den Namen hat von

Párkány oder Parkan, einem Marktflecken. Er war
ehemals ein feſter Ort an der Donau und liegt gerade gegen Gran über, da wo der Fluß Gran in die Donau
fließet.

2) Der

2) Der Graner District, in welchem

(1) Gran, ung. Esztergom, slaw. Ostryhom, lat. Strigonium, eine königl. Freystadt an der Donau, da, wo der Fluß Gran in dieselbe fällt, in einer lustigen Gegend. Sie war ehemals der Sitz des vornehmsten Erzbischofs und Primas des Reichs, imgleichen des Domkapitels, welches letzte aber seit 1543 zu Tyrnau ist, und der Erzbischof von Gran residirt zu Preßburg. Indes heißt aber die Stadt doch noch eine erzbischöfliche Stadt. Sie bestehet eigentlich aus 4 Theilen, welche sind, die königliche Freystadt, die Raitzenstadt, das feste Schloß, oder die Festung auf einem hohen Felsen, und die darunter belegene Wasserstadt an der Donau. König Stephan I ist hieselbst geboren, und in der von ihm erbaueten Domkirche begraben. 1543 ist die Stadt von den Osmanen zum erstenmal erobert, und ihnen erst 1595 wieder entrissen worden. 1604 wurde sie von ihnen vergeblich belagert, aber im folgenden Jahr wieder eingenommen. 1683 bekamen die Kaiserlichen sie durch Accord in ihre Gewalt. Es sind hier warme Bäder.

(2) Szent György, Georgenfeld, ein Marktflecken des Erzbischofs, etwa 300 Schritte von der Festung Gran.

(3) Der Thomasberg, Szent=Tamás, ein Marktflecken auf einem Berge, nahe bey der Festung Gran. Er gehörte dem Domkapitel.

II. Das Pesther Gebiet, von 5 Gespanschaften und 2 Landschaften, in Nieder=Ungarn.

1 Die vereinigten Gespanschaften Pesth, Pilisch, und Scholth. So lange die Könige von Ungarn zu Ofen ihren Sitz hatten, waren diese Gespanschaften völlig von einander abgesondert: sie sind aber vereiniget worden, nachdem man sie der osmanischen Bothmäßigkeit entrissen hat. Es giebt

Ee 5　　　　hier

hier zwar einige Gebirge und Wälder, aber eine noch größere Ebene zwischen der Donau und Theis, die aber doch meistens sandig und unfruchtbar ist. Der Hauptfluß ist die Donau, die kleinern sind Vajas, Theis, Sagyva, Galga, Rakos und Tapja. In den bergichten Gegenden ist die Luft des Winters kalt, und des Sommers gemäßiget; hingegen in den großen Ebenen ist der Winter rauh, und der Sommer fast unerträglich heiß, es folgen auch auf die heißen Tage sehr kalte Nächte, die Mücken sind für Menschen und Vieh sehr beschwerlich, und an gesundem Wasser ist ein Mangel. In den bergichten Gegenden wächset guter röthlicher und weißer Wein. Auf dem häufigen sandigten Boden, kommt kein Getreide fort, an andern Orten aber gehet der Ackerbau etwas besser von statten, doch nicht ohne große Schwierigkeiten. Auf der wüsten Ebene giebt es gute Viehweide, auf welcher das Vieh weit und breit herum irret. Die Einwohner sind Ungarn, böhmische Slawen, Deutsche, und einige dalmatische und thracische Colonien. Von diesen vereinigten Gespanschaften, ist der Palatinus regni Obergespann. Die ganze Landschaft wird in vier Districte abgetheilet.

1) Der Wazische District, darinn

(1) Pesth, Pest, Pestum, oder Pestinum, eine mit Mauern und Gräben umgebene königl. Freystadt in der Ebene an der Donau, gegen Ofen über, dahin seit 1769 eine Schifbrücke führet, welche beyde Städte unterhalten. Der Strom ist hier 300 Klafter breit. Man kann sie für die beste Stadt in Ungarn ansehen, denn sie hat viele Edelleute zu Einwohnern, lauter schöne Häuser, unterschiedene Paläste, auch in den Vorstädten schöne Gärten.

1775 hat sie erschrecklich viel von der ausgetretenen Donau gelitten. Man findet hier das Ober-Appellations-Gericht, welches in *tabulam regiam* und *septemviralem* abgetheilet wird, und ein Invalidenhaus, welches 300 Schritte lang, eben so breit, und drey Stockwerk hoch von Steinen aufgeführet ist, 1776 hatte sie an 13550 Menschen. Das nahe dabey gelegene Feld Rakos, (Rakosch,) am Bach Rakos d. i. Krebsbach, ist durch die auf demselben gehaltenen Reichstage und Königswahlen berühmt geworden. 1526 und 41 wurde sie von den Osmanen eingenommen, welche sie bis 1602 behielten, da sie ihnen von den Ungarn abgenommen, und gegen einen abermaligen Angriff der Osmanen vertheidiget, im folgenden Jahre aber aus Furcht verlassen wurde, und den Osmanen abermals in die Hände gerieth, welche sie 1684 in Brand steckten, und sich nach Ofen begaben. Die Kaiserlichen nahmen zwar hierauf Besitz von der Stadt, liessen sie aber wieder fahren, und bekamen sie erst zwey Jahre hernach, in einem sehr elenden Zustande, wieder, aus welchem sie durch des Kaisers Leopold Gnade herausgerissen wurde. 1721 war hier eine Commission, welche die Religionsbeschwerden der Protestanten untersuchte, und im folgenden Jahre zu Preßburg geendiget ward.

(2) Vacz, (Wátz,) Waczow, Watzen, Waitzen, Vaclum, eine wohlbewohnte bischöfliche Stadt an der Donau, die eine angenehme Lage und fruchtbare Aecker hat. Das hiesige Bisthum hat Geysa der Große 1074 oder 75 angeleget; es trägt jährlich 50000 Gulden ein. Das Collegium Theresianum oder die Theresianische Ritterschule, hat die Kaiserin-Königin Maria Theresia zur Erziehung junger ungarischer Edelleute anlegen, und 1768 einweihen lassen. Die Stadt hat ihre Aufnahme vornehmlich den ansehnlichen Jahrmärkten, und insonderheit den Ochsenmärkten, zu danken. Sie ist durch oftmalige Feuersbrünste verwüstet, auch vielmals erobert worden.

(3) Gödöllő, ein schöner adelicher Marktflecken 2 Meilen von Pesth. Das prächtige Lustschloß siehet einer Festung änlich.

(4) Aß-

(4) Aszod, ehedessen Ostmach, ein adelicher Marktflecken, in einer erhabenen und schönen Gegend.

2) Der kerschkemetische District.

(1) Ketskemét, Egopolis, ein großer und von vielen adelichen Familien bewohnter Marktflecken, dessen
Viehmärkte ansehnlich sind, und der katholische und reformirte Kirchen hat.

Von diesem Ort wird eine Heide benannt, welche
fast funfzig Meilen lang und eben so breit ist. Ihr Boden ist mit Sand bedecket, unter welchem kleine zerbro-
chene Muschelschalen gefunden werden, und die wenigen
Steine, welche man antrift, sind aus diesem Sande zu-
sammengebacken. Man fähret oft einen halben Tag,
ohne einen Baum, oder ein Haus, außer den Posthäusern
anzutreffen. Es weidet aber auf dieser Heide sehr viel
Rindvieh. Man erblicket auch auf derselben ganze Heerden von Trappen, Adlern, und an den Morästen verschiedene andre Vögel.

(2) Körös, ein wohlbewohnter adelicher Marktflecken, der starke Viehzucht treibet. Die Reformirten haben hier eine große Kirche, und ein Gymnasium.

(3) Czegléd, ein weitläuftiger Marktflecken, in einer fruchtbaren Gegend, der Ackerbau und Viehzucht treibet, und den Nonnen zu S. Claren in Ofen, gehöret. Es
ist hier eine katholische und reformirte Kirche. Er ist nach
der sicambrischen Schlacht der erste Sitz der siebenbürgischen Sikler gewesen.

(4) Die Marktflecken Abony, Nagy-Kata, und
Sawksar.

3) Der Pilischer District, welcher von der
Nordseite Berge, Wälder, und mit Wein bewach-
sene Hügel, an der östlichen Seite aber fruchtbare
Eberien, Viehzucht, Aecker, und Weinbau hat.

(1) Ofen, ung. Buda, bey den Slawen Budin,
ist der Name einer alten und neuen Stadt. Das alte
Ofen, bey den Römern Aquineum genannt, hat in der
Ehe-

Ebene gestanden, welche sich von den Vorstädten Neu=
Ofens an, zwischen den Pilischer Bergen und der Donau
erstrecket, und soll ehemals Sicambria, genennet worden
seyn. Heutiges Tages ist es ein geringer Marktflecken,
in und um welchem man die wüsten Steinhaufen und Ue=
berbleibsel der alten großen Stadt, und manches römi=
sche Ueberbleibsel findet. Der Ort gehöret zu den Kron=
gütern, und die Zichische Familie, welche eine Zeitlang
im Besitz desselben gewesen, hat andere Güter dafür be=
kommen. Neu=Ofen ist von Bela IV angeleget, und ei=
ne königl. Freystadt, welche über 21000 Menschen hat.
Sie lieget auf einem felsigten Berge an der Donau, war
ehemals die Hauptstadt des Reichs, die königl. Residenz,
und unter allen ungarischen Städten die größte und schön=
ste, ist aber durch viele Belagerungen, Eroberungen und
Verwüstungen sehr herunter gekommen, doch erholet sie
sich wieder. Sie ist mit Mauern und Graben umgeben,
und stark befestiget. Neben derselben lieget ein festes
Schloß, von welchem ein Theil, der aus Tyrnau hieher
versetzten Universität eingeräumet ist, welche einen Bü=
chersaal, eine Sternwarte, einen anatomischen Saal, eine
Kunst= und Naturalien=Kammer hat. Sie hat drey Vor=
städte, die auf einer Seite bemauerte Wasserstadt, die an
der Donau lieget, Neustift, und die Raitzenstadt Tha=
ban, in welcher 2 griechische Bischöfe wohnen, ein unir=
ter und nicht unirter. Der Wein, welcher auf den um=
liegenden Bergen wächset, ist dunkelroth, und dem Bur=
gunder Wein am Geschmack ähnlich, so wie er auch oft
unter desselben Namen verkauft wird. Weil er stark küh=
let, trinket man ihn nur bey der Sonnenhitze. Es wach=
sen hier auch herrliche Melonen. Diese berühmte Stadt
ist von 1529 bis 1686 in der Osmanen Gewalt gewesen,
und hat ihnen, aller angestelleten Versuche ungeachtet,
nicht eher, als im letztgedachten Jahr, entrissen werden
können, da sie aber in einem sehr elenden Zustande war.
1635 und 1723 wurde sie durch eine Feuersbrunst fast ganz
vertilget. Zwischen hier und Pesth gehet auf der Donau
eine Schiffbrücke.

(2) Vi=

(2) Visegrad, Plindenburg, Blendenburg, Visegradum, altum Castrum, Arx alta, war ehemals ein festes Schloß auf einem hohen Felsen, in welchem die ungarische Krone verwahret wurde; und unter demselben an der Donau war eine Stadt mit einem Palast, von mehr als 350 Zimmer, in welchem sich die Könige, wegen ihrer gesunden Luft, schönen Gärten und anderer Annehmlichkeiten, fleißig aufhielten. Es daurete aber das Glück des Orts nur bis an den Tod des Matthias; und jetzt ist das Schloß ein wüster Steinhaufen, die Stadt aber ein armseliger Marktflecken geworden.

(3) Skmbek, (Schambek,) ein verfallenes Schloß auf einer Ebene, zwischen angenehmen Bergen, mit einem Marktflecken, gehöret zu den Krongütern.

(4) S. Andreas Insel, Ros Insula, in der Donau, ist drey Meilen lang und eine Viertelmeile, mehr oder weniger, breit, und hat einen sehr fruchtbaren Boden. Sie gehöret mit ihrem Marktflecken zu den ungärischen Krongütern.

S. Andreas, Szent Endre, Fanum s. Andreae, an der Donau, ein Marktflecken, von nicht unirten Raitzen bewohnet, deren zu Ofen wöhnende Bischof sich hier oft aufhält.

(5) Das eugenische Vorgebirge, oder der Eugeniusberg, Eugenius Hydgye, ein angenehmer, mit Weinstöcken und Waldung besetzter Berg an der Donau, da, wo dieselbe mit ihrem Arm die Insel Csepel machet. Die darneben liegende lustige und fruchtbare Ebene hat ungefähr eine Meile im Umfang, und enthält außer einem eugenischen Castel, noch verschiedene Bauerhöfe. Der Prinz Eugenius, welcher sich hier gern aufhielt, hat hieher arabische Schafe bringen lassen.

(6) Die Insel Csepel, (Tschepel) liegt eine Viertelmeile unter Ofen in der Donau, und ist auf beyden Seiten mit kleinern Inseln umgeben, deren zur Linken 10 sind; die zur Rechten aber sind beträchtlicher, und unter denselben ist insonderheit die Phasanen Insel zu merken, welche 1000 Schritte lang und mit Holz bewachsen ist,

imglei-

imgleichen die Hasen-Insel, auf welcher eine verfallene Kirche ist, die von der heil. Margaretha erbauet seyn soll, daher einige Erdbeschreiber auch die Insel Csepel die Margarethen-Insel genennet haben. Csepel ist fünf ungarische Meilen lang, sandig, doch nicht unfruchtbar, und hat, außer anderm Wildpret, insonderheit viele Hasen. Ehemals war sie ein Leibgeding der Königinnen, und ein Thiergarten. Im achtzehnten Jahrhundert hat sie der Prinz Eugenius, und nachmals die verwitwete Kaiserinn Elisabeth besessen. Jetzt stehet sie unter der hohen ungarischen Kammer. Von vier Marktflecken, die ehedessen darauf gewesen, ist nur noch übrig geblieben:

a. Rätzkeve, ein Marktflecken, welcher von einer raitzischen Colonie den Namen hat, und ehemals ganz ansehnlich gewesen ist. 1698 bekam ihn Prinz Eugenius, welcher neben dem Ort ein prächtiges Castel erbauen ließ.

b. Die neun Flecken dieser Insel, sind vormals schön gewesen, jetzt aber sind sie geringe Dörfer. Von denselben wollen wir nun anmerken: Csepel, davon die Insel den Namen hat, und Tököly, welcher der Stammort der tökölischen Familie ist.

4) Der Scholther District, darinn

(1) Colocsa, (Colozscha.) Kolotza, eine erzbischöfliche Stadt, die ehemals in großem Flor war, aber nach des Königs Ludewig Ito abnahm, und als Ofen von den Osmanen erobert wurde. 1686 ward sie wieder kaiserlich, und ein erzbischöflicher Sitz, hat sich seitdem nach und nach wieder erholet. Der heil. Stephan stiftete hier ein Bisthum, und Geysa II ein Erzbisthum. Der Erzbischof hat jährlich 30000 Gulden Einkünfte.

(2) Solt, (Scholth), ein Marktflecken, nicht weit von der Donau, welcher sich auf den Ackerbau und die Viehzucht leget. Das ehemalige Schloß, welches neben demselben lag, ist zerstöret worden.

(3) Die Marktflecken Patay und Vetse, beyde mit ungrischen, und Hajos, größtentheils mit deutschen Einwohnern.

(4) Pan-

(4) Pandur, in dem untersten Winkel der Gespanschaft, ein Dorf, nach welchem das raißische Fusvolk in
neuern Zeiten Panduren genennet werden.

2 Die Hevescher und äußere Szolnoker Ge-
spanschafr, welche vereiniget sind, haben auf einer Seite viel Berge, die an der Neograder Gränze
am höchsten sind, und den Namen Matra führen,
auf der andern Seite aber giebt es Hügel und Ebenen. Sie werden größtentheils von Ungarn, auch
böhmischen Slawen und Deutschen bewohnet; es
sind auch die Zigeuner hieselbst zahlreich. Der Bischof von Erlau ist jederzeit Obergespan. Die vereinigten Gespanschaften machen 4 Districte aus.

1) Der Matura District, am Gebirge dieses Namens, enthält

Sirok-vár, einen Marktflecken und Schloß, wo der
Fluß Tarna entspringet, im nyarischen Gebiet.

2) Der Gyöngyöscher District, in welchem

(1) Apecz, ein Marktflecken.

(2) Gyöngyös, ein wohlbewohnter Marktflecken am
Fluß gleiches Namens, unter dem Berge Mátra, in einer weiten Ebene, hat ein Jesuiter-Gymnasium gehabt,
und ist seiner Jahrmärkte und seines Weins wegen bekannt.

(3) Hatvan, war ehemals eine Festung, am Fuß
des Berges Matra, am Fluß Sadwa, ist aber, nachdem
sie 1678 den Osmanen wieder abgenommen worden, verwüstet. Unter derselben liegt ein Marktflecken, welcher
gut gebauet und volkreich ist. Die hiesigen großen Was-
sermelonen sind berühmt.

(4) Pásztó, ist ein geringer Marktflecken, am Fluß
Sadwa, dessen Einwohner sich vom Ackerbau ernähren.

(5) Pata, oder Gyöngyös Pata, ist ein Marktflecken, welcher unten am Berg Matra, gegen Gyöngyes über liegt.

3) Der Tarner District, am Flüßgen Tarna, in welchem

(1) Erlau, ung. Eger, slaw. Jager, lat. Agria, eine Stadt in einem Thal am Fuß gleiches Namens, ist mit alten Mauern umgeben. Sie hatte vormals gute Gebäude, ist aber durch die häufigen Belagerungen und Eroberungen, welche sie erfahren hat, in einen schlechten Zustand versetzet worden; aus welchem sie sich doch nach und nach wieder erholet, weil hier ein Bischof ist, der 80000 Gulden jährlicher Einkünfte hat, und Bischof, Graf Karl Esterhazy, eine neue Straße unter dem Namen Karlstadt angeleget hat. Die Universitätsgebäude sind schön, und die hiesige prächtige Sternwarte ist 1781 völlig zu Stande gekommen. Es wächset hier ein guter weißer und röthlicher Wein, und nicht weit von der Stadt sind warme Bäder. König Stephan der Heilige, hat die Stadt zuerst erbauet. 1552 wehrte sie sich gegen die Osmanen tapfer, 1569 aber mußte sie sich denselben ergeben. 1606 überrumpelten die Kaiserlichen die Stadt, und hauseten übel in derselben, konnten aber dem Schloß nicht beykommen.

Eine Stunde weit von Erlau, lag das Schloß Forcontrasti, welches der Graf und Bischof Franz Barkotzy schön und prächtig erbauet, sein Nachfolger aber verfallen lassen hat. Es stand auf einem Hügel zwischen zwey Bergen, auf welchen beyderseits fünf oder sechs kleinere Lusthäuser unter gleichem Namen waren. Nahe dabey in einem angenehmen Walde, ist ein schönes Kloster des neuen Ordens der Nazaräer.

(2) Heves, ein Marktflecken, hatte ehedessen ein festes Schloß, von welchem die Gespanschaft den Namen führet, nun aber ist es ein Steinhaufen.

(3) Maklar, ein Marktflecken.

4) Die äußere Solnoker Gespanschaft, in welcher

(1) Szolnok, ein ehemaliges Schloß, davon die Gespanschaft den Namen hat, mit einem Marktflecken.

(2) Füred oder Föred, Torök Szent Miklos, Thur oder Thuro, und Déva-Vanya, Marktflecken.

3 Die Neograder Gespanschaft, Comitatus neogradiensis, ungar. Nográd Vármegye, ist zwölf Meilen lang, und fünf bis sechs Meilen breit. Sie ist gegen Mitternacht bergigt und waldigt, hat aber auch gegen Mittag und Morgen fruchtbare Ebenen. Die meisten Berge sind höher, als die niedrigen Wolken, z. E. der Meduesch, Szanda, Matra. Die vornehmsten Flüsse in derselben sind Ipoly, (Eipel, Ipel), und Sagyva, und die vornehmsten Sauerbrunnen, der garabische, poltarische, filekische, essergarische, kürtösische, szalatnysche, tissownikische, rc. Es giebt hier auch Quellen, die des Sommers eiskalt und des Winters warm sind. Auf dem Berge Schalgo, entzündete sich im Sommer 1767 die Erde, welche schwefelartige Dämpfe enthielt, von selbst, und glimmte mit einem starken Rauch zwey Monate lang. Der Ackerbau ist in der mittägigen Gegend gut, und der Weinbau auch, wie denn insonderheit der kosbische, radische, etsegische,

gische, und jobbagysche Wein von sehr guter Art
ist. Die Viehzucht ist an einigen Orten ziemlich
gut. Die Einwohner sind Ungarn, böhmische Slawen, und einige Deutsche. Diese Gespanschaft
wird nach den bischöflichen Diöcesen in Nagy- und
Kisch-Nograd, d. i. Groß- und Klein-Neo-
grad, eingetheilet, davon jene unter dem Erzbischof
von Gran, diese aber unter dem watzischen Bischof
stehet. Außerdem wird sie auch in vier Districte
abgetheilet, welche sind:

1) Der Loschonzische District, welcher ganz
bergigt und waldigt ist, und enthält

(1) Gáts, (Gatsch) slaw. Hálitsch, ein Bergschloß,
welches den Namen von den Halitschern, die vor Alters
in Roth-Rußland wohnten, bekommen hat, und zum
öffentlichen Gefängniß der Gespanschaft gebraucht wird.
Es gehöret den Grafen von Forgatsch. In dem Marktflecken legte Graf Forgatsch wollene Manufacturen an.

(2) Divin, ein Schloß auf einem sehr steilen Felsen. 1576 ward es von den Osmanen eingenommen, die
es bis 1593 behielten. 1679 ward es dem unruhigen Balassa abgenommen und zerstöret, so daß es jetzt ein Steinhaufen ist. Es gehört dem Grafen Sichy. Unter demselben lieget ein Marktflecken.

(3) Losontz, (Loschontz), slaw. Lucsenetz, liegt
in einer von Bergen eingeschlossenen Ebene, und wird
des vielen Koths wegen, der nach einem mäßigen Regen
und bey derselben entstehet, im Scherz Lutetia Unga-
rorum genennet. Die Gespanschaftsversammlungen werden hier gehalten. Dieserwegen, und in Ansehung der
vielen Edelleute, die an diesem Ort wohnen, kann man
ihn für den Hauptort der Gespanschaft halten. Die Jahrmärkte sind sehr ansehnlich.

2) **Der Filekische District**, darinn

(1) Filek, ein ehemaliges festes Schloß, das auf einem steilen Felsen stand, an welchem es in drey Abtheilungen hinangebaut war; es ist aber nach mehrmaligen Belagerungen und Eroberungen vom Tököli in die Luft gesprenget worden.   Das Gebiet gehöret den Grafen Kohári.   Der Marktflecken, welcher unter dem wüsten Schloß gleiches Namens lieget, ist ehemals ansehnlich gewesen, insonderheit wegen der vielen adelichen Familien, die darinn wohnten: allein, jetzt ist er ein ganz geringer Ort.   Einige tausend Schritte davon ist ein guter Sauerbrunn.

(2) Salgo, (Schalgo), ein wüstes Schloß auf einem steilen Berge, welches die Osmanen 1551 durch eine List einnahmen, und bis 1593 behielten.   1726 bekam es der Baron Szluha von Iklad.

3) **Der Szetschenische District**, darinn

(1) Szetsény, slaw. Secany, ein Marktflecken, unter einem zerstörten Schloß, auf einem Hügel lieget. Die Osmanen haben es einmal 42, und einmal 20 Jahre lang im Besitz gehabt.   Es gehöret nebst seinem Gebiet, den Grafen Forgatsch.

(2) Holloks, Rabenstein, ein Schloß auf einem hohen und steilen Felsen, der allenthalben mit Wäldern umgeben ist, wurde 1552 von den Osmanen eingenommen, und 41 Jahre lang besessen.   1663 fiel er ihnen abermals in die Hände, und sie behielten es 20 Jahre lang.   Es gehöret den Forgatschen und Szemeren.

(3) Bujak, ein Schloß zwischen Gebirgen auf einem steilen Felsen, ist esterhazisch.

4) **Der Kekksische District**,

(1) Kekks, Modry-Kamen, Blauenstein, ein Marktflecken, über welchem ein ehemals sehr festes Schloß auf einem Felsen lieget, das die Osmanen 1576 einnahmen, und 1603 wieder verloren.   Nachdem die Rakotzianer es abgebrannt haben, ist nur ein Theil desselben wieder erbaut.   Es gehöret den Grafen von Balassa.

(2) Ipo

(2) Ipoly-Gyarmath, slawon. Darmoty, sonst auch Balassa-Gyarmath, ein Marktflecken, der Grafen von Balassa, am Fluß Ipoly. Ueber denselben lieget ein Bergschloß.

(3) Nagy Orosy, ein Pfarrdorf ehedessen ein Marktflecken, ist von einer russischen Colonie angeleget, welches auch der Name anzeiget, denn Oros heißet bey den Ungarn ein Russe.

(4) Nograd, war ehemals ein guter Marktflecken mit einem wohlbefestigten Berg-Schloß, ist aber jetzt nur ein Pfarrdorf, das zum Gebiet des Bischofs von Watz gehöret. Die Gespanschaft hat davon den Namen.

(5) Vadkert, ein Marktflecken, ist erzbischöflich-granisch, und vom Kaiser Karl dem sechsten zu einem Marktflecken gemacht worden.

4 Die Borschoder Gespanschaft, in Oberungarn Borsod Vármegye, Borsodiensis comitatus, hat einen fruchtbaren Getreide-Boden, gute Viehzucht, Weinbau, Wälder, ein Kupferbergwerk zu Ruda-Banya, warme Bäder und Gesundbrunnen. Sie wird von Ungarn, böhmischen Slawen und einigen Deutschen bewohnet, und abgetheilet

1) in den Mischkolzer District, in welchem

(1) Miskolcz (Mischkolz), ein großer und volkreicher Marktflecken, mit dem Comitats-Hause. Er ist sowohl seines guten Weins, als der dasigen adelichen Häuser wegen bekannt, lieget in einer an Getreide fruchtbaren Gegend am Flüßchen Szynwa, und gehöret der Krone. 1781 verzehrte eine Feuersbrunst 568 Gebäude, und man schätzte den Schaden auf 260387 Fl.

(2) Dios-Gyor, ein Marktflecken, am Bach Sinwa, über welchem ein verwüstetes Schloß lieget.

(3) Csáth, ein Marktflecken.

(4) Onod, ein Marktflecken und Schloß am Fluß Sajo, welcher in den Kriegen, und sonderlich durch die

1707 daselbst gehaltene rakotzysche Versammlung, bekannt geworden.

2) Der **Erlauer** District, am Flüßchen Erlau.

(1) **Kereszies,** ein stark bewohnter Marktflecken in einer ebenen Gegend, bey welchem verschiedene Schlachten gehalten worden; insonderheit 1596.

(2) **Rövesd,** Mezö-Rövesd, ein Marktflecken, der den Zunamen von seiner Lage hat.

3) Der **Sendröer** District,   . i.

(1) **Szendrö,** Szent Andras, ein Marktflecken, an der Bodwa, welcher ehedessen mehr bedeutete, mit einem zerstörten Schloß. Am Ufer des Flusses entspringet ein Schwefelwasser.

(2) **Aszalo,** ein gut gebauter Marktflecken an den kleinen Fluß Manyosch.

(3) **Edeleny,** ein güter adelicher Marktflecken an der Bodwa.

(4) **Borsod,** ein Pfarrdorf, von welchem die Gespanschaft den Namen hat. Es war ehedessen ein befestigter Ort.

4) Der **S. Peterer** District, welcher den Namen hat von **Szent Peter,** Oppidum S. Petri, einem Marktflecken, am Fluß Sajo.

Tapoltsán, ist ein Dorf mit mineralischen Quellen.

5 Die Stuhl-Weissenburger Gespanschaft, ung. **Székes Fejer Vármegye,** Alba regalensis comitatus, bestehet größtentheils aus Ebenen, in welchen Seen und Sümpfe sind. Der Fluß Sarwitz verursachte in diesem und in dem Wesprimer Comitat große Moräste, trat auch oft aus, daher hat man einen Kanal zur Ableitung des Wassers aus den Morästen gegraben, und sie dadurch größtentheils trocken und urbar gemacht. Auf der Nordseite sind
Berge

Berge mit Eichenwald bewachsen; welche Bakony und Vertes (Wertesch) heißen. Der letzte ist einer der berühmtesten in Ungarn, denn er erstrecket sich durch viele Gespanschaften bis Ofen. Die meisten Einwohner sind Ungarn und Deutsche, es giebet aber auch böhmische Slawen, Raitzen und Juden. Die Gespanschaft hat 3 Districte.

1) Der Scharmelliker District, enthält

(1) Stuhl=Weissenburg, ungar. Székes=Fesér= Vár, Alba regalis, slaw. Bieligrad, eine königl. Frey= stadt, an einem morastigen Ort, den der Fluß Sárwitz macht. Sie ist nicht nur dieser ihrer Lage wegen fest, sondern war ehedessen auch mit andern starken Festungswerken versehen, die aber 1702 geschleifet worden. Von der Stadt aus gehen drey sehr breite Dämme, zwischen welchen Kirchen, Häuser, Gärten und Wiesen liegen, so, daß daselbst, als in Vorstädten, mehr Leute wohnen, als in der Stadt selbst. Vor Zeiten sind hier die Könige gekrönet, und gemeiniglich auch begraben worden. Die besten Häuser waren verfallen, und die Stadt ist in große Abnahme gekommen; sie ward aber dadurch wieder in einige Aufnahme gebracht, daß 1777 die Kaiserin Königin das ehemalige Domkapitel wieder hergestellet, auch den erimirten Probst desselben zu einem Bischof gemachet hat. Man zählet hier schon an 19000 Einwohner. 1490 wurde sie vom Könige Maximilian eingenommen und geplündert. 1540 nahmen sie die Kaiserlichen, drey Jahre aber hernach die Osmanen ein. 1593, 98 und 99 wurde sie von den Kaiserlichen vergebens belagert, und 1601 zwar erobert, ihnen aber gleich im folgenden Jahre von den Osmanen wieder abgenommen. 1688 kam sie in kaiserliche Hände.

(2) Moor, Mohr, ein volkreicher Marktflecken, den größtentheils Deutsche bewohnen.

2) Der Tschakwarer District, von einem ehemaligen Schloß benannt. Er hat die 3 Markt=

Ff 4 flecken

flecken Adony, an der Donau, Lovász-Berény, und Saátosd.

7 1 3) „Der Bitschker District, in welchem der Marktflecken Hanzabeg oder Erd, ein großer und volkreicher Ort:

6 Groß-Cumanien, oder das Kumer-Land, Kunsag, Cumanorum maiorum regio, hat den Namen von den ersten Cumanern, welche K. Stephan II 1121 als Hülfstruppen annahm. Die Cumaner reden nun die ungarische Sprache und sind meistens reformirt. Sie treiben Ackerbau und Viehzucht. Ihr kleines Land hat vortrefliche Melonen, aber Mangel am Holz. Es begreift nur 6 bewohnte Oerter, welche sind

(1) Madarász, ein reformirtes Pfarrdorf.

(2) Karczag-Uj-Szalas, ein großer und volkreicher Marktflecken.

(3) Turkeve, ein reformirtes Pfarrdorf.

(4) Kis-Szállás, ein reformirtes Pfarrdorf.

(5) Szent-Marton, ein katholisches Pfarrdorf.

(6) Kun-Helység, Cynorum sedes, ein reformirtes Pfarrdorf.

Klein-Cumanien, ungarisch, Kis-Kunok, Cumania minor, ist mit Groß-Cumanien verbunden, und hat auch den Namen von den Cumanen, deren hier wohnende Nachkommen die ungarische Sprache reden, und sich zum Theil zu der reformirten Kirche bekennen. An gutem Wasser und an Holz fehlet es, aber der Boden ist fruchtbar am Getreide und an guter Viehweide. Die Landschaft enthält

1) Kun-

1) Kun-Szent-Miklos, ein Pfarrdorf, welches in einer ebenen und fruchtbaren Gegend liegt. Es war im 16ten Jahrh. ein fester Platz.

2) Szabad-Szalas, Libera manſio, ein reformirtes Pfarrdorf, welches ſtark bewohnet iſt, und in einem offenen Felde liegt, das Aecker und Wieſen hat.

3) Phelep-Szalas, Filep-Szalas, Philippi manſio, auch ein reformirtes Pfarrdorf, in einer ebenen und fruchtbaren Gegend.

4) Hálász, ein weitläuftiger und volkreicher Marktflecken, mit einer katholiſchen und einer reformirten Kirche.

7 Das Land der Jázygen, oder Philiſtäer, (lat. Baliſtarii, Báliſtaei, verdorben Philiſtaei,) welche hier 1086 anſäßig gemacht wurden. Ihr Ländgen hat guten Ackerbau, und gute Weide zur Viehzucht. Sie ſprechen nun ungariſch, und ſind gröſtentheils katholiſch. Sie ſtehen, ſo wie die Cumaner, unter dem Palatin von Ungarn. Ihr Ländgen begreift 3 Marktflecken und 8 Dörfer. Jene ſind,

(1) Jász-Berény, ein großer und wohlbewohnter Marktflecken, am Fluß Sadwa, welcher die übrigen in Anſehung der Größe und Fruchtbarkeit ihres Feldes übertrift.

(2) Apathi, ein Marktflecken, beym Einfluß der Konſka, in die Theiſe.

(3) Arok-Szálás, ein wohlbewohnter Marktflecken.

III Das Neutraer Gebiet, von 4 Geſpanſchaften, in Nieder-Ungarn.

1 Die Presburger Geſpanſchaft, Poſony Vármegye, Comitatus Poſonienſis, liegt an der öſtreichiſchen Gränze, zwiſchen der Donau und Márawa, iſt zwölf Meilen lang und acht Meilen breit.

Ff 5 Die

Die Berge in derselben sind der Anfang des carpathischen Gebirges.　Das Land um Tirnau, ist das
beste und fruchtbarste. Die Schütt, hat einen fruchtbaren Boden.　Die großen Flüsse in dieser Gespanschaft sind die Donau, Morawa und Wag; die
kleinern der Dudwág, Blawa, Tyrna, Padla;
Woda, Parna, Gidra, Rudawa ꝛc.　Die
Luft ist gesund, vornehmlich an den Bergen, aber
nicht bey den Morästen an der Donau. Die Einwohner sind Ungarn, Deutsche, böhmische Slawen und
einige Kroaten.　Es giebt hier auch viele Juden.
Die obergräfliche Würde, ist seit 1599 bey dem palfyschen Hause erblich.　Die ganze Landschaft wird
abgetheilet, in fünf Districte, welche die Ungarn
Processus, nennen, und davon jeder einen adelichen
Richter hat, und in den wajkischen Stuhl. Diese
Theile sind:

1) Der obere äußere District, welcher der
äußere genennet wird, in Ansehung der Schütt,
außerhalb welcher er liegt. Darinn sind,

(1) Fünf königliche Freystädte, nämlich:

a) Preßburg, ungar, Posony, slaw. Prespureǩ,
lat. Posonium, oder richtiger Pisonium, ehedessen auch
Brecislaburgum und Istropolis, eine königl. Freystadt
und heutiges Tags die erste schönste und volkreichste Stadt,
die Hauptstadt des Reichs.　Sie liegt unter einem Berge, auf welchem das Schloß steht, an der Donau; hat
eine angenehme Lage, vor vielen andern ungarischen Städten eine gesunde Luft, auch guten Weinbau. Die Volks-
menge beträgt 27 bis 28000 Menschen.　Die meisten
Bürger sind Deutsche.　In der dem heiligen Martin gewidmeten Domkirche, sind seit Ferdinands I Zeit die ungarischen Könige gekrönet, es sind auch in dieser Stadt
die

die Reichstage meistens gehalten worden, welches 1411
unter dem Könige Sigismund zuerst geschehen. Außer=
dem haben hier ihren Sitz das Consilium regium Locum=
tenentiale, seit 1723; die hohe königl. ungarische Kam=
mer, seit Ferdinands I Zeit, und der Erzbischof von Gran,
seit eben dieses Kaisers Zeit. Man findet hier auch ein
Domkapitel, von vierzehn regulirten Domherren, dessen
Probst Archidiaconus der Gespanschaft ist, die Haupt=
Normal=Schule in der ehemaligen Jesuiter=Residenz, und
ein evangelisches Gymnasium. Der Wohnhäuser der ei=
gentlichen Stadt sind wenig über 200, und die Befesti=
gung bestehet in einer gedoppelten Mauer und einem Gra=
ben. In den weitläuftigen Vorstädten sind zwey Non=
nen= und vier Mönchen=Klöster, eine 1776 vollendete schöne
steinerne Kirche der Lutheraner, in welcher Kaisers Jo=
sephs II gemaltes Bildniß in Lebensgröße aufgestellet wor=
den, und eine 1759 erbaute ansehnliche Caserne. Die Vor=
stadt, welche an der mittäglichen Seite der Stadt liegt, ist
schön angebauet, und hier sieht man auch den an sich ganz
unansehnlichen Königshügel, auf welchem der neuerwählte
König zu Pferde das Schwerdt des heiligen Stephans,
gegen die vier Himmelsgegenden schwenket, um dadurch
anzudeuten, daß er das Land gegen alle und jede Feinde
vertheidigen wolle. Seitdem die Stadtthore abgebrochen
sind, ist die Stadt mit den Vorstädten vereiniget. Die
Polhöhe ist hier 48 Gr. 8 Minuten, 2 Secunden. Die
Stadt ist sehr alt, und soll zuerst von den Jazygern ange=
leget seyn. Sie ist oft belagert worden, hat auch durch
Feuersbrünste vielen Schaden gelitten, als 1515, 63, 90,
1642.

b) Tirnau oder Tyrnau, ungar. Nagy=Szom=
bath, slawonisch Trnawa, in Urkunden, Zumbathely,
latein. Tyrnauia, eine wohlgebaute königl. Freystadt, auf
beyden Seiten des Flusses Tyrna, in einer fruchtbaren aber
ungesunden Gegend. Sie enthält neun Kirchen, und eben so
viel Klöster, darunter einige schön sind, auch das erzbischöflich=
granische Domkapitel, welches hieher verleget worden, als
die Osmanen 1543 Gran eroberten; die 1635 gestiftete,
und

und 1772 mit einer medicinischen Facultät vermehrte Universität, mit einer Sternwarte, ist nach Ofen verleget
worden. Seit 1724 ist hier das höchste Gericht des
über der Donau liegenden Kreises. Das ehemalige Jesuiter-Collegium ist nebst einigen andern Stiftun-
gen, 1783 zu einem Invalidenhause gemachet worden. Sie
ist zwischen 1230 und 1240 angeleget. 1683 ward sie von
den Idkölischen in die Asche geleget, und 1704 wurden
die rakozischen Truppen bey dieser Stadt geschlagen.

c) Modern, ungarisch Modor, slaw. Modra, eine königl. Freystadt, von ungefähr 350 Häusern, unten
am carpathischen Gebirge, in einem Thal, welches auf
einer Seite mit Weinbergen umgeben ist. Es sind hier
zwey evangelische Bethhäuser. 1607 ist sie eine königliche
Freystadt geworden. 1619, 20, 63, 82, 1705, hat sie in
den Kriegsunruhen viel gelitten. 1729 brannte sie größtentheils ab.

d) Pösing, ungar. Bozyn, slaw. Pezynek, lateinisch Bazinga, Bazinium, eine kleine, aber wohlgelegene
königl. Freystadt, auf einem etwas erhabenen Ort. Die
Einwohner legen sich auf Weinbau, Handel und Handwerker. 1605, 1620 und 1655 ist sie eingeäschert worden.

e) Sanct Jörgen, ungar. Szent György, slawon.
Swaty Jury, latein. Fanum S. Georgii, eine kleine
und sehr in Abnahm gerathene königl. Freystadt, in welcher ein Collegium P. P. piarum scholarum, und bey welcher vortreflicher Wein wächset. Vor Alters hat es berühmte Grafen von S. Georg und Pösing gegeben. In
den bethlenischen und rakozischen Unruhen hat sie viel gelitten. 1663 ward sie von den Osmanen verwüstet. 1728
brannte sie ab.

(2) Fünf Schlösser, welche zum Theil neben
obigen Freystädten liegen.

a) Das preßburger Schloß, liegt ein paar hundert
Schritte von der Stadt Preßburg gegen Abend, auf einer lustigen Höhe, und ist befestiget. Es ist die Wohnung
des Königs, wenn sich derselbe hier aufhält, und ver-
wahrete ehedessen in einem seiner vier Thürme die Reichs-
klein-

Kleinodien, welche von der Krönung an drey Tage gesehen werden konnten, und unter welchen die alte goldene Krone vornehmlich merkwürdig ist, sie sind aber nach Wien gebracht worden. 1762 und in den folgenden Jahren, ist es inwendig sehr verbessert worden. Unter demselben liegt ein Marktflecken, welchen die Ungarn Posony-Várallya, und die Deutschen Schloßberg nennen, und worinn viele Juden wohnen, die auch den größten Theil der Einwohner, des nahe dabey liegenden Fleckens Zuckermandel, ausmachen. Außerdem gehören noch zum Gebiet dieses Schlosses die beyden Marktflecken Samaria, auf slawon. Schomorin, auf deutsch Sommerein, und Sze. Gahely, auf der Schütt, und dreyzehn Flecken.

b) Das Schloß Sanct Geörgen, welches nahe bey der Stadt dieses Namens, auf einem Hügel lag, ist nunmehr ein wüster Steinhaufen. Es gehöret den Grafen Palfy, und zum Gebiet desselben der darunter liegende Flecken Neustift, die Castele Kiralyfalva, auf deutsch Königseyden, auf slaw. Tschtwrtek, und Német-Guráb, die Marktflecken Grünau, und Csötörtök, auf deutsch Loipersdorf, fünf Flecken, u. s. w.

c) Das Schloß Pösing, liegt an der Nordseite der Stadt dieses Namens, gehöret den Grafen Palfy, und hat sieben Castele unter seinem Gebiet.

d) Das Schloß Bibersburg, Vöröskö, slaw. Czerweny- (Tscherweny-) Kamen, liegt auf einem hohen Hügel des carpathischen Gebirgs, und gehöret der gräflich-palfyschen Familie. Zum Gebiet desselben gehören, das Castel Szuha, die Marktflecken Szuha, Alsó Diós, (Alschó Diósch,) auf slawon. Dolni Oressany, und auf deutsch Windisch Nußdorf, Cseszte, slawon. Czasta, (Tschasta,) Ompitál, slawon. Humpytal, und andere Oerter.

e) Das Schloß Szomolán, Schmolenitz, liegt auf einem hohen Hügel, in einer waldichten Gegend, und gehört dem Grafen von Erdödy. Zu desselben Gebiet gehören die Marktflecken Szomolán, und Fölsö Diós, (Fölschö-Diósch,) slaw. Horni Oressany, deutsch Ober-Nußdorf.

(3) Pri-

(3) Privilegirte Marktflecken. —

a) Posony Varallya, davon beym preßburger Schloß gehandelt worden.

b) Ratschdorf oder Ratschersdorf, ungarisch Retse, (Rétsche,) unten an einem Berge, eine Meile von Preßburg, ist gräflich-palfysch, und seines guten Weins wegen bekannt. 1732 brannte er größtentheils ab.

c) Landsitz, Lahnsitz, Cseklesz, (Zscheklésch,) auf einem erhabenen Ort, neben dem oben gedachten Castel gleiches Namens.

d) Wartberg, Schempitz, Sentz, der gräflich-esterhazischen Familie zugehörig, in welchem 1763 die Patres piarum scholarum, eine Schule angeleget haben.

e) Grün-au, Grinnau, Grynava, in einer grünen und lustigen Gegend, woselbst sehr guter Wein wächset.

f) Cziffer, (Zsiffer,) in einer großen Ebene, gehöret verschiedenen Herren.

g) Szuha, Dürrnbach, nicht weit vom Castel dieses Namens, dessen Einwohner vom Acker- und Weinbau leben.

h) Czeszte, (Zscheszte,) neben dem Schlosse Bibersburg, auf einer lustigen Höhe.

i) Ompitál, Sumpital, unten an einem Berge.

k) Windisch- oder Unter-Nußdorf, ungarisch Alsó Diós, (Alschó-Diósch,) slawon. Dolnj Oressany, ist gräflich-palfysch.

l) Ober-Nußdorf, ungaar. Fölsö Diós, (Fölschö-Diósch,) slaw. Hornj-Oressany, bey welchem ein edler und gesunder Wein wächset.

m) Szomolan, Smolénitz, unter dem Schlosse dieses Namens.

n) Spaczá, Deite, und Boleraz, kleine Marktflecken.

2) Der untere äußere District, welcher enthält

Die

Die privilegirten Marktflecken.

a) Galanthá, ein feiner und wohlbewohnter Ort, in einer fruchtbaren Gegend.

b) Szered, Sered, an der Wag, welcher seiner Jahrmärkte, und sonderlich der Ochsenmärkte wegen, berühmt ist. Er liegt neben dem Schloß Szempthe, welches zur Gespanschaft Neutra gehöret.

c) Abraham, Szent Abraham, ein Marktflecken.

3) Der obere District der Schütt. Die Schütt, (welches Wort eine Insel in einem Fluß, oder einen Werder, bedeutet,) insula Cituatum oder Cituorum, von den Ungarn Csallókóz, (Tschallókós) genannt, wird von der Donau gemacht, durch welche sie auch dreymal getheilet wird. Der erste Theil, Namens Visz-Kóz, gehöret zu dem vorhergehenden District: der zweyte liegt zwischen den zwey größern Armen der Donau, ist zwölf Meilen lang, und wird die große Insel, Nagy-Sziget, genannt: und der dritte, welcher einen Raum von ungefähr sechs Meilen einnimmt, heißt Sziget-Kós. Die Insel ist insonderheit an Früchten und Gras sehr fruchtbar; denn das Getreide verdirbet der Nebel. An Wild, allerley Fischen und Holz ist kein Mangel. Unter ihren Einwohnern sind die Kröpfe sehr gemein. Karl der Große hat die Hunnen auf derselben geschlagen. Der obere District derselben enthält

(1) Die Burg Eberhard, welche in einer Ebene liegt, alt, und mit Graben umgeben ist. Zu derselben gehöret das Dorf gleiches Namens, und unterschiedene andere.

(2) Die privilegirten Marktflecken.

a) Püspöki, Büschdorf oder Bischofsdorf, oder Bischdorf, ist wohlbewohnt, und gehört dem Erzbischof von Gran. Hier, ist eine Ueberfahrt in die Wieselburger Gespanschaft, bey welcher 1704 eine Schlacht vorfiel.

b) Summárein, oder Somerein, lat. Samaria, besser, S. Maria, ung. Somorja (Schomorja) slaw. Schomerin, ein alter und der vornehmste Ort auf der Insel, in welchem die Provinzialgerichte gehalten werden. Er treibt einen starken Handel, ist aber oft abgebrannt. Er gehöret unter das Gebiet des preßburger Schlosses.

c) Csötörtök, (Tschötörtök) slaw. Czweček, deutsch Loipersdorf, in Urkunden Leopoldsdorf, ist ein geringer Ort.

d) Nagy-Magyar, Groß-Magendorf, ist groß und wohlbewohnet.

4) Der untere District der Schütt, begreift

(1). Den privilegirten Marktflecken Szerdahely, Serdahel, welcher daher den Namen hat, weil er mitten auf der Insel liegt. Er ist wohl bebauet, und gehöret zum Gebiet des preßburger Schlosses.

(2) Die Marktflecken Bőős, Egyházor-Gelle, und Vasurat.

5) Der jenseits des Anfangs vom carpathischen Gebirge, belegene District, ist ungefähr sieben Meilen lang, aber von ungleicher Breite. Es gehören hieher.

(1) Die Schlösser

a) Dévén, Theben, welches auf einem Berge, bey dem Zusammenfluß der Morawa und Donau liegt, und dem gräflich palfyschen Hause gehöret.

b) Borostyánko, Ballenstein, auf einem steilen Felsen des carpathischen Gebirgs, gehöret dem palfyschen Hause.

c) Detrekő, Blasenstein, slaw. Plaweč, liegt auf einem hohen Felsen, und ist auch palfysch.

d) Elefkő, Scharfenstein, welches verfallen ist, und unter dessen Gebiet das Castel und der Marktflecken S. Johannes gehöret.

(2) Das berühmte Paulinerkloster Marienthal, Vallis divae Mariae, Coenobium b. virginis Mariae, ist
wegen

wegen eines Marienbildes, zu welchem häufige Wallfahrten geschehen, in großem Ruf. Es hat eine angenehme
und gesunde Lage.

(3) Die Castele Stompha, Detrekö, Malaczka,
alle dreye palfysch: Lévárd in dem Marktflecken Nagy-
Lévárd, auf deutsch Groß-Schützen, welcher kollonitschisch; S. Johann, welcher Name zwey Castelen zu-
kömmt, Dévén-Uffalu und Dévén, welche beyde palfysch sind.

(4) Die privilegirten Marktflecken.

a) Dévén, Theben, unter dem gleichnamigen
Bergschloß, beym Einfluß der March in die Donau.

b) Stompha, Stamphen, slaw. Stupawa, ist
palfysch, und liegt am Fuß eines hohen und steilen Mar-
mor-Felsen, auf welchem das Schloß Ballenstein, ung.
Borostyákkö, slaw. Stupawsy Zamek, stehet, enthält
das vorhin gedachte Castel.

c) Malaczka, ein feiner und wohlbebaueter Ort.

d) Gajár, Gayring, an einem ebenen Ort, wo
die Rudau und March zusammen fließen.

e) Nagy-Lévárd, slaw. Levary, deutsch Groß-
schützen, ist kollonitschisch, und wohl bewohnt.

f) Sanct Johann, Szent Janos, ein feiner
und gut gebaueter Ort, welcher zu dem verfallenen Bergschloß Scharfenstein, ung. Elekkö, gehöret.

g) Blasenstein, ung. Detrekö, slaw. Plawetz, gehöret der gräfl. Palfyschen Familie, und zu demselben der
schon genannte Ort Malazka.

6) Der Wajker Stuhl, Vajkensis sedes,
machet eine besondere Republik aus, deren Haupt
der Erzbischof von Gran ist, hat auch seinen eigenen
Statthalter, Vicegrafen, adeliche Richter, Notarius und Quästor. Die Edelleute werden Prädialisten gehennet; von denen in der Einleitung zu diesem Abschnitt §. 16 gehandelt worden. Dieses Länd-

2 Th. 8 A.   G g   chen

then liegt, auf der Schütt, wird in den obern und untern District abgetheilet, und begreift:

(1) Vaska, einen ziemlich großen und gut gebaueten Marktflecken.

(2) Bacsfalva, ein geringes Dorf, welches auf der Insel der einzige Ort ist, der Wein bauet.

2 Die Neutraer oder Neitrer Gespanschaft, ung. Nitra Varmegye, slaw. Nytryanská Stolice, Nitriensis comitatus, ist ungefähr 12 Meilen lang, an einigen Orten 6, an andern aber kaum 2 Meilen und noch weniger breit, sehr bergicht, und mit nutzbaren Flüssen reichlich versehen, welche sind, die Wag, Nitra, Sitwa, Livina, Dudwag, Blawa, Holeschka, Mijawa, Chwoynitze ic. Es giebt in derselben auch fruchtbare Ebenen, auf der Heide Jatto, sehr gute Weide und Viehzucht, guten Ackerbau, guten Weinwachs, Sauerbrunnen, und warme Bäder. Sie wird von Ungarn, böhmischen Slawen und Deutschen bewohnet. Sie wird in 5 Districte abgetheilet, welche sind:

1) Der Neitrische District, in welchem

(1) Nitra, Neutra oder Neitra, Nitria, ein festes Bergschloß, am Fuß gleiches Namens, dessen schon im neunten Jahrhundert gedacht wird. In demselben ist der bischöfliche Palast, die Kathedralkirche und das Domkapitel von 12 Domherren. Die darunter liegende bischöfliche Stadt, wird von dem Fluß in zwey Theile getheilet, ist volkreich, aber mit niedrigen Häusern bebauet, und hat wenig gutes Wasser. Das hiesige Bisthum ist vom Geysa dem Zweyten angeleget, 1150 mit Einkünften und einem Domkapitel versehen worden. Zur bischöflichen Diöces gehöret ein ansehnlicher Theil dieser Gespanschaft, und die trentschiner Gespanschaft. Der Bischof hat jährlich

lich auf 40000 Gulden Einkünfte. Stadt und Schloß wurden 1619 von Bethlen Gabor eingenommen, und 1663 den Oßmanen in die Hände geliefert, im folgenden Jahr aber wieder erobert.

(2) Neuhäusel, ung. Erseg- (Erscheg-) Ujvar, (das ist das bischöfliche Erseg-) slaw. (Nowe-Zámky, Ujvarinum, am Fluß Nitra, war ehemals ein festes Schloß, welches 1573 zuerst befestiget, und durch 10 Belagerungen berühmt, 1724 und 25 aber auf kaiserl. Befehl geschleift worden. Nun ist es bloß ein ofner Marktflecken, dessen Einwohner sich vom Ackerbau und von der Viehzucht ernähren.

(3) Das Schloß Ghymies, (Ghymesch) oder Dy-mes, (Dymesch) liegt auf einem hohen und felsichten Berge, und gehöret den Grafen von Forgatsch. Unter demselben ist ein Marktflecken.

(4) Sempte, Schintau, Schintawa, ein ester-hazysches Schloß, nebst einem Marktflecken, am Fluß Wag.

(5) Suran, (Schuran) ein Marktflecken, war ehemals ein beträchtlicher Ort, mit einem nun verfallenen Bergschloß.

(6) Sellye, (Schellye), ein Marktflecken, an der Wag, welcher ehedessen ein fester Ort war. Er stehet unter der kön. Kammer.

(7) Urmény, ein Marktflecken, in einer erhabenen und fruchtbaren Gegend, angenehm belegen, und einer der besten dieses Districts.

(8) Mocsonok, ein geringer Marktflecken, der sich vom Ackerbau ernähret.

(9) Komiáthi, war ehemals ein fester und ansehnlicher Ort, jetzt aber ist er ein Marktflecken. Er gehöret zum Gebiet des Schlosses Ghymesch.

(10) Ujlak, ein Marktflecken, der Grafen Forgatsch.

2) Der boinizische District, welcher enthält:

(1) Boiniß, Baimocz, (Baimoß) ein Schloß auf einem Berge, der palfyschen Familie zugehörig. Neben demselben liegt am Fluß Nitra ein mittelmäßiger Markt-

flecken

flecken gleiches Namens, woselbst ein wohleingerichtetes warmes Bad ist.

(3) Kessellő.Lő, liegt auf einem félsichten Berge, und gehöret der manthenyschen Familie.

(4) Prividye, deutsch Priwitz, slaw. Priwika, Prividia, ein Marktflecken, darinn viele Tuchmacher und Schuster wohnen.   Er gehöret zur boinitzischen Herrschaft.

(5) Nemet Prona, Deutsch Prona, Nemetzke-Prawno, ein Marktflecken, hat fruchtbare Aecker.

(6) Zambokret, (Schambokret) ein Marktflecken.

(7) Szkatsany, Skacsán, ein Marktflecken des nitrischen Bischofs.

3) Der Bodokische District, in welchem

(1) Bodok, ein Dorf, der gräfl. berenyschen Familie.

(2) Nagy-Topoltsan, (Topólschan) Groß-Topoltschan, slaw. Welke-Topolcany, ein weitläuftiger und wohlbewohnter Marktflecken, bey welchem Säfran gebauet wird. Er ist ehedessen eine königl. Freystadt gewesen. Neben demselben liegt das gräfl. berenysche Castel Towarnok, zu welchem eine Herrschaft gehöret.

(3) Bayna, ein Marktflecken, dessen Einwohner Wein= und Acker=Bau treiben.

(4) Radosna, Radoschin, ein Marktflecken des nitrischen Bischofs; Percszlény, ein Marktflecken.

4) Der Ujhelysche District, in welchem

(1) Neustädl an der Wag, Vág-Ujhely, Nowe-Mesto nad Wahem, Ujhelinum, ein Marktflecken, welcher durch oftmalige Feuersbrünste seiner guten Häuser beraubet worden. Der hiesige röthliche Wein ist sehr beliebt. 1530, 1599, 1620, 24, 63 ist er von den Osmanen verwüstet worden.

(2) Cseithe, slaw. Czachtice, ein altes Schloß auf einem Hügel, mit einem darunter liegenden Marktflecken, welcher Komarno gennennet wird, und dessen Einwohner sich auf den Acker=und Wein=Bau legen.

(3) Wer-

(3) Werbau, Verbo, Wrbowe, Verbovia, ein wohlgebauter und gut bewohnter Marktflecken, in einem angenehmen und fruchtbaren Thal. Die Einwohner, legen sich theils auf den Acker- und Wein-Bau, theils auf Handwerker.

(4) Pöstény, Pischtyán, ein Marktflecken, welcher zum galgotzischen Gebiet gehöret, und zwischen den Grafen Erdödy und Forgatsch getheilet ist. Hier sind an der Wag berühmte warme Bäder, welche keine ordentliche Quellen haben, sondern man gräbet am Ufer Gruben, die, nachdem der Fluß wächst, oder abnimmt, weiter von demselben und näher gemachet werden müssen, und darinn badet man sich. Sie sind sehr heiß, und man findet sie auch im Fluß, wenn man den Grund desselben mit den Füßen öfnet.

(5) Vitentz, Chtelnitza, ein Marktflecken unter den sogenannten weißen Gebirge, der sich vom Acker- und Wein-Bau ernähret. Er gehöret zum joköischen Gebiet der Grafen Erdödy und Zsobor.

(6) Leopoldstadt, Leopoldopolis, eine regelmäßig angelegte Festung an der Wag, in einer morästigen Ebene, welche Kaiser Leopold 1663 anstatt der verlornen Festung Neuhäusel, zur Bedeckung des Landes anlegen lassen. Sie ist aber jetzt in schlechtem Vertheidigungsstande.

(7) Freystädl, ung. Galgötz, slaw. Freysstak, ein Bergschloß an der Wag, welches dem Grafen Erdödy gehöret, 1663 von den Osmanen eingenommen, im folgenden Jahr aber wieder verlassen worden. Unter demselben liegt ein Marktflecken an dem steilen Ufer des Flusses, dessen Einwohner vornehmlich vom Acker- und Wein-Bau leben.

(8) Ujvároska, Neustädl, Mestegcko, ein Marktflecken, dicht bey Leopoldstadt, im Gebiet des Schlosses Galgocz.

(9) Kostolán, ein Marktflecken, der guten Ackerbau treibet.

Gg 3 (10)

(10) O-Tura, Stary Tura, das ist, Alt-Tura, ein Marktflecken, dessen Einwohner von der Viehzucht leben.

(11) Brezowá, ein Marktflecken, der Ackerbau und Handwerker treibet.

(12) Deithe, ein Marktflecken, der von dem Durch-flusse des Flusses Blawa in 2 Theile getheilet wird, von welchem einer zu der Presburger Gespanschaft gehöret.

5) Der Szekolzische Kreis, in welchem

(1) Szakoltza, Skalitza, Skalitz, die einzige kö-nigl. Freystadt dieser Gespanschaft, auf einem Felsen (Skala) an der mährischen Gränze. Weil sie in Kriegs-zeiten viel gelitten hat, so ist sie nicht ansehnlich.

(2) Holitsch, ein schöner Marktflecken, Schloß und Herrschaft an der Morau, welche Kaiser Franz an sich brachte, auch 1753 die daran gränzende Herrschaft Cog-niotzo dazu kaufte, und ihr einverleibte. 1780 vermachte die Kaiserin-Königin Maria Theresia, Holitsch und Golding dem Großherzog Leopold von Toscana. Zu Holitsch ist ei-ne Manufactur von weißem Geschirr, welches auf fran-zösische Art mit kleinen Blumen bemalet wird.

(3) Egbel, ein Marktflecken, in welchem ein schwe-felhafter Brunn ist. Er bauet viel Hanf.

(4) Radosóß, Radoschöwtze, ein Marktflecken in ei-ner schönen und fruchtbaren Ebene.

(5) Szenitze, Senitz, ein Marktflecken, darinn viele Edelleute wohnen, im berentschischen Gebiet am Fluß Chwoynitze.

(6) Szabatistye, Sobotischt, ein Marktflecken am Fluß Chwoynitze, mit einem Castel, und einer ehemaligen wiedertäuferischen Colonie, welche sich aber hat zur ka-tholischen Kirche bekennen müssen.

(7) Sandorf, Sandorfalva, ein Marktflecken im korlatköischen Gebiet.

3 Die

3 Die Trentschiner Gespanschaft, ungarisch, Trentsin Várinegye, Trentschinensis comitatus, liegt am Fluß Wag, und läuft an den mährischen Gränzen bis nach Schlesien fort. Die Einwohner derselben sind böhmische Slawen, unter welche Edelleute gemenget sind, die ungarisch sprechen." Die obergespanschaftliche Würde, gehöret dem Hause Ilyeshazy erblich.

1) In dem untern District, sind

(1) Trentsin, (Trentschin,) eine königl. Freystadt an der Wag. Das hiesige feste Schloß, welches auf einem steilen Felsen liegt, gehöret zum ilneshasischen Gebiet. In derselben sind noch verschiedene große römische Buchstaben von Stein gehauen, zu sehen. Unweit dieser Stadt zu Teplitz, ist ein warmes Bad, dessen größte Wärme 104 fahrenheitische Grade beträgt.

(2) Betzko, ein mit einer Mauer umgebener volkreicher Marktflecken an der Wag, welcher verschiedenen Herren gehöret. Das hiesige Schloß hieß ehedessen Bolond Var, d. i. Narren-Schloß. In dem Dorf Chocholna, eine Stunde von hier, ist ein Gesundbrunnen.

2) In dem mittlern District, in welchem

(1) Belussa, ein Marktflecken.

(2) Dubnitz und Domanisch, Marktflecken

(3) Illava, ein Marktflecken, mit einem Schloß, an der Wag.

(4) Rossa, ein Marktflecken.

(5) Lednitze, ein Marktflecken und verfallenes Schloß, an der mährischen Gränze.

(6) Puchow, ein Marktflecken, welcher seiner Tuchwebereyen wegen bekannt ist.

(7) Pruska, ein Marktflecken und Schloß.

3) Der obere District, in welchem

(1) Vag-Besztercze, Bestertza, Bistricia, ein Marktflecken an der Wag. Am andern Ufer des Flusses, gegen

Gg 4

dem

demselben über liegt ein Schloß auf oeinem steilen Felsen. [hebrew/unclear] (1) [unclear characters]

(2) Predmir, ein Marktflecken.

(3) Rajetz, ein Marktflecken, in welchem warme Bäder sind.

(4) Bitschin, ein guter Marktflecken, mit einem Schloß.

(5) Kisutza-Ujhely, slaw. Nowé Mesto, Ujhellinum, ein Marktflecken, am Fluß Kischutza, von welchem er den Namen hat, zum Unterschied von Neustädl an der Wag. Er treibet einen starken Weinhandel

(6) Solna, Silein, Zilina, ein Marktflecken in einer fruchtbaren Gegend.

(7) Teplitz, Warin oder Barin, ein Marktflecken.

4 Die Barscher Gespanschaft, ungarisch Bars Vármegye, slawonisch Tekowska Stotica, Comitatus Barschiensis, ist ungefähr zehn Meilen lang, und 3 bis 6 Meilen breit. Die Hauptflüsse sind die Gran, Nitra und Sitva, oder Zitawa. Es giebet hier nicht nur Sauerbrunnen, nämlich die bukopischen und ebedetzischen, sondern auch warme Bäder, welche unter die berühmtesten in ganz Ungarn gehören. Diese sind das Glashüttner, oder sklennische Bad, und das eisenbachische, oder wihnische. Es wächset in dieser Gespanschaft guter Wein, und in den ebenen Gegenden gutes Getreide. Die kremnitzischen und königsbergischen Goldgruben, sind lange nicht mehr so ergiebig, als sie ehedessen gewesen. Die Viehzucht ist in den bergichten Gegenden gering, doch ziehet man viele Schafe; und in den ebenen Gegenden ist sie auch nicht beträchtlich. Die Einwohner sind Ungarn, böhmische Slawen und Deutsche. Die Landschaft bestehet aus folgenden Districten:

1) Der

1) Der oßlanische District, darinn
(1) Zwey königl. Freystädte, nämlich:

a) Kremnitz, Cremnicium, ung. Körmöcz Bánya, flaw. Kremnicza, die vornehmste Bergstadt in Ungarn. Sie liegt in einem tiefen Grund zwischen hohen Bergen, so daß man sie nicht eher siehet, als bis man nahe dabey ist. Die Stadt an sich selbst ist nur ein ganz kleiner Ort, der zwey Kirchen, ein Franziskaner Kloster, nicht über dreyßig Häuser und ein Schloß enthält; aber die Vorstädte sind desto größer, und bestehen aus neun Gassen, nebst einem Armenhause mit einer Kirche, und einem lutherischen Bethhause. In dieser Stadt ist die königl. Bergkammer, und die Münze, in welche das gefundene Gold und Silber aus allen Bergstädten gebracht wird. Die hiesige Gegend der Goldgruben, wird in den Hinter= und Vorder=Zech eingetheilet; jener enthält sieben Gruben, und dieser zwey; alle neun Gruben aber sind königlich. Hiernächst sind noch Gruben, welche sowohl der Stadt überhaupt, als einzelnen Bürgern, gehören. Heutiges Tags sind die Gruben weniger ergiebig, als ehedessen. Der zu Schlich gezogene Kies, hält zwey bis drey Quentchen Gold im Centner. Zuweilen findet man etwas gediegenes Gold, es kommt auch wohl in blätterichter Gestalt vor. Neben der Stadt liegt auf einem Hügel ein Schloß, in welchem eine Pfarrkirche ist. Daß die Leute, welche in den Bergwerken arbeiten, vielen Gebrechen unterworfen sind, hat seine begreiflichen Ursachen. In den botskajischen, rakozischen und tökölischen Unruhen, hat die Stadt mit ihren Bergwerken viel gelitten. 1751 hatte sie die ungewohnte Ehre, den römischen Kaiser, Franz I bey sich zu sehen, welcher auch in einen sehr tiefen Schacht in der Bergkleidung fuhr. 1765 wurde sie vom Kaiser Joseph II besucht. 1777 brannte sie größtentheils ab.

b) Königsberg, ungar. Uj=Bánya, flaw. Nowá=Bánya, das ist, nova fodina, Regiomontum, eine Bergstadt, in einem Thal, der die Berge, mit welchen sie umgeben ist, anstatt der Mauern dienen. So rauh und traurig die Lage ist, so schlecht sind auch die Häuser,

Gg 5 und

und so gering ihre Anzahl. Es sind hier zwey Kirchen, davon die eine zum Krankenhause gehöret. Das ehemalige einträgliche Goldbergwerk dieses Orts ist eine Zeitlang liegen geblieben, 1770 aber war es wieder in Gange, und hatte außer der königlichen Grube noch einige gemeinschaftliche. Zuweilen findet man etwas gediegenes Gold. Die Nahrung des Orts beruhet mit auf den Glashütten, Ackerbau und Bierbrau. 1664 brannten die Osmanen denselben ab.

(2) **Marktflecken und Schlösser,** nämlich:

a) Oszlány, Oszlan, ein Marktflecken, dessen Lage angenehm ist, der umherliegende Acker aber ist schwer zu bauen. 1662 und 83 ward der Ort von den Osmanen eingeäschert.

b) Heilig-Kreuz, ungar. Szent-Kereszt, slawonisch Swaty Kriz, Fanum S. Crucis, ein Marktflecken am Fluß Gran, in einer lustigen und erhabenen Gegend, hat guten Ackerbau und Wiesenwachs, und ein Castel. Er gehöret nebst einer Herrschaft dem Erzbischof von Gran, und ist zu verschiedenen malen abgebrannt, sonderlich 1726.

c) Zernóz, Zernowitz, ein Marktflecken am Fluß Gran, in einer bequemen und fruchtbaren Gegend, ist sonderlich seines guten Brods wegen bekannt, welches den benachbarten Dertern verkauft wird, und gehöret der schemnitzischen Bergkammer.

d) Welka Polya, Hochwies, ein kleiner wohlbewohnter Marktflecken, in einem angenehmen Thal, gehöret den P. P. S. Pauli des Eremiten.

e) Saßó, (Schasch-kö,) Sachsenstein, ein Schloß auf einem hohen und steilen Felsen am Gran, welches mit seinem Gebiet der Bergkammer zu Schemnitz gehöret.

f) Rewischtye, Réw, ein Schloß auf einem hohen Berge, am Gran, welches der Schemnitzischen Kammer gehöret.

(3) Eine große Anzahl Pfarrdörfer, davon 14 zum saskößischen, oder hladomerschen Gebiet; 12 zum re-

rewyschtischen Gebiet, über 18 zum erzbischöflich gran=
schen Gebiet der Stadt Heilig=Kreuß, 24 verschiede=
nen Herren, und 6 der Stadt Kremniß, gehören.
Von denselben ist anzumerken:

a) Skleno, (Schkleno,) Glashütten, der seiner
vortreflichen warmen Bäder wegen, berühmt ist, unter
welchen das sogenannte Schwißloch vornehmlich merkwür=
dig. Oben auf dem Hügel, in welchem sie sind, stehet
eine Kirche, auf deren Kirchhof die Erde so heiß ist, daß
die Leichen, die daselbst begraben werden, in einem hal=
ben Jahre verwesen, und zu Asche werden. Der Ort
lieget im saftöischen Gebiet.

b) Alsó=Sdány, im rewischtyschen Gebiet, woselbst
ein Sauerbrunn ist.

c) Nemes=Kosztolány, ist ansehnlich, und ein Arzt=
kelort der augspurgischen Confessionsverwandten, woselbst
sie öffentlichen Gottesdienst haben. Er gehöret der koszto=
lanischen Familie.

d) Eisenbach, Vychnye, ist wohl bewohnet, und ge=
höret der Stadt Schemniß. Der Ort ist seiner vortrefli=
chen warmen Bäder wegen berühmt. Das heisse Quell=
wasser wird von den Quellen durch hölzerne Kanäle auf
350 Schritte weit bis in die Badstuben geleitet, da es
denn eine gemäßigte Wärme hat.

2) Der Lewische District.

(1) Folgende Marktflecken und Schlösser.

a) Lewenz, ungar. Léva, slaw. Lewiße, ein fürst=
lich=esterhazischer geringer Marktflecken, mit einem wü=
sten Bergschloß, welches ehedessen durch oftmalige Be=
lagerungen und Eroberungen berühmt geworden.

b) O=Bars, (O=Barsch,) Bersemburg, Tekow, ein
geringer Marktflecken am Fluß Gran, der die umher lie=
gende Ebene oft überschwemmet. Die Gespanschaft hat
davon den Namen, und er hat ehedessen den Titel einer
königl. Freystadt gehabt.

c) Nas

c) Nagy-Sarlo, Weliké Scharluhy, ein Marktflecken, der zum Ackerbau gutes Feld hat, und zum Gebiet
des Erzbischofs von Gran gehöret.

(2) Nagy-Szölös; ein Marktflecken, bey welchem
sehr guter Wein wächset.

3) Der Kisch-Topoltschanische District,
darinn

(1) Folgende Marktflecken und Schlösser.

a) Kis-Topoltsan, (Kisch-Copoltschan,) Klein-To-
poltschan, slawon. Male-Topolczany, ein Marktflecken mit einem Castel. Er hat gutes Ackerland. In demselben pflegen die Gespanschaftsversammlungen gehalten
zu werden.

b) Hrussow, ein verfallenes Bergschloß, in welchem
ehemals das Gespanschafts-Archiv verwähret worden.

c) Szent Benedek, Swaty Benedek, Fanum S. Be-
nedicti, ein ehemaliges Benedictinerkloster, welches nun
dem Domkapitel zu Gran gehöret. Es liegt auf dem hohen Ufer des Flusses Gran, ist befestiget, und hat daher
die Gestalt eines Schlosses. Darneben liegt ein Marktflecken.

d) Aranyos-Maróth, slaw. Morawetz oder Mo-
rawtze, ein Marktflecken, der guten Ackerbau treibet.

4) Der Werebelische District und Gerichts-
stuhl, Processus et sedes verebelyensis, darinn die
Edelleute, welche Prädialisten genennet werden, bloß
dem Erzbischof von Gran, als ihrer höchsten Obrigkeit, unterworfen sind, auch ihren besondern Palatin und Magistrat haben; die übrigen Edelleute und
Bauern aber, haben Gespanschäftsrechte. Wir bemerken darinn

Verebély, Wrable, ein Marktflecken, welcher ehedessen befestiget gewesen, am Fluß Ssitwa. Zu dem District gehören noch unterschiedene Dörfer.

IV Das

IV Das Fünfkirchner Gebiet, von 6 Gespanschaften, in Nieder-Ungarn.

1 Die Tolner Gespanschaft, ungar: **Tolna Vármegye**, Tolnensis comitatus, liegt an der Donau und Sarwitz, ist sehr fruchtbar an Getreide, Wein und Tobak; die Berge sind mit Wäldern besetzet, und der Hausen-Fang in der Donau ist sehr beträchtlich. Sie wird von Ungarn, Raitzen, Deutschen und böhmischen Slawen, bewohnet. Der jedesmalige Bischof von Fünfkirchen, ist Obergespan dieser Grafschaft, welche in 3 Districte abgetheilet ist.

1) Der Schimontorner District, enthält

(1) Simons-Thurn, ungar Simon-Torna, einen wohlbewohnten Marktflecken an dem Ort, wo die Flüsse Scharwitz, Sio und Kapos zusammenfliessen. Er hat ehedessen ein festes Schloß gehabt. Hier wird die Gespanschaftsversammlung gehalten. 1686 wurde er von den Kaiserlichen erobert, nachdem ihn die Osmanen lange besessen hatten.

(2) Die Marktflecken Döbrököz, Dombovar, auf einer Insel, welche das Scharwasser macht, mit einem zerstörten Schloß, Ueregh, Ozora, Pinczchel, am Fluß Kaposch, Regel, Tamasi, am Fluß Sajo (Schajo.)

2) Der Földvarer District.

(1) Földvar, ein Marktflecken an der Donau, der jetzt der Universität zu Ofen zugehöret. Bey demselben ist ein starker Hausenfang in der Donau.

(2) Die Marktflecken Battaszeg und Pilis.

(3) Szekszard, Seksard, ein ansehnlicher und wohlbewohnter Marktflecken an dem Scharwasser, ehedessen mit einem festen Schloß, ist wegen einer Abtey des Erlösers, in welcher K. Bela I begraben liegt, und wegen seines rothen Weins berühmt, der den Burgunder an Farbe änlich ist, und an Güte übertrift.

(4) Töl

(4) Tólna, Tbolna, ein Marktflecken an der Donau, von welchem die Gespanschaft den Namen hat, der ehedessen eine königl. Freystadt war.

3) Der Wölgyscher District, in welchem

(1) Högyesz, ein Marktflecken, in dessen Nachbarschaft der Kaposch sich mit dem Scharwasser vereiniget.

(2) Kölösd, ein Marktflecken.

2 Die Baranyer Gespanschaft, ung. Baranya Vármegye, Baranyensis comitatus, liegt zwischen der Drave und Donau, ist fruchtbar an Getreide, Gras, Gartenfrüchten, und Wein, hat viele Wälder, und Marmor von verschiedenen Farben, wird von Raitzen, Ungarn, und Deutschen bewohnet, und bestehet aus 4 Districten.

1) Der Baranyer District, in welchem

(1) Boly, ein Marktflecken.

(2) Mohács, Mohatsch, ein bekannter Marktflecken, unweit der Donau, welche sich in dieser Gegend theilet, und die Brigitten-Insel machet. Er ist sowohl durch die unglückliche Niederlage, die König Ludewig II in dieser Gegend 1526 vom osmanischen Sultan Solyman erlitte, und nach derselben nicht weit davon in einem durchwühlten Fuhrt, von seinem umgefallenen Pferde ersticket wurde; als durch den 1687 daselbst über die Osmanen erfochtenen wichtigen Sieg, berühmt geworden.

(3) Szekesö, ein Marktflecken.

2) Der Schikloscher District, in welchem

(1) Siklos, (Schiklosch) auch Soklos, ein Marktflecken an der Drawe, der sehr guten röthen Wein bauet. Ueber demselben liegt ein Schloß auf einem hohen Hügel, auf welchem K. Siegmund ein halbes Jahr gefangen gesessen hat.

(2) Bellye, ein Dorf beym Einfluß der Drave in die Donau, mit einer großen königlichen Herrschaft. Hier ist

ist der größte und wichtigste Hausenfang, von dem man Stücke, die 15 Centner gewogen, gefangen hat.

3) Der Fünfkircher District, in welchem

(1) Fünfkirchen, ungar. Pets, (Péisch,) slawon. Pet Kostolu, Quinque ecclesiae, ehedessen Pente (fünf) eine bischöfliche Stadt, welche ihren Namen von der Peterskirche und ihren 4 Kapellen hat. Sie war vormals eine ansehnliche Stadt mit einer berühmten Universität, die sehr stark besuchet wurde, hat aber von solchem Ansehen viel verloren. Unterdessen, weil sie ein bischöflicher Sitz ist, und ein Domkapitel hat, auch überaus angenehm liegt, und guten Weinbau hat, so kömmt sie nach und nach in größere Aufnahm; ist auch im Anfang des 1780sten Jahrs zu einer königl. Freystadt erkläret worden. Der Bischof Climp hat hier eine öffentliche Bibliothek und ein Münzkabinet geschenket. Die ehemalige Kirche der Jesuiten, ist eine der prächtigsten in Ungarn. Der hiesige Bischof hat jährlich 30000 Gulden Einkünfte. Man hat hier in neuern Zeiten viele römische Alterthümer gefunden, und es ist wahrscheinlich, daß hier die Stadt Serbinum, gestanden hat. In dem Schloß, welches auf einem Berge liegt, wohnen die Bischöfe. Das Bistum hat König Stephan 1009 gestiftet.

(2) Pecsvár oder Magyar-Pécsvár, ein Marktflecken und Schloß, nicht weit von der Donau. Er wird von Ungarn bewohnet, hingegen Nemet-Pecsvar, von Deutschen, und Rátz-Pecsvar, von Raitzen. Beyde sind auch Marktflecken.

3 Die Syrmische Gespanschaft, Sirmia Vármegye, Sirmiensis comitatus, oder das Herzogthum Syrmien, welche von dem Fluß Vuka anfänget, und sich bis Zemlin erstrecket, und von welchem noch jetzt der Fürst Odescalchi den bloßen Titul führet. Darinn ist

1) Die Herrschaft Nustar.

2) Die

2) Die Herrschaft Vukovar. In dem Ort dieses Namens werden die Gespanschafts-Gerichte gehalten.

3) Die Herrschaft Illok.

4) Die Herrschaft Carlovicz.

5) Ein Theil der Herrschaft Zemlin, denn ein Theil stehet unter dem Generalat.

4 Die Werowitizer Gespanschaft, Verö. tzei Vármegye, Comitatus Veroczensis, oder Veroviticensis, dazu der größte Theil der Herrschaft Walpo, geschlagen worden.

1) Die Herrschaft Verocza oder Veroviticza, in welcher

(1) Verocza oder Veroviticza, ein Marktflecken, in welchem ein Franciskanerkloster. Ehedessen war er ein fester Ort.

(2) Turnassicza, und andere Dörfer.

2) Turanovecz, an der Drave, und andere adeliche Güter.

3) Die Herrschaft Valpo, in welcher der Marktflecken gleiches Namens, mit einem Franciskanerkloster.

4) Essek; auf türkisch, Oesek, eine starke Festung an der Drave, auf deren beyden Seiten weitläuftige Moräste sind, über die sowohl als über den Fluß, und über einen in den Morästen aufgeworfenen alten römischen Damm, eine hölzerne Brücke erbauet ist, die bis Dave in Ungarn, in der Baranyer Gespanschaft reicht, und deren Länge, Isthuanfius im Anfange seines dreyzehnten Buchs auf 8565 Schuhe schätzet. Der Sultan der Osmanen Solyman, hat dieselbige 1566 anlegen, und über 20060 Mann daran arbeiten lassen. Sie ist im siebenzehnten Jahrh. von den Ungarn ein paarmal ganz verwüstet wor-

worden. In dieser Festung hat der befehlende General in
Slavonien seinen ordentlichen Sitz. Der Ort ist sehr
mit schlimmen Fiebern geplaget, und wird, so wie Peterwardein, der Deutschen Kirchhof genannt. Er wird
wegen seiner Besatzung, und weil in der Gegend desselben
das slawonische Cavallerie-Regiment liegt, zu den Solda-
ten-Oertern gerechnet. 1529 wurde die Stadt von den
Osmanen erobert, 1537 von den Kaiserlichen vergebens
belagert, 1600 aber eingenommen. 1664 brannte Graf
Zrini die Brücke bis auf den Grund ab, sie ward aber
von den Osmanen bald wieder hergestellt. 1685 brannten
die Ungarn abermals einen Theil davon ab, und im folgenden Jahr vernichteten sie dieselbe durchs Feuer ganz
und gar. 1687 wollte ihnen die Eroberung der Stadt
nicht gelingen: nach der Schlacht bey Mohatz aber, verließen sie die Osmanen von selbst. Es ist hier ein Fran-
ciskaner- und ein Kapuziner-Kloster.

Man glaubet hier die Trümmer der Stadt Mursia oder
Mursa entdecket zu haben; wenigstens hat man viele römische Alterthümer an Waffen, Münzen und Inschriften
hieselbst gefunden. Der Regierungsrath von Taube suchte
1776 in den Inschriften den Namen Mursia zu finden,
welches ihm aber nicht glückte. Nichts destoweniger glaubte
er, daß diese Stadt in dieser Gegend gewesen sey, nämlich da, wo die Vorstadt Unter-Warosch ist. Denn als
diese um die Mitte des achtzehnten Jahrhunderts erweitert werden sollte, mußte man alles römische Mauerwerk
abbrechen, welches das Ansehen einer Festung hatte, und
den Hügel zwischen den Vorstädten und der Festung, welcher der Galgenberg heißt, 300 Schritte lang, und 250
Schritte breit, bedeckt. Man zog daselbst so viel Ziegel
und Quadersteine aus der Erde, daß man mit denselben
die Landstraßen drey Meilen um diesen Ort her, pflastern
konnte. Endlich hat man 1784 wirklich eine Inschrift auf
weißem Marmor gefunden, in welcher Col. Murs. vorkommt. s. meine wöchentl. Nachr. Jahrg. 13. St. 5. Nun
können die hiesigen Moräste, der Lacus Mursianus oder
Musianus seyn, dessen Jordanes gedenket.

2 Th. 8 A.   Hh   5) Die

5) Die Herrschaft Erdöd.

6) Diakovar, Marktflecken, Burg und adeliche Herrschaft, dem hier wohnenden katholischen Bischof gehörig, welcher aus Bosnien seinen Sitz hieher verleget hat. Er hat jährlich 25000 fl. Einkünfte. Am 8ten Jänner 1777 ist hier auch ein Domkapitel von einem Dompropst und vier Domherren feyerlich gestiftet worden, jedoch mit so geringen Einkünften, daß der Dompropst nur 800, der älteste Domherr nur 600, und von den übrigen jeder nur 500 fl. bekommen hat. In dieser Herrschaft sind noch keine Dörfer angeleget, sondern die Häuser liegen zerstreuet umher.

7) Die Herrschaft Nassicz, in welcher ein Franciskanerkloster.

8) Die Herrschaft Orakovicza.

9) Die Herrschaft Vuchin.

5 Die Schymeger Gespanschaft, ungar. Somogy Vármegye, Symeghiensis comitatus, liegt zwischen dem Fluß Drave und dem Plattensee, und wird von Ungarn, Kroaten, Raitzen, Deutschen, und böhmischen Slawen bewohnet. Sie ist gegen Morgen bergigt, und dennoch ist in der ganzen Grafschaft kein Stein zu finden. Sie hat gute Eichenwälder, auch gute Weide, und einen fruchtbaren Getreideboden, ist aber voll von Sümpfen, und hat kein gutes Wasser. Der Plattensee, Balaton ein ehemaliger fischreicher See, der zwölf Meilen lang, zwey bis fünf Meilen breit, und rund umher mit guten Weinstöcken besetzet war, ist nun abgelassen. Die Districte des Comitats sind:

1) Der Igaler oder Koppaner District.

(1) Igal, ein Marktflecken.

(2) Kop

(2) Koppány, ein Marktflecken, welcher seiner ehe= maligen Befestigung beraubet worden.

2) Der Kanischer District, von dem kleinen Fluß Kanischa, welcher durchhin läuft, benannt.

(1) Babolcsa, oder Babotsa, ein Marktflecken, wel= cher ehedessen befestiget war.

(2) Die Marktflecken Berszéncze, (Bresznitz)Kesz= thely an dem See, und Segésdvár.

(3) Tapsony, ein gutes Dorf, woselbst die Crimi= nalgerichte der Gespanschaft gehalten, auch die Gefange= nen verwahret werden.

3) Der Kaposcher District, in welchem

(1) Kapos=Vár, ein Marktflecken, am Fluß Ka= pos, welcher ehedessen ein festes Schloß hatte. Hier werden die Gespanschaftsversammlungen gehalten.

(2) Saard, ein Marktflecken.

(3) Somogy=Vár, Simigium, ein Pfarrdorf, wel= ches ehemals ein festes Schloß gehabt hat. Die Graf= schaft hat davon den Namen.

4) Der Sigether District.

(1) Gränz=Sigeth, ungarisch Szigeth=Var, ein Marktflecken am Fluß Almasch, in einem Morast, mit einem Kloster, und einer abgesondert im Morast liegenden Festung. Diese wurde 1556 von den Osmanen vergebens belagert. 1566 griff Solymann sie abermals an, und ob er gleich während der Belagerung starb, so bemächtigten sich die Osmanen doch der Stadt; der tapfre Commendant, Graf Nic. Zrini, aber that mit dem Rest seiner Besatzung aus dem Schlosse einen Ausfall, und starb fechtend. 1664 ward sie von den Kaiserlichen vergeblich angegriffen, 1689 aber mit Accord eingenommen.

(2) Selle, ein guter Marktflecken.

V Das Agramer Gebiet, von 6 Gespanschaften.

i Die Salader Gespanschaft, in Nieder-Ungarn, ungar. Szala Vármegye, Saladiensis comitatus, liegt an der Gränze von Steiermark, hat waldreiche Berge, fruchtbare Hügel und Ebenen, guten Weinwachs, Getreide- und Baumfrüchte, im Ueberfluß, starke Viehzucht, viel Honig und Wachs. Der abgelassene Plattensee gehöret größtentheils zu derselben. Sie wird von Ungarn, Kroaten und böhmischen Slawen bewohnet. Die Obergespanswürde hat das gräfliche Haus Althan erblich. Die Districte der Gespanschaft sind

1) Der Insel-District.

(1) Csaka-Tornya, Tschákathurn, ein ansehnlicher und volkreicher Marktflecken, mit einem alten Schloß, von welchem wenig übrig ist, dazu aber eine Herrschaft von neunzig und einigen sehr volkreichen Dörfern gehöret. Sie lieget zwischen der Mur und Drave, daher man sie die Insel Muraksch nennet. Sie hat gute Viehzucht und guten Wein, und gehöret einem Grafen von Althan.

(2) Legrád, ein Marktflecken beym Zusammenfluß der Drawe und Mur, welcher zu der Herrschaft Tschakathurn gehöret.

(3) Strido, Strigova, Stridonia, auch Strigove, ein Marktflecken in einem angenehmen Thal, zwischen Hügeln, die mit Weinstöcken besetzet sind, nicht weit vom Fluß Mur; ist nach einiger Meynung das alte Stridonium, wo der Kirchenvater Hieronymus geboren ist.

(4) Die Marktflecken Szerdahely, Kottorie und Perlak, oder Prelok.

(5) Ratz-Kanisa, ein Pfarrdorf, in dessen Nähe in der Mur Gold ausgewaschen wird. Wer reines Gold, in der Schwere eines Dukaten gesammlet hat, bekommt dafür vom Rentmeister drey Gulden, und das Gold wird in die Münze geliefert.

2) Der

2) Der District des Santhoer Sitzes, von 5 Marktflecken und 69 Dörfer.

(1) Szent-Gróth, Fanum S. Götthardi, ein Marktflecken an der Sala, mit einem Castell, muß von einem andern Ort gleiches Namens, in der Eisenburger Gespanschaft, unterschieden werden.

(2) Keszthely, ein großer Marktflecken auf einer Höhe am Platten-See.

(3) Sümegh ein Marktflecken auf einem hohen Berge, mit einem Schloß, wo der Bischof von Weszprim zu wohnen pfleget.

(4) Belsö-Turgye und Falsö Turgye, Marktflecken.

3) Der District des kleinen Kapornaker Sitzes, in welchem

(1) Kanisa, (Kanischa,) oder Canisa, ein Marktflecken an Morästen, gehöret dem Hause Batyany. Er ist ehedessen eine gute Festung gewesen, welche 1702 geschleifet worden.

(2) Kis-Komarom, Klein-Komorn, ein Marktflecken, der ehedessen ein fester Ort war.

(3) Szalaber, ein Marktflecken.

(4) Kapornak, ein Pfarrdorf, mit einer alten Abtey Benedictiner-Ordens.

4) Der District des Tapolzer Sitzes.

(1) Tapolza, ein Marktflecken, welcher ehemals wider die Osmanen mit einem gedoppelten Wall umgeben worden, jetzt aber ein offener Ort ist. Er hat ein schwefelhaftes Bad. Der Wesprimer Bischof hat hier ein Lustschloß.

(2) Die Marktflecken Czobantz und Szigliget. Bey jedem ist ein Bergschloß.

(3) Tibon, ein Schloß auf einem Felsen, am Platten-See, mit einem Marktflecken.

5) Der

5) Der District des größern Kápornaker Sitzes.

(1) Egerszeg, am Fluß Szala, welchen einige Szalad nennen, war ehedessen mit Mauern umgeben, ist aber jetzt ein offener Marktflecken, in welchem die Gespanschaftsversammlung gehalten wird.

(2) Lövö, ein Marktflecken.

6) Die untere Limbacher Herrschaft.

(1) Alsó-Lendva, ein altes Schloß, mit einem Marktflecken, gehörte ehedessen den Grafen Banfy, die ausgestorben sind, nun aber den Fürsten Esterhazy.

(2) Belsö-Lenthi und Csesztreg, Marktflecken.

(3) Die Herrschaft Bellatinz, wird von lauter Vandalen bewohner, und begreift einen Marktflecken und 19 Dörfer; jener heißet Turnischa, unter diesem ist Bellatinz.

2 Die Warasdiner Gespanschaft, in Ober-Slavonien, Varasdiai Vármegye, Varasdinensis comitatus. Sie bestehet aus vier Districten.

1) Der Warasdinische District.

(1) Varasdin, Warasdin, eine königl. Freystadt am Fluß Drave, welche befestiget ist, auch durch eine feste Burg beschützet wird, deren Hauptmannschaft bey der Familie der Grafen von Erdödd erblich ist, und zu welcher viele Häuser in der Vorstadt, auch Dörfer und Districte gehören. Die Stadt an sich selbst ist klein, aber die Vorstädte sind groß. Sie ist vom Könige Andreas II, und desselben Sohn Bela IV, in einer großen Ebene erbauet und privilegiret worden. Als der General von Herberstein sie 1597 den Osmanen entrissen hatte, ward sie zum Sitz des Generalats erwählet, welches aber nachmals nach Caproncza verleget, und Warasdin zum Sitz des Ban gemachet worden. Es brannte aber 1776 fast die ganze Stadt ab, worauf der Ban sich nach Agram begab. Das Gebiet der Stadt ist beträchtlich, unter andern gehöret Kneghnecz, vor Alters Kheene, dazu.

Das

Das warme Bad zwischen der Stadt und einem hohen Berge, hieß anfänglich Aquae Jasae, hernach Thermae Constantinianae.

(2) Steffanecz, ein bemauertes Castel.

(3) Mellen, ein zerstörtes Schloß, mit seinem Zugehör.

(4) Vidovecz, ein Castel.

(5) Die bemauerten Castele, Jvanecz, woselbst ehedessen Eisengruben gewesen, Czerje und Bela, welche den Grafen von Erdödy, gehören.

(6) Toplicza, Schloß und Herrschaft dem Domkapitel zu Zagrab gehörig, hat warme Bäder.

(7) Martianecz, eine alte Burg.

(8) Szent Ersebeth, ein bemauertes Castel.

2) Der Winitzische District, welcher an Steyermark gränzet, und guten Weinwachs hat.

(1) Vinicza, eine ehemalige Burg, mit einem Marktflecken.

(2) Babinecz, welches für das alte Anicium gehalten wird.

(3) Die Schlösser Märussevecz, eigentlich Mariassevcz, Klenovnik, und Trakostein.

(4) Die Castele Krisovlian, Komar, Zelendvor und Csalinecz.

(5) Lepoglava, ein Kloster der Eremiten des heil. Pauls.

3) Der untere Zagorische oder der Krapinische District.

(1) Die alten Schlösser Mellen und Osterc, sind zerstöret. Jenes ist vorhin genannt worden.

(2) Die Castele Jajezda, Gothalovecz, woselbst der Fluß Krapina entspringet, Bellecz, Sweti Kris, Sancta crux, Mirkovecz, Kumor.

(3) Orahovicza, eine Burg, mit

(4) Krapina, einem Marktflecken, von daher Czech und Lech ausgegangen, und die Reiche Böheim und Polen

len gestiftet haben sollen. Die Burg gehöret der gräflichen Familie Keglevich. In dem Marktflecken ist ein
Franciskaner=Kloster. Das hiesige warme Bad ist berühmt.

3 Die Kreutzer Gespanschaft, in Oberslavo-
nien, Kristai Vármegye, Krisiensis comitatus,
ist viele Jahre lang mit der Zagraber Gespanschaft
vereiniget gewesen, 1756 aber davon gerrennet worden. Sie begreifet

1) Zwey königliche Freystädte, welche sind

(1) Kreutz, Körös Vasarhely, Krisevczi, Cri-
sium, welche Stadt sehr alt, und ehedessen die Hauptstadt von Slavonien gewesen seyn soll. Gewiß ist, daß
der K. Sigismund ihre Privilegien erneuert und bestätiget
hat. Die obere und untere Stadt hatte ehedessen jede
ihren besondern Magistrat, sie sind aber unter der Königin Maria Theresia unter einem Magistrat vereiniget worden. Es ist hier das Gespanschaftshaus, und ein Paulinerkloster, und in der Vorstadt ist ein Franciskanerkloster.

(2) Kaproncza, eine Stadt in einer Ebene, mit
einer Festung, in welcher die Parochialkirche, ein Franciskanerkloster, und das Rathhaus.

2) Zwey Districte.

(1) Der Kaproncsische District.

    a. Ledbreg, eine Burg mit einem Marktflecken.

    b. Raszinya, eine Burg mit einem Marktflecken.

    c. Opot, ein altes zerstörtes Schloß.

    d. Bukovecz, ein bemauertes Castel, zu welchem
das angebaute Gut Szent Peter gehöret, woselbst viele
Alterthümer aus der Erde hervorgezogen worden. Es
sind hier Spuren einer ehemaligen Stadt.

    e. Cakovecz, ein Ort, woselbst auch Alterthümer
gefunden worden.

(2) Der

(2) Der Kreutzer Diſtrict, welcher größer als der erſte iſt.

a Greben und Kys Kemlek, gemeiniglich Reka, alte zerſtörte Schlöſſer.

b. Nagy Kemlek, gemeiniglich Kalnik, ein Schloß auf einem hohen Berge. Es iſt hier eine große Höhle. Der hieſige rothe und weiße Wein iſt ſehr gut.

c. Guſchcrovecz, ein bemauertes Caſtel.

d. Miholcz, ein Marktflecken, Gradecz und Dombro Jvanich, Herrſchaften, gehören dem Biſchof von Zagrab.

e. Verbovecz und Rakovecz, Herrſchaften des Grafen Patachich.

f. Glogoncza, war ehedeſſen eine Probſtey, und gehörte hernach ſo wie Tkalecz, den Jeſuiten zu Zagrab.

g. Opatovecz, eine ehemalige Abtey, hat den Jeſuiten zu Warasdin gehöret.

h. Lourechina, ein bemauertes Caſtel.

i. Moszlovina, Mons Claudii, ein Bezirk, welcher den Grafen Erdöd von Monyorokerck gehöret, die davon Montis Claudii, comites ſupremi, genennet werden, man weiß nicht warum? Es gehören zu dieſem Bezirk ſiebenzehn angebauete Güter, auf welchen über 800 Seelen ſind. Die Katholiken haben hier die Pfarren Oszekovo und Ludina, die nicht unirten Griechen die Pfarre Miklovska. Der hieſige Wein iſt beliebt. Der Marktflecken Podgorszka, ſcheinet hier geſtanden zu haben. Es war hier auch ein Schloß und Marktflecken Namens Garich.

4 Die Zagraber oder Agramer Geſpanſchaft, In Oberſklavonien, Zagrábiai Vármegye, Zagrabienſis comitatus, welche ſich von dem Fluß Lonja, bis an das adriatiſche Meer erſtrecket. Sie hat ſieben Diſtricte, von welchen die beyden letzten ganz zu Kroatien gehören.

1) Der

1) Der Selinische District.

(1) Selina, ein Ort, welcher in Szvetom Iwann und Szent Miklos abgetheilet wird, jener Theil hat von Johannes dem Täufer, dieser von dem heiligen Nicolaus, den Namen.

(2) Bosako oder Bosakovina, eine Herrschaft.

(3) Lupoglav, gehöret dem Bischofe von Zagrab.

(4) Pzer, jetzt Psarjevo, ein ehemaliges Schloß, in welchem eine Probstey der heil. Cosmas und Damian gewesen ist.

2) Der Zagraber District.

(1) Zagrab, ital Sagabria, deutsch Agram, latein. Zagrabia, und weil sie auf einem kleinen Berge liegt, der ehedessen Grecs hieß, auf lateinisch auch civitas montis Graecensis Zagrabiensis, eine königl. Freystadt, die Hauptstadt von ganz Slavonien, seit 1776 der Sitz des Ban, sonst auch der Sitz der königlichen Tafel für Kroatien, und eines Bischofs und Domkapitels. Sie liegt an der Save, welche sowohl als die Kulpa wegen der Schiffbarkeit, ihr Bequemlichkeit zum Handel verschafft. Auf einer Seite der Pfarrkirche stehet ein Nonnenkloster, auf der andern, ein ehemaliges Jesuitercollegium, und auf der dritten ein Kapuzinerkloster, auch ist hier das Frangepanische Seminarium, und eine Universität, der ehemals die Jesuiten vorstunden. Unter den Vorstädten, ist Mandussevecz, gemeiniglich auch Harmicza, genannt, die vornehmste. Im sechzehnten Jahrhundert war hier eine Buchdruckerey, welche nach ihrer Wiederherstellung 1756 verbrannte, 1769 aber ist eine neue auf des Domkapitels Grund und Boden angeleget worden, welcher mit einer besondern Mauer umgeben ist. Der Bischof hat 20000 Fl. Einkünfte, muß aber ein Bataillon Soldaten unterhalten, dessen Obrister und zugleich Commendant von Dubicza, ein Domherr ist.

(2) Des Zagrabischen Domkapitels Güter Kralievecz, Cassina, 2c. und das bischöfliche Gut Chucherje oder Vugra, sonst Vugrovecz.

(3) Med=

(3) Medwe, ein zerstörtes Schloß.

(4) Die Bezirke Puscha und Berdovicz.

3) Der Possavansche District, welcher diesseits und jenseits der Save liegt, und in welchem
die Herrschaften Sziszeg, Silcium, Selin und
Szavo ujvar, gemeiniglich Novigrad, u. a. m.
die bischöfliche Herrschaft Hrastovicza, auf einem
Berge, woselbst ein verwüstetes bischöfliches Castel,
und ein Franciskanerkloster; Gore, eine Herrschaft
des Probsts des Domkapitels, und verschiedene Dörfer, die entweder dem Bischof von Zagrab, oder
dem Domkapitel gehören.

4) Der District jenseits der Save.
Lomnicza, ein zwiefacher Ort dieses Namens.
Goricza, woselbst Jahrmärkte gehalten werden.
In Kroatien liegen, das bischöfliche Schloß Pos
kupsko, der Ort Topuszko, und ein warmes Bad.

5) Der Podgorische District.

(1) Szamobor, ein Schloß auf einem hohen Berge, unter welchem ein Marktflecken liegt. Es gehöret
jetzt einem Grafen von Erdödy, und hat in seinem Gebiet
Kupfergruben.

(2) Okich, oder Ochich, eine wüste Burg auf ei-
nem hohen Berge, welche in der Geschichte berühmt ist.
Jetzt ist in die Stelle derselben das bemauerte Castel
Keresztinecz gekommen, welches unter Szamobor liegt.

(3) Jasca, ehedessen Podgoria, eine Burg, nebst
dem Marktflecken Jaszterbarszko.

(4) Petrovina, ehedessen Petrina, eine Freyheit,
dem Domkapitel zu Zagrab gehörig.

(5) Domagovich, Czvetkovich, und Draganich,
adeliche Freyheiten.

6) Der

6) Der District jenseits der Kulpa, enthält das Schloß Ozolium, zu welchem eine weitläuftige Herrschaft gehöret, die Herrschaft Sztenichniek, an der türkischen Gränze, in welcher Raitzen wohnen; Novigrad, am Fluß Dobra, Berlogh, ein Castel, und unterschiedene andere Oerter. Eine Anzahl der hieher gehörigen Dörfer, ist 1768 zu dem militärischen Gebiet geschlagen.

5 Die Poscheger Gespanschaft, Poseggi Vármegye, Posseganus s. Possegiensis comitatus. Sie hat die besten Wege in ganz Slavonien, und von Pakracz bis in Kroatien erstrecket sich eine ganz gerade mit Obstbäumen besetzte Landstraße, zu deren Sicherheit an beyden Seiten des Weges viele Soldatenhäuser erbauet sind. Die Menge der Maulbeerbäume zum Behuf des Seidenbaues, ist in diesem Comitat schon ansehnlich.

1) Posega, Poschek, bey den Osmanen Botzega, eine königliche Freystadt, am Bach Orlova, mit einem alten verfallenen Bergschloß, ehemaligen Jesuitercollegio, welches jetzt sechs aus Ungarn berufene Väter der frommen Schulen versehen, einem Franciskanerkloster, und einem Consistorio des Bischofs von Zagrab.

2) Die Herrschaft Kuttina, welche von Kroatien zu Slavonien geschlagen worden, daher der Fluß Illova nicht mehr, wie ehedessen, die Gränze zwischen Kroatien und Slavonien ist.

3) Die Herrschaft Szirach.

4) Die Herrschaft Pakracz.

(1) Der Marktflecken Pakracz, ist der Sitz eines morgenländischen Bischofs, und des Consistoriums desselben, hat auch eine katholische Pfarrkirche, Casernen und warme Bäder. In derselben giebt es die meisten und

und größten Bären in Slavonien. Sie liegt mitten in der sogenannten kleinen Walachey.

(2) Das Schloß Darovar, mit dem Marktflecken Podborje. In der Nähe des Schlosses, welches dem Grafen dieses Namens gehöret, sind zwey warme Bäder; eines derselben hat der Regierungsrath von Taube 1776 in einem alten römischen marmornen Bade, entdecket.

5) Die Herrschaft Sztrasemon, in welcher an dem Orte, von welchem sie benannt wird, 1776 schon seit geraumer Zeit, Schnupftücher und verschiedene kleine Waaren aus slavonischer Seide gewebet wurden.

6) Die Herrschaft Velika.

7) Die Abtey Kuttjevo, welche den Jesuiten zu Poschek gehöret hat. Hier ist eine Caserne.

8) Die Herrschaft Pleternicza, in welcher eine Caserne.

9) Die Herrschaft Blasko.

10) Die Herrschaft Czernik.

11) Die Herrschaft Bresztovarz.

12) Die Herrschaft Captol.

6 Die Severiner Gespanschaft, welche 1776 errichtet worden, als die Haupt-Intendenza zu Triest aufgehoben, und von dem sogenannten Litorale, oder von des Hauses Oestreich Seeplätzen an dem adriatischen Meer, der Theil, in welchem Fiume lieget, zu Ungarn geschlagen, und mit Carlstadt und allem was von Fiume bis dahin, und zwischen Krain und der Caroliner Straße lieget, zu einer Gespanschaft gemachet wurde. Ein Theil dieser Gespanschaft hat ehedessen zu der Agramer Gespanschaft in Kroatien gehöret, ist aber eigentlich ein Stück von Dalmatien, welches vor Alters Iapydia hieß.

In

In derselben sind zwey berühmte Landstraßen, die zum Behuf des Handels angeleget worden, nemlich die Caroliner= und Josephiner=Straße.

Die Caroliner=Straße ist 65000 Schritte lang, und zum Behuf derselben sind Berge abgetragen und Felsen gesprenget, und dadurch tiefe Thäler und Abgründe ausgefüllet worden. Der Berg Petsch, im ungarischen Dalmatien, ist in einer Länge von 400 Klaftern gesprenget, und dadurch ein Weg über die Alpen von 12 Stunden eröfnet worden, der an beyden Seiten hohe steinerne Wände hat, und an 11 Klafter breit ist. Die von Mauersteinen verfertigten Brücken, durch welche die Felsen an einander gehänget sind, verdienen nicht weniger Bewunderung. Es sind dergleichen insonderheit über den Berg Sungari in einer Länge von 187 Klaftern geführet worden. Mit Zurichtung dieser merkwürdigen Straße, ist 1726 der Anfang gemachet worden. Auf derselben werden die Waaren mit großer Bequemlichkeit zwischen S. Veit am Pflaum und Carlstadt gefahren; am letzten Ort aber kommen sie auf den Fluß Culp, aus diesem in die Save, und alsdenn in die Donau. Sonst findet man zu S. Veit am Pflaum eine Zucker=Manufakt. und eine Wachsbleiche.

Die Josephiner=Straße, ist eine Landstraße, welche von hier und Carlobago nach Carlstadt führet, und über Berge und Thäler 4 Meilen lang gezogen ist. Sie wurde 1776 angefangen, 1777 gieng sie schon über den hohen Gipfel, des vorher unwegsam gewesenen Berges Vratnik; 1778 wurde der rauhe so genannte Copellenberg durchgebrochen, und an der großen Thuinerbrücke lebhaft gearbeitet, und 1780 kamen

kamen auf dieser Straße nach Sein, außer den Wagen auch Kanonen mit ihrem Zugehör, an. — An derselben stehet nach jeder Meile eine kurze Säule, und alle 2 Meilen eine hohe Pyramide, alle von weißem Marmor, und oben mit Sonnen-Uhren versehen, und auf beyden Seiten der Pyramiden fließet Wasser aus denselben, für Menschen und Vieh. Längst dieser Straße sind bewohnte Häuser, Kirchen, Mühlen, Schmieden, und Wirthshäuser angeleget worden. Sie hat den Namen vom Kaiser Joseph dem zweyten.

Die merkwürdigsten Derter dieser Gespanschaft, sind außer Szeverin oder Severin, von welchem Ort, der nicht weit von Bellovar lieget, die Gespanschaft benennet wird, am Seestrande.

1) **S. Veit am Pflaum, Rekar,** ital. Fiume, lat. Flumen S. Viti, Vitopolis, eine Seestadt, an einem Busen des adriatischen Meeres, welcher il Golfo di Carnero, Sinus Flanaticus und Polenus, genennet wird, und in welchen sich hier der Fluß Fiumara oder Reka ergießet. Sie liegt im Thal, in einer schmalen Ebene, die gute Weine, Feigen und andere Früchte träget. Die Stadt ist volkreich, und hat eine Collegiatkirche. Dem ehemaligem 1627 angelegetem Jesuiter-Collegium, gehörete die Herrschaft Castua Die hiesige Zuckersiederey, versiehet die östreichischen Länder mit Zucker, und gehöret der Fiumarer Compagnie. Den hiesigen Freyhafen machet die Fiumara. Aus demselben werden viele Güter und Waaren ausgeführet, davon ein ansehnlicher Theil aus Ungarn kömmt, zu dessen bequemern Herzuführung Kaiser Karl VI von hier nach Carlstadt in Kroatien, die beschriebene kostbare Landstraße hat anlegen lassen. Sonst findet man zu S. Veit am Pflaum auch eine Wachsbleiche. Die Stadt ist frey von Steuern und Contributionen. Ehedessen ist sie dem Herzogthum Krain einverleibet

leibet gewesen, und hat mit demselben alle Auflagen getragen; ist aber schon 1648 von der krainischen Landschaft
nicht mehr für ein Mitglied erkannt worden.

Um Fiume wohnen noch Zbizeri oder alte Carnier,
die den Ziflern in Siebenbürgen am nächsten kommen.

2) Tersat, lat. Tersactum, ein Castell, zwischen
der Fiumara und dem Strande des adriatischen Meers.

3) Grobnik, ein Castel auf einem Berg.

4) Die Herrschaft Bukari oder Buccari, welche
den Namen von einem Castell und Marktflecken hat. In
derselben wurden zu Raunagora an der Carolinerstraße,
1773 die afrikanischen und spanischen Schafe, welche der
damalige Hof Commerzrath zu Wien, über die See nach
Fiume kommen ließ, zuerst angesetzet, weil ihr Begleiter,
der spanische Schäfer Garcias Morena, versicherte, daß
diese Gegend, das Clima und Gras, mit Castilien
große Aehnlichkeit habe: es ward aber doch 1775 Mer-
kobal oder Mercopoli auch an der Caroliner-Straße, zum
Hauptsitz dieser Schafe erwählet.

5) Hrelin, ein Castell und Marktflecken.

6) Bukariza, oder Bukaricza, ein Castell.

7) Porto Re, gemeiniglich Kraljevicza, ein Hafen.

8) Novi, ein Schloß am Meer, in welchem ein
Kapitel ist.

9) Zeng, Sein, Segna, lat. Segnia, ehedessen
Senja, eine königliche Freystadt am Meer, der Sitz eines
katholischen Bischofs und Domkapitels. Ehedessen war
hier eine berühmte Hauptmannschaft, hernach war sie der
Sitz des Befehlshabers der Confinien in Krbatien; hierauf verkaufte die ungarische Kammer sie, so wie alle
obige Oerter dem Hof = Commerz = Rath zu Wien,
und alles ward zu der Intendenza commerciale zu Triest
geschlagen, welches bis auf den Anfang des 1776sten
Jahrs gedauert hat, da der Hof-Commerz-Rath aufgehoben worden, und alle diese Oerter wieder an Kroatien
gekommen sind. Der hiesige Hafen, ist zu einem Freyhafen erkläret worden, und seitdem hat der See-Handel
merklich zugenommen.

10) Car-

10) **Carlobàgo**, ein Marktflecken am Meer, wo=
selbst ein Kapuzinerkloster ist. K. Joseph II hat den hiesi=
gen sehr bequemen Hafen mit großen Kosten einrichten,
auch von hier nach Carlstadt, die Landstraße in guten
Stand setzen lassen, und jene 1785 für einen Freyhafen
erkläret.

11) **Brod**, ein Castell, unweit der Kulpa.

Die feste Stadt **Carlstadt**, oder **Karlstadt**,
slaw. **Karlowitz**, von welcher ein Generalat be=
nannt worden, ist erst 1577 unter K. Rudolph dem
zweyten innerhalb der Burg Dubovacz, von dem
Erzherzog Carl angeleget, und nach seinem Namen
benannt, 1582 erst mit einem Wall umgeben, und 1781
zu einer königlichen freyen Handelsstadt erhoben, auch
am 14 Junii 1782 dazu feyerlich erkläret worden.
Sie liegt an dem Fluß Kulpa. Der Carlstädter
nichtunirte griechische Bischof, wohnet nicht hier,
sondern zu Kostainicz. Als die Stadt 1776 com=
merzialisch gemacht, und mit einem Bataillon deut=
scher Truppen besetzet wurde, kam das kroatische Ge=
neral Commando von hier weg, kehrte aber hie=
her zurück, als der Hof Commerzienrath zu Wien
aufgehoben wurde. Von der Josephiner Land=
straße, welche von hier nach Sein und Carlobago
führet, siehe oben die Severiner Gespanschaft.

VI Das Großwardeiner Gebiet, von 6 Ge=
spanschaften, insgesammt in Ober=Ungarn.

1 Die **Sabol=scher Gespanschaft**, ungarisch
Szabolts Vármegye, Szaboltensis comitatus,
ist eine weite und sehr früchtbar Ebene, welche alle
Arten des Getreides, und sehr gutes Obst, im größten

Ueberfluß hervorbringet, auch für Rindvieh Weiden in Menge, aber gar keinen Wein, auch kein gutes Waſſer hat. Die Theiſſe bringet ihn zwar viele Vortheile, aber auch durch ihre Ueberſchwemmungen nicht wenig Schaden, inſonderheit dadurch, daß ſie viele Sümpfe zurück läßt. Sie wird gröſtentheils von Ungarn bewohnet, doch ſind nun auch Ruſſen und Wallachen vorhanden. Sie hat folgende Diſtricte

1) Der Klein-Wardeiner Diſtrict
(1) Klein-Wardein, ungar: Kis-Várda, ein Marktflecken an einem moraſtigen Ort, nahe bey der Teiße, deſſen ehemaliges feſtes Schloß zerſtöret iſt.
(2) Mándok, ein Marktfl. im forgatſchiſchen Gebiet.

2) Der Nadudwarer Diſtrict, in welchem
(1) Nagy-Kalló, ein Marktflecken, der befeſtiget geweſen iſt. Er iſt der beſte Ort in der Geſpanſchaft, und dienet zu ihren Verſammlungen.
(2) Nadudvar und Ujvaros, Marktflecken.

3) Der Dadaer Diſtrict, in welchem
(1) Polgár, ein Marktflecken an der Theiſſe, welcher dem Erlauer Domkapitel gehöret.
(2) Szabólcs, ein Pfarrdorf, iſt ehemals ein Schloß und anſehnliche Stadt geweſen, jetzt aber ein geringer Ort. Von demſelben hat die Geſpanſchaft den Namen, ſo wie er von Szabolcs, dem alten Heerführer der Ungarn.

4) Der Bathorer Diſtrict, in welchem
Bathor, ein Marktflecken, nebſt dem Caſtel Niyór Báthor, wovon das alte bathoriſche Geſchlecht den Namen hat, dem er auch gehöret.

Anhang.

Nánás, Dorog, Hatház, Vámos Pérß, Beszermény, Szoboszló, ſind ſieben Heybucken-Marktflecken, welche ihre Freyheiten von Joh. Corvin

bin herleiten. Stephan Botskay, und hernach 1606
auch K. Rudolph II befreyete sie von der Gespanschafts-
gerichtsbarkeit, und 1746 sind ihre vorigen Privilegien aufs neue bestätiget worden. Die Einwohner
sind Ungarn, meistens von der reformirten Kirche,
doch wohnen auch einige Ryssen unter ihnen.

2 Die Biharer Gespanschaft, Bihar Vármegye, Bihariensis comitatus, ist eine große Ebene, welche durch unterschiedene Flüsse, insonderheit
durch den Berettyo und Körösch bewässert wird, die
oft austreten und Sümpfe zurücke lassen. Der Boden ist von seinem häufigen Salpeter fruchtbar an
Getreide und Weide, und die Viehzucht ist erheblich.
Die wenigen Hügel sind mit Weinstöcken bepflanzet.
Man findet hier Kupfer, Eisen, Marmor, Alabaster, und warme Bäder.   Sie hat Ungarn und Walachen zu Einwohnern.   Ihre Districte sind

1) Der Wardeiner District, in welchem
(1) Groß-Wardein, ung. Várad oder Nagy-Vá-
rad, eine Festung am Fluß Körösch, welche ehemals der
Reliquien des heil. Königs Ladislaus wegen berühmt
war, nun aber der Sitz eines Bischofs, (der jährlich
70000 Gulden Einkünfte hat, aber 53000 zum Besten
seiner Kirche anwenden, und dem Hof berechnen muß,)
eines Domkapitels, und eines Archi-Gymnasiums ist.
Die neue bischöfliche Residenz und neue Domkirche, hat
Bischof Patatschitsch erbauen lassen. 1556 und 1613 wurde
die Stadt von den Siebenbürgern eingenommen; 1598
von den Osmanen vergeblich belagert, 1660 aber mit
Accord eingenommen, welche sie auch 1664 im Frieden
behielten, 1692 aber wieder verloren, und den Kaiserlichen übergeben mußten. Es wird hier dunkelaschgrauer
Marmor mit röthlichen Flecken gebrochen, es sind auch
etwa eine Meile von hier, warme Bäder.

Ji 2   (2) Neu-

(2) Neu-Wardein, wird durch den Fluß Körösch von Groß-Wardein geschieden, und bestehet aus drey Theilen, welche heißen, Püspöki=Várad, das bischöfliche Wardein, Olaszi=Várad, das walachische Wardein, und Katona Város, die Soldatenstadt.

(3) Acht Marktflecken, nemlich Bihar, (auch Bihor, und Bohor) eine ehemalige Festung, Csatár, Eleßd, Kis=Maria, Olasz=Varad, Püspöki=Varad, Telegd=Mezö und Velencze.

2) Der Scharrether District, in welchem

(1) Debreczen, slaw. Debrecyn, seit 1715 eine königl. Freystadt in einer schönen und fruchtbaren Ebene, die zwar groß und volkreich, (sie hat über 25060 Einwohner,) aber schlecht gebauet ist, und weder Mauern noch Thore hat. Es haben hier sowohl die P. P. piarum scholarum, als die Reformirten, ein Gymnasium, und das letzte ist ansehnlich. Die Gespanschaftsversammlungen werden hier meistens gehalten. Die Viehzucht ist in hiesiger Gegend ansehnlich: man findet aber auf zwölf und mehr Meilen weder Berg noch Wald, sondern es ist alles Heide, und folglich auch großer Holzmangel. 1564, 1640, 1681 und 1726 litte sie größen Brandschäden.

(2) Die Marktflecken Nagy-Bajom, Böszörmény oder Bereg=Böszörmény, Derecske, Kaba, Komady, Komjár, Beretgö=Ujfalu.

3) Der Ermelleker District, in welchem

(1) Diosjegh, ein großer und volkreicher Marktflecken, der Wein und Tabak bauet, welcher letzte zu den besten ungarschen gehöret.

(2) Margita, Mitske, Székelyhid oder Székely= Hida, und Székely=Város, am Fluß Berettyo, über welchen hier eine Brücke gebauet ist.

4) Der Belenyescher District, in welchem

(1) Die Marktflecken Cseffa, Sarkad und Szalontha.

(2) Belenyes, ein Marktflecken, von welchem der District den Namen hat.

(3) Vaskó, ein Marktflecken.

4) Sor=

(4) Sornacza oder Sunatza, ein Pfarrdorf, nicht weit von welchem ein Berg ist, in dem sich eine merkwürdige Höhle befindet, deren senkrechte Höhe auf 50 Klafter beträgt, und die 5 Abtheilungen hat. In derselben findet man Zapfen von Tropfsteine, halb und ganz versteinerte Gerippe von Menschen und Thieren, und Wände, die mit Eis überzogen sind.

3 Die Bekescher Gespanschaft, Békes Vármegye, Bekesiensis comitatus, durch welche der dreyfache Körösch fließet. Sie hat allerley Getreide, insonderheit sehr guten Weitzen im Ueberfluß, die Weide ist gut, und die Rindviehzucht nicht geringe, aber der Wein ist nur bey Gyula gut, und an Holz fehlet es, daher die Einwohner Stroh, Rohr und gedörreten Kuhmist brennen. Es ist auch wenig gutes Wasser vorhanden. Die Gespanschaft wird von Ungarn, böhmischen Slawen und einigen Walachen und Raitzen bewohnet, und wird in den bekeschischen und tschabischen District abgetheilet.

1) Der Bekescher District, enthält

(1) Bekes, (Békesch) einen Marktflecken am schwarzen Körösch, von welchem die Gespanschaft benennet worden.

(2) Nemet-Gyula, Julia, ein Schloß, dessen ehemalige Befestigung nicht mehr vorhanden ist, über dem Marktflecken gleiches Namens, der auf einer Insel stehet, die der schwarze Körösch machet, und in welchem die Gespanschaftsversammlungen gehalten werden.

(3) Magyar-Gyula, ein volkreicher Marktflecken.

2) Der Tschabäer District, in welchem

(1) Tsaba, (Tschaba,) ein katholisches Pfarrdorf.

(2) Szarwas, ein wohlgebaueter Marktflecken.

4 Die Arader Gespanschaft, ungar. Arad Vármegye, Aradiensis oder Orodiensis comitatus,

hat

hat guten Theils einen bergigten mit Holz bewachse-
nen Boden, der Fuß der Berge aber, und die Hügel, sind mit Weinstöcken bepflanzet, die guten Wein
im Ueberfluß geben. Ackerbau und Viehzucht sind
auch gut, und die Marosch liefert Fische und Krebse.
Die Einwohner sind meistens Wlachen, außer welchen noch Ungarn, Deutsche und Armenier vorhanden sind. Sie enthält

1) Tót-Várad oder Tot Váradya, ein verfallenes,
aber ehedessen festes Schloß, mit einem Marktflecken.

2) Rádna, ein Pfarrdorf am Fluß Marosch, das jetzt
dem Herzog zu Modena gehöret. Es war ehedessen ein
volkreicher Ort.

3) Uj-Arad, ehedessen Orod, Neu-Arad, eine
Festung am Fluß Marosch, welche die Osmanen angeleget haben, Prinz Eugen von Sovoyen aber hat ihre Befestigung befohlen. In derselben hat ein griechischer Bischof seinen Sitz. Sie hat zwey Vorstädte, die aber davon entfernet liegen.

4) O-Arad, Alt-Arad, ehemals ein festes, nun
verfallenes Schloß, mit einem Marktflecken, am Marosch.

Anmerk. Bey Alt-und Neu-Arad, ist an dem Fluß
Marosch, eine neue und erhebliche Festung angeleget worden, die der Marosch gegen Morgen und Mitternacht
umfließet. Sie ist im Anfange des 1776sten Jahrs völlig
zu Stande gekommen.

5) Die Marktflecken Gyorok, Magyar-Pecska
(Ungarisch-Petschka) Olaze-Pecska, (Walachisch Petsch-
ka) Soborsia.

6) Solymós, ein Pfarrdorf mit einem verfallenen
Gränzschloß, auf einem hohen Felsen, welches unterschiedene osmannische Belagerungen ausgehalten hat. Es ist
noch ein Pfarrdorf dieses Namens vorhanden.

5 Die Tschanader Gespanschaft, ungar.
Csanad Vármegye, Csanadiensis comitatus, wird
von Ungarn, Wlachen und Raitzen bewohnet.

1) Csa-

1) Csanad, (Tschanad) eine bischöfliche Stadt, am Fluß Marosch, die vor Zeiten ansehnlich und wohl befestiget war, nachher aber ihrer Befestigung beraubet worden. Der hiesige Bischof hat 9000 Gulden jährlicher Einkünfte. 1595 kam sie in der Osmanen Hände.

2) Makó, ein Marktflecken am Fluß Marosch; gehöret dem Bischof zu Tschanad.

vorhan

6 Die Tschongrader Gespanschaft, ungar. Csongrád Vármegye, Csongradiensis comitatus, hat Slawen, Ungarn, Raitzen, und einige Deutsche zu Einwohnern.

1) Szeged, Segedin, eine feste kön. Freystadt, da, wo der Fluß Marosch in die Teiße fällt, hat zwey Vorstädte, einen starken Ochsenhandel, eine Menge von Fischen, und fruchtbare Aecker. 1513 hatte sie noch keine Mauern, aber doch einen Graben und Wall. Einige Zeit hernach gerieth sie den Osmanen in die Hände, welche darinn ein Schloß von Ziegelsteinen erbauten. 1686 nahmen die Kaiserlichen diese Festung den Osmanen ab, und schlugen die herzueilende Hülfe.

2) Csongrad, eine alte verfallene Burg, da, wo der Fluß Kördsch in die Teiße fällt. Die Gespanschaft hat davon den Namen. Bey derselben ist ein Marktflecken.

3) Vásárhely, ein Marktflecken, am Sumpf Hod, ist reich an Getreide und Vieh, und gehöret den Grafen Karoly.

4) Szentha, ein verfallenes Schloß, bey welchem Prinz Eugenius 1697 einen Sieg über die Osmanen erfochten hat.

VII Das Neusoler Gebiet, von 6 Gespanschaften.

1 Die Thurotzer Gespanschaft, ungar. Thurócz Vármegye, Thurotziensis comitatus, ist an

Ji 4   fünf

fünf Meilen lang, aber nur an wenig Orten drey Meilen breit. Sie ist eine von hohen Bergen, welche zum carpathischen Gebirge gehören, eingeschlossene Ebene, und daher ungemein angenehm. Der Boden ist ziemlich fruchtbar, so, daß die Einwohner bey guten Jahren nicht nur hinlängliches Getreide haben, sondern auch andern etwas davon überlassen können; fällt aber einmal, (welches doch selten geschiehet,) ein schlechtes Jahr ein, so müssen sie ihr Brodt anderswo kaufen. Die Viehzucht ist hier die Hauptsache. Die vornehmsten Flüsse sind die Wag und der Thurotz, von welchem letzten die Gespanschaft ihren Namen haben soll. Im hanischen Gebiet sind die warmen Bäder zu Stuben, und bey Budisch, Dubow, und an einigen andern Orten sind Saue-brunnen. Die Einwohner sind böhmische Slawen, ungarische Edelleute und Deutsche. Die letzten hält man für einen Rest Gothen, denn ihre Sprache ist andern Deutschen wenig verständlich. Die Obergespans-würde besitzet das Haus Rewa erblich. Sie bestehet aus folgenden Districten:

1) Der Szklabinysche District, darinn

(1) Szklabinka oder Sklabina, ein großes Schloß auf einem hohen Berge, welches in das obere, mittlere und untere eingetheilet wird, und der revajischen Familie gehöret, aber ganz verfallen ist.

(2) Sanct-Martin, Szent-Marton, slaw. Swaty-Martin, Martinopolis, der Hauptort der ganzen Gespanschaft am Fluß Thurotz, ist ein privilegirter Marktflecken, ziemlich weitläuftig und wohl bewohnet. In demselben werden die öffentlichen Versammlungen des Adels angestellet, und die Provinzialgerichte gehalten. Er gehöret zum Gebiet des Schlosses Szklabinya der revajischen Familie.

(3) Sut-

(3) Sutfan, (Sutschan,) slaw. Sucany, ein weitläuftig gebauter Marktflecken an der Wag, der kaum einen Schatten seines ehemaligen Ansehens übrig hat.

(4) Turan, Turany, ein Marktflecken an der Wag, unter hohen Bergen, in einer fruchtbaren und lustigen Gegend. Er gehöret dem revajischen Geschlecht und zum Szklabinyschen Gebiet.

2) Der Blatnitzsche District, darinn

(1) Blatnitza, ein Schloß auf einem steilen Felsen, gehöret der pronyaischen Familie.

(2) Netzpal, ein volkreicher Ort mit drey Castelen, welcher ein sogenannter Artikelort der augspurgischen Confessionsverwandten ist. Der Flecken Bella, ist fast der größte in der ganzen Gespanschaft.

3) Der Moschoczische District.

Moschocz, slaw. Mossowoe, Moschovia, war ehemals ein großer und reicher Marktflecken, ist aber sehr in Abnahme gerathen. Die hiesigen Jahrmärkte sind berühmt. Die Einwohner legen sich auf Ackerbau und Handwerker. Er gehöret zum Gebiet des blatnitzischen Schlosses der revajischen Familie.

4) Der Znioer District, darinn

(1) Jnio, ein Schloß, welches ehemals Thurocz geheißen hat, und 1252 der Sitz einer Pröbsten der heiligen Jungfrau Maria geworden ist, welche von Ferdinand II und III den Jesuiten zu Tyrnau eingeräumet wurde, die ein Collegium daraus machten. Unter dem Schlosse liegt der Marktflecken Jnió-Varallja, welchen die Slawen von dem ehemaligen Jesuiter-Collegio, welches in demselben war, Klaschtor, Kloster, nennen.

(2) Toth-Prona, Slowenska-Prawna, Windisch-Proben, ein Marktflecken, der sich vom Ackerbau ernähret.

(3) Budis, ein Dorf, wobey ein berühmter Sauerbrunn ist.

1 Die

2 Die Neusoler Gespanschaft, ung. Zólyom Vármegye, Zoliensis comitatus, ist an zehn Meilen lang, und an einigen Orten vier bis fünf Meilen breit, an andern aber viel schmäler. Das Land ist fast ganz bergigt; diese Berge aber sind zum Theil reich an Erzen und Mineralien. Man findet in denselben etwas Gold und Silber, insonderheit aber eine Menge des vortreflichsten Kupfererzes, imgleichen Eisen, Auripigment, Quecksilber, Chrysoco la und Siegelerde. Die Flüsse dieser Landschaft sind der Gran, Bistritza, Szalatna und Carpona, oder Krupenitza. Unter den Sauerbrunnen sind die berühmtesten der oßtrofische, eine halbe Meile vom Schlosse Vigles, der Altsoler, der am Fluß Gran, der ribarsche, tfatsinsche, batzuchische; warme Bäder aber sind zu Neusol und Ribar. Zu Herrengrund hat man Cement- oder Kupfer-Wasser. Der Ackerbau ist gering, man hat aber ziemlich gute Viehzucht, insonderheit viel Schafe. Die Einwohner sind böhmische Slawen; unter den Edelleuten sind Ungarn, und unter den Bürgern verschiedene Deutsche. Die Würde eines Obergespans, gehöret der gräflich Revaischen Familie erblich zu. Die Landschaft bestehet aus zwey Districten, welche sind:

1) Der obere District, darinn

(1) Drey königliche Freystädte, nämlich:

Neusol, ung. Beszterze Bánya, slaw. Banska Bystrica, Neosolium, eine königl. Freystadt, und die beste Bergstadt, in einer angenehmen Gegend, am Fluß Gran. Sie war viel auf sächsische Art gebauet, hatte seit dem Anfang des 1777sten Jahres einen Bischof, 6 Kirchen, unter welchen auch evangelisch-lutherische waren,

ren, ein ehemaliges Jesuiter Collegium und Gymnasium, und war, sowohl wegen ihres Wochenmarkts, als wegen ihres guten Biers, und wegen der Kupfererze, die in den umher liegenden Bergen gefunden werden, berühmt: auch der Sitz einer Bergkammer: sie brannte aber 1783 fast ganz ab, so daß nur die Silbergasse nebst zwey andern kleinen Gassen stehen blieb, es wurde aber das abgebrannte größtentheils noch in demselben Jahr schöner wieder aufgebauet. 1500, 55, 91, 1653 erlitte sie schon großen Brandschaden, und 1762 brannte sie ganz ab. Von Kremnitz wird diese Stadt durch einen hohen Berg geschieden, über welchen ein bequemer Fuhrweg angeleget worden, um die kremnitzer Erze nach der Neusoler Silberhütte zum Ausschmelzen zu führen. An der Nordseite der Stadt liegt ein festes Schloß.

Eine Stunde Weges von Neusol lieget Tajova, wo eine königliche Kupfer- und Saiger-Hütte ist.

b. Libethen, Libetha, ung. Libéth Bánya, slaw. Lubjetowa, eine königl. freye Bergstadt, welche klein und gering ist, ehedessen auch Gold- auch gute Kupfer- und Eisen-Gruben hatte, jetzt aber zur Nahrung den Ackerbau zu Hülfe nehmen muß. Sie ist 1379 zu einer königlichen Freystadt gemacht worden, und wird von der Bergkammer zu Neusol verwaltet.

c. Brezno Bánya, slaw. Brezno, deutsch die Bries, Britzna, eine königl. Freystadt am Fluß Gran, welche oftmalige Feuersbrünste erfahren hat. Sie legt sich stark auf die Schafzucht, und der hiesige sogenannte Brinsen Käse, ist in dieser Gespanschaft berühmt. Die Stadt hat 1655 die Würde einer königl. Freystadt erhalten, welches nach einiger Meynung schon 1380 geschehen seyn soll. Die P. P. piarum scholarum haben hier ein Kloster. Die meisten Bürger sind evangelisch, haben aber kein Bethhaus.

(2) Drey Marktflecken, nämlich:

a. Radvány, am Fluß Gran, nahe bey Neusol, welcher sich von Handwerkern und kleinem Handel ernähret, gehöret der radwanskyschen Familie.

b. Toth-

b. Toth=Liptse, Slowensko Liptcze, Windisch=
Liptsch, ein königlich privilegirter Marktflecken, unter
dem Schloße Liptsche, ernähret sich mehrentheils vom
Ackerbau.

c. Ponik, ein Marktflecken, woselbst Eisen gebro=
chen wird. Die umher liegende Ebene wird von Bergen
eingeschlossen.

(5) Herrengrund, Spania Dolina, Vallis domino-
rum, ein Bergflecken, unweit Neusol, der zwischen den Spitzen
der Berge liegt, und von lauter Bergleuten bewohnet wird.
Er ist wegen seines weitläuftigen Kupferbergwerkes, und
Cement= oder Kupfer=Waßers, berühmt, welches
zuerst 1605 entdecket worden seyn soll. Es sind hier jetzt
über zwanzig Kammern, in welchen es theils aus den
Seiten herabtröpfelt, theils aus der Erde quillet. Es
wird durch hölzerne abschüßige Rinnen in hölzerne Kasten,
und aus diesen wieder in tiefere Kasten geleitet. In die
Winkel der Rinnen werden Eisenspäne geleget, die theils
von den zu Kremnitz gedreheten Walzen abfallen, theils vom
alten Pocheisen hierzu verwendet werden. Man erzeuget
aber hier jährlich nicht über 40 bis 50 Centner Cementku=
pfer. Es wird hier auch Kupfer= oder Berg=Grün berei=
tet, und der Centner nach Wien für hundert Gulden ver=
kauft. Alle Herrengrundische Kupfererze sind güldisch,
daher in den Pochwerken das Gold so viel möglich ist,
aus den Schlichen gezogen wird. Durch einen Stollen
fähret man von Herrengrund nach Altgebirg, wo eine
königliche Kupferhütte ist.

2) Der untere District, darinn

(1) Zwey königl. Freystädte, nämlich:

a. Altsol, ung. Zólyom, slaw. Zwolen, Vetuso-
lium, die Hauptstadt dieser Grafschaft, an sich aber ein
kleiner Ort, dessen erhabene Lage angenehm ist, und ne=
ben welchem die Flüsse Gran und Szalatna fließen. Die
Gespanschaftsversammlungen und Sedes judiciariae wer=
den hier häufiger als zu Neusol gehalten. Das Schloß
ist verfallen. Außerhalb der Stadt sind 2 gute Sauerbrunnen.

b. Kor=

b. Korpona, slaw. Krupina, deutsch Karpfen; lat. Carpona, ist von geringem Ansehen, hat aber eine sehr angenehme Lage mitten unter Weinbergen, und mancherley schöne Früchte, imgleichen ein Gymnasium P.P. piarum scholarum. 1417 ward sie von den Hussiten, und nachher von den Böhmen verwüstet. 1708 ward sie von den Rakoßianern in die Asche geleget.

(2) Zwey Schlösser, nämlich:

a. Vegles, (Weglésch) liegt auf einem steilen Felsen, und ist esterhasisch. Ehemals war es eine Gränzfestung.

b. Dobroniwa, Dobrona, Döbring, lieget auf einem Felsen, ist aber in einem schlechten Zustande.

(3) Sechs Marktflecken, nämlich:

a. Nagy-Szalatna, slaw. Slatina, ein geringer Ort am Fluß Szalatna, im Gebiet des Schlosses Weglesch.

b. Otschova, jetzt auch ein geringer Ort. Das Ackerland ist gut. Matthias Bel, dessen bekanntes Werk von Ungarn uns so nützliche Dienste leistet, ist hier geboren.

c. Dobrona, Döbring, Dobroniwa, ist wohl bewohnet, und liegt nahe beym Schloß dieses Namens. Er hat zwar ehemals königl. Privilegien erhalten, gehöret aber doch zum Gebiet des Altsoler Schlosses.

d. Babaßek, Babina, hat eben so guten Acker, als der vorhergehende Ort, und gehöret einem Grafen Bereny.

e. Szasz, in alten Urkunden Nemeth-Pelsöß, hat fruchtbares Ackerland, und gehöret zum Gebiet des Schlosses Solyom.

f. Pelsöß, Pliesovtze, Toth-Pelsöß, giebt keine Zehenden, wie die vorhergehenden. Dieser Marktflecken hat nebst Szasz, Dobrona, und Babaßek, das jus gladii immediatum, daher ihre Appellation an den personalem praesentiae regiae gehen.

(4) Ribar, ein merkwürdiges Pfarrdorf vor andern. Auf den Feldern desselben sind in einem Hügel

gel

gel warme Bäder von ungemeinen Heilungskräften,
aber auch von sonderbarer Beschaffenheit. Etwa
600 Schritte davon, nach Mittag zu, in einer gras-
reichen Wiese eines kleinen schönen Thals, öfnete sich
ehedessen eine Höhle, die wegen ihrer schädlichen
Dämpfe in einem üblen Ruf war. Die Dünste dieser Höhle, die allem Ansehen nach, Schwefeldünste
waren, verursachten den Vögeln und andern Thieren den Tod. Inwendig brach mit großer Gewalt
ein Wasser hervor, welches in eben der Kluft wieder
verschlungen wurde. Die Dämpfe waren zwar tödtlich,
aber nicht giftig; denn man könnte das Wasser trinken,
und die getödteten Vögel und Thiere essen. f. Bels
Nachricht im hamburgischen Magazin, Band 4.
S. 69 f. Die Höhle ist aber nun schon lange mit
Steinen angefüllet. Unweit ist davon ein Sauer-
brunen.

3 Die Honter Gespanschaft, Hontensis comitatus, bestehet aus zwey Theilen, zwischen welchen ein Stück von der Neograder und Solienser Gespanschaft liegt. Die Obergespanswürde besitzet das
gräfliche Haus Kohary erblich.

1) Nagy-Hont, Groß-Hont, ist von Bela-
Banya bis Moras, auf neun Meilen lang, und in
den breitesten Gegenden, nämlich zwischen Varsaney
und Kovar, fünf Meilen breit, läuft aber gegen
Mittag spitz zusammen. Die Landschaft ist ganz bergig; es sind aber sowohl die mitten im Lande, als
an der Gränze liegenden Berge, und sonderlich die
letzten, reich an Gold, Silber und Bley. Die
Flüs-

Flüsse sind die Donau, Gran, Jpola und einige
ganz kleine. Bey den Flecken Gyögy und Szanto
sind warme Bäder; am letzten Ort ist auch ein berühmter Sauerbrunn, dergleichen man auch bey den
Flecken Szalatnya, Gyögy und Felsö-Palojta findet. Auf dem Berge Szitna, welcher der höchste
in der Gespanschaft ist, findet man eine Quelle, welche im Sommer eiskalt, im Herbste aber warm ist.
Es giebt auch einige Gesundbrunnen. In dem südlichen Theil der Gespanschaft wächset etwas Getreide
und ein guter Wein. Die Viehzucht ist gering. Auf
den Erzgebirgen ist die Luft der Gruben wegen nicht
gesund. Die Einwohner sind Ungarn, böhmische
Slawen und Deutsche. Die Obergespanswürde hat
das Haus Kohary erblich. In dieser Landschaft ist

(1) **Der Schemnitzische District,** in welchem

(1) Schemnitz, Schemnicium, ungarisch Selmetz-
Banya, slaw. Sstawnitza, vor Alters auch Schebnitz
und Bana genannt, eine ziemlich große und volkreiche
Stadt, welche in einem langen Thal dergestalt gebauet ist,
daß die Häuser auf beyden Seiten desselben und an den
Hügeln hoch hinauf zerstreuet stehen. Der evangelischen
Einwohner, die über zwey Drittel der Stadt ausmachen,
sind 6 bis 7000, und sie haben eine Kirche und ein Gymnasium.
Die Stadt übertrift alle andere ungarische Bergstädte an
Größe und an Menge der Erzwerke, hat eine Bergschule, es ist
hier auch der Sitz einer königl. Bergkammer und eines
Ober-Kämmergrafen. Die hiesigen Gold- und Silber-
Berg-Werke zeigen in den königlichen Gruben selten gediegen sichtbares Gold, obgleich fast alle Erze Gold halten, in den gewerkschaftlichen Gruben aber ist das gediegene Gold nicht so selten. Gediegen Silber ist noch selt-
ner. Ueberhaupt sind die hiesigen Gold- und Silber-Gruben ziemlich reich, und der Arbeiter in denselben sind über
5000; wie viel einträglicher sie aber ehemals gewesen, als
jetzt,

jetzt, erhellet daraus, daß man gegen das Ende des vorigen Jahrhunderts hieselbst wöchentlich 3 bis 4000 Mark Silbers machte, jetzt aber kömmt es etwa auf 1000. Das hiesige Erz enthält mehr und besser Gold, als das Kremnitzer; der Gewinn ist aber auch nicht groß: doch hat man 1751 eine sehr reiche Goldader entdeckt. Die Unkosten, welche der Hof jährlich auf die hiesigen Bergwerke wenden muß, belaufen sich über 500000 Gulden.

(2) Bela-Bánya, (d. i. weiße Grube,) slaw. Bela, deutsch Düln, Diln, latein. Dilna, vor Alters Fejér-Bánya, welcher Name einerley Bedeutung mit dem ersten hat, ein schlecht gelegnes und gebautes Bergstädtchen, dessen Bergwerke aufgehoben sind, daher sich die Einwohner des Ackerbaus befleißigen, der ihnen sauer wird.

(3) Szebekleb, slaw. Sebechleby, deutsch Klib, ein von einer sächsischen Colonie angelegter Marktflecken, gehöret dem granischen Domkapitel. Ehedessen ist dieser Ort der Sitz der Landtage und des Archivs dieser Gespanschaft gewesen, nun aber wird der Landtag zu Kementze gehalten, woselbst auch das Archiv ist.

(4) Nemethy, Nemetz, ist 1731 unter die privilegirten Marktflecken aufgenommen worden, und leget sich auf den Ackerbau. Der Name zeiget an, daß der Ort eine deutsche Colonie sey.

(5) Saagh, Sagh, ein Marktflecken, war ehemals wegen einer Probstey der heil. Jungfrau des Prämonstratenserordens berühmt, und gehörte hernach dem Jesuiter-Collegio zu Neusol, nun aber dem dasigen Bischof.

(6) Sanct Anton, Szent Antal, Marktflecken.

(7) Baka-Bánya, Puganz, Buggantz, slaw. Pukanetz, eine königl. Frey- und Berg-Stadt, hat Gold- und Silber-Gruben, welche aber meistens auf Hofnung bearbeitet werden, daher sich die Einwohner vornehmlich vom Wein- und Acker-Bau ernähren. 1664 wurde sie von den Osmanen geplündert und verbrannt.

(2) Der

(2) Der Bathische District, in welchem

(1) Báth, slaw. Batowcze, Frauenmark, ein Marktflecken, der guten Acker= und Wein=Bau, imgleichen ansehnliche Jahr= und Wochen=Märkte hat. 1774 brannte er ganz ab.

(2) Pórsóny, Pilsen, ein Marktflecken, war eine alte Bergstadt und Colonie der Sachsen, die ehemals auf Goldgruben arbeitete; nun aber Ackerbau treibet. Er gehöret zum Gebiet des Erzbischofs von Gran.

(3) Maros, ein Marktflecken an der Donau.

(4) Im Dorf Magyarad ist ein Sauerbrunn, und zu Szanto sind warme Bäder.

(5) Skalka, ein Marktflecken.

(3) Der Bozokische District, darinn

a. Bozok, slaw. Bzowik, ein Marktflecken mit einem Schloß, hatte ehemals eine Prämonstratenser=Probstey, welche aber eingegangen ist; und gehörete hernach den tirnauischen Jesuiten.

b. Esebrág, ein Bergschloß, gehöret der koharischen Familie, deren Stammhaus es ist.

c. Dregely, ein festes Schloß auf einem steilen Berge, wurde 1552 von den Osmanen erobert, und ihnen erst 1593 wieder abgenommen. 1649 nahmen sie dasselbe abermals weg. Es gehöret dem Erzbischof von Gran.

d. Hont, ein Flecken, welcher ehemals der Hauptort der von ihm benannten Gespanschaft gewesen.

2) Kis= (Kisch=) Hont, Klein=Hont, ist von Teisholz bis Rimaßombath ungefähr 3 Meilen lang, und von Szuha bis Toth=Hegymek höchstens eine Meile breit. Die Flüsse dieser Landschaft sind Rima und Szuha. Sie ist ganz bergicht, und hat daher schlechten Ackerbau und geringe Viehzucht. Die Luft ist gesund. Man gräbet hier gutes Eisen, findet auch verschiedene Sauerbrunnen. Die Ein-

2 Th. 8 A.   Kk   woh-

wohner sind größtentheils böhmische Slawen, zum
Theil auch Ungarn.

a. Rima-Szombath, flawon. Rimawská-Sobota,
Groß-Steffelsdorf, ein wohlgebauter und bewohnter
Marktflecken, am Fluß Rima, in einer ebenen und zum
Ackerbau sehr bequemen Gegend, ist der Sitz der Land-
schaftsversammlungen. Die Einwohner legen sich außer
dem Ackerbau auch auf Handel und Handwerker.

b. Teißholz, ungar. Tiszóltz, flawon. Tischowetz,
Taxovia, ein Marktflecken, bey welchem Eisen und Magnetsteine gegraben werden. Nahe dabey ist ein Sauerbrunn.

4 Die Liptauer Gespanschaft, ungar. Lipto
Várinegye, Liptoviensis comitatus, gemeiniglich
die Liptau genannt, ist ungefähr sieben Meilen
lang, und ein bis zwey Meilen breit, ganz bergigt
und talt. Die hiesigen Berge sollen die Alpen, schwei-
zerischen und tyrolischen Gebirge sowohl an Höhe als
Merkwürdigkeiten übertreffen. Die Felsen sind be-
wundernswürdig, sonderlich die deminfalvischen, von
welchen einer Namens Benikowa, fast senkrecht
aufsteigt, und an 3000 Schritte hoch ist. In diesen Felsen giebt es sehr große und tiefe natürliche Höhlen; darinn durch versteinerndes Wasser viele sonderbare Figuren gebildet worden, die an Größe und Gestalt von den Ochsen- und Pferde-Knochen ganz verschieden sind. Die vornehmsten Flüsse sind die Wag
und Biela. Der süßen Quellen ist eine große
Menge, der Sauer- und Gesund-Brunnen auch
eine gute Anzahl, darunter die botzischen vornemlich
zu merken; und wunderbare Wasser giebt es auch
von verschiedener Art. Die Quellen bey Szentiwan

und

und Stankowan, ersticken durch ihre Ausdünstungen die darüber fliegenden Vögel. In der Höhle der letzten, findet man zuweilen ein Harz, welches dem Bernstein ziemlich ähnlich ist. Zum Ackerbau ist wenig Gelegenheit; die Viehzucht ist auch gering, indessen sind doch die hiesigen Käse vorzüglich berühmt. Holz ist häufig vorhanden, und an Metallen ist diese Gespanschaft sehr reich. Die boßischen Gruben geben Gold, welches das beste in Ungarn seyn, und dem arabischen gleichen soll. Auf den boßischen Bergen sind auch Silbergruben. Man findet auch etwas Eisen, sehr viel Antimonium, auch Nitrum und andere Mineralien. Die Einwohner sind böhmische Slawen mit untermengten ungarischen Edelleuten. Die obergespanschaftliche Würde gehöret dem Hause Illyeshazy erblich. Es hat diese Gespanschaft eine Zeitlang den Titel eines Herzogthums geführet, als Matthias Corvinus sie seinem Sohn Johannes Corvinus, unter diesem Titel gab, nach dessen Tode aber hat er wieder aufgehöret. Die Landschaft bestehet aus vier Districten.

1) Der östliche District, in welchem

(1) Hradek, ehedessen Lipto-Ujwár, ein Schloß, welches das einzige in diesem District ist, und der Kammer gehöret.

(2) Sanct Nicolas, ung. Szent Mikloss, slaw. Swaty Mikulaß, Nicopolium, ein Marktflecken, in welchem gemeiniglich die kleinen Gespanschaftsversammlungen gehalten werden. Es ist hier eine Residenz der Jesuiten gewesen, welche nicht weit von hier auf dem Grund und Boden von Wrbitza ein schönes Collegium hatten. Der Ort hat oft, sonderlich 1713, 19, 24, 32, grossen Brandschaden erlitten, und 1773 brannte er ganz ab.

Kk 2 (3) Wrbi=

(3) Wrbitza, Verbitze, ein Marktflecken, nahe bey dem vorigen, gehöret unter das hradekſche Gebiet. Hier haben die Jeſuiten ein Collegium gehabt. 1773 brannte er zugleich mit dem vorhergehenden Ort faſt ganz ab[b].

(4) Gibba, Geib, Hibbe, ein Berg= und Marktflecken des hradekſchen Gebiets, in welchem außer einer katholiſ. Kirche auch eine evangeliſche ſogenannte Artikelkirche iſt. Er liegt nicht weit vom Berg Kriwan. Es ſind hier Salzquellen.

(5) Botza, ein Bergflecken in einem tiefen Thal, welches aus drey Theilen beſtehet, die Ober=Botza, Un=ter=Botza oder Joachimsthal, und Bobrow genennet werden. Das umherliegende Land iſt theils königlich, theils adelich. Die hieſigen Sauerbrunnen ſind von gu=ter Kraft. Das Goldbergwerk liefert zwar vortrefliches Gold, iſt aber im ſchlechten Zuſtande. Die ſogenannten Arburarier, welche die Koſten dazu hergeben, und denen es gehöret, erlegen dem König und den Edelleuten davon weiter nichts, als einen Zoll.

(6) Szent=Janos, S. Johannes, ein Dorf, von deſſen ſchädlichen Quelle oben gehandelt worden. Auf dem hieſigen Kirchhof bleiben die Leichen mehr als 100 Jahre lang unverweſet.

2) Der mittägige Diſtrict, darinn

(1) Deutſch=Liptſch, ungar. Német=Liptſe, ſlaw. Németza=Luptßa, ein ziemlich weitläuftiger Marktfle=cken, bey welchem ehedeſſen Metallgruben geweſen. Ei=nige meynen, daß er zuerſt von Leipziger Kaufleuten an=geleget worden ſey. Er gehöret zum likauiſchen Gebiet, hat zwey Kirchen, und iſt der Verſammlungsort des Adels zur Veränderung der Provinzialobrigkeit.

(2) Demienfalva, ein Flecken, wovon die berühm=ten Höhlen den Namen haben

3) Der weſtliche Diſtrict, darinn

(1) Lykawa, ein Schloß auf einem Felſen, welches ehemals die einzige Zuflucht faſt der ganzen Landſchaft war,

war, aber 1707 im rakazischen Kriege zerstöret worden. Es gehöret jetzt, nebst dem ganzen Gebiet, der königl. Kammer.

(2) Rosenberg, slaw. Ruzomberg, ein volkreicher Marktflecken, der mit dem Salz, welches auf der Wag hieher gebracht wird, einen starken Handel treibet, und ein Gymnasium der P. P. piarum scholarum hat. Er hat ein Castel, und gehöret zum lykawischen Gebiet. 1607 hielten die Evangelischen hieselbst eine Kirchenversammlung, auf der vier Superintendenten verordnet wurden.

4) Der mitternächtliche District, darinn

(1) Szelnitza, Selnitza, im likauischen Gebiet.

(2) Trnowetz, Tzrnotz, auch im likauischen Gebiet, und

(3) Bobrowetz, Nagy-Bobrotz, drey geringe Marktflecken.

5 Die Arwer oder Orawer Gespanschaft, ungar. Arva Vármegye, Arvensis comitatus, liegt zwischen der schlesischen Gränze und dem carpathischen Gebirge, und erstrecket sich bis nach Polen. Mitten durch dieselbige fließet der Fluß Arva, welcher in die Wag fällt. Sie wird für die unfruchtbarste und ärmste Gespanschaft in Ungarn gehalten, von böhmischen Slawen bewohnet, unter welche Polen gemischet sind, und bestehet aus dem obern und untern District.

1) Welitschna, oder Welka Wes, Nagy-Falu, ein Marktflecken, der so wie

2) Kubin, Alsó-Kubin, ein Marktflecken, in welchem die Gespanschaftsversammlungen gehalten werden, im untern District lieget

3) Arvá, slaw. Orawa, ein Bergschloß, dessen Untertheil noch im Stande ist.

Kk 3　　　4) Tur-

4) Turdossin, Twrdoschin, und Trsstena, Markt=
flecken, im obern District.

6 Die Gömörer Gespanschaft, in Oberun=
garn, ung. Gömör Vármegye, Gömöriensis co=
mitatus, wird von Ungarn, böhmischen Slawen
und Deutschen bewohnet, und nach den Thälern und
Flüssen in 4 Districte abgetheilet.

1) Der Ratkoer District, in welchem
Ratkó, ein Marktflecken, wo viele Gerber wohnen.

2) Der Scheiker District, in welchem
Rima=Szecs, ein Marktflecken, der gute Jahr=
märkte hält.

3) Der Putnoker District, in welchem
(1) Gömör, ein Marktflecken, welcher sich auf den
Acker= und Tobacks=Bau legt, am Fluß Sajo im zschaki=
schen Gebier. Die Gespanschaft hat davon den Namen.
(2) Putnok, ein Marktflecken.

4) Der Rosenauer District, in welchem
(1) Tschetnek, ein wohlbewohnter Marktflecken, ne=
ben welchem in einer Ebene ein Castel liegt. Er ist seiner
Eisenwerke wegen beträchtlich, das Eisen=Erz aber kommt
aus dem nahen Berge Hrader.
(2) Dobsau oder Tobschau, Dobscha, slaw. Dop=
schina, ein Bergflecken, wo viele Deutsche wohnen, und
der seines Kupfers, Eisens, Asbests, und Papiers we=
gen bekannt ist. Die Kupferbergwerke sind die erheb=
lichsten.
(3) Pelschötz, Plessuwcze, ein Marktflecken am Bach
Sajo, in welchem die Provinzial=Versammlung der Ge=
spanschaft gehalten wird.
(4) Rosenau, ung. Rosnó Bánya, slaw. Rozna=
wa, ein bischöflicher Bergflecken, der zwischen den Ber=
gen auf einer Ebene am Sajo angenehm liegt, ehemals
ein Jesuiter=Collegium hatte, das nun eine bischöfliche Woh=
nung

nung ist, und durch seine Gold= Silber= Kupfer= Queckssil=
ber= und Zinnober-Bergwerke, imgleichen durch seine Hand=
werker und Wochenmärkte bekannt ist. Er gehöret zum
Gebiet des Erzbischofs von Gran.

(5) Kräßna=Hórka=Parallya, ein altes gutes
Schloß, welches angenehm liegt, und der freyherrlichen
andraichischen Familie gehöret. Bey demselben ist eine er=
giebige Queckssilber=Grube, in welcher man schönen Zin=
nober bricht.

(6) Jólswa, Jelschau, Alnovia, ein Marktflecken
mit einem Castel, wo auch viel-Gerber und Schuster
wohnen; gehöret der koharischen Familie.

(7) Nagy=Röcze, ein Marktflecken.

(8) Murány, ein verfallenes Schloß auf einem
sehr hohen und steilen Felsen, hat nur einen einzigen Zu=
gang, und gehöret der koharischen Familie. In den hie=
sigen Bergen findet man Magnetsteine.

VIII Das Munkatscher Gebiet, von 5 Ge= spanschaften, in Oberungarn.

1 Die Unghwárer Gespanschaft, ungarisch,
Ungh=Vármegye, Unghensis comitatus, wird
von Ungarn und Russen bewohnet, und in den ungh=
warischen, sobranzischen, und kaposchischen
District abgetheilet.

1) Krajna Nyssi, Ukrajnia inferior, ist der Name
einer bergigen Gegend, am carpathischen Gebirge, darinn
eine russische Colonie wohnet.

2) Oroszveg, ein großer Flecken, am Fluß Labortza,
woselbst ein griechischer mit der Römisch=katholischen Kir=
che vereinigter Bischof seinen Sitz hat.

3) Vinna, ein Schloß auf einem sehr steilen Berge,
unter welchem ein Marktflecken liegt.

4) Szobrántz, Sobranz, ein Marktflecken. Bey
diesem geringen Ort ist eine heilsame Quelle.

　　5) Ungh=

5) Ungh=Var, eine starke Burg, am Fluß Ungh, mit einem Marktflecken, darinn die Jesuiten ein Gymnasium hatten. Die Grafschaft hat davon den Namen, und es ist der Hauptort einer Herrschaft.

6) Szerednye, ein Pfarrdorf mit einem alten Schloß, der barkozischen Familie zugehörig.

7) Nagy=Kapos, oder Groß=Kaposch, ein Marktflecken, welcher ehedessen in einem bessern Stande gewesen ist.

2 Die Beregher Gespanschaft, ungar. Beregh Vármegye, Bereghiensis comitatus, hat Ungarn und Russen, nebst einigen Wlachen, zu Einwohnern, und wird in den Tissahátischen, Kassonischen, Feldwideker und Munkátscher District, und in die Herrschaft Munkátsch, abgetheilet.

1) Raszan, ein Marktflecken.

2) Munkáts, ein fast unüberwindliches Schloß, auf einem hohen und steilen Felsen, der in einer weiten Ebene liegt, und dessen natürliche Festigkeit durch Kunst und Fleiß noch mehr vergrößert worden. Es ist der Hauptort einer Herrschaft, welche ehedessen ein Herzogthum genennet wurde. Unter demselben liegt ein Marktflecken am Fluß Latorsa, in welchem ein mit der katholischen Kirche vereinigter griechischer Bischof wohnet, und ein griechisches Kloster ist. 1688 ergab sich das Schloß nach einer dreyjährigen Einschließung an die Kaiserlichen; und Tökölys Gemalinn, welche es so lange vertheidiget hatte, mußte sich in kaiserlichen Schutz nach Wien begeben, da denn außer der tökölyschen Familie auch ein reicher Schatz hieselbst gefunden ward. 1703 versammleten sich hieselbst die Rakotzyaner. Als aber derselben Rebellion gedämpfet war, fiel das Schloß der königlichen Kammer anheim.

3) Be=

3) Beregh, ein Marktflecken.

4) Beregh-Szasz, ein ansehnlicher Marktflecken, welcher wegen einer sächsischen Colonie den Namen Beregh-Szász bekommen hat, denn (Szász heißt bey den Ungarn ein Sachse,) nun aber bloß von Ungarn bewohnet wird. Das alte Schloß ist jetzt ein Steinhaufen.

5) Váry, ein beträchtlicher Marktflecken.

6) Also-Veretzke, ein Marktflecken.

3 Die Ugotscher Gespanschaft, ung. Ugotsa-Vármegye, Ugotsensis comitatus, ist mit Bergen und Felsen besetzet, und unter jenem ist der Haik der gröste. Die Ebenen sind sumpfig, und also wenig fruchtbar. Also sind Ackerbau, Viehzucht und Weinbau unerheblich, aber die Wälder sind wichtig, sie enthalten auch viel Wildpret, und die Teiße ist fischreich. Die Einwohner sind Ungarn, mit Russen vermischet, es giebt auch Walachen unter ihnen. Sie ist in 2 Districte abgetheilet.

1) Der District diesseits der Teiße, enthält Nagy-Szőlős, einen adelichen Marktflecken, nicht weit von der Teiße, welcher ehedessen ein gut gebaueter, und ziemlich fester Ort war.

2) Der District jenseits der Teiße, in welchem

Halmi oder Holmi, ein Marktflecken in einer Ebene, den ehedessen ein Graben einschloß, der nun verfallen ist.

4 Die Sathmarer Gespanschaft, ung. Szathmar Vármegye, Szathmariensis comitatus, welche gröstentheils eben ist, aber viele Sandfelder hat,

Kk 5 doch

doch kommt außer den andern Getreidearten, der Mays sehr gut fort. Die Viehzucht ist nicht stark, aber der Weinbau sehr gut, denn der größte Theil der Berge und Hügel ist mit Weinbau besetzet. Die Wälder enthalten viel Wildpret. Die Berge enthalten, und liefern Gold, Silber, Kupfer, Ziegel, Antimonium, Schwefel, und andere Mineralien. Die Einwohner sind größtentheils Ungarn, es giebt auch Wlachen, Russen, böhmische Slawen, und Deutsche. Die Würde eines Obergespans, gehöret der gräflich-karolischen Familie erblich. Sie hat 4 Districte.

1) Der Kraszner District, welchen die Flüsse Kraszna und Samosch wässern. Er enthält

(1) Veltek, einen Marktflecken.

(2) Csenger, einen Marktflecken mit einem Schloß.

(3) Darocz oder Kraly-Darocz, einen Marktflecken.

(4) Erdöd, einen Marktflecken der Grafen Karoly, welcher vor Zeiten ein festes Bergschloß gehabt hat, das aber im siebenbürgischen Krieg der Erde gleich gemachet worden. Von demselben scheinet das berühmte erdödisch Haus seinen Namen bekommen zu haben, doch wollen andere solche Benennung von dem Erdödi in der Tolnaer Gespanschaft herleiten.

2) Der Nagy-Banyer District, in welchem

(1) Nagy-Banya, (das ist, die große Grube,) Kapnik-Banya, Rivulus dominarum, von einem Bach Ujvaros, Neustadt, eine Metallstadt, die zu den königlichen Freystädten gehöret, ehedessen aber, nebst den hiesigen Bergwerken, ein Eigenthum der Königinn war. Die hiesigen Gold- und Silber-Bergwerke, welche schon 1347 gebauet worden, sind sehr beträchtlich, und die Dukaten, welche hier geschlagen werden, sind mit N. B, bezeichnet.

Es

Es ist hier ein Oberberg=Inspectorat=Amt, Münz=Amt, Berg=Amt und Berg=Gericht. Nicht weit von hier ist ein sehr guter Sauerbrunnen.

(2) Ungarisch=Neustadt, ungar. Felsö=Bánya, Uj=Bánya, eine Metall= und königliche Frey=Stadt. Sie hat seit einigen hundert Jahren den Bergbau ununterbrochen getrieben. K. Leopold kaufte 1690 die hiesigen Bergwerke an die königliche Kammer für 25420 Gulden. Das gewonnene Gold und Silber wird in die königliche Münze nach Nagy Banya geliefert.

(3) Die Marktflecken, Nagy=Peleszke, Uj=Varos, Szenyet Várallya.

3) Der Samoschköffer District, am Fluß Samosch, enthält

(1) Sathmar oder Szathmár=Némethi, eine königl. Freystadt, die eigentlich aus zwey Städten bestehet, welche sind Szathmár, auf einer Insel im Fluß Szamos und Nemethi, gegen über an dem einen Arm des Flusses belegen; beyde aber sind 1715 zu einer Stadt vereiniget worden. Die erste ist befestiget. 1534 wurden sie von des Kaisers Ferdinand I Truppen erobert, geplündert und in die Asche geleget; 1562 von den Osmanen belagert und angezündet, aber nicht erobert; 1564 vom König Johannes, 1605 vom Stephan Botskay, 1660 vom siebenbürgischen Fürsten Barskay, 1662 von den Kaiserlichen eingenommen; 1681 von den Osmanen belagert. 1646 hielten die Reformirten hieselbst einen Nationalsynodum. 1715 wurde hier ein Frieden geschlossen, der den Rakotzischen Unruhen ein Ende machte.

(2) Die Marktflecken Fejer=Gyarmath, am Samosch, Jánk, Matolcs, am Samosch, Tarpa.

4) Der Nyerer District, in welchem

(1) Ecsed, (Etsched,) ein adeliches Schloß, welches ehemals eine Festung war.

(2) Karoly, oder Nagy=Károly, ein weitläuftiger Marktflecken mit einem schönen Castel. Er ist mit einem
breit

breiten und tiefen Graben umgeben, und gehöret den
Grafen Karoly.

(3) Nagy=Majteny, ein alter Marktflecken, am
Fluß Krasna, eine Meile von Karoly.

(4) Szalka, ein guter Marktflecken.

5 Die Marmaroscher Gespanschaft, Mar-
mation, ung. Maramaros oder Marmaros
Vármegye, Maramarusiensis comitatus, wird durch
das karpatische Gebirge von Galizien und der Moldau getrennet, und wegen desselben ist sie ganz bergig,
ein kleiner Strich an der Teisse ausgenommen. Sie
bauet doch Getreide im Ueberfluß, hat gute Schafzucht und Wildpret.   Die Wälder sind erheblich,
wichtiger aber ist das Steinsalz, welches zu Rhonas-
zek ohnweit Szigeth, in 3 Grüben, und in länglichten Stücken von 50 bis 80 Pfunden ausgehauen wird.
Durch starken Regen werden von den karpathischen
Gebirgen allerhand edle Steine, selbst Diamanten,
herabgeschwemmet, und im Sande gefunden.   Sie
sind härter als die böhmischen.   Die Gespanschaft
hat Ungarn, Russen, Wlachen, und einige Deutsche zu Einwohnern, welche letzten vermuthlich Nachkommen der Sachsen sind, die um des Bergbaues
willen hieher gezogen worden.   Die Districte sind

1) Der obere District,   an der Moldauer
Gränze, ohne Städte und Marktflecken.

2) Der Kaßoer District, an dem kleinen Fluß
Kaßo, auch ohne Städte und Marktflecken.

3) Der Sigether District, in unterm Theil
der Gespanschaft, in welchem auch nur Dörfer sind.

4) Der

4) Der untere District, auf der Gränze der Ugotscher Gespanschaft, der auch nur Dörfer hat.

5) Die Herrschaft Botsko, in welcher

(1) Sigeth, Szigeth, ein Marktflecken, wo die Gespanschaftsgerichte und Provinzialversammlungen gehalten werden, und eine Salz=Niederlage ist.

(2) Hoszszu=Mezö, auf walachisch Kempilung, auf russisch, Dluhe Polje, Campus longus, ein Marktflecken an der Teiße, den oftmaligen Ueberschwemmungen ausgesetzet.

(3) Ur=Mezö, Campus dominorum, oder Korös=Mezö, ein Marktflecken.

(4) Bacsko, ein Pfarrdorf, woselbst ein Salz=Berg= und Gruben=Amt ist.

(5) Rhona Szék, ein Pfarrdorf, auch mit einem solchen Amt. Hier ist das Salzbergwerk.

6) Die Herrschaft Huszth, in welcher

(1) Huszth, ein auf einem sehr hohen Felsen belegenes von Natur und durch Kunst festes Schloß, unter welchem ein Marktflecken liegt. Nicht weit davon sind die Quellen der Teiße, unten am karpathischen Gebirge. 1556 nahmen die Siebenbürger das Schloß ein; und 1605 brachte es Stephan Botskav in seine Gewalt.

(2) Tetsö, ein Marktflecken an der Teiß.

(3) Visk, Vesk, ein Marktflecken, welcher deutsche Einwohner hat.

IX Das Caschauer Gebiet, in Oberungarn, von 5 Gespanschaften.

1 Die Zipser Gespanschaft, ungar. Szepes Vármegye, Scepusiensis comitatus, ist 10 geometrische Meilen lang und 6 breit, und hat ungefähr 28 Meilen im Umkreise. Sie ist fast ganz bergig und waldig, doch giebt es hin und wieder, insonder-

heit

heit in der Mitte, eine angenehme Ebene, fruchttra=
gende Aecker, Wiesen, und fischreiche Flüsse. Das
carpathische Gebirge, ist hier am allerhöchsten;
außer demselben aber sind zu merken der Ochsen=
berg, slawon. Wolowetsch, der Königsberg;
slawon. Kralowa Hora, welcher seinen Namen
von dem Könige Matthias Corvinus hat, der 1474
auf demselben gespeiset; der Magura, der Jhla,
der Reberg, oder Räuberberg, und der Bran=
sko. Der Leubitzer Wald ist auch merkwürdig.
Aus diesen Bergen entstehen folgende Flüsse: 1) der
Popper, (Poprad,) welcher aus dem Poppersee auf
dem westlichen Theile des karpathischen Gebirgs entstehet, und in Polen in den Fluß Dunawetz fällt.
2) Dunawetz, oder Dunajetz, entstehet aus den
mitternächtlichen Höhlen des karpathischen Gebirgs,
und ergießet sich in die Weichsel. 3) Die Kun=
dert, (Hernat, Hernadus,) entstehet unter dem
Königsberge, da, wo die Gömörer und Liptauer Gespanschaft an einander gränzen, und fließet in die
Teiß. 4) Gölnitz, entstehet auf dem Ochsenberge,
und fällt in den vorhergehenden. Andrer kleineren
Flüsse zu geschweigen. Die Luft ist hieselbst zwar
kalt, aber gesund. Wein wächset hier nicht, wohl
aber Getreide, als Weitzen, und sonderlich gute
Gerste, welche die beste in diesem Theil von Ungarn
ist. Erbsen wachsen hier auch sehr gut, und auf den
Flachsbau leget man sich gleichfalls stark. Die
Viehzucht ist auch gut. Von wilden Thieren findet
man Bären, Lüchse, wilde Schweine, Damhirsche,
Wölfe, Füchse, Murmelthiere, (Mures Alpini,)
Hasen und vornehmlich Gemsen, welche aber schwer

zu

zu fangen sind. Hirsche, Marder und Biber giebt es hier nicht. Auf die Bergwerke legen sich die Einwohner nicht viel, weil ihnen der Ackerbau bequemer ist; indessen wird doch Kupfer und Eisen gegraben. Die Einwohner sind Deutsche, böhmische Slawen, und Russen, unter den Edelleuten aber sind viele Ungarn. Die Grafschaft Zips kam unter K. Ferdinand dem dritten an die Csaky, und kurz vor 1671 theilten sich die Brüder Franz und Stephan in dieselbe. Des ersten Antheil ward 1671 an die königl. Kammer gezogen, weil er an der Tökölischen Unruhe Theil nahm. Dem andern Grafen ward 1690 seines Bruders ehemaliger Theil der Grafschaft überlassen, er trat aber an die königliche Kammer, sein Recht auf die Hälfte des Schmölnitzer Bergwerks, nebst den Oertern Schmölnitz und Stroß, und seine Hälfte des Markts Schwedler, ab. Die Obergespanwürde besitzet das gräfliche Haus Csaky erblich. Die Gespanschaft bestehet

,1) aus 3 Districten. Diese sind

(1) Der erste District, in welchem

a. Käsmark, ung. Kesmark, slaw. Kesmarek, welche auf deutsch auch Kaisersmark, lat. Caesareo-Forum, genennet wird, eine königliche Freystadt, am Popperfluß, ist eine der ältesten ungarischen Städte, und mit Mauern und Thürmen umgeben. Sie enthält drey Kirchen, und vor der Stadt ist eine evangelische Kirche und ein Gymnasium. Die Einwohner, welche größtentheils Deutsche sind, legen sich auf Handel, Ackerbau und Handwerker. Matthias Corvinus hat sich insonderheit um die Stadt verdient gemacht. Im hussitischen Kriege ist sie 1433 geplündert und eingeäschert worden. 1436 hielten hieselbst die polnischen und ungarischen Magnaten

eine

eine Versammlung. In den bürgerlichen Kriegen des siebzehnten Jahrhunderts ist sie oft eingenommen worden. 1576, 1720 und 21 brannte sie ab. Das alte Schloß ist zerstöret.

b. **Altdorf**, ung. O-Salu, ein Marktflecken.

. (2) **Der zweyte Bezirk**, in welchem

a. **Leutschau**, ungar. Lötse, slaw. Lewocza, eine königl. Freystadt, und die Hauptstadt der Grafschaft, auf einem Hügel, welche mit starken Mauern und zwölf Thürmen umgeben ist, eine schöne Kirche hat, welche dem heil. Jakob gewidmet ist, und ehemals ein Jesuiter-Collegium, welches jedoch die Minoriten besorgen, adeliches Gymnasium und Convictorium. Die Einwohner sind mehrentheils Deutsche. Heutiges Tages ist kaum ein Schatten von dem ehemaligen Ansehn der Stadt mehr übrig. Sie ist zuerst 1245 erbauet, und um deßwillen Leutschau genennet worden, weil hier anfänglich eine Warte gewesen, von welcher man die Leute geschauet, oder die herumstreifenden Tataren beobachtet hat. 1285 ward sie von den Tataren zerstöret, aber bald wieder aufgebauet. In den Jahren 1332, 42, 1432, 41, 1550 und 99 ist sie abgebrannt, 1600 von der Pest heimgesucht, 1601 von den Heyducken, und 1602 vom Sigismund Bathory geplündert, 1605 von den botskayschen Heyducken erobert, 1619 vom Gabriel Bethlen, hernach vom Georg Rakötzy, 1682 vom Tököly, und 1703 vom Franz Rakötzy eingenommen, I ßten aber 1710 wieder entrissen. 1494 wurde hier zwischen den Königen von Ungarn und Polen ein Vertrag geschlossen. Die Buchdruckerey, welche hier von der Breuerischen Familie angelegt worden, hat die Feuersbrunst von 1752 größtentheils vernichtet.

b. **Donnersmark**, Csörtökhely, Stwartek, Oppidum S. Ladislai oder Quintoforum, ein Marktflecken mit einem Nonnenkloster, der Stammort der Grafen Henkel, welche ehemals von demselben Domini Henkel de Quintforo hießen.

c **Cans-**

c. Gansdorf, (Johannsdorf,) Gánok, Gano=
wetz, ein Pfarrdorf, in dessen Nähe ein heilsames Sauer=
wasser entspringet.

d. Kapsdorf, Kaposztafalu, Brahischitze, ein
Pfarrdorf, bey welchem ein Berg ist, auf den sich die Ein=
wohner der Gespanschaft, wegen der Tataren, 3 Jahre
lang, nemlich bis 1245 aufgehalten haben.

(3) Der dritte District, in welchem

a. Gölnitz, ein volkreicher Markt= und Berg=Fle=
cken, mit einem Berg=Amt, am Fluß gleiches Namens.
Er hat ergiebige Eisen= und Kupfer-Bergwerke, einen Ei=
senhammer, eine Eisendrat=Fabrik, und viel Eisenschmie=
de. Er ist der vornehmste Ort der gräflich Tschakischen
Herrschaft.

b. Einsiedel, Remethe, ein Marktflecken, wel=
cher ergiebige Eisen=Gruben und ein Bergamt hat, am
Fluß Gölnitz.

c. Stoß, ein Markt= und Berg=Flecken, woselbst
gutes Eisen gegraben wird, und 3 Eisenhämmer sind.

d. Schwedler, ein Bergflecken, der reichhaltige
Kupferadern hat, und ein Bergamt.

e. Schmölnitz, Szomolnok, ein Bergflecken, der
deutsche Einwohner, und ein erhebliches Kupferbergwerk,
und eine Bergwerks=Administration hat. Der ganze hie=
sige metallreiche District um das Gebirge, ist von innen
und außen voll von Schwefelkies, daher das hiesige Ku=
pfer= oder Cement=Wasser, nicht nur innerhalb der Gru=
ben, sondern auch außerhalb überall hervorbricht, und viel
reichhaltiger, und Kupfer fallen zu lassen tüchtiger ist,
als das im Herrengrund. Man erzeuget jährlich bis tau=
send Centner Cementkupfer, es werden auch Kupfererze
in der hiesigen Grube gewonnen. Unter dem hiesigen
Oberamte, stehen die Bergwerke zu Schmölnitz, Stoos,
Schwedler, Einsiedler, Gölnitz, Krumpach, Wagen=
drüssel, Neudorf und Wallendorf, insgesamt in der Zipser
Gespanschaft, imgleichen Unter= und Ober=Metzenseiffen,
und Jassuo, in der Abanwarer Gespanschaft, Tobschan

2 Th. 8 A.   ll   und

und Rosenau, in der Gömörer Gespanschaft. Es wird auch an dieses Oberamt in Rechtshändeln von dem Nagy-Banyer Oberamt appelliret. In dem botskayschen Kriege 1604, wurde der Ort von den Heyducken in die Asche geleget.

f. Baldotz, ein Dorf, nicht weit vom Zipserhause, woselbst ein warmes Bad und ein Sauerbrunn ist.

g. Krumpach, Krombach, ein Pfarrdorf, am Fluß Hernath, welches seines vortrefflichen Eisens wegen berühmt ist, und der gräflich-zschakyschen Familie gehöret.

2) Aus der Provinz der sechzehn Städte oder Marktflecken, welche von der Gespanschafts-Gerichtsbarkeit ganz abgesondert sind. Bis 1775 hieß sie die Provinz der dreyzehn Städte und Marktflecken, wurde 1412 von dem ungarischen Könige Sigismund, an den polnischen König Wladislaw Jagello für 37000 breite böheimische Groschen verpfändet, und kam erst 1772 wieder an Ungarn, und zwar ohne Bezahlung des Pfand-Schillings. 1775 am zwanzigsten Februar wurden den sogenannten dreyzehn Zipser-Städten noch drey andere, welche bisher unter der unmittelbaren Gerichtsbarkeit des Lublauer Dominii gestanden hatten, einverleibet, nämlich Lublau, Pudlein, Kniesen, und die Provinz bekam nun den Namen der Sechzehn Zipser-Städte. Diese erhielten auch ein anderes Siegel, welches den kaiserlichen Namen und die Worte, Sigillum sedecim oppidorum scepusiensium, 1774, enthält; und dem besondern Grafen der Provinz, wurden drey Assessoren zugeordnet. Iglo ist nun der Ort der Provinzial-Versammlung. Die sechzehn Städte, liegen in der Grafschaft Zips zerstreuet, und sind eigentlich nur Marktflecken, wie

wie sie denn auch auf lateinisch nur Oppida genennet werden. Sie folgen also auf einander.

1) Bela, ein Marktflecken in einer angenehmen Ebene, nicht weit vom Popperfluß, welcher durch viele Feuersbrünste sehr beschädiget worden ist, sich aber doch wieder erholet, und wohlhabende Einwohner hat.

2) Laibitz, ung. Lebitz, slaw. Lubitza, ein Marktflecken an einem Bach gleiches Namens, welcher vor Alters mehr als viermal so groß gewesen, als er jetzt ist, da er ungefähr 200 Wohnhäuser enthält. Er ist insonderheit durch Feuersbrünste verwüstet worden; dergleichen 1659, 1680 und 1708 hieselbst gewütet haben. Die Einwohner ernähren sich theils vom Holzhandel, theils vom Ackerbau.

3) Menhardsdorf, slaw. Wrbowo, ein schlecht gebauter und bewohnter Marktflecken.

4) Deutschendorf, slaw. Poprad, ein Marktflecken, dessen Lage überaus angenehm ist; denn auf der einen Seite hat er den Fluß gleiches Namens, auf der andern aber eine große Ebene. Vor dem Brande 1718 war er vermögender, als jetzt. Marktfreyheit hat er erst 1774 bekommen. Die Einwohner leben vom Ackerbau.

5) Kniesen, Gnasna, Gnasdo, ein Marktflecken am Popperfluß, welcher Aecker hat, die nicht unfruchtbar sind.

6) Michelsdorf, slaw. Strasa, ein verfallener Marktflecken, welcher ehedessen im guten Flor gewesen.

7) Neudorf, slaw. Nowa Wes, ung. Iglo, Iglovia, von einigen Neocomium, ist unter allen diesen Marktflecken am besten gebauet und bewohnet, und hat ehemals Mauern gehabt. Er liegt am Fluß Hernath, und die Einwohner legen sich sowohl auf den Ackerbau, als auf die Bergwerke, wie sie denn aus den nahgelegenen Bergen Kupfer und Eisen graben. Jetzt werden hier die Versammlungen der Sechzehn Städte gehalten, es hat hier auch seit 1773 die königl. Administration der Sechzehn Städte, ihren Sitz.

Ll 2   8) Kis-

Es wird dem Matye über Kriege zu Asche ge-

wegen bei-
ihr gehört.

n Städte

is 1775 hieß
Marktflecken,
Sigismund,
e für 37000
th kam erst
Bezahlung
sten Februar

er unmittel-
unit gestan-

Namen
e hielten
etlichen Na-
ppidorum,
m besondern
ihrem zugeord-
Versamm-
er Grafschaft
Marktflecken,
mit

8) Risdorf, ungar. Ruszkonoß, slaw. Russinowcze, ein Marktflecken, in einer unfruchtbaren Gegend, dessen Einwohner sich mehrentheils vom Holzhandel ernähren.

9) Wallendorf, ung. Olaszy, slaw. Wlaßki, latein. Villa italica, Olaszium, ein Marktflecken, an einem kleinen Fluß, der sich in den Hornat oder Kundert ergießet. Er ist ehemals eine italienische, oder lateinische Colonie gewesen, wie die Namen desselben anzeigen; jetzt aber wird er von lauter Deutschen bewohnet. Das umher liegende Feld ist fruchtbar und angenehm.

10) Fülck oder Fölk, ung. Fülka, slaw. Welka, ein Marktflecken, welcher in Verfall gerathen ist, ob er gleich ein großes und fruchtbares Feld hat. 1773 verlor er 54 der besten Häuser durch eine Feuersbrunst.

11) Pudlein, ung. Podolin, slaw. Podolineß, ein Marktflecken am Popperfluß, in welchem guter Handel getrieben wird, und die P. P. piarum scholarum eine Schule angeleget haben. Das umherliegende Land ist nicht fruchtbar. Außerhalb ist eine Kapelle auf einem Hügel, welche der heil. Anna gewidmet, und der Wallfahrten, ingleichen einer heilsamen Quelle wegen, berühmt ist.

12) Kirchdorf, ung. Szepes Váralya, slaw. Podhrad, ein feiner Marktflecken, welcher unter dem Zipser Schloß liegt, und am Himmelfahrtstage einen ansehnlichen Jahrmarkt hat.

13) Matzdorf, ung. Matrhaeocs, slaw. Matejowacze oder Matejowze, Matthaei villa, ein Marktflecken am Fluß Popper, welcher unter andern 1718 fast ganz abgebrannt ist.

14) Georgenberg, ung. Szombathely, slaw. Spißka Szobota, Mons S. Georgii, ein Marktflecken, der am Popperfluß eine angenehme Lage, und zwar ein etwas kleines, aber doch fruchtbares Feld hat. Er ist zwar oft vom Feuer verwüstet, aber doch gut wieder aufgebauet worden.

15) Lublau, Lubowna, Lublyo, ein weitläuftiger und volkreicher Marktflecken, unter dem Schloß dieses

ses Namens, dessen Jahr- und Wochen-Märkte bekannt sind, und dahin Wallfahrten geschehen.

16) Duransdorf, oder Durlsdorf, slaw. Twarocʒna, ein Marktflecken, der ein weitläuftiges Feld, und güte Hölzung hat.

17) Zipser-Haus, ungarisch, ehedessen Scepus, jetzt Szepes-Vár, slaw. Sipski Samek, Scepusiensis arx, ein Schloß, von welchem die Gespanschaft benennet worden. Es liegt auf einem steilen Felsen, und ist von Natur und durch Kunst feste, die Mauern aber sind dem Einfalle nahe. Johannes von Zapolya ist auf demselben geboren. Im botskayschen Kriege 1604 hielt es eine Belagerung aus. 1703 wurde es von den Rakoʒyanern erobert, 1710 ihnen wieder entrissen; und jetzt gehöret es der gräfl. Tschakyschen Familie. Unter demselben liegt der Marktflecken Szepes Váralja, dessen oben gedacht worden, und nahe dabey auf einem Hügel das Kapitel der Domkirche des heil. Martins von Szepus, welches 1776 zu einem Bißthum erhoben worden, und der Sitz des Bischofs ist. Die Herrschaft Tschawnik, welche den Jesuiten gehöret hat, ist dazu geschlagen. Nicht weit davon ist eine versteinernde Quelle, und in einem Berge neben dem Schlosse ist eine Höhle, in welcher das Wasser des Winters flüßig ist, des Sommers aber gefrieret, so, daß man daraus Eis holet, um das Getränke zu erfrischen.

3) Aus dem Sitz der zehn Lanzenträger (sedes decem lanceatorum). Er hat den letzten Namen daher, weil die Edelleute dieser Landschaft den ehemaligen Königen mit Lanzen bewafnet, folgen mußten, so oft solches die öffentliche Wohlfahrt des Reichs, oder ein wider gemeinschaftliche Feinde unternommener Krieg, erforderte. Sie fochten aber nicht anders, als unter Anführung ihres Königs, und zunächst neben demselben, und waren also unter seinen vornehmsten Leibwächtern. Bela IV hatte ihre Vor-

Ll 3   rech-

rechte vermehret; sie haben ihren Vice-Grafen, und dieser hat einen Richter der Adelichen; mit den größern, oder untern Sitz, haben sie einerley Grafen. Der zerstreueten Flecken und Dörfer dieses Sitzes sind vierzehn, davon die merkwürdigsten:

1) Abrahamsdorf, Abrahamfalva, Abrahamowcze, ein starkbewohnter Flecken, der sehr fruchtbaren Acker hat.

2) Komarocz, bestehet jetzt nur aus einem Hause, hat aber einen guten Sauerbrunnen.

3) Horka, wo auch Sauerbrunnen sind.

4) Kiszocz, hat Sauerbrunnen von versteinernder Natur.

5) Bethlsdorf, Bethlehemfalva, war ehemals unter den Titeln der turzoischen Familie.

2 Die Scharoscher Gespanschaft, ungar. Saros-Vármegye, Sarosiensis comitatus, welche viele und hohe Berge enthält, und von Ungarn, böhmischen Slawen, Deutschen und Russen bewohnet wird. Sie bestehet aus 4 Districten, nämlich aus dem westlichen, nordlichen, östlichen und südlichen District.

1) Der Scharoscher oder westliche District, in welchem

(1) Zeben, ungar. Szebeny, slaw. Sabinow, Cibinium minus, eine kleine königliche Freystadt, am Fluß Tartsa, welche sich 1604 an die Botskayschen, und 1663 an die Osmanen ergeben mußte.

(2) Nagy-Saros, ein wohlbewohnter Marktflecken, mit einer Burg, wovon die Grafschaft den Namen hat.

2) Der

2) Der obere oder nördliche Diſtrict, in welchem

(1) Barthfeld, ungar. Bartfa, ſlaw. Bardiow, eine königliche Freyſtadt, (dazu ſie 1736 gemachet worden,) am Fuß des karpathiſchen Gebirges, welche ehedeſſen ſtark mit Wein nach Polen handelte, auch Webeiſtühle für ſeidene Bänder und Spitzen. leoniſch Gold und Silber hatte, und mit guten Sauerbrunnen verſehen, aber durch oftmalige Feuersbrünſte, von welchen die neueſte ſich 1774 zugetragen hat, in Armuth gerathen iſt.

(2) Berszevitze, ein adelicher Marktflecken.

(3) Siebenlinden, Hethars, Septemtiliae, ein adel. Marktflecken an den ſcepuſiſchen Gränzen.

(4) Palocſa, ein adelicher Marktflecken.

3) Der öſtliche oder Tapolyer Diſtrict, in welchem

Hanusfalva, ein Marktflecken.

4) Der untere oder ſüdliche Diſtrict.

(1) Eperies, ſlaw Breſſow, Eperieſenum, eine königl. Freyſtadt am Fluß Tartſa. Sie iſt mit Graben, Mauern und Thürmen umgeben, und der Sitz des höchſten Gerichts, des dieſſeits der Teiße belegenen Kreiſes, einer ehemaligen Reſidenz und Gymnaſium der Jeſuiten, und zweyer Klöſter. Die evangeliſch-lutheriſchen Stände legten hier in dem ſiebzehnten Jahrhundert ein Collegium illuſtre an, welches 1667 eingeweihet, in neuern Zeiten aufgehoben, 1751 aber mit der Kirche wieder hergeſtellet wurde. 1604 wurde ſie von dem Botſkay eingenommen. 1684 wurde Tököly hieſelbſt aus dem Felde geſchlagen, und in dem folgenden Jahre mußte ſich die Stadt den Kaiſerlichen ergeben.

(2) Somos, ein Marktflecken.

(3) Sóvár, Salzburg, ein Marktflecken, nahe bey Eperies, welcher Salzgruben hat; weil aber das Salz mit irdiſchen Theilen vermiſchet iſt, wird es in Waſſer aufgelöſet, und hierauf ausgekocht.

Ll. 4 3) Die

5) Die Herrschaft Makowitz, in welcher Gaboltho und Zbaro, Marktflecken.

3 Die Abaujwarer Gespanschaft, ungar. Abauj Var Vármegye, Abaujvariensis comitatus, hat Nahrungsmittel für ihre Einwohner an Ueberfluß, diese aber sind Ungarn, böhmische Slawen und Rußen, und in den Städten Deutsche. Sie bestehet aus fünf Districten, welche sind der kaschauische, füserische, zscherbatische, sißßoische und torner District. Der letzte ist 1781 dieser Gespanschaft einverleibet worden, aber ein besonderer kleiner Comitat gewesen, deßen Obergespanswürde der kegleritschischen Familie erblich gehörte.

1) Der kaschauer District.

(1) Kaschau, ung. Kasa, slaw. Kossice, Cassovia, eine königliche Freystadt und Festung, am Fluß Hernath oder Kunbert. Sie ist der Sitz der Gespanschaftsgerichte, einer 1657 gestifteten hohen Schule, eines Archigymnasiums und einer Cameral=Administration, hat auch ein wohlversehenes Zeughaus. Durch Ableitung des stehenden Waßers dieser Gegend in den Hernath, ist die Luft sehr verbeßert worden. 1400 wurde sie von den Polen vergebens belagert; 1535 nahm sie König Johann mit List ein; 1556 brannte sie ab. 1604 wurde die hiesige große und ansehnliche Pfarrkirche den Lutheranern genommen. Da nun noch andre Unterdrückungen dazu kamen, so schlugen sich die Kaschauer zur Partey des Stephan Botskay, welcher 1606 hieselbst starb. Nach seinem Tode kam die Stadt wieder in Kaiserl. Gewalt. 1619 ergab sie sich an Bethlen Gabor, 1644 an Georg Rakotzy, 1681 an Tököly, und 1685 an die Kaiserlichen.

(2) Enitzke, ein Marktflecken.

(3) Na=

(3) Nagy-Ida, ein Schloß auf einem erhabenen Ort, mit einem darunter belegenen Pfarrdorf, gehöret zum tschakischen Gebiet.

2) Der Füserer District, der lauter Dörfer begreift. Neben diesem ist

Uj-var, Aba-Ujvar, Neuburg, Arx nova, mit einem ehemaligen festen Schloß, welches der Statthalter Aba im 11 Jahrh. erbauet hat; aber jetzt nicht mehr vorhanden ist. Die Gespanschaft hat davon den Namen.

3) Der Tscherehater District, in welchem

(1) Jászszo, Jassau, ein festes Bergschloß, in welchem eine Prämonstratenser-Probstey und das Gespanschafts-Archiv zu finden. Im Thal liegt ein geringer Marktflecken. Es sind hier Eisen- und Kupfer-Gruben.

(2) Ober- und Unter-Metzenseif, Felsö es also Metzensöfi, sind zwey große Marktflecken einer alten sächsischen Colonie, welche Kupfer- und Eisen-Bergwerke bauen.

(3) Szepsi, Sepsi, ein Marktflecken, welcher ehemals mit einer Mauer umgeben gewesen ist.

4) Der Siksower District

(1) Göntz, ein Marktflecken, welcher ehemals ein prächtiges Schloß hatte, davon man nur noch Ueberbleibsel siehet.

(2) Szantho, Santho, ein Marktflecken.

(3) Szikszo, Sikso, ein Marktflecken, der einer zweymaligen Niederlage wegen, welche die Osmanen hieselbst erlitten haben, merkwürdig ist.

4 Die Torner Gespanschaft, Torna Vár-megye, Tornensis comitatus, liegt am Fuß des karpathischen Gebirges, ist unter allen ungarischen Gespanschaften die kleinste, und voller Berge, die aber nach Art des karpathischen Gebirges verschiedene natürliche Merkwürdigkeiten enthalten. Sie wird

Ll 5　　　von

von Ungarn bewohnet, unter welche aber Slawen und Russen gemischet sind, und in den obern und untern District abgetheilet. Die Würde eines Obergespans, gehöret der keglevitsischen Familie erblich.

1) Der obere District.

(1) Torna, ein offener Marktflecken, im Gebiet der Grafen Keglevich. Die Gespanschaft hat davon den Namen, und hält in demselben ihre Versammlungen. Das ehemalige Bergschloß bey demselben, ist auf Kaiser Leopolds Befehl geschleifet worden.

(2) Szad-var, ein Schloß auf einem sehr hohen Felsen, welches auf Befehl des Kaisers Leopold geschleifet worden. Es gehöret zum esterhazyschen Gebiet.

(3) Die Szádelóische Höhle ist groß, und enthält viele Knochen, und Merkmale, daß sie bewohnet gewesen sey.

2) Der untere District.

Er begreift 21 Dörfer. Merkwürdig ist

Szilitze, ein Dorf, welches einer wunderbaren Höhle wegen merkwürdig ist, die sich bey demselben in einem Berge findet. Die Gegend ist wegen der Hügel und Wälder unfruchtbar, die Luft rauh und kalt. Die Kluft der Höhle, ist nach Süden gekehret, und die Oefnung 18 Klafter hoch und 8 breit, folglich weit genug, den hier sehr stark und fast beständig wehenden Südwind aufzufangen. Ihre unterirdischen und felsichten Gänge erstrecken sich nach Mittag, weiter als jemand untersuchet hat. So weit man hinein kommen kann, ist sie 50 Klafter tief und 26 weit. — Das Wunderbare bey der Höhle ist, daß, wenn außen der Winter am strengsten, inwendig die Luft lau, und wenn die Sonne am heißesten scheinet, hier eiskalt ist. So bald der Schnee bey hereintretendem Frühling schmilzt, schwitzet aus der innersten Wölbung der Höhle, wo ihre äußere Fläche der Mittagssonne ausgesetzt ist, ein klares Wasser, das hin und wieder herabtröpfelt, und von der inwendigen Kälte in Eis verwandelt wird, davon

Zapfen,

Zapfen, so dick, wie große Fässer, herabhangen, sich in Aeste ausbreiten, und seltsame Gestalten bilden. Auch das Wasser, das von den Zapfen auf die sandichte Erde herabtröpfelt, gefrieret unglaublich geschwinde. Die Kälte nimmt immer zu, je heißer es außen wird, und in den Hundstagen ist alles voll Eis. Die Anwohner kühlen mit dem Eise des Sommers das laue Brunnenwasser ab, schmelzen es auch an der Sonne und trinken das Wasser. Gegen den Herbst zu, wenn die Nächte kalt werden, und die Luft kühler wird, fängt das Eis in der Höhle an, aufzuthauen, und bey eintretendem Winter ist alles Eis weg, die Höhle völlig trocken und gelinde warm. Alsdenn trift man in ihr Schwärme von Fliegen und Mücken, Haufen Fledermäuse und Nachteulen, auch Hasen und Füchse an, bis sie wieder bey angehendem Frühling voll Eis wird. Ueber der Höhle ist sehr hohe Erde, die, wo sie der Mittagssonne ausgesetzet ist, häufiges und fettes Gras trägt. Eine ausführlichere Beschreibung und physikalische Untersuchung dieser Höhle findet man im Hamb. Magazin. Band IV. S. 60 f. in einem übersetzten Aufsatz des gelehrten Matth. Bels.

5 Die Sempliner Gespanschaft, ungarisch, Zemplin Vármegye, Zempliniensis comitatus, hat Ungarn, Deutsche, böhmische Slawen und Russen zu Einwohnern, und vier Districte.

1) Der Groß Mihaler District, in welchem

(1) Bůtka, ein Marktflecken.

(2) Homonna, ein Marktflecken und Schloß, an einem angenehmen Ort, am Fluß Labortza.

(3) Groß-Mihal, Nagy-Mihály, ein feiner und wohlbewohnter Marktflecken, in einer fruchtbaren Gegend.

(4) Sztate oder Sztara, ein Marktflecken.

(5) Szina, ein Marktflecken.

2) Der

2) **Der Waranower District**, von 6 Marktflecken.

(1) Gall-Szécs, ein Marktflecken.

(2) Stropko, Stropkowe, ein Marktflecken, neben welchem ein Schloß ist.

(3) Terebes, ein Marktflecken, neben welchem ein
eingefallenes Schloß ist. Die Pauliner haben hier eine
Kirche und Kloster.

(4) Ujhely, Sator-Ujhely, ein wohlbewohnter
Marktflecken, an einem angenehmen Ort, woselbst vortreflicher Wein wächset.

(5) Varano, ein Marktflecken mit zwey Castelen.

(6) Zempleny, war ehemals eine feste Burg, nunmehr aber ist es ein Marktflecken, am Fluß Bodrog, von
welchem die Gespanschaft den Namen hat, und woselbst
die Ungarn ihr erstes Lager gehabt haben sollen.

3) **Der District, unterhalb des Gebirges.**

(1) Keresztur, ein ziemlich weitläuftiger Marktflecken, in einer fruchtbaren Gegend, welche ihres vortreflichen Weins wegen bekannt ist.

(2) Máda, ein Marktflecken.

(3) Megyaszo, ein Marktflecken.

(4) Patak, Sáros-Patak, ein wohlbewohnter
Marktflecken am Fluß Bodrog, welcher ehemals ein berühmtes rakotzysches Schloß hatte, und eine königliche
Freystadt war. Die ehemaligen Festungswerke sind geschleift. Die Jesuiten hatten hier ehedessen eben sowohl
als die Reformirten ein Gymnasium; das letze hat Sigismund Rakotzy nach der Vorschrift des Johannes Co-
menius, angeleget. Es wächset hier sehr guter Wein.

(5) Szerencs, ein Marktflecken, nebst einem Schloß
und Castel, in einer angenehmen und fruchtbaren Gegend.

(6) Tallya, Tarczfal und Tolcsva, sind drey
Marktflecken, die ihres köstlichen Weins wegen, welcher
dem Tokayer an Güte gleicht, berühmt sind.

7) Tokay

(7) Tokay, ein ansehnlicher Marktflecken, in einer angenehmen Gegend, bey dem Zusammenfluß der Teiße und des Bodrogs, hatte ehemals ein festes Schloß, welches aber im rakozyschen Kriege geschleifet worden. Es ist hier ein Gymnasium der P. P. piarum scholarum, und ein Kapuzinerkloster, am meisten aber ist der Ort seines köstlichen Weins wegen berühmt, welcher an Geschmack und Kraft alle ungarische Weine übertrift, doch gilt dieses eigentlich nur von dem Weine, welcher auf dem Berge Mézes=Málé, das ist, Honigseim, wächset. Es giebt vier Haupt=Arten des Tokayer Wein, nämlich die Essenz, (welche vor allen den Vorzug hat,) ein besserer und geringerer Ausbruch, und gemeiner Tokayerwein. Man bereitet auch in hiesiger Gegend aus sogenanuten Muscatellertrauben eine Art Muscatweins, und aus den schwarzen Trauben, einen rothen Wein. Alle Arten des Tokayerweins, sind nach dem Unterschied der Lage der Weinberge, sehr unterschieden, und die Weinberge, welche an der östlichen Seite liegen, liefern die besten Weine. Durch chymische Versuche weiß man, daß der Tokayerwein eine viel größre Menge ölichter, salzigter und geistiger Theile enthält, als alle übrige Weine, und daß ihm diese seine Stärke und Süßigkeit mittheilen. Die Essenz ist am süßesten, weil sie bloß aus den durch die Sonnenhitze ausgetrockneten Trauben bereitet wird. 1527 und 1534 haben die Ferdinandischen Truppen diesen Ort eingenommen; 1565 ward er abermals erobert; 1566 vom siebenbürgischen Fürsten Joh. Sigismund vergeblich belagert; 1598 brannte er ab. 1605 zwang ihn der Fürst Botskay zur Uebergabe, nach dessen Tode er sich wieder zum Kaiser Rudolph wendete, der ihn dem Grafen Georg Turzon schenkte. 1621 und 1624 wurde er dem Bethlen Gabor abgetreten, kam aber bald wieder in kaiserliche Gewalt. 1681 wurde er vom Tököly, und 1703 vom Rakotzy erobert.

4) Der

4) Der Insel District.

(1) Kiraly Helmetz, ein Marktflecken.

(2) Lelesz, ein Marktflecken, woselbst eine Probstey der Prämonstratenser ist, und in dem Schloſſe wird das Archiv der Geſpanſchaft verwahret.

X Das Temeſcher Gebiet. Es iſt aus dem ehemaligen Temeſchwárer Banat entſtanden, welches 445 deutſche Quadratmeilen groß war, zwiſchen den Flüſſen Donáu, Teiße und Maroſch und hohen Gebirgen lag. Die letzten, welche als eine Fortſetzung des karpathiſchen Gebirges angeſehen werden, und deren höchſte Spitzen Samnik und Jurluk heiſſen, trennetet es von Siebenbürgen und der Walachey. Die kleineren Flüſſe, welche es durchfließen, vereinigen ſich entweder mit der Temes, oder mit der Donáu; die Temes aber, welche ſelbſt zu den kleineren Flüſſen gehöret, kommt von dem vorhergenannten Berge Semnik. Dieſe Flüſſe treten oft aus, und hinterlaſſen Sümpfe und Moráſte, die zum Theil eine anſehnliche Ausdehnung haben, und wegen ihrer faulen Ausdünſtungen der Geſundheit der Menſchen ſchädlich ſind, hingegen Torf liefern. Die Wälder enthalten Eichen, Büchen, Birken, Fichten, Linden und Lerchen-Bäume. An Baumfrüchten hat man inſonderheit Kirſchen, Pfirſichen und Pflaumen, und aus den letzten wird ein Getränk bereitet, welches man Raky nennet. Der Wein, welcher hier gebauet wird, iſt angenehm und geſund, bleibet aber nicht leicht über ein Jahr lang gut. Das ebene und trockene Land, iſt ſehr fruchtbar an allerley Getreide, man hat auch mit dem Reis in ſumpfichten Gegenden gut

gut gelungene Versuche gemachet. Tabak, Hanf, Waid und Färberröthe, gedeihen gut. Es wird viel Hornvieh gezogen, und zum Theil aus dem Lande getrieben. Die Schafheerden sind stark; die Eichen- und Buchen-Wälder sind für die Schweine-Mast vortheilhaft. Honig und Wachs sind häufig, es wird auch viel Seide gebauet. Wildpret und Fische hat man überflüßig. Die meisten Flüsse und Bäche führen in ihrem Sande Goldkörner, es liefern auch die Bergwerke Gold, Silber, Kupfer, Bley und Eisen. Die gesammten Bergwerke sind unter vier Berg-Reviere oder Berg-Aemter vertheilet, welche sind das Bogschaner mit Reschitza, das Orawitzaer, Dognatzkaer und Saskaer, zu welchem letzten auch der Bergflecken Moldova gehöret. Zu Temeschwar ist die Bergwerks-Direction.

Die Einwohner sind Raitzen, welche sich selbst Sribl, das ist, Serbier, nennen, Wlachen, Bulgaren, Deutsche, Zigeuner, auch Ungarn, Juden, italienische und französische Colonisten. Insonderheit seit 1763 haben sich viele tausend deutsche Familien hieher begeben, und das Land anbauen geholfen, daher die deutsche Nation fast den vierten Theil der Einwohner ausmachet.

Das Land gerieth 1552 unter die Bothmäßigkeit der Osmanen, welche es erst 1716 wieder verloren, und im Passarowitzer Frieden dem Kaiser abtraten, worauf der Feldmarschall Graf Fr. Mercy von Argenteau demselben eine neue Einrichtung gab. Die Osmanen verwüsteten 1738 einige Districte fast gänzlich, als es aber 1739 im Belgrader Frieden dem östreichischen Hause bestätiget worden, (doch so, daß die

die Osmanen den Szörenschen Banat oder District behielten) führte der Baron von Engelshofen den Merchschen Plan zum Anbau des Landes aus. Gleich nach seiner Wiedereroberung, wünschten die Ungarn, daß es ihrem Königreich wieder einverleibet werden mögte, man fand aber dieses damals zu Wien nicht für gut, sondern der Banat ward als eine königliche Domaine angesehen, und nicht mit Ungarn verbunden; allein 1779 ward es Ungarn einverleibet, und in 3 Gespanschaften vertheilet, welche nun mit der Bacser Gespanschaft das Temescher Gebiet ausmachen.

1 Die Temeschwarer Gespanschaft, welche aus 4 Districten bestehet.

1) Der Temeschwarer District, enthält

(1) **Temeschwar,** ung. Temesvár, lat. Temna, Temesvarinum, eine regelmäßige Festung und schön gebauete königl. Freystadt am Fluß Beg, zwischen den Morästen, welche derselbige verursachet, der Sitz des General-Commando, des Tschanader Domkapitels, und eines griechisch unirten Bischofs, der jährlich 16000 fl. Einkünfte hat. Bey der Stadt ist ein festes Schloß. Sie hat meistens deutsche Einwohner, die Straßen sind breit und gerade, und die Häuser fast insgesammt nach italienischer Art gebauet, aber die Luft ist ungesund. In der Fabrikenvorstadt oder Josephsstadt sind Manufacturen, in welchen die einheimische Seide verarbeitet wird. Diese Stadt war schon unter König Karl dem ersten im 14ten Jahrh. volkreich und fest. Das Schloß wurde 1445 erbauet, und nachher von Zeit zu Zeit mehr befestiget. 1551 ward sie von den Osmanen vergeblich belagert, 1552 aber eingenommen; 1596 und 1597 von den Siebenbürgern fruchtlos angegriffen; 1690 von den Kaiserlichen eingeschlossen, 1716 aber vom Prinz Eugenius erobert. 1742 wurde sie eine königl. Freystadt.

(2) Die

.(2) Viele Dörfer.

2) Der S. Andreas-District, in welchem Szent Andras, oder Sanct Andreas, Schön-dorf, Engelsbrunn, und andere große und wohlgebauete Dörfer.

3) Der Lippaer District, in welchem

(1) Lippa, Lipova, eine Festung und Marktflecken, am Fluß Marosch, welche Karl Robert zuerst befestiget, Markgraf Georg zu Brandenburg aber durch neue Voll-werke und andre Befestigungen verstärket hat. Die Ein-wohner sind Raitzen und Deutsche. 1551 nahmen die Os-manen diese Festung ein, sie ward ihnen aber in eben dem-selben Jahr wieder weggenommen. 1552 verließ sie der kaiserliche Commendant aus Furcht, und zündete sie an, die Osmanen aber löschten das Feuer, besetzten und behiel-ten sie bis 1595, da sie ihnen von den Siebenbürgern ab-genommen, und als diese sich auf die türkische Seite schlugen, 1603 von den Kaiserlichen erobert wurde. 1614 gieng sie abermals verloren, und 1688 wurde sie wieder erobert.

(2) Viele Dörfer, als Gutenbrunn, Neudorf, Charlottenburg, u. a. m.

4) Der Werschetzer District, in welchem

(1) Versetz, Weschetz, ehedessen Vetgenye, ein Marktflecken. Er liegt am Fuß des gleichnamigen Berges, hat an tausend Häuser, bauet Wein und Seide. Hier wohnet der griechische Bischof von Caransebes.

(2) Csakovár, Denta, an einem Kanal, der aus der Temes hieher geleitet worden, Morawitza, und an-dere beträchtliche Dörfer.

2 Die Torontaler Gespanschaft, die aus-getrocknete und urbar gemachte Moräste, fruchtbare Ebenen, und einträgliche Wälder hat. — Sie ist in 4 Districte abgetheilet.

1) **Der Groß Sanct Mikloſcher Diſtrict,** in welchem

(1) Nagy Szent Miklos, ein Marktflecken.

(2) Viele und große neue Dörfer, die von deutſchen bewohnet werden.

2) **Der Betſchkerer Diſtrict,** in welchem

(1) Nagy-Becskerek, ein Marktflecken am Fluß Bega, mit einem verfallenen Schloß.

(2) Viele Dörfer.

3) **Der Ratz-Caniſcher Diſtrict,** in welchem

(1) Ratz-Kaniſa, ein volkreicher Ort.

(2) Viele Dörfer.

4) **Der Uypetſcher Diſtrict,** in welchem

(1) Uj-Pécs, ein volkreicher Ort.

(2) Viele andere Dörfer.

3 **Die Kraſchower Geſpanſchaft,** welche bergig und waldig iſt, und gute Bergwerke hat.

1) **Der Lugoſcher Diſtrict,** in welchem

(1) Lugos, ein Marktflecken, von 900 Häuſern, am Fluß Temes, zwiſchen Wäldern, iſt ehemals befeſtiget geweſen. Er hat Deutſche, Raitzen und Wlachen zu Einwohnern. Auf den umher liegenden Kalkhügeln wächſet Wein.

(2) Kraſſova oder Karaſſowa, ein gut gebauetes Dorf, von welchem die Geſpanſchaft den Namen hat.

(3) Reſitza, ein Dorf, in deſſen Eiſenwerken Töpfe, Bomben, Kugeln und andere eiſerne Sachen gegoſſen werden.

2) **Der Kapolnaſcher Diſtrict,** in welchem

(1) Kapolnas, ein Dorf.

(2) Die Dörfer Valcamare, Koſſova, Saſcet, mit einem verfallenen Bergſchloß, Boszur oder Boſſur, u. a. m.

3) Der

3) **Der Orawitzer District,** in welchem

(1) **Oravicza,** ein Bergflecken, in einem Thal, der Hauptort, der in dieser Gespanschaft und in den Militär = District befindlichen Bergwerke, die sehr gutes Kupfer liefern. Die Einwohner sind meistens Deutsche.

(2) **Dognaska,** ein Bergflecken, bey welchem man Kupfer= und Bley=Erz, die Silber enthalten, und Eisen gewinnet. Es ist hier ein Bergamt.

(3) **Bogsán,** Bogschan, ein Dorf am Fluß Bersowa, welches Eisenhämmer und Schmelzöfen hat. Der Eisenstein wird von Dognaschka hieher gebracht.

4) **Der Caranschebescher District,** in welchem **Caransebes,** ein Marktflecken, am Fluß gleiches Namens, welcher ehemals schöner und ansehnlicher war, und durch die große Niederlage von türkischen Waaren, die von hier zu Lande nach Siebenbürgen gebracht wurden, in Flor kam. Der von diesem Ort benannte griechische Bischof, wohnet zu Versetz. Der Ort ist eine römische Colonie gewesen.

5) **Der Bultscher District,** von einem Dorf benannt.

4 **Die Batscher** u. **die Bogroder Gespanschaft,** liegen an der Donau bis dahin, wo sie die Teiße aufnimt, sind voller Moräste und Sümpfe, und ohne Holz, an dessen statt Schilf und der gedörrete Koth des Rindviehes gebrannt wird. Die Römerschanze, ist ein bewundernswürdiges Werk der Römer, welches sich von der Donau bis an die Teiße, verschiedene Meilen lang also erstrecket, das ihre Vorder= Seite gegen Nordwesten, der Rücken aber gegen den Winkel, den die beyden Ströme machen, gekehret ist. Vor jener war ein tiefer Graben, der nun eine Wiese ist. Hier haben die Römer vermuthlich einen Schifbau gehabt,

Mm 2   denn

denn man hat am Ufer aus dem Schlamm, und hin und wieder aus der Erde, viele römische rostra, Anker, und mancherley Werkzeuge, hervorgezogen, die zu Tittel in dem Zeughause verwahret werden; man findet auch zuweilen Waffen, Münzen und andere römische Dinge in diesem Winkel. In demselben wohnen auch heutiges Tages die Tschaikisten, oder österreichischen Schif-Soldaten auf der Donau, welche nach dem vollzähligen Fuß 1113 Köpfe ausmachen, und einen Obristen zum Befehlshaber haben. Sie sind mit einem Pallasch, einer kurzen Flinte, und zwey kleinen Pistolen, bewafnet, sehr kühne Schifleute, lauter Illyrier und Wlachen, von der griechischen Kirche, und ihr Obrister ist allezeit von der illyrischen Nation. Ihr Bezirk erstrecket sich nicht ganz bis an die Römerschanze, sondern von der Donau an, da wo Carlowitz lieget, in einer schrägen Linie bis an die Teiße, doch so, daß Sablia mit eingeschlossen ist.

Es werden diese Gespanschaften in 3 Districte getheilet.

1) **Der obere District,** enthält

(1) Zombor, Sambor, seit 1751 eine königl. Freystadt, in welcher eine königl. Cameral-Administration ist, weil die beyden Gespanschaften größtentheils der königl. Kammer zugehören. Die Einwohner sind größtentheils Raitzen.

(2) Baya, ein volkreicher Marktflecken.

(3) Apatin, ein Marktflecken, der von Deutschen bewohnet wird.

2) **Der untere District,** in welchem

(1) Neusatz, ehedessen die Peterwardeiner-Schanze, weil sie gegen Peterwardein in Slavonien über liegt.

Sie

Sie ist seit 1751 eine bemauerte königl. Freystadt, mit guten Häusern bebauet.

(2) Bács, Bats, ein Marktflecken, eine Meile von der Donau, in einer fruchtbaren Gegend, den meistens Raitzen bewohnen. Das von demselben benannte Bistum, ist schon seit den 12ten Jahrh. mit der Colotser Bistum vereiniget.

(3) Futak, ein nahrhafter Marktflecken, von Raitzen und Deutschen bewohnet.

(4) Uj-Palanka, ein Pfarrdorf, welches ehedessen von den Osmanen mit einem Graben und einer Schanze versehen worden, die aber nicht mehr vorhanden sind.

3) Der Teißer District, in welchem

(1) Szent Mária, Szabadka, seit 1779 Theresien-stadt, Theresianopolis, und eine königl. Freystadt an der Teiße. Sie hat Ungarn und Raitzen zu Einwohnern.

(2) Szentha, Zentha, ein Marktflecken, bey wel-chem die Osmanen 1696 in einer großen Schlacht über-wunden worden.

(3) Becse, ein wohlgebaueter Marktflecken, an der Teiße.

(4) Kanisa, ein Marktflecken, der mit dem Ort gleiches Namens in der Salader Gespanschaft nicht ver-wechselt werden muß.

(5) Titul oder Tittel, ein oben schon genannter Ort, der ehedessen ein nun verfallenes Bergschloß zum Schutz hatte. Hier sind Schifzimmer = Werfte, ein Zeug-haus und andere Vorrathshäuser, für den Schifbau; es wohnet hier auch der Stab der Tschaikisten.

Die

Die militärischen Gränz-Districte in Kroatien und Slawonien, gegen das osmansche Reich.

1. In Kroatien.

Das General-Commando ist in der Stadt Carlstadt, welche oben in Ungarns Agramer Gebiet, und zwar in der Severiner Gespanschaft, beschrieben worden. Es stehen unter demselben folgende Regimenter und Soldaten-Bezirke.

Das Ogulinsche Regiment, welches seinen Namen von der Burg und dem Schloß Ogulin hat, woselbst der Stab lieget. Thuin, ein altes Schloß. Zwey Stunden davon ist der hohe Berg Klek, den man zu Zagrab sehen kann. Modrusse, oder Medusch, war ehedessen ein berühmter Ort, und hat viel Alterthümer.

Das Szluinische Regiment, wird von dem zerstörten Schlosse Szluin benannt, es liegen auch im Umfange seines Bezirks noch andere alte wüste Schlösser und Castele. Der Stab des Regiments lag sonst zu Barilovich, ist aber von dannen nach Carlstadt beleget worden.

Unter den Oertern, in dem Bezirk dieser Regimenter, ist auch Plasco oder Plasky, woselbst ein griechischer nichtunirter Bischof wohnet, der sich episcopum partium Carolostadiensium et Segniensium, nennet.

Das Likanische Regiment, hat seinen Stab zu Goszpich. Zu den alten und vornehmsten Schlös-

Schlössern, gehören, Osztervicza, in dem Dorfe Pazarische, Bussin, welchen Namen einige Oerter führen, Kercsmar, ehedessen Kercs, Grachacs, der Sitz des Obristen des Gränz-Husarenregiments.

Das Corbauische Regiment, hat seinen Stab zu Bunich. Es ist hier ein alter Ort, Namens Udbina oder Udvina, dergleichen auch bey Carlstadt liegt. Die Schlösser Podlopach, Verpila, und andere mehr.

Der District des Likanischen Regiments, ist bergig und unfruchtbar; der District des Corbauischen Regiments aber, hat fruchtbare Aecker und Weiden.

Des Ottochaczischen Regiments Stab liegt zu Ottochacz, welches ehedessen eine Stadt war. Das Schloß Prosor, liegt auf einem hohen Berge. Das Schloß Gaczky, war ehedessen eine Abtey.

Die Banalischen Confinien, sind 1750 eingerichtet worden. Sie gränzen gegen Osten an das Grabiskaische Regiment in Slavonien, von welchem sie durch die Flüsse Sztruga und Save geschieden werden; gegen Mittag an den Fluß Bunna, und an das osmanische Gebiet, an Perna, an den Fluß Glin bis Kosje oder Kosibrob; gegen Westen an das Generalat Carlstadt, an die Zagraber Gespanschaft und an die Thopuszkische Abtey, gegen Norden an die Flüsse Glin, Kulpa, Save 2c. Es liegen in demselben zwey Infanterie-Regimenter, nämlich das Glinische und Kostoniczische, und ein Husaren-Regiment.

Im Bezirk des Glinischen Regiments, sind die Oerter Glina, Szrachicze, Perna, u. a. m.

Der

Der Stab liegt zu Petrina, welchen geräumigen Ort ehedessen die Osmanen 1592 angeleget haben, und der seinen eignen Bezirk zwischen den Flüssen Petrina und Kulpa hat.

Im Bezirk des Kostaniczischen Regiments, ist Kostanicza, der Sitz des Obristen, und eines Bischofs der nichtunirten griechischen Kirche, der sich von Carlstadt benennet. Ueber diesem Ort liegt auf einem Berge ein Schloß, welches ehedessen die Festung Ded hieß. Es gehören auch diesem Regiment die Oerter Jeszenovecz, Dubicza an der Wunna, Zrin, Gvozdanszko, Divusse, dahin stark zu der heil. Catharina gewallfahrtet wird, Pedel, ein Schloß, Comogovina, Chultich, und andre Dörfer. Es giebt auch Schlösser hieselbst, als alt Petrina, Vinodol, Pecski, S. Clemens, Budichina, und andere.

In den Bezirken des Kreutzer = und Sanct Jürgen = Regiments, sind die vornehmsten Oerter:

1) Caproncza, eine königl. Stadt und Festung. Bald nach 1546 ward hier eine Hauptmannschaft zur Beschützung der Gränze errichtet. Hernach ist das Generalat von Warasdin hieher geleget worden, und so lange hier geblieben, bis 1756 Bellovar angeleget worden.

2) Jagnodovecz, ehedessen Küvar, ein Castel, eine Stunde von Caproncza.

3) Gyurgyevecz, Castellum S. Georgii, ein Castel, von welchem eines dieser Regimenter seinen Namen hat.

(4) Dernje und Virje, Castele.

(5) Chasma, ein Marktflecken, in welchem der König Coloman begraben liegt. Er ist am Fluß gleiches Namens.

mens. Ehedessen war hier ein Kapitel, es hatte auch der Bischof von Zagrab hieselbst eine Residenz. Die Urkunden gedenken von 1232 an eines alten und neuen Chasma.

(6) Ivanich, eine Festung, welche mit dem bischöflichen Ort gleiches Namens nicht verwechselt werden muß

(7) Pitomacha, Camarcha, Kloster, von einem ehemaligen Kloster benannt, Racsa, woselbst Münzen der alten slavonischen Könige gefunden worden, Czirkveno, und andere Oerter.

(8) Bellovar, ein 1756 angelegter fester Platz, woselbst das kroatische Generalat seinen Sitz gehabt hat, als es von Warasdin hieher verleget worden; und hieselbst so lange blieb, bis 1786 das Generalat den Carlstädter General-Commando untergeben wurde.

Die Slavonischen Confinien, welche auch der District Sumberg oder Sichelberg genannt werden, der von einer Burg den Namen hat. Hier giebt es unirte Griechen.

2. In Slavonien.

1 Das Generalat bestehet aus dem Peterwardeiner-Broder- und Gradiskaner Regiment, die einige Festungen und Confinien besetzt halten. Die merkwürdigsten Oerter, sind folgende

1) Peterwardein, Péter-Vára, eine starke Festung an der Donau, welche 1526 von den Osmanen erobert, 1687 von ihnen verlassen, und von den Ungarn besetzt, 1616 aber noch merkwürdiger wurde, als die Christen in der Gegend derselben unter dem Commando des Prinzen Eugenius von Savoyen, einen wichtigen Sieg über die Osmanen erhielten.

2) Carlovicz, ein Marktflecken an der Donau, in welchem der griechische Patriarch der illyrischen Nation seinen

Sitz hat, seitdem er 1740 von Belgrad hieher gezogen
ist 1776 war hier eine Kirchenversammlung der Bischöfe
der illyrischen Nation, unter dem Vorsitz eines kaiserlichen Commissarius, auf welcher das Kirchenwesen dieser
Nation ganz umgeschmolzen und verbessert wurde. 1699
wurde nahe bey Carlowicz ein Conferenzhaus mit vier
Thüren für die kaiserlichen, osmanschen, polnischen
und venetianischen Gesandten erbauet, die hier einen
Waffenstillstand auf 25 Jahre schlossen. Jetzt ist dieses
Gebäude eine Kapelle, genannt Maria Frieden.

3) Szalankamen, ein Marktflecken an der Donau;
mit einem Schlosse, gegen welchem über die Teiße in die
Donau fällt. 1691 erhielten die Christen hieselbst einen
wichtigen aber blutigen Sieg über die Osmanen. 1716
fiel in hiesiger Gegend abermals eine Action zwischen beyden vor.

4) Zemlin, Semlin, Singidon, ein Marktflecken,
beym Einfluß der Save in die Donau, und unweit
Belgrad. Er war ebedessen ein geringer Ort: nachdem
aber Belgrad unter die osmanische Bothmäßigkeit gerathen ist, haben die meisten christlichen Familien diese
Stadt nach und nach verlassen, und sich hieher zu wohnen
begeben. Solchergestalt ist er bis auf 300 Feuerstellen
angewachsen. Weil denselben alles berühren muß, was
sowohl auf der Donau, als auch zu Lande, aus dem osmanischen Reich und Levante über Belgrad nach Wien
gehet: so ist hier ein Gesundheitsrath verordnet worden,
um zu verhüten, daß die Pest nicht aus der Levante nach
Ungarn und Oestreich gebracht werde. Dieser Gesundheitsrath läßt also alle türkische und morgenländische Waaren, ja sogar alle Handbriefe öffnen, beräuchern, und
etliche Tage an die freye Luft legen; alsdenn wird sein
Siegel ausgedrückt, und die Sachen werden weiter versendet. Hier müssen auch alle Reisende die Hälfte der
Quarantaine halten. Die zweyte Hälfte der Quarantaine
muß 3 Stunden von hier zu Panorka gehalten werden.

5) Cupinova, ein fester Platz an der Save.

6) Ra-

6) Ratscha, eine Festung auf einer Insel beym Zusammenfluß der Save une Drina.

7) Grusvicza, ein Castel bey dem Einfluß der Bosna in die Save. Hier ist ein Wachtthurm.

8) Brod, eine kleine Festung mit einem Marktflecken, an der Save. Hier ist ein Wachtthurm.

9) Alt=Gradiska, ein befestigter Marktflecken, auf beyden Seiten des Flusses Save. Der Fluß Struga scheidet hier das Militare und Provinciale.

2. Die Confinien. Von den drey Gränz=Regimentern zu Fuß, hat das Gradiskische seinen Stab zu Neu=Gradiska, und begreift die so genannte kleine Walachey, die Abtey Belasztena, Kralieva Velika, (welchen Ort man mit der Herrschaft Velika nicht verwechseln muß,) u. a. m. Der Stab des Brodischen Regiments, liegt zu Vincovcz, am Fluß Bosut. Das Peterwardeinische Regiment, begreift die Herrschaft Semlin fast ganz, und die ehemalige Herrschaft Mitrovicz, mit dem Marktflecken dieses Namens an der Save.

Die Gränzen sind bey Tag und Nacht mit Schildwachen also besetzet, daß einer von den andern nur einen Büchsenschuß stehet. An gewissen Oertern, wo der Uebergang leicht ist, sind auch Thürme, entweder von Steinen, oder von Holz, welche Cserdaken und Kullen genennet werden, und eine kleine Besatzung haben.

Der

Der Temeſchwarer Diſtrict der Gränz-Soldaten.

Er nimmt den untern Theil des ehemaligen Banats ein, iſt guten Theils moraſtig, hat aber in der Mitte fruchtbare Ebenen, und an der Seite der Wallachey, Berge, die Kupfer, Bley und Eiſen liefern. Er begreift überhaupt 158 bewohnte Oerter. In demſelben ſind folgende alte Feſtungen, die zum Theil Marktfreiheit haben.

1) Pántſova, Pantſchowa, ehedeſſen Pannua, ein gut gebaueter und bewohnter Ort an der Temes. Hier ſind Contumaz-Anſtalten.

2) Uj-Palanka, Neu-Palanka, da wo der Fluß Karaſch ſich mit der Donau vereiniget, in einer fruchtbaren Ebene.

Nicht weit von hier ſind die Trümmer des ehedeſſen berühmten Schloſſes Horom, zu ſehen. Von hieraus ſiehet man auch Wege, welch　　r in Felſen eingehauen haben, und die ſich an der Donau, von Moldowa und Columbaz, bis Taktalia und Poletin erſtrecken.

3) Alt-Orſova oder Orſchowa, vor Alters Urſava, beym Einfluß der Tſcherna in die Donau, ein Ort, der ſchon unter den Römern eine beträchtliche Feſtung war.

4) Meadia, Mehadia, im 13ten Jahrhundert Mihálá, ehedeſſen eine gute Schanze.

Eine Meile davon, in einem engen und langen Thal, wo der Fluß Tſcherna von dem Berge Morarut herabrauſchet, und die Krajowa und Belarega aufnimmt, iſt der Ort, den die Römer ad aquas nenneten. Es ſind daſelbſt zehn, theils warme, theils heiße

heiße Quellen und Bäder, welche nach Salz schme-
cken, und nach Schwefel riechen, das trübe Kalkbad
ausgenommen. Nicht weit von demselben sind 2
Soldaten-Casernen, und eine dritte für die Kranken,
auch ein Wirthshaus, ein paar Schuppen, und eine
katholische Kapelle. In dieser Gegend hat man unterschiedene alte römische Sachen, auch Münzen gefunden. Auf dem Räuberberge, ist eine merkwürdige
Höhle.

In diesem District sind auch zwey Bergflecken,
nämlich,

1) Moldova, an der Donau, vor einer Insel gleiches Namens. Er ist von der Klissura umgeben, und
war ehedessen eine erhebliche Festung, ist aber jetzt ein
sehr geringer Ort, von Raitzen bewohnet.

2) Neu-Moldova, oder Bosnick, ein neuer von
Deutschen und Wlachen bewohnter Ort, eine keine halbe
Meile von jenem Ort. In der Nähe desselben ist ein erz-
haltiges Gebirge, das insonderheit Kupfer und Bley
liefert, welche Metalle in den beyden Schmelzhütten, bey
Neu-Moldava geschmolzen werden. Daß die Römer hier
schon Bergwerke gehabt haben, zeigen die aus der Erde
gegrabenen Inschriften und Grabmäler. Vermuthlich war
hier der Sitz der Colonie Centum putea.

3) Saßka, in einem Thal, an einem Bach, woselbst
Kupfer und Bley gewonnen worden, auch Cementwasser
sich findet. Die wallachischen Häuser sind sehr geringe,
die deutschen sind besser.

Zu Kubin, sind Contumaz-Anstalten. Hier hat
das alte Schloß Kevee gestanden.

Das Großfürstenthum
Siebenbürgen.

§. 1.

Sebastian Münster hat schon eine Charte von
Siebenbürgen geliefert. Nach demselben
stellte Johannes Sambucus, ein Ungar, 1566 zu
Wien eine bessere an das Licht, welche Ortelius in
seine Sammlung von Landcharten aufnahm, und
Gerhard Mercator umarbeitete und verbesserte. Dieses Charte gaben sowohl Wilhelm und Johann
Blaeu, als Johann Jansson unter ihren Namen
heraus. Coronelli machte schon eine bessere, und
Joh. Marandi Visconti ließ gegen das Ende des
17ten Jahrhunderts zu Hermannstadt in Siebenbürgen eine noch bessere in Kupfer stechen, die auf
2 Bogen abgedruckt wurde. Nun nahm Fried.
Schwanz das Land auf, und widmete seine Charte
dem Kaiser Karl dem sechsten. Matthaeus Seuters
Chärte, verspricht beym ersten Anblick etwas gutes,
welches aber bey der genauern Untersuchung verschwin-
det. Etwas besser ist diejenige, welche Joh. Bapt.
Homann aus Müllers großen Charte von Ungarn,
Siebenbürgen ıc. zog, und Schmeizel hernach etwas
vollkommener machte. Die Charte, welche vor
Kreckwitz Beschreibung Siebenbürgens steht, ist sehr
unrichtig, und diejenige Charte, welche Stephan
Losonz

Lósonz seinem Buch Harmas Túkör genannt, bey-
fügte, hat viel Fehler. Von 1769 bis 1773 haben
16 Kaif. Kön. Officiere eine genaue Charte von diesem Lande aufgenommen, die aber nicht durch den
Stich bekannt gemacht worden. 1780 hat die
Gesellschaft Naturforschender Freunde zu Berlin, des
Herrn von Fichtel Nachricht von den Versteinerun-
gen in Siebenbürgen, eine Charte beygefügt; die
ihr mit der Versicherung zugesendet worden, daß sie
vorzüglich richtig sey, und die der Verleger des
Buchs hat in Nürnberg in Kupfer stechen lassen. Sie
übertrift auch in der That alle vorhergehenden, und
verdienet also auch gekauft zu werden; sie hat aber
doch auch Mängel und Fehler. Die größten Mängel sind, daß sie keine Grade der Länge und Breite
hat, und daß unterschiedene Stühle und Districte
nicht genannt sind; zu ihren Fehlern aber gehöret,
daß die Gränzen einiger Gespanschaften, Stühle
und Districte, auch verschiedene Namen angezeigter
Oerter, nicht ganz richtig sind, und daß mancher
Ort nicht gerade da liegt, wo er liegen müste.

Siebenbürgen ist ein Theil vom alten Dacien, und zwar derjenige, welcher seiner Lage wegen der mittelländische, und in Ansehung der römischen Regierung der bürgermeisterliche genennet wurde.
Den deutschen Namen hat das Land vermuthlich von
sieben Burgen oder Schlössern, die ehemals darinn
berühmt gewesen. Den lateinischen Namen *Tran-
silvania*, hat es daher bekommen, weil es jenseits
den Wälder, die das carpathische Gebirge umgeben, gelegen ist; und eben um deswillen nennen
es

es auch die Ungarn Erdely, welches Wort eine
waldige und bergige Gegend bedeutet, und die Osmanen brauchen auch den Namen Erdel. Gegen
Mitternacht wird es von der ungarischen, galizischen
und moldauischen Gränze umgeben; gegen Morgen
ist die Bukowina und Moldau; gegen Mittag die
Walachey und der ehemalige Temeschwarer Banat;
und gegen Abend wieder Ungarn. Seine Größe
wird auf 1080 deutsche Quadratmeilen geschätzet.

§. 2 Es ist mit Bergen ganz umgeben, daher
es eine gemäßigte Luft, und gesundes Quell= und
Fluß=Wasser hat; und ob es gleich bergig und waldig ist, so sind doch auch fruchtbare Felder vorhanden, so daß es diesem Lande an nichts von dem fehlet, was zum Unterhalt des Lebens gehöret. Die
siebenbürgischen Berge erstrecken sich von Mitternacht nach Mittag, und laufen auch an der öst= und
westlichen Seite fort. Mitten im Lande endigen sie
sich in wein=und metallreichen Hügeln. Die höchsten Berge sind unweit Fogaras, und beständig mit
Schnee bedecket. Die weintragenden Hügel,
sind in der mittägigen Gegend des Landes; der
Wein wird aber an einigen Orten, des rauhen Nord-
windes wegen, nicht recht reif. An edlen Steinen
hat man Topase im Zibnifluß, Chrysolithe auf
dem Szelisterberge, Granate bey Bulkan; an
halbedlen, Chalcidonier, Onyche, Linkure, Car-
niole, Agathe, und außer denselben, Jaspis,
Porphyr, Granit, Marmor, Alabaster und gemeine Steinarten. In allen Bergen trift man
Spuren von Metallen an. Gold ist häufig vorhanden, und kommt nicht nur aus Bergwerken,

son-

sondern auch aus Flüssen und Bächen, davon hernach. Silber, Kupfer, Bley, Eisen, Stahl,
Zinober und Quecksilber, Antimonium, Zink, Blende
und Arsenik in Kristallen, hat man auch, des Schwe-
fels, Vitriols, der Steinkolen, Kiese und Markasite,
und des Bergöls, nicht zu gedenken. Das hiesige
Stein-Salz gehöret mit zu dem Salz-Stocke, der
zu Okan bey Rimni in der Wallachey anfänget, durch
die Moldau und Siebenbürgen bis Sowar im Ungarn, auch bis Wielitschka und Bochnia in Gallizien und Lodomerien sich erstrecket, und am Car-
patischen Gebirge fortstreichet. Diese ungeheure große
Salzmasse steigt und fällt, nach Art der Gebirge,
gehet auch zuweilen zu Tage aus, und ihre Tiefe
ist nicht bekannt. Ihre Länge kann man auf 120,
und ihre Breite auf 15 bis 22 deutsche Meilen schä-
tzen. Sie bringet Salzquellen hervor, dergleichen
in Siebenbürgen an 120 Orten, und über 300 sind,
ob es hier gleich keine Salzsiedereyen giebt. s. Joh.
Ehrenreichs von Fichtel Geschichte des Stein-
salzes und der Steingruben im Großfürstenthum Siebenbürgen, 1780 in gr. Quart, in welcher auch alle Mineralien und Fossilien dieses Landes auf einer Tabelle verzeichnet sind. Der Handel
mit Steinsalz, ist jetzt allen Unterthanen erlaubet.
Man kann rechnen, daß bloß in Siebenbürgen jährlich eine Million Centner Steinsalz an das Tageslicht
gebracht werde. Alle siebenbürgische Flüsse, und alle
Bäche, ja selbst die Gewässer, die durch Regen-
güsse entstehen, führen Gold, der Aranyós aber
übertrift in Ansehung desselben alle andere. Die
Goldwäscher sind, außer den Wlachen, die an

2 Th. 8 A.　　　　Nn　　　　den

den Flüssen wohnen, meistens Zigeuner. An Gewächsen hat das Land Gras, gesunde Kräuter, Getreide, Hülsenfrüchte, Weinstöcke und Holz; an
Thieren, Pferde die berühmt sind, Schafe die hier
besser sind, als in Ungarn, Bienen, die Honig
und Wachs selbst zu einer wichtigen Ausfuhr liefern,
allerley wilde vierfüßige Thiere, Geflügel, und Fische,
vornehmlich Büffel, Waldesel, (bonasi) Brandhir-
sche, (trogelaphi), Bären, wilde Schweine, Lüchse,
Gemsen, Marder, Hermeline und Biber. Unter
den Quellen sind 1) Gesundbrunnen, als die
hunyadischen, welche warm; die weißenburgischen,
welche kalt; die csikischen und olach-salvischen, welche schwefelicht; imgleichen die somlioischen und
verebischen. 2) Unterirdische warme und salzige, als die salzburgische. 3) Sauerbrunnen,
als die homorodische, u. a. m. 4) Versteinernde
Wasser, die almasischen im udvarhelyschen Sitz.
Die vornehmsten Flüsse sind: 1) der Szamos, Samosius, der auf der bistrizischen und marama-
rusischen Gränze entstehet, und, nachdem er bey
Dees den kleinern Szamos aufgenommen hat, nach
Ungarn gehet. 2) Der Maros, Marusius, Me-
riscus, der aus den mitternächtlichen Gebirgen der
Sikler entsteht, sich mitten ins Land ergießet, und,
nachdem er die kleinen Flüsse Aranyos und Ko-
chel, aufgenommen, gegen Südwesten in Ungarn
eintritt. 3) Aluta, der Altfluß, Olta, entspringt
unten am carpathischen Gebirge in der mitternächtlichen Gegend der Sikler, und fließet durch die östliche und südliche Gegend des Landes in die Wallachey. Dieser Fluß ist schifbar. Was im Lande
fehlet,

fehlet, insonderheit an Sachen der Kunst, wird aus
Deutschland und der Türkey vermittelst des Handels herbey geschaffet.

§. 3 Siebenbürgen bewohnen verschiedene Nationen: 1) Ungarn, welche mit den andern Ungarn dem Ursprung, Naturell, Sitten, der Sprache und den Beschäfftigungen nach übereinkommen.
2) Zikler, oder Zekler, Szekelyek, lateinisch
Siculi. Der Name Szekely bedeutet einen Hüter, und mit demselbigen sollen diejenigen Pacina-
citen oder Petschenegen beleget worden seyn, die
als Hüter oder Bewohner der Gränzen den bergigten
Strich an dem Fluß Maiosch und bey der Quelle
der Aluta bewohnt haben. Sie hatten ehedessen ihres Alterthums wegen besondere Vorrechte, welche
aber nach und nach abgeschaffet sind. Sie reden jetzt
die ungarische Sprache, sprechen sie aber gröber aus,
und haben auch noch Wörter ihrer alten Sprache im
Gebrauch. Ihre Sitten sind auch von den ungarischen verschieden. 3) Die Sachsen, auf ungarisch
Szaszok, sind die in Siebenbürgen befindlichen alten Deutschen. Es scheinet, daß lange vor Geysa
des zweyten Zeit in Siebenbürgen Sachsen oder
Deutsche gewohnet haben; er aber berief entweder
1143 oder 43 viele neue deutsche Familien
hieher, welchen er große Vortheile, und besondere Freyheiten versprach. Es scheinet, daß
sie sich mit jenen ältern Deutschen zu einem Volke vereiniget haben. Sie legten nach und nach
viele gute Oerter an. K. Andreas der zweyte, ertheilte 1224 der ganzen deutschen Nation in Sieben-

bürgen eine Bestätigung der ihr von seinem Großvater verliehenen Freyheiten, und vermehrte dieselben
unter andern darinn, daß er ihr den südlichen Stich
Siebenbürgens, von Broß bis Burzenland, dieses
mit eingeschlossen, unter dem Namen der Hermannstädter Gespanschaft, eigenthümlich überließ, ihr
auch alle darinn fallende Zehnden schenkte, unter der
Bedingung, daß sie solche ihren Kirchenlehrern geben
sollten, ja sie sogar von der Woiwoden Gerichtsbarkeit befreyete. Diese Freyheiten bestätigte K. Karl
der erste im dreyzehnhundert und siebzehnten Jahr,
und in dieser Urkunde werden die siebenbürgischen
Deutschen zum erstenmal Sachsen genennet. Die
folgenden ungarischen Könige, haben das National-
Privilegium der Sachsen bestätigt. Diese Sachsen
sind zwar dem Naturell und den alten Gebräuchen
nach, über welche sie steif halten, von den beyden
vorhergehenden Nationen unterschieden, aber doch
heutiges Tags den Ungarn in vielen Stücken ähnlich,
und legen sich, wie dieselben, auf das Studiren, den
Krieg, die Künste und Handlung. Ihre plattdeut-
sche Sprache, kömmt mit der niedersächsischen viel
überein. Die Kleidung des weiblichen Geschlechts
ist von der ungarischen verschieden. Diese sind die
drey Hauptnationen, seit 1784 aber werden sie nicht
mehr als solche unterschieden; auch die übrigen Arten der Einwohner nicht mehr Fremdlinge genennet,
noch um des Bürgerrechts theilhaftig zu werden, genöthiget, sich mit einer der dreyen genannten Nationen
zu verbinden. Unterdessen sind dieselben 1) Deutsche,
welche mit den übrigen deutschen Völkern einerley
Sprache reden, die von der Sprache der Sachsen
ver-

verschieden ist; 2) Wlachen, auf ungarisch Ola-
hok, die sich für Nachkommen der alten römischen Colonien halten, und sich daher Romunius
oder Rumuny, das ist, Römer, nennen; sie kommen auch in den Arten der Speisen und in der Kleidung mit den alten Römern viel überein, lieben die
italienische Sprache, und die Woiwoden lassen ihre
Aerz'e und Secretären aus Italien kommen, wie
denn auch die wenigen, welche studiren, nach Padua
zu reisen pflegen. Von dem Ursprunge der Wlachen
werde ich bey der Walachey handeln, und will hier nur
anmerken, daß sie von den Sachsen und andren Nationen auch Bulgaren genennet worden. Sie leben in den bergigten Gegenden, und legen sich bloß
auf den Ackerbau. Sie haben sich vom Anfang an,
da sie den christlichen Glauben angenommen, zu der
griechischen Kirche bekannt; von der Zeit an aber, da
die Siebenbürger unter das Erzhaus Oestreich gekommen, haben die Jesuiten allezeit getrachtet, sie an sich
zu locken, und unter dem zweydeutigen Namen der
graeci ritûs unitorum mit der römischen Kirche zu
vereinigen. Der walachischen Geistlichen Geschicklichkeit erstrecket sich nicht weiter, als daß sie gut lesen und singen können. Will einer es ja dem andern
etwas zuvor thun, so gehet er nach Bucharest in der
Walachey, lernet daselbst ein wenig gute Lebensart,
Ceremonien, und zierlich walachisch reden, kömmt
aber übrigens so unwissend zurück, als er dahin gerei-
set ist. Der gemeine Wlach lebet in grober Unwis-
senheit, so daß kaum der zwanzigste das Gebet des
Herrn hersagen kann. Siehe Acta hist. ecclesiast.
Band 10. S. 110 f. B. 11. S. 694 f. B. 12. S. 60 f.

Nn 3   3) Ar-

3) Armenier, welche ihre, beſondere Sprache haben, und ſich vornehmlich auf den Handel legen. Sie
ſind 1672 zuerſt hieher gekommen. 4) Griechen,
die ſich auch mehrentheils des Handels befleißigen.
Die gemeinen Ungarn und Wlachen nennen alle Kaufleute, von welchem Volke ſie auch ſeyn mögen, Griechen. Von den Mähren, die als Wiedertäufer von Gabriel Bethlen aufgenommen, und nach Al-
Winz verſetzet worden, von den Polen, welche als
Secnianer hieher gekommen ſind, und inſonderheit
zu Clauſenburg ſich niedergelaſſen haben, und von den
Ruſſen, die ſchon im achten Jahrhundert ſich
aus Weis-Rußland hieher begeben haben; und
von welchen die Oerter, deren Namen ſich mit
Oros anfangen, von den Bulgaren, Serpiern oder Raitzen, in ihrer Sprache Ra-
gok von den Siebenbürgern auf lateiniſch Thra-
ces genannt, die ſich im 16ten und 17ten Jahrhundert hieher begaben, und mit den Wlachen vereiniget haben, ſind noch Ueberbleibſel vorhanden. Daß
Sawen hier geweſen, bezeugen die Namen der
Oerter, welche ſich mit Tor, (welches Wort ein
Slave bedeutet,) anfangen. Es giebt auch Juden
und Zigeuner hieſelbſt, und die letzten ſind nicht ſo
müßig und faul, als die Zigeuner in Ungarn, ſondern ſie ſind entweder Spielleute, oder Schmide
und Schlöſſer, oder ſie handeln mit Vieh und Pferden, und die meiſten ſind Goldwäſcher. Sie zahlen
ihren Tribut in Waſchgolde, und das übrige wird
ihnen bezahlet. Sie kennen die Gegend, wo ſie
mit Vortheil Gold waſchen werden, ſehr genau.

Die

Die Bauern in Siebenbürgen, sind zur Strafe für ihren 1514 vorgenommenen Aufruhr, in eben demselben Jahr aller Freyheit verlustig erkläret, und zu einer harten Leibeigenschaft verdammt worden, welche noch fortdauert.

1768 gehörten

zu dem Lande der Ungarn	—	1602 Oerter,
zu dem Lande der Sekler	—	413 —
zu dem Lande der Sachsen	—	260 —
zu den Fiscal Oertern	—	76 —

also waren in ganz Siebenbürgen 2351 Oerter, nämlich Städte, Marktflecken und Dörfer. Die Anzahl der Menschen schätzte man 1786 auf 1,250000.

§. 4 Der römisch-katholischen Kirche, sind Ungarn, Zekler und einige wenige Sachsen zugethan; sie hat mit der in Ungarn einerley Recht und Freyheit, und nur einen Bischof zum Vorsteher, der zu Weißenburg seinen Sitz hat, und unter dem Erzbischof von Colocsa stehet. Der reformirten Kirche, sind bloß Ungarn und Zekler ergeben; sie hat einen Superintendenten zum Vorsteher, und ist, vermöge der Reichsgesetze, die zweyte in der Ordnung. Die evangelisch-lütherische Kirche hat bloß Sachsen und einige wenige Ungarn zu Anhängern. Sie ist, in Ansehung der Anzahl der Glieder, die stärkste, ja man kann überhaupt wohl 25 Protestanten gegen einen Katholischen rechnen. Die Lehrer derselben sind in 14 Kirchsprengel

Nn 4   verthei-

vertheilet, welche Universitatem ecclesiasticam Saxonum in Siebenbürgen ausmachen, und auf den Synoden Sitz und Stimme haben. Sie wird von einem Bischof oder Superintendenten regieret; der
allezeit zu Berethalom oder Birthelm Oberprediger,
und die höchste Instanz in Kirchensachen ist. Er
wird von den Dechanten der Kapitel erwählet. Zu
Birthelm ist auch ein Consistorium, welchem alle
Decani beywohnen müssen, und eben daselbst werden auch die Kirchenversammlungen gehalten; es
wird auch daselbst die Summe Geldes ausgezahlet,
welche die Geistlichkeit dem Landesfürsten entrichten
muß, und die Kaiser Karl der sechste den Jesuiten
zu Clausenburg schenkte. Die Socinianer, oder
wie sie sich selbst nennen, Unitarier, waren ehedessen die herrschende Partey in Siebenbürgen: sie
haben einen Superintendenten zum Vorsteher. Diese
vier Kirchen sind durch die Reichsgesetze bestätiget.
Man hat 1766 gezählet 93135 Römisch-katholische,
140043 Reformirte, 130365 Lutheraner, und 28647
Unitarier. Es sind aber unter diesen Summen weder die Römisch-Katholischen in Herrmannstadt und
Cronstädt, deren Anzahl nicht gering ist, noch die
Unitarier, die von ihren Kirchen entfernet leben,
mit begriffen. Die griechisch-morgenländische
Kirche, zu der sich die Wlachen und Griechen bekennen, wird durch ein besondres Privilegium des
Fürsten geschützet, und in die Kirche, die mit der
katholischen vereiniget ist, und der Dissentienten, abgetheilet. Jener steht ein Bischof nebst Priestern
vor, und diese hat seit 1761 auch einen eignen Bischof, welcher zu Rosnar im Hermannstädter Stuhl
wohnet.

wohnet. Die Wlachen haben 1761 eine Anzahl von 547243 Seelen ausgemacht, die große Menge im Burzländer District ungerechnet. Hieher gehören, außer den Griechen, auch die Armenianer, deren einige in Ansehung des Gottesdienstes von den Griechen unterschieden sind, andre aber sich zur katholischen Kirche halten. Es sind auch in den locis articularibus Anabaptisten vorhanden.

§. 5 Die Katholiken haben eine hohe Schule zu Clausenburg, und verschiedene Gymnasia; die Reformirten, Evangelischen und Unitarier, haben auch Gymnasia und Schulen, in welchen die Anfangsgründe der Wissenschaften gelehret werden. Hernach setzen die Reformirten ihr Studiren in der Schweiz und in den Niederlanden, die Sachsen aber in Deutschland weiter fort.

§. 6 Daß Siebenbürgen vor Zeiten ein Stück von Dacien gewesen sey, ist oben schon angemerket worden; außer den Daciern aber wohneten auch die Geten hieselbst, welche ein thracisches Volk waren. Kaiser Trajanus bekriegte, überwand und tödtete den dacischen König Decebalus, machte sein Land zu einer römischen Provinz, und erwarb sich durch diese Thaten den Zunamen Dacius. Er führte nach der Hauptstadt des Landes Sarmizegethusa eine römische Colonie, und ließ sie Ulpia Trajana nennen, von welcher man noch zu Varhely Merkmale findet. Von solcher alten römischen Colonie zeugen viele gefundene Inschriften auf Steinen. Unterm Gallienus gieng Dacien im dritten Jahrhundert wieder verloren, und ob es gleich vom Claudius wieder unterwürfig gemacht wurde, so wurde es doch vom

Nn 5   Aure-

Aurelianus verabsäumet; daher es das römische Joch abschüttelte, und sich in die vorige Freyheit versetzte. Hierauf kam das Land unter der Gothen, und im Anfang des fünften Jahrhunderts unter der Hunnen Bothmäßigkeit; diesen wurde es zwar von den Gepidern und Gothen mit Hülfe der Römer wieder entrissen, es mußte sich aber im sechsten Jahrhundert den Avaren, und im neunten den Ungarn unterwerfen. Diese sind im Jahr 889 von den Pazinaciten oder Petschenegen vertrieben worden, welche einige Schriftsteller für einen Zweig der Hunnen halten, und zu denselben auch die Cuner oder Cumaner rechnen, ja auch die heutigen Jazyger und Zekler von ihnen herleiten. König Stephan der erste nahm 1002 Siebenbürgen in Besitz, und vereinigte es mit dem Königreich Ungarn, seit welcher Zeit die allgemeinen königlich ungarischen Verordnungen und Landtagsschlüsse, in Siebenbürgen eben so, wie in Ungarn, gegolten haben. Hierauf ist Siebenbürgen durch Woiwoden regieret worden. Als K. Ludewig der zweyte im 1516ten Jahr umkam, und hierauf ein Theil der Ungarn den siebenbürgischen Woiwoden Johann von Zapolya, ein andrer aber des Kaisers Karl des fünften Bruder Ferdinand zum König erwählte, entstund zwischen beyden Parteyen ein blutiger Krieg, der endlich 1538 durch den Frieden zu Wardein beygeleget, und ausgemacht wurde, daß Johannes Siebenbürgen und den Theil von Ungarn, den er inne hatte, Lebenslang mit dem Titel eines Königs von Ungarn, behalten, nach seinem Tode aber, wenn auch ein Sohn von ihm vorhanden wäre, alles dem König Ferdinand, oder

dessen

deſſen Erben zufallen ſolle. Würde Johannes einen Sohn hinterlaſſen, ſo ſolle derſelbe zum Beſitz aller väterlichen Güter, unter dem neuen Titel eines Herzogs von Zips, gelangen. Es verurſachte aber die folgende Zeit eine Veränderung. K. Johannes ſtarb 1540, und hinterließ einen Sohn, Namens Johann Sigmund, der durch Hülfe der Türken, Siebenbürgen als ein Fürſtenthum beſaß. Nach dieſem wurde Stephan Battory zum Fürſten erwählt, welcher König von Polen ward, und in Siebenbürgen ſeinen Vetter Sigismund Battory zum Nachfolger hatte, der ſich von der türkiſchen auf die ungariſche Seite ſchlug. Dieſer verſprach dem Kaiſer Rudolph dem zweyten die Abtretung des Fürſtenthums Siebenbürgen gegen Oppeln und Ratibor, und eine jährliche Penſion von 50000 Rthlrn; hielte aber den Vertrag nicht, ſondern nahm Siebenbürgen wieder in Beſitz, und trat es bald darauf ſeinem Vetter, dem Cardinal Andreas Battory, ab. Weil derſelbe auf die türkiſche Seite hieng, ſo wollte ihn Kaiſer Rudolph nicht leiden, ſondern half dem Woiwoden der Walachey, Michael, zum ſiebenbürgiſchen Fürſtenthum, der aber bald beym kaiſerl. Hof in Verdacht gerieth, und das Fürſtenthum dem General Georg Baſta, einräumen mußte. Darüber entſtunden große Unruhen. Die Siebenbürger wollten weder den Michael, noch den kaiſerl. General haben, ſondern ergaben ſich an ihren alten Fürſten Sigismund Battory, welcher ſich aber genöthiget ſah, dem Kaiſer das Fürſtenthum zu überlaſſen, wofür er andere Güter in Schleſien bekam. Die Siebenbürger fuhren indeſſen fort, ſich wider den

Kaiſer

Kaiser aufzulehnen, hatten den Bethlen Gabor zum Anführer; und als man sie zur Annehmung der katholischen Lehre zwingen wollte, erwählten sie den Stephan Botskay, einen evangelischen Herrn, zu ihrem Fürsten, dem sogar ganz Ungarn zufiel, daher ihn der Kaiser 1606 zum Fürsten in Siebenbürgen und Statthalter von Ober-Ungarn erklären mußte. Auf diesen folgte Sigismund Rakotzy, der aber bald wieder abdankte, worauf Gabriel Battory 1608 das Fürstenthum erhielt, nach dessen Ermordung Gabriel Bethlen 1613 in der Regierung folgte, der dem König Ferdinand dem zweyten das ungarische Reich entriß, solches aber 1621 wieder abtrat, und ein Fürst des römischen Reichs wurde, welches Titels er sich aber 1624 wieder begeben mußte. Nach seinem 1629 erfolgten Tode, kam das Fürstenthum an Georg Rakotzy den ersten, dem sein Sohn Rakotzy der zweyte folgte, der es mit den Schweden hielt, Ungarn feindlich angriff, und hiernächst auch Polen bekriegte; durch diese letzte Unternehmung aber die Osmanen beleidigte, die ihn zwangen, die Regierung niederzulegen, welches er auch 1658 that. Hierauf erwählten die Stände den Franciscus Redey zum Fürsten, Rakotzy aber trachtete wieder nach der Regierung, weswegen ihn die Osmanen bekriegten, und anstatt des Redey den Achatius Barskay zum Fürsten einsetzten, der aber gegen Rakotzy nicht aufkommen konnte, daher er das Fürstenthum dem ehemaligen rakotzyschen General, Johann Kemeny, abtrat, darüber aber von den Osmanen in Arrest genommen wurde, die den Krieg gegen Rakotzy fortsetzten, der endlich in einem

nem Treffen, das bey Clausenburg vorfiel, tödtlich
verwundet wurde, und an solcher Wunde starb.
Barskay wurde hiernächst von den Ständen abge-
setzt, und Kemeny an seine Statt erwählt, dessen
Wahl die Osmanen für ungültig erklärten, und 1661
den Michael Apaffi zum Fürsten machten; dagegen
Kemeny auf die Seite des römischen Kaisers trat,
aber 1662 auf der Flucht mit dem Pferde stürzte, und
umkam, Apaffi hingegen im Frieden 1644 in seiner Würde unter beyder Kaiser Schutz verblieb.
1687 bemächtigten sich die Oestreicher und Ungarn
des ganzen Fürstenthums, welches sich 1689 der
kaiserl. Oberherrschaft schlechterdings unterwarf, dem
Fürsten Apaffi aber wurde die Nachfolge für seine
Nachkommenschaft bestätigt. Als derselbe 1690
starb, fiel Tököly in Siebenbürgen ein, wurde aber
bald wieder hinaus gejagt, und Michael Apaffi der
zweyte ward Fürst an seines Vaters Statt. 1699
verblieb Siebenbürgen im carlowitzer Frieden dem
ungarischen Reich; und obgleich im Anfang dieses
Jahrhunderts Franciscus Rakotzy Anspruch daran
machte, so wurde er doch zu Paaren getrieben, und,
als der Fürst Mich. Apaffi 1713 ohne Erben starb,
Siebenbürgen mit Ungarn völlig vereinigt, davon es
aber hernach wieder getrennet worden. Am Ende
des 1765sten Jahrs erhob die verwitwete Kaiserin-
Königin Maria Theresia, das Fürstenthum Siebenbürgen zu einem Großfürstenthum, weil es von andern Kronen ganz unabhängig, und sowohl wegen
seiner Größe und Lage, als auch wegen seiner innerlichen Kräfte, ein beträchtlicher Staat sey.

§. 7

§. 7 Die siebenbürgische Regierung, ist von der ungarischen völlig unterschiedrn, durch gemein-schaftliche Bewilligung des Fürsten und Volkes, (wie die Adprobata, Concordata und Diplomata aus-weisen), monarchisch-aristokratisch eingerichtet, und gehört seit 1722 den Prinzen und Prinzessinnen des östreichischen Hauses erblich. Ein siebenbürgi-scher Großfürst, der ehedessen durch eine freye Wahl, nun aber seit 1722 durch die Erbfolge zur Regierung kömmt, hat zwar eine mit dem König von Ungarn und Erzherzogen zu Oestreich vereinigte Macht, seine Regierung und Rechte sind aber doch von beyden unterschieden.

In dem Titul des Hauses Oestreich, kömmt das Großfürstenthum Siebenbürgen gleich nach den Kö-nigreichen vor. Das Wapen der siebenbürgischen Ungarn ist ein Adler, das Wapen der Sekler die Sonne und der Mond, und das Wapen der Sach-sen sind sieben Burge.

§. 8 Die siebenbürgischen Stände seit 1784 werden nicht mehr nach der Anzahl der Nationen in Ungarn, Zekler und Sachsen (denn dieser Unter-schied ist aufgehoben) wohl aber nach dem Unterschied der Religion in Katholische, Reformirte, Evan-gelische und Unitarier, aber auch nach dem Bey-spiel Ungarns in Prälaten, Magnaten, Edel-leute und königl. Bürger, eingetheilet. Zu den Prälaten gehören der siebenbürgische Bischof, die Aebte, Pröbste, und regulirte Domherren. Die Magnaten, werden in hohe Reichsbediente, Gra-fen und Freyherrn abgetheilet. Die Edelleute, sind theils Ungarn, theils Sekler. Der siebenbürgische

Adel

Adel hat das Indigenat in ganz Ungarn, und das Recht, sich daselbst niederzulassen, wo er will und kann. Allein, der ungarische Adel hat dasselbige Recht in Siebenbürgen nicht, und königl. Bürger heißen nur allein die Sachsen.

§. 9 Das Großfürstenthum Siebenbürgen wird im Namen des Großfürsten und der Magnaten regieret, durch die Landtage, die Kanzley, das kö. nigl. Gouvernement, die königl. Kammer, die Grafschaften der Ungarn, und die Gerichtsstühle und Magistrate der Sekler und Sachsen. 1) Die Landtage (Comitia provincialia), werden von dem Fürsten nach Hermannstadt ausgeschrieben, und in die obere und untere Gerichts-Tafel unterschieden. An der obern Tafel sitzt das hohe Gouvernement mit den Prälaten, Grafen und Freyherren. An der untern Tafel berathschlagen sich die königl. Tafel, und die Abgeordneten von den Grafen der Ungarn, und von den Gerichtsstühlen der Sekler und der königl. Sachsen, über das gemeinschaftliche Beste. Beyden steht im Namen des Großfürsten ein königlicher Commissarius vor, der die königl. Anträge den Ständen feyerlich vorlegt. 2) Die hohe siebenbürgische Kanzley, welche die fürstlichen Edicte ausfertiget, ist in Wien, und hat in öffentlichen Sachen weder mit der ungarischen, noch mit der östreichischen Kanzley einige Verbindung. 3) Das hohe Gouvernement, dessen Sitz zu Hermannstadt ist, besorget die öffentlichen Geschäffte des Großfürstenthums in geistlichen und bürgerlichen Sachen, im Namen des Großfürsten. Es sitzt demselben ein Gouverneur vor, dem aus den dreyen

Nati-

Nationen, und zwar aus den Katholiken, Reformirten und Evangelischen, gewisse Räthe zugeordnet sind. 4) Die siebenbürgische Kammer, zu
Hermannstadt, welche die öffentlichen Einkünfte des
Landes, die Domainen, und Bergwerks-Angele-
genheiten besorget, in Ansehung welcher letzten sie der
Bergwerks-Hofkammer zu Wien untergeben ist,
hingegen das Oberbergamt zu Zalatna unter sich hat.

§. 10 Die Einkünfte fließen aus den Steuren,
Zöllen, Metallen, Mineralien, Steinsalz, königl.
Domainen und den Gütern, welche dem königl.
Fiscus zuerkannt worden, und werden von der siebenbürgischen Kammer gehoben. 1770 wurden 2.198770
Fl. 42⅝ Kr. an Gold, Silber und Kupfer ausge-
münzet, dazu das Land die Metalle geliefert hatte.
Die gesammten landesfürstlichen Einkünfte betrugen
in diesem Jahr 3,941707 Fl. 17⅝ Kr. die Ausga-
ben 3,743670 Fl. 8 Kr. Ehemals konnten die Sie-
benbürger eine Kriegesmacht von 80 bis 90000
Mann in das Feld stellen; nunmehr stehen nur sechs
Regimenter im Solde, die das Land beschützen, und
einen commandirenden General zum Oberhaupt haben. 1762 ist, nach dem Beyspiel der Croaten und
Slawonier, eine Nationalmiliz von fünf Infanterie-
Regimentern, einem Regiment Dragoner, und einem Regiment leichter Reuterey, errichtet worden.

§. 11 Was die Verwaltung der Gerechtig-
keit in bürgerlichen und Kirchensachen anbetrifft, so
wird die Gerechtigkeit in bürgerlichen Sachen im
Namen des Großfürsten von den Unter- und Ober-
Gerichten verwaltet, doch so, daß eine jede von den
dreyen Nationen ihr besonderes Gericht hat. In
den

den königl. Freystädten der Sachsen werden die Sachen der Bürger zuerst vom Stadtrichter, und hiernächst vom Stadtrath untersucht. Davon appelliret man an die Städteversammlung, der ein königl. Graf der Nation vorsteht, und alsdenn an die königl. Tafel. In den Gespanschaften der Ungarn, werden die Sachen der Edelleute zuerst von den Richtern der Etelleute, und alsdenn vom ganzen Adel untersuchet. Die Appellation gehet auch an die königl. Tafel. In den Gerichtsstühlen der Sekler, die ihre besondern Gewohnheiten und Privilegia haben, untersuchen die königl. Richter, oder Pro-Prätores die Sachen der Sekler, und in zweifelhaften Fällen schicken sie dieselben an den königl. Grafen, und von da an die königl. Tafel. Diese königl. Tafel (Tabula regia), die einen Präsidenten, nebst Protonotarien und Assessoren hat, ist das höchste Gericht. Für die Kirchensachen ist ein einziges Gericht in der Residenz des siebenbürgischen Bischofs, von demselben gelangen die Sachen an den Erzbischof, Metropoliten, hernach an den päbstlichen Nuncius und an den römischen Hof.

Siebenbürgen wurde sonst in der siebenbürgischen Landes-Kanzley eingetheilet in das Land der Ungarn, in das Land der Sekler, in das Land der Sachsen, und in die Loca Taxalia oder Fiscal-Güter, seit 1786 aber hat es folgende Abtheilung.

I Neun königliche Freystädte.

1) Hermanstadt, ung. Szeben, lat. Cibinium, die Hauptstadt Siebenbürgens, und eine königliche Freystadt. Sie war anfänglich ein Dorf, unter dem Namen Hermanns-

2 Th. 8 A. Oo manns-

mannsdorf, und wird auch noch in dem uralten Stadt-
siegel Villa Hermanni genannt. Wer aber der Hermann
gewesen, nach welchem sie benannt worden? ist ungewiß.
Sie liegt auf einer Ebene am Fluß Zibin, ist groß, wohl
gebauet, mit einer doppelten Mauer, und mit tiefen Graben umgeben. Das Gouvernement, die königliche Kammer, das Appellationsgericht, die Landtage, und außerdem der commandirende General in Siebenbürgen, haben
hieselbst ihren Sitz. Es ist hier auch ein lutherisches Gymnasium, und es war hier ein Jesuiter-Collegium. Das
Jahr der ersten Erbauung dieses Orts, kann nicht angegeben werden. 1160 bekam er viele gute Gebäude, und
1223 vom K. Andrea II gute Privilegia.

2) Medwisch, ungar. Medgyes, latein. Media
und Medgyeschinum, eine königliche Freystadt, die
in einem tiefen Thal auf der Südseite des größern Kökel-
flusses, lieget. Der Anfang ihrer Erbauung, fällt in
das Jahr 1146.

3) Kronstadt, ungar. Brasso, (Bráscho,) walach.
Braschó, latein. Corona, Brassovia, eine königliche
Freystadt, die sowohl in Absicht auf die Menge der
Einwohner, als auf das Ansehn, nach Hermannstadt die
zweyte Stadt, auch ein berühmter Handelsort ist. Sie
liegt am Fuß eines steilen Berges, der mit Holz bewachsen, und auf dessen Gipfel eine katholische Kapelle ist, ist
mit Mauern, Thürmen und Graben umgeben, hat eine
lutherische und zwey katholische Kirchen, ein evangelisches
Gymnasium, und ein ehemaliges Jesuiter-Collegium. In
der Stadt selbst, wohnen lauter Sachsen. Sie hat auch
drey große Vorstädte, nämlich die Altstadt mit zwey
sächsischen Kirchen, die Blumenau, die meistens von
lutherischen Seklern bewohnet wird, und zwey Kirchen
hat, und die Belgerve oder Bulgarey, nach den Bulgaren oder Wlachen also genannt, die eine eigne Kirche
und einen Bischof haben. Ungefähr eine halbe Viertel
Stunde von der Stadt, ist der Schloßberg, auf welchem
ein altes Schloß stehet. Sie hat ihren Anfang 1203 ge-
nom

nommen. 1529 wurde Stadt und Schloß von Peter, Woiwoden der Moldau, erobert und geplündert.

Unmittelbar unter dieser Stadt, stehen

(1) Die vier königl. freyen Marktflecken, welche das ius vitae et necis haben, nämlich:

a. Merenburg oder Marienburg, ungar. Földvár, mit einer Burg oder einem Castel. Bey demselben wurden die Siebenbürger 1529 von den Moldauern geschlagen. Zu diesem Ort gehören, in Ansehung der ersten Instanz, drey königl. freye Dörfer.

b. Rosenau, ungar. Rosnyó, unmittelbar unter welchem zwey königliche freye Dörfer stehen.

c. Zeyden oder Zaiden, ungar. Feketeshalom, walach. Kotle.

d. Tartlen oder Tartlau, ungar. Prásmar, welcher Marktflecken groß und wohl gebauet ist. 1529 wurde er von den Moldauern verbrannt.

(2) Vier königliche freye Dörfer.

Die bona nobilitaria der Stadt Kronstadt sind

a. Die sogenannten sieben Dörfer, welche von evangelisch-lutherischen Ungarn bewohnet werden.

b. Drey Dörfer, in deren einem, welches Neudorf heißt, evangelisch-lutherische Sachsen und Ungarn wohnen.

c. Drey ganze walachische Dörfer, welche jetzt militärisch sind.

4) Bistritz oder Nosen, ung. Besztertze, lat. Bistricium, eine königl. Freystadt, liegt in einer großen Ebene, am Wasser Bistritz. Der Anfang ihrer Erbauung fällt ins Jahr 1206. Die Reformirten haben hier ein Gymnasium, und die Patres piarum scholarum, haben auch eins. Die Hügel, welche die Ebene einschließen, sind mit Weinstöcken bepflanzet.

5) Schäßburg, ung. Segesvar, eine königl. Freystadt, auf der Südseite des größern Kökel-Flusses, in einem engen Thal, und am Fuß eines Hügels, auf wel-

chem

chem ein Schloß stehet. Sie ist 1168 angeleget. Als sich viele Bürger aus der so genannten Burg oder obern Stadt in die untere gezogen hatten, und jene der Gefahr, ganz wüste gelassen zu werden, ausgesetzt war, befahl König Wladislaw 1513, daß diejenigen, welche in der untern Stadt noch keine eigene Häuser hatten, wieder hinauf in die obere ziehen mußten; und auswärtigen neuen Anbauern in der Burg, versprach er eine siebenjährige Freyheit von allen öffentlichen Abgaben. 1528 eroberte und plünderte Stephan Bathori die Stadt.

6) Neumarkt, lat. Agropolis, ein gedoppelter Marktflecken. Der eine, liegt auf einer Höhe, ist mit einer Mauer umgeben, stark bewohnet, und gut gebauet: der andere, liegt nicht weit davon in einer weitläufigen Ebene, unweit dem Maroschfluß, und hat ein reformirtes Gymnasium, welches ehedessen zu Weissenburg gewesen: es ist auch hieselbst die königl. Tafel.

7) Karlsburg, ungarisch Károly Var, lateinisch Alba Carolina, eine wohlgebauete königl. Freystadt und Festung, nicht weit vom Fluß Marosch, auf einer Anhöhe in einer angenehmen Gegend, mit Aeckern und Weinbergen weit und breit umgeben. Den Namen Alba Iulia, soll sie von Kaisers M. Aurelius Antonins Mutter, Julia Augusta, haben: den Namen Karlsburg aber hat sie von ihrem Verbesserer, Kaiser Karl VI. Unter der Festung lieget der Marktflecken Weissenburg, ung. Fejer=Var, lat. Alba Julia, den andere eine Stadt nennen. Der hier wohnende siebenbürgische Bischof hat jährlich 12000 Gulden Einkünfte. 1236 ist dieser Ort von den Tataren sehr verwüstet worden.

8) Clausenburg, ungar. Kolosvar, lat. Claudiopolis, vor Alters und von den Wlachen noch jetzt Clus genannt, eine königl. Freystadt, am Fuß eines aus Thonschiefer bestehenden, ziemlich hohen, auch ganz frey und abgesondert liegenden Berges, von dessen Mitte an bis zu dem Gipfel man viele kugelrunde, drey bis fünf Schuhe dicke Steine, siehet. Unter diesem Berge, in einem schönen Thal, welches ganz von Bergen umschlossen ist, am
klei=

kleinen Szamos, liegt die Stadt. Sie ist die vornehmste im Lande der siebenbürgischen Ungarn, weitläuftig und volkreich, und hat viele steinerne Häuser, ist auch mit Mauern und Thürmen umgeben. Man findet hier eine katholische hohe Schule, ein Gymnasium der Reformirten, und ein Gymnasium der Unitarier. Die letzten, welche zahlreich sind, haben auch eine eigene Buchdruckerey. Bis 1603 besaßen sie die Hauptkirche, in diesem Jahr aber, wurde sie ihnen abgenommen, und den Jesuiten gegeben, deren Collegium und Kirche sie zerstöret hatten. An dem Stadtthor Portina, lieset man noch eine Ueberschrift, welche zur Ehre des Kaisers Trajan gemachet worden. Die Stadt ward 1601 vom Sigismund Bathory vergebens belagert, 1603 von dem neuen aufgeworfenen Fürsten erobert, ihm aber im selbigen Jahre vom kaiserlichen General Basta, wieder abgenommen. 1659 fiel bey derselben zwischen Rakotzy und den Osmanen, ein Haupttreffen vor, in welchem jener tödtlich verwundet wurde. 1662 ward sie von Apaffi mit Hülfe der Osmanen eingeschlossen, und 1664 eingenommen, als die Besatzung einen Aufstand machte.

9) Broos, ungar. Szasz Warosch, lat. Saxopólis, eine königl. Freystadt, in einer angenehmen Ebene, nicht weit vom Marosch-Fluß. Sie ist 1200 erbauet, und wird für die siebente sächsische Stadt gehalten, 1784 aber ist sie eine königl. Freystadt geworden.

Auf dem sogenannten Brodfeld, ungar. Kenyermeß, erfochten die Siebenbürger 1479 über die Osmanen einen vollkommnen Sieg.

II Eilf Gespanschaften, deren jede ihren Obergespan, Untergespan, und General-Perceptor hat. Es ist auch eine jede, nach Masgebung ihrer Größe, in 2, 3 und noch mehrere Zirkel eingetheilet, und jeder derselben hat einen Substituten, Vice-Gespann, und ordentlichen Stuhlrichter, (ordinarium iudicem

Dd 3 nobi-

nobilium.) An jeder Gerichtstafel ſitzen auch 6 Aſſeſ-
ſoren, ein Notarius, u. ſ. w. Noch hat ein jeder
Zirkel ſeine kleinern Abtheilungen, jeder von 4, 6 bis
8 Dörfern, und auch dieſe haben ihre beſondere
Subſtituten, Vice-iudicem nobilium, und einen
Commiſſar, welche geringe Sachen ſelbſt abthun,
von größeren aber Bericht abſtatten.

1 Die Unter-Albenſer- oder Karlsburger Geſpanſchaft, in welcher zu bemerken

1) Nagy-Alſó- und Kis-Aranyos, Bergörter, an
dem Fluß Aranyos.

2) Abrudbánya, Groß-Schlatten, lat. Auraria, ein
Marktflecken und der vornehmſte Ort unter den Metallſtäd-
ten. Es ſind hier Gold- und Silber-Gruben, es hat auch
ehedeſſen das Oberbergamt hieſelbſt ſeinen Sitz gehabt.

3) Zalatna, Zlatna, Klein-Schlatten, Auraria
parva, ein Bergflecken, in einem angenehmen Thal, durch
welches der Fluß Ampol laufſt, in welchem reiche Gold-
und Queckſilber-Gruben ſind, die ſchon zur Zeit der Dacier und Römer bekannt, und ehemals beträchtlicher geweſen ſind, als jetzt. Die Wlachen ſehen dieſen Ort
als die Hauptſtadt ihrer Nation in Siebenbürgen an, und
beſuchen ihn an den Markttagen ſehr fleißig. Er iſt der
Sitz eines Oberbergamts, welches unter der Siebenbür-
giſchen Kammer zu Hermanſtadt ſtehet, und die vielen alten Aufſchriften, welche man hier findet, machen ihn für
einen Alterthumsforſcher ſehr merkwürdig. Zamocius,
Lazius, Köleſer und Fridwalſky, haben die hieſigen und
übrigen in Siebenbürgen anzutreffenden Aufſchriften geſammlet und bekannt gemacht.

Etwan eine halbe Stunde gegen Mitternacht von Zalatna, iſt der Sarcebajer Berg, auf welchem ein Goldbergwerk iſt, deſſen goldreiche Kieſe, von 2 bis 10, 30,
40 und oft noch mehr Loth Gold im Centner haben, es
war aber 1770 noch nicht in dem Zuſtande, welchen man
wünſch-

wünschte. Es sind auch bey diesem Ort zwey Queckſil=
berwerke, und in der Brennhütte zu Zalatna, werden
jährlich etwa 60 Centner Queckſilber ausgebrannt.

4) Enyed, Nagy=Enyed, ein wohlbewohnter Marktfl=
ecken, wo ein reformirtes Gymnaſium, und in der Mitte des
Orts ein mit Waſſergräben umgebenes Schloß iſt. In
der umher liegenden Gegend ſind viele römiſche Münzen
in den Aeckern und Bergen gefunden worden.

5) Szent=Benedek, und M. Igen, Flecken.

6) Tövis, ein Marktflecken am Fluß Maroſch,
woſelbſt ein Paulinerkloſter iſt.

7) Vojasd, ein Flecken.

8) Tótfalu, S. Michael, Caſtrum ſ. Michaelis, ein
Schloß auf einem hohen Felſen.

9) Borberek, ein Schloß, auf einem hohen Felſen,
das mit Thürmen befeſtiget iſt, und neben ſich einen gleich=
namigen Marktflecken hat, am Fluß Maroſch.

10) Homorod, ein ſeiner Salzwerke wegen merk=
würdiger Ort.

11) Brad, ein Marktflecken, welcher der Hauptort
eines gleichnamigen Diſtricts iſt.

12) Körös=Bánya, Chryſii Auraria, ein Berg=
flecken, beym Urſprung des Fluſſes Körös. In dieſer
Gegend iſt eine Goldwäſche.

13) Ofenburg, Offen=Bánya, ein Bergflecken,
welcher von den Schmelzöfen den Namen bekommen hat.

14) Nagyag, eigentlich Sekeremb, ein Bergfle=
cken, welcher anderthalb Stunde Wegs höher, als das
Dorf Nagyag liegt. Am Fuß des Berges, auf welchem
er ſtehet, fließet die Maroſch. Hier iſt ein Gold=und Sil=
ber=Bergwerk, deſſen reichſte Erze 90 bis 340 Loth Sil=
ber im Centner halten, und die Mark Silber hat 200 bis
210 Denari Gold, daher ſind zwey Theile der Erze Gold,
und ein Theil iſt Silber. 1770 wurde nach Abzug der
Koſten, monatlich eine Ausbeute von 8, 10 bis 20000 Fl.
an die Gewerkſchaft ausgetheilet, und in den nächſt ver=

Do 4　　　　　　　floße=

floßenen zwanzig Jahren hatte eine einzig- Grube für mehr als vier Millionen Gulden an Gold und Silber geliefert.

Gegen Abend von Nagyag, sind noch unterschiedene Goldbergwerke, als bey dem Bergort Csertes, in dem Sourager Berge, im Fischer Berge, im Toplizaer Berge, bey Suezes, bey Trsztyan, woselbst es reiche Goldgänge, die auch gediegene Stufen liefern, giebt, bey Boicza, u. s. w.

¾ Die vereinigten Hunyader und Sarander Gespanschaften. Die Hunyader-Gespanschaft theilet man in die obere und untere ab: jene hat 81, diese 172 Oerter. Der Ort Hunyad, von welchem sie den Namen hat, gehöret nicht dazu, sondern zu den Fiscal-Gütern. Bey dem Dorf Gigaller, ist ein Eisenbergwerk, und an der Cserne liegen Hammerwerke, in welchen das Erz zu Stangereisen geschmiedet wird. Das hohe Alter dieser Eisenwerke, erhellet aus einem bey Ostrow gefundenen römischen Denkmal, in welchem eines Collegii Fabrorum, gedacht wird. Bey dem Dorf Kismunes ist Bleyerz.

1) Vaka und Illye, Flecken, bey welchen Schlösser liegen.

2) Dobra, ein Flecken nicht weit vom Marosch, an der Poststraße.

3) Déva, Decilava, ein weitläuftiger, wohlbewohnter und mit einer Mauer umgebener Marktflecken, neben welchem ein Schloß auf einem hohen Felsen liegt. Dreyviertel Stunde von hier, ist ein Kupferbergwerk. Der Centner Kupferkieß von der reichsten Art, hält fast 17 Pf. Kupfer, und im Centner Kupfer 1 Quentchen, 2 Denari Silber, und die Mark dieses Silbers 2¼ Denari Gold. Wegen dieses geringen Gehalts, kann man das Gold und Silber durch die Saygerung nicht gewinnen.

4) Kas-

4) **Rapolt**, ein adlicher Ort mit einem Sauer‑
brunnen.

5) **Urony**, ein Schloß, nicht weit vom Marosch.

Die **Sarander Gespanschaft**, bestehet aus
45 wlachischen Dörfern. **Walmegy** und **Köröss‑
Banya**, sind unter den hieher gehörigen Oertern.

3. Die **Hermanstädtische Gespanschaft**,
zu welcher auch einige Stücke der Karlsburger ge‑
schlagen worden. Sie gehöret zu dem sogenannten
Altlande, im Lande der Sachsen. Dieser Fun‑
dus regius Saxonicus, machte anfänglich die Her‑
manstädter Gespanschaft, Comitatum Cibiniensem,
aus, und war 1320 noch nicht in Stühle eingetheilt:
allein, in Königs Andreä Bestätigung des National‑
Privilegii der siebenbürgischen Sachsen von 1366,
wird schon der Septem sedium Saxonum Transilva‑
niensium ausdrücklich gedacht. In neuern Zeiten hat
dieses Land aus neun Stühlen und zwey Districten,
bestanden, welche ich hier beybehalten muß, weil
ich jetzt keine andre Abtheilung kenne. Sie folgen in
ihrer Rangordnung also auf einander.

1) Der **Hermanstädter Stuhl**, Sedes Ci‑
biniensis, nebst den Gütern der sieben Richter,
lieget in dem so genannten Altlande, und begreift
56 Oerter. Einige merkwürdige sind:

(1) **Heltau**, ung. Nagy Disznod, ein Marktflecken.

(2) **Rosinar**, der Sitz des wlachischen Bischofs,
der jährlich 2000 Reichs‑Gulden an festem Gehalt
hat, und für seine Bestätigung dem landesfürstlichen
Hof 800 Fl. erlegen muß.

Oo 5 (3) Ham‑

(3) Hamlesch, ung. Oslas, ein beträchtlicher Ort. 1461 ward er ausgeplündert.

(4) Salzburg, ung. Wis Akna, ein Marktflecken.

Anmerk. Zu diesem Stuhl gehören auch)

(1) Die Güter der sieben Richter. Solche Richter sind der Hermanstädter, der Müllenbacher, der Repser, der Großschenker, der Reißmarkter, der Leschkircher, und der Brooser. Ihre Güter, welche ihnen K. Ladislaus der sechste im Jahr 1453 geschenket hat, bestehen in neun Dörfern. Es gehört auch der sogenannte rothe Thurm, ung. Veres Torony, latein. Rubea Turris, dazu, der ein Wachthaus ist, zwey Meilen von Hermanstadt, nahe beym Fluß Alt, und den aus der Wallachey nach Siebenbürgen führenden engen Paß bewahret. Bey demselben wurde 1493 der osmanische Beg Ali geschlagen, als er Siebenbürgen geplündert hatte, und mit seinem Raub zurück kehren wollte.

(2) Zwey kleinere Stühle, nämlich

a. Szelischt, von sechs Dörfern.

b. Talmesch, ung. Talmats, zu welchem, außer dem gleichnamigen Hauptort, fünf Dörfer, und noch andere Oerter gehören.

2) Der Schäßburger Stuhl, in dem so genannten Weinlande, begreift funfzehn Oerter, unter welchen

Reisd, ung. Szasz Kyszd, ein Marktflecken.

Anmerkung. Die Wlachen, besaßen 1761 in diesem Stuhl vier Dörfer und eine Kirche, machten 165 Familien, und 1006 Seelen aus.

4) Der

4) Der Medwiſcher Stuhl, Sedes Medienſis, auch Sedes duarum ſedium, weil er aus dem eigentlichen Medwiſcher, und aus dem Szeliker Stuhl, zuſammengeſetzt iſt. Seine alten Privilegien ſind 1491 und 96 von dem König Wladislaw dem zweyten beſtätiget worden. Er begreift 27 Oerter.

1) Birthalmen oder Birthelm, ungar. Berethalom, ein weitläuftiger Marktflecken, in welchem der evangeliſch = lutheriſche Superintendent ſeinen Sitz hat. In dieſer Gegend wächſet guter Wein.

2) Hetzeldorf, ungar. Ezel, ein Marktflecken.

3) Reichesdorf, ungar. Rihonfalva, ein Marktflecken.

4) Meſchen, ein Marktflecken.

5) Mark = Schelken, ung. Nagy = Szelik, ein Marktflecken, von welchem ein Stuhl benannt wird. Klein Schelken, ungar. Kis Szelik, iſt ein Dorf.

5) Der Nösner oder Biſtritzer Diſtrict, welcher von den übrigen Stühlen und Diſtricten abgeriſſen iſt, und gegen Norden an dem äußerſten Ende Siebenbürgens liegt. Er begreift 46 Oerter, von welchen aber nur die folgenden, merkwürdig ſind.

1) Klein = Biſtritz, ungar. Kis = Besztertze, latein. Biſtricia arida, ein Dorf, durch welches man zu den engen Päſſen Tarta und Tirmenitz, kömmt.

2) Rodnen, ungar. und latein. Rodna, ein geringes Dorf, zwiſchen Bergen, nicht weit von der moldauiſchen Gränze, iſt ehedeſſen ein ſehr volkreicher Ort geweſen.

3) Die Dörfer Szent Georgy, Mettersdorf ungar. Nagy = Demeter, Treppen, ungar. Törpeny, Lechnitz, ungar. Lekenſe, und Durbach, wlach. Dipſe.

6) Der

6) Der Müllembacher Stuhl, welcher zu dem sogenannten Lande vor dem Walde, gehört, und 11 Oerter begreift. — Der Hauptort ist

1) Müllembach, oder Müllenbach, oder Mühlbach, ungar. Száß Sebes, latein. Sabesus, eine königl. Stadt in einer schönen Ebene, an der Mühlbach. Sie ist 1150 erbaut. 1438 wurde sie von den Osmanen ausgeplündert. 1540 starb hier K. Johannes an einem Schlagfluß.

2) Olab Pian, ein Dorf, bey welchem am Fuß des Bergs Radel, jetzt auf trocknem Lande, viele Gruben, in welchen vor Alters Wasch = Gold gewonnen worden, zu sehen sind.

7) Der Repser Stuhl, Sedes Köhalom. welcher zu dem sogenannten Altland gehört, und 17 Oerter hat. Der Hauptort ist

1) Reps, ungar. Köhalom, latein. Rupes, ein Marktflecken, mit einem Schloß.

2) Draas, oder Drääs, ungar. Daroß, latein. Darocinum, ein volkreiches Dorf, zwischen welchem und Szent Pal die aufrührischen Sekler 1518 von dem siebenbürgischen Woiwoden geschlagen wurden.

8) Der Groß Schenker Stuhl, ungar. Nagy = Sink, der auch zu dem sogenannten Altenland gehöret, und 22 Oerter enthält. Unter diesen sind

1) Groß = Schenk, ungar. Nagy = Sink, ein Marktflecken, der Hauptort des Stuhls.

2) Agnetheln, ungarisch Szent Agatha, ein Marktflecken.

3) Hundert Bücheln, lateinisch Centumcollis, ein Marktflecken.

9) Der Reismarkter Stuhl, Sedes Mercuriensis, welcher zu dem sogenannten Land vor dem Wald gehört, hat 11 Oerter. Der Hauptort ist
Reis=

Reismarkt, ung. Szeredahely; lat. Mercurium, ein Marktflecken in einer angenehmen Ebene. Er soll 1200 angelegt seyn.

10) Der Leschkircher Stuhl, welcher zu dem sogenannten Altenland gehört, und zwölf Oerter hat. Der Hauptort ist

Leschkirch, ungar. Uj egy baß, ein Marktflecken.

11) Der B.ooser Stuhl, ein Theil des Landes vor dem Wald, von 13 Oertern.

12) Aus dem Ober Albenser Comitat.

Alvintz, Winz, ein offner Ort am Maroschfluß, mit einem Schloß, auf welchem der Cardinal Georg Martinusius gestorben ist.

4 Die Kokelburger Gespanschaft, welche mit dem Szekler Stuhl Marosch vereiniget ist.

1) Die Kokelburger Gespanschaft, Küköllö Vármedye, Kukoliensis comitatus, wird von Ungarn bewohnet, unter welchen Wlachen zerstreuet sind. Sie wird in die obere und untere abgetheilet: in jener sind 49, in dieser 63 Oerter.

1) Rotnod oder Rodnoth, und Ebesfalva, ein mit Mauern und Thürmen umgebenes Schloß.

2) Küköllö var, Kokelburg, eine feste und schöne Burg am Fluß Küköllö, wovon die Grafschaft den Namen hat.

3) Szent Miklos, Fanum s. Nicolai, ein feiner Marktflecken am Fluß Küköllö, mit zwey Burgen.

3) Balásfalva, Blasendorf, ein walachischer Flecken, woselbst der Bischof der Wlachen seinen Sitz hat.

2) Der Maruscher Stuhl, Maros Szek, Marosiensis sedes, von 123 Oertern, unter welchen:

Szent-Pal und Szent Demeter, zwey Schlösser, davon jenes dem Grafen Gyulasi, das andere der redlischen Familie, gehöret.

5 Die

5 Die Fogaraſcher Geſpánſchaft, zu welcher auch einige Theile der Ober-Albenſer gehören. Der Hauptort iſt

Fogaraſch, ein Schloß am Fluß Alt, und an einem ebenen und ſumpfichten Ort. Neben dem Schloß liegt eine offene Stadt, welche 1774 großen Brandſchaden erlitt. Das Schloß hat der ſiebenbürgiſche Woiwode Ladislaus in den erſten Jahren des vierzehnten Jahrhunderts erbauen laſſen. 1661 gieng es an des Fürſten Kemeny Truppen über. In eben demſelben Jahre ward es von den Osmanen vergeblich angegriffen; es ergab ſich aber nach Kemeny Tode an Apaffi.

6 Die Burzenländer und Haromszeker Geſpanſchaft. Das Burzenland, ung. Barcſaszag, lat. Burcia und Barcia, hat den Namen von dem durchfließenden Fluß Burzen, und iſt der äußerſte Theil Siebenbürgens gegen Oſten, welcher auf der Oſtſeite von der Walachey durch hohe Berge, gegen Mittag und Abend von dem übrigen Siebenbürgen durch waldichte Berge, und gegen Mitternacht vom Seklerland durch den Fluß Alt geſchieden wird. Die Osmanen verheereten dieſes Land 1421, 1432 und 1438, auf eine jämmerliche Weiſe: 1480 und 1495 ward es durch die Peſt ſehr geplagt, 1529 durch die Moldauer, und 1530 durch den Woiwoden der Walachey beraubet und verwüſtet.

Harom Szek, war ehedeſſen ein Stuhl der Sekler, und hieß auf latein. Triſedinenſ. ſedes, das iſt, die drey Stühle, weil er aus dem Sepſer, Kesder und Orbaiſchen Stuhl beſtand.

1) Der Sepſer Stuhl, Sepſki Szek, Sepſienſis ſedes, von 36 Oertern, nebſt dem Filialſtuhl Miklos Vár, von 9 Oertern. Darinn

(1) Szent György, Fanum S. Georgii, ein Marktflecken am Fluß Alauta.

(2) Kö-

(2) Körospatak, ein Marktflecken mit einem guten Schloß, gehöret der kalnockischen Familie.

(3) Uzon, ein Marktflecken, der dem mikesischen Geschlecht gehöret.

(4) Bikfalva, ein Marktflecken, der wegen des engen Passes Busa, an der moldauischen Gränze, bekannt ist.

(5) Hyefalva, ein Marktflecken, welcher so wie der vorhergehende, dem mikesischen Geschlecht zugehöret.

(6) Miklos=var, ein Marktflecken und Schloß, wovon der Filialstuhl den Namen hat.

2) **Kesdische Stuhl, Késdi Szék,** Kesdiensis sedes, hat 31 Oerter, unter welchen:

Késdy=Szent=Lérek, Fanum S. Spiritus Kesdiense, eine feste Burg auf einem hohen Felsen.

3) **Der Orbaische Stuhl, Orbái Szek,** Orbacensis sedes, von 17 Oertern, darunter

(1) Sabola, ein Marktflecken mit einem Schloß, welcher den Grafen Mikes und Kálnoki gehöret. In den dasigen Bergen ist Steinsalz.

(2) Kowaszna, ist der gesunden Bäder wegen berühmet.

(3) Papols, Populum, gehöret unter die vornehmsten Oerter des Distericts.

7 Die Oderhelyer Gespanschaft, mit den Stühlen Csik und Györgyó.

1) Mit dem ehemaligen **Udvarhely Szek,** (Stuhl) sind die Stühle Kereszur und Bardutz vereiniget, und zu allen dreyen gehören 126 Oerter, der Ort Udvarhely aber zu den Fiscalgütern. Die übrigen merkwürdigen sind

(1) Almás, Homorod Almas, ein District, in welchem viele unterirdische Höhlen sind, darinn versteinerndes Wasser tröpfelt.

(2) Ke=

(2) **Keresztur**, Székely = **Keresztur**, ein von hohen Bergen ganz eingeschloßner Marktflecken, von welchem der Stuhl dieses Namens benannt wird.

(3) **Bardutz**, Pardutz, ein wohlbewohnter Marktflecken, der viel Salz hat, und davon der gleichnamige Stuhl benannt worden.

2) **Csit Szek**, der Tschiker Stuhl, Csikiensis sedes, wird in den obern und untern abgetheilt: jener hat 20, dieser 16 Oerter. Er hat auch die Filialstühle **Györgyu** und **Kasson**, jener von neun, dieser von vier Oertern, und enthält folgende merkwürdige Oerter.

1) **Miko=var**, ein befestigtes Schloß, davon das mikoische Geschlecht den Namen hat.

2) **Somlyó**, ein Flecken mit einem Gymnasium.

3) **Szent Miklos**, Fanum S. Nicolai, ein weitläuftiger und wohlbewohnter Marktflecken, welcher der vornehmste im györgyuschen Filialstuhl ist, nahe bey den Quellen der Flüsse Marosch und Aluta.

4) **Kassony**, ein Marktflecken, welcher der vornehmste im kassonischen Filialstuhl ist.

8 Die **Torenburger** Gespanschaft vereiniget mit der untern **Clausenburger** und **Doboker**, und mit **Bißtritz**. Die erste heißt auf ungarisch **Toroda Varmegye** und hat Ungarn und Wlachen zu Einwohnern. Man theilet sie in die obere und untere, von jener ist hier die Rede.

1) Die ober **Torenburger** Gespanschaft, welche 91 Oerter begreift. Zu denselben gehöret

1) **Szasz Regen**, lat. Regna, ein weitläuftiger Marktflecken auf der nordlichen Seite des Flusses Marosch, in einer schönen Ebene.

2) Szent

2) Szent Jvány, eine Burg an einem angenehmen Ort, wo sich ehedessen die siebenbürgischen Woiwoden oft aufzuhalten pflegten.

2) **Die untere Clausenburger Gespanschaft.** Kolosvar Vármegye, die Ungarn, Wlachen und einige Sachsen zu Einwohnern hat, wird in die obere und untere eingetheilet; in der letzten sind 96 Derter. Zu den merkwürdigsten gehören

1) Kolos, ein Marktflecken in einer Ebene, von welchem die Gespanschaft den Namen hat, und der wegen seiner Salzgruben berühmt ist.

2) Tekendorf, ein Marktflecken.

3) Szent Mihály, Szent Mihály Tekke, ein Castel im Flecken gleiches Namens, gehöret der tormaischen Familie erblich.

3) **Die Doboker Gespanschaft**, Doboka Vármegye, Dobocensis comitatus, wird von Ungarn und Wlachen bewohnet. Man theilet sie in die obere und untere ab: jene hat 77, diese von welcher jetzt die Rede ist, 83 Derter, unter welchen

(1) Doboka, ein Marktflecken, am kleinen Szamosch, wovon die Gespanschaft benennet worden.

(2) Apafalva, Apafisalva, ein großer Flecken, von welchem das berühmte Haus der apaffischen Fürsten seinen Namen hat.

4) In dem District Bischtriz, welcher in Nordosten an Ungarn gränzet, ist der Paß Rödna, und bey demselben die Schanze Kukurasz. Die kleine Stadt Bisztriz lieget in einer Ebene.

9) Die.

9 Die obere Clausenburger Gespanschaft, vereiniget mit der untern Torenburger und mit dem Szekler Stuhl Aranyosch.

1) Die obere Clausenburger Gespanschaft, hat 96 Oerter unter welchen

(1) Szamosfalva, ein Marktflecken mit zwey Castelen, den die alte mikolische Familie im Titel führt.

(2) Gyalu, ein Bergflecken mit einem Schloß, gehörte ehedessen den Bischöfen von Siebenbürgen, nun aber den Grafen Banffi.

(3) Banffy-Hunyad, ein Marktflecken.

2) Die untere Torenburger Gespanschaft, hat 75 Oerter. Es gehören zu denselben,

(1) Torda, Torenburg, ein offner, aber weitläuftiger und volkreicher Marktflecken, in einem Thal am Fluß Aranyos, ist der Hauptort der Gespanschaft, und theils wegen der benachbarten Salzbergwerke, theils wegen der alten römischen Bergwerke merkwürdig. Hier soll die ungarische Sprache sehr rein gesprochen werden. Der Anfang zur Erbauung dieses Orts, ist 1455 gemacht, und 1531 ist er verbrannt worden.

Das Salzbergwerk ist ungefähr eine halbe Stunde von der Stadt, in einem Thonschiefer-Hügel, und die umherliegenden kleinen Hügel sind kalkicht; es finden sich auch von Enged bis Torda, und von hier bis Clausenburg viele versteinerte Körper, und allenthalben Kalkhügel. Also ist diese Gegend ohne Zweifel aus dem Meer entstanden. In den Salzgruben hat man durchsichtige Salzstücke, welchen entweder ein Wassertropfen oder etwas Moos eingeschlossen ist, gefunden. Man gräbet auch in dieser Gegend Gips und Alabaster.

(2) T

(2) Torotzkó, ein Bergflecken, welcher seiner Eisen- und Silber-Gruben wegen berühmt, und das Haupt einer gleichnamigen Baronie ist. Er gehöret dem torotzischen Geschlecht.

(3) Boldots, ein Marktflecken.

3) Der Szekler Stuhl Aranyosch, Aranyensis sedes, liegt zwischen der Torenburger und Kokelburger Gespanschaft, am Fluß Aranyos. K. Bela der vierte hat ihn 1245, da er durch die Tatarn von allen Einwohnern entblößet war, aus einer Gespanschaft in einen Stuhl verwandelt, und der Seklerischen Nation geschenket. Er hat 22 Oerter. Ich bemerke folgende.

1) Bagyon, Bagyona, ein ansehnlicher Marktflecken.

2) Keresztes, Keresztes Meseje, ein Feld, welches von den Getreide-Garben benennet worden, und wegen einer Niederlage der Osmanen merkwürdig ist.

3) Szent Mihály, Fanum S. Michaelis, ein Marktflecken am Fluß Aranyos.

4) Fel-Vintzi, Földwinz, ein guter Marktflecken.

10 Die innere Szolnoker Gespanschaft, Belső Szolnok, Vármegye, comitatus Szolnok inferior, vereiniget mit der Ober-Doboker. Jene hat Ungarn, Wlachen, Armenier und einige Deutsche zu Einwohnern. Sie wird in die obere und untere abgetheilet: jene hat 82, diese 105 Oerter.

1) Dées, Dés, ein guter Marktflecken, am Zusammenfluß des größern und kleinern Szamosch, ist sowohl wegen seiner Salzgruben, als des Sitzes der Grafen Bethlen, berühmt.

Dee-

2) Deesakna, ein Marktflecken.

3) Bethlen, ein Schloß am großen Szamosch, wel=
ches mit einem Wall und Thürmen befestiget ist, und da=
von die Grafen Bethlen ihren Namen haben.

4) Retteg, ein wohlbewohnter Marktflecken.

5) Armenienstadt, ungar. Oermeny Dáros; lat.
Armenopolis, ehedessen Szamos Uj=Var, ein Markt=
flecken, welcher den ersten Namen 1726 bekommen, als
Kaiser Karl VI. ihn den Armeniern eingeräumet hat. Er
liegt neben einer Burg, welche Georgius Martinusius,
Bischof von Wardein, und siebenbürgischer Schatzmeister,
am kleinen Szamosch erbauet hat.

In der obern Doboker Gespanschaft, sind
77 Oerter, aber keiner ist besonders merkwürdig.

11 Die mittlere Szólnoker Gespanschaft,
vereiniget mit Kraschner Gespanschaft, und dem
District Kóvar. Die erste, enthält 100 wlachische
Dörfer, unter welchen Tasnad und Hanat; die
zweyte, 41, unter welchen Kraszna, und der dritte,
83, unter welchen Kóvar.

III Die militärischen Districte, an der Gränze
der Walachey und Moldau.

1 Das Thal Hatzeg, erstrecket sich von dem
Ort dieses Namens auf acht Meilen bis an den Fluß
Syl, an die Berge, und an die Pässe Volkány.
Es ist höchst angenehm und fruchtbar, von Wlachen
bewohnet, und hat 81 Dörfer. Der gröste Theil der=
selben gehöret zu dem ersten wallachischen Infanterie=
Regiment; die übrigen Bewohner, sind ungarischer
Adel, und desselben Unterthanen. Zu den merkwür=
digsten Oertern gehören

1) Ha=

1) Hatzeg, lat. Vallopolis, ein ansehnlicher Marktflecken, am Fuß eines Weingebirges, so, daß er eine fruchtbare Ebene vor sich hat.

2) S. Maria, ung. Urlya Boldogfalva, eine halbe Stunde gegen Osten von Hatzeg, zwischen welchen beyden Oertern es Ruinen von einer Stadt giebet. In der Nähe von S. Maria, ist ein beträchtlicher Theil, der von Trajan angelegten Straße, der fast bis nach Varhely führet.

3) Varhely, das ist, der Ort einer Stadt, oder eines Schlosses, mit welchem Namen die Ueberbleibsel der ehemaligen dacischen Haupt- und Residenz-Stadt Sarmitz, oder Sarmizägethusa, dahin Trajanus eine römische Colonie geführet, und sie Ulpia Trajani genennet hat, beleget worden. Man hat unter den Steinhaufen viele alte goldene und silberne Münzen und andere Alterthümer gefunden. Diese Trümmer sind auch bey Gradiska, nach der Mundart der Wlachen Gradyschtye.

4) Demschnuh, ein adeliches Landgut, mit einem runden römischen Tempel, dessen Kuppel offen ist, und auf 4 Säulen ruhet, die mitten in dem Tempel nahe bey einander stehen. An den Pfeilern stehen lateinische Inschriften, welche aber die Wlachen, die sich dieses Tempels zu einer Kirche bedienen, zerkratzet haben. Er hat nur 4 bis 5 Ruthen im Durchmesser. Die ganze umliegende Gegend ist mit Ueberbleibseln von Gebäuden angefüllet, die aber von den Wlachen sehr verdorben worden.

5) Das eiserne Thor, ist ein Paß, an der Gränze des Temescher Gebiets.

6) Kympulung, oder Magy Szül Romunaszk, hat in seiner Nähe einen rauchenden Berg, der auch Feuerflammen ausgestoßen hat. Die Gebirge dieser Gegend halten Eisen.

7) Der Paß Volkan oder Wulkan, führet in die Wallachey, und sein Name zeiget, daß die Römer hier schon Vulkane gefunden haben.

Pp 3   Im

2 Im Burzenlande.

Schnockendorf, ungarisch, Szüngyoszek, liegt zwar im Burzenlande, gehöret aber in den comitatum albensem, und ist jetzt militärisch.

Die engen und befestigten Pässe Tomös, auf der Ostseite des Gebirges Schüller, und Törzlung, ung. Terzvara, in der Piatra Tartariler, nicht weit von der Gränze der Wallachey.

***

Die
epublik Ragusa.

Die

Die Republik Ragusa.

Die freye aristokratische Republik Ragusa, ist ein Stück von Dalmatien. Sie ist nach dem Muster der venetianischen Regierung eingerichtet. Das Regiment ist also in den Händen des Adels, der aber sehr abgenommen hat. Das Haupt der Republik wird Rector genannt, und alle Monate verändert, entweder durch das Scrutinium, oder auf zweyerley Weise durch das Loos gewählt. Während seiner Regierung, wohnet er im Palast der Rep. trägt einen herzoglichen Habit, nämlich einen langen seidenen Rock mit weiten Ermeln; und seine Besoldung ist monatlich 5 Dukaten, ist er aber einer von den Pregadi, der den Appellationssachen mit beywohnet, so bekömmt er alle Tage einen Ducaten. Auf ihn folget il Consiglio dei Dieci, oder der Rath der Zehender. In den großen Rath, Consiglio Grande, kommen alle edle Geschlechter, die über 20 Jahre alt sind, und wählen die Personen, welche den Rath der Pregadi von 60 ausmachen. Diese Pregadi besorgen alle Krieges- und Friedens-Sachen, vergeben alle Aemter, nehmen die Gesandten an, und fertigen welche ab. Sie sind ein Jahr im Amt. Il Consiglietto, der engere Rath, der mit 30 Edelleuten besetzet wird, besorget die Polizey, Handlung und die öffentlichen Einkünfte, urtheilet auch in geringern Appellationssachen. Fünf Provisores bestätigen durch Mehrheit der Stimmen alles,

alles, was die, so im Regiment sitzen, gethan haben. In bürgerlichen, und sonderlich in Schuldsachen, haben 6 Senatores, oder Consules, die erste Instanz, von welchen man sich ans Collegium der 30, und von diesem in gewissen Fällen an den Rath wenden kann. Zu den Criminalsachen ist ein Ban oder Blutrichter verordnet. Drey Personen sind über den Wollenhandel bestellet; fünf Gesundheitsräthe suchen die Stadt vor ansteckenden Seuchen zu bewahren. Ueber die Zölle, Accise und Münze, sind 4 Personen gesetzet. u. s. w. Die Republik soll ehedessen jährlich etwa hundert tausend Dukaten Einkünfte gehabt haben. Sie hat einige Schutzherren angenommen. Bis 1782 hatte der König beyder Sicilien das uralte Recht ausgeübet, den General oder obersten Befehlshaber der ragusischen Truppen zu ernennen, in diesem Jahr aber läugnete die Republik dieses Recht, dadurch der König veranlasset wurde, alle Vorrechte und Privilegia welche die Raguser in dem königl. Napoli gehabt, aufzuheben, und alle ihre liegende Güter in demselben einzuziehen: als sich aber die Raguser bald darauf bequemten, und sich willig erklärten, den Krieges Befehlshaber, den der König ernenne, anzunehmen, wurde der Sequester wieder aufgehoben. Ihr vornehmster Schutzherr ist der Osmanen Sultan Der Tribut an denselben kömmt ihr mit den Unkosten der alle 3 Jahre abgehenden Gesandtschaft, auf 25000 Zequine zu stehen. Den Osmanen ist an derselben viel gelegen, weil sie durch dieselbe allerhand nöthige Waaren, und sonderlich Gewehr, und Kriegsgeräthschaft bekommen. An Venedig zahlet sie

Pp 5 jährl.

jährl. ungefähr zehntauſend Sequinen. Sie begreift
etwan 56000 Menſchen, bekennt ſich ganz zur röm. kath.
Kirche; duldet aber doch die Religionsübung der Armenier und Muhammedaner. Die gemeine Sprache
der Raguſaner iſt die ſlawoniſche, ſie ſprechen aber
auch faſt insgeſammt italieniſch. Die Einwohner
bürgerlichen Standes treiben faſt alle Kaufmann-
ſchaft, und ihre Manufakturen ſind ſchön. Seidenzeuge dürfen nur der Rector, die Nobili und Doctores tragen. Das Gebiet iſt klein. Es gehöret
dazu:

1) Die Hauptſtadt Ragusa, ſie hieß vor Zeiten
Rauſis, oder Rausa, wird nun von den Osmanen Pa-
browika, und von den Slawoniern Dobronich, genannt,
liegt an einem Meerbuſen, zwiſchen zwey Hügeln, ſo, daß
die Straße mitten zwiſchen denſelben durchgehet, die Häuſer aber zur rechten und linken an und auf den Hügeln ſtehen. Sie iſt weder groß, noch gut gebauet, und bloß mit
einer Mauer, in welcher Thürme ſtehen, und einem Graben umgeben, und zwey ſtarke Thürme dienen zu Forts.
Die Stadt iſt der Sitz der Republik und eines Erzbiſchofs,
unter welchem die Biſchöfe zu Stagno, Trebigne, Narenta, Brazza, Rhizana und Curzola ſtehen, und treibet
ſtarken Handel. In den Hafen können nur ganz kleine
Fahrzeuge und Fiſcherbarken einlaufen. Im Eingang
des Hafens lieget der Felſen Chiroma, der lange Zeit
der Republik Venedig zugehöret hat. Die Luft iſt geſund,
der Boden aber unfruchtbar, daher die Einwohner ihre
meiſten Bedürfniſſe aus den angränzenden osmanſchen
Provinzen holen. Dem Erdbeben iſt die Stadt ſehr unterworfen, davon ſie mehrmals unglaublichen Schaden
erlitten, ſonderlich 1634 und 1667. bey welcher letzten
Erſchütterung, 6000 Menſchen umgekommen, und da eine
heftige Feuersbrunſt dazu kam, ſo wurde der Ort ſolcher-
ge=

gestalt verwüstet, daß er sich in den nächsten zwanzig Jahren nicht völlig wieder erholen konnte.

2) Alt-Ragusa, ehedessen Epidaurus, zwey große französische Meilen gegen Süden; von dem jetzigen Ragusa, ein Dorf an einem kleinen Meerbusen, in welchen sich der Fluß Brano ergießet, der aus den benachbarten Bergen kömmt. Die ehemalige Stadt Ragusa, ist lange vor des Herrn Geburt erbauet, nachher eine römische Colonie gewesen, aber im dritten Jahrh. zerstöret worden. In dem Meerbusen ist eine Gruppe kleiner Inseln, oder vielmehr Felsen, von dem heil. Peter benannt, und die westliche Spitze des Meerbusens, hat den Namen Bubari. Ueber jene Inseln oder Felsen, ist einer Namens Mariano, welcher den Titul eines Bisthums hat.

3) Gravoso, oder S. Croix, ein vortreflicher Hafen gegen Norden, eine halbe französische Meile von Ragusa, zu Lande, zwey zu Wasser. Hier ist der Schifbauwerft der Ragusaner. Der Hafen ist der beste auf dieser ganzen Küste, hat eine sehr bequeme Einfahrt, ist sehr weit, tief und wohl verwahret, und rings umher von fruchtbaren Bergen umschlossen, die mit guten Weinbergen, Gärten und Lusthäusern prangen, in welchen die Ragusaner ihr Vergnügen suchen und finden.

4) Ombla Fiumera, ein Meerbusen, der von einem Fluß den Namen hat, dessen Lauf sehr kurz ist. Nahe bey diesem Meerbusen ist

5) Malfa oder Malphis, ein Hafen.

6) In einem andern und größern Meerbusen, liegen die Inseln, welche Elaphites heißen. Die vornehmsten sind,

(1) Zuppana oder Sipan, die größte, auf welcher die Dörfer Lucca und S. Georg sind.

(2) Mezzo, die auch bewohnet ist, und

(3) einige kleinere, die nicht bewohnet sind. Zwischen diesen Inseln und dem festen Lande, ist der Canal von Stagno.

7) Stagno

7) Stagno grande, Tittuntum, eine volkreiche und etwas befeſtigte Stadt, auf der Halbinſel Sabiono-cello, mit einem bequemen Meerbuſen. Sie hat einen Biſchof. Sie lieget auf der Südſeite der Halbinſel, am öſtlichen Ende derſelben. Sie iſt durch die Trümmer der alten Stadt Marſi, vergrößert worden, an deren Ort jetzt Stagno piccolo oder vecchio, ein Flecken, ſtehet.

Die Halbinſel Sabioncello, die auch Stagno ge-nennet wird, und vor Alters Hyllis peninſula, genennet wurde, hat geſunde Luft, und guten Boden. Unter den Dörfern auf derſelben ſind Juliana, Orbiſch und Bo-rin, die größten.

8) Mlir, Milet, ital. Melcda, lat. Melita, eine ſehr angenehme Inſel, die an Citronen, Pomeranzen und guten Wein ſehr fruchtbar iſt, aber nicht ſo viel Wei-tzen hervorbringet, als die Einwohner zu ihrem Unterhalt nöthig haben. Sie wird von einem Raguſaner Edelmann regieret, der den Titul eines Grafen hat. Er wohnet in dem Flecken Bapinopoglie, an dem keinen Meerbuſen Porto Croce. Nicht weit davon ſtehet eine Benedictiner-abtey auf einem Felſen, die das Haupt der Congregatio-nis Melitenſis iſt. Die Südoſtſeite der Inſel iſt bergicht und unbewohnet, aber auf der öſtlichen Spitze iſt das Dorf Korita, auf der Nordſeite der Inſel iſt, der Hafen Comera oder Oclecca. Die Inſel iſt nach einiger Gelehr-ten Meynung diejenige, an welche Paulus nach erlitte-nem Schifbruch getrieben worden, welches aber unwahr-ſcheinlich iſt.

9) Die Inſeln Lagoſta oder Auguſta, Cazzola und Cazza, die nicht bewohnet ſind.

Das
smansche Reich
in
Europa.

Einleitung in den Staat.

§. 1.

Das osmanische Reich in Europa, ist theils auf Charten von Ungarn und vom Donau-strom, theils auf besondern Charten vor-gestellet worden, als von Jaillot 1700, Boudet 1755 und Janvier 1760. Mercator und Blaeuw, haben zuerst das ganze osmansche Reich in allen 3 Erd-theilen auf 1 Charte gebracht. Sanson verbesserte dieselbige, und theilte die Länder dieses großen Reichs in ihre Statthalterschaften ab. Seine Charte ha-ben Visscher, Jaillot, Moll, Schenk, Seut-ter, Covens und Mortier, Ottens, und an-dre nachgestochen, Joh. Michael Franz aber hat 1737 eine neue verzeichnet, und außer seinen eignen Untersuchungen, alles dasjenige, was er bey de l'Isle und Hase gewisses und ausgemachtes ge-funden, mit zum Grunde geleget. Die beste Charte von dem europäischen Theil des osmanschen Reichs, ist jetzt die Charte de la partie septentrionale de l' empire ottoman par Rizzi Zannoni, Paris 1774 auf 3 Bogen, die zusammengesetzt werden können. Von einzelnen Ländern des osmanischen Reichs giebt es auch Charten, die hernach vorkommen werden. Es hat auch Ibrahim Effendi, einige der genannten Charten in türkischer Sprache nachgestochen, und

zu

zu Conſtantinopel in ſeiner Buchdruckerey herausgegeben.

§. 2 Das osmanſche Reich beſtehet aus europäiſchen, aſiatiſchen und afrikaniſchen Ländern. Ich
beſchreibe hier nur die europäiſchen; will aber doch
eine Einleitung in den ganzen osmanſchen Staat
geben.

§. 3 Das osmanſche Reich in Europa, iſt ein
Theil des ehemaligen morgenländiſchen römiſchen
Reichs, und gränzet heutiges Tags gegen Morgen
an das ſchwarze Meer, und den Archipelagus, gegen Mitternacht an das mittelländiſche Meer, gegen
Abend an das abriatiſche Meer, und an das regu-
ſaniſche, venetianiſche und ungariſche Dalmatien,
gegen Mitternacht an das ungariſche Croatien, Slawonien, Ungarn, Siebenbürgen, das polniſche und
ruſſiſche Reich. Alle jetzt dazu gehörige Länder, jedoch die Krim mitgerechnet, werden ungefähr zehntauſend geographiſche Quadratmeilen betragen.

§. 4 Die Luft iſt zwar geſund, es wird aber
aus Egypten die Peſt oft hieher gebracht; die zu
Conſtantinopel manchmal den fünften Theil der
Menſchen aufreibet; allein, ſowohl der Lehrſatz der
Osmanen von dem Verhängniſſe, als die Gewohnheit, iſt die Urſache, daß ſie nicht viel daraus machen, wiewohl unterſchiedene jetzt den Chriſten nach-
ahmen, und ſich zur Zeit der Peſt, ſo viel möglich
iſt, von andern abſondern, ohne doch ihre öffentlichen Geſchäffte zu verabſäumen. Alle Landſchaften
haben einen fruchtbaren Boden, doch eine mehr
als die andere, daher der Ackerbau und die Viehzucht ſehr vortheilhaft und einträglich iſt, und jährlich

lich eine ungemein große Menge von allerley vortrffli-
chen Landesfrüchten durch die Schiffe abgeholet und
ausgeführet wird. Es ist aber seit Muhammed des
dritten Regierung, der Ackerbau, weil er mit Abgaben so stark beschweret ist, in solchen Verfall gerathen, daß der geringste Miswachs eine Hungersnoth
nach sich ziehet. Die Osmanen legen sich fast gar
nicht darauf, sehr wenige ausgenommen, sondern
er wird von den Christen besorget. Diese treiben
auch meistens den Weinbau, insonderheit in dem europäischen Theil des osmanschen Reichs, in dem Asiatischen aber giebt es Osmanen die sehr gute Weinberge
haben, und die Trauben an die Christen verkaufen.
Bey Constantinopel ist die Weinlese um Michaelis.
Für den besten Wein in diesem Staat, hält man den
von Santorin u. Napoli di Malvesia. Die vornehmsten
Flüsse sind die Save, Donau, der Dniester und
Dnieper, von welchen oben bey Ungarn und bey
dem russischen Reich gehandelt worden. Die Meere,
an welche einige europäisch-osmansche Landschaften
stoßen, und zum Theil darinn liegen, sind in dem
Anfange dieses Bandes beschrieben.

§. 5 Die Osmanen haben die Namen der alten
Oerter größtentheils und mit geringen Veränderung
beybehalten. Dieses gilt noch mehr von den Griechen,
von welchen insonderheit zu bemerken ist, daß sie unter einander zwar Constantinopel πολις Polis,
(die Stadt), eine jede andre Stadt aber nur χωρα
oder χωρη, Chora, Chori, d. i. einen Ort, und eine
kleine Stadt, so wie ein Dorf, χωριο, Chorio, nennen. Die Anzahl der Einwohner des Landes,
ist in Ansehung seiner Größe und Güte viel zu geringe,

ringe, und nimt immer mehr ab, woran die Pest,
Vielweiberey, die Menge der Abgaben, und Be-
lästigung des gemeinen Mannes, und daher auch
der ungefähr seit 1740 gewöhnliche und häufige Ausgang der Griechen, Armenier und Wlachen, in
das benachbarte russische, polnische, ungarische, ve-
netianische und ragusanische Gebiet, und der asiatischen Osmanen nach Persien und zu den Tatarn,
hauptsächlich Schuld sind; daher man sich nicht
wundern darf, daß so viel Land ungebaut lieget:
Gegenden, die ehedessen mit Dörfern angefüllet waren, sind jetzt fast ganz davon entblößet. Die stärkste
Entblößung des Landes findet man in der Walachey
und Moldau, hingegen die zu nächst um Constantinopel belegenen europäischen und asiatischen Landschaften, sind noch am besten angebauet und bewohnet,
insonderheit Romanien. Die Einwohner sind von
verschiedener Art, nämlich Osmanen und Tatarn, Griechen, Armenier, Albaner oder Illyrier, Wlachen, und Völker slawischen Ursprungs. Der Juden ist auch eine große Menge,
insonderheit zu Constantinopel und Salonichi. Die
Osmanli oder die Osmanen, werden unter uns
gemeiniglich Turken genennet, allein, obgleich die
alten Osmanen, so wie die Tatarn, ein türki-
sches Volk waren, und der Name Turk, als
ein Ehrenname angesehen wurde, weil die Nation,
die denselben führte, ihren Ursprung von Turk,
welcher der älteste Sohn Japhets gewesen seyn soll,
herleitete: so wollen doch die jetzigen Osmanen nicht
mehr Turken heißen, weil die Perser und andere
einen Straßenräuber einen Turken nennen. Die

Th. 8 A: Qq   Osma-

Osmanen, ſind zwar unter den Chriſten als Unmen-
ſchen und Barbaren, als Faule und Ungeſchickte be-
ſchrien; ſie ſind aber ſo ſchlimm und fuͤrchterlich nicht,
als man ſie ehedeſſen abgemalet hat; wenigſtens ſind
die jetzigen Osmanen nicht ſo rauh und wild, als
ihre Vorfahren waren. Es giebt ehrliche und auf-
richtige, gutthaͤtige und liebreiche, maͤßige und ar-
tige, fleißige und geſchickte Leute genug unter ihnen;
oder, es ſind bey ihnen, ſo wie bey allen andern
Voͤlkern und Nationen, Gute und Boͤſe mit einander vermiſchet. Doch haͤlt man die aſiatiſchen Osmanen fuͤr beſſer, als die europaͤiſchen, weil die letzten aus einem Miſchmaſch von urſpruͤnglichen Osmanen, und von abtruͤnnigen Chriſten und Juden
beſtehen. Es iſt auch nicht zu leugnen, daß die
Osmanen die Europaͤer, und uͤberhaupt die Chriſten
ſehr gering ſchaͤtzen und verachten, und in Anſehung
des Islam, mit dem Namen der Unglaͤubigen belegen. Drieſch ſaget, die Osmanen uͤbertraͤfen alle
andere Voͤlker an Barmherzigkeit und Liebe, gegen
den Naͤchſten; und dieſes Zeugniß, welches viele
andere Reiſebeſchreiber beſtaͤtigen, iſt in ſofern richtig, daß die Osmanen wirklich eine gutthaͤtige und
milde Nation ſind. Als oͤffentliche Zeichen ihrer
Gutthaͤtigkeit, werden die Haane, oder oͤffentli-
chen Herbergen, geruͤhmet. Eine ſolche heißet
bey den aſiatiſchen Voͤlkern Kiervanſerai, das iſt,
Haus fuͤr Reiſende, und man findet faſt in jedem
Doͤrfchen eine. Ein Reiſender, von welcher Religion und Nation er auch iſt, kann ſich darinn drey
Tage ohne Bezahlung aufhalten, und in vielen wird
ihm auch die Koſt umſonſt gereichet. Doch iſt nicht

zu

zu leugnen, daß die meisten wenige Bequemlichkeit,
Reinlichkeit und Annehmlichkeit haben. Unterdessen
stiften die Osmanen dergleichen Gebäude sehr gern,
weil sie dieselben als ein Liebeswerk, das Gott wohl-
gefällig ist, ansehen. Aus eben dieser Ursache lassen sie auch Brunnen an den Landstraßen, Brücken,
und in den großen Städten Seminaria und Schulen zum Unterricht der Jugend anlegen. Ihre Sclaven und Diener, deren Fleiß ihnen nützlich ist, halten sie sehr wohl, und oft besser, als die Christen
die ihrigen. Die ersten Jahre sind für solche Leute
die beschwerlichsten, insonderheit, wenn sie noch jung
sind, weil die Osmanen sie theils durch gute
Worte, theils durch Schärfe zu ihrer Religion zu
bringen suchen: ist aber diese Zeit überstanden, so
ist die Gefangenschaft nirgends erträglicher, als bey
ihnen; und wenn ein Knecht in einer Kunst erfahren
ist, kann er mit der Begegnung seines Herrn wohl
zufrieden seyn. Er muß aber ohne Lohn dienen, und
bekömmt nur Essen und Kleidung.

Was sonst die äußere Beschaffenheit der Osmanen anbetrifft, so sind sie mehrentheils starke und
ansehnliche Leute, und können viel vertragen, daher
sie sich zum Kriege gut schicken, dazu sie sich auch
nach ihrer Art von Jugend auf gewöhnen. Sie haben ihre besondere Kleidung, Lebensart und Gewöhn-
heiten. Sie bescheeren nicht nur den Kopf, sondern
die meisten auch den Bart, lassen aber den Knebel-
bart sehr lang wachsen. Man hält dafür, daß es
sich für ehrbare Osmanen nicht schicke, den Bart
schwarz zu färben, es thun dieses aber die jungen
Herren, welche ihre Schönheit erhöhen wollen, und

Qq 2 viele

viele Vornehme sollen es auch thun, weil die schwarzen Bärte unter den Osmanen selten sind. Der Turban, oder osmansche Buud, (eigentlich Sarik, von umwickelen,) den die Männer tragen, ist das Unterscheidungszeichen aller Stände der bürgerlichen Gesellschaft, und giebet zu erkennen, wer einer sey? Die Mitglieder des Divans erscheinen in demselben mit besondern weißen Turbähen, die sonst niemand tragen darf, und die so groß sind, als ein Schaf. Die Emire tragen grüne Turbane, welche Farbe für heilig gehalten wird. Die Kriegesleute haben Turbane von allerhand Farben, und die Seesoldaten gemeiniglich schwarze. Die Kleider sind lang und weit. Sie sitzen, essen und schlafen nach morgenländischer Art auf dem Fußboden, und brauchen zu ihrer Bequemlichkeit Polster, (Sofa), Matratzen und Teppiche. Weil ihnen der Wein verboten ist, (§. 7) so wenden sie sehr viel Geld an gute Brunnen, daher auch in ihren Ländern die besten anzutreffen sind; und zwar nicht nur in den Städten, sondern auch auf dem Lande, und an andern unbewohnten Oertern, damit die Reisenden, und die, welche auf dem Felde arbeiten; bey großer Hitze sich erfrischen können. Ihre gewöhnlichste Begrüßung ist, daß sie das Haupt ein wenig neigen, und die rechte Hand an die Brust legen; vor vornehmen Personen aber bücken sie sich so tief, daß sie den Saum ihrer Kleider berühren und küssen können. Die linke Hand behauptet in Kriegszeiten bey den Soldaten den Rang, bey den Staatsmännern und Fremden aber hat sie dieses Ansehn in Friedenszeiten nicht. Das weibliche Geschlecht wird ungemein ein-

gezo-

gezogen und eingeschränket gehalten. Der Ort des
Aufenthalts des Frauenzimmers, heißet Harem
oder Haram, welches arabische Wort überhaupt
eine heilige Sache, oder einen heiligen Ort, dazu
nicht jedermann den Zugang hat, bedeutet, insonderheit aber von den Wohnungen des Frauenzimmers, ja von dem Frauenzimmer selbst, gebrauchet
wird. Es ist unrichtig, wenn man den Harem auch
Serail oder Serraglio nennet; denn dieses Wort,
welches ursprünglich persisch ist, und eigentlich Se-
rai oder Sarai heißet, bedeutet nur einen Palast.
Zum Adel rechnet man in der Türkey die vornehmen
Kriegesbedienten, die Richter und Geistlichen. Die
Geburt trägt nichts bey, jemanden zu großen Be-
dianungen zu verhelfen, sondern es kömmt auf Ge-
schicklichkeiten, Verdienste und Empfehlungen an.
Niemand ist den gefährlichen Befehlen der Pforte,
die den Kopf fordern, bloß gestellet, als die,
welche in kaiserlichen Diensten und Aemtern stehen,
oder, wie man in diesen Landen zu reden pfleget, des
Groß-Sultans Brod essen. Das gemeine Volk
aber wird sehr gedrücket. Ein Herr kann seine Bedienten, die freye Leute sind, wegen geringer Ursachen ungestraft ermorden, und seine Knechte gar
ohne Ursache tödten.

Die Griechen, welche die alten Einwohner des
Landes sind, leben unter den Osmanen vermenget,
und übertreffen diese fast an allen Orten an der Zahl,
insonderheit auf dem platten Lande, und auf den Inseln sind lauter griechische Einwohner. Ihr Name
ist aber im osmanschen Reich nicht mehr, der Name
einer Nation, sondern der Religion. Ein Grieche

Qq 3 heißet

heißet in der griechischen Sprache Romiös, und eine
Griechin Romessa, und die Osmanen nennen einen
Griechen Rumi, und Romlu oder Rumlt. Sie
sind der Unterwürfigkeit gewohnet, müssen sich aber
sorgfältig hüten, daß sie nicht bey den Osmanen den
Verdacht, eines Verständnisses mit den Feinden der
osmanschen Pforte, und eines Aufstandes veranlas-
sen; sie pflegen auch von den Osmanen, wenn dieselben mit einer christlichen Macht Krieg führen, zu
mehrerer Sicherheit entwaffnet zu werden. Sie
sind selbst mit Schuld daran, daß sie von den Osmanen gering geschätzet, ja verachtet werden, denn
viele schmeicheln denselben oft auf eine niederträch-
tige Weise, so gar, daß sie ihnen wohl die Steig-
bügel halten. Sie erlegen jährlich beym Anfang
des Beiram ein Kopfgeld, (Charatsch), welches
jetzt 5 osmansche Piaster oder 1½ Ducaten ausmacht,
und wofür sie einen Zettel bekommen. So lange die
Knaben durch ein gewisses Maaß, welches die Ein-
sammler des Kopfgeldes allezeit in der Tasche haben,
den Kopf stecken können, sind sie frey; so bald ihr
Kopf aber größer, als das Maaß, geworden ist,
müssen sie das Kopfgeld erlegen. Von demselben
ist nicht einmal der Bettler auf der Straße frey, als
der zuweilen so lange ins Gefängniß geworfen wird,
bis gutthätige Personen das Kopfgeld für ihn erlegen. Die gottesdienstlichen Personen geben mehr,
z. E. ein Diaconus 2, ein Archimandrit 4 Ducaten;
die Bischöfe, Erzbischöfe und Patriarchen zahlen
große Summen, die gemeiniglich durch die Hab-
sucht und Willkühr der Großwezirs und der Paschen
bestimmet werden. Der Kaufleute Abgaben, richten

und eine
... einen
... Sie
... oder
... den
... der
... ...
... ...
... ...
Sie
... ...
... ...
...
... ...
... ...
welches

ten sich nach dem Werth und Preis der Waaren,
die sie einführen. Die Osmanen nehmen überall
Gelegenheit, von den Griechen, und insonderheit
von den gottesdienstlichen Personen, Geld zu erpressen. Für dieses Geld genießen sie den Schutz der
osmanschen Pforte, und werden im ruhigen Besitz
des Ihrigen erhalten, so daß ihnen kein Osman
zu nahe treten, wider ihren Willen nicht in ihre
Häuser kommen, noch ihnen etwas nehmen darf;
sie erhalten auch Recht vor den osmanischen Richtern.
Die Griechinnen sind von der Schatzung frey, welches auch von vielen andern Griechen gilt, die den
Osmanen zur See, oder auf andere Weise, Dienste
leisten. Ausnehmend schöne Griechinnen, werden
wohl gelegentlich weggenommen, und in den Harem
geführet. Es ist ungegründet, wenn einige vorge-
ben, daß man den Christen ihre Kinder nehme, und
sie muhammedanisch erziehe; wenigstens geschiehet
es nur selten, und zwar in den von Constantinopel
entlegenen Landschaften. Auf die Griechen folgen
der Menge nach die Armenier, die den Griechen
an unterschiedenen Orten, insonderheit zu Constantinopel, an der Zahl fast gleich kommen. Sie sind
durchgehends reicher, als die Griechen, weil sie nicht
nur den Handel besser verstehen, sondern auch spar-
samer leben. Sie betragen sich gegen die Osmanen
würdiger als die Griechen, werden also auch von
denselben mehr geachtet.

Die abendländischen Christen, die unter dem
Schutz eines Gesandten, Residenten oder Consuls
stehen, und mit einem allgemeinen Namen Franken genennet werden, sind nicht nur selbst vom Kopf-

geld frey, sondern auch alle ihre wirkliche Bedienten, wenn gleich die letzten geborne Unterthanen des
Sultan sind: die Osmanen aber wissen doch mancherley Kunstgriffe zu gebrauchen, um Geld von ihnen zu erpressen. Sie besitzen viele unbewegliche
Güter in dem osmanischen Reich, die Krone Frankreich aber hat ihren Unterthanen die Ankäufung derselben aufs künftige verboten, weil darüber oftmals
Klagen und Zänkereyen bey und mit dem Divan
entstehen, die das gute Vernehmen schwächen, und
den Handel stören. Ein jeder auswärtiger Gesandte,
Resident und Consul, hat einen osmanschen Dolmetscher, der in seinem Namen die Angelegenheiten
mit dem obersten Weßir, oder vielmehr mit dem
obersten Dolmetscher, ausmacht. Von den übrigen Nationen, deren oben gedacht worden, wird
bey Beschreibung der besondern Landschaften das
nöthige gemeldet werden.

§. 6. Die Sprache des Osmanen ist die türkische, welchen Namen sie verstatten, wenn sie
gleich sich selbst nicht Türken nennen. Sie ist
an und vor sich selbst sehr arm, und hat daher viel
von der arabischen und persischen Sprache angenommen. Die Griechen, und auf der Insel Cypern
auch Muhammedaner, (die aber oder deren Vorfahren Griechen gewesen sind.), reden auch die neu-
griechische, die Serwier, Bosnier und Bulgaren
die slawonische, die Wlachen und Moldauer die
wlachische, von welcher hernach die Rede seyn wird.
Die arabische Sprache ist die Sprache der Gelehrten. Die italienische Sprache wird auch stark geredet,

inson-

insonderheit von den Kaufleuten und am Hof. - Die Schrifzüge, mit welchen die Osmanen eben sowohl als die Araber alle ihre Bücher schreiben, werden Nessich, oder Neschy genennet. Die Doctoren, Richter und Dichter, bedienen sich, so wie die Perser, der Schriftzüge, welche Talik heißen. Die Cursivschrift der Osmanen und Araber, oder die Schrift, welche die Leute bürgerlichen Standes in besondern Briefen und Rechnungen brauchen, nennet man Rokai, auch Kyrmae. Die Schrift Diwani, wird von den Vornehmen, insonderheit in den Kanzleyen und Briefen gebrauchet.

§. 7. Die Osmanen sind der muhammedanischen Religion zugethan, und eignen sich also auch, wie die übrigen Muhammedaner, den Namen Moslemin, in der einfachen Zahl Müsulman, zu, welcher Gläubige, oder Leute bezeichnet, die Muhammeds Lehre, die er Islam, d. i. den wahren Glauben, genennet hat, annehmen. Sie sind von der Secte Sunni, oder sie sind Sonniten, oder Sunniten, d. i. Beobachter der mündlichen Ueberlieferungen des Muhammeds, und seiner drey Nachfolger, Abubekr, Omar und Otschman, und nennen sich Rechtgläubige, im Gegensatz der Anhänger des Ali, die es für Unrecht erklären, daß dem Ali das Khalifat von den vorhin genannten dreyen Personen entrissen worden, aber von den Sonniten, schimpfsweise Schiiten genennet werden, d. i. eine ärgerliche und verworfene Secte, zu welcher Partey sich die Perser und andere bekennen. Die Osmanen und Perser hassen einander mehr, als sie beyde die fremden Religionsverwandten, oder so genannten Un-

Qq 5

gläu-

gläubigen verabscheuen. Ihre Glaubens- und Lebens-
Regel ist, wie aller Muhammedaner, der Koran,
dessen Inhalt und Einrichtung nicht hieher gehöret.
Einige äußere Stücke ihrer Religion sind: die gesetz-
lichen Waschungen, oder Reinigungen, sowohl
des ganzen Leibes, (Ghosl,) als einiger Glieder,
(Wodu,) die vor dem Gebet hergehen müssen;
die Anbetungen, welche alle vier und zwanzig Stunden fünfmal geschehen müssen, mit Richtung des Ge-
sichts nach Mecca; das Beten des Rosenkranzes, um
die Eigenschaften Gottes einzeln zu verehren, indem
sie bey Nennung einer jeden derselben, (z. E. Gott ist
allmächtig, ewig, 2c.) eine Coralle ihres Rosenkranzes sinken lassen; das Almosen, sowohl das gesetz-
liche, (Sacah,) als das freywillige; (Sadakah;)
die Fasten, sowohl die nothwendigen des ganzen Monats Rämadhan, (nach der Aussprache der Osmanen, Ramassan oder Remaezan,) auf welche an dem ersten Tage des zehnten Monats, der
Schewal heißet, das erste Fest, oder der große Beiram, und 70 Tage hernach, am zehnten des Monats Sil-Hadsche, der kleine Beiram, folget, als
die freywilligen, insonderheit am Tage Aschura, welcher der zehnte des Monats Moharram ist; die Wall-
farth nach Mecca zur Caba, die ein jeder Muhammedaner in seinem Leben wenigstens einmal, entweder
in Person, oder durch einen Gevollmächtigten, verrichten muß, daher jährlich eine Kierwan dahin gehet,
die aus Pilgrimen und Kaufleuten bestehet, die von
Soldaten bedecket wird, gemeiniglich über 20000
Köpfe ausmachet, und gewöhnlichermaßen den Pascha von Damaschk, zum Emir Hadsche oder Führer
hat.

hat. Unter die verbindlichen Ueberlieferungen, davon nichts im Koran stehet, gehöret die Beschnei-
dung, die zwischen dem sechsten und siebenzehnten
Jahr, gemeiniglich im dreyzehnten, verrichtet wird.
Das Weintrinken ist zwar im Koran verboten, die
Osmanen tragen aber doch kein Bedenken, gelegentlich Wein zu genießen. Es sind auch auf allen Dörfern Weinhäuser, und in den Städten bey Constantinopel ist ihre Menge groß. Sie dürfen aber nicht
von Moslemin gehalten werden, sondern gehören Griechen und Armeniern, die aber zu gewissen Zeiten, insonderheit am Beiram, gantz und gar keinen Wein
verkaufen dürfen. Es stehen auch Wachen vor den
Weinhäusern, die Ausschweifungen verhüten sollen, und die taumelnd herauskommenden Osmanen
sehr prügeln. Sonst ist auch bey ihnen, anstatt des
Weins, der Scherbeth sehr gewöhnlich, der
ein aus gemeinem Wasser, Rosenwasser, Citronen-
saft und Zucker zubereiteter Trank ist. Die Glücks-
spiele, das Wahrsagen mit Pfeilen, gewisse
Speisen, als Blut, Schweinefleisch, umgefallenes,
oder von Thieren zerrissenes, und vom Schlag oder
Fall gestorbenes Vieh, imgleichen alles Götzenopfer,
der Wucher, und einige abergläubische und heideni-
sche Gewohnheiten, gehören auch unter die verbotenen
Dinge. Es ist auch merkwürdig, daß die Osmanen gantz und gar keine Bilder dulden, und allen
Schilbereyen, die ihnen in die Hände fallen, die Augen ausstechen: doch dulden sie ein Bild, welches
einen Reuter zu Pferde vorstellet, und wenn ein Muhammedaner sich in christlichen Ländern taufen läßt,
erwählet er den Namen von einem Heiligen, der zu
Pfer-

Pferde sitzend vorgestellet wird, z. E. vom heiligen
Georg ꝛc. Die Vielweiberey ist zwar erlaubet,
doch saget der Koran, daß kein Mann mehr als vier
Weiber und Beyschläferinnen haben solle; welche
Anzahl zu überschreiten, nur zu den Vorrechten des
Propheten und seiner Nachfolger, gehöret. Es ist
aber doch durch die Gewohnheit dahin gekommen,
daß ein jeder zwar nur vier rechtmäßige Eheweiber,
aber so viel Beyschläferinnen halten darf, als er will
und ernähren kann. Leute von mittlerm und geringerm Stande, haben selten mehr als eine Frau auf
einmal. Die Ehescheidung ist zwar erlaubet, doch
muß der Mann der geschiedenen Frau nach seinem
Stande täglich etwas gewisses zu ihrem Unterhalt geben, bis sie sich wieder mit einem andern verheira-
thet hat. Er darf auch die verstoßene Frau nicht
wieder nehmen, als bis sie vorher mit einem andern
Mann verehlicht gewesen, und von demselben wieder
verstoßen worden. Porter und andere Schriftsteller
bezeugen, daß die Osmanen gemeiniglich nicht so viel
Kinder haben, als man in christlichen und jüdischen
Familien findet. Der Freytag ist zum öffentlichen
Gottesdienst bestimmet. Ein kleiner Tempel oder
vielmehr nur ein Bethhaus, wird Messched (*Mosque*)
ein großer, Dschami genennet. Dieser Tempel
habe größere Güter als irgendwo die Kirchen der
Christen. Ehedessen erhielten sie von den eroberten
Ländereyen den dritten Theil, der unter den Namen
Mukhatas und Has bekannt ist; es werden aber
auch noch immer den Tempeln Güter vermacht; und
die Einkünfte von denselben verwalten die Mutevelis,
welche unter dem Nasir, das ist unter dem Groß-Wes-
sir

fir und Kislar Aga stehen. Das Haupt ihrer gottesdienstlichen Personen, ist der Mufti oder Mosti,
welches Wort einen Ausleger des Gesetzes bedeutet,
er ist auch in der That der oberste Aufseher und Ausleger der Gesetze, und hat wenig mehr von dem Character eines Geistlichen. Sein Ansehen ist groß, und
der Sultan selbst stehet von seinem Sitz auf, und gehet dem Mufti sieben Schritte entgegen, wenn derselbe zu ihm kömmt; und dieser hat allein die Ehre,
des Sultans linke Achsel zu küssen, da der oberste
Weßir mit einer weit tiefern Ehrerbietung nur bloß
den Saum des sultanischen Rocks küssen darf, und
der Sultan ihm nur auf drey Schritte entgegen gehet.
Er muß, nach dem Gesetz, in allen Fällen, insonderheit, wenn sie Krieg oder Frieden betreffen, um
Rath gefraget werden. Allein, heutiges Tags ist
diese Ehrerbietigkeit, die ihm bewiesen wird, nicht
viel mehr, als ein äußerlicher Schein; und wenn er
eine Erklärung des Gesetzes machet, oder eine Stimme giebet, die dem Sultan entgegen ist, so suchet
man Gelegenheit, ihn abzusetzen, (welches aber mit
gewissen Umschweifen geschehen muß,) und verordnet
einen andern an seine Stelle, der sich gefälliger beweiset. Vor Alters ward er, wenn man ihn der Verrätherey, oder eines andern schweren Verbrechens,
überführen konnte, in einem Mörser zu Tode gestös-
sen. Allein, diese barbarische Sträfe ist schon lange
abgeschaffet worden, doch wird der Mörser noch in
einem Hof der sieben Thürme zu Constantinopel, zum
Andenken aufbehalten. Der Mufti wird aus den
Personen erwählet, die wir Mulas zu nennen gewohnet sind. Das arabische Wort Maula, (drey
Sil-

Silben,) bezeichnet unter andern auch einen Rechtsgelehrten, und die Leute, welche bey den Osmanen diesen Namen haben, sind auch nichts anders, als
Rechtsgelehrte und Richter, an welchen man keine
gottesdienstliche Merkmale mehr wahrnimmt. Die
eigentlichen gottesdienstlichen Personen, sind diejenigen, welche den Namen Imam führen. Ein solcher Imam ist der Vorsteher von einem Messched.
Die Osmanen haben auch Klöster und Mönche, welche mit dem allgemeinen Namen der Derwische benennet werden. Zu denselben gehören die Bektra-
schi, Mevelevi, Kadri und Seyati. Zu den
Uebungen der zweyen Art der Mönche, gehören var-
nemlich gewisse gottesdienstliche Tänze. Scheikh
oder Schech, heißt im besondern Verstande der Abt
oder Vorsteher eines Klösters. Das Ansehen der
Geistlichkeit ist zwar sehr gefallen, aber doch noch
groß genug. Wenn die drey vornehmsten Geistlichen
auftreten, und sagen, Gott wolle nicht, daß der
Sultan länger auf dem Thron sitze, so muß er herunter. Bonneval aber hat eine Gegenlist ausge-
sonnen, welche darinn bestehet, daß der Sultan Auf-
schub begehret, und den drey Geistlichen ansehnliche
Staatsbedienungen ertheilet, hernach aber mit ihnen,
als mit weltlichen Personen umgehet, und sie entweder verbannet, oder umbringen lässet. Ueberhaupt
ist noch zu merken, daß die Osmanen nicht das Ansehen haben wollen, als ob ihre Religion mit Gewalt, Feuer und Schwerdt ausgebreitet werde; es
genießen auch wirklich die Christen und die verschiedenen Parteyen derselben unter ihnen, völlige Gewissens-
freyheit, und weit mehr Ruhe, als unter einigen,

die

die sich Christen nennen. Unterdessen machen sie doch
gern Glaubensgenossen; wiewohl kein Christ ohne
Vorwissen des Gesandten oder Consuls seiner Nation,
zu Constantinopel, ein Muhammedaner werden darf.
Es fällt aber mancher, der ein Muhammedaner
geworden ist, aus Gewissensunruhe wieder ab, und
erduldet den alsdenn unvermeidlichen Tod. Wer
sonst einen Muhammedaner zur Annehmung der christlichen Lehre überredet, wird eben sowohl, als ein
Christ, der mit einer Osmanin Hurerey treibet,
lebendig gespießet. Sonst halten die Osmanen, nach
Inhalt des Korans an Jesum, für einen großen Propheten, und wenn ein Jude zu ihrer Religion über-
tritt, wird sein Glaubensbekenntniß mit darauf eingerichtet.

Das Haupt der griechischen Kirche in dem
osmanischen Reich, ist der Patriarch zu Constantinopel, der von den benachbarten Erzbischöfen und
Metropoliten erwählet, und von dem Sultan oder
desselben obersten Weßir bestätiget wird. Es kömmt
aber auch bey der Wahl auf die Genehmhaltung des
obersten Weßirs so viel an, daß man dieselbe voraus
suchet, ja es wird versichert, daß der oberste Weßir
sie für diese Würde an den meistbietenden, ohne Scheu
verkaufe, und daß der gewählte und bestätigte Patriarch sich immer in Gefahr der Absetzung befinde,
zumal, wenn ein anderer Geistlicher dem Weßir eine
größere Summe Geldes anbiete, als der bisherige
Patriarch erleget habe. Nach Porters Erzählung,
muß derjenige, der Patriarch werden will, 90
bis 100000 Thaler anwenden, um diese Würde zu
erhalten, die er doch selten über drey Jahre behält,

weil

weil einer oder der andere Metropolit ihn zu ſtürzen,
und an ſeine Stelle zu kommen ſuchet. Auch Kantemir ſaget in ſeiner Geſchichte des osmänſchen Reichs
S. 144, daß ſelten ein Patriarch in ſeiner Würde
ſterbe. Sein Anſehen iſt ſehr groß, weil er der erſte unter den griechiſchen Patriarchen, auch das
Haupt und die Richtſchnur der morgenländiſchen Kirche iſt. Er nennet ſich einen Erzbiſchof zu Conſtantinopel und allgemeinen Patriarchen. Seine Einkünfte ſind ſonſt auf 120,000 Gulden geſchätzet,
und es iſt gemeldet worden, daß er davon die Hälfte
an jährlichem Tribut der osmaniſchen Pforte erlegen,
auch außerdem am Beiram noch 6000 Gulden zu
Geſchenken anlegen müſſe. Jetzt ſollen ſich ſeine Einkünfte viel höher belaufen. Da ihm ſeine Stelle ſo
viel koſtet, er auch unterſchiedenen vornehmen Osmanen, zu ſeiner Erhaltung jährlich große Geſchenke
machen, und wegen Unſicherheit ſeines Zuſtandes,
eine beträchtliche Summe erübrigen muß, um, wenn
er abgeſetzet oder ins Elend verwieſen werden ſollte,
nicht nur etwas zu ſeinem Unterhalt, ſondern auch
zur Wiedererlangung ſeiner Stelle zu haben: ſo muß
er nothwendig die Kirchen aufzehren. Unter ihm
ſtehen an 70 Erzbiſchöfe und Metropoliten,
und eine weit größere Anzahl von Biſchöfen. Ein
Archimandrit, iſt ein Vorſteher eines Kloſters oder
der Klöſter, die ſie Mandren nennen, und mehr
als ein Abt. Ein jedes Kloſter hat ſeinen Abt. Die
Mönche müſſen Handarbeit verrichten, die Prieſter
und Studirenden ausgenommen, und führen eine ſehr
ſtrenge Lebensart. Die berühmteſten ſind auf dem
Berg Athos. Nonnenklöſter giebt es jetzt unter den
Grie-

Griechen nur wenige. Die Weltlich-geiſtlichen ſind an keine Regel gebunden, wie die Ordensleute, und verrichten den Gottesdienſt. Der erſte iſt der Vorleſer, der zweyte, der Sänger, der dritte, der Unterdiaconus, der vierte, der Diaconus, der fünfte, der Prieſter, der ſechſte, der Erzprieſter. Sie dürfen heirathen, doch nur vor der Ordination, nur einmal, und zwar eine Jungfrau. Dieſe Weltlich-geiſtlichen ſteigen nicht höher, als bis zum Erzprieſter; die Biſchöfe, Metropoliten, Erzbiſchöfe und Patriarchen aber werden aus den Mönchen erwählet. Noch iſt zu bemerken, daß ein Theil der Griechen ſich mit der römiſch-katholiſchen Kirche vereiniget hat, und den Pabſt für ſein geiſtliches Oberhaupt erkennet, die Prieſterehe aber und die Gebräuche der morgenländiſchen Kirche beybehält.

Die Armenier, welche eben ſo, wie die Jacobiten und Monophyſiten (von denen ſie aber, doch in unterſchiedenen Stücken abgehen,) nur eine Natur in Chriſto annehmen, ſonſt aber in vielen Stücken mit der griechiſchen Kirche übereinkommen, haben nicht nur viele Kirchen im Lande, ſondern auch zu Conſtantinopel einen Titular-Patriarchen, der aber eigentlich nur ein Erzbiſchof iſt, und unter dem großen armeniſchen Patriarchen zu Etſchmiadzin in Armenien, ſtehet. Demſelben ſind die armeniſchen Kirchen, in den benachbarten europäiſchen und aſiatiſchen Landen, untergeben. Die Katholiken und Juden haben auch freye und öffentliche Religionsübung, doch jene ohne Geläut; und den Engländern, Holländern und Schweden, wird in den Städten bey Conſtantinopel, ſtiller Gottesdienſt verſtattet, doch

2 Th. 8 A.   Rr   haben

haben die letzten auch die Erlaubniß, zur Erbauung einer Kirche erhalten.

§. 8. Die Osmanen sind nicht ohne alle Gelehr- samkeit, sondern haben eigene Schulen, Collegien und Akademien, welche sie Medrese nennen. Sie erlernen zuerst die Grundsätze ihrer Religion. Die- jenigen, welche es weiter bringen wollen, üben sich, um sowohl in gebundener als ungebundener Rede, ge- schickt zu schreiben. Sie beschreiben ihre Geschichte mit vieler Genauigkeit. Sie legen sich auf die ari- stotelische und epicurische Philosophie, davon sie in ihrer Sprache Uebersetzungen haben, insonderheit auch auf die Arzeneykunst, und die dahin einschlagen- den Wissenschaften. Sie treiben auch die Geome- trie, Astronomie, Geographie und Moral. In der ersten Hälfte des jetzigen Jahrhunderts, legte Ibra- him Effendi, ein geborner und ziemlich gelehrter Un- gar, der die muhammedanische Religion angenom- men hatte, zu Constantinopel die erste Buchdruckerey an: nachdem er vorher große Hindernisse überwun- den hatte. Nicht nur die Schreiber, deren es eine große Menge zu Constantinopel giebt, sondern auch der Divan selbst, wollten es nicht zulassen. Denn, weil die Osmanen keine Bilder leiden können, das gedruckte aber als etwas bildermäßiges ansehen: so wollte der Divan deswegen in die Anlegung einer Buchdruckerey nicht willigen: als aber Ibrahim Ef- fendi demselben vorstellte, daß die Osmanen, wenn sie ganz und gar keine Bilder leiden wollten, auch die Spiegel, welche ihr Bild vorstelleten, (und von welchen sie außerordentliche Liebhaber sind,) abschaf- fen müßten: erhielt er endlich die Erlaubniß. Bü- cher

cher zu drucken, doch keine, welche die Religion betrafen. Eines der ersten Bücher, die er druckte,
war eine Grammatik für die Franzosen; er gab auch
unterschiedene zur Historie und Geographie gehörige
Bücher, und einige Landcharten heraus. Allein,
nach seinem Tode ist diese Buchdruckerey den Griechen zu Theil geworden, die mehrentheils gottesdienstliche, und zuweilen auch Streitschriften wider die Katholiken und Armenier, drucken lassen. Zu Constantinopel giebt es doch einige öffentliche Bibliotheken,
es ist auch eine Bibliothek im Sultanschen Palast,
und bey den Dshami (Moskeen) und Medrese (Akademien,) giebt es auch dergleichen. Sie haben zwar
einen Versuch gemacht, Zeitungen in türkischer
Sprache zu drucken, der Divan aber hat solches verboten. Sonst ist unter den Griechen mehr Gelehrsamkeit, als unter den Osmanen, denn sie haben
nicht nur bey ihren Kirchen solche Schulen, in welchen die Jugend im Christenthum unterwiesen, zum
lesen, Schreiben und auswendig lernen der Psalmen
und Sprüche, angehalten wird: sondern, sie haben
auch höhere Schulen, in welchen die Grammatik,
lateinische Sprache und Mathematik, Natur- und
Sitten-Lehre, und die aristotelische Philosophie gelehret wird. Dergleichen sind zu Constantinopel, auf
der Insel Patmus, zu Demotica, Jannina, und
an andern Orten. In der Theologie wird Unterricht
ertheilet im Patriarchat zu Konstantinopel, von dem
Theologus des Patriarchen und seinen Gehülfen;
insonderheit auf dem Berge Athos, wo die Grund-
feste des griechischen Glaubens seyn soll, und sonst
von geschickten und willigen Bischöfen. Die Arzney-

Rr 2   kunst

Kunst lernen die Griechen von arabischen, jüdischen
und christlichen Aerzten, welche sich unter ihnen befinden, oder sie reisen auch auf die hohen Schulen anderer Christen, nach Deutschland, Holland und
England. Die griechische Gelehrsamkeit ist freylich
in Vergleichung mit der unsrigen für sehr wenig zu
achten, sie haben aber auch die Gelegenheit nicht, die
uns beglücket.

§. 9 An Manufacturen, fehlet es unter den
Osmanen nicht, und es wird künstliche und schöne
Arbeit bey ihnen verfertiget. Insonderheit verstehen sie sich auf schöne Lederbereitungen, aufs Färben
der Seide, Wolle und Felle. Sie verfertigen auch
schöne Tapezereyen, seidene Stoffen, Gold- und Sil-
ber-Stoffen, und andere Dinge. Sowohl der in-
ländische Handel, den die Landschaften, Städte und
Einwohner unter einander treiben, als der mit fremden Nationen, ist sehr ansehnlich, und diesem Reich
vortheilhaft, wird aber größtentheils von den Juden
getrieben, die sich durch das ganze osmanische
Reich weit ausgebreitet haben. Das Geschäfte der
Griechen und Armenier, bestehet größtentheils in
Geldwechsel. Die Osmanen bringen zwar sowohl
zu Lande als Wasser, die Landesfrüchte und Waaren
von einer ihrer Landschaften zu der andern, aber nicht
zu den auswärtigen christlichen Völkern, ausgenommen zu ihren nächsten Nachbaren, wie sich denn z. E.
in Wien allezeit Kaufleute aufhalten, die nach
Absetzung ihrer Waaren, östreichische einkaufen, und
auf der Donau nach Constantinopel bringen. Ueberhaupt ist der Handel zwischen diesem Reich und
den östreichischen Ländern von Wichtigkeit, es treibe
auch

auch die übrigen deutschen Länder über Wien starken Handel hieher. Man rechnete um das Jahr 1776, daß die östreichischen Länder in dem Handel mit diesem Reich jährlich auf zwey Millionen Gulden verlören. Es besuchen auch die Holländer, Engländer, Franzosen, Italiener, Schweden, Dänen, Russen, und andere handelnde Nationen, mit ihren Schiffen die osmanschen Häfen in großer Anzahl, bringen ihnen ihre Waaren zu, und holen dagegen die osmanschen ab; daher sie auch zu Constantinopel ihre Gesandten und Residenten, und an andern Oertern ihre Consuls haben. Die Waaren, welche abgeholet werden, sind Seide, Tapeten, Stoffen, persische Zeuge, Sofen oder Polster und Matratzen, Hasen- und Kaninchen-Felle, Ziegen-Haar und Wolle, Kamelgarn, Baumwollengarn, Dimitie, (eine Art zarten und doch starken Barchents,) Burdeten, Wachsleinwand, Schagrinhäute, blaue, rothe und gelbe Corduane, Caffe, Rhabarbar, Terpentin, Storax, verschiedene Arten Gummi, Opium, Galläpfel, Mastix, Schmergel, Siegelerde, Granatäpfelschalen, Schwämme, Datteln, Mandeln, Wein, Oel, Feigen, Rosinen, Perlmutter, Buxbaumholz, Wachs, Safran, Bauholz, Pferde, u.d.g. Die europäischen Völker, die nach den osmanschen Reich handeln, bringen zwar Waaren dahin, diese aber sind zur Bezahlung der osmanischen Waaren nicht hinlänglich, daher sie ansehnliche Geldsummen zugeben müssen. Zur Beförderung dieses für die Osmanen sehr vortheilhaften Handels, hat die Regierung mit den christlichen Staaten Verträge errichtet, und ihnen in denselben allerley Freyheiten verstattet.

Rr 3   Der

Der Menschenhandel ist sehr groß; denn man verkaufet nicht nur Sklaven und Sklavinnen, sondern auch schöne Weibspersonen, die insonderheit von den Juden bey den Tschirkassen, Georgianern, in Griechenland und anderswo aufgekauft, und in der Hofnung, daß sie ein besonderes Glück machen können, ihnen von den Aeltern und Verwandten gern überlassen werden.

Es sind hier die Gold- und groben Silber-Münzen aller Länder nicht nur gangbar, sondern auch weit beliebter, als die einheimischen, weil die Juden, die über das Münzwesen gesetzet sind, dem einheimischen Gelde einen schlechten innern Gehalt geben. Zu Kahira und in andern egyptischen Handelsplätzen, gelten jetzt fast gar keine osmanische Münzen mehr, hingegen das deutsche, und insonderheit das östreichische Geld, ist daselbst desto angenehmer. In dem ganzen Reich sind die deutschen Speciesthaler und Gulden, wie auch die venetianischen silbernen Dukaten, und die holländischen Löwenthaler, (Aslan,) das beste Geld. Die eigenen Geldsorten des Landes, welche die Juden aus fremden Münzen prägen, sind: 1) goldene, nämlich Altine oder Dukaten, davon das Stück 2 Rthlr. 2 Ggr. machet; und Zechini, am Werth 2 Rthlr. 15 Ggr. 2) silberne, nämlich Piaster, (Grusch,) die aus östreichischen Siebenzehnern gepräget werden, das Stück zu 1 Gulden 8 Kreuzer, und die das gewöhnlichste Geld sind, darnach alle Summen berechnet werden; Solota, (Zelote,) ⅔ vom Thaler oder ein Gulden; Rup, 6 Ggr.; Groch, oder Grosche, 3 Ggr.; Para,

3 Aspern,

3 Aspern, und 1 Asper ungefähr 3 Pfennige. Ein
Beutel macht 500 Rthlr. Unter der Regierung
Sultans Muhammed des ersten, der von 1730 bis
54 regierte, war die Münze gut, so, daß der Piaster
8 Drachmen guten Silbers wog; unterm Sultan
Abdul Hamid, aber nur 6 Drachmen schlechten Silbers.

§. 10 Die Osmanen sind ein tatarisches Volk,
dem der Name der Türken, erst in den mittlern Zeiten, als ein eigenthümlicher Name, beygeleget worden,
da er doch sonst ein allgemeiner Ehrenname der tatarischen Völker ist. Hingegen das tatarische Volk,
dem man den Namen der Türken eigenthümlich
beygeleget hat, und das von den Mandschu Hun-
gar genennet wird, will ihn jetzt nicht mehr führen,
wie oben (§. 5) angeführet worden, sondern benennet sich von seinem alten Heerführer Osman. Seine Geschichtschreiber zählen denselben und sein Volk
zu dem Stamm Ogus, hingegen Herr Deguignes behauptet, Osman sey einer von den eilf
Emirs gewesen, die, nachdem die Mongolen 1308
den Staat der Seldschukischen Sultane von Rum
zerstöret, die ihren Sitz zu Konia, vor Alters
Iconium, gehabt, von den Gebirgen, auf die
sie sich zu ihrer Sicherheit gezogen, wieder herab-
gegangen wären, und aus den Trümmern des grössern Staats, neue kleine Staaten errichtet hätten.
Osman, der nur 35000 Seldschukischer Osmanen unter seinem Befehl gehabt, sey der erste
Stifter des von ihm benannten großen Reichs geworden, dessen erster Sitz Bursa, hernach Adrianopel gewesen, und nun Constantinopel ist. Es ver-

Rr 4 halte

halte sich mit der Herkunft des Osman wie es wolle,
so gehöret er doch nebst seinem Volk eben sowohl zu
den Osmanen, als die Tataren, durch welche, in
Gesellschaft der Mongolen, der Seldschukische Staat
zertrümmert worden. Es wird noch bis auf den
heutigen Tag sowohl von den Osmanen als von den
Tatarn, welche die Krim bewohnen, für eine aus-
gemachte Wahrheit angesehen, daß die Sultane der
ersten, die von Osman Gazi (das ist, dem
Eroberer), abstammen, und die Chane der letzten,
die Nachkommen des Dschingis Chän sind, ursprünglich zu dem gemeinschaftlichen Stamm Ogus
gehörten, und also Blutsverwandte wären, daß
aber, auch aus dem letzten die Sultane des osmanschen Reichs erwählet werden müßten, wenn die osmanschen Sultane aussterben sollten. Man sehe
Kantemirs Vorrede S. 59. 60. Osman nahm
1300 in der Stadt Karahissar den Titel eines Sultan an. Er schlug seine Residenz zu Jenghitsi-
scheri auf, und eroberte außer vielen andern Städten, auch 1326 die bithynische Stadt Prusa, welche
heutiges Tags Bursa genennet wird, und woselbst
sein Sohn und Nachfolger Orchan seinen Sitz
aufschlug. Dieser, welcher des griechischen Kaisers Cantacuzenus Tochter Theodora zur Gemahlin hatte, schickte seine Söhne Soliman und Morad, nach Europa, davon jener die Stadt Galli-
polis, dieser aber Tyrilos eroberte. Morad
(Amurat) der erste folgte seinem Vater in der Regierung eroberte 1360 Ancyra, Adrianopel und Phi-
lippolis, errichtete 1362 die Janitscharen, nahm
Serwien weg, und fiel auch in Macedonien und
Alba-

Albanien ein. Sein Sohn und Nachfolger Bajasid machte in Europa und Asien große Eroberungen, und überwand die Christen 1396 bey Nikopolis, wurde aber 1402 von dem Timur bey Angora geschlagen und gefangen genommen. Seine Söhne zerfielen mit einander, Muhammed oder Mehemmed der erste aber behielt den Platz, dessen Sohn Morad (Amurat) der zweyte verschiedene glückliche Feldzüge verrichtete, und insonderheit 1444 die Ungarn bey Warna besiegte. Muhammed der zweyte, der größte unter allen Sultanen, eroberte 1453 Constantinopel, und brachte das ganze morgenländisch-römische, oder griechische Kaiserthum unter seine Bothmäßigkeit. Die Osmanen sollen ihr Recht zu demselben auf die Erbfolge gründen, und dadurch noch heutiges Tags die Griechen zum willigern Gehorsam zu bewegen suchen. Vermuthlich beziehen sie sich darauf, daß Sultan Orchan, oben angezeigter maßen, des Kaisers Cantacuzenus Tochter Theodora zur Gemahlin gehabt hat. Sonst hat Muhammed der zweyte, während seiner Regierung zwölf Königreiche und 200 Städte erobert. Bajasid der zweyte und Selim der erste, vermehrten das osmansche Reich in Europa, Asia und Afrika. Soliman der erste hat sich nicht nur durch seine Siege über die Ungarn, sondern auch durch sein Gesetzbuch berühmt gemacht. Die folgenden Sultane hatten wenig Glück. Muhammed der vierte eroberte zwar 1669 Candia, und belagerte 1683 Wien, war aber in Ungarn unglücklich. Unter der Regierung Solimans II, Achmeds oder Achmets II, und Mustafa, waren die Ungarn und Venetianer in ihren Unternehmungen wider die Osmanen glücklich, daher

Rr 5

her

her Muſtáfa der zweyte 1699 zu Carlowitz Frieden
ſchloß. Aehmed oder Achmet der dritte ſchloß
1718 den Paſſarowitzer Frieden, und Muhámmed
hat durch den Belgrader Frieden von 1739, die Hälfte
von Serwien und den weſtlichen Theil der Walachey wieder an das Reich gebracht. Ihm folgte ſein Bruder
Osman, dieſem ſein Vetter Muſtáfa der dritte,
und auf dieſen 1774 ſein Bruder Aebdul Hamid,
unter deſſen Regierung die Ruſſen des osmanſchen
Reichs Gränzen wirklich eingeſchränket haben.

§. 11 Ein jeder Sultan der Osmanen, giebt
ſeinem Titul eine andere Einrichtung als ſeine Vorgänger. 1776 lautete der ſultániſche Titul alſo:
Wir Sultan Sohn eines Sultan, Cha-
kan Sohn eines Chakan, Sultan Aebdul
Hamid, Chán, Sohn des ſiegreichen Sultan
Aehmed Chán, durch die unendliche Gnade
des Schöpfers der Welt und ewigen Weſens,
und durch die Vermittlung und großen Wun-
der des Muhammed Muſtáfa, des vornehmſten unter den Propheten, über welchem der
Segen Gottes ruhe: Diener und Herr der
Städte Mecca, Medina und Kuds, gegen
welche die ganze Welt ihr Angeſicht wendet,
wenn ſie betet, Padiſchah der drey großen
Städte Iſtambol, Edrene, und Burſa, welche alle Fürſten mit Neid anſehen, wie auch
der Städte Scham und Mysr, des ganzen
Aerebiſtan, Mághrib, Barca, Cairoan,
Háleb, Irak Aereb und Aegem, Bâsra, Lah-
ſa, Dilem, Ráka, Muſul, Parthien, Diſa-
ribekr, Cilicien, Wilaſeti ärzy Rum, Siwas,

Ede-

Edena, Karaman, Wan, der Barbarey, Kabes, Tunis, Tyrabolos, Scham, Kybrys, Rodos, Kandia, Mora wilajeti, Akden-yz, Karaden-yz, und derselben Inseln und Küsten, Anadoli, Rumili, Bághdád, Kurdistan, Griechenland, Türkestan, der Tatarey, Tscherkassiens, beyder Landschaften Cabarda, Gürgistan, der Ebenen von Kyptsak, des ganzen Umfangs der Länder der Tataren, Kefe, und aller umher liegenden Gegenden, des ganzen Bosna, und desselben Zugehörs, der festen Stadt Belgrad, Sirf wilajeti, und aller dazu gehörigen Schlösser, Festungen und Städte, des ganzen Arnauth Wilajeti, des ganzen Islak und Boghdan, und derselben Zugehörs und Gränzen, und vieler andern Landschaften und Städte 2c.

Es wird der Mühe werth seyn, den Titul kürzlich zu erläutern.

Wir Sultan, Sohn eines Sultan. Die Osmanen, haben zwar in ihre Sprache die Wörter Imperator und Käjsár aufgenommen, sie gebrauchen aber dieselben von ihrem Monarchen nicht, sondern dieser nennet sich Sultan, welchen Titul zuerst die Fürsten von der Dynastie der Gazneviden eingeführet haben. Er bedeutet einen Herrn, einen König, 2c. und ist mit dem persischen Titul Schah, und tatarischen Khan, gleichgültig.

Chakan, Sohn eines Chakan. Ohne Zweifel stehet im osmanischen Original, Khakan oder Cha-

Chacan ibnúl Chacan, welches im lateinischen
überseßt zu werden pflegt, imperator filius impera-
toris. Der Ehrentitel Khakan, ist unter den Osmanen, Mongolen, ꝛc. von alten Zeiten her den höchsten Fürsten beygeleget worden. Der Sultan und
Khakan rühmet sich, daß er auch der Sohn eines
Sultan und Khakan sey.

Sultan Aebdul Hamid Chan. Aebdul
oder Aebdulla, ist der Name, welcher sonst Ab-
dalla geschrieben wird. Wegen nöthiger Kürze
übergehe ich die eigenthümlichen Namen, und erin-
nere nur von dem Wort Chan oder Khan, daß
sich zwar auch wohl Hofbediente und Statthalter
über Landschaften diesen Ehrentitul anmaßen, daß
er aber ursprünglich einen großen und mächtigen
Herrn anzeige, und daß unter den größten Monarchen in Asien solche gewesen, die keinen andern als
diesen Titul gebrauchet haben.

Durch die unendliche Gnade des Schöpfers der Welt und ewigen Wesens. Unsere
europäischen Fürsten schreiben, von Gottes Gnaden, die Monarchen der Osmanen aber gebrauchen
in ihrem Titul, außer den hier vorkommenden, noch
wohl mehr ehrerbietige Ausdrücke von Gott.

Und durch die Vermittelung ꝛc. die Osmanen, nennen, so wie andere morgenländische Völker,
keine hohe und vornehme Person, und auch Muhammed, den Stifter des Islam, niemals ohne
Beyfügung eines Wunsches. Sie pflegen dem Muhammed noch mehr Ehrentitel beyzulegen.

Diener und Herr. Der osmansche Monarch
nennet sich aus Ehrerbietung zuweilen bloß einen
Die-

Diener dieser heiligen Städte, Khadem oder Cha-
dim al Haramain, oder el Häremein, zuweilen
auch Hami al Häramain, den Beschützer der
beyden heiligen Oerter. Er führet aber diese
Titel als König von Egypten, und Sultan Selim,
Sohn des Bajessid, hat dieselben zuerst angenommen.

Mecca und Medina. Beyde Städte der
arabischen Landschaft Hedschas, sind bekannt genug.
Jede hat besondere Titel.

Kuds, oder Kudsi Serif. Ist Jerusalem,
welche Stadt gemeiniglich den Zunamen Mübarek,
das ist, die gesegnete, bekommt. Der Name
Kuds, bedeutet das Heiligthum, den heiligen Ort,
der Name Kudsi Serif, die heilige und edle
gegen welche die ganze Welt ihr Angesicht
wendet, wenn sie betet. In türkischer Sprache
heisset es kürzer, welche die Kibleh (die Araber sagen Keblah oder Kebleh), der ganzen Welt sind,
und das Wort, bedeutet einen Ort, gegen welchen
man sich mit seinem Gesicht wendet. In allen muhammedanischen Tempeln ist die Kebleh oder Kibleh für die Betenden bezeichnet. Muhammed
erwählte und verordnete anfänglich die Stadt Jerusalem zur Kebleh, weil sie dergleichen für die Juden
und Christen war: hernach verordnete er, daß die
Caba, oder der Tempel zu Mecca, die Kebleh
seyn solle.

Padischah. Dieses Wort ist aus Pad, Be-
schützer, und Schah, König, zusammengesetzt,
und ein sehr geachteter Ehrentitul bey den asiatischen
Monarchen, als, dem Sultan der Osmanen, dem
Schah der Perser, dem Mogol der Indier. Die
Sul-

Sultane der Osmanen, sind mit demselben so spar-
sam, daß sie ihn nur einem und dem andern christlichen Potentaten beylegen, und gemeiniglich einen
christlichen Monarchen Cral, das ist, König, nennen, welches Wort slavonisch ist, und eigentlich
Kiral heißet. Der römische Kaiser, heißet Ruma
Imperator. In dem Frieden von 1774 hat sich
die russische Kaiserin Art. 13 ausbedungen, daß sie
in allen öffentlichen Schriften, und bey aller Gelegenheit von den Osmanen in ihrer Sprache genannt
werden solle: Temamen Rußielerinn Padischah,
von ganz Rußland Kaiserin.

Der drey großen Städte Istambol, Ebrene
und Bursa. Die erste ist Konstantinopel, welche Stadt die Osmanen auch Costhanthinah und
Costhanthiniah, nennen, die zweyte ist Adrianopel, die dritte heißet auch Brusa, und lieget in
Anadoli.

welche alle Fürsten mit Neid ansehen.
Konstantinopel hat eine unvergleichliche Lage, allein
die beyden andern Städte, wird niemand den Osmanen beneiden. Das osmanische Wort Hȧsret,
bedeutet Verlangen und Neid.

der Städte Scham und Misr. Unter
Scham, wird die Stadt Demeschk oder Das-
maschk, lat. Damascus, verstanden, welche die
Hauptstadt in einer ansehnlichen Statthalterschaft ist.
Misr, oder Mysr, ist der Name der Hauptstadt
von Egypten, die sonst Kahira genannt wird.
Es wird aber auch dieser Name, wiewohl nicht in
diesem Titul, von dem Lande gebraucht.

Des

Des ganzen Aerebiſtan. Das iſt, des ganzen Arabien. Gemeiniglich ſtehet in dem Titul: *we küllija yklimi Aerebiſtan*, des ganzen Clima von Arabien. Es iſt ein leerer Titul, denn der Sultan der Osmanen hat in Jemen, welches wir gemeiniglich das glückliche Arabien nennen, nichts, in dem peträiſchen Arabien, oder in der Landſchaft Heds-ſchas, hat er nur die Stadt und den Hafen Dſchodda oder Dſchidda, am arabiſchen Meerbuſen, und nach Mecca, Medina und Janbo ſchicket er zwar einige Janitſcharen, dieſe Städte aber ſtehen unter der Herrſchaft des Scherif zu Mecca. In dem wüſten Arabien, hat er nichts, außer auf dem Wege nach Mecca hin und wieder ein kleines Kaſtel mit wenigen Soldaten, zur Beſchützung der Karavanen.

Mâghrib. So nennen die Osmanen Afrika, und haben dieſen Namen von den Arabern angenommen, bey welchen Magreb, den Occident, das iſt den weſtlichen Theil ihrer ehemaligen großen Monarchie, nämlich Afrika, und zugleich Spanien, Portugal, und die Inſeln im mittelländiſchen Meer, von Candia bis an die Meerenge bey Gibraltar, bezeichnet.

Barca. Iſt der Name eines Strich Landes in Afrika, und einer verfallenen Stadt in demſelben. Er lieget zwiſchen Egypten und Tyrabolos oder Tripoli, am mittelländiſchen Meer.

Cairoan oder Cairavan. Iſt die ehemalige Landſchaft Cyrenaica in Afrika, es wird auch die Stadt Cyrene alſo genannt.

Hâleb.

Háleb. Eine bekannte Handelsstadt in Syrien, der Hauptort in einem besondern Gouvernement des osmanschen Reichs.

Irak Aereb und Aegem, das ist, des arabischen und persischen Irak. Wenn man bey den morgenländischen Schriftstellern Irak schlechthin oder allein genannt, findet, so ist allezeit Irak Aereb, wie die Osmanen sagen, oder Erak Arabi, wie die Araber sagen, das ist, das arabische Irak darunter zu verstehen, oder das alte Chaldäa, welches die Araber auch wohl Erak Babeli, das babylonische Irak, nennen. Durch diese Zunamen wird es von Irak Aegem, oder wie die Araber sagen, Erak Agemi, von dem persischen Irak, das ist, von dem alten Aßyrien und Parthien, unterschieden. Die Araber nennen einen Barbaren Agem, insonderheit aber geben sie einem Perser diesen Namen. Bisweilen werden im Orient unter Arab und Agem nicht nur die Araber und Perser, sondern alle Nationen auf dem Erdboden begriffen. D'Herbelot schreibet, le Sultan des Turcs prend la qualité de *Soltan al arab u al agem*, qui signifie le Roy de toutes les nations du monde: diese Bedeutung findet aber hier nicht statt.

Básra. Diese nicht weit vom Schat ül Areb, oder vereinigtem Tiger und Euphrat, und etwa vier deutsche Meilen von dem persischen Meerbusen, entlegene Stadt, haben die Osmanen den Arabern, und die Perser 1777 wieder den Osmanen weggenommen. Jetzt sind die Osmanen wieder im Besitz derselben.

Lahsa, oder Lachsa. Ist eine Stadt, in der zu dem wüsten Arabien gehörigen Landschaft

Hed-

Hedschas, für deren Oberherrn sich der Sultan der Osmanen ausgiebt, ob er es gleich wirklich nicht ist: denn sie gehöret gewissen arabischen Stämmen.

Dilem. So heißet eine Landschaft in Persien, auf der mittäglichen Seite des caspischen Meers, welches von derselben das Meer von Dilem genennet wird.

Råka, oder Rakka, nach einer verdorbenen Aussprache Aracta. So heißet eine zerstörte Stadt am Euphrat, welche die Hauptstadt im Diar Mohar war, der ein Theil von Dschesira oder Mesopotamien ist.

Musul oder Mosul, eine Stadt am Tiger, der Hauptort in einem Gouvernement des osmanschen Reichs, welches zu Dschesira oder Mesopotamien gehöret.

Parthien. Ich vermuthe, daß Scherehzur, oder nach der osmanschen Schreibart, Schehrizur, gemeynet sey, weil dieses ehemalige Gouvernement mit in dem Titul des Sultans der Osmanen zu stehen pfleget, und zu dem persischen Irak gehöret, welches das alte Aßyrien und Parthien begreifet.

Disaribekr, oder Diarbekir, Diarbekr. Ist ein Gouvernement des osmanschen Reichs, welches auf beyden Seiten des Tigerstroms lieget, und von der Stadt gleiches Namens benannt wird.

Cilicien. Ich vermuthe, daß in dem osmanschen Original-Titul Zulkådrise stehe, und daß die kleine Landschaft Dülgadir Ili, in Klein-Asien, gemeynet sey, nicht aber Karaman; davon gleich hernach.

Wilajeti ârzy Rum. Unter diesem Namen ist des osmanschen Reichs Gouvernement Arzerum, welches wir gemeiniglich Erzerum nennen, zu verstehen. Wilajeti heißet eine Landschaft.

Siwas. Ein Gouvernement des osmanschen Reichs, welches die ehemalige Landschaft Pontus begreifet, und dessen Hauptstadt Siwas, vor Alters Sebaste hieß.

Edena. So sprechen die Osmanen den Namen Adana aus, welcher einer Stadt in einem davon benannten Gouvernement in Klein-Asien, zukommt.

Karaman, oder Wilajeti Karaman. Ist ein Theil des alten Cilicien, nebst andern benachbarten Districten.

Wan. Ein Gouvernement des osmanschen Reichs, welches von der Hauptstadt Wan, an dem großen Landsee Wan, den Namen hat, und zu dem alten Groß-Armenien, gehöret.

Der Barbarey. Ich weiß zwar wohl, daß die Araber diesen Strich Landes Berber nennen, ob aber die Osmanen eben dieses Wort gebrauchen? ist mir unbekant.

Häbes. Ist Abessinien oder Aethiopien, woselbst aber der Sultan nichts zu befehlen hat.

Tunis, Tyrabolos. Sind bekannte Städte und Staaten in der sogenannten Barbarey, die unter dem Schutz des Sultan stehen. Die letzte nennen wir gemeiniglich Tripoli.

Scham. Hier ist Syrien gemeynet, welches eben so wohl als die Stadt Damaschk, Scham heißet.

Kybrys.

Kybrys. So nennen die Osmanen die Insel Cypern.

Rodos. Ist die bekannte Insel, die vor Alters Rhodus hieß.

Kandia. Diesen bekannten Namen der Insel, brauchen auch die Osmanen; sie nennen dieselbige aber auch Ghirit Adassi, das ist, Insel Creta.

Mora Wilajeti. Die Halbinsel Morea.

Akden-ys, das mittelländische Meer, insonderheit der Archipelagus, den die Osmanen das weiße Meer, auch Adalat Denghizi, das Meer der Inseln, nennen.

Kara den-ys. Ist das schwarze Meer, d'. Herbelot schreibet diesen Namen Cara Denghiz.

Anadoli, lat. Natolia. Jener osmansche, und dieser lateinische Name, ist aus dem griechischen ἀνατολή gemacht worden: es wird aber nicht ganz Klein-Asia, sondern nur der westliche Theil desselben also genannt.

Rumili. Wird unter uns gemeiniglich Rumelien genannt.

Baghdad. Die Stadt Bagdad am Tiger, ist die Hauptstadt von einem Gouvernement, welches den größten Theil von dem oben genannten arabischen Jrak begreifet.

Kurdistan, das ist, das Land der Kurden. Der Theil desselben, den der Sultan besitzet, macht das ehemalige Gouvernement Scherizür aus, welches nun zu Bagdad gehöret.

Griechenland. Ich weiß nicht, wie der osmansche Name lautet.

Türkeſtan, oder das Land der Türken, wird bald in einer weiten, bald in einer engen Bedeutung genommen: in jener, bedeutet es alles Land jenſeits des Fluſſes Gihon oder Oxus gegen Perſien, in dieſer, das Land jenſeits des Fluſſes Sihon oder Jaxartes, und das Land zwiſchen dieſen beyden Strömen, heißet Mawarannahar. Der Sultan führet den bloßen Titul von Türkeſtan in beyden Bedeutungen.

Der Tatarey. So heißet es in dem ſultanſchen Titul: der Reiche, welche die Jäger der Feinde, die Tataren bewohnen.

Tſcherkaſſiens. Iſt ein leerer Titul, denn der Sultan hat den Tſcherkäſſen nichts zu befehlen.

Beyder Landſchaften Cabarda. Die vorher genannten Tſcherkäſſen, bewohnen die Landſchaft Cabarda, welche in die obere und untere, oder große und kleine, abgetheilet wird. Der Sultan hat auch hier nichts zu gebieten, hingegen iſt 1774 in dem Friedensſchluß von Kutſchuk Kainarſchi, Art. 21 zwiſchen den Ruſſen und Osmanen verabredet worden, daß man der Beſtimmung des crimiſchen Chan überlaſſen wolle, wie weit beyde Cabarden von dem ruſſiſch-kaiſerlichen Hofe abhangen ſollten?

Gürgiſtan. Wird von uns gemeiniglich Georgien genannt. Ein Theil deſſelben ſtehet unter osmanſcher Oberherrſchaft.

Die Ebenen von Kyptſak. Auf türkiſch, ywedeſchti Kyptſak. Das Wort Deſcht, zeiget ein ebenes Feld an. In der Ebene Kiptſchak oder Kaptſchak, pflegten vor Alters die tatariſchen
Chane

Chane von der großen goldnen Horde, ihr Haupt-
lager aufzuschlagen. Sie hat den Namen von einem
angenommenen Sohn des Ogusch Chan, der
die Völker zwischen dem Don, der Wolga und dem
Jaik, bezwang, und von welchem nicht nur die
ganze Gegend benannt wird, sondern die Kiptschaff
auch den Namen führen, die theils unter den
Baschkiren, theils unter den Kirgis Kaisaki wohnen. Also gehören heutiges Tags die Ebenen von
Kiptschak zu dem russischen Reich, insonderheit
zu desselben kaukasischen Gouvernement.

Des ganzen Umfangs der Länder der Tataren. Ist undeutlich.

Kefe. Ist die Stadt in der Krim, die wir
gemeiniglich Kaffa nennen, und die dem crimischen
Chan gehöret hat.

und aller umher liegenden Gegenden. Hier
ist wieder eine dunkle Stelle.

des ganzen Bosna und desselben Zugehörs,
der festen Stadt Belgrad. Diese Stelle bedarf
keiner Erläuterung.

Sirf wilajeti ꝛc. Ist Serwien, in welchem
die Festung Belgrad lieget.

des ganzen Arnauth Wilajeti. Im Französischen: de toute l'Albanie.

Des ganzen Iflak und Boghdan. Jenes
ist die Wallachey, dieses die Moldau.

§. 12 Das Wapen des Reichs, ist ein wach-
sender Mond. Einige wollen dasselbe von dem al-

Ss 3   ten

ſen Byzanz herleiten, auf deſſen Münzen der Mond
oft vorkömmt; andere aber zeigen, daß deſſelben
ſchon vor der Eroberung Conſtantinopels gedacht
werde, und daß es vermuthlich von den alten Arabern beybehalten ſey.

§. 13 Bey der Regierungsnachfolge, iſt die
Wahl auf das osmanſche Haus eingeſchränket. Das
weibliche Geſchlecht iſt des Throns unfähig. Im
jetzigen Jahrhundert haben die Sultane der gottloſen
Staatskunſt entſaget, nach welcher ihre Vorgänger,
wenn ſie den Thron beſtiegen hatten, zur Sicherheit
deſſelben, ihre Brüder hinrichten lieſſen. Damit
aber Empörung verhütet werde, halten ſie ihre Brüder als Staatsgefangene. Sie erlauben ihnen zwar
eine oder zwey Beyſchläferinnen, allein nur ſolche,
deren Unfruchtbarkeit die Hofärzte vorher wohl un-
terſucht, und eidlich beſtätiget haben. Man weiß
auch kein Beyſpiel, daß eine ſolche Beyſchläferinn
Kinder geboren hat. Der Sultan hat keine Gemahlinn, ſondern nur Beyſchläferinnen, die erſte aber,
die ihm einen Sohn gebieret, wird Soltana Ha-
ſeki genannt, genießet die Rechte einer Gemahlin,
und beherrſchet den Harem. Das jetztregierende
Haus iſt ſchwach; ſollte es ausſterben, ſo gebühret
dem Tatar Chan der die Reichsfolge, welcher auch
vom Divan und Volke als künftiger Thronfolger erkannt wird. Anſtatt der Krönung, wird dem neuen
Großherrn der Säbel Sultan Osmans, des Stifters des Reichs, der in der Mosque zu Ejub
verwahret wird, mit vielen Ceremonien umgegürtet.
Die Regierungsart iſt oligarchiſch, und obgleich
der

der Sultan unumschränkter Herr über das Leben und Vermögen der in seinen Diensten stehenden Personen, und Meister über die Religion ist; so ist er doch nicht nur der Gefahr der Absetzung, sondern wohl gar der Hinrichtung, ausgesetzet, wenn er nicht nach dem Sinn des Volks, und insonderheit der Janitscharen ist. Das Volk und die Soldaten glauben, daß es in ihrer Macht stehe, einen Sultan ab- und einzusetzen: sie beobachten aber die Ordnung der Geburt und des Alters in Ernennung ihrer Sultane.

Drey Stände haben in die Regierung des Reichs einen großen Einfluß, 1) die Bedienten des Seraj, (Pallasts), unter welchen der Kislar Aga, oder der erste verschnittene Schwarze, den ersten Rang hat. 2) Der Weßir und die Rizallen, das ist, diejenigen Personen, die sich durch ihre verwalteten Aemter ein Ansehn erworben haben, und noch zu denselben befördert werden können, und welchen sogar das Weßirat offen stehet. 3) Die Ulema oder Clerisey, die Erhalter der gottesdienstlichen und bürgerlichen Gesetze.

An dem Beiram, der auf den Remessan folget, geschiehet ordentlicher weise entweder die Abwechselung oder Bestätigung der sultanschen Bedienten; denn alle Bedienungen werden nur auf ein Jahr verliehen, sie gehen auch alle um, wie das Amt eines Rectors auf unseren Universitäten.

§. 14. Der Staatsrath des Sultans, wird Muschavere genennet, und wöchentlich zweymal,

näm-

nämlich des Sonntags und Dienstags, im sultanschen Pallast gehalten. In demselben hat der Weßir
den Vorsitz; zu dessen rechten Hand der Kadiläskir
oder Kasijuläskjer von Romili oder Europa, zur
linken aber der von Anadoli oder Asien sitzet. Der
Mufti ist auch gegenwärtig, wenn er ausdrücklich
bestellet worden. Alle übrige Kubbeweßire haben
hier auch ihren Sitz; und nach denselben sitzet der
Defterdar, (Großschatzmeister), der Reis-Essen-
di, (Reichskanzler), und die übrigen Vorsteher der
Calemji, (Kanzleyen-Departemens, Bureaur)
stehen zur Seite; aber die Kriegsbedienten, als der
Janitscharen-Aga, der Spahilar-Aga, Si-
ludar-Aga, u. a. m. sitzen bey der hohen Pforte,
innerhalb des Diwans. Der Sultan höret in einem Nebenzimmer zu, aus welchem er durch ein
Gitterfenster in den Diwan sehen kann. Die Mitglieder dieses Staatsraths, legen, so oft sie sich in
denselben begeben, eine besondre Kleidung an, und
wenn sie an christliche Höfe als Gesandte verschicket
werden, nehmen sie in derselben Kleidung Audienz.
Wenn es dem Sultan beliebet, einen allgemeinen
Staatsrath zusammen zu berufen, zu welchem alle
Große des Reichs, die Geistlichkeit oder die Ge-etz-
gelehrten, (Ulema), die Krieges- und andere-Be-
diente, auch wohl die alten und erfahrensten Soldaten gerufen werden; so wird der Diwan genennet Ajak Diwani, weil die ganze Versammlung
stehet.

Der oberste Weßir oder Groß-Weßir,
(Weßiri äßam), (das Wort Weßir oder Wisir,
bedeu-

bedeutet einen Verwalter der Reichsgeſchäffte), iſt der höchſte Bediente, und der nächſte nach dem Sultan. Alle Reichsgeſchäffte gehen durch ſeine Hände. Er ernennet und verändert die Paſchas der Provinzen, und der Sultan beſtätiget dieſelben. Er hat das Recht über Leben und Tod, und die Macht über alles Vermögen der Unterthanen. Der Sultan nennet ihn ſeinen Lalla oder Vormund. Leute aus dem niedrigſten Pöbel, die Fähigkeiten und Geſchicklichkeit haben, Staatsgeſchäffte zu beſorgen, können zu dieſer hohen Würde gelangen. Sultan Muhammed der fünfte hat 1730 auf den Rath des damaligen Kiſlar Aga beſchloſſen und eingeführet, die Weßirs oft zu verändern, und keinen länger als drey Jahre in ſeiner Stelle zu laſſen. Die Abſetzung eines Weßirs unterbricht den Gang der Regierungsgeſchäffte gar nicht, weil die Unterbedienten in ihren Aemtern bleiben, und wenn Veränderungen vorfallen, gemeiniglich weiter befördert werden, ſo daß diejenigen, welche viele Jahre in den Geſchäfften geübet ſind, die Gehülfen und Lehrmeiſter des Weßirs werden, der ſolchergeſtalt die Methode zu regieren geſchwind erlernet. Der Weßir kann mit Fug und Recht jährlich 600000 Rthlr. Einkünfte haben, die Geſchenke und andere Kunſtgriffe ungerechnet. Wenn er zum Sultan kämmt, gehet ihm derſelbe drey Schritte entgegen, er aber beuget ſich tief, und küſſet den Saum an des Sultans Kleid. So groß ſein Anſehn iſt, ſo groß iſt auch ſeine Gefahr. Will ſich der Sultan gegen das Murren des Volks ſchützen, ſo pfleget er alle Schuld der ſchlechten Verwaltung des Reichs, auf den Weßir

Sſ 5 zu

zu ſchieben, und ihn dem ergrimmten Volk aufzu-
opfern. Ehedeſſen ward er in ſolchen Fällen erdroſ-
ſelt, jetzt aber wird er nur auf eine Inſel verbannet.
Des Weßirs Verweſer wird Kaimakan genennet,
und vom Sultan aus denjenigen Weßiren genommen,
welche die Freyheit haben, drey Kroßſchweife zu
führen. Wenn der Sultan ſich zu Conſtantinopel
oder Adrianopel aufhält, hat er keine Gewalt; wenn
er aber nur 8 Stunden von der Stadt iſt, ſo iſt alsdenn ſein Anſehen faſt eben ſo groß, als des Weßirs.
Wenn der Sultan zu Felde ziehet, wird ein Kaimakan beſtellet, der in dem Fall, da der Weßir
ſich acht Stunden weit vom Sultan entfernet, völlige
Gewalt hat, alle Sachen abzuhandeln, zu ordnen,
und zu ändern, ausgenommen, daß er des Weßirs
Befehlen nicht zuwider handeln, noch die alten Paſchen
abſetzen oder enthaupten laſſen darf. Man muß dieſen Kaimakan mit dem Gouverneur der Stadt Conſtantinopel und Adrianopel, der eben ſo heißt, nicht
verwechſeln. Der ſultanſche Dolmetſcher, iſt auch
ein angeſehener Kronbediente, weil er im Namen des
Weßirs alle Unterhandlungen mit den chriſtlichen Geſandten führet, daher er auch von dieſen ſehr geehret
wird. Gemeiniglich bekleidet dieſes wichtige Amt
ein geborner Grieche.

§. 15 Das höchſte Gericht, wird in des Weß-
ſirs Palaſt, in einem großen Saal gehalten, den
man Diwan Chane nennet. Der Weßir, als Präſident deſſelben, iſt verpflichtet, wöchentlich viermal,
nämlich des Freytags, Sonnabends, Montags und
Mittwochs, in dem Diwan zu erſcheinen, und dem
Volke Recht zu ſprechen; es wäre denn, daß er durch
sehr

sehr wichtige Angelegenheiten gehindert würde, welches sich aber sehr selten zuträget, und in welchen Fällen der Tschausch Bascht, (d. i. Maitre des requêtes,) seine Stelle vertritt. Des Freytags hat der Weßir zu Gehülfen die beyden Radiläskjers des asiatischen und europäischen Theils des Reichs, oder wie man hier spricht, von Anadoli (Natolien) und Rumili, (Romanien,) davon jener zu seiner linken sitzet, und nur einen Zuhörer abgiebet, dieser aber zur Rechten als ein Richter. Des Sonnabends ist des Weßirs Beystand der Galata Mollasi, (Richter der Stadt Galata,) oder der Richter von Pera; des Montags der Ejub Mollasi, (Richter der Vorstadt S. Job, bey Constantinopel,) und der Iskjus der Mollasi; und endlich des Mittwochs der Istambol Effendi. (Richter der Stadt Constantinopel.) Die Suppliken oder Vorstellungen der Parteyen (Arzuhal,) werden vorgelesen, und die Beysitzer sagen ihre Meynung von der Sache; hält der Weßir ihren Ausspruch genehm, so wird er auf das Arzuhal geschrieben, und der Weßir setzet seinen Namen darunter: ist er aber nicht damit zufrieden, so thut er selbst den Ausspruch, und läßt den Parteyen eine Abschrift davon ausfertigen. Die Entscheidung der Gerichtshändel gehet geschwind von statten, wenn der Richter die Sache recht eingenommen hat. Der Name Cadi oder Kady, wird überhaupt von allen Richtern einer Landschaft oder eines Orts gebrauchet. Sultan Soliman I selbst, hat aus den Gesetzbüch'rn der Kaiser Theodosius und Justinianus, ein Corpus juris civilis für sein Reich gesammlet, welches Canun Name heißet, und dem es bis auf den heutigen

tigen Tag folget: daher giebt man ihm den Namen,
Sultan Soliman Canun, das iſt, Stifter und
Verfaſſer der Geſetze, die unter dem Namen
Teſchrifat bekannt ſind. Der Eigennutz iſt der erſte Erklärer der Geſetze, doch kann man nicht ſagen,
daß gar keine Gerechtigkeit von den osmanſchen Richtern ausgeübet werden ſollte. Sie haben, um das
Recht, wenn ſie wollen, in ſein wahres Licht zu ſetzen, in bürgerlichen Rechtsſachen, gewiſſe witzige
Kunſtgriffe; zu welchen ſie weder juriſtiſche Bücher
noch Acten gebrauchen.

§. 16 Das militäriſch politiſche Gouvernement, iſt in zwey Haupttheile abgetheilet, nämlich
in Rumili und Anadoli, oder in den europäiſchen
und aſiatiſchen Theil. Jedem iſt ein Kadiläſkier
(das iſt, Richter des Kriegsheers) vorgeſetzet, von
welchen der für Rumili beſtellte, der vornehmſte iſt.
In jedem ſind die Abtheilungen in Königreiche, Landſchaften und Diſtricte beybehalten worden, welche die
Osmanen bey Eroberung derſelben angetroffen haben.
Alle dieſe Königreiche und Landſchaften ſind in Diſtricte eingetheilet, und der Befehlshaber eines Diſtricts heißet entweder Begj oder Sandſchak, welcher letzte geringer iſt als der erſte, und hat wieder
Zaims und Timarioten unter ſich. Ueber die Königreiche und Landſchaften, ſind Paſchen oder Statthalter geſetzet, die zum Theil den Titel Begjler-
begji, (das iſt, Fürſt der Fürſten) haben.

Die Paſchas haben ihre Einkünfte aus den
Statthalterſchaften, welchen ſie vorſtehen, drey ausgenommen, die aus der ſultanſchen Kaſſe beſoldet
werden, nämlich die von al Kahira, und Bagdad.

Ihre

Ihre gesetzmäßigen und festgesetzten Einkünfte sind nicht groß; denn nach der Hoftaxe hat der Pascha von Bosnien, dessen Einkünfte die höchsten sind, nur 1800,000 Aspern, und der von Lepante, dessen Einkünfte die geringsten sind, nur 450000 Aspern; allein, die ungewissen und unrechtmäßigen Einkünfte, übertreffen jene sehr weit. Unterdessen sind nach jenen die Soldaten bestimmet, die ein jeder Pascha ins Feld stellen muß, und deren Anzahl nur 5828 Mann ausmachet.

§. 17 Die öffentlichen Einkünfte des Staats, fließen, nach des Fürsten Kantemirs Bericht, in eine gedoppelte Schatzkammer. Die öffentliche Reichsschatzkammer, welche Dischi Chássine genennet wird, stehet unter der Verwaltung des Großschatzmeisters, (Defterdar-Pascha,) der zwölf Kanzleyen unter sich hat, die Calem genennet werden, dahin alle Reichseinkünfte an Tribut, Zöllen ꝛc. kommen, und woraus die Besoldungen der Kriegsbedienten gezahlet werden. Der Großschatzmeister genießet den zwanzigsten von allem Gelde, welches in den Schatz kömmt, der ihm jährlich wenigstens 200,000 Rthlr. bringet, und davon er den vierten Theil dem Kietchudabeg oder Kiehaja, der des Weßiers Verweser, und über dem Defterdar ist, abgiebt. Das Geld dieser Schatzkammer, wird Beitülmali Müslimin, das ist, das öffentliche Geld der Muselmänner, genennet, und darf vom Sultan ohne die äuserste Noth nicht angegriffen, geschweige denn zu seinem eigenen Nutzen verwendet werden. Der Privatschatz des Sultans, (Itsch-Chássine,) den er nach seiner Willkühr anwendet,

stehet

stehet unter der Verwaltung des Hasnader Paschi, welcher nächst dem Kyslar Aga den ersten Rang im sultanschen Palast oder Seraj hat. Der Fürst Kantemir versichert, daß zu seiner Zeit in beyde Schatzkammern jährl. 27000 Beutel gekommen wären, die 13½ Millionen Rthlr. ausmachen. Der Graf von Marsigli meldet, zu Constantinopel wären 4 Kassen für die Staatseinkünfte. Die erste sey die Reichsschatzkammer, welcher der Großschatzmeister (Desterdar-Pascha) vorstehe, und die 14731 Beutel Einkünfte habe. Die zweyte sey theils zum Kriege, theils zum Aufenthalt des Sultan zu Adrianopel gewidmet, und habe 2139½ Beutel Einkünfte. Die dritte sey die Privatkasse des Sultan, und zu desselben Vergnügen bestimmet. In dieselbe kämen der Tribut von Kahira, auch wohl von Ragusa, imgleichen der Fürsten der Walachey und Moldau, (welcher aber größtentheils dem Weßir zu Theil werde,) und die Güter der verstorbenen oder abgesetzten Minister. Er schätzet die gewissen Einkünfte ungefähr auf 4963½ Beutel. In die vierte fließe, was zur Unterhaltung von Mecca bestimmt ist, nämlich 82 Beutel. Die Summe, welche die Paschen, Begs, Ziametten und Timariotten, empfangen, schätzet er auf 8137½ Beutel. Folglich berechnet er alle baare Reichseinkünfte auf 30792½ Beutel, welche 15,396,250 Thlr. ausmachen. Außerdem aber führet er noch an, was an natürlichen Gütern der Erde zum Behuf des sultanischen Hofs und der Seemacht geliefert werden muß, welches an Gelde eine große Summe betragen würde. Der Abt Mignot in seiner Hist. des Ottomans Th. 4 giebt aus dem Bericht, den der französi-

sche

sche Gesandte zu Constantinopel Girardin 1687 abgestattet hat, viererley Auflagen in diesem Reich an, 1) Mukatatu, Einkünfte vom Drittel des eroberten Landes, welches dem Sultan zugehöret; 2) Avaris, welche Auflage die Eigenthümer der Ländereyen nach einer gewissen Taxe bezahlen; 3) Baschkeratsch, Kopfsteuer der Ungläubigen, die nach und nach erhöhet worden; 4) Gtschelakkaschen, das Geld, welches anstatt der Kriegesfuhren bezahlet wird. Diese vier Auflagen sollen nur 37 Millionen franz. Pfunde, oder ungefähr zehn Millionen Thaler eintragen. Egypten und Bagdad sind hierunter nicht begriffen.

Seit Muhammed I Zeit, sind die Staatseinkünfte stark vermehret worden, weil unter desselben Regierung der französische Bothschafter Marquis de Villeneuve dem Weßir Anleitung gegeben, das Finanzwesen besser und vortheilhafter einzurichten, worauf nicht nur die alten Abgaben und Zölle merklich erhöhet, sondern auch neue, insonderheit auf die ein- und ausgehenden Waaren, eingeführet worden sind. Zu gleicher Zeit wurde dem Unterschleif durch scharfe Verbote und allerhand Maaßregeln vorgebeuget. Durch diese Einrichtung sollen die Staatseinkünfte auf zwanzig Millionen Rthlr. gestiegen seyn: sie hat aber auch zur Entvölkerung des Staats viel beygetragen. Sonst setzen die Sultane ihren größten Ruhm in die Hinterlassung eines großen Schatzes, und man hält dafür, daß kein Monarch auf Erden so viel baares Geld besitze, als der Monarch der Osmanen.

Der Graf von Marsigli, versichert im zweyten Theil seines bekannten Werks, Stato militare dell' imperio Ottomanno p. 184, daß das größte
Kriegs-

Kriegsheer, welches der Sultan der Osmanen, zur
Zeit des blühendesten Zustandes seines Reichs, oder
bis auf den Carlowitzer Frieden von 1699, habe in
das Feld stellen können, wenn alles marschirte, was
dazu verpflichtet war, nur 142785 Mann betragen
habe. Er setzet hinzu, daß, wenn man gesaget,
das osmansche Heer, welches Wien 1683 belagerte,
habe aus 300000 Mann bestanden, so wäre die ungeheure Menge Leute, die dem Kriegsheer zu folgen pfleget mit unter der Summe begriffen. Der
General Major von Warnery in seinen Remarques sur le militaire des Turcs & des Russes, 1771,
erkläret auch S. 61 die Meynung für einen großen
Irrthum, daß das osmansche Kriegsheer aus 2 bis
300000 Mann bestehe, und behauptet, daß man
von dieser Summe dreist zwen Drittel abziehen könne. Es sollen zwar jetzt die Casernen, in welchen die
Janitscharen zu Constantinopel wohnen, auf 161 oder
162 Odas (Kammern) gerechnet, und die auf den
Musterrollen derselben stehende Köpfe, ungefähr auf
160000 geschätzet werden: allein, die meisten hier an-
geschriebenen Leute, leben in dem osmanschen Reich
mit dem Volk vermischet, treiben bürgerliche Hand-
thierungen, und erscheinen nicht im Felde, es sind
auch zu Constantinopel in den Odas kaum 10000
Mann gegenwärtig, wie aus James Potters An-
merkungen über die Religion, Regierungsform und
Sitten der Osmanen, S. 154 zu ersehen. Eben derselbige schätzet die regelmäßige Reuterey der Osmanen, welche Spahy heißen, auf 13000 Mann S. 156.
Der Baron von Riedesel, hat gehöret, daß sie
18000

18000 Mann ausmachen, f. desselben Remarques d'un voyageur moderne au levant, p. 337.

Vermöge eines Artikels im eilften Theil meines Magazins, bestehet das osmansche Kriegsheer aus viererley Gattungen Truppen. Zu der ersten, gehören die Capikuly, deren Name Knechte bedeutet; so wie man ehedessen in Deutschland Soldaten unter dem Namen der Landsknechte hatte. Sie sind eigentliche, in Sold stehende; und nach osmanscher Art, regelmäßige Soldaten; und machen den ersten und vornehmsten Theil des osmanschen Kriegsheers aus. Sie sind entweder Infanteristen, oder Cavalleristen, oder Artilleristen. 1) Die Infanteristen heißen Janitscharen, außer welchen die Osmanen keine Truppen zu Fuß haben, auf die man einige Rechnung machen kann. Schwerlich steiget ihre Anzahl heutiges Tags auf 40000 Mann, und von diesen muß man wenigstens 16000 abziehen, die zur Besatzung in den Festungen, und in den Städten Constantinopel, Adrianopel und Bursa liegen, imgleichen diejenigen, welche nicht nöthig haben ins Feld zu gehen, und eine Art von Invaliden sind. Es bleiben also kaum 22000 Mann übrig, die wirklich im Felde erscheinen können. Uebrigens werden sie sowohl zu Friedens- als Kriegszeiten, in 196 Compagnien (Odas, Kammern) abgetheilet. 2) Die Cavalleristen heißen Spahis. Sie sollten 20000 Köpfe stark seyn; es können aber kaum 15000 Mann ins Feld gestellet werden, die übrigen bleiben aus verschiedenen Ursachen zurück. 3) Die Artilleristen, haben in dem letzten Kriege mit den Russen, zwey Corps jedes von

3000 Mann ausgemacht, in Friedenszeiten aber, sind
sie nur halb so stark.

Zu der zweyten Gattung der Truppen, gehören die Toprakly, oder Provinzial - Soldaten,
welche die Paschen aus den Provinzen, denen sie
vorstehen, stellen müssen. Sie machen unregelmä-
ßige leichte Truppen zu Pferde aus, sind heutiges
Tages niemals über 75000 Köpfe stark, und gemeiniglich viel schwächer. Weil sie keinen Sold bekommen, so nehmen sie mit jedem Feldzuge ab, und
gehen nach Hause, zumal wenn der erste oder zweyte Feldzug nicht glücklich ausfällt, und sie ihr Gepäcke
verlieren.

Zu der dritten Gattung der Truppen, gehören
diejenigen, welche die unter der Oberherrschaft, und
unter dem Schutz des Sultan der Osmanen stehende
Länder stellen. Die ersten sollten die Wlächen und
Moldauer seyn, und die letzten die Tatarn, jene
aber sind ganz erschöpfet, und diese hörten schon auf
viel zu betragen, als durch den Friedensschluß von
1774, der krimische Chan für einen unabhängigen
Fürsten erkläret wurde.

Die vierte Gattung, machen die Serratkuly
aus, das ist, die Truppen, welche die Gränzen des
osmanschen Reichs beschützen. Sie bestehen aus
Infanterie und Cavallerie. Zu der ersten gehören,
außer dem Reserve-Corps für die Artilleristen, welches etwa 4000 Mann betragen mag, vornehmlich
die Azaps, die eine National-Miliz sind, und
wenn diese zu schwach ist, werden etwa 10000 Mann
Bosniaken und Arnauten eben so in Sold genommen, wie die Schweizer von einigen europäischen
Mäch-

Mächten. Die Cavallerie, macht nicht über 10000 Mann aus.

Wenn man diese genannten Summen zusammen zählet, so kann man rechnen

1. An Truppen zu Fuß
   1) eigentliche Janitscharen, die zu Felde gehen können, ungefähr 22000 Mann.
   2) egyptische Janitscharen   3000
   3) Gränzsoldaten zur Ergänzung und Verstärkung der Janitscharen   10000
   4) ordentliche Artilleristen.   6000
   5) Artiller. die auf den Gränzen liegen 4000
             ———
             45000

2. An Truppen zu Pferde
   1) Spahis   20000
   2) Provinzial-Reuter höchstens   75000
   3) Gränzreuter   10000
             105000 Mann.

Muhammedsfahne, (Sandschak Scherif), die bisweilen mit in den Krieg genommen wird, ist nicht die ächte, die niemals aus dem Serkil kommt, sondern eine nach derselben gemachte. Der Roßschweif oder Pferdeschwanz, ist ein besonderes Ehrenzeichen bey den Osmanen und Tatarn. Er wird an einer Stange befestiget, die oben einen vergoldeten Knopf hat. Vor einem Beg wird einer hergetragen, vor einem Pascha werden zwey, vor einem Beglerbeg, welcher den Rang eines Weßirs hat, drey, vor dem Großweßir fünf, und vor dem Sultan, wenn er zu Felde ziehet; sie-

Tt 3   ben

ben hergetragen. · Der abtrünnige Chriſt Bonneval,
ſuchte zu ſeiner Zeit das osmauſche Kriegsweſen
ganz umzuſchmelzen, und auf den öſtreichiſchen Fuß
zu ſetzen: er fand aber unüberwindliche Hinderniſſe,
und mit ſeinem Tode giengen die beſten Einrichtun-
gen wieder zu Grunde. So gar ſein Regiment,
welches er aus dem ganzen Heer ausgeſucht, und
mit unſäglicher Mühe an alle öſtreichiſche Kriegs-
übungen gewöhnet hatte, ward untergeſteckt, weil
es von dem ganzen Kriegesheer gehaſſet wurde. ·

§. 19 Den erſten Grund zu der osmanſchen
Seemacht, hat Sultan Muhammed der zweyte
geleget, und Sultan Selim hat ſie in beſſern Stand
geſetzet. Sie beſtehet, nach dem Bericht des Grafen von Marſigli, theils aus Schiffen, die Segel und Ruder zugleich haben, theils aus Schiffen,
die nur Segel haben. Zu den erſten gehören
Fregatten, Brigantinen, Galliotten, Galeren, Galeaſſen, und halbe Batarden: die zweyten ſind Gallionen. Ein Theil der Schiffe von der erſten Klaſſe,
wird auf Koſten der Reichsſchatzkammer erbauet und
ausgerüſtet, und zum Behuf derſelben iſt das See-
zeughaus in der Stadt Galata bey Conſtantinopel: ein anderer Theil aber wird von den Befehlshabern in den Landſchaften, die am Meer
belegen ſind, ausgerüſtet. Die Gallionen werden
gemeiniglich von den Republiken Algier, Tripoli
und Tunis geliefert. Nach des Grafen von Marſigli Bericht, gehören zur Beſetzung einer Flotte
von 60 Galeren und 6 Galeaſſen, 16400 Mann,
darunter 11500 Ruderknechte ſind. Baltimore giebt
die unwahrſcheinliche Verſicherung, daß die osmanſche

sche Flotte aus 50 bis 60 Schiffen von der Linie, außer den Galeren und andern Schiffen, bestehe. In dem 1774 geendigten Kriege mit Rußland, wurde die osmansche Flotte durch die russische fast vertilget, aber 1777 war man eifrig darauf bedacht, sie wieder herzustellen. Im April 1786, bestand sie aus 13 Kriegesschiffen, 6 Fregatten, 3 langen Barken, 3 Corvetten oder Schaluppen, 7 Bombardier Gallioten, und 17 Avis Schiffen. Unter den Kriegesschiffen, war eins von 72 Kanonen und 750 Mann, 2 hatten 60 Kanonen, und 650 Mann, 4 hatten 58 Kanonen, und 550 Mann, 6 hatten 52 Kanonen, und entweder 500, oder nur 450 Mann. Zu Constantinopel waren 9, im Archipelapus und zu Satalia 1, und zu Alexandria auch 1. Zu Constantinopel wurden damals 3, und zu Metelino und Butru 4 Kriegesschiffe gebauet; unter jenen war 2 von 74 Kanonen, und 600 Mann, und eines derselben hatte ganz die französische Anlage. Der Admiral wird Capudan Pascha genennet, ist zugleich General-Gouverneur der Inseln im Archipelagus, und hat seinen ordentlichen Sitz zu Galipoli. Es bedeutet die osmansche Seemacht nicht viel, weil sich die Osmanen auf das Seewesen, und insonderheit auf den Schiffbau, nicht recht verstehen.

Die

I. Die dem osmanschen Reich unmittelbar unterworfene Länder.

I. Die Statthalterschaft Rum-Ili.

Nach dem Ricaut und Marsigli, begreifet diese Statthalterschaft alle diejenigen Provinzen, die ich dazu rechne, und stehet unter dem Begjlerbegj von Rum-Ili, der seinen Siz zu Sophia hat. Seine festgesetzten Einkünfte, bettagen 1100000 Aspern, und er muß 220 Mann stellen.

1. Rum-Ili.

§. 1

Diese Landschaft, die den Namen Rum-Ili das ist das Land Rum, in enger Bedeutung, oder Romania, entweder von den Römern, oder von Neu-Rom, (Constantinopel), dem Siz des östlichen Theils vom römischen Reich, führet, hat vor Alters Thracia geheißen, unter welchem Namen ihrer bey den griechischen und lateinischen Geschichtschreibern häufig Meldung geschiehet. Sie ist ungefähr 45 Meilen lang und 30 Meilen breit, und gränzet gegen Mitternacht an das Gebirge Haemus, gegen Morgen an das schwarze Meer, den Hellespont, und Propontis, oder See von Marmora, (die Osmanen sagen, Marmera), gegen Mittag an den Archipelagus, und gegen Abend an Macedonien und den Fluß Strymon.

§. 2

§. 2 Das Land iſt größtentheils eben, es enthält aber auch einige merkwürdige und anſehnliche Berge. Der Berg Hämus, heutiges Tages Tſchengje und der große Balkan genannt, der das Land gegen Mitternacht von Bulgarien ſcheidet, iſt der höchſte unter allen. Die Osmanen gebrauchen das Wort Balkan von den höchſten Bergketten überhaupt, und von der thraciſchen inſonderheit. Der Rhodope, welcher hiernächſt der höchſte, iſt bey den alten Dichtern wegen des Schickſals des Orpheus berühmet. Der Pangaeus ſcheidet dieſe Landſchaft von Macedonien, und der Orbelus iſt nicht weit von dem Fluß Neſtus. Haemus und Rhodope ſind zwey lange Reihen von Bergen, die ſich beynahe in gleich weiter gegenſeitiger Entfernung von den macedoniſchen Gränzen bis zum ſchwarzen Meer erſtrecken. Die merkwürdigſten Flüſſe ſind:

1) Die Mariza, die bey den Alten Hebrus, hieß, aus dem Gebirge Haemus entſpringet, mitten durch Romanien läuft, und ins ägeiſche Meer fällt.

2) Der Caraſu Meſtro, oder Neſſus, Neſtus, der an dem Gebirge Rhodope entſtehet, und auch ins ägeiſche Meer fließet.

3) Der Strymon, der auf dem Gebirge Pangaeus entſpringet, und auch in das ägeiſche Meer fällt.

§. 3 Die Gegenden zwiſchen den Gebirgen, ſind kalt und unfruchtbar; die nach den Meeren zu belegenen Gegenden aber ſind angenehm und fruchtbar, und bringen allerley Arten von Getreide (inſonderheit Sommer-Waitzen), und Lebensbedürfniſſen hervor. Der Reiß wächſet hieſelbſt inſonderheit vortrefflich:

Tt 4 Auf

Auf der europäischen und asiatischen Seite des Canals
von Konstantinopel, ist Weinbau auf den Hügeln,
die aus Kalksteinen, und in den Ebenen, die aus
Mergel, bestehen; es wird aber der Wein auf der
asiatischen Seite früher reif, als auf der europäischen.
Die Osmanen verkaufen die Trauben mehrentheils
zum Essen; die Weinlese aber darf nicht eher anfangen, als bis die obrigkeitliche Erlaubniß zu derselben
in jedem Dorfe ausgerufen wird.

§. 4 Hofrath Heyne, macht von den alten Thraciern folgende Abbildung. Er sagt, dieses Volk,
welches von einem Thiras herkömmt, hat zahlreiche
Stämme unter verschiedenen Namen begriffen. Es
hat sich zuerst von dem Gebirge Taurus und Cau-
casus her, durch klein Asien über den Hellespont
und Bosporus hinüber gezogen, und nordwärts bis
gegen die Donau, südwärts aber bis gegen den Pe-
loponnes, alles bevölkert. Aus Europa zogen verschiedene Stämme wieder zu ihren Stammvätern
nach Asien, setzten sich unter denselben wieder, oder
verdrängten sie. Den Namen Thracier führten
eigentlich nur einzelne Stämme. In Asien gehörten aller Wahrscheinlichkeit nach zu diesem Volk die
Phryger, Myser, Bythyner, Mygdoner, Mari-
andyner, Paphlagoner, Heneter, und es läßt sich
muthmaßen, daß die Trerer, die man auch von
den Thraciern ableitet, samt ihren Bundsgenossen
den Cimmeriern, ihre anfangs zurückgelassenen Vorfahren gewesen. Herr Heyne nimmt also an, daß
alle phrygischen, thracischen und cimmerischen
Völker, zu einem Stamm, den man den cimbri-
schen nennen kann, gehören, aber nach verschiedenen

nen Trennungen, durch Clima und Cultur einander
fremd geworden sind, obgleich ihre Sprache und
ihre Religionsgebräuche etwas merklich gemeinschaft-
liches behalten haben. Den Pelasgern giebt Herr
Heyne auch einerley Ursprung mit den Thraciern.
Sie haben sich theils in Asien, (woselbst die Leleger,
Carier, Lycier, Cauconen und Trojaner zu ihnen
gehörten), theils im südlichen Thracien, und in
Griechenland, ausgebreitet, und sich häufig mit den
zuerst hieher gekommenen Thraciern und Phrygern
vermischet, und so haben sich neue Völker, als die
Mäoner oder Lyder, gebildet. Die Hellenen sind
ursprünglich Pelasger, davon hernach ein mehreres.
Die heutigen Einwohner von Romanien, sind Griechen, die von den alten Griechen abstammen,
Wlachen und Osmanen. Die alten Griechen
hatten die schönen Wissenschaften, welche unter ihnen blüheten, hauptsächlich den Thraciern zu verdan-
ken, heutiges Tags aber wird man keine Gelehrte
aus Romanien verschreiben. Die Wlachen, die
hier, in Macidonien und Thessalien leben, und theils
als Nomaden umherziehen, theils in Städten wohnen, hält Professor Thunmann für Nachkommen der alten Thracier, die aber mit andern Völkern sehr vermischt sind. Nach ihm, nahmen die
Thracier viel von der Griechen Sprache und Lebensart an; nachher mengten sich Celten, Scythen, Sarmaten, und noch andre Völker unter dieselben. Unter dem Kaiser Claudius, 46 Jahre nach des Herrn
Geburt, ward Thracien eine römische Provinz: und
es wurden nicht nur römische Legionen, sondern auch
römische Colonisten hieher geschicket. Die Thracier

misch-

mischten die römische Sprache unter die ihrige, nennten sich auch Römer, heutiges Tags Rumanje oder Romanje. Kaiser Probus gab hier Bastarnen, Gepiden, Gothen und Vandalen Wohnsitze. Im vierten Jahrhundert wohnten hier eine Zeitlang auch Jazygen, und von den Gothen, die dieses Land in eben diesem Jahrhundert besetzten, sind noch Nachkommen vorhanden. Unter dem Kaiser Heraklius ließen sich hier unterschiedene slavische Stämme wohnhaft nieder. Von dem Jahr 679 an, brachten die Bulgaren dieses Land größtentheils unter ihre Bothmäßigkeit, gewöhnten sich aber an die slavische Sprache, und vergaßen die ihrige, welche die ungarische war. Es wurden zwar in dem Theil, der unter kaiserlicher Bothmäßigkeit blieb, Syrer und Armenier angesetzet, aber der bulgarische König Basilius der zweyte bezwang doch endlich 1010 ganz Thracien. Nachher kamen noch Petscheneken, und als die Osmänen das Land erobert hatten, auch Tatarn hieher. Es sind also Thraciens Einwohner wenigstens von 13 oder 14 unterschiedenen Völkern gewesen, und daraus hat eine große Vermischung in der Sprache, in der Lebensart und in den Sitten der Einwohner oder der Wlachen, entstehen müssen, die sich bey dem Einfall fremder Völker vornehmlich in den Gebirgen erhielten. Sie wollen aber nicht Wlachen heißen, denn diesen Namen haben wahrscheinlicher Weise die Slaven aufgebracht, um der alten Einwohner, die in den Gebirgen mit ihren Heerden wie Nomaden herumzogen, zu spotten, und von ihnen nahmen ihn die osmanschen Völker an, die ihn durch Tjuban übersetzten, welcher letzte

letzte Name auch den Polen und Albanern bekannt wurde. Hingegen das alte Volk, welches nicht vergaß, daß es einst Unterthanen und Bürger des alten Roms gewesen, nannte sich immer Rumanje oder Romanje, das ist, Römer. Die Griechen belegten endlich auch die Bergbewohner in Thracien und Macedonien mit den Namen Wlächen.

§. 5 Das land wird durch zwey Sandscháken regieret, daher haben wir auch zwey Sandschakschaften zu bemerken.

I Die irizische Sandschakschaft, erstrecket sich vom Fuß des Berges Hämus, bis an den See von Marmora gegen Morgen, und enthält folgende Oerter.

1) Constantinopel, von den Arabern, Persern, Osmanen, und andern morgenländischen Völkern, Costantinia, oder Costantania, welchen Namen die Osmanen so aussprechen, als wenn er Costantinija, oder Constantanija geschrieben würde, von den Griechen *Polis* (πολις,) die Stadt mit Vorzug, und weil sie sagten, sie wollten *εις την πολιν*, welches sie in geschwinden Reden *is tin Bolin*, oder *is tim Bolin*, aussprachen, so haben die Osmanen daraus den Namen Jstanbol oder Jstanbul gemacht, den sie Jstambul aussprechen, und gemeiniglich gebrauchen, auf den Münzen Sultans Mustáfa des dritten, und auf Dukaten, Jslambul, das ist, Stadt des Jslam, oder wahren Glaubens, bey den Armeniern neuerer Zeit, *Stimbola*, in den russischen Annalen Zargrad, bey den Wlachen und Bulgaren noch jetzt Zaregrad, das ist, Königsstadt, die Residenz des Sultans der Osmanen. Diese Stadt hat ehemals Byzantium geheißen, ist aber von dem ersten christlichen Kaiser Konstantin dem ersten von neuem erbauet und benennet, im Jahr 330 eingeweihet, und zum Sitz der römi-

römiſchen Regierung gemachet worden. Sie war die Reſidenz der chriſtlichen Kaiſer in den morgenländiſchen Gegenden des römiſchen Reichs, bis auf das Jahr 1453, da ſie von den Oꞩmanen, nach einer Belagerung von vier und funfzig Tagen, erobert worden, und ſeit der Zeit die Hauptſtadt und der Sitz ihres Reichs geweſen. Sie iſt, wie das alte Rom, auf ſieben Hügeln angeleget, daher ſie auch durch ein ausdrückliches Gebot, auf einer ſteinernen Säule, Neu-Rom genennet worden; man findet aber jetzt faſt gar kein Merkmal mehr davon, daher Konſtantin die Stadt nicht mehr kennen würde. Die Alten hielten Byzanz für die anmuthigſte und zur Handlung am bequemſten gelegene Stadt in der Welt, und man muß auch von Conſtantinopel ſagen, daß ihre Lage und Gegend ganz vortreflich ſey; denn ſie hat die Geſtalt eines Dreyecks, an deſſen einen Seite das feſte Land, an den beyden andern aber das Meer iſt; gegen Mittag nämlich iſt das Meer von Marmora und der Helleſpont, gegen Morgen iſt der Auslauf des ſchwarzen Meeres, und gegen Mittag der ungemein große, ſichere und für die Schiffe ſehr bequeme Hafen, dem ein aus der Meerenge gegen Nordweſten in das Land hineindringender Kanal machet, in den ein Fluß fällt. Sie iſt mit einer alten Mauer um die ihr keine Feſtigkeit verſchaffet. Auf der Landſeite iſt von den ſieben Thürmen bis zu der Vorſtadt Ejub, eine doppelte Mauer und ein Graben, welcher letzte aber zum Theil angefüllet iſt. Zu ihrem Schutz dienen vier kleine Caſtele an dem Kanal, der nach dem Archipelagus führet, und vier andere, die an dem Kanal, der nach dem ſchwarzen Meer führet, liegen: ſie haben aber nicht viel auf ſich. Auch von dem keinen Caſtel, welches man die ſieben Thürme nennet, hat die Stadt wenig Schutz. Am beſten iſt noch der Eingang zu dem Hafen und Kanal nach dem ſchwarzen Meer beſchützet, nämlich durch die Kanonen bey dem Serail, bey Topchana und auf Kiſtuleſi. Die Stadt zeiget ſich von außen auf der Landſeite ſchlecht, aber auf der Seite des Kanals und Hafens ſehr ſchön, weil ſie allmählich vom Ufer aufſteiget, und alſo wie ein

Am

Amphitheater ausſiehet; und weil die prächtigſten Dſbami auf Hügeln ſtehen, und zwiſchen den Häuſern und Paläſten viele Gärten und Bäume ſind: wenn man aber hinein kömmet, verſchlimmert ſich der Anblick gar ſehr, weil die meiſten Straßen ſehr enge, ſchlecht gepflaſtert und die Häuſer unrein ſind. Sie iſt von ungemeiner Größe, hat nach des Fürſten Kantemirs Verſicherung über 400000 Häuſer, die Vorſtädte ungerechnet; 22 Thore, davon 6 nach der Landſeite, und 16 nach der Seeſeite zu gerichtet ſind; aber ſehr enge, ſchlüpfrige und abhängige Straßen, und mehrentheils ſchlechte von Leimen und dünnen Holz niedrig erbaute Häuſer. Die zierlichen Häuſer ſind an den Orten, die dem Anlauf des Volks nicht ſo ſehr unterworfen, und wo auch die Stadt am wenigſten bewohnet iſt; und die anſehnlichſten Gebäude ſtehen außer der Stadt am Hafen. Von dieſem wird hin und wieder ein Platz mit Erde angefüllet und bebauet. Der in der Stadt auf der Spitze des Drenecks nach dem Kanal und Hafen zu gelegene ſultaniſche Palaſt, (Saraj) ſammt den dazu gehörigen Gärten, hat faſt 4 italieniſche Meilen im Umfange, iſt aber mehr eine ganze Sammlung von Paläſten und Zimmern, die von den Monarchen nach ihrem Gutdünken an einander gehänget worden, als ein einzelner Palaſt. Er hat nach allen Seiten eine ſchöne Ausſicht. Von der Stadt ſcheidet ihn eine hohe Mauer. Die Dächer ſind, wie alle andere Paläſte des Sultans, mit Bley gedecket. Der vornehmſte Eingang iſt von Marmor, und an dem Platz, an welchem der Sanct Sophientempel ſtehet. Er wird Babe Humajan, d. i. majeſtätiſche Pforte genennet. Durch dieſes Thor kömmt man in den erſten Hof, auf welchem das Krankenhaus, und die Münze, nebſt andern Gebäuden, zu ſehen. Der zweyte Hof wird der Hof des Diwan genennet, weil ſich daſelbſt der Staatsrath in einem großen Saal verſammelt; außerdem aber ſind hier noch die Küche, die Schatzkammer und der Marſtall. An den Diwan ſtößet das eigentliche Saraj gegen Norden, und man kömmt durch einen bedeckten Gang in das prächtige, aber ſehr kleine und dunkle

ſul=

römischen Regierung gemachet worden. Sie war die Residenz der christlichen Kaiser in den morgenländischen Gegenden des römischen Reichs, bis auf das Jahr 1453, da sie von den Osmanen, nach einer Belagerung von vier und funfzig Tagen, erobert worden, und seit der Zeit die Hauptstadt und der Sitz ihres Reichs gewesen. Sie ist, wie das alte Rom, auf sieben Hügeln angeleget, daher sie auch durch ein ausdrückliches Gebot, auf einer steinernen Säule, Neu=Rom genennet worden; man findet aber jetzt fast gar kein Merkmal mehr davon, daher Konstantin die Stadt nicht mehr kennen würde. Die Alten hielten Byzanz für die anmuthigste und zur Handlung am bequemsten gelegene Stadt in der Welt, und man muß auch von Constantinopel sagen, daß ihre Lage und Gegend ganz vortreflich sey; denn sie hat die Gestalt eines Dreyecks, an dessen einen Seite das feste Land, an den beyden andern aber das Meer ist; gegen Mittag nämlich ist das Meer von Marmora und der Hellespont, gegen Morgen ist der Auslauf des schwarzen Meeres, und gegen Mittag der ungemein große, sichere und für die Schiffe sehr bequeme Hafen, dem ein aus der Meerenge gegen Nordwesten in das Land hineindringender Kanal machet, in den ein Fluß fällt. Sie ist mit einer alten Mauer um die ihr keine Festigkeit verschaffet. Auf der Landseite ist von den sieben Thürmen bis zu der Vorstadt Ejub, eine doppelte Mauer und ein Graben, welcher letzte aber zum Theil angefüllet ist. Zu ihrem Schutz dienen vier kleine Castele an dem Kanal, der nach dem Archipelagus führet, und vier andere, die an dem Kanal, der nach dem schwarzen Meer führet, liegen: sie haben aber nicht viel auf sich. Auch von dem keinen Castel, welches man die sieben Thürme nennet, hat die Stadt wenig Schutz. Am besten ist noch der Eingang zu dem Hafen und Kanal nach dem schwarzen Meer beschützet, nämlich durch die Kanonen bey dem Serail, bey Topchana und auf Kiskulesi. Die Stadt zeiget sich von außen auf der Landseite schlecht, aber auf der Seite des Kanals und Hafens sehr schön, weil sie allmählich vom Ufer aufsteiget, und also wie ein

Am=

Amphitheater ausſiehet; und weil die prächtigſten Dſhami
auf Hügeln ſtehen, und zwiſchen den Häuſern und Palä=
ſten viele Gärten und Bäume ſind: wenn man aber hin=
ein kömmet, verſchlimmert ſich der Anblick gar ſehr, weil
die meiſten Straßen ſehr enge, ſchlecht gepflaſtert und die
Häuſer unrein ſind. Sie iſt von ungemeiner Größe, hat
nach des Fürſten Kantemirs Verſicherung über 400000
Häuſer, die Vorſtädte ungerechnet; 22 Thore, davon 6
nach der Landſeite, und 16 nach der Seeſeite zu gerichtet
ſind, aber ſehr enge, ſchlüpfrige und abhängige Straßen,
und mehrentheils ſchlechte von Leimen und dünnen Holz
niedrig erbaute Häuſer. Die zierlichen Häuſer ſind an
den Orten, die dem Anlauf des Volks nicht ſo ſehr
unterworfen, und wo auch die Stadt am wenigſten be=
wohnet iſt; und die anſehulichſten Gebäude ſtehen außer
der Stadt am Hafen. Von dieſem wird hin und wieder
ein Platz mit Erde angefüllet und bebauet. Der in der
Stadt auf der Spitze des Dreyecks nach dem Kanal und
Hafen zu gelegene ſultaniſche Palaſt, (Saraj) ſammt den
dazu gehörigen Gärten, hat faſt 4 italieniſche Meilen im
Umfange, iſt aber mehr eine ganze Sammlung von Pa=
läſten und Zimmern, die von den Monarchen nach ihrem
Gutdünken an einander gehänget worden, als ein einzel=
ner Palaſt. Er hat nach allen Seiten eine ſchöne Aus=
ſicht. Von der Stadt ſcheidet ihn eine hohe Mauer. Die
Dächer ſind, wie alle andere Paläſte des Sultans, mit
Bley gedecket. Der vornehmſte Eingang iſt von Mar=
mor, und an dem Platz, an welchem der Sanct Sophien=
tempel ſtehet. Er wird Babe Humajan, d. i. majeſtäti=
ſche Pforte genennet. Durch dieſes Thor kömmt man in
den erſten Hof, auf welchem das Krankenhaus, und die
Münze, nebſt ändern Gebäuden, zu ſehen. Der zweyte
Hof wird der Hof des Diwan genennet, weil ſich daſelbſt
der Staatsrath in einem großen Saal verſammelt; auſ=
ſerdem aber ſind hier noch die Küche, die Schatzkammer
und der Marſtall. An den Diwan ſtößet das eigentliche
Saraj gegen Norden, und man kömmt durch einen bedeck=
ten Gang in das prächtige, aber ſehr kleine und dunkle
ſul=

sultanische Audienzzimmer, in welchem der Thron stehet,
der einem Himmelbette ähnlich ist. Bis hieher kommen die Abgesandten, weiter aber ist den Fremden der
Zugang zum Saraj nicht erlaubet, doch findet ein neu-
gieriger Reisender bisweilen für Geld und auf andere Weise
Gelegenheit, die innern Zimmer, in Abwesenheit der sultanschen Weiber und Kebsweiber, zu sehen. Diesen Palast hat Sultan Muhamed der zweyte, der Constantinopel eroberte, 1478 auf der östlichen Spitze der Stadt,
wo das alte Byzantium gestanden, erbauen, und in
Ansehung des alten Palastes, der mitten in der Stadt
war, den neuen erbauen lassen, den aber die folgenden Sultane durch Gebäude vergrössert haben. Durch das starke Erdbeben von 1754, ist dieser Palast sehr verwüstet, aber
wieder hergestellet worden. Vor der äußern Pforte des
Saraj, stehet ein prächtiges Haus, in welchem beständig
umsonst Wasser ausgetheilet wird. Es ist nach allen Seiten offen, die eisernen Gitter sind vergoldet, und in dem
Gebäude sind Leute, die beständig mit Wasser ange-
füllte Schalen halten, die von vergoldetem Kupfer, und
an Ketten befestiget sind. Zwischen den beyden Dschami
Sultan Soliman und Bajazet, ist das alte Saraj, darinn die Weiber der verstorbenen Sultane eingeschloßen
sind. Die Paläste der vornehmen Osmanen, haben von
außen kein großes Ansehen, sind aber inwendig schön und
kostbar ausgezieret. Unter den Dschami oder osmanschen Tempeln, ist S. Sophia der berühmteste und präch-
tigste, und stehet dem großen Thor des sultänschen Palastes gegen über. Er ist vom Kaiser Justinian erbauet, und
hat nicht nur ehedessen unter den Christen in größem Ansehen gestanden, sondern stehet auch noch bey den Osmánen darinn, wie denn der Sultan ihn alle Freytage besuchet, und die Christen nur selten in denselben gelassen werden. Der Boden, die Wände, Gänge ꝛc. sind mit Marmor beleget, und die vielen Säulen sind auch von Marmor, Porphyr und ägyptischem Granit. Er soll täglich
10000 Gulden Einkünfte haben, und ganz bequem auf
einmal 100000 Personen fassen können. Um denselben
her

her, sind einige Kapellen, die zu Begräbnissen der sultanischen Familie dienen. Die andern Dschami, Sultan
Achmet, Sultan Selim, Sultan Soliman, Sultan
Bajazet, und noch drey andere, sind auch schön, und zie-
ren die Stadt. Die meisten stehen auf den größten Höhen der Stadt, sind entweder mit einer Mauer, oder mit
Gebäuden, für die Bedienten der Dschami und frommen
Leuten, umgeben, haben auch freye Plätze um sich her.
Es sind auch bey denselben Schulen, und bey vielen werden täglich Almosen, entweder an Gelde, oder an Lebensmitteln ausgetheilet. Die Griechen haben in der Stadt
23 Kirchen, sie sind aber klein und unansehnlich, die Patriarchalkirche ausgenommen, welche ein schönes Gebäude
ist. Die Armenier haben drey Kirchen. Andere christliche Parteyen haben in der Stadt keine Kirchen. Zu den
übrigen Merkwürdigkeiten der Stadt, gehöret der große
Rennplatz, nicht weit von dem Dschami Sultan Achmet,
den die Griechen Hippodromus nenneten, der aber bey
den Osmanen Atmeidan heißet, auf welchem eine ge-
spitzte viereckichte Säule von thebanischem Marmor mit
hieroglyphischer Schrift stehet, die Niebuhr zum erstenmal abgezeichnet hat; ferner der Colossus, oder die aus
Quaderstücken zusammengesetzte Säule; eine aus Erz ge-
gossene dreyeckichte Säule, von drey um einander gewun-
denen Schlangen, deren dreyfaches Haupt abgefallen ist;
die theodosianische Säule von Marmor, mit schönen ge-
schnitzten Figuren, auf dem siebenten Hügel, an der
Straße, wo man von Adrianopel nach der Rennbahn
gehet; der Sklavenmarkt, und das Gebäude, darinn sie
verwahret werden, das nicht weit von der Säule ist;
die beschrienen sieben Thürme, (zu welchen aber noch
der achte gekommen ist,) die am Ende der Stadt nach
Mittag zu von guten Quaderstücken gebauet, und mit einer von vielen kleinen Thürmen besetzten besondern Mauer
umgeben sind, und darinn Staatsgefangene verwahret
werden, davon aber 1754 viere, und 1766 noch einer, ein-
gefallen sind; und endlich die Marktplätze, welche die
Osmanen Bezestene nennen, und abgesonderte gewölbte
Päl-

Plätze, oder Kaufhäuser sind, darinn die Osmanen, Juden, Griechen und Armenier ihren Handel treiben. Die großen öffentlichen Herbergen, die prächtigen Bäder, und einige öffentliche Bibliotheken, deren ein Björnstähl beschreibet, gereichen der Stadt auch zur Zierde. Man findet hier auch große unterirdische Wohnungen oder Keller, die mit vielen Säulen versehen sind, und tausend und eine Colonne genennet werden. Es scheinet, daß sie ehemals Wasserbehältnisse gewesen sind, jetzt aber werden sie von Webern bewohnet. Niebuhr sahe hier in einer Abtheilung 32 schöne marmorne Säulen von der korinthischen Ordnung, und in einer andern viele hohe aber sehr schlecht proportionirte Säulen. Es sind hier über hundert Becker, von welchen ein jeder jetzt täglich vier türkische Piaster zahlen muß. Allein, ihr Brod ist schlecht, und beschweret den Magen, und ist doch theuer. Die Janitscharen haben in dieser sultanischen Residenz ihren Aufenthalt, und wohnen in sogenannten Kammern, oder Odas. Von der Anzahl der Menschen hat man keine Gewißheit, sie ist auch eine Zeitlang nach der sich hier oft einstellenden Pest, geringer als vor derselben, es kömmt auch bey ihrer Schätzung darauf an, ob man auf Constantinopel allein, oder auch auf die Städte Galata und Pera, ja wohl gar mit auf die Dörfer, die nahe bey der Stadt und an dem Kanal, bis an das schwarze Meer liegen, siehet. Es scheinet, daß man auf die genannten 3 Städte ungefähr eine halbe Million im Durchschnitt, und mit Wahrscheinlichkeit rechnen könne. Des hiesigen griechischen Patriarchen Hof stehet ein paar hundert Schritte vom Hafen, am Berge, nahe bey der dem heil. Georg gewidmeten Patriarchalkirche. In der Stadt herrschet Sicherheit und gute Ordnung. Vor berauschten Osmanen muß ein Christ sich hüten, um nicht von ihren Messern verwundet, oder gar ermordet zu werden. Das frische Wasser, bekommt die Stadt jetzt aus drey großen Wasserbehältnissen (Bents) etwa drey deutsche Meilen weit her. Es wird bald durch, bald um die Hügel geleitet, und wo Thäler sind, hat man sehr starke und hohe Mauern gebauet, um es in andre große

große Behältniſſe zu Konſtantinopel zu bringen. Alles die=
ſes wird nicht nur auf ſultanſche Koſten unterhalten, ſon=
dern es iſt auch eines von den drey großen Waſſerbehält=
niſſen, nämlich dasjenige, welches nordwärts von dem
Dorfe Burgos lieget, erſt unter dem Sultan Muſtafa dem
dritten angeleget worden. Die Peſt, die ſich hier alle
Jahre einſtellet, richtet oft große Verwüſtungen an, wor=
an aber die unreine, unordentliche und unvorſichtige Le=
bensart der Osmanen Schuld iſt. Den Feuersbrünſten
iſt die Stadt oft ausgeſetzet, und es ſind dadurch wohl
eher über 50 ja 70000 Häuſer verzehret worden. 1754
litte ſie viel von ſtarkem Erdbeben, und gleich darauf ver=
mehrte eine Feuersbrunſt die große Verwüſtung. 1755,
56, 62, 71, 79 und 82 waren wieder große Brände, und
zwar im vorletzten Jahr zweymal, es traf auch der Brand
das erſtemal den beſten Theil der Stadt; und 1782 ver=
zehrte das Feuer, nach der Rechnung, faſt auf drey vier=
tel aller Gebäude der Stadt, und unter denſelben faſt
alle Paläſte, und die ſieben Thürme. 1784 entſtund ein
Feuer in der Judenſtadt, welches ſo um ſich grif, daß es
alle Häuſer, die von Ballata bis Jeni Baktſche gegen die
See zu ſtänden, bis auf 2 Dſchami nach, verzehrete.
Die abgebrannten Häuſer waren mehrentheils diejenigen,
die ſeit dem Brand von 1782 wieder aufgebauet wor=
den. Jbrahim Effendi hat den Gebrauch der Feuerſpri=
tzen eingeführet. 1766 verwüſtete ein heftiges Erdbeben
ſehr viel.

Auf der Weſtſeite der Stadt, am innerſten Ende des
Hafens, iſt das ſultanſche Landhaus Eſjub, oder S.
Hiob, mit dem Dorfe gleiches Namens, und einem Dſcha=
mi, in welchem man den Säbel des Sultan Osman,
Stifters des Reichs der Osmanen, verwahret, der
den osmanſchen Prinzen beym Antritt ihrer Regierung,
mit vielen Ceremonien, umgürtet wird. Längſt der
Meerenge bis an das ſchwarze Meer, giebt es viele Luſt=
häuſer vornehmer Perſonen, Gärten, Wieſen, Wein=
berge, Wälder, Städte und Flecken. Die Vornehmſten
des Hofs, pflegen im Frühling, Sommer und Anfang

des Herbsts, sich mehr daselbst, als in der Stadt, aufzu=
halten, sowohl um der frischen Luft zu genießen, als um dem
Sultan desto näher zu seyn, der zu Beschik=dasch, den
Sommer zubringet; welcher Ort gleich vorkommen wird.

Daß der hiesige Handel ansehnlich sey, kann man schon
daraus erkennen; weil die Zölle für 4000 Beutel, oder
zwey Millionen Thaler pflegen verpachtet zu werden, und
doch nicht hoch sind.

Man hat einige Grundrisse von Constantinopel und
der umliegenden Gegend, welche brauchbar sind. Ein
solcher ist derjenige, den F. N. Rolffsen zu Hamburg
gestochen hat, und der den Titul führet, Plan von Kon=
stantinopel und den angränzenden Oertern, nebst
dem Kanal des schwarzen Meers. Ein kleiner Bogen.
Von Constantinopel ist außer der Lage wenig darauf zu
sehen. Bosporus Thracius, der Kanal des schwarzen
Meers, oder die Meerenge bey Constantinopel, samt
den an beyden Ufern desselben gelegenen Städten,
Flecken, Dörfern, geometrisch aufgenommen durch
Johann Baptist von Reben, kaiserl. königl. Inge=
nieur=Hauptmann, — — herausgegeben durch die
Homannischen Erben zu Nürnberg, 1764. Niebuhr
erkläret ihn für den besten unter denjenigen, die er ge=
sehen hat, saget aber, daß der Maaßstab zu klein, und
also die Stadt nach diesem Grundriß größer sey, als er
sie gefunden habe. Er selbst hat in seiner Reisebeschrei=
bung seinen eigenen Grundriß der Städte Constantinopel,
Galata und Scudar mitgetheilet. The sea of Marmara
or propontis with the straith of Constantinople and Gallipoli, by W. Faden, 1786. bestehet aus 2 großen Bo=
gen, die zusammen gesetzet werden können. Sie trat zu=
erst 1784 in Paris an das Licht, ist aber in dieser Londoner
Ausgabe verbessert worden. Der Zeichner ist P. J. Bohn.

2) Galata, eine Stadt, jenseits des Meerbusens,
gerade gegen Konstantinopel über an einer steilen Anhöhe.
Sie ist mit alten Mauern und Thürmen umgeben. Es
sind auch Reste von zwey alten starken Mauern vorhanden,
durch welche diese Stadt ehedessen in drey Theile oder be=
son=

ſondere Feſtungen abgetheilet geweſen. Sie iſt ſehr ſtark
bewohnet. Es ſind hier die meiſten europäiſchen Kaufleute, und derſelben Magazine, und überhaupt wohnen
hier Oſmanen, Griechen, Armenier, Franken und Juden. Die Griechen haben hier ſechs Kirchen, die Katholiken drey, und die Armenier auch einige. In dem Kapu-
zinerkloſter wohnet und wirkt ſeit 1784 der römiſch-katholiſche Biſchof, mit Bewilligung der hohen Pforte, öffentlich, der ſich vorher zu Pera heimlich aufhalten muſte.
Vermöge des Friedens zu Kurtſchuk Kainarſchy von 1774,
ſtehet es den Ruſſen frey, außer der in ihres Geſandten
Hauſe befindlichen Kapelle, hieſelbſt in der Sträße Bei
Oglu genannt, auch eine öffentliche Kirche zur Ausübung
ihres Gottesdienſtes zu erbauen, die jederzeit unter
dem Schutz des Miniſters ſtehen ſoll. Man findet viele
Weinhäuſer, die von Griechen und Armeniern gehalten werden. Die Stadt ſtehet unter ihren Woiwoden.

3) Pera, eine Stadt, die nicht nur jenſeits des
Meerbuſens, ſondern auch jenſeits Galata lieget, und
wie eine Vorſtadt von dieſer Stadt ausſiehet. Sie iſt auf
einer Höhe wohl angebauet, und der Sitz der chriſtlichen
Geſandten und Reſidenten. Sie wird von vornehmen
Griechen, Armeniern, Franken und Oſmanen bewohnet,
welche die gute Luft, die ſchöne Ausſicht, und die freye
Lebensart, dahin ziehet. In dem Palaſt des ſchwediſchen
Geſandten, der eine herrliche Lage und Ausſicht auf
und von der höchſten Anhöhe in Pera hat, wird evange-
liſch-lutheriſcher Gottesdienſt in deutſcher Sprache gehalten, für welchen, in der Mitte des Hauptgebäudes, eine
mit Altar und Kanzel verſehene Kapelle eingerichtet iſt.
Die Engländer und Holländer, haben hier auch in den
Häuſern der Geſandten ihrer Nationen Kapellen. Die
Katholiken haben hier fünf ſchöne Kirchen, es ſind auch
hier, ſo wie zu Galata einige katholiſche Klöſter. Die
Griechen und Armenier halten hier viele Weinhäuſer. Hier
iſt auch Bonnevals Grabmal zu ſehen. mit der Inſchrift:
daß, nachdem er die ganze Welt durchreiſet ſey, um zu
dem wahren Glauben zu gelangen, er in dieſes heilige

Land

Land gekommen, und zur Wahrheit bekehret worden sey. Diese Stadt stehet in Ansehung des Theils, welcher am nächsten bey Topchána ist, unter dem Befehl des Topdschi Baschi, und in Ansehung des übrigen Theils unter dem Zeughause, oder unter desselben Aufseher, dem Terschana Kiaisi und Oberaufseher, dem Capudan Pascha.

4) Bagno oder Banjo, neben Galata, an dem Meerbusen, ist der Ort, woselbst die Sklaven aufbehalten werden, und die Katholiken zwey, die Griechen aber eine Kirche haben, die für die Sklaven bestimmet sind. Gleich darneben ist der Ort Kassim Pascha.

5) Ters=chana, oder das Zeughaus, ist neben Bango, an dem Meerbusen, und hier liegt die Flotte.

6) Kara=Agatsch, nicht weit von dem vorhergehenden Ort, am Ende des Meerbusens, und an dem sogenannten frischen Wasser, ein Sultanisches Landhaus in einer einsamen Gegend.

7) S. Demetri, ein Dorf, nicht weit von Pera, und Haskiöi ein Dorf, unweit Konstantinopel, in welchem lauter Juden von der Partey der Karaiten wohnen, die 1776 nach Forskäl Bericht an 200 Köpfe ausmachten.

An der Meerenge, die nach dem schwarzen Meer führet.

8) Top=chana, ein großes Gebäude, in welchem Kanonen gegossen werden, und nahe dabey ein prächtiges Dschami. Dieser Ort lieget der Spitze des Sultanschen Palasts zu Constantinopel gerade gegen über, und es wohnet hier der Topdschi Baschi, oder der oberste Befehlshaber über die Artillerie.

9) Sonduklu, ein Dorf.

10) Kabadasch, ein Dorf.

11) Dalma=bagksche, ein Dorf mit einem Landhause des Sultan.

12) Beschik=dasch, ein Dorf mit einem verschlossenen inwendig sehr prächtigen Palast des Sultan.

13) Ortoköj, ein Dorf.

14) Ar

14) **Arnautköi**, das ist, Dorf der Albaner, Pagus Albanitarum.

15) **Rum Ili eski Zisfar**, d.i. das europäische alte Kaftel, welches Schloß mit zur Beschützung des Zugangs in Constantinopel aus dem schwarzen Meer, dienet, und dem gegen über in Anadoli auch eins liegt.

16) **Büjükdere**, (d.i. Großthal,) ein Dorf, hinter welchem sich ein großes Thal eröfnet.

17) Noch einiger anderer Oerter zu geschweigen, so ist bey dem Ausfluß des schwarzen Meeres abermals, sowohl auf der europäischen als asiatischen Seite, ein festes Schloß, jenes heißt **Kumili-kara dingi Zisfar**. Nicht weit davon siehet man, nicht nur eine Feuerlaterne zum Besten der Seefahrenden, sondern auch etwa 30 Schritte vom Meer, auf einem Hügel, den sieben oder acht Schuhe hohen Rest von des **Pompejus Säule**, und nahe dabey einen Thurm, welcher des **Ovidius Thurm** fälschlich genennet wird.

18) **Belgrad**, ein griechisches Dorf, in einem Walde, woselbst vornehme Personen von Konstantinopel ihre Kioßken oder kleine Lusthäuser haben.

19) **Derkus** oder **Derkon**, ein Ort am schwarzen Meer.

20) **Haznadar Tschiflick**, ein sultansches Lusthaus, das etwa ¼ Meile von Constantinopel entlegen ist. Nahe dabey ist

21) **Dawud-Pascha**, ein sultanscher Palast, welcher von einem Vorsteher der Kammer (Haznadar,) erbauet word., und woselbst der Sultan allemal seine erste Einkehr nimmt, wenn er nach Adrianopel reiset. Hier pfleget sich auch die osmansche Armee zu versammeln.

22) **Selivrea, Silivria, Selybria, Selymbria**, ein namhafter Hafen an dem Meer von Marmora, mit einem auf einer Anhöhe gelegenen alten und stark verfallenen Schlosse, welches, nebst den dabey liegenden Häusern, die obere Stadt genennet wird. In der Vorstadt ist ein sultansches Provianthaus, in welches das Getreide der da-

sigen

figen Landschaft gebracht wird. Es hat hier ein griechischer Metropolit seinen Sitz.

23) Erekli, Elegri, Heraclea, vor Alters Perin-
thus, am Meer von Marmora, war ehemals eine große
Stadt, ist aber jetzt ein geringer Ort, in und bey welchem man noch Ueberbleibsel von einem zur Zeit des Kaisers Severus aufgeführten Amphitheater findet. Es wohnet hieselbst ein griechischer Erzbischof.

24) Rodosto, in türkischer Sprache Tekfur Dagi,
Rodostus, eine Handelsstadt am Meer von Marmora,
und Marmera oder Marmora, eine Stadt auf der Insel gleiches Namens, die von ihrem weißen Marmor den
Namen hat.

25) Ganos, Kanos, Ganis, eine Stadt am Meer
von Marmora.

26) Tschorlu, vor Alters Tyrilos, eine Stadt.

27) Burgas, Bergase, ein Dorf, nach andern ein
Marktflecken, in welchem eine freye öffentliche Herberge
ist. Diese ist an einem großen viereckichten Platz, in dessen Mitte ein großer Springbrunn, und an welchen
Ställe von solcher Größe stoßen, daß wohl 5000 Pferde
darinn Raum haben. Alle diese Gebäude sind von Quaderstücken regelmäßig aufgeführt; wie Baltimore berichtet.

28) Hapsa, Hapsala, ein sehr ansehnlicher Han,
oder öffentliche Herberge, in welcher Reisende frey Quartier haben.

29) Adrianopel, bey den Osmanen und Arabern
Adranah oder Edreneh, eine große Stadt an der Maritz, in einer Ebene, die zum Theil mit Hügeln umgeben,
auf deren einigen auch die Stadt gebauet ist. Den jetzigen Namen hat sie vom Kaiser Hadrian, oder Adrian,
ihrem Erbauer, oder Erneuerer; denn vorher hieß sie
Uskadama, und war die Hauptstadt der Bessier. 1360.
nahm sie Sultan Amurat den Christen zuerst weg, von
welcher Zeit an sie die Residenz der osmanschen Sultane gewesen, bis dieselben Constantinopel erobert haben. Sie ist
rund gebaut, mit einer Mauer und Thürmen umgeben,
hat

hat gute Häuſer, aber enge und ungleiche Straßen. Der
Sultan pfleget ſich zuweilen entweder zum Vergnügen,
oder, wenn er in Conſtantinopel nicht recht ſicher iſt, hieher zu begeben. Sein Palaſt liegt ungemein angenehm;
denn auf der einen Seite ſind die fruchtbarſten und luſtig-
ſten Felder, auf der andern aber wird er durch den Fluß
Caradare, oder Arde, der hier in die Maritz fällt, von
der Stadt abgeſondert. Das ſehenswürdigſte hieſelbſt
ſind einige mit Kupfer bedeckte Dſchami, denen die angebaueten hohen und kunſtreichen Thürme, die mit mancherley dicken und künſtlich gehauenen Säulen beſetz-
ten Gänge, die von Metall gegoſſenen Säulenfüße und
Platten, der koſtbare Marmor, die zierlich geſchnitzten
Thüren, ſchönen Brunnen, prächtigen Eingänge, vergoldeten Knöpfe und künſtlich gewirkten Teppiche, ein vor-
treflichs Anſehen geben. Der ſtarke Handel, zu welchem
der vorbeyfließende ſchifbare Fluß viel beyträgt, hat unterſchiedene Nationen hieher gezogen. Es iſt hier ein griechiſcher Erzbiſchof. 1754 iſt die Stadt vom Brande ſehr
verwüſtet worden, und noch ärger 1778. Das umherliegende Erdreich iſt ſehr fruchtbar, ſo, daß es hier weder
an Wein noch andern Früchten mangelt.

30) Wize, Byzia, eine geringe Stadt, die ehemals der Sitz der thraciſchen Könige war. Es wohnet
hier ein griechiſcher Metrepolit.

31) Miſſeviria, oder Meſembria, und Akelo, oder
Anchialus, Derter am ſchwarzen Meer, welche Sitze griechiſcher Metröpoliten ſind.

Anmerk. Die galipoliſche Sandſchakſchaft, welche die dritte in Romanien iſt, ſich vom Berge Rhodope bis
an den Archipelagus erſtrecket, und den ſüdweſtlichen Theil
der Landſchaft ausmachet, gehöret nicht zu der Statthalterſchaft von Rumili, ſondern zu der Statthalterſchaft des Capudan Paſcha, daher ſie weiter unten beſchrieben wird.

Die

2 Die kirkeklesische Sandschakschaft, ist an der Nordseite bey dem Berge Hämus, und enthält folgende Oerter.

1) Jetiman, ein großer Flecken, nicht weit von Trajans-Pforte.

2) Tatar Bassardschiks, eine bey den Osmanen berühmte Stadt am Fluß Maritza, in welchen hier noch ein anderes um die Stadt laufendes Wasser fällt. Sie ist ganz gut gebauet, hat ziemlich breite und reine Straßen, treibet starken Handel, und liegt in einer angenehmen Gegend, am Fuß des Bergs Tschengie. Es giebt hier auch viel Bäder.

3) Philippopel; auf türkisch Feliba, eine ziemlich große Stadt, auf zwey Spitzen, die nur einen einigen Berg ausmachen, außer welchem hier noch Berge sind. Auf einer der Spitzen stehet ein viereckichter Thurm, der ehemals eine Festung abgegeben hat, jetzt aber ein Wachtthurm ist. Die Maritz, welche hier anfänget schifbar zu werden, theilet die Stadt selbst von der untern Vorstadt ab. Ein griechischer Erzbischof hat hieselbst seinen Sitz. Die Stadt ist zuerst von Philipp, Alexanders Vater, erbauet worden, von dem sie auch den Namen hat. 1360 wurde sie von den Osmanen erobert. In der Gegend derselben wird überaus viel Reiß gebauet.

4) Mustapha-Pascha-Küprü, eine Stadt, welche andre Tsgupri Caprussi nennen. Sie hat den Namen von der schönen Brücke bekommen, welche Mustapha Pascha hieselbst über die Maritza aufgeführet. Diese Brücke bestehet aus zwanzig Jochen, die alle von Quadersteinen verfertiget sind, womit auch ein langer Weg dießeits und jenseits der Brücke beleget ist. Sie soll auf 400 Beutel, oder 200000 Rthlr. gekostet haben. Das umher liegende Erdreich ist fruchtbar.

5) Kirk-Ekklesie, eine Landschaft und Stadt, die vor diesem τεσσαραχοντα εχχλησιαι, oder vierzig Kirchen, genennet worden, weil so viel christliche Kirchen darinn gewesen sind, dahingegen jetzt keine einzige daselbst vorhanden ist. Der Ort liegt zwölf Stunden von Adrianopel,

pel, hat jetzt weder Mauern noch Kirchen, und sehr wenig christliche Einwohner, aber desto mehr Juden, die aus Podolien hieher versetzet worden, und verdorbenes Deutsch sprechen. Ihre vornehmste Arbeit bestehet darinn, daß sie Butter und Käse machen, und dieselbe mit einem Siegel bemerket, den Juden zu Constantinopel zuschicken, damit sie wissen, daß alles rein und von Juden verfertiget sey.

Anmerk. Die Familie Gueráy, von welcher die Chane der Krim waren, hat in Romelien einen ihr zugehörigen District, in welchem die Stadt Seraj lieget, woselbst sie einen Palast hat. Der Baron Tott kam von Kirk-ekklesie dahin.

2 Bulgar-Jli oder Sofiah Vilaïeti.

§. 1.

Von Bulgarien und Romanien, hat Valk eine besondere Charte herausgegeben. Bulgarien gränzet gegen Norden an die Donau, gegen Morgen an das schwarze Meer, gegen Mittag an den Berg Hämus, durch welchen es von Romanien geschieden wird, und gegen Abend an Serwien. Seinen Namen hat es von den Bulgaren, und war ehemals der untere Theil von Mösien. Es ist 72 Meilen lang, und in der Mitte 20, am schwarzen Meer aber 40 Meilen breit. Außer der Donau ist noch der Fluß Ischa oder Ischar zu merken, welcher auf dem Gebirge Hämus entstehet, und bey Nicopol in die Donau fällt.

§. 2 Am Fuß des Bergs, der Bulgarien von Serwien scheidet, ist ein laulichtes Bad, dessen Wasser Mannsdick hervor quillet; 60 Schritte davon

Uu 5 aber

aber ist in eben diesem Thal eine ganz klare eiskalte
Quelle. Beyde führen Salpeter und Schwefel mit
sich, wie der Geruch anzeiget. Auf diesem Gebirge
ist ein griechisches Kloster. Auf der Gränze von
Serwien, giebt es auch zwischen dem Gebirge Suha
und Fluß Niſſava, viele warme Bäder von schwe-
felichtem Waſſer, welches aus den Bergen hervor-
springt, und von dem rothen Sand und Steinen
ganz gefärbet wird. Am Fuß des Bergs Wito-
scha, der einige Meilen jenseits Sophia, nach der
Gränze von Romanien zu liegt, sind auch vier warme Bäder, die in dieser Gegend sehr berühmt, auf
dem Berg aber sind einige Dörfer, Aecker, Wiesen
und Weingärten, imgleichen Eisengruben.

§. 3 Das Land ist überhaupt sehr bergig, in den
Thälern und Ebenen aber ungemein fett und fruchtbar, daher es Getreide und Wein im größten Ueberfluß träget. Selbst die Berge sind nicht unfruchtbar, und geben insonderheit gute Weide. So ist
zum Exempel das Gebirge Stara Planina, welches sich bis nach Widin erstrecket, oben öde, in der
Mitte und unten aber sehr fruchtbar. Unter die natürlichen Merkwürdigkeiten dieses Landes, sind auch die
vielen und großen Adler zu rechnen, die man in
der Nachbarschaft Babadagi antrifft, von welchen
sich die Bogenmacher in dem ganzen osmanschen Reiche und Tatarey mit Federn zu ihren Pfeilen versehen,
ungeachtet nicht mehr als zwölf Kiele, und zwar vom
Schwanz, dazu gebraucht werden können, die man
insgemein für einen Löwenthaler verkaufet.

§. 4 Die Bulgaren, Bulgari, Vulgari, von
der Ungarn Butgarok genennet, welche in den by-

zantinischen Geschichtschreibern auch unter den Namen
Hunnen, Wlachen, Mösier und Dacier, vorkommen, sind in der alten Geschichte berühmt. Sie wohnten anfänglich an der Wolga, und die Ueberbleibsel
ihrer Hauptstadt Bulgar, sind noch jetzt nicht weit vom
Fluß Kama zu sehen. Von dannen giengen sie zuerst
an den Don, und unter der Regierung des Kaisers
Zeno an die Donau. Nachher giengen sie zu verschie-
denenmalen über die Donau, und fielen in Thracien und
Mösien ein. Sie brachten von dem J. 679 an da sie
über die Donau giengen, alles Land unter ſ ch, welches
zwischen der Donau und dem Hämus, zwischen dem
schwarzen Meer und dem Timok lieget, also auch alle
daselbst wohnende slavische Völker. Hernach bemächtigten sie sich auch des Berges Hämus, und endlich im
Jahr 861 des Landes Zagora, welches einen ansehnlichen Theil von Thracien und Macedonien, ausmachte. Ein Haufen derselben gieng im siebenten Jahrh.
nach Italien, und wohnete im Herzogthum Benevento.
Nieder-Mösien ist von ihnen Bulgarien genennet worden. Sie führten mit den morgenländischen römischen Kaisern, die heftigsten und blütigsten Kriege,
und hatten ihre eigenen Könige. Endlich wurden
sie 1010 vom Kaiser Basilius dem zweyten völlig unterwürfig gemacht. Sie empörten sich zwar 1072,
wurden aber von neuem bezwungen, und leisteten
hierauf dem Kaiser sowohl wider die Lateiner als
Osmanen nachdrückliche Hülfe, wofür ihnen auch
erlaubet wurde, sich einen König aus ihrem Mittel zu
erwählen, der sich aber doch für einen Unterthan
des Reichs erkannte. Ungefähr von 1185 bis 1350,
haben sie 18 Könige gehabt. 1275 überwand Ste-

phan

phan König von Ungarn den bulgarischen König
Sea, und die Bulgaren mußten ihn für ihren König erkennen. Sie wurfen aber mit Hülfe der griechischen Kaiser das ungarische Joch wieder ab. Der
osmansche Sultan Amurat der erste bezwang sie, und
Bajazet eroberte dieses Land 1396 völlig, und machte es zu einer Provinz des osmanschen Reichs, dergleichen es noch ist. Jetzt legen sich die Bulgaren
auf den Ackerbau, die Viehzucht und den Handel.
Sie essen das Pferdefleisch roh. Ihre slawonische
Sprache, rühret von der Zeit her, da sie sich mit
Slawen vermischet, und ihre ungarische Sprache
verabsäumet, auch endlich vergessen haben. Sie ist
von der serwischen nur in der Aussprache einigermaßen unterschieden. Sie sind theils griechischer, theils
muhammedanischer Religion. Die griechische Kirche
hat einen Patriarchen (dem aber die übrigen Patriarchen diesen Namen nicht zugestehen), und drey
Erzbischöfe.

§. 5 Der Pascha von Bulgarien, hat 700000
Aspern an festgesetzten Einkünften, und muß dafür
140 Mann stellen. Nach einer Nachricht, welche ich
habe, wird Bulgarien in sechs, nach einer andern
aber nur in vier Sandschakschaften abgetheilet.

1 Die widinsche Sandschakschaft enthält:

1) Novosel, ein römisches Fort an der Donau,
unter dem Einfluß des Timoks.

2) Rakitnitza, ein römisches Retranchement an
der Donau.

3) Fillerun, ein Fort auf einem Berg an der
Donau.

4) Wid-

4) Widdin oder Bodon, auf walachisch Dy., bey den Alten Viminacium, eine große befestigte Stadt an der Donau, der sich die Ungarn 1739 vergeblich näherten. Sie ist der Sitz eines griechischen Metropoliten. Es ist hier eine große Insel in der Donau, die näher bey dem Ufer der Wallachey als bey dem Bulgarischen lieget, und auf derselben ist ein Hügel mit einer alten Batterie, von welcher Widdin mit der besten Wirkung beschossen werden kann. Die Donau ist dazwischen nur 625 Klaftern breit.

5) Pixzederina, Drinowatz und Melkowatz, drey geringe Städte.

6) Gradiste, eine Stadt an der serwischen Gränze.

7) Chiprowatz, eine Stadt, in welcher ein Metropolit wohnet.

8) Klissura, Zelezna und Copilowatz, drey mäßige Städte, in welchen ehedem viele albanische Kaufleute römisch-katholischer Religion wohnten, die 1700 vertrieben wurden.

9) Mustapha-Pascha-Palänka, eine Festung, welche einen Wall und eine vierfache Mauer von Quaderstücken mit acht Thürmen hat, aber wegen des daran stoßenden Gebirgs, sich nicht wehren kann.

10) Scheherkjöj, eine allenthalben mit Morast umgebene Stadt, die auf einem Berge, (an dessen Fuß die Nissawa fließet, in die sich noch zwey andere Flüsse, nämlich die Dutschina und Sredorek, ergießen), ein Schloß gleiches Namens, hat.

11) Leskowatz und Skopia, Städte.

12) Kolombatz, ein festes Schloß auf einem Berg, unter welchem der feste Paß Urania lieget.

13) Ratshanitz, eine Festung, welche den Paß über die Berge bedecket.

Die

2 Die sardicsche Sandschakschaft begreifet:

1) Sophia, bey den Bulgaren Triaditza, die Hauptstadt in Bulgarien, und den Sitz des Begilerbegs von
Rumili, und eines griechischen Metropoliten. Sie ist
eine volkreiche, aber offene Handelsstadt, die wohlge-
bauet ist, aber enge, ungleiche und unreine Gassen hat,
die nur zu beyden Seiten, wo man gehet, gepflastert
sind. Fast ein jedes Haus hat seinen Garten, der mit
Bäumen und Stauden reichlich besetzt ist. Die Ischa
oder Bojane fließet theils neben der Stadt vorbey, theils
an einigen Orten mitten hindurch. Die meisten Kaufleute sind, so wie an andern Orten, Griechen und Armenier. Die Stadt ist aus den nahe liegenden Ruinen
der alten Stadt Sardica, entstanden und vom Kaiser
Justinian erbauet.

2) Samcova, eine Stadt im Gebirge.

3) Kapuli Derbend, das ist, der Thorpaß, ist
ein Paß über das Gebirge Tschengle, und hat den Namen von den Trümmern eines alten Thors, welches für
ein Werk Trajans gehalten, auch daher die Pforte des
Kaisers Trajans genennet wird. Er ist acht Stunden
vom Tatar Bassardschik, und lieget in Bergen, deren
steile Klippen und sehr tiefe Abgründe, kaum einen Zugang
verstatten. Das Thor bestehet aus zwey steinernen Säulen, die neben einander aufgerichtet, und oben durch ein
Gewölbe verbunden sind, so daß sie eine große leere Pforte
vorstellen. Das Mauerwerk ist theils aus gehauenen
Steinen, theils aus Ziegeln, aber sehr baufällig. Die
Liebhaber des Alterthums haben manchen Stein daraus
gebrochen, und dies Denkmal dadurch beynahe ausgehöh-
let. In den Bergen, über welche man zu der Pforte
gehet, sind Eisenbergwerke, auch eine warme Quelle,
deren Wasser stark siedet.

Ein anderer Paß in dieser Gegend wird Kis Derbend, das ist, der Jungfern Paß, genannt. Beyde
Pässe stoßen gegen Westen an das Dorf Dragoman Kisi.

4) Ter-

4) Ternowa, Ternobum, war ehemals die Hauptstadt von Bulgarien, eine königl. Residenz und befestiget, ist aber nunmehr eine geringe Stadt. Sie ist auch der Sitz eines Patriarchen gewesen, jetzt aber ist hier noch ein griechischer Erzbischof, der Erzbischof von Ternowa und ganz Bulgarien, auch wohl Patriarch genennet wird.

3 Die nikopolische Sandschakschaft, enthält folgende Oerter:

1) Oxava oder Orajova, eine Stadt an der Donau.

2) Silauna, ein römisches Retranchement an der Donau.

3) Vadin, ein römisches Festungswerk an der Donau.

4) Gegende, ein römisches Alterthum an der Donau, nicht weit vom Fluß Jsker.

5) Nigheboli, Nikopoli, eine offene große Stadt auf der Südseite der Donau, da wo sie den Fluß Otzuma aufnimmt. Sie wird durch ein Schloß beschützet. Sie ist wegen der ersten unglücklichen Schlacht berühmet, welche die Christen daselbst 1396 mit den Osmanen gehalten haben.

6) Merlan, Trümmer eines alten römischen Denkmals.

7) Schistab, Szisztow, eine große Stadt an der Donau, in einer ungemein schönen Gegend.

8) Orostschuk, auf den Charten gemeiniglich Ruffi, Rosczig, Ruszczuk, Ruschiuk, (Ruschtschuk) eine Stadt auf Anhöhen an der Donau, mit einem Castel. Sie ist ziemlich groß und nahrhaft, denn es sind hier Zeug-Tuch-Leinwand-Moselin und andere Manufakturen. Es wohnen hier Armenier, Griechen, Juden und Osmanen, und diese Handelstadt ist in dem europäischen Theil des osmanschen Reichs berühmet. Hier steiget man aus, wenn man bis hieher auf der Donau gekommen ist, und setzet den übrigen Weg nach Konstantinopel zu Lande fort.

9) Bessaraba, eine Stadt.

4 Der

4 Die drystrsche oder silistrische Sandschak-schaft enthält:

1) Silistria, Dristra, eine ziemlich befestigte Stadt an der Donau, und am Fuß eines Bergs. Sie ist ganz mit tiefen Gründen umgeben, welche mit einem dichten Walde bewachsen sind. Es hat hier ein griechischer Metropolit seinen Sitz. Sie stehet nicht weit von den Ueberbleibseln der Mauer, welche die griechischen Kaiser ehemals zur Abhaltung der Einfälle barbarischer Völker aufführen lassen. Ihre Einwohner sind mehrentheils Osmanen. Daß die Stadt sehr alt sey, kann man aus der Bauart der erwähnten Mauern abnehmen, die römisch, und nicht osmansch zu seyn scheinet. Sie wird auf griechisch, Dorostolus, διεροα, δριερα, δριεροv, δζηεροα, genennet. 1773 fielen bey derselben scharfe Gefechte zwischen den Osmanen und Russen vor, in welchen die letzten obsiegten, jedoch viel Volks einbüßeten.

2) Turtukai, eine Stadt an der Donau.

3) Kutschuk-Kainarschy, ein Dorf, vier Stunden von Silistria, woselbst 1774 am $\frac{10}{21}$ Jul. zwischen den Russen und Osmanen, in jener Lager, ein Friede geschlossen wurde, den jener siegreiche Waffen von diesen erzwüngen.

4) Dobrucia, eine Stadt, die an der bey Silistria erwähnten Mauer erbauet ist.

5) Raszovat, vor alters Axiopoli, ein Ort an der Donau, wo sie, nach Ptolemäus Meynung unter Silistria, erst den Namen Ister bekommen hat.

6) Tschernawoda, eine Stadt an der Donau.

7) Hörsawa, Hirsowo, Chirschowa, Girsovo, Stadt und Schloß an der Donau.

8) Maczin, (Matschin), eine Stadt an der Donau.

9) Isaczi,

9) Isaczi, (Isatschi), Sachscha; Isaccia, eine Stadt an der Donau, mit einem alten Castel. Von hier gehet eine Landstraße nach Constantinopel, welche die aus den jenseits der Donau liegenden Ländern kommende Reisenden, mehrentheils betreten. Man rechnet von hier nach Constantinopel, sechs Tagereisen, oder ungefähr 60 deutsche Meilen.

10) Tulcza, (Tultscha), eine feste Stadt an der Donau, die 1771 von wenigen russischen Truppen angegriffen wurde, welche sie, ungeachtet der von dem Osmanen veranstalteten Befestigung, und hineingelegten Besatzung, einnahmen, und die Besatzung verjagten; hierauf aber sich wieder über die Donau zurückzogen.

11) Zwischen den vier Armen, oder Mündungen, durch welche die Donau in das schwarze Meer fällt, sind Inseln, von welchen die südlichen zu Bulgarien, die nördlichen aber zu Beßarabien gehören. Nur die beyden äußersten Arme, oder der rechte und linke, können von großen Schiffen befahren werden.

12) Babadagi, eine Stadt, in welcher der Pascha von Silistria seinen Sitz hat, der die nördlichen Landschaften des osmanschen Reichs regieret, und unter dessen Bothmäßigkeit alles Land zwischen dem Berge Hämus, dem schwarzen Meer, der Donau und dem Oniester stehet. Er hat sieben Sandschaks unter sich, und seine gesetzmäßigen Einkünfte betragen 750000 Aspern, davon er 150 Mann stellen muß.

Anmerk. Die Landschaft Dobrüdsche, welche sich von Silistria bis an die Ausflüsse der Donau erstrecket, ist ein ganz ebener Strich Landes, den weder Flüsse durchschneiden, noch Waldungen unterbrechen; wiewohl am Ende desselben nicht weit von Silistria ein Wald ist, den die Osmanen Dali Ormän, das Narrenholz, nennen. Sie ist bey den Osmanen wegen einer kleinen Art Pferde berühmet, die gute Paßgänger sind. Die Einwohner sind ihrer Herkunft nach Tatärn, deren Vorfahren sich aus Asien hieher begeben haben; und sind ihrer außerordentlichen Gastfreyheit wegen berühmet.

Wenn ein Reisender, er sey aus welchem Lande, oder von welcher Religion er will, durch eines ihrer Dörfer kömmt, so erscheinen alle Hausväter oder Hausmütter vor ihren Thüren, und laden ihn aufs liebreichste und mit den Worten ein, daß er bey ihnen einsprechen, und mit ihren Speisen vorlieb nehmen möge, wie sie Gott ihnen bescheret habe. Derjenige nun, dessen Einladung der Reisende anzunehmen beliebet, unterhält ihn samt seinen Pferden, wenn er deren nicht über drey bey sich hat, drey Tage lang ganz umsonst, und mit solcher Höflichkeit und Freygebigkeit, dergleichen man sonst schwerlich in der Welt antreffen wird. Er setzet ihm vor Honig und Eyer, (welches beydes das Land im Ueberfluß hat) und unter der Asche gebackenes, aber doch feines Brod. Sie richten auch ein kleines Häuschen zu, welches sie für die Fremden gewidmet haben, und versehen dasselbe mit Ruhebetten, die sie in die Mitte rund um den Feuerheerd herstellen, und deren können sich alsdenn die Reisenden zu ihrer Bequemlichkeit bedienen.

13) Chioustange, Praslowitscha, lat. Constantiana, eine mäßige Stadt am schwarzen Meer, die ehedessen sehr wichtig war.

14) Tomiswar, bey den Osmanen Pargala; bey den Griechen Puglicora, vor Alters Tomi, war ehedessen die erste Stadt in Klein Scythien, dahin Ovidius verwiesen seyn soll. Sie lieget an einem Busen des schwarzen Meers.

15) Mankala, eine Stadt am schwarzen Meer.

16) Warna, eine Stadt am schwarzen Meer, die durch die Niederlage berühmet geworden, welche der ungarische König Wladislaw der erste daselbst 1444 vom Sultan Amurat erlitten hat. Sie ist der Sitz eines griechischen Metropoliten. Der hiesige Hafen ist auf der europäischen Seite des schwarzen Meers der einzige, der Schiffe einnehmen kann.

17) Dionysiopoli, ein geringer Ort, der vor Zeiten die vornehmste Stadt in Unter-Mösien gewesen.

18) Preslaw, vor Alters Persthlawa, in den russischen Geschichtschreibern Perejaslaw an der Donau,

(an

(an welcher sie aber nicht, sondern einige Stunden davon entfernet lieget), in ältern Zeiten Marcianopolis, von den Osmanen ohne Grund Eski-Stambul, auch Constantinopel gennant, eine Stadt, die zuerst zur Ehre der Marciana, des Kaisers Trajans Schwester, erbauet worden. Bey dieser Stadt schlug der griechische Kaiser Johannes Tschimisses 970 die Russen, eroberte auch die Stadt, und befahl, daß sie künftig Johannopolis heißen solle.

~ 19) Basarschik oder Haz Oghu Basarschik, eine Stadt, die 1774 abbrannte, als die Russen hier waren. In diesem Brande gieng eine Bibliothek von ein Paar tausend Büchern verloren, aus welcher ich ein Buch durch einen russischen Officier bekommen habe.

Das alte Griechenland.

Die nachfolgenden fünf Länder, machen das alte Griechenland, in weitem Verstande genommen, aus, von dessen altem und neuem Zustande, Nolin, l'Isle, u. d'Anville, vorzüglich gute Charten herausgegeben haben. Die Sultane der Osmanen haben die alte Abtheilung in fünf große Landschaften, (ohne die Inseln), beybehalten; diesen aber türkische Namen gegeben, und eine jede Landschaft in kleinere Districte vertheilet. Ehedessen fand man in denselben viele schätzbare Alterthümer, welche die Reisenden beschrieben haben: allein, die besten sind theils allmählich nach Italien, Frankreich und England gebracht, theils von den Osmanen aus Religionsabscheu vor den Bildern, und weil sie gute Baumaterialien abgegeben, verstümmelt, verwüstet und zum bauen gebraucht worden. Ein Reisender trift hier also heutiges Tags die schönen Alterthümer nicht mehr an, welche die ältern Reisebeschreiber gerühmet haben.

3. Ar-

3. Arnauth Vilaieti.

Mit diesem gemeinschaftlichen Namen, belegen
die Osmanen die Landschaften Macedonien
und Albanien, welchen ein Pascha vorgesetzet wird.
Als Sultan Murad der zweyte Arnauth 1447 erobert
hatte, zwang er fast alle Einwohner zur Annehmung
der muhammedanischen Religion. Muhammed der
zweyte eroberte diese Lande 1465 völlig.

1) Makdonia, oder Filiba Vilaieti.

So nennen die Osmanen das alte Macedonien;
den zweyten Namen geben sie diesem Lande von
der ehemaligen Stadt Philippi. Die Gränzen desselben sind gegen Mitternacht der Fluß Nessus, oder
Nestus, gegen Morgen der Archipelagus, gegen
Mittag Thessalonien und Epirus, gegen Abend Albanien. Die Gestalt dieser Landschaft, ist sehr unregelmäßig; die Lage aber vortrefflich. Die Luft ist
heiter, frisch und gesund, der Boden an den meisten
Orten fruchtbar, und hat insonderheit an der Küste
nicht nur an Korn, Wein und Oel, sondern auch an allem, was man teils zum Nutzen, teils zur Bequemlichkeit der Menschen verlangen mag, einen Ueberfluß,
es giebt aber viel unbewohnte und ungebaute Gegenden im Lande. Ehemals hatte es viel Erzgruben,
und fast von allen Arten der Metalle, insonderheit
aber von Golde. Zu den vielen und ansehnlichen
Bergen in dieser Landschaft, gehöret die große Reihe der scardischen Berge, die quer durch den
mit-

mitternächtlichen Theil derselben läufet. Der Berg Pangäus, war ehemals wegen seiner sehr ergiebigen Gold- und Silber-Gruben, berühmet. Das Gebirge Hämus, vereiniget sich mit den scardischen Bergen, und scheidet dieses Land von Romanien. Von dem auf der Gränze zwischen Macedonien und Thessalien liegenden Berge Olympus, wird hernach die Rede seyn. Der Berg Athos ist einer der berühmtesten auf Erden, und soll hernach besonders beschrieben werden. Mit Wäldern, und allen Arten von Bäumen, ist das Land reichlich versehen. Die vielen guten Meerbusen, befördern die Bequemlichkeit zum Handel ungemein. Die merkwürdigsten sind der Golfo di Contessa, (Sinus Strymonicus,) Golfo di Monte Santo, (Sinus singiticus,) Golfo d'Aiomama, (Sinus toronaicus,) Golfo di Salonichi, (Sinus thermaeus). Die vornehmsten Flüsse sind folgende:

(1) Platamone, Aliacmon, trit in den Meerbusen von Salonichi.

(2) Vistriza, Erigon, vermischet sich mit dem folgenden.

(3) Vardar, Axius, der allergrößte in Macedonien, entspringet in den scardischen Bergen, und fällt in den Meerbusen bey Salonichi.

(4) Strymon, entstehet in Romanien oder Thracien, und trit in den Golfo di Contessa.

Außer den Landseen, welche die Flüsse Vardar und Strymon machen, sind noch einige andere berühmt, nämlich der bey Achrida, (Lychnidus, Prespa,) ein anderer zwischen den Meerbusen von Salonichi und von Contessa, rc.

Er 3   Das

7. Das älteſte bekannte Volk, welches dieſes Land bewohnet hat, und deſſen Nachkommen noch jetzt hieſelbſt unter dem Namen Wlachen vorhanden ſind, gehörte zu den Illyriern, und die Griechen hatten den geringſten Theil deſſelben inne. Die Macedonier hatten eine eigene Sprache, die von der griechiſchen völlig unterſchieden war, wie Curtius, Athenäus und Strabo bezeugen, die aber in den Gegenden am Joniſchen Meer bis gegen Corfu, und alſo in dem griechiſchen Illyrien und Epyrus, auch geſprochen wurde. Mit einem Worte, es war die illyriſche Sprache. Die hieſigen griechiſchen Colonien, und das äacidiſche königl. Haus, hatten auch die griechiſche Sprache eingeführet. Macedonien war vor Alters ein eigenes Königreich, deſſen Gränzen Alexander, genannt der große, merklich erweiterte. Als es den Römern zu Theil wurde, machten ſie es zu einer beſondern Provinz ihres weit ausgebreiteten Staats. Unter osmanſcher Herrſchaft, iſt Macedonien unter die Sandſchakſchäften Seloniki und Giüſtendil vertheilet worden, und folgende Oerter ſind die merkwürdigſten.

1) Heraclea, Heraclea Sintica, ehemals Sintia, eine geringe Stadt am Fluß Strymon.

2) Filibah, Philippi, ein Dorf von wenig Häuſern, welches neben den Steinhaufen der ehemaligen berühmten Stadt dieſes Namens erbauet iſt, arme Griechen zu Einwohnern hat, und der Sitz eines griechiſchen Metropoliten iſt, der ſich einen Metropoliten von Philippen und Drama nennet, und ſieben Biſchöfe unter ſich hat. Die Stadt Philippi, lag auf einem Hügel auf den Gränzen von Thräcien, dazu ſie auch in den älteſten Zeiten gehöret hat, zwiſchen den Flüſſen Neſſus und Strymon. Anfänglich hieß ſie Crenides; Brunnenſtadt, von den

den vielen Quellen, welche aus dem Hügel, darauf sie gebauet war, entstunden; hierauf Dathos oder Thasus, von den Thasiern, die sie erbaueten, und endlich Philippi, von dem macedonischen Könige Philipp, der sie erobert, angebauet und verbessert, von welcher Zeit an sie zu Macedonien gehöret hat. In der Gegend derselben wurde Cassius und Brutus von dem Octavian und Anton überwunden. Unter dem Julius Cäsar und August, ward sie eine römische Colonie. Jetzt lieget sie wüste, man siehet aber außer andern Alterthümern daselbst noch ein Amphitheater. An die ehemalige hiesige christliche Gemeine, hat der Apostel Paulus einen Brief geschrieben.

3) Serrae, Seres, Ceres, ein Städtchen am Fluß Strymon, in welchem ein griechischer Metropolit wohnet.

4) Trikalah, ein Ort am Fluß Strumona oder Strymon.

5) Contessa, Chrysopoli, ein geringer Ort, davon der Meerbusen den Namen hat, in welchen der Fluß Strymon fällt.

6) Emboli, Amphipolis, Christipolis, eine wüste Stadt, am Flusse Strymon, die in alten Zeiten berühmet gewesen, weil sie eine Pflanzstadt der Athenienser war. Der mittlere Name ist der älteste, den dritten hat sie ehemals von den Christen, und den ersten von den Osmanen bekommen.

7) Der Berg Athos, welcher gemeiniglich der heilige Berg, *Monte Santo*, von den Osmanen durch Verstümmelung des griechischen Namens ἅγιον ὄρος, Aiandros auch Ainoros, imgleichen Ainurus Daghi, Keschisch Dhagi (der Berg der christlichen Mönche) und von den Arabern Dschebel al Kossan oder al Kossus (der Berg der Mönche) genennet wird, lieget auf einer Halbinsel, die sich in das ägeische Meer erstrecket, und ist eine ganze Reihe von Bergen, welche die Länge der Halbinsel einnimmt, an sieben Meilen lang und drey breit seyn soll, darunter aber einer mit dem Namen Athos im eigentlichen und engsten Verstande beleget wird. Es ist derselbe von ungemeiner Höhe, welches daraus erhellet,

Xr 4 weil

weil Plutarch und Plinius berichten, er werfe seinen
Schatten, wenn sich die Sonne im Sommer-Still-
stande befinde, (vermuthlich kurz vor ihrem Untergange),
auf den Marktplatz der Stadt Myrrhina, in der Insel Lemnos, welche nach den besten Charten 55 italienische Meilen davon entfernet ist; woraus man schließen
kann, daß der Berg Athos ungefähr eilf Feldwegs hoch
seyn müsse. Man kann ihn zu Eskistambol, vor Alters
Troas, in Klein-Asien deutlich sehen, wie Chandler in
seinen Travels in Asia minor bemerket, und vor ihm
schon Wood beobachtet hatte. Mitten auf demselben stehet der Marktflecken Karcis, außer demselben aber enthält
er 23 griechische Klöster, und überaus viel Cellen und
Grotten, in welchem sich bis 6000 Mönche und Einsiedler
befinden sollen; doch sind der rechten Einsiedler, die man
Eremiten nennet, und die in Grotten wohnen, nicht
mehr als 20 die übrigen Mönche sind Anachoreten,
oder solche, die in Cellen wohnen. Aus dem Aelianus
erhellet, daß man den Berg, und insonderheit die Spitze,
von a ten Zeiten her für sehr gesund, und zu einem langen Leben dienlich gehalten, auch daher die dasigen Einwohner Langlebende (Makrobii) genennet hat. Da
nun aus des Philostratus Leben des Apollonius zu ersehen, daß vor Zeiten unterschiedene Philosophen sich auf
diesem Berge aufgehalten haben, um den Himmel und
die Natur näher zu betrachten; so ist wohl kein Zweifel,
daß die Mönche es denselben nachgethan, und daselbst
ihre Klöster, Φροντιστηρια gestiftet haben. Die Mönche, welche
αγιορειται oder αγιοραιται, d. i. Bewohner des heil. Bergs,
genennet werden, sind nicht müßig, sondern treiben, außer ihrem täglichen Gottesdienst, alle Handarbeit, bauen
Oel- und Wein-Berge, sind Zimmerleute, Steinmetzen,
Maurer, Zeugmacher, Schneider u. s. w. Sie führen
ein sehr strenges Leben, essen niemals Fleisch, sondern
gemeiniglich Gemüse, Brodt, trockene Oliven, Feigen
Zwiebeln, Obst, Käse und (gewisse Tage und die Fasten-
zeit ausgenommen), Fische. Ihre Fasten sind vielfältig
und groß, und weil die gesunde Luft dazu kömmt, so leben

ben sie lange, und viele über 100 Jahre. In jedem Kloster sind etwan zwey oder drey studirende Mönche, welche
von der Arbeit frey sind, und ihre Zeit auf die vielen
Schriften verwenden, die in ihren Bibliotheken vorhanden
sind. Hier erlernen die Griechen eigentlich und vornehmlich ihre Theologie. Die Mönche stehen in großem Ansehen, und im Rufe der rechtgläubigen Lehre und Heiligkeit.
Ihre Klöster und Kirchen haben Glocken, welche den Griechen anderwärts nicht verstattet werden, und sind, wider
die Anfälle der Seeräuber, mit hohen und starken Mauern
umgeben, und mit Geschütze versehen. Außer Kirchen
und Klöstern, ist ein Marktflecken auf dem Berge, Karcis genannt, den auch Mönche bewohnen, und in welchem der osmansche Aga seinen Sitz hat, der hier im
Namen des Bostangi-Pascha, zum Schutze wider die
Seeräuber, wohnet. In diesem Flecken wird alle Sonn-
abend unter den Mönchen und Anachoreten Jahrmarkt gehalten, welche letzten ihre Messer und Bilderchen dahin
bringen, und für das gelöste Geld Brodt kaufen; die
Mönche aber tragen diese Heiligthümer überall herum,
und empfangen dafür Allmosen. Der Berg stehet unter
dem Schutz des Bostangi-Pascha, an den er jährlich 12000
Thaler zahlet, für den Sultan aber muß nach Salonichi
fast noch einmal so viel bezahlet werden. Diese große
Schatzung wird von den Almosen bestritten; Rußland und
die Fürsten der Walachey und Moldau, tragen auch viel
dazu bey. Die Ursache zu dieser großen Schätzung, ist
eine mündliche Ueberlieferung unter den Osmanen, daß
die letzten griechischen Kaiser aus Furcht vor den Osmanen ihre vornehmsten Schätze, insonderheit die kaiserliche
Krone, auf diesen Berg in Sicherheit gebracht hätten,
und daß sie noch daselbst zu finden wären. Die Osmanen drohen daher oft, daß sie den Berg durchsuchen wollten: dieser unangenehme Besuch aber wird von den Griechen durch Geld verhindert. Auf dem Berge wird kein
Geflügel, noch Vieh unterhalten; doch ist den Viehhänd-
lern erlaubt, für Geld Ochsen dahin in die Weide zu schicken.

ten. Auf dieser Reihe von Bergen, stunden ehemals fünf Städte.

7) Aiomama, ein geringer Ort, welcher des von ihm benannten Meerbusens wegen zu merken ist.

8) Selanikf, Salonichi, vor Alters Thessalonica, eine berühmte Handelsstadt, am Ende des salonichischen Meerbusens, welche heutiges Taas der ansehnlichste Ort in Macedonien ist Die Stadt Thessalonich hat vor Alters Halia und Therma geheißen; als aber Cassander sie von neuem erbauete, gab er ihr den Namen von seiner Gemalinn Thessalonica, welche Alexanders des Großen Schwester war. Ihre zur Handlung vortrefliche Lage, ist vermutblich die Hauptursache der Achtung gewesen, die alle Eroberer von Macedonien gegen sie bewiesen haben. Sie hat davon solche Vortheile, als kaum anderswo anzutreffen sind, und die sowohl von den Alten gerühmet, als von den Neuern bewundert worden. Sie ist nicht nur sehr merkwürdig des starken Handels wegen, der hieselbst getrieben wird, sondern auch um der vortreflichen Ueberbleibsel willen, die ihre alte Herrlichkeit bezeugen. Dahin gehören verschiedene Triumphbogen, davon einer noch beynahe ganz ist, der dem Kaiser Antonin zu Ehren errichtet worden; ungemein schöne Kirchen, die in türkische Dschami verwandelt worden, insonderheit diejenige, welche dem heil. Demetrius gewidmet gewesen, und aus zwey über einander gebaueten Kirchen bestehet, die beyde von vortreflichem Marmor, und mit mehr als 1000 Säulen von Jaspis, Porphyr ꝛc. ausgezieret sind. In dieser und in andern Kirchen sind die Grabmale verschiedener berühmten Leute, und außerhalb der Stadt sind zahlreiche Trümmer des Alterthums, mit einer Menge von Aufschriften anzutreffen. Es werden hier auch oft viele Münzen gefunden. Es ist hier ein osmanscher Sandschak, ein griechischer Erzbischof, der acht Bischöfe unter sich hat, und eine katholische Kirche. 1313 wurde die Stadt den Venetianern verkauft, welchen sie Amurat II acht Jahre hernach wegnahm. 1759 brannte sie fast ganz ab. Der Apostel Paulus hat an die ehemalige

Christ=

christliche Gemeine dieser Stadt zwen Briefe geschrieben.
Hier starb am 12 Jul. 1779 der gelehrte Schwede Jakob
Jonas Björnståhl, auf seiner Reise, und wurde auch hier
begraben.

9) Termes, eine geringe Stadt, von welcher der
salonichische Meerbusen auch Sinus thermicus genennet
wird.

10) Jenitza, oder Jenidza, vor Alters Bunonus,
Bunoinia, Pella, an der Mündung des Flusses Vardar,
oder Actius, eine wüste Stadt, welche Philipps und seines Sohns Alexanders Geburtsort gewesen, und in ihrer
Nachbarschaft das Grabmal des berühmten Trauerspiel-
dichters Euripides gehabt hat.

11) Chitro, Citron, Pynga, am salonichischen
Meerbusen, ist deswegen zu merken, weil daselbst Alexanders des Großen Mutter, Gemalinn und Sohn, vom
Cassander entleibet worden, und in der Nachbarschaft dieses Orts der macedonische König Perseus von dem römischen Consul, Paulus Aemilius, in einer Schlacht überwunden worden.

12) Veria, Beroea, ein Ort, dessen in der Apostel-
geschichte gedacht wird.

13) Alessone, eine Stadt, in welcher ein griechisches Kloster ist.

14) Servitza, ehedessen Servia, eine Stadt, die
theils auf einem Berge, theils in einer Ebene liegt, ein
Schloß auf einem hohen Felsen hat, und ein fester Platz
ist. Sie hat ihren Namen von den Serpiern, die sich
hier unter der Regierung des Kaisers Heraklius nieder-
ließen.

15) Sarigiole, eine geringe Stadt.

16) Vodina, ehedessen Edessa, Aegaea, am Fluß
Vistriza, oder Erigonius, ist ehemals die Hauptstadt des
macedonischen Königreichs, und, bis auf den König Philipp, der Sitz und Begräbnißort der Könige gewesen.

17) Ochrida, Achrida, Giustendil, vor Alters
Lychnidus, nicht Justiniana prima, eine große Handels-
stadt an dem gleichnamigen Landsee, ist der Sitz eines
Sand-

Sandschak, und eines griechischen Erzbischofs, der auch wohl Patriarch genennet wird.

18) Kuritza, oder Koritza, eine Stadt, in welcher ein Kady wohnet.

19) Moschopolis, eine Stadt, etwa anderthalb deutsche Meilen von der vorhergehenden, vier Meilen von Ochroa, und nicht weit von dem See Prespa. Die Einwohner reden insgesammt wlachisch.

20) Eceiso Werbeni, ein Ort, der seiner Sauerbrunnen wegen berühmt ist.

21) Pirlipe, ein Ort unter den hohen Bergen gleiches Namens, die wie Silber blinken, und darinn man, außer Marienglas, oder Fraueneiß, auch Metalle und Mineralien findet.

22) Krupulik, das ist, Brückenstadt, eine Stadt am Fluß Psinia.

23) Kaplanik, d. i. Tiegerstadt.

24) Comonava, eine Stadt, bey welcher ein griechisches Kloster ist.

2) Albanien.

Albanien begreifet das alte griechische Illyrien und Epirus. Jenes wurde unter dem Könige Philipp zu Macedonien geschlagen. Der Name Epirus, bedeutet festes Land. Aus Epirus sind die ersten Aprikosen nach Italien gekommen, und Mala epirotica, genennet worden. Die Albaner sind Nachkommen der alten Illyrier, die sich aus dem Strich Landes, der gegen Norden an Durazzo liegt, nach und nach immer weiter ausgebreitet haben. Die alte illyrische Sprache, wird noch jetzt auf den albanischen Gebirgen geredet. Sie ist von der slavonischen sehr unterschieden, wie aus der in derselben 1636 zu Rom gedruckten Dottrina Christiana

stiana compoſta dál Rob. Bellarmino, tradoṭa in lingua Albaneſe, erſehen werden kann. Allein die Albaner, oder wie ſie von den Oſmanen genennet werden, die Arnauten, haben weder Schrift noch Bücher. Diejenigen, welche ſchreiben können, bedienen ſich der griechiſchen Buchſtaben, um ihre Sprache auszubrücken, ſie ſchreiben auch das türkiſche mit griechiſcher Schrift. Die Einwohner geben kriegeriſche und beherzte Soldaten, und zugleich weit und breit in dem osmanſchen Reich Fleiſchhacker ab. Gelehrſamkeit wird unter ihnen gar nicht getrieben, ſie ſind aber ſehr geſchickt, Waſſerleitungen anzulegen; und ob ſie gleich keine mathematiſche Werkzeuge gebrauchen, ſo meſſen ſie doch die Höhen der Berge und Weiten der Oerter ſo genau, als die Meßkünſtler. Ihre Heilungsart der Brüche iſt auch berühmt, aber ſehr grob. In Albanien ſind auch griechiſche Dörfer, die ſich gegen die Beſuche der Arnauten immer in wehrhaften Stande befinden müſſen.

Die vornehmſten Flüſſe in Albanien ſind:

1) Bojana, der aus dem See bey Scutari kömmet.

2) Der Drino, der unter Aleſto, in einen Buſen des adriatiſchen Meers fällt. In dem erſten Drittel ſeines Laufs, nimmt er den Drino negro, Carádrino, auf.

3) Argenta.

4) Somini, Panyaſus.

5) Chrevaſta, Apſus.

6) La Pollonia, Laous, Aeas, Aous.

7) Delichi, Acheron, deſſen die alten Dichter häufig gedenken.

Die

Die Landseen sind, Lago di Scutari, darinn einige Inseln sind, und in welchen verschiedene Flüsse fallen, insonderheit die fischreiche Moraca; Lago di Plave, der durch den Fluß Zem, mit dem See Scutari zusammen hänget; Lago di Zotti, der auch mit dem Scutari zusammen hänget; Lago Faccia, u. a. m.

Die Landschaft ist unter die Sandschakschaften Escodar, Awlon und Delfino vertheilet. Wir bemerken folgende Oerter.

1) Escodar, Iscodar, Scodra, Scutari, Scutarium, eine weitläuftige und befestigte Stadt, an dem grossen und fischreichen See gleiches Namens, mit einem Bergschlosse. Sie treibet starken Handel; ist der Sitz eines Sandschak und römisch-katholischen Bischofs. 1477 und 78 wurde sie von den Osmanen vergeblich belagert, 1479 aber ward sie ihnen von den Venetianern übergeben. Vor Alters war sie die Hauptstadt von Illyrien, und der Sitz der illyrischen Könige.

2) Drivasto, Trivastum, auf einigen Charten Drinato, eine geringe Stadt am Fluß Chiri, welche der Sitz eines römisch katholischen Bischofs ist.

3) Der bergigte District (pagus) Monte negro, in der Landessprache Tschernagora, lat. Mons niger, erstrecket sich zwischen dem Meerbusen, an welchem Cattaro lieget, und dem See Scutari, bis an das Meer. Er wird von sehr kriegerischen Leuten bewohnet, deren ein Theil unter venetianischer, ein anderer Theil aber unter osmanscher Bothmäßigkeit stehet, der größte aber unabhängig ist. Man nennet sie Cattarini, und noch gewöhnlicher Montenegriner.

Anmerkung. Spiccei, ist der Name eines Orts und Districts, der zwischen den Osmanen und Venetianern streitig ist, wie er denn auf beyder Gränzen lieget. Der District begreift etwa 200 Häuser.

4) Die

4) Die Districte (pagi) Clementi, Pulati, und Zenta, welcher letzte in den obern und niedern abgetheilet wird, bestehen aus Flecken und Dörfern, welche in Gebirgen liegen.

5) Antivari, Antibarum, (weil sie der Stadt Bari in Apulsien gegen über stehet,) eine Stadt und Festung, nicht weit von dem adriatischen Meer, auf einem erhabenen Ort, welche die Osmanen 1573 den Venetianern weggenommen haben. Sie ist der Sitz eines römisch-katholischen Erzbischofs, der aber jetzt keinen großen Kirchsprengel hat. In den kleinen Meerbusen, der von ihr benennet wird, ergießen sich zwey kleine Flüße, von welchen der südliche Richanaz heißet. Nicht weit von hier ist Valle de Rotas, das sich am Meer in 2 Landspitzen endiget, auf einer stehet ein Thurm, auf der andern die Abtey Rotas.

Auf der Rhede, nicht weit von Antivari, die dem Süd- und Süd-West-Winde sehr ausgesetzet ist, können nur kleine Fahrzeuge vor Anker gehen; aber nicht weit davon ist der gute Hafen Valle di Croce, in welchem Schiffe von aller Art ankern können.

6) Dolcigno, Olcinium, Olchinium, Ulcinium, Dolchinium, eine Stadt auf einem Felsen, mit einem guten Hafen und festen Schloß, ist der Sitz eines römisch-katholischen Bischofs. Die Einwohner legen sich stark auf die Seeräuberey, und sind unter dem Namen der Dulcignoten berüchtiget. 1751 gerieth sie in der Osmanen Hände. Gegen Nordwest ist das kleine Dorf Alt-Dulcigno.

Der Fluß Bojana, der sich in das Meer ergießet, und eine breite und tiefe Mündung hat, kommet aus dem See Scutari. Ehedessen konnten Galeeren auf dem Fluß hinauf bis in den See gehen, welches aber jetzt nicht mehr thunlich ist.

7) Alessio, Lissus, eine Stadt am schwarzen Drino, der unter demselben in einen Meerbusen fällt. Hier ist Georg Kastriot, des Fürsten Johannes von Epirus Sohn, 1467 gestorben und begraben. Der osmansche Sultan Murad II gab ihm den

Namen

Namen Iskenderbegi (Scanderbeg) das ist, Fürst Ale=
rander, und die christlichen Schriftsteller rühmen seine
großen Kriegs= und Helden=Thaten. Die Osmanen nen=
nen die Stadt Alessio nach ihm Eskenderiasi. Sie liegt
auf einem steilen Felsen, und hat ein Castell zu ihrer Be=
schützung. Der hiesige Bischof stehet unter dem Erzbischof
von Durazzo. Die Mündung des Flusses Drino theilet
eine Insel in den großen und kleinen Drino, in jenen kön=
nen Fahrzeuge von mittler Größe einlaufen, in diesen
aber sehr kleine.

8) Gegen Osten ist ein bequemer Hafen für alle Ar=
ten der Schiffe, der Porto Medua heißet.

9) Croja, ehemals eine Stadt, jetzt ein Dorf,
ohnweit Alessio, gegen Süden, und nicht weit von dem
drinschen Meerbusen, woselbst Scanderbeg geboren ist.

10) Durazzo, Duradsch, Epidamnus, Dyrrachium,
ein Handelsort auf einer Halbinsel am Meer, mit einem
Schloß und einem guten Hafen, für Schiffe von mittler
Größe. Sein erster Name Epidamnus, zeigte die
schädliche Beschaffenheit seiner Einwohner an, welche
Betrüger, Verräther und Hurer waren; daher die Römer,
als sie die Stadt unter ihre Bothmäßigkeit bekamen, den
Namen derselben in Dyrrachium verwandelten, woraus der
gegenwärtige Name entstanden ist. Es wohnet hier ein grie=
chischer Metropolit, und ein griechischer Erzbischof. Das
Land, welches dieser Stadt gegen Norden liegt, ist das
eigentliche Albänien, oder der älteste Wohnsitz der Al=
banier, aber die Stadt ist zuerst von Illyriern angeleget
worden, welches 5 bis 600 Jahr vor des Herrn Geburt
geschehen seyn mag.

11) Pollonia, Pirgo, ein Dorf, soll die alte Stadt
Apollonia seyn, die ihrer anmuthigen Lage und vortrefli=
chen Gesetze wegen berühmt, und in spätern Zeiten ein
Sitz der Gelehrsamkeit war; nunmehr aber in solchen Ver=
fall gerathen ist, daß die Schriftsteller ihres neuen Na=
mens wegen nicht wohl überein kommen. Sie war ur=
sprünglich eine illyrische Stadt.

12) Awlon, Valona, ist der Name einer Landschaft
und einer darinn belegenen Stadt, welche an einem Meer=
busen

bufen liegt, (der vor Alters sinus Onaeus hieß,) und
einen sehr geräumigen aber nicht recht sichern Hafen hat.
Zu ihrer Beschützung dienen eine Citadelle, und einige andere Werke. Sie treibet einigen Handel mit Wachs, Baumwolle, Tapeten, Leinwand, und eingesalzenen Fischen. Es
wächset hier sehr guter Wein, und die benachbarten Berge
enthalten Steinsalz. Hier hat ein Sandschak seinen
Sitz. 1464 nahmen sie die Osmanen ein. 1690 bemächtigten sich ihrer zwar die Venetianer, mußten sie aber im
folgenden Jahre den Osmanen wieder überlassen.

13) Canina, ein Flecken und alte Festung, ehedessen eine Stadt.

14) Monti della Chimera, vor Alters die cerau-
nischen oder acroceraunischen Berge, sind als die Gränze
zwischen dem jonischen und adriatischen Meer anzusehen,
und haben den alten Namen daher, weil sie öfters von
den Blitzen getroffen worden. Den Chimerioten (Bewohner dieser Berge) ist nicht erlaubt, Waffen zu tragen.

15) Chimera, war in alten Zeiten eine feste, und
ihrer heissen Bäder wegen bekannte Stadt, ist aber jetzt ein
geringer Ort.

16) Arta, nicht Carta, vor Alters Argos Amphilo-
chicum, eine Stadt, nicht weit von Prevesa, in einem
Meerbusen, der von ihr benennet wird, und vor Alters
Ambracius sinus hieß. Sie handelt mit Tabak, Pelzwerk, und einigen andern Waaren, und hat mehr Griechen als Osmanen zu Einwohnern, es wohnen hier auch ein
Metropolit, und unterschiedene europäische Consuls.

17) Delfino, die beste Stadt in Epirus, in welcher ein
osmän. Schandschak wohnet, nahe bey dem Berge Pindus.

18) Janiah, Jannina, Janina, eine große Stadt,
deren Kaufleute durch ganz Europa handeln, und in der
ein griechischer Metropolit wohnet. Es sind hier zwey
hohe Schulen der Griechen. In der Nähe stand vor Alters Cassiope.

Anmerkung. Die Oerter Butrinto, Vöinitza und
Prevesa, gehören der Republik Venedig.

4. Jeniſcheher Vilaïeti.

Theſſalien, welches heutiges Tags von den Osmanen Jeniſcheher Vilaïeti, genennet wird, hat
ſeinen Namen von einem alten Könige Theſſalus, vor
Alters aber hat es auch Aemonia, von Aemon, des
Theſſalus Vater; Pelasgia von Pelasgus, des Ae-
mons Großvater; und Pyrrhäa, von des Deucalions
Frau, Pyrrha, geheißen. Es lieget zwiſchen Macedonien, dem Archipelagus, eigentlichen Griechenland oder Livadien, und Albanien. Es iſt zuweilen
mit Macedonien vereiniget, zuweilen davon unterſchieden, und alsdenn wieder damit vereiniget geweſen. Der berühmte Berg Pindus, der heut
zu Tage Mezzovo, oder Mezzo novo genennet
wird, trennet es von Epyrus, oder von einem Stück
des jetzigen Albanien. Unter ſeinen vor Alters berühmet geweſenen 24 Bergen, ſind folgende die merkwürdigſten. Der Olympus, heutiges Tages Lácha,
lieget recht auf der Gränze zwiſchen Theſſalien und
Macedonien, ſo daß, wie Pauſanias ſchreibet, eine
Seite deſſelben in jener, die andre in dieſer Provinz
iſt. Die meiſten alten Schriftſteller ſagen, daß
ſein Gipfel von den Vögeln nicht erreicht werde, und
höher als die Wolken, alſo über die Gegend des
Windes und Regens erhoben ſey. Xenagoras will
durch Meſſung herausgebracht haben, daß die Höhe
$10\frac{1}{2}$ Stadien, das iſt, 5816 pariſer Schuhe, betrage. Es iſt keine Wahrſcheinlichkeit vorhanden,
daß dieſe Meſſung richtig ſey, wenn man ſie aber
annimmt, ſo macht die Höhe des Bergs ein Viertel
einer ſogenannten deutſchen Meile, oder etwas mehr
als eine engliſche Meile aus. Wenn bey dem Se-
neca

neca in deſſelben Trauerſpiel Agamemnon, der piniſer Olympus vorkommt, ſo kann dieſe Benennung nur von den untern Gegenden des Bergs gelten, denn auf den Gipfeln kann kein Baum ſeyn. Die alten Dichter machen dieſen Berg zum Wohnſiß der Götter. Der Petras, der ehedeſſen Pelion hieß, iſt 1250 Schritte hoch; der Oſſa, iſt nebſt Nephele, der Fabel nach, von den Centauren bewohnet worden, die Herkules getödtet oder verjaget hat. Die andern übergehe ich. Hier ſind auch die pharſaliſchen Ebenen, und zwiſchen den Berger. Olympus, Pelion und Oſſa, lag das liebliche Thal Tempe, welches dergeſtalt mit Gaben der Natur ausgezieret war, und vom Fluſſe Peneus, der mitten durchhin floß, einer der helleſten, ruhigſten und ſchönſten Flüſſe in der Welt iſt; und jeßt Salambrie heißet ſo anmuthig beneßet wurde, daß man es für den Garten der Muſen hielt. Das Land iſt ſehr luſtig und fruchtbar, und ſcheinet einen Vorzug vor allen andern Theilen Griechenlandes zu verdienen. Es träget Pomeranzen, Citronen, Limonien, Granatäpfel, Weintrauben von ungemein ſüßem Geſchmacke, vortreffliche Feigen und Melonen, Mandeln, Oliven, Baumwolle ꝛc. Die Caſtanien, haben ihren Namen von der Stadt Caſtanea in Magneſien, von dannen die leßten Bäume in Europens kalte Länder gekommen ſind. Vor Alters war die hieſige Ochſen- und Pferde-Zucht ſehr berühmet; wie denn die Theſſalier inſonderheit ſo gute Pferde zozen, und im Gebrauche derſelben ſo erfahren und geſchicket waren, daß allem Anſehen nach die Fabel von den Centauren, die halb Menſch und halb Pferd geweſen ſeyn ſollen, daher entſtanden iſt. Die Einwohner

Yy 3　　　　　　ſind

ſind größtentheils Wlachen, die von den alten
Illyriern abſtammen. Die merkwürdigſten Oerter
in Theſſalonien, welches nur ein Sandſchakat ausmacht, ſind:

1) Lariſſa, von d n. Osmanen Jeni-ſcheher genannt, die Hauptſtadt, am Fluß Salambrie, in einer erhabenen und ſehr luſtigen Gegend, iſt eine beträchtliche
Handelsſtadt und der Sitz eines griechiſchen Metropoliten. Der berühmte Achilles iſt hieſelbſt geboren. 1669
hielt der osmanſche Sultan hier Hof.

2) Turnovo, eine weite und luſtige Stadt, in welcher 18 griechiſche Kirchen und 3 osmanſche Meſched
ſind. Der hieſige Biſchof ſtehet unter dem Erzbiſchof zu Lariſſa.

3) Tricca, eine Stadt am Fluß Erechthé, der in
den Fluß Salambrie fällt. In dieſer guten Stadt iſt ein
Erzbiſchof, und eine beträchtliche Schule. Sie iſt der
Geburtsort des Herrn Georg von Baldany, der mich 1788
zu Berlin mündlich in der Geographie von Theßalien unterrichtet hat.

4) Staghi, vor Alters entweder Gomphi oder Itho-
ne, eine Stadt am Fuß eines großen Felſens, au
deſſen ſteilen Spitzen Klöſter ſtehen.

5) Tſchatabtcha, Pharſala, eine Stadt am Fluß
Enipeus, der ſich mit dem Apidanus vereiniget, und alsdenn in den Peneus fällt. Sie iſt der Sitz eines griechiſchen
Erzbiſchofs. In den benachbarten Ebenen, wurde Pompejus vom Cäſar überwunden.

6) Phalachtila, eine Stadt.

7) Zituny, eine Stadt am Meerbuſen gleiches Namens

8) Almiro, eine Stadt am Golfo dell' Almir
welche für das Eretria der Alten angeſehen wird.

9) Bolo, nach der Ausſprache Volo bey den neue
Griechen, Golos bey den Osmanen, ein guter Hafen, in e
nem Meerbuſen, der auf den Anhöhen mit großen Dörfer
beſetzet iſt, die von wohlhabenden Griechen bewohnet werden
und in welchen wechselsweiſe wöchentlich Markt gehalte
wird. Bey dem Hafen ſtehet ein ſchlechtes Caſtell, i
einiger Entfernung von demſelben aber ſtehen zwey Dö
fer, von welchen eines Osmanen, und eines Griechen b
wo

wohnen. Ob hier vor Alters die Stadt Jolkos, oder die Stadt Demetrias geſtanden habe? iſt ungewiß. Von der letzten, führet ein Erzbiſchof den Titul.

10) Walaki, ein geringer Ort, welcher ehedeſſen Argonaus hieß. Hier ſollen die Argonauten ihr Schif gebauet haben.

5. Livadien.

Unter dieſem Namen, wird heutiges Tages das alte eigentliche Griechenland, (Hellas), begriffen, dazu die kleinen Königreiche Acarnanien, Aetolia, Ozolda, Locris, Phocis, Doris, Epiknemidia, Boeotia, (welches heutiges Tages Stramulippa heißet), Megara und Attica, gehöret haben. Die Hellenen oder Griechen, ſind, wie oben, bey Romanien ſchon angemerket worden, urſprünglich Pelasger geweſen, haben ſich aber, als ſie zu einem beſondern Volke erwachſen, von den andern in vielen Stücken unterſchieden. Ihr gemeinſchaftlicher Name Hellenen, war zu Homers Zeit noch nicht gewöhnlich. Dieſer Dichter nennet ſie Achäer, Dorier und Argiven, welches aber bey ihm keine Stammnamen ſind. Joſephus irret, wenn er alle Hellenen von dem Javan oder Jon ableitet: denn Joner und Jonien, ſind nie allgemeine Namen geweſen, und der joniſche Stamm der Hellenen iſt, ſo wie ihr Name, ſpäter als Moſes. Die Hellenen vermiſchten ſich in Attica mit den Pelasgern, welche ſie daſelbſt fanden. Herodot B. 1. Kap. 56. Zu Homers Zeit war Hellas ein kleiner Landſtrich in Theſſalien, und Joner fanden ſich damals bloß in Attica. Dieſe Gedanken hat Hofrath Heyne von den Griechen gehabt. Livadien, erſtrecket ſich von dem Joniſchen Meer bis an den Archipe-

lagus

lagus, und hat in alten Zeiten viele berühmte Oerter enthalten. Die vornehmsten Flüsse in diesem größtentheils gebirgigten Lande, sind: 1) Sionapro; er hieß ehemals Achelous, und trennte die Acarnanier von den Aetoliern. 2) Cephissus, ergießet sich in den copaischen See, den er eigentlich macht. 3) Ismenus, der sich vermuthlich in den Fluß Asopus ergossen hat, welcher in den Archipelagus fällt. Der Berg Oeta in Böotien, ist wegen des Passes Thermopylä berühmet, der nicht über 25 Fuß breit ist, und seinen Namen von den in der Nähe befindlichen heißen Wassern hat. In Phocis waren verschiedene berühmte Berge, nämlich Parnaß, welcher dem Apollo gewidmet gewesen, und von allen Dichtern gepriesen wird; Helicon und Cythäron, die beyde den Musen gewidmet waren, und daher von den Dichtern auch sehr gerühmet werden. Die ehemalige Landschaft Acarnania, heißet heutiges Tags Xeromero.

1) Die Stadt Ambracia, hat an dem Meerbusen Arta gelegen, und an ihrem Ort ist ein verfallenes Fort.

Die Castele, die den schmalen Eingang zum lepantischen Meerbusen beschützen. Eines stehet in Livadien, das andre gegen über auf Morea, beyde auf Vorgebirgen. Nicht weit von hier erhielten die Venetianer 1571 einen wichtigen Sieg über die osmansche Flotte.

2) Lepanto, von den jetzigen Griechen Epactos, von den Osmanen Einebachti genannt, vor Alters Naupactus, eine Stadt an einem Berge und am Ufer des lepantischen Meerbusens, der ehemals der corinthische genennet wurde. Auf der obersten Spitze des Bergs um welchen sie herlieget, ist ein kleines Castel. Auf jeder Seite der Stadt sind fruchtbare Thäler, die mit Oliven, Weinstöcken, Pomeranzen, Citronen und Limonien bepflanzet sind. Der Eingang des Hafens kann mit einer Kette versperret werden, der kleine Hafen aber ist sehr versandet.

3) Ca=

3) **Cástri,** vor Alters Delphi, ein Paar Meilen nordwärts vom lepantischen Meerbusen, auf einem rauhen Berge, ist jetzt ein geringer Ort von ein Paar Hundert Häusern, war aber ehemals wegen des Tempels und Orakels des Apollo eine weltberühmte Stadt.

4) **Salona,** ein geringer Ort an einem Meerbusen, vor Alters wie es scheinet, Chalâon.

5) **Livadia,** eine wohlbewohnte Stadt.

6) **Stiva,** ein Ort am lepantischen Meerbusen. Zwischen Megara und Corinth ist der Hafen Suzaqui, von einigen Porto S. Nicolo genennet.

7) **Megara,** ein geringer Flecken, nicht weit vom corinthischen Meerbusen, war ehemals die Hauptstadt eines besondern Staats. Er hat lauter Griechen zu Einwohnern. Der Hafen des Orts, Nisaea genennet, kann nur keine Fahrzeuge aufnehmen.

8) **Athiniah,** bey den Osmanen, Athina (Ἀϑηνα) bey den neuen Griechen, die den Namen fast wie Azina aussprechen, vor Alters Athenae, war ehemals die Hauptstadt in Attica, und wurde zuerst vom Cecrops, ihrem Stifter, Cecropia, hernach aber von der Göttinn Minerva, Athen genennet. Außer ihrer Macht, Schönheit und Reichthums wegen, war sie hauptsächlich berühmet, theils wegen der unverbrüchlichen Treue ihrer Bürger, theils weil sie die Pflegerin der größten Köpfe, Philosophen, Redner und Gelehrten überhaupt war, theils weil sie unter allen Städten der Welt die größte Anzahl tapferer Feldherren hervorgebracht hat. Anfänglich wurde sie von Königen und nachmals von Archonten regieret; hierauf aber wurde sie von den Persern, Macedoniern und Römern bezwungen. In den neuern Zeiten kam sie unter die Herrschaft der Osmanen, denen sie von den Venetianern genommen, 1455 von den Osmanen, 1687 von den Venetianern abermals erobert, in den letzten Kriegen der Venetianer und Osmanen aber den letzten wieder zu Theil geworden. Dieses Schicksal hat ihr Ansehn so vermindert, daß sie dorfmäßig geworden ist: doch findet man, sowohl innerhalb als außerhalb des jetzigen Orts, noch unterschiedene Ueberbleibsel der alten Herrlichkeit, die anzeigen können, in welchem Grade der Vollkom-

Yy 4

men-

menheit die Bau- und Bildhauer-Kunst in dieser Stadt
geblühet haben. Sie hat noch an 6000 Einw. davon etwa
drey Theile morgenländische Christen sind, die eine große
Anzahl Kirchen und Bethhäuser, die Osmanen aber fünf
Messcheds haben. Es wohnet hier ein griechischer Metropolit. Unter den größern und kleinern Ueberbleibseln alter
prächtiger Gebäude, sind diejenigen vor andern sehens-
würdig, die für den Tempel des Jupiters Olympius
gehalten werden, und vornehmlich der prächtige Tempel
der Minerva, der Parthenon hieß, jetzt ein osmanscher Messched, in den letzten venetianischen Kriegen
aber jämmerlich zerschmettert worden ist. Neu-Athen
ist ein Theil von Athen, dem aus Gefälligkeit gegen den
Kaiser Hadrian, desselben Name beygeleget worden.
Die beyden Flüsse Ilissus und Eridanus, welche die
Ebene wässern, auf der Athen stehet, bedeuten jetzt wenig, weil jener zur Wässerung der Oelgärten in verschiedene Kanäle geleitet worden, so daß er zuletzt sehr unansehnlich wird; dieser aber sich endlich gar verlieret, weil
er auf die Felder geleitet wird. Ehemals hatte Athen
drey Häfen, davon Phalereus und Munychia, gegen der
Morgenseite eines kleinen Vorgebirges, der Pyraeus
aber gegen der Abendseite desselben lag. Der letzte wird,
weil er ein wohl eingeschlossener Hafen mit einem engen
Eingange ist, und einen ziemlichen Umfang hat, noch
stark besucht, und von den Griechen Porto Draco, von
den Italienern aber Porto Leone, von einer Bildsäule
eines Löwen, die von dannen nach Venedig gebracht worden ist, genannt. Gegen Westen ist eine gute Rhede,
die von einer kleinen Insel unweit der östlichen Spitze der
Insel Coluri, gedecket wird.

9) Lepsina, ehemals Eleusis, eine ehemals berühmt
gewesene Stadt, die theils auf einem Hügel, theils am
Meer lag, aber nun ein ganz verfallener Ort ist.

10) Thiva, ehemals Theben, war vordem eine
berühmte, und wegen ihrer vielen prächtigen Tempel,
Paläste und andern kostbaren Gebäude, sehr ansehnliche
Stadt; man findet aber in der jetzigen Stadt keine Spur
mehr von der alten Herrlichkeit des Orts. Es wohnet
hier ein griechischer Metropolit.

11) **Cap Colonne**, vor Alters Sunnium promontorium, auf welchem ein Tempel der Minerva geſtanden
hat, davon noch Ueberbleibſel vorhanden ſind. Man
kann in dieſer Gegend ankern, man muß ſich aber vor der
öſtlichen Spitze der Inſel Provençale, ehedeſſen Patrocle-
ja, hüten, unweit welcher eine Klippe unter dem Waſſer iſt.

6. Mora Vilaieti.

Morea, iſt eine Halbinſel, die durch einen ſchma-
len Strich Landes, der die corinthiſche
Landenge genennet wird, mit dem feſten Lande, oder
mit dem eigentlichen Griechenland, zuſammenhän-
get. Dieſe Landenge, auf welcher die iſthmiſchen
Spiele zur Ehre Neptuns gehalten wurden, iſt 1697
auf Befehl des venetianiſchen Géneral-Capitains
Cornaro ausgemeſſen, und eine Charte davon aufgenommen worden. Sie gehet von derjenigen ſtark
ab, die ſich in Coronelli Atlante veneto befindet.
Nach jener, iſt die ſchmälſte Gegend der Landenge, 4200
geometriſche Schritte breit. In dieſer Gegend ſiehet
man noch einige Ueberbleibſel der ehemaligen
Mauer, die von den griechiſchen Kaiſern quer durch die
Landenge, von einem Meerbuſen zum andern, aufgeführet, aber von dem zweyten Sultan der Osmanen,
Amurat, zerſtöret, nachher zwar von den Venedigern
wieder hergeſtellet, und mit einem doppelten Graben
verſehen, aber von Muhammed dem zweyten ganz verwüſtet worden, um bequemer in die Halbinſel einzu-
bringen. Es ſind auch noch Spuren von den alten
Verſuchen die Landenge durchzuhauen, um beyde Meere
mit einander zu vereinigen, auf der Seite des lepan-
tiſchen Meerbuſens, zu ſehen. Wenn man von
Megara in Livadien durch die Landenge nach Corinth
reiſet, trift man nicht ein einziges Haus an. Von

Yy 5 der

der Halbinsel, hat man Wittens, Homanns, Visschers, Fer, und anderer Charten. Vor Alters hieß dies Land Peloponnesus, und in noch ältern Zeiten Aegialea und Apia; und es bestund aus den kleinen Königreichen Sicyon, Argos und Messenia, Corinth, dem eigentlichen Achaja, Arcadia und Laconia. Der jetzigen Namen Morea, soll es von den Maulbeerbäumen (Morus) haben, entweder, weil es die Gestalt eines Maulbeerblats hat, oder wegen der großen Menge Maulbeerbäume, die hier wachsen. Die vornehmsten Flüsse, die aber im Sommer fast vertrocknen, sind, der Carbon, der ehedessen Alpheus hieß; Planiza, ehedessen Inachus, Szirnaza, ehemals Pamisus; Eurotas, der jetzt Basilipotamo, das ist, Königsfluß, genennet wird, und in den Golfo de Colachina fällt. Unter den Landseen, sind bey den Alten vornehmlich bekannt der Stymphalis, wegen der vielen und schädlichen Vögel, die sich auf demselben aufhielten, und Pheneus, wegen des daraus entstehenden Flusses Styx, dessen Wasser so kalt ist, daß die, die davon trinken, sich tödtlich erkälten, es zerfrißt auch Eisen und Kupfer. Daher stellen ihn die alten Dichter als den Höllenfluß vor. Es giebt viele Berge, aber auch viele fruchtbare und angenehme Gegenden im Lande. Es ist unbekannt, zu welcher Zeit die Albaner zuerst in dieses Land gekommen sind, aber 1391 waren sie schon zahlreich. 1453 kam Muhammed in diese Halbinsel mit einem großen Heer, machte aber doch Frieden mit den damaligen beyden hiesigen Despoten Thomas und Demetrius, und behielt nur ein Stück des Landes; allein 1460 machte er das ganze Land zu einer Provinz seines Reichs.

eichs. Im Carlowitzer Frieden, traten die Osmanen ganz Morea an die Venetianer ab, 1715 aber nahmen sie es ihnen wieder weg. 1770 schlugen sie auf der Meerenge einige daselbst ausgeschiffete russische Truppen, und überhaupt lief die ganze Landung der Russen auf Morea; unglücklich ab. Es wird dasselbe in vier Districte abgetheilet.

1 Saccania, oder Romania minor, begreifet das alte Corinth, Sicyon und Argos. Die merkwürdigsten Oerter dieses Districts sind folgende

1) Corinth, Corinto, bey den Osmanen Gereme, eine berühmte Stadt, am Fuß des Berges auf welchem die Citadelle lieget, die vor alters Acro-Corinth hieß, und aus der man eine ganz vortreffliche Aussicht nach jeder Seite hat. Der erste Name dieser Stadt war Ephyra, sie hatte auch die Beynamen Heliopolis (Sonnenstadt) und Bimaris, ein zwischen zwey Meeren belegener Ort. Sie war vor Alters eine schöne Stadt, und mit prächtigen Gebäuden, als Tempeln, Palästen, Schaubühnen, bedeckten Gängen, Grabmalen, Bädern, und andern Werken ausgezieret, die alle mit einer schönen Art Säulen, Kränzen und Fußgestellen, wovon die corinthische Ordnung ihren Namen bekommen hat, und mit unzähligen Bildsäulen, die von den berühmtesten Künstlern verfertiget waren, prangeten. Heutiges Tages sieht die Stadt der Zerstreuung ihrer Häuser, und der in ihrem Umfange befindlichen Gärten und Felder wegen, mehr wie ein Dorf, als wie eine Stadt aus, und ist den Anfällen der Räuber oft ausgesetzet. Es wohnet hier ein griechischer Erzbischof. Der Apostel Paulus hat an die ehemalige christliche Gemeine dieser Stadt zwey Briefe geschrieben. Der Weg zu der Citadelle, ist steil und schmal, und sie hat nur einen Eingang, aber man muß durch 2 Thüren gehen, ehe man ganz hinein kömmt. Sie enthält 3 Messched, 5 oder 6 kleine griechische Kirchen, und muß zur Zeit der venediger Herrschaft stark bewohnet gewesen seyn, weil sie viele verfallene Häuser hat. Gegen die Höhe des Berges zu, ist eine Quelle, die sehr gutes Wasser im Ueberfluß giebt, (vor Alters Pirene ge-

nennet,) noch eine geringere, und Cisternen sind in Menge vorhanden. Auf der Nord-West-Seite des Berges giebt es noch zwey kleine Festungswerke, die mit der größeren Festung zusammenhängen, aber in schlechtem Zustande sind. Eines heißet Ebreo Castro, weil es von Juden bewohnet worden. Der ehemalige Hafen der Stadt, hat noch den alten Namen Kenchrea, es ist aber daselbst nur noch ein Thurm zu sehen.

2) Sutica, Damela, Esculapio, und Ploda, geringe Oerter, an dem corinthischen Meerbusen.

3) Das Vorgebirge Malo oder Mala, in dessen Gegend im Meer zwey kleine Inseln sind. Eine französische Meile von demselben gegen Norden ist das Mühlen Vorgebirge, eine Erdspitze, und bey derselben die Einfahrt in den corinthischen Meerbusen.

4) Trapano und Tolon, zwey gute Hafen.

5) Napoli di Romania, Neapolis, ehedessen Anaplia und Nauplia, eine Stadt und Festung auf einer Halbinsel, die sich in den Meerbusen erstrecket, der von dieser Stadt Golfo di Napoli genennet wird. Sie ist die ansehnlichste und festeste Stadt auf der ganzen Halbinsel, lieget auf einer Erdzunge, hat starke Mauern, ein kleines Fort um die Mitte der Stadt, und nahe bey der Stadt auf einer Höhe ein Schloß, das sie beherrschet. Die Griechen haben unterschiedene Kirchen, die Osmanen einige Meßched, die Juden eine Synagoge. Es wird hier starker Handel mit Getreide, Wein, Oel, Seide, Baumwolle und Tabak, getrieben. Die Rhede ist sehr gut, und hat 7, 8, 9 bis 18 Klaftern Wasser, wird auch durch ein kleines Fort vertheidiget, das auf einem Felsen stehet. In der Stadt wohnet ein Erzbischof. 1715 wurde die Stadt von den Osmanen erobert.

6) Mycene, ein Dorf, welches ehemals die Hauptstadt eines Königreichs war.

7) Argos, ein geringer Ort am Flusse Majo, oder Inachus, war ehemals eine prächtige Hauptstadt. Er ist der Sitz eines Bischofs, und hat eine Citadelle zu seiner Vertheidigung.

8) Nemea, ein Dorf, welches der alten nemeischen Spiele wegen zu bemerken ist.

2 Brac

2 Braccio di Maina, oder Zakonia, begreift das alte Arcadien und Laconien, ist mit Bergen und Felsen angefüllet, und dem Erdbeben oft unterworfen gewesen. Dieser District enthält folgende Oerter.

Leontari, ehemals Megalopolis, und Dorbo, ehemals Mantinea, sind ehedessen ansehnliche Städte gewesen, jetzt aber geringe Oerter, insonderheit der zweyte.

Misitra, Mistra, am Fluß Eurotas, oder Basilipotamo, hieß ehemals Sparta, und uneigentlich Lacedaemon, und war die Hauptstadt von Laconien. Sie bestehet aus dem auf einem hohen Felsen liegenden und festen Castel, der darunter gelegenen eigentlichen Stadt, die bemauert ist, und zwey großen Vorstädten, und ist ein bischöflicher Sitz.

Sklabochori, vor Alters Amyclae, ein Ort in einer Ebene am Fuß des Berges Taygetus, südwärts von Misitra. Hier hat Fourmont Trümmer vom Tempel des amyclaischen Apollo entdecket, und über 40 Stein-Inschriften abgeschrieben.

Napoli di Malvasia, bey den heutigen Griechen Monembasia, bey den Osmanen Menewische, lieget am Golfo di Napoli di Romania, auf einem steilen Felsen, den das Meer ganz umgiebet, der Canal aber, der ihn von dem Lande trennet, ist nur ein Pistolenschuß breit, und hat wenig Tiefe. Ueber den Canal führet eine steinerne Brücke, vermittelst welcher dieser Felsen und die Stadt auf demselben mit dem Lande zusammenhänget. Die Stadt ist nicht groß, hat aber starke Mauern, und oben auf dem Felsen eine Festung, die jetzt nicht viel bedeutet, aber die Lage der Stadt machet sie am festesten. Sie ist von Osmanen, Griechen und Juden bewohnet. Die Griechen haben hier einen Erzbischof. Der Hafen dieser neuen Stadt Malvasia, ist nicht so gut, als der von dem nahe gelegenem Ort

Alt-Malvasia, in alten Zeiten, Epidaurus Limera, der jetzt unbewohnet ist, aber unter seinen Trümmern noch Ueberbleibsel von dem berühmten Tempel des Aesculapius, zeiget, und in dessen Hafen Schiffe ankern.

Die

Die Gegend von Napoli di Malvasia, träget den von alten Zeiten her berühmten Malvasierwein. Sie fänget unter Corion oder dem Flecken Hagios Paulos an, und höret bey Porto della Botte, ehedessen Cyphantos, auf.

Das Vorgebirge S. Angelo, Saint-Ange, hieß vor Alters Malea. Wenn man nun dasselbe herum kömmt, ist zwischen dem Hafen Rapine und der Insel Cervi eine gute Rhede, auf welcher Schiffe vor Anker gehen können.

Unter Berdogna, fällt der Fluß Basilipotamo in den Meerbusen, den die Seeleute Paghana oder Págania, andere von dem Ort Colochina benennen, einige nennen ihn auch Mistral; hernach folget der Hafen Caille, und endlich das Vorgebirge Matapan, vor Alters Tanara.

Das Vorgebirge Gros, ist die südlichste Spitze von Morea. Maina, eine Stadt zwischen den hohen Felsen-Gebirgen von Maina und Matapan, mit einem dazu gehörigen District auf dem südlichsten Theil des Landes, dessen Ein- und Anwohner die Mainotten, Nachkommen der alten Lacedämonier sind. Sie mögen wohl 10000 Mann stellen können, sie sind aber nur in Banden von 20 bis 30 Mann vertheilet, davon jede sich ihren Anführer oder Hauptmann selbst erwählet, und des Nachts auf Raub ausgehet, daher sie den Griechen eben so verhaßt als den Osmanen sind. Es ist ihnen verboten, bewafnet zu gehen, sie müssen auch Kopfgeld geben, und die Steuerscheine vorzeigen, wenn sie in eine Stadt kommen. Ihr heutiger Name, kömmt her von μανια, Unsinnigkeit, weil sie in einer Schlacht in die Feinde hineinrennen, als ob sie unsinnig wären. Mit denjenigen, die an ihren Klippen Schifbruch leiden, verfahren sie sehr grausam. Es gehören ihnen auch drey kleine, nicht weit vom festen Lande liegende Inseln, deren jede von einem Capitain regieret wird. Wie unzuverläßig und unbrauchbar zum regelmäßigen Kriege dieses Raubgesindel sey, haben die Russen zu ihrem Schaden 1770 erfahren, als sie im Vertrauen auf dieselben auf Morea landeten.

3 Belvedere, begreift das ehemalige Elis und Messenien.

Chi-

Chialeſa, eine Feſtung, die ein mit Mauern und Thürmen umgebenes Viereck iſt. 1685 nahmen es die Venediger ein, es gerieth aber wieder in die Gewalt der Osmanen.

Vitulo, ein Hafen, bey welchem ehedeſſen eine Stadt war.

Chitrie, ein Hafen, da wo ſich der Fluß Spirnazza in den Meerbuſen von Calamate ergießet.

Calamate, eine kleine Stadt, oder nur ein Flecken an den Fluß Spirnazza, der unterhalb deſſelben in den Meerbuſen fällt.

Coron, Coronis, eine mit baſtionirten Mauern und tiefen Graben umgebene Stadt, auf einer Landſpitze, die dem oben genannten Porto vitulo beynahe zugekehret iſt. Sie hat einen Hafen, an dem coronſchen Meerbuſen. Um die Mitte der Erdzunge iſt ein hoher oben gerundeter Fels, von welchem die Feſtungswerke der Stadt überſehen werden können. Auf der Landſeite kann auch der Ausgang aus der Stadt verſperret werden. Sie hat eine Vorſtadt, und handelt mit Oel und Getreide.

Das Vorgebirge Gallo, beym Ptolemaeus Acritas promontorium.

Modon, Muthuno, vor Alters Methone, eine Handelsſtadt auf einem Vorgebirge, mit einer Vorſtadt und einem Hafen. Sie iſt mit ſtarken Mauern und tiefen Graben umgeben, der Sitz des Befehlshabers von Morea, und eines Biſchofs. 1770 wurden ruſſiſche Truppen bey derſelben von osmanſchen Truppen geſchlagen.

Navarino, eine feſte Handelsſtadt am Meer, deren Hafen für den beſten und geräumigſten in ganz Morea gehalten wird. Die Feſtung welche über der Stadt lieget, haben die Osmanen 1752 erbauet. Sie hat 6 Bollwerke. Die Stadt lieget am Abhange des Berges, und erſtrecket ſich bis an das Meer, an welchem unterſchiedene Batterien zum Schutze ſind. 1770 nahmen ruſſiſche Truppen die Stadt ein, und verbeſſerten ihre Befeſtigung, konnten ſie aber nicht behaupten, und bey ihren Abzug gerieth die Stadt in Brand. Den dabey liegenden Flecken, bewohnen Griechen.

Alt Navarino, oder Zunchio, vor Alters Pylus und Coriphaſium, lieget nicht weit davon an einem andern

dern Ende des Meerbusens, und auf einem steilen Felsen, ist aber jetzt in einem schlechten Zustande.

Arcadia, ehemals Cyparissa, eine kleine Stadt oder nur ein Flecken, davon ein Meerbusen benennet wird.

Neo Castro, ein Flecken, der auch Aliarcho genennet wird, welcher Name aus dem alten Aliartus verdorben ist.

Longavico, Pisa, Olympia, Sconti, am Flusse Carbon, eine in alten Zeiten sehr berühmt gewesene Stadt, bey welcher auf den umliegenden Ebenen die olympischen Spiele gefeyert wurden, die Pelops dem Jupiter zu Ehren eingeführet, Atreus und Herkules aber wieder hergestellet hat. Sie wurden allemal im fünften Jahre und fünf Tage lang mit großer Feyerlichkeit und häufigem Zulaufe des Volks gefeyert; daher es kam, daß in Griechenland die Zeitrechnung nach Olympiaden eingeführet wurde. Es war auch in dieser Stadt ein vortrefflicher Tempel des Jupiter Olympius mit einer hoch berühmten Bildsäule desselben. Nahe bey demselben war auch der eben diesem Gotte gewidmete berühmte Hain. Jetzt ist dieser Ort gering.

Clamoutzi, Clemoußi, eine kleine Stadt. Zwischen derselben und dem Meer, lieget

Castel Tornese, welches von dem Vorgebirge Tornese den Namen hat, davon es etwa 1 deutsche Meile entfernet ist.

Belvedere, bey den Griechen Calloscopium, lieget an dem Orte, wo die alte Hauptstadt Elis gestanden hat. Die Stadt hat ihren jetzigen Namen von der angenehmen Gegend und Aussicht bekommen.

Antravida, ein geringer Ort am Meer.

4) **Chiarenza, Clarenza,** begreifet das eigentliche Achaja.

Chiarenza, Clarenza, eine Stadt auf einem Hügel, die ehedessen beträchlich war, nun aber sehr verfallen ist. Ihr Hafen war gut, ist aber nun stark versandet.

Caminza, ein geringer Flecken, ehemals der Sitz eines Bischofs. Der Fluß am welchen er stehet, hieß vor Alters Piras. Von hier ist nicht weit zum Vorgebirge Papa.

Patras, Patrasso, Batra, Balabatra, Patrae, eine Stadt mit einem Castel, auf einem Berge, nicht weit von einem Meerbusen, woselbst ein griechischer Erzbischof wohnet. 1770, als die Stadt von den Russen und Mainotten eingenommen war, wurde sie von den Löwanen überfallen und verbrannt. 1772 richtet in dieser Gegend eine russische Escadre eine osmanische kleine Flotte zu Grunde. Die Stadt treibet einen starken Handel mit Seide, die auf dieser Halbinsel gebauet wird, auch mit Häuten, Honig, Wachs, Wolle und Käse. Die benachbarten Berge haben Bäume, die Manna geben, wegen dessen sich aber die Einwohner nicht bemühen. Die Gegend, in welcher die Gärten der Städte sind, wird Glycada genennet. Die Juden sind zu Patras zahlreich.

Nicht weit von dem Schloß, welches die Einfahrt in den lepantischen Meerbusen beschützet, ist der Porto Panormo.

Die Statthalterschaft Serwien oder Belgrad.

Das Königreich Serwien, das von den Ungarn Cserkes Orszag, von den Osmanen Sirf Vilaïeti, sonst auch wohl Laß-Vilaïeti, das ist, des Lazarus Landschaft, genennet wird, weil 1375, als sie sich dasselbige zuerst unterwürfig gemacht, Laß oder Lazarus, Despot oder Fürst von Serwien gewesen ist, hat den Namen Serwien von dem slavonischen Volk der Serwier oder Serbli, und zwar von dem Theil desselben, welcher der weiße genannt wird. Kaiser Heraklius räumte ihnen dieses Stück Thessaliens ein, welches die Avaren verwüstet hatten, und sie wurden Christen. Ihr Land wurde zu verschiedenen Zeiten in Roman, Rascia, Bosnia, und das eigentliche Serwien abgetheilet. Der östliche Theil desselben, der vor Al-

ers Dardania geheißen, hat von dem durchfließen
den Fluß Raſca den Namen Raſcien, auf osmaniſd
Raſchiah, bekommen. In dem neunten Jahrh
gehörte Bosnien dazu. Im Jahr 920 eroberten
die Bulgaren dieſes Land, es kam aber 1036 wie
der unter die Herrſchaft der Griechen, wiewohl ſi
daſſelbige nur vier Jahre lang beſaßen. Im eilften
Jahrhund. ſtand es unter dem Schuß des Königs vor
Ungarn, Stephan von Gottes Gnaden gekrön
ter König von ganz Serwien, Dioclien, Tri
bunien, Dalmatien, und Ochlumien, (oder
Zachlumien). Die Herren dieſes Landes, habei
auch Despoten und Fürſten geheißen. In den
vierzehnten Jahrhundert wurde Servien ſchon der
osmanſchen Sultanen zinsbar, und in dem funfzehnten
Jahrh. machten ſie es ſich ganz unterwürfig. Im Paſ
ſarowitzer Frieden von 1718, bekam der römiſche
Kaiſer den größten Theil deſſelben; allein, im Bel
grader Frieden von 1739, mußte er denſelben den
osmanſchen Reich wieder abtreten. Als es ehedeſſer
in das eigentliche Serwien und in Raſcien abgethei
let wurde, gehörte zu jenem, welches den obern nach
der Donau und Bosnien zu belegenen Theil aus
machte, die Provinz Machov, Madſchau
Maſchova, Mazov, Maſovia, und führte 1271
den Titul eines Herzogthums, nachher aber ei
nes Banats. Die Einwohner werden in Ser
wier und Raitzen abgetheilet, und reden die ſla
woniſche Sprache. Sie bekennen ſich zur griechi
ſchen Kirche, es ſind aber auch viele Muhammeda
ner hieſelbſt. Es wird hier viel Baumwollenzeug
gewebet. Der Paſcha, der dieſer Landſchaft vor
geſetzet iſt, hat 800000 Aspern geſetzmäßige Ein
künf-

ånste, und muß dafür 160 Soldaten stellen. Nunmehr bestehet es aus vier Sandschakschaften.

1 Die belgradische Sandschakschaft, lieget zwischen den Flüssen Drino, Save und Donau.

1) Belgrad, Griechisch-Weissenburg, Nandorfejerwar, Alba graeca, in ältern Zeiten wahrscheinlicher weise Taurunum, eine Stadt und Festung, bey dem Zusammenfluß der Save und Donau, die aus dem Oberschloß, der Stadt an sich selbst, der Wasserstadt und der Raitzenstadt bestehet, und ehedessen für die Vormauer und den Schlüssel von Ungarn gehalten worden. Stephan mit dem Zunamen Duscian oder Dussan, König von Serwien, hat Belgrad zuerst 1343 als ein Castel angeleget. Der Kaiser Sigismund brachte sie an Ungarn. 1440, 56, 94 wurde sie von den Osmanen vergeblich angegriffen, 1521 aber eingenommen, welche sie bis 1688 behielten, da sie von den Ungarn erobert wurde. 1690 gerieth sie wieder in der Osmanen Gewalt, der sie 1693 nicht entrissen werden konnte, welches aber 1717 geschäh. Allein, 1739 mußten die Ungarn die Stadt wieder abtreten, vorher aber zerstörten sie die äußern Festungswerke derselben, so, daß nichts als die alten Mauern und die damit unzertrennlich verknüpften Festungswerke stehen blieben. 1776 waren die Festungswerke noch nicht wieder hergestellet. Die Osmanen haben die christlichen Kirchen in Dschami verwandelt, und die Christen sind von hier weg nach Semlin gezogen, so, daß man 1760 hier nur noch fünf christliche Familien zählte. Der hier angelegte Hauptzoll, trägt jährlich über 100000 Rthlr. ein, weil alles, was zu Wasser und Lande von Wien nach Constantinopel, und rückwärts gehet, diese Stadt berühren muß. Von hier bis Constantinopel sind 185 Stunden Weges.

2) Sabatsch, oder Burgundelen, eine von dem Sultan Muhamed dem zweyten 1470 an der Save angelegte Festung.

3) Halaga, ein Berg, ein paar Meilen von Belgrad gegen Südosten, der innerhalb eines runden Umfangs von funfzig deutschen Meilen, der höchste ist. Auf demselben fand der römisch kaiserliche Regierungsrath F.

Zz 2   W. von

ers Dardania, geheißen, hat von dem durchfließenden Fluß Rasca den Namen Ráscien, auf osmanisch
Raschich, bekommen. In dem neunten Jahrh.
gehörte Bosnien dazu. Im Jahr. 920 eroberten
die Bulgaren dieses Land, es kam aber 1036 wieder unter die Herrschaft der Griechen, wiewohl sie
dasselbige nur vier Jahre lang besaßen. Im eilften
Jahrhund. stand es unter dem Schutz des Königs von
Ungarn, Stephan von Gottes Gnaden gekrön-
ter König von ganz Serwien, Dioclien, Tri-
bunien, Dalmatien, und Ochlumien, (oder
Zachlumien). Die Herren dieses Landes, haben
auch Despoten und Fürsten geheißen. In dem
vierzehnten Jahrhundert wurde Servien schon den
osmanschen Sultanen zinsbar, und in dem funfzehnten
Jahrh. machten sie es sich ganz unterwürfig. Im Paß-
sarowitzer Frieden von 1718; bekam der römische
Kaiser den größten Theil desselben; allein, im Belgrader Frieden von 1739, mußte er denselben dem
osmanschen Reich wieder abtreten. Als es ehedessen
in das eigentliche Serwien und in Rascien abgetheilet wurde, gehörte zu jenem, welches den obern nach
der Donau und Bosnien zu belegenen Theil ausmachte, die Provinz Machov, Madschau,
Maschova, Mazov, Masovia, und führte 1271
den Titul eines Herzogthums, nachher aber eines Banats. Die Einwohner werden in Serwier und Raitzen abgetheilet, und reden die slawonische Sprache. Sie bekennen sich zur griechischen Kirche, es sind aber auch viele Muhammedaner hieselbst. Es wird hier viel Baumwollenzeug
gewebet. Der Pascha, der dieser Landschaft vorgesetzet ist, hat 800000 Aspern gesetzmäßige Ein-
künf-

künfte, und muß dafür 160 Soldaten stellen. Nunmehr bestehet es aus vier Sandschakschaften.

1 Die belgradische Sandschakschaft, lieget zwischen den Flüssen Drino, Save und Donau.

1) Belgrad, Griechisch-Weissenburg, Nandor-Sejervar, Alba graeca, in ältern Zeiten wahrscheinlicher weise Taurunum, eine Stadt und Festung, bey dem Zusammenfluß der Save und Donau, die aus dem Oberschloß, der Stadt an sich selbst, der Wasserstadt und der Raitzenstadt bestehet, und ehedessen für die Vormauer und den Schlüssel von Ungarn gehalten worden. Stephan mit dem Zunamen Duscian oder Dussan, König von Serwien, hat Belgrad zuerst 1343 als ein Castel angeleget. Der Kaiser Sigismund brachte sie an Ungarn. 1490, 56, 94 wurde sie von den Osmanen vergeblich angegriffen, 1521 aber eingenommen, welche sie bis 1688 behielten, da sie von den Ungarn erobert wurde. 1690 gerieth sie wieder in der Osmanen Gewalt, der sie 1693 nicht entrissen werden konnte, welches aber 1717 geschah. Allein, 1739 mußten die Ungarn die Stadt wieder abtreten, vorher aber zerstörten sie die äußern Festungswerke derselben, so, daß nichts als die alten Mauern und die damit unzertrennlich verknüpften Festungswerke stehen blieben. 1776 waren die Festungswerke noch nicht wieder hergestellet. Die Osmanen haben die christlichen Kirchen in Dschami verwandelt, und die Christen sind von hier weg nach Semlin gezogen, so, daß man 1760 hier nur noch fünf christliche Familien zählte. Der hier angelegte Hauptzoll, trägt jährlich über 100000 Rthlr. ein, weil alles, was zu Wasser und Lande von Wien nach Constantinopel, und rückwärts gehet, diese Stadt berühren muß. Von hier bis Constantinopel sind 185 Stunden Weges.

2) Sabacsch, oder Burgundelen, eine von dem Sultan Muhamed dem zweyten 1470 an der Save angelegte Festung.

3) Halaga, ein Berg, ein paar Meilen von Belgrad gegen Südosten, der innerhalb eines runden Umfangs von funfzig deutschen Meilen, der höchste ist. Auf demselben fand der römisch kaiserliche Regierungsrath F.

Zz 3 W. von

W. von Taube, im December 1776, Ueberbleibsel einer gothischen Stadt.

4) Wisniza, ein Flecken an der Donau.

5) Kroczka, Krotzka, ein Flecken an der Donau, bey welchem die ungarische Armee 1739 von den Osmanen geschlagen wurde.

6) Rudnik, Rudniza, ein Flecken.

7) Valjava u. Bedka, zwey Flecken am Fluß Kolubra.

2 Die Semendrische Sandschakschaft, enthält folgende Oerter.

1) Semendrich, Semender, ursprünglich San-drew, vom heiligen Andrea, griechisch Spenderobe, Sphenderobos, Smedrobos, lateinisch Senderovia, die Hauptstadt der Sandschakschaft, und eine altmodische Festung an der Donau, in welcher ehedessen ein ansehnliches Bißthum war. Sie ist zuerst 1435 von dem Despoten Georg Brankovitz angeleget, und schon 1438 zum erstenmal von den Osmanen erobert, hingegen 1454 von eben denselben vergeblich belagert worden. Sie ward erobert 1688 von den Ungarn, 1690 von den Osmanen, und 1717 abermals von den Ungarn.

2) Hassan-Pascha-Palanka, eine Schanze zwischen den Flüssen Jeszova und Morawa, die ihren Namen von dem Bosnier Hasnan hat. Palanka, bedeutet eine Schanze oder Festung. Hier ist ein Gesundbrunn und Bad.

3) Passarowitz, ein Ort an der Morawa, welchen der 1718 daselbst zwischen Karl VI und Achmet III geschlossene Friede, merkwürdig gemachet hat.

4) Kollitz, oder Koilutsch, ein Fort in der Ebene an der Donau.

5) Kastolatz und Breninkolaß, zwey alte römische Verschanzungen an der Donau, welche der Fluß Mlava scheidet.

6) Ram, ein Castel an der Donau, gegen Ui-Palanka über.

7) Alt-Ram, Trümmer von einem römischen Fort an der Donau.

8) Gradißka, ein römisches Fort, da wo der Fluß Ipek sich mit der Donau vereiniget.

9) Ko-

9) Kolumbatz, auf türkisch Gugerzinlika, ist ein Schloß auf einer Höhe, nahe bey der Donau. Hier fangen die Wirbel in der Donau an, die sich bis Orsowa erstrecken.

10) Jeszava, zwey römische Forts an der Donau. Hier fänget ein Weg an, den die Römer durch einen Felsen gehauen haben.

11) Kirdap da Talla, eine Gegend in der Donau, woselbst zwischen den auf beyden Seiten befindlichen Felsen ein Wirbel ist, der seine Wellen hoch treibet.

12) Alt-Treben, eine alte römische Redoute an der Donau.

13) Tachtali, ein gefährlicher Ort in der Donau, woselbst das Wasser sich über einen felsichten Abhang stürzet, herumdrehet und Wirbel verursachet. Die Beschaffenheit der beyden Ufer ist Schuld daran; denn von dem serwischen Ufer erstrecket sich ein hoher Fels, weit in den Strom hinein, an welchen das Wasser mit großem Geräusch stößet, und alsdenn an die Felsen des gegen über liegenden wlachischen Ufers zurück prallet. In dem Wirbel, der dadurch verursachet wird, kann ein Schif umstürzen, wenn es den geraden Weg verfehlet. Popowitsch hält für wahrscheinlich, daß Tachtali die Cataractae des Strabo wären, bey welchen nach dieses Schriftstellers Meynung, die Donau den Namen Ister zu führen anfänget. Hinter dieser Ecke breitet sich die Donau in eine geräumige Krümmung aus, und fließet langsamer, und in dieser Krümmung liegt die Insel Poretsch.

14) Poretsch, ein Flecken an der Donau.

15) Stare Vare, (Altstadt) und Gradanitza, zwey Oerter, welche die Römer befestiget haben, an der Donau.

16) Gradiska, ein römisches Alterthum an der Donau. Nicht weit davon, landeinwärts auf den Bergen, sind noch ein paar römische Schanzen.

17) Lukaonitza, ein altes römisches Fort an der Donau. Hier fänget ein in Felsen ausgehauener Weg an, der über die Berge fast bis Orsowa führet. Die Donau hat unterhalb Lukaonitza das engste Bette.

18) Alt-Orsowa, ein altes römisches Retranchement an der Donau.

19) Sip-

19) Sip, oder Elisabethen=Schanze, eine Stun=
de unter Orsowa, an der Donau, die hier den Bach
Sip aufnimmt. Nicht weit davon ist

20) Demikarpi, d. i. das eiserne Thor, gemeinig=
lich Cataractae Danubii, mit welchem Namen die Gegend
beleget wird, wo die Donau in eine Ebene zwischen Ber=
gen geräth, und über einen klippichten Boden hinströmet.
Die Wellen und Wirbel, welche durch die Gewalt des
vielfältig gebrochenen Stroms erreget werden, werfen die
Schiffe hin und her, auf und nieder, so, daß hier ge=
schickte und des Orts erfahrne Schiffer nöthig sind, wenn
man durch diesen gefährlichen Ort glücklich kommen will.
Die Gefahr aber ist noch größer, wenn man aufwärts
fähret, welches nur durch Hülfe der Segel geschehen kann.
1737 mußten die Kaiserlichen hieselbst ihre Kriegesschiffe
versenken, weil sie aus Mangel des Windes nicht auf=
wärts segeln konnten. In diesem engen Paß, werden die
Hausen in einem Werk von Stackten gefangen. Man
saget, daß dieser Paß vor Zeiten durch eine eiserne Kette
gesperret gewesen sey, daher der Name des eisernen
Thors kommen könnte.

21) Cosovitz, Banul und Clodova oder Klabo=
wo, drey von den Römern befestigte Oerter an der Donau.

22) Fetislan, gleich unter Klasowo, ein ansehnli=
cher Flecken an der Donau, kurz vor welchem die Berge
aufhören, die unter Uj=Palanka, ihren Anfang nehmen,
so, daß die Donau von hier bis Widdin zwischen zwey
Ebenen strömet. Es findet sich hier auch allenthalben
Bequemlichkeit, Brücken zu schlagen, wiewohl der Strom
überaus breit wird. Etwa ½ Viertelmeile von Fetislan
findet man

23) Die Ueberbleibsel der vermeynten Brücke des
Trajans, von der ich bey der Walachey mehr sagen werde.

24) Ein röm. Retranchement vor d. erwähnten Brücke.

25) Corvingrad, an der Donau, Rest eines rö=
mischen Forts.

26) Palankutza, an der Donau, ein römisches
Fort, woselbst ein von den Römern gepflasterter Weg ist,
der auf einer Seite nach Gradiska, und auf der andern
nach der vermeynten trajanischen Brücke führet.

27) De=

27) Deez, ein römisches Werk an der Donau, über dem Einfluß des Timoks.

3 Die kratowische Sandschakschaft, enthält folgende Oerter:

1) Nissa, Nissus, Nissena, ein Ort von mittelmäßiger Größe, der aus der obern und untern Festung bestehet. Die Nissa, von welcher die Festung den Namen hat, läuft mitten durchhin. Sie ist mit einer Mauer und einem Wall umgeben. Die Häuser sind, wie in allen osmanschen Städten, gar kein, und von Leimen und Holz zusammen gesetzet, so, daß man die meisten Dächer mit der Hand erreichen kann. 1737 wurde sie von den Ungarn eingenommen, gieng aber im folgenden Jahr wieder verloren.

2) Alexinza, ein Flecken.

3) Raschna, Rezena, ein Flecken.

4) Procupia, Procopia, eine Stadt, die von dem Bischof Procopius benennet wird. Die Osmanen nennen sie Urchup.

5) Kratowo, die Hauptstadt dieser Sandschakschaft, in welcher der Sandschak wohnet, und nicht wenige von der königlichen serwischen Familie begraben liegen.

6) Preisereno, auf türkisch Prisrendi, Gabaleum, Ulpianum, Justiniani secunda, eine Stadt und bischöfl. Sitz.

4 Die kupische oder novibasarische Sandschakschaft, enthält

1) Novibasar, Jenibasar, Novobardum, oder Novus Mercatus, die Hauptstadt der Sandschakschaft und ehemals des alten Raitzen = Landes. Der Despot Georg hatte hier seinen Sitz.

2) Sitniza, ein geringer Ort.

3) Ibar, eine keine Stadt am Fluß gleiches Namens.

4) Usiza, ein festes Schloß, welches die Kaiserlichen 1737 einnahmen.

5) Pristina, eine Stadt in einer sehr fruchtbaren Gegend, der Sitz eines Bischofs, vor Alters auch der Sitz der Landesfürsten. Hier ist Kaiser Justinian geboren, und Neeman II. genannt Krapul, hat sich hier zum König krönen lassen.

6) Das Amserfeld, Campus Merulae oder Merlinius, von den Ungarn Rigomezo, ital. Campo cossovo, lat. auch Campus Corsovus, sonst von den Schriftstellern Cossobus, Cossovo und Cossovopolis genennet, ist eine sehr fruchtbare Ebene, die sich von Süden gegen Norden erstrecket, auf 70000 Schritte lang, und auf beyden Seiten von Bergen eingeschlossen ist. Auf derselben ist manche Schlacht geliefert worden. Murad I verlor hier im Jahr 1389 eine Schlacht wider das vereinigte Heer, welches der serwische Despot Lazarus commandirte, und wurde nach derselben von einem Triballier (Servier) erstochen; hingegen Murad II besiegte hier im Jahr 1448 die Ungarn. Zum Andenken des Todes des ersten, ist hier ohnweit Pistrina, ein Denkmal errichtet worden.

7) Skupi, Skopie, eine Stadt, in der schon 1439 eine Sandschakschaft entstand.

III.
Die Statthalterschaft Boschnah-Ili.

Unter dem Pascha von Boschnah-Ili, stehen acht Sandschaks. Seine gesetzmäßigen Einkünfte sind 1800,000 Aspern, und er muß 216 Mann stellen. Zu dieser Statthalterschaft gehöret

I. Das Stück von Kroatien, welches zwischen den Flüssen Huna oder Unna und Verbas liegt. Kroatien wird von den Osmanen Kirvat Pilaïeti genennet. Dazu gehören die folgende Oerter.

1) Dresnik, ein Schloß, 3 Meilen von Wihacz, am Fluß Korana.

2) Kruppa, ein festes Schloß.

3) Wihitz, von einigen Schriftstellern Bigibon, von andern Bybegh, Bihach, und Bihgach, lateinisch Bihachium, auf den neuen Landcharten Bihacs oder Wihacz, vor Alters Ausantola, genennet, eine Stadt, am Fuß des Bergs Plissiwitz, in einem See, welchen der Fluß Unna macht. Der ungarische König Bela IV machte sie

sie zu einer königl. Freystadt. Sie war schon 1592, als sie von den Osmanen zum erstenmal erobert ward, ein fester Platz.

4) Ostrovizza, ein fester Ort, an dessen Nähe der Berg Klepala liegt.

5) Vacup, ein Schloß auf einer Insel, in der Unna. Es giebt in dieser Gegend noch ein paar Oerter gleiches Namens.

6) Kliucz, ein festes Schloß an der Unna, das 1416 zerstöret, aber wieder hergestellet worden.

7) Alt-Novi, an der Unna, die hier die Save aufnimmt.

8) Biograd, Belligrad, auf den Charten Bielgorod, Bielgrad, und noch auf andere Weise, lateinisch Belogradum, eine Stadt, an dem kleinen Fluß Pliva, der sich mit dem Fluß Verbas vereiniget. Sie ist vor Alters eine Residenz der Könige von Kroatien und Dalmatien gewesen, wie einige Urkunden von 1059 und 1102 beym Lucio de regno Dalmat. l. 2. c. 15. und l. 3. c. 3. bezeugen.

II. **Ein Stück von Dalmatien.** Es gehören zu demselben die Oerter Climovo, Mostar, Citclut, Trebigne, u. a. m. die als Stücke des nachmaligen Königreichs Rama, zu Ober-Bosnien gerechnet werden, und hernach vorkommen:

III. **Bosnien,** welches beym Constantinus Porphyrogenneta Bosona und Bossena, beym Cinnamus Bosthna, bey den Osmanen Bosna, zum Theil auch Rama heißet, hat diese Namen von den Flüssen Bosna und Rama, oder jenen vielleicht von dem Volk der Bossener bekommen. Gegen Norden wird es durch den Fluß Save von Slawonien, gegen Morgen durch den Fluß Drino von Serwien, gegen Mittag durch Gebirge von Dalmatien, und gegen Abend durch den Fluß Verbas von Kroatien getrennet. Es ist voll Hügel und Berge, theils zum

Zz 5 Acker-

Ackerbau, theils zur Viehzucht bequem, träget auch
Wein, und die Berge enthalten Silbererz. Die Einwohner (Bosniaken) sind slaw. Ursprungs, und reden
die slawon. Sprache; in den Städten wohnen auch
vornehme Osmanen, jene bekennen sich zur griechischen
Kirche, doch ist auch die muhammedanische Religion
unter ihnen stark ausgebreitet worden. Es haben sich
hier viele misvergnügte Kroaten niedergelassen. Die
ehemaligen Beherrscher des Landes, haben zu verschiedenen Zeiten Fürsten, Könige, Despoten, Ba-
ne und Woiwoden geheißen. Borizes oder Bo-
rich, einer der alten Fürsten, leistete 1154 und 1156
den Ungarn Hülse wider den griechischen Kaiser Ema-
nuel Comnenus. Der Ban Twartko nahm 1376 den
Titul eines Königs an, und nennete sich Stephan
Myrza, blieb aber doch, wie seine Vorfahren, ein
Vasall von Ungarn. Amurat, Sultan der Osmanen, befriegte die Bosniaken, die sich ihm unterwarfen,
und zu einem jährlichen Tribut verstanden. Sultan
Mahumed schickte 1462 jemand nach Bosnien, um den
Tribut abzuholen, den aber König Stephan ihm nicht
übergeben wollte. Deswegen befriegte ihn der Sultan im folgenden Jahr, nahm ihn gefangen, ließ
ihn hinrichten, und machte Bosnien zu einer Provinz seines Reichs. Matthias Corvinus, König
von Ungarn, eroberte zwar Bosnien, und gab es
des gedachten Stephans Sohn Nicolaus mit dem königl. Titul, und nach demselben setze er dem Lande einen Ban vor: allein, Sultan Soliman I eroberte
es 1528 aufs neue.

Bosnien wird in das untere u. obere abgetheilet.
A. Unter-Bosnien, welches das eigentliche
Bosnien, ist, war noch im neunten Jahrhundert
ein

ln Theil von Servien, deſſen König Budimir im neunten Jahrhundert den Theil des weſtlichen Seriens, der ſich von dem Fluß Drino gegen Weſten bis an den Berg Pin erſtrecket, den Namen Bosnien beylegte. Es iſt nachher ein beſonderes Königreich geweſen, und hat aus zehn Provinzen beſtanden, welche hießen, Tſchernik, zwiſchen den Flüſſen Unna, Verbas und Save; Modriza, an der Save, zwiſchen den Mündungen der Flüſſe Verbas und Bosna, Uſſora, am Fluß dieſes Namens, der ſich mit dem Fluß Bosna vereiniget, die fruchtbarſte, und volkreichſte unter allen; Krakovo, in Gebirgen; Nieder-Sala, Ober-Säla, an der Save, nach dem Drino zu, Poſaver, das iſt, an der Save, deren Lage nicht recht bekannt iſt, Varos, zwiſchen den Flüſſen Bosna, Spreza und Drino, die vermuthlich das eigentliche Bosnien geweſen iſt: Suitava, u. Podrima. Dieſe Provinzen ſind auf einer Charte zu ſehen, die Coronelli gemacht, R. und J. Ottens zu Amſterdam aber nachgeſtochen haben. Unter der Herrſchaft der Osmanen, iſt demſelben ein Beghlerbegh vorgeſetzet, und es iſt in drey Sandſchakſchaften abgetheilet worden, welche 9 der genannten Provinzen begreifen, die zehnte aber gehöret zu Servien.

1 Die Sandſchakſchaft Banjaluka. Sie begreift die 4 alten Provinzen Tſchernik, Modriza, Uſſora und Krakovo. Es gehören zu derſelben dieſe Oerter.

1) Dubiza, eine mit einem Wall und Palliſaden umgebene Stadt, an der Unna.

2) Türkiſch-Gradiſka, oder Berbir, an der Save, gegen Alt-Gradiſka in Slavonien über, eine ſtarke Feſtung die von franzöſiſchen Ingenieurs angeleget, und erſt 1774 vollendet worden.

3) Banjaluka, eine Stadt am Fluß Verbas, mit einem feſten

festen Schloß. Sie ist über 100 Jahre lang der Sitz des Beghs le begh gewesen. Nicht weit von hier nimmt der Verbas den kleinen Fluß Bonja auf, von welchem die Stadt vermuthlich ihren Namen hat.

4) Jaycza, Jaytza, Gaitia, eine Stadt am Fluß Verbas, der hier die Uliva aufnimmt. Ueber derselben liegt ein Bergschloß, das ehedessen die königliche Residenz, und sehr fest war.

5) Tessen, (Teschen) Desnak, am Fluß Ussora, ein altes Bergschloß.

6) Doboy, am Fluß Bosna, ein Bergschloß, bey welchem König Sigismund 1408 den König Twartko den dritten gefangen nahm, 180 Edelleute enthaupten, und die Körper von den Felsen hinab in die Bosna stürzen ließ, um die Bosnier durch diese Strenge in Furcht zu setzen.

7) Dobor, ein Bergschloß am Bosnafluß.

8) Kotor, ein altes Bergschloß.

9) Neu-Brod, eine starke Festung gegen Brod in Syrmien über.

2 Die Sarajische Sandschakschaft, welche die alten Provinzen, Ober- und Nieder-Sala, Posiver und Varos enthält. Es gehören dahin folgende Oerter.

1) Zwornik, ein Schloß am Fluß Drino, welches ein erheblicher Posten gegen Norlangvel ist.

2) Drinovan, ein fester Ort auf einer Insel im Drino.

3) Srebe.nik, vor Alters Argentina, eine Stadt, die ehedessen ein Silberbergwerk gehabt hat.

4) Bobovaz, Bobovzia, Bobaz, Stadt und Bergfestung an einem Fluß, der sich mit dem Bosnastrom vereiniget, war im 15ten Jahrh die stärkste Bergfestung in Bosnien.

5) Mogle, Maglai, ein Schloß am Fluß Bosna.

6) Schepcze, Sepze, ein Ort an der Bosna, woselbst Schiffe gebaut, und auf der Save in die Donau gebracht werden.

7) Orachowitza, ein fester Platz.

8) Trawnik, eine geringe Stadt in einer gesunden Gegend, 2 Tagereisen von der Hauptstadt, der Sitz des Beghlerbegh.

9) Kressevacz, ein Dorf, ehedessen eine Stadt, und der Sitz einer bischöflichen Kirche. Sie ward im 13ten Jahrh. zerstöret.

10) Saraj.vo, Seraglio, Bosna Sarai, die Hauptstadt des Reichs am Fluß Bosna. Sie liegt bey dem Gebirge Jakotina, in welchem der Bän Kulin um 1171 Eisenbergwerke, und zur Vertheidigung derselben das Schloß Dubrunik angeleget hat. Im 13ten Jahrhundert wurde die Stadt Boona bey Sarajevo erbauet, und zum Sitz des Bischofs von Kreszavaz bestimmt; nachher wurde sie eine beträchtliche Handelsstadt, und endlich die Hauptstadt. Es wohnet hier ein altgläubiger griechischer Bischof.

11) Varch Bosna, ohnweit Sarajevo, ein festes Schloß, auf

auf einem hohen Felsen; an deſſen Fuß der Fluß Miglaszta flieſ-
ſet, erbauet 1370, erobert und zerſtöret 1415.

3 Die Oracher Sandſchakſchaft, welche die
alte Provinz Svitava begreift. Einige dazu gehörige Oerter ſind.

1) Viſſegrad, ein feſtes Schloß am Drino. Es wurde 1416
zerſtört, aber wieder hergeſtellt.

2) Piva, am Fluß Piva; der ſich mit dem Drino vereiniget,
iſt der Sitz eines altglaubigen griechiſchen Biſchofs.

3) Orach, eine Stadt am Drino.

4) Foſia, eine Stadt.

5) Milleſevo, ein Ort, woſelbſt in der Kirche das Grab des
heil. Saba, erſten Servilſchen Biſchofs iſt, (in derſelben iſt auch
der Ban von Bosnien Stephan der vierte, 1358 begraben; und
der Ban Twartko der zweyte, hat ſich in verſelben 1376 zum
König von Bosnien krönen laſſen.

B. Ober-Bosnien, oder das ehemalige Königreich Rama, welches die Könige von Ungarn
ſich eher als Unter-Bosnien unterwürfig gemacht, daher die Ungarn dieſes oft mit unter jenem Namen begriffen haben. Es beſtand aus den Provinzen Chulm,
Banno, Clinovo, Cettina, Gluibuſſi, Ne-
veſik, Narentva, Verboſania, Gliubina,
Gazka, Rudina und Trebigna. Dieſe ſind
großentheils Stücke von Dalmatien. Schon die
ungariſchen Könige Coloman und Bela II, jener
1103, dieſer 1138, ſchrieben ſich Könige von Rama.
Von dem Berge Chlumo, bekamen die Zachlus-
mier ihren Namen, (der auch Ochlumier geſchrieben
wird,) entweder, weil ſie jenſeits des Berges
Chlumo wohneten, oder von dem Fluß Zachlumo,
(der jenſeits des Chlumo herkommende Fluß) der
durch das Thal Popovo fließet, und am Fuß eines
ſteilen Berges ſich verlieret. Im 12ten Jahrhundert hieß der Strich Landes, den ſie bewohnten, die
Grafſchaft Chelm, die der Bosniſche Ban Paul
1302,

1302 eroberte und mit Bosnien verband, worauf sie durch Woiwoden regieret wurde. Sie wurde wieder davon getrennet, und im 15ten Jahrh. das Herzogthum von Sanct Saba genannt, als der römis. Kaiser Friedrich der dritte, bey andern der vierte, den Stephan Cossak mit diesem Titul beehrte. Es bekam auch den slavonischen Namen Herczegho- wina, das ist, das Herzogthum schlechthin, in der türkischen Sprache Hersek; als aber Sultan Mehmed dieses Land eben so wie Bosnien erobert hatte, ward es mit unter dem Namen Ober-Bos- nien begriffen.

Zu den merkwürdigen Oertern gehören diese.

1) Kluuno, Clinovo, ein Marktflecken mit einem ehemalli- gen Bergschloß. Ehedessen ist hier gemeiniglich der Versamm- lungsort und das Magazin des osmanschen Kriegsheers gewesen.

2) Prestolas, eine Stadt.

3) Imosch, Imota, eine Stadt.

4) Die Landschaft Gliubuski, wird von dem venetianischen Gebiet, durch die raube Bergkette von Vergoraz geschieden. Ihre fruchtbarste Gegend ist der hieher gehörige höhere Theil der frucht- baren Ebene von Rasot, deren niedrigerer Theil den Venetianern gehöret. Wenn die Osmanen den Fluß Treblsat mit einem Wall einfasseten, würde er diese Ebene nicht so stark überschwemmen.

5) Pietro di Rama, ein Bergschloß an dem kleinen Fluß Rama, von dem das Reich vermuthlich den Namen hat, und der sich in die Narenta ergießet.

6) Mostar, eine Handelsstadt, am Fluß Narenta, über den hier eine alte römische Brücke gebauet ist, wie ihr Name anzeiget. In neuern Zeiten, sind die hier nach damascenischer Art verfertigten Waffen, berühmt gewesen.

7) Citelut, Cielut, ein festes Schloß in der Narenta, mit einem Flecken.

8) Mercovich, ein Flecken an der Narenta, gegen Citelut über. Bis hieher können auf dem Fluß große Fahrzeuge aus der See kommen, und mit bosnischen Waaren beladen werden.

9) Die Landschaft Popovo, die wegen ihrer Lage zwischen zwey langen Bergen unzugänglich, und sehr fruchtbar an Getrei- de, Wein und Früchten ist, im Herbst aber gemeiniglich unter Wasser stehet.

10) Die Landschaft Treblgne, vor Alters Tribunia ist der Sitz eines römisch-katholischen Bischofs.

11) Die Landschaft Kanale.

12) Ver-

12) Verbosania, eine offene Stadt, mitten durch welche der Fluß Mellezta fließet.

Die Inseln im mittelländischen und jonischen Meer.

Die Inseln im mittelländischen Meer, die in der Gegend um Candia, oder in dem candischen Meer liegen, welches bey den Osmanen Ghirid Denghizi heißet.

1. Kriti, ($\varkappa\varrho\eta\tau\eta$) von den Griechen ehemals Creta, Gherit oder Kjerit, oder Ghirid, und Ghirid Adassi bey den Osmánen, beym Abulfeda Akritbaich, Candia bey den Europáern, bey den Alten auch Aeria, Idaea, Curete, Macaron, oder Macaronesus, das ist, die glückselige Insel; wegen ihrer Fruchtbarkeit und Reinigkeit der Luft; ist eine der größten Inseln im mittelländischen Meer, denn sie hat siebenzig Meilen in der Länge, und zehen Meilen in der Breite. Sie scheidet gewissermaßen den Archipelagus von den mittelländischen Meer. Die Berge machen sie auf der Seite des mittelländischen Meeres für die Schiffe fast unzugänglich, und daher ist ihre Nordseite am besten angebauet. Von derselben hat man eine homannische, wittische, vißcherische, und andere Charten. Mehr als die Hälfte der Insel ist mit unfruchtbaren felsichten Bergen angefüllet, die eine Kette ausmachen, die sich von Westen gen Osten erstrecket, und davon die vornehmsten sind: Psiloriti, (welcher Name aus $\upsilon\psi\eta\lambda o\upsilon$ $o\varrho o\varsigma$ entstanden,) ehemals Ida, ist der höchste, aber ein

ganz

ganz unfruchtbarer Felsen, und den größten Theil
des Jahrs mit Schnee bedecket. Er träget nichts
als die Staude Tragacantha, (Bocksdorn,) welche des Adragant Gummi wegen berühmt ist.
Von diesem Berge kann man beyde Meere sehen.
2). Sethia, oder Lasthi, ehedessen Dicte, ist ein
Theil der sogenannten weißen Berge, die jetzt von
einem benachbarten Flecken die Berge von Sfachia heißen. Die Bewohner derselben oder die Sfa-
chiaten sind berüchtigte Leute, wie die Mainotten
auf Morea, und dürfen keine Waffen tragen. Es
ist hier auch ein Hymp. Der Boden ist für Getreide
wenig fruchtbar, welches also die Einwohner für ihre
Landesproducte eintauschen müssen. Unter diesem ist
das Baumöl das wichtigste. Alle Thäler sind mit
Oleander bewachsen, die Felder aber mit Orangen-
und Citronen-Bäumen, deren Früchte nach de Tott
Versicherung, die von Malta und Portugal an Güte
übertreffen. Die Muchemanche, ist eine Art Mo-
rellen, von vortreflichem Geschmacke. Die Insel
hat auch Wein, Honig und Wachs. Von der ehemaligen Stadt Cydonia, ist der Quittenbaum
zuerst nach Candia gebracht worden, daher die lateiner die Frucht Malum cydonicum, oder den cydoni-
schen Apfel, genennet. Es giebt hier allerley zahme
Thiere, Wildpret und Geflügel, nur keine Hirsche
und wilde Thiere. Ein großer Theil des Landes lieget ungebauet. Die Einwohner sind Griechen, die
einen Erzbischof haben, Armenier, Osmanen und
Juden. Sie bereiten Seife aus dem Baumöl, das
die Insel hervorbringet, könnten es aber viel weiter
darinn bringen. Auf den Bergen von der Nordseite
halten

halten sich Räuber auf, die das Meer beunru-
higen, und in Bündniß mit ihren Nachbaren, den
Mainotten stehen. In den alten Dichtern findet
man viel von den hundert Städten dieser Insel, davon sie Hecatompolis genennet worden: es sind
aber weit mehrere Städte auf derselben gewesen, denn
es werden bey den Alten über 120 angeführet. Unter
dem Kaiser Valentinian I, wurden durch ein großes
Erdbeben über hundert Städte verwüstet, und zum
Theil umgekehret. Es sind hier viel Spuren von
ehemaligen Vulcänen zu sehen. Der Baron von
Tott hat bey der äusersten östlichen Spitze der Insel,
die das Vorgebirge Salomon heißet, eine kleine Insel von weißen Marmor bemerket, die mit einer Lage
von Lava bedecket ist. Die Insel hat in den ältesten
Zeiten eigene Könige gehabt; nachmals wurde die
republikanische Regierungsart eingeführet; hierauf
kam sie unter der Römer Bothmäßigkeit, und war
hiernächst den morgenländischen römischen Kaisern
unterthan, bis sich im Jahr 823 die Araber derselben
bemächtigten, denen sie im Jahr 962 wieder abgenommen wurde. Die Genueser überließen sie an den
Bonifacius, Markgrafen von Montferrat, der
sie 1204 den Venetianern verkaufte. 1644 thaten
die Osmänen einen Einfall, und eroberten nach 24
Jahren das ganze Land, welches ihnen auch die Venetianer 1669 im Frieden, bis auf einige Festungen,
nach, abtreten mußten. 1715 höleten die Osmänen
die beyden Festungen, welche noch in der Venetianer
Gewalt waren, nach, und besitzen seit der Zeit die
ganze Insel. Unter der Venetianer Herrschaft, ist die
Insel in vier Gebiete oder Distrikte abgetheilet

2 Th. 8 A.   Aaa   worden,

worden, unter osmanscher Herrschaft aber ist sie unter 3 Gebiete vertheilet, die von den 3 Städten Candia, Canea, und Rettimo, benennet werden. Der vornehmste Befehlshaber ist der Seraskier zu Candia, unter welchem die beyden andern stehen, wie Baron de Tott berichtet. Ich muß die Abtheilung der Venediger beybehalten.

1) Das Gebiet von Canea, Territorio della Canea, enthält folgende Oerter:

(1) Canea, eine Festung, die aber in keinem guten Stande erhalten wird. Die Stadt hat ein gutes Ansehen. Der Hafen ist dem Nordwinde ausgesetzet. Diese Stadt lieget vermuthlich an eben demselben Orte, wo ehemals Cydonia, die mächtigste und reichste Stadt auf ganz Creta, gestanden hat.

(2) Suda, eine kleine Insel mit einer Festung, liegt in dem davon benannten Meerbusen.

(3) Sfachia, oder Sfaccia, ein Flecken an der mittägigen Seite, scheinet das alte Phaistos zu seyn.

(4) Castel Selino, lieget auch an der mittägigen Seite.

(5) Die weißen Berge, davon oben schon gehandelt worden. Sie sind so, wie die andern, einen großen Theil des Jahrs mit Schnee bedecket; und heißen auch Leuci.

(6) Carabusa, bey den Osmanen Gharabusa, eine kleine Insel, nahe an einer nördlichen Spitze des Landes, auf der eine Festung stehet, die der Commandant Aloysius 1691 den Osmanen verrieth.

2) Das Gebiet von Rettimo, Territorio di Rettimo, enthält:

(1) Rettimo, eine volkreiche Stadt mit einer Citadelle und einem Hafen, der aber mit Sand angefüllet ist, daher die Schiffe auf der Rhede ankern müssen. Ehemals hieß sie Rethymna, oder Rethymnia.

(2) Ca

(2) Caſtel Milopotamo, lieget auch an der nördlichen Seite am Meer.

(3) Arcadi, ein Kloſter, iſt an dem Ort, wo ehemals die Stadt Arcadia geſtanden hat.

(4) Caſtel Amari, liegt mitten im Lande.

(5) Pſiloriti, ehemals Ida, ein berühmter Berg, der oben beſchrieben worden.

3) **Das Gebiet von Candia, Territorio di Candia, darinn**

(1) Candia, von den Griechen to Kaſtro tis Kritis, genennet, die jetzige Hauptſtadt der Inſel, liegt an der Nordſeite derſelben, am Meer, auf einer Ebene am Fuß eines Berges, und wie es ſcheinet, an dem Ort, wo ehemals die Stadt Heraclea geſtanden hat, die einige nicht unwahrſcheinlich für einerley mit Matium halten. Von dieſer Stadt hat die ganze Inſel ihren gegenwärtigen Namen. Einige leiten ihre Benennung von Candidus, weiß, her, weil ſolches die Farbe ihres Bodens iſt; andere aber lehren, daß die Araber an dieſem Orte, wo ſie ſich verſchanzet hatten, eine Stadt gebauet, und dieſelbe in ihrer Sprache Chandax, d. i. eine Verſchanzung, genennet haben, welcher Name mit der Zeit in Candia verändert worden ſey. Die Stadt iſt in der langwierigen Einſchließung und Belagerung, die ſie von 1645 bis 1669 von den Osmanen erfahren hat, faſt ganz verwüſtet worden, und daher jetzt nur der Schatten einer großen Stadt. Der Hafen iſt verſtopfet, und nur für Böte brauchbar. Der griechiſche Erzbiſchof hat hieſelbſt ſeinen Sitz.

(2) Das ſogenannte Labyrinth, gehet unter einem kleinen Berge am Fuße des Bergs Pſiloriti oder Ida, mit tauſend verworrenen Wendungen, ohne die geringſte Ordnung, fort, und ſcheinet eine natürliche, aber größer gemachte unterirdiſche Höhle zu ſeyn. Der Eingang iſt eine natürliche Oefnung, die 7 bis 8 Schritte breit, aber ſo niedrig iſt, daß man ſich an einigen Orten bücken muß, wenn man hineingehen will. Der untere Boden iſt ſehr rauh und uneben, der obere aber platt, und beſtehet aus

Uaa 2

Stein

Steinen, die horizontal über einander liegen. Der vornehmste Gang, in dem man sich nicht so leicht verirret, als in den übrigen Gängen, ist etwa 1200 Schritte lang, und gehet bis an das Ende des sogenannten Labyrinths, das sich in zwey schönen großen Gemächern endet. Der gefährlichste Ort des großen Ganges ist ungefähr 30 Schritte von der Mündung desselben. Wenn einer auf einen andern Weg geräth, so verirret er sich sogleich unter den vielen Krümmungen, aus denen er sich schwerlich wieder heraus finden kann; daher sich die Reisenden allemal mit Wegweisern und Fackeln versehen. Es ist gar nicht wahrscheinlich, daß diese Höhle ein Steinbruch gewesen sey. Sie ist ganz trocken. Daß sie das berühmte cretische Labyrinth der Alten sey, ist nicht ausgemacht, und wird von vielen für unwahrscheinlich gehalten.

(3) Im Anfange der Ebene Messaria, die die fruchtbarste auf der ganzen Insel ist, an einem kleinen Fluß, die der Alten Lethe seyn muß, siehet man die prächtigen Trümmer der ehemaligen ansehnlichen Stadt Gortyna, oder Görtyn.

(4) Castel Nuovo, Castel Bonifacio, Tement, Castel Mirabello, sind feste Schlösser.

(5) Spina longa, bey den Osmanen, Ispina lunka, eine Citadelle und Hafen.

4) Das settische Gebiet, Territorio di Settia, darinn

(1) Gierapietra, ein Dorf, an dem Orte, wo ehemals der feste Platz Hierapytna, gelegen hat.

(2) Settia, eine feste Stadt an einem davon benannten Meerbusen.

2. Gozo, ehemals Gaudos und Claudon, liegt gegen Mittag von Candia.

3. Gaiduronisia, ist auch an der mittägigen Seite von Candia.

4. Christiana, ehemals Letoa, in eben dieser Gegend.

5. Stan

5. **Standia**, bey den Osmanen **Istandia**, ehedeffen Dia, liegt an der nordlichen Seite von Candia, und ist mehr ein Fels, als eine Insel. Der jetzige Name ist aus εις την Διαν entstanden.

6. **Scarpantho**, ehedeffen Carpathus, hat 100 Feldweges in die Länge, und 200 im Umfange.

7. **Stampalia**, vormals Astypalaea, hatte ehemals eine Stadt und einen berühmten Tempel des Apollo, jetzt ist sie ein Dorf. Auf der Nordseite ist auch ein guter Hafen.

8. **Naniphio** oder **Nanphio**, ist bergig, und hat weder Pflanzen noch Kräuter, aber gute Quellen, viel Wachs und Honig, und eine Menge Rebhühner. Die Einwohner sind insgesammt Griechen.

9. **Santorin**, das ist, Sant Erini, weil sie die heilige Irene zur Schutzheiliginn hat; hieß ehedeffen Calista, und nachmals Thera. Sie hat einen fruchtbaren Boden, bringet Gerste, Wein, der die Farbe des Rheinweins hat, stark und geistig ist, und Baumwolle, die auf einem Sträuche, der unserm Johannesbeerstrauche ähnlich ist, und nicht, wie auf den andern Inseln, alle Jahre wieder gepflanzet wird, im Ueberfluffe, wie auch einigen Weitzen, hervor. Die Einwohner, deren Anzahl auf 10000 geschätzet wird, sind insgesammt Griechen, ein dritter Theil von ihnen aber hat sich dem Pabst und einem lateinischen Bischofe unterworfen. Ehemals waren sieben ansehnliche Städte auf dieser Insel, jetzt aber sind folgende fünf auf derselben

(1) **Apanormia**, bey welcher ein räumlicher Hafen in Gestalt eines halben Mondes ist: weil er aber uner-

Aa a 3 grün-

gründlich iſt, können die Schiffe darinn nicht vor Anker
liegen.

(2) Scaro, oder Castro, bey welcher ein Castel
auf einem unzugänglichen Felſen liegt.

(3) Pyrgos, liegt auf einem Berge; und die Leute
wohnen in Höhlen, die aus Bimöſtein-Felſen gehauen ſind.

(4) Emperio, oder Nebrio.

(5) Acroteri.

Dieſe Inſel iſt in der Naturgeſchichte ſehr berühmt. Sie ſcheinet nichts anders als ein mit einer
fruchtbaren Erdrinde bedeckter Bimsſtein zu ſeyn, und
iſt nach der Alten Bericht unter einem heftigen Erdbeben aus dem Meere als ein feuerſpeyender Berg herauf
geſtiegen. Plinius B. 2 Kap. 87 ſaget, daß dieſes
im vierten Jahr der 135ſten Olympiade (alſo ungefähr
237 Jahre vor Chriſti Geburt,) geſchehen ſey. Das
kann aber mit Pauſanius Nachricht B. 3 Kap. 1 nicht
beſtehen, nach welcher Theras (wenigſtens 1000 Jahre
vor C. G.) eine Colonie nach der Inſel Calliſte, gebracht, und ihr ſeinen Namen beygeleget hat. Dem
ſey wie ihm wolle, ſo ſind auf gleiche Weiſe noch vier
andere Inſeln nahe bey Santorin aus dem Meere,
das hier ſo tief iſt, daß man es mit keinem Bley-
wurf ergründen kann, entſtanden. Die erſte, die
in dem Hafen bey Apanormia liegt, und ehemals
Hiera oder Automate genennet worden, jetzt aber
Megali Cammeni, das iſt, die große verbrannte
Inſel, heißet, ſtieg 196 Jahr vor der Geburt Chriſti, nach einem Erdbeben, aus dem Meer herauf, und
im Anfange des achten Jahrhunderts zeigte ſich unter einem entſetzlichen Krachen und Erſchüttern der
benachbarten Inſeln, plötzlich eine neue Inſel auf der
Ober-

Oberfläche des Meers, die sich an die Insel Hiera fest-
setzte, und ihre Größe ansehnlich vermehrte; auch
wurde zu gleicher Zeit eine ungemeine Menge von
Bimsstein ausgeworfen, und weit und breit zerstreuet.
Die zweyte Insel, die ein wenig außer dem Hafen
lieget, und ehemals Therasia hieß, nunmehr aber
von der weißen Farbe ihrer Erde Aspronisi genennet
wird, erhob sich im ersten Jahrhundert nach Christi
Geburt aus dem Meer. 1573 brach ein gewaltiges
Feuer aus dem Meer hervor, und bald darauf zeigte
sich eine neue Insel, die Micri Cammèni, d. i.
die kleine verbrannte Insel, genennet wird. 1707
und 1708 entstand zwischen dieser Insel und der grossen Cammèni, die vierte Insel, die als ein feuerspeyen-
der Berg unter fürchterlichen Erschütterungen, ent-
setzlichem Krachen, und stinkendem Dampfe sich aus
dem Meer erhob, und nach und nach durch neue Felsen vergrößert wurde.

10. Cerigo, ehedessen Cythera und Porphyris,
zwischen Candia u. Morea, dem letzten am nächsten, und
ist ein bergigtes, feisichtes Land, das nicht mehr Korn,
Wein und Oel hervorbringet, als die Einwohner gebrauchen, deren 3 bis 4000 seyn mögen. Mit Federvieh und Schafen sind sie versehen. Die Stadt
gleiches Namens, liegt an der südlichen Seite der
Insel, auf einem Felsen, der sich in das Meer erstrecket, und gegen denselben über ist eine große Klippe im Meer, die wegen ihrer eyförmigen Gestalt,
Ovo, genennet wird, und auf der sowohl als auf
den Bergen der Insel, sich Falken aufhalten. Die
Stadt mag etwa 500 Einwohner haben, ist der Sitz
des Proveditor, den die Republik Venedig zur Re-

Aaa 4　　　　gie-

gierung der Insel hieher schicket, und eines griechischen Bischofs. Die beste Rhede bey der Insel ist
la Cale Saint Nicolas, auf der Ostseite der Insel. Weil die Insel beym Eingang des mittelländischen Meers liegt, so wird sie jährlich von einigen
Schiffen besuchet. Sie ist der Republik Venedig von
ihren ehemaligen Besitzungen in dieser Gegend allein
übrig geblieben, und sie pfleget ihre Staatsgefangene hieher zu schicken. Vor Alters war sie der Venus auf eine besondere Weise geheiliget. In der Gegend, woselbst sich auch ein paar Brunnen oder vielmehr Wasserbehältnisse befinden, hat die ehemalige
Stadt Melanas gestanden.

Die Inseln in dem ehemals sogenannten jonischen Meer.

Dahin gehören

1 Die Inseln Sapienze, ehemals Aenusae,
liegen gegen Modon in Morea über. Sie sind in
der alten Geschichte eines Sieges wegen berühmt,
den die Athener in ihrer Gegend über die Lacedämonier erhalten haben. Ihrer sind 4.

1) Sapienze, von einigen Schriftstellern Sphagia, von
andern Sphacteria, die größte unter allen. Auf derselben ist
ein kleines Dorf, und ein altes verfallenes Schloß.

2) Verre, ist klein und beynahe eyförmig.

3) Cabre, ist ungefähr so groß wie Sapienze, und
hat auf der Südseite einen Ort zum ankern.

4) Die Insel Venetico, der gegen Süden die Klippen les Fournigues sind, die unter dem Wasser liegen.

Zwischen denselben und dem festen Lande, können Schiffe vor Anker gehen und sicher liegen.

2 Stri-

2 Strivali, ehemals Plotae, d. i. die schwimmenden Inseln, hernach Strophades, von ihrer vorgegebenen Herumdrehung oder Wendung, und von den Schiffern Stanfanes, die ihr Kloster zu einem festen Platz gemachet haben. Es wächset auf diesen kleinen Inseln guter Wein, sie haben auch viel Rosinen und Früchte. Auf der Nordseite der grösten Insel, ist ein Hafen, für kleine Fahrzeuge.

IV. Die Statthalterschaft des Capudan Pascha,

oder

des osmanschen Admirals.

Sie begreifet in Europa
I. Die Sandschakschaft Galipoli.

Der thracische Chersonesus, ist eine Halbinsel, die gegen Mittag vom Archipelagus, gegen Abend von dem Meerbusen, in welchen der kleine Fluß Melas fällt, und gegen Morgen von der Meerenge, die bey den Alten Hellespont hieß, eingeschlossen wird. Gegen Mitternacht hänget sie durch einen Strich Landes, dessen Breite die Alten ungefähr auf 37 Feldweges schätzten, mit dem festen Lande zusammen. In alten Zeiten waren eilf Städte auf derselben; heutiges Tags aber sind folgende Oerter darauf anzumerken:

1) Gallipoli, auf türkisch Keliboli, Galiboli, ehemals Callipolis, eine wohlbewohnt Stadt, mit einem ge-

rä-

räumigen Hafen, an der berühmten Meerenge, die
Europa und Asien scheidet; und vor Alters der Hellespont
hieß, auch von dieser Stadt benennet wird. Sie ist die
erste europäische Stadt, deren sich die Osmanen bemächtiget haben.

In der Meerenge, stehet auf einem Felsen ein Thurm,
der eigentlich aus einem zweyfachen von ungleicher Größe
zusammengesetzten viereckigten Thurm bestehet, auf dem
die Osmanen einiges leichtes Geschütze haben. Er dienet
den Seefahrenden zum Wegweiser, nach dem sie sich richten, den Osmanen aber zum Wachtthurme. In der
Mitte des Felsens ist eine süße Quelle.

Die Meerenge zwischen Europa und Asien, die die
alten Griechen den Hellespont nannten, wird von den
Osmanen Bogaz, das ist, Canal oder Meerenge genannt,
und die Griechen geben ihr den Namen *to Bogazi tis Polis*, die Meerenge von Constantinopel, ob sie gleich weit
von Constantinopel entfernet ist. Dem Bosporus, geben
die jetzigen Griechen den Namen *to Bogazi tis mauris
Thessalas*, das ist, Meerenge des schwarzen Meers.
Den Griechen und Osmanen, ist der Name Dardanellen,
den die Europäer nicht nur von den festen Schlössern an
der Meerenge, sondern auch von der Meerenge selbst gebrauchen, unbekannt. Die Griechen sagen, *ta kastra tis
Polis*, die Castele der Stadt, nämlich Constantinopels.
Unweit der schmalsten Gegend des Kanals, die nur 750
Klafter breit seyn soll, und über die Xerxes vermutlich
seine Brücke geschlagen hat, hat vormals das Schloß Se-
sto oder Sestos, gegen Abydus über gelegen.

Weiter gegen Süden, ist das europäische alte Dardanellen-Schloß, dem asiatischen gegen über; zwischen
welchen der Strom im Canal am stärksten ist; und unweit
der Mündung des Canals zum Archipelagus, ist das europäische neue Dardanellen-Schloß, dem asiatischen gegen über. Alle diese Schlösser sind in einem schlechten
Zustande.

2) Cardia, ein geringer Ort an dem Fluß Mela,
der unterhalb desselben, in den von ihm benannten Meerbusen

busen fällt. Plinius saget, daß er daher den Namen bekommen habe, weil er in Gestalt eines Herzens erbauet worden. In dem Meerbusen liegt auf einer Insel Panagia, ehedessen eine Kloster, nun ein fester Platz.

3) Cypsella, Cypsela, Chapsylar, ein geringer Ort, unweit der Maritz, der wegen eines alten Alaunbergwerks und einer Alaunsiederey, merkwürdig ist, davon Belon Kap. 61 eine ausführliche Beschreibung machet.

4) Trajanopel, eine geringe Stadt an der Maritz.

5) Demotica, Didymotychus, eine Stadt an der Maritz, in der sich der schwedische König Karl XII im Jahre 1713 eine Zeitlang aufhielt. Es ist hier ein griechischer Metropolit.

II. Die Inseln im Archipelagus,

welcher ehemals das ägäische Meer hieß: heutiges Tags aber von ἀρχος, vornehm, und πελαγος, das Meer, von den Osmanen Adalat Denghisi, das Meer der Inseln, und von den jetzigen Griechen Dodekanisa, das ist, die zwölf Inseln, genennet wird. Die Griechen verstehen unter den zwölf Inseln diejenigen, die ehemals unter der Herrschaft Venedigs gestanden, und theils von Morea, theils von Candia abgegangen haben, daher sie dieselben auch Franconisia, das ist, die fränkischen oder katholischen Inseln, nennen. Es trennet Europa von Asien, und benetzet gegen Mitternacht und Abend Romanien, Macedonien und Griechenland; gegen Morgen aber Natolien, oder klein Asien. Es ist mit großen und kleinen Inseln recht angefüllet, welche die alten Erdbeschreiber unter zwey allgemeinen Benennungen begreifen. Diejenigen, die rund um Delos einigermaßen einen Zirkel ausmachen, nenneten sie Cyclades, das ist, Zirkelinseln; diejenigen aber,

die

die von.Delos weiter entfernet, und auf dem Archipelagus zerſtreuet ſind, Sporades, d. i. zerſtreuete
Inſeln. Allen dieſen Inſeln iſt ein Begilerbegi
vorgeſetzet, doch hat Candia mit den benachbarten
Inſeln einen beſondern Begilerbegi. Hiernächſt iſt
auf jeder Inſel, nach dem Verhältniß ihrer Größe
und Wichtigkeit, entweder ein Paſcha, oder ein
Sandſchak, oder nur ein Cadi. Wir wollen die Abtheilung der Alten größtentheils beybehalten, aber um
mehrer Bequemlichkeit willen, diejenigen Inſeln, die
den europäiſchen Küſten am nächſten liegen, dahin
alle cycladiſche und einige ſporadiſche gehören,
bey Europa, und alſo hier; die andern aber, die
nach der aſiatiſchen Küſte zu liegen, und den größten
Theil der ſporadiſchen Inſeln ausmachen, im
fünften Theil der Erdbeſchreibung bey Natolien ab-
handeln.

1. Samodrachi, ehemals Samothrace, und
in noch ältern Zeiten Melites, Leucoſia und Leuca-
nia, von ihrer weißen Farbe, Saocis von einem ſehr
hohen Berge dieſes Namens, Electria, Dardania
von Dardanus, welche letzte die gewöhnlichſte vor-
malige Benennung war. Der Name Samothrace,
wird am füglichſten das Land der Thracier überſetzet, die es ehemals bewohnet haben; denn Same
bedeutet in der perſiſchen, alten thraciſchen, litauiſchen, finniſchen und andern verwandten Sprachen,
Erde oder Land. Sie liegt nicht weit von der ro-
maniſchen Küſte, und war vor Alters in Anſehung
ihres Gottesdienſtes berühmt, der daſelbſt den Göt-
tern Namens Cabiri, geleiſtet wurde, die man ſo
hoch achtete, daß es für eine unehrerbiethige Handlung

lung angesehen wurde, ihre Namen auch nur auszu-
sprechen. Die Stadt Samodrachi liegt auf einem hohen Berge, von dem sie einen geräumigen Hafen übersehen kann.

2. Embro, Jmbro, vor Alters Imbros, ist
eine bergigte Insel, mit Wald bewachsen, darinn
sich wilde Thiere und Wildpret aufhalten, und hat
vier Dörfer, darunter eines eben so, wie die Insel,
heißet, und durch ein Castel beschützet wird. Ehemals hatte sie eine Stadt gleiches Namens, und war
den Cabiren (s. Num. 1.) und dem Mercur heilig.

3. Thassus, Thasos, liegt vorn im Golfo
de Contessa, ist vor Alters auch Aëria oder Aethria
genennet worden; und ihrer reichen Goldgruben, ungemeinen Fruchtbarkeit, die zum Sprichwort geworden, guten Weins und Marmors wegen, berühmt
gewesen. Wein und Marmor liefert sie noch. Der
Ort gleiches Namens, liegt auf der Nordseite der
Insel.

4. Lemno, (λημνο) vor Alters Lemnos, bey
den Schiffern Stalimene, weil sie gehöret, daß
ein Grieche gesaget, er wolle εἰς τὴν λημνό, is tin
Limno. Sie ist voller Berge und Thäler, die an einigen Orten wohl gebauet werden, und allerley Arten von Früchten hervorbringen. Der gegen Morgen
gelegene Theil der Insel, ist dürre und unfruchtbar,
hingegen an den westlichen und südlichen Küsten ist
das Land sehr fruchtbar, weil es an Quellen einen
größern Ueberfluß hat. Sie hat zwey hohe Berge,
deren einer, welchen die Alten Meschila nennen,
Flammen ausgeworfen, und Gelegenheit gegeben,
daß man die Insel in alten Zeiten Aethalien gessen
ne

net hat. Ehemals war ſie dem Vulcan gewidmet, den die Einwohner als ihren Schußgott verehreten. Sie iſt jederzeit wegen einer gewiſſen Art Thon-Erde berühmt geweſen, die von dem Orte Terra lemnia, und von dem Siegel oder Zeichen, das darauf gedruckt wird, Terra ſigillata, heißet. Man hielt dieſelbe ehedeſſen für ein vortrefliches Arzeneymittel wider Gift, Schlangenbiſſe, Wunden und Blutflüſſe. Sie iſt von Alters her mit vielen gottesdienſtlichen Gebräuchen ausgegraben worden, die jetzt, vermuthlich durch Einführung der Venetianer, darinn beſtehen, daß nur allein am ſechſten Auguſt die vornehmſten osmanſchen und chriſtlichen Männer der Inſel, ſich bey einer Kapelle, Namens Sotira, die auf dem halben Wege zwiſchen dem Dorfe Cochino und dem Berge, wo die Erde zu finden iſt, ſtehet, verſammeln, und zur Spiße des Bergs im feyerlichen Aufzuge gehen. Daſelbſt leſen die griechiſchen Prieſter ihre Liturgie, nach deren Endigung gewiſſe dazu beſtellte Leute zu graben anfangen, und wenn ſie eine Ader von der geſuchten Erde entdecken, den Prieſtern Nachricht davon geben, die kleine Haarſäcke mit derſelben anfüllen, und ſie dem osmanſchen Statthalter, und andern gegenwärtigen Befehlshabern, überliefern. Wenn ſie, ſo viel ihnen gut deucht, herausgenommen haben, füllen ſie den Ort wieder zu, und kehren im Aufzuge zurück. Einige von den Säcken werden dem osmanſchen Sultan geſchicket, und die übrigen mit ſeinem Siegel, oder mit den zwey Worten, Tin imachton, das iſt, verſiegelte Erde, bezeichnet, und von dem Sandſchak, oder ſeinen Abgeordneten, an die Einwohner und auswärtigen

Kauf-

Kaufleute verhandelt. Der Sandschak muß der Schatzkammer des Großsultans, das aus dem jährlichen Vorrathe gelösete Geld berechnen, und die Einwohner werden am Leben gestrafet, wenn sie diese Erde ohne des Sandschaks Vorwissen und Erlaubniß, in ihren Häusern behalten, ausführen oder auf einige Weise damit handeln. Ehemals war ein berühmtes Labyrinth auf dieser Insel, welches prächtige Gebäude von 40 außerordentlichen dicken und hohen Säulen getragen wurde. Die beyden vornehmsten Oerter und ehemaligen Städte auf dieser Insel, sind Cochino, ehedessen Hephestias, und Lemno, oder Stalimene, ehedessen Myrina. Das feste Schloß am letzten Ort, ergab sich 1770 durch Capitulation an die Russen, ward aber vor seiner Ueberlieferung von den Osmanen entsetzet. Es wohnet hier ein griechischer Metropolit.

5. Pelagnisi oder Pelagisi, ehedessen Halonesus, ist eine ganz kleine Insel.

6. Sciatho, Sciatta, ehedessen Sciathus, ist der Seeräuber wegen unbewohnet, hat aber ehemals zwey Städte gehabt. Nahe dabey lieget die Insel Scopelos.

7. Piperi, ehemals Peparethus, die andere Opula, Lemene, Seraquino nennen, war ehemals ihrer vortreflichen Oliven wegen berühmt, ihr Wein aber wurde erst nach sechs Jahren schmackhaft und angenehm.

8. Jcus, eine sehr kleine Insel, die einige unter die Zirkelinseln rechnen, und nahe bey Negroponte, andere aber zwischen Sciatho und Sciro setzen,

hatte

hatte ehemals zwey Städte, daher sie auch Dopo-
lis genennet wurde.

9. Sciro, Skyro, ehemals Scyrus, ist voller Berge und Felsen, und daher rauh und unfruchtbar, welches auch der Name anzeiget. Der sonderbare scirische Stein, der, wenn er ganz gewesen,
geschwommen, wenn er aber zerbrochen gewesen, nie-
dergesunken, wird vom Plinius beschrieben. Es sind
hier auch Marmorgruben. Das Städtchen Sciro
ist der Sitz eines Bischofs, und auf der ganzen Insel sollen ungefähr 300 griechische Familien seyn.

10. Euripo, von den Griechen, von den unge-
lehrten Egripo, von den Osmanen Egriboß,
woraus der Name Negropont entstanden zu seyn
scheinet, den die abendländischen Christen, die diese
Insel zuerst besuchet, vermuthlich aus den ihnen un-
verständlichen griechischen Worten εἰς τὸν Εὐειπον,
nach Egripo, geschmiedet haben. In den ältesten
Zeiten hieß sie Chalcodotis oder Calcis, Macra oder
Macris, (die lange,) Ellopia, Abantis und Oche;
hernach Euboea; beym Abulfeda Dschesirät ori
Negrib. Strabo setzet ihre Länge auf 760 Sta-
dia, die größte Breite aber auf 150. Sie wird
vom festen Lande durch eine Meerenge, die
ehemals Euripus hieß, abgesondert, die der Hauptstadt gegen über so schmal ist, daß kaum ein Ruder-
schif hindurch kommen kann, daher sie auch durch
eine Brücke mit dem festen Lande zusammenhänget,
mit dem sie ehemals durch eine Erdenge verbunden
gewesen seyn soll. Der Euripus ist von Alters her
wegen der ordentlichen Unordnungen berühmet, die
er in seinen Bewegungen beobachtet. Der Jesuit
Babin

Babin hat beobachtet, daß er in den ersten acht Tagen des Monats, imgleichen vom vierzehnten bis zum zwanzigsten Tage, einschließungsweise, und in den drey letzten Tagen, in seiner Ebbe und Fluth regelmäßig, in den andern Tagen des Monats aber unregelmäßig sey, weil er innerhalb 24 oder 25 Stunden, zuweilen 11, 12, 13 und 14 mal Ebbe und Fluth habe. Diese Unregelmäßigkeit, nach deren Ursachen die Alten und Neuern vergebens geforschet haben, wurde unter den Griechen zum Sprichwort. Das ebene Land dieser Insel, ist ausnehmend fruchtbar, da es an Korn, Oel, Wein und allen Arten schmackhafter Früchte einen großen Ueberfluß hergiebet; es hat aber auch verschiedene hohe Berge, die einen großen Theil des Jahrs hindurch mit Schnee bedecket sind, unter welchen Ochc der höchste ist. Unter den Vorgebirgen sind insonderheit Capo d'oro, welches auch Capo Chimi und Capo Figera, genennet wird, ehemals aber Caphareus geheißen hat, und Capo Liter, ehedessen Cenaeum, zu merken. Vor Zeiten, da die Schiffahrt noch sehr unvollkommen war, wurde die Fahrt um das erste Vorgebirge, wegen der vielen Felsen und Wasserwirbel an dieser Küste, für sehr gefährlich gehalten. Ehemals hat die Insel viel wichtige Städte gehabt: jetzt aber sind nur folgende Oerter zu merken.

1) Egripos, die Hauptstadt der Insel, die ihren Namen allem Ansehen nach von dem Euripus hat, an dem sie lieget, und vermuthlich an dem Ort stehet, wo die alte Hauptstadt Chalcis gestanden hat. Der osmansche Admiral, der Statthalter dieser Insel und der anliegenden Theile von Griechenland ist, hat hier seinen Sitz, es lieget auch gemeiniglich eine Galeerenflotte in dem Hafen. Es wohnet hier auch ein griechischer Metropolit.

2) Caſtel roſſo, ehmals **Coryſtus** oder **Carÿſte**, am Fuß des Bergs Oche, iſt ein volkreicher Ort und Biſchoffs ſitz. Nicht weit davon aren vor Alters Marmorbrüche, man fand auch daſelbſt Amanth und Aſbeſt.

3) Oreo, ein klein Dorf, welches um deßwillen zu merken iſt, weil es as Angedenken der ehemaligen Stadt Oreos erhält.

11. Andro bey ten neuen, **Andros** bey den alten Griechen, iſt ne der fruchtbarſten und an muthigſten Inſeln im Archipelagus; denn ſie hat an Wein, Oel, Gerſte nd allen Arten ſchmackhafter Früchte einen Ueberflß, und wird von unzähligen Quellen gewäſſert; ihr röſter Reichthum aber beſtehet in Seide. Die Alten nennen ſie auch **Cauros**, La ſia, Nonagria, Epags, Antandros und Hydruſia. Es ſind 30 bis 40 Dörfer auf der Inſel, welche von 4 bis 5000 Menſchen ewohnet werden, die mehren theils Griechen ſind, uter welchen auch eine Colonie Albanier wohnet. Die Stadt Arna hat einen Ha fen, und iſt der Sitz ines Cadi und Aga, imglei chen eines lateiniſchen nd griechiſchen Biſchofs. In einiger Entfernung vc derſelben, findet man Trüm mer von einer großen ub ſtarken Mauer, Pfei len, Geſimſe und Fußgeſtelle von zerbrochenen ſäulen, und verſchiedne Aufſchriften, deren des Raths und Volks von Andros, und der ſter des Bacchus genken, woraus man ſchließt, daß daſelbſt die ehemlige wichtige Stadt Andros geſtanden habe.

12. Macroniſi, das iſt, die lange Inſel, hieß ehemals **Helena**, inteichen **Macris** und **Cranae**, ihres rauhen und felſigten Bodens wegen, iſt un fruchtbar und unbewohnet, weil ſie mit einem rieſen

Sande

Sande bedecket ist, und nur einen einzigen armseligen Brunnen hat, ist aber doch ehemals bewohnet gewesen, und enthält andere und schönere Pflanzen oder Kräuter, als man itzt auf dem Archipelagus findet.

13. Coluri, ehema Salamis, ungleichen Pityusa. Seinos und Creta, lieget im corinthischen Meerbusen, und wird durch die Meerenge Perenus von dem festen Lande geschieden. Sie hat viel Getreide, Harz, Kohlen, Schwämme, Eiche, mit welchen Waaren sie handelt. Ihre Einwohner, deren etwa tausend seyn mögen, legen sich stark auf den Fischfang. Das Städtchen Coluri, von ungefähr 900 Feuerstellen, hat einen großen, tiefen und sichern Hafen, und außerdem sind noch zwey Dörfer auf der Insel, davon das eine Namens Ambelacki, in der Gegend der ehemaligen Stadt Salamis stehet, wie die Ueberbleibsel derselben bezeugen. Diese Insel ist wegen des wichtigen Sieges berühmet, den die Griechen daselbst über die Perser erhalten.

14. Aegina, welche vor Alters auch Oenone und Myrmidonia geheißen hat, liegt auch im Meerbusen von Corinth oder Gala, der von ihr den Namen hat, weil sie durch Verstümmelung der Seeleute auch Engia genennet wird. Die alten Einwohner wurden wegen ihres großen Fleißes, den sie auf die Verbesserung des unfruchtbaren Bodens wendeten, Myrmidones, das ist, Ameisen, genennet. Nicht weit von der Stadt Aegina oder Engia, die der Sitz eines ehemaligen Bischofs gewesen ist, und die ein kleines Fort auf einem steilen Felsen beschützet, siehet man die Ueberbleibsel eines prächtigen Gebäudes,

Bbb 2 des,

2) Castel rosso, ehemals Carystus oder Caryste, am Fuß des Bergs Oche, ist ein volkreicher Ort und Bischofs= sitz. Nicht weit davon waren vor Alters Marmorbrüche, man fand auch daselbst Amianth und Asbest.

3) Oreo, ein kleines Dorf, welches um deswillen zu merken ist, weil es das Angedenken der ehemaligen Stadt Oreos erhält.

11. Andro bey den neuen, Andros bey den alten Griechen, ist eine der fruchtbarsten und an= muthigsten Inseln im Archipelagus; denn sie hat an Wein, Oel, Gerste und allen Arten schmackhafter Früchte einen Ueberfluß, und wird von unzähligen Quellen gewässert; ihr größter Reichthum aber bestehet in Seide. Die Alten nennen sie auch Cauros, La= sia, Nonagria, Epagris, Antandros und Hydrusia. Es sind 30 bis 40 Dörfer auf der Insel, welche von 4 bis 5000 Menschen bewohnet werden, die mehren= theils Griechen sind, unter welchen auch eine Colonie Albanier wohnet. Die Stadt Arna hat einen Ha= fen, und ist der Sitz eines Cadi und Aga, imglei= chen eines lateinischen und griechischen Bischofs. In einiger Entfernung von derselben, findet man Trüm= mer von einer großen und starken Mauer, viele Säu= len, Gesimse und Fußgestelle von zerbrochenen Bild= säulen, und verschiedene Aufschriften, deren einige des Raths und Volks von Andros, und der Prie= ster des Bacchus gedenken, woraus man schließt, daß daselbst die ehemalige wichtige Stadt Andros gestanden habe.

12. Macronisi, das ist, die lange Insel, hieß ehemals Helena, imgleichen Macris und Cranae, ihres rauhen und felsichten Bodens wegen, ist un= fruchtbar und unbewohnet, weil sie mit einem tiefen

Sande

Sande bedecket ist, und nur einen einzigen armseligen Brunnen hat, ist aber doch ehemals bewohnet
gewesen, und enthält größere und schönere Pflanzen
oder Kräuter, als man sonst auf dem Archipelagus
findet.

13. Coluri, ehemals Salamis, imgleichen Pi-
tyussa, Seiras und Cychria, lieget im corinthischen
Meerbusen, und wird durch die Meerenge Pereina
von dem festen Lande geschieden. Sie hat viel Getreide, Harz, Kohlen, Schwämme, Asche, mit
welchen Waaren sie handelt. Ihre Einwohner, deren etwa tausend seyn mögen, legen sich stark auf den
Fischfang. Das Städtchen Coluri, von ungefähr
200 Feuerstellen, hat einen großen, tiefen und sichern
Hafen, und außerdem sind noch zwey Dörfer auf der
Insel, davon das eine Namens Ambelachi, in
der Gegend der ehemaligen Stadt Salamis stehet,
wie die Ueberbleibsel derselben bezeugen. Diese Insel ist wegen des wichtigen Sieges berühmet, den die
Griechen daselbst über die Perser erhalten.

14. Aegina, welche vor Alters auch Oenone
und Myrmidonia, geheißen hat, liegt auch im Meerbusen von Corinth oder Engia, der von ihr den Namen hat, weil sie durch Verstümmelung der Seeleute
auch Engia genennet wird. Die alten Einwohner
wurden wegen ihres großen Fleißes, den sie auf die
Verbesserung des unfruchtbaren Bodens wendeten,
Myrmidones, das ist, Ameisen, genennet. Nicht
weit von der Stadt Aegina oder Engia, die der
Sitz eines ehemaligen Bischofs gewesen ist, und die
ein kleines Fort auf einem steilen Felsen beschützet,
siehet man die Ueberbleibsel eines prächtigen Gebäu-

Bbb 2 des,

des, das vermuthlich einer der beyden berühmten Tempel gewesen, die ehemals diese Insel zierten, und deren einer der Venus, der andere dem Jupiter gewidmet war. Die Insel wurde den Venetianern 1537
entrissen, 1654 aber von ihnen sehr verwüstet.

15. Poro, vor Alters Cálauria, liegt neben
Morea, und ist deswegen zu merken, weil Demosthe-
nes zweymal dahin ins Elend geschicket worden, und
gestorben ist. Der Porto Porto bestehet aus einem
großen und kleinen Hafen, der letzte ist in der Nähe
eines Dorfes, das auf einer Höhe, im südlichen Theil
der Insel, lieget.

16. Zea, Cia, ehemals Ceos, imgleichen Hy-
drussa, war ihrer Fruchtbarkeit, Weide und Feigen
wegen bey den Alten berühmet. Die Stadt oder der
Flecken Zea, davon die Insel den Namen hat, liegt
an einer Anhöhe, und hat in der Gegend der ehemaligen Stadt Carthaea gelegen, von welcher sowohl
als von der alten Stadt Iulius, die Trümmer noch
übrig sind. Die von der letzten, nehmen einen ganzen Berg ein, und werden von den Einwohnern Polis, das ist, die Stadt, genannt. Nahe bey diesem Orte sind die Trümmer eines prächtigen Tempels
zu sehen. Es ist ein griechischer Bischof auf dieser
Insel. Der Hafen liegt an der nordwestlichen Seite,
und kann die größten Schiffe einnehmen.

17. Joura, ehemals Gyátus, Gyara, oder
Gyarae, ist der verlassenste und unangenehmste Ort
auf dem ganzen Archipelagus. Die Römer pflegten die Missethäter in diese Insel zu verbannen.

18. Tine, ehemals Tenos, Hydrusa, Ophiusa,
ist sehr bergigt, bringet aber doch an vielen Orten
einen

einen großen Ueberfluß an vortrefflichen Früchten
hervor, und insonderheit auch viel Seide. Ihr
Wein war bey den Alten sehr beliebet. Außer der
Stadt, die durch ein Castel das auf einem Berge
lieget, vertheidiget wird, sind 30 bis 40 volkreiche
Dörfer auf dieser Insel. Es ist hier ein griechischer
Metropolit, und ein lateinischer Bischof. Ungefähr um
das Jahr 1710 setzten sich hier Jesuiten fest, erbauten nach und nach viele Kirchen, und brachten die
meisten Einwohner zu der römisch-katholischen Kirche:
allein im Anfange des 1760sten Jahres machten die
Griechen einen Aufstand, nahmen den Katholiken
alle Kirchen mit gewaffneter Hand ab, und vertrieben die Jesuiten von der ganzen Insel.

19. Mycone, bringet Korn, Wein, Feigen
und einige Oliven hervor, hat aber wenig Wasser
und Wald. Die Einwohner sind meistens griechische Christen, und haben Obrigkeiten von ihrer eigenen Religion: es kömmt aber alle Jahre ein osmanscher Befehlshaber, und sammlet den Tribut, den
sie der Pforte bezahlen; es besucht sie auch zuweilen
ein Cadi, und hält Gericht. Es sind über funfzig
griechische Kirchen, und verschiedene, aber schlecht
besetzte Mönchen- und Nonnen-Klöster auf der Insel, unter welchen das mitten auf derselben belegene
Nonnenkloster von Paleo Castro, das vornehmste
ist. Im ganzen Lande mögen ungefähr 500 seefah-
rende Leute seyn, darunter viele sich auf die Seeräuberey legen. Die Myconier werden kahlköpfig, wenn
sie 20 bis 25 Jahre alt sind. Die Weiber tragen
eine auf keiner andern griechischen Insel gewöhnliche
und uralte Kleidung, in welcher sie Soldaten ähn-

Bbb 3 lich

lich sehen, die im Felde stehen und streiten. Bey
der Stadt Mycone ist ein großer und kleiner Ha=
fen, der letzte aber ist für große Schiffe nicht be=
quem, und der erste nicht sicher genug vor Sturm=
winden. Die Stadt ist ein offener Ort, und hat
ungefähr 1000 Seelen.

20. Dilo bey den neuen, Delos bey den alten
Griechen, eine ehemals sehr berühmte Insel, jetzt
aber ein unbewohnter und verlassener Felsen, der
bloß den Seeräubern zur Zuflucht dienet. Die Grie=
chen nennen sie in der mehrern Zahl Dili, weil sie
unter diesem Namen die gleich zu beschreibende In=
sel Rhenää mit begreifen, und das Delos der Al=
ten klein Dilo, Rhenää aber groß Dilo nennen.
Weil Delos der vermeynte Geburtsort des Apollo
und der Diana war wurde es von allen Völkern,
sogar von den Persern sehr verehret. Das hie=
sige Orakel des Apollo, war eines der berühmte=
sten Orakel in der Welt. Man findet hier noch
den Stumpf der berühmten marmornen Bildsäule
des Apollo, und viele prächtige Trümmer des alten
berühmten Tempels, und der ehemaligen ansehnli=
chen Stadt Delos.

21. Das große Delo, ehemals Rhenaea, Rhe=
nia, oder Rhene, lieget nahe bey der vorhergehen=
den Insel, hat gute Weide, ist aber doch aus Furcht
vor den Seeräubern unbewohnet. Man findet hier
eine große Menge prächtiger Ruinen.

22. Zira, bey den neuen, Syra, Syros bey den
alten Griechen, ist bergigt, und träget viel Gerste, Wein,
Feigen, Baumwolle und Oliven, auch guten Wei=
zen.

zen. Die Luft iſt feucht und kühler als auf den umherliegenden Inſeln. - Die Einwohner ſind faſt alle römiſch-katholiſche Chriſten, bis auf wenig griechiſche Familien nach. Die Stadt Zira oder Syra iſt um einen kleinen jähen Berg gebauet. Zwiſchen derſelben und dem Haſen, findet man viele Trümmer prächtiger Gebäude der alten Stadt Syros. Bey der öſtlichen Küſte liegen drey kleine Inſeln, die Gadroniſi heißen.

23. Thermia, ehemals Cythnus, Ophiuſa, Dryopis, hat den jetzigen Namen von den vielen heißen Quellen, die man daſelbſt findet. Sie iſt nicht ſo bergigt, als einige andere Inſeln, und das Erdreich, wenn es wohl gebaut wird, träget ſehr viel Gerſte, Wein und Feigen; die Inſel hat auch viel Honig, Wachs und Rephüner, viel Seide, und ſo viel Baumwolle, als die Einwohner zu ihrem eigenen Gebrauche nöthig haben. Man rechnet ungefähr 6000 griechiſche Chriſten auf dieſer Inſel. In der Stadt Thermia haben ſie einen Biſchof, 15 bis 16 Kirchen, und verſchiedene Klöſter. Man findet auf der Inſel die Ruinen von zwey alten Städten, deren eine, die auf der mittägen Küſte gelegen hat, ungemein prächtig geweſen ſeyn muß.

24. Serphö, Serphanto, ehemals Seriphus, iſt mehr ein unfruchtbarer Felſen, als eine Inſel; daher auch die Römer große Miſſethäter dahin verwieſen. An Eiſen- und Magnet-Gruben hat ſie einen Ueberfluß, bringet auch viel Zwiebeln hervor. Die Einwohner ſind insgeſammt Griechen. Bey dem kleinen Ort auf derſelben, iſt ein Haſen.

Bbb 4   25. S.

25. Siphanto, Siphno, ehedessen Siphnus, Meropia und Acis, hat sehr gesunde Luft, gutes Wasser, und einen fruchtbaren Boden, der einen großen Ueberfluß an schmackhaften Früchten, und hinlänglich Getreide zum Unterhalt der Einwohner hervorbringet. An Federvieh, wilden Vögeln und anderm Wildpret, ist auch kein Mangel. Ehemals waren vier reiche Gold und Bley-Gruben, die ersten aber sind den Einwohnern ganz unbekannt geworden, und die letzten werden nicht bearbeitet. Die Anzahl der Einwohner wird auf 5000 Seelen geschätzet, di 5 bis 6 Dörfer bewohnen und mehrentheils Griechen sind: über 500 Kapellen, vier Mönchen und zwey Nonnen Klöster haben. Bey dem Dorf Siphanto, ist ein Hafen, und nicht weit davon sind 2 andere. Auf einem Felsen, neben dem Meer, lieget ein Castel. Es sind fünf sichre Hafen auf der Insel, nämlich, Faro, Vati, Chitriani, Chironisso und Calanca.

26. Kimoli, Argentiere, ehedessen Cimolis, ist voller Felsen und Berge und unfruchtbar. Sie soll Silbergruben haben. Die ganze Insel ist mit einer Art von Kreide bedecket, welche cimolische Erde genennet und zum Waschen und Weißmachen des Leinenzeuges gebraucht wird. Es ist nur ein einziges Dorf auf derselben, und bey diesem ein kleiner Hafen.

27. Milo, Melos, bestehet fast ganz aus einem hohlen, schwammichten und mit dem Meerwasser gleichsam durchweichten Felsen. Man verspühret hier ein beständiges unterirdisches Feuer; denn wenn man die Hand in die Löcher der Felsen stecket,

stecket, so empfindet man eine ziemliche Wärme, und es ist ein Ort auf der Insel, der beständig brennet, und um welchen die Felder wie ein Schornstein rauchen. Alaun und Schwefel sind hier häufig zu finden. In gewissen natürlichen Gewölben, wächset der Alaun in Gestalt platter Steine, die 9 bis 10 Zoll dick sind; es giebt auch Feder-Alaun, sublimirten und aufgelöseten Alaun, der tropfenweise herabrinnet. Der Schwefel wird an einem Orte vollkommen, lauter und gleichsam sublimiret gefunden, nämlich in eine Höhle, deren Grund mit beständig brennendem Schwefel angefüllet ist. Das Wasser taugt in den niedern Gründen nichts. Am Fuße eines Bergs zwischen der Stadt und dem Hafen, sind Bäder, und einige so heiße Quellen, daß man die Finger darin verbrennet. Es giebt auch einen purgirenden Brunnen. An Eisengruben ist ein Ueberfluß. Ungeachtet die Oberfläche der Insel bergigt und felsicht ist, so ist sie doch mit lustigen und fruchtbaren Ebenen untermischt, und das Erdreich sehr fruchtbar. Sie bringet allerley Getreide, die besten Früchte, insonderheit Weintrauben, Feigen und vortreffliche Melonen hervor, hat auch Honig, Fleisch, Federvieh, Wildpret und Fische, im Ueberflusse. Die Luft ist ungesund. Die Einwohner sind mehrentheils Griechen und wollüstige Leute, die an keine Gefahr, die ihnen ihr Wohnplatz drohet, gedenken. Es ist hier ein griechischer, und ein lateinischer Bischof. Die Stadt Milo enthält ungefähr 5000 Seelen, ist ziemlich gebaut, aber sehr unsauber und stinkend. Etwa eine halbe Meile davon ist ein vortrefflicher Hafen.

28. An-

28. Antiparo, bey den neuen, Antiparos, bey den alten Griechen, bey diesen auch Oliaros, hat an einigen Orten fruchtbares Erdreich, aber nur ein Dorf. Sie enthält nichts merkwürdiges, als eine bewundernswürdige Grotte, die ein Meisterstück der Natur ist. Es ist dieselbe ungefähr 40 Klafter hoch und 50 breit, und enthält eine Menge von weissen, durchsichtigen und krystallgleichen Figuren, die allerley Gewächsen ähnlich sehen, verschiedene Säulen und eine vortreffliche Pyramide, welches alles Tournefort für gewachsen hält. Der französische Gesandte am Hofe zu Konstantinopel, Carl Franz Olier de Nointel, ließ 1673 in derselben eine Messe lesen, und seine Besuchung dieser Grotte durch eine Inschrift in derselben verewigen.

29. Paro bey den neuen, Paros bey den alten Griechen, bey diesen auch Platea, Pactia, Minoa oder Minois, Demetrias, Zacynthus, Hyria, Hileassa und Cabarnis, bey den Osmanen Zaklisa, war vor Zeiten eine reiche und mächtige Insel. Sie hat Ueberfluß an Korn und Wein, viel Vieh und Wildpret, und wird von ungefähr 1500 Familien bewohnet. Sie war ehemals wegen ihres außerordentlich weissen Marmors berühmet, hatte auch sehr geschickte Bildhauer, die denselben bearbeiteten. Das schätzbare Denkmal des Alterthums, die sogenannte Chronik von Paros, bestehet in einem Marmor mit griechischer Aufschrift, der auf dieser Insel verfertiget worden, und den Thomas Howard, Graf zu Arundel, 1627 nach England bringen lassen, worauf er 1667 der Universität zu Oxford geschenket worden, daher er sowohl der arundeli-

belianische, als oxfordische Marmor genennet
wird. Die Aufschrift dieses Marmors ist die älteste
eigentliche Zeitrechnung, die 264 Jahre vor Christi
Geburt verfertiget worden, und enthält einen Zeitlauf
von mehr als 1300 Jahren. Die Stadt Parichia
stehet allem Ansehen nach auf den Trümmern der
alten Stadt Paros, weil man viel kostbare marmorne Ueberbleibsel derselben an den Mauern und
Häusern angebracht hat, und auf dem benachbarten
Lande manches alte Denkmal siehet. Die Pänagia
oder Madonia außerhalb der Stadt, ist die größte
und schönste Kirche auf dem Archipelagus. Auf der
Insel sind verschiedene ansehnliche Dörfer, und viele
griechische Kirchen und Kapellen. In dem Hafen von
S. Maria, kann eine ganze Flotte sicher vor Anker liegen, die Osmanen werfen aber gemeiniglich Anker im
Hafen von Drio, an der westlichen Seite der Insel.

30. Naxia, ehemals Naxos, imgleichen Stron-
gyle, Dia, Dionysias, Callipolis und Klein-Sici-
lien, welcher letzte Name ihr wegen ihrer ungemeinen Fruchtbarkeit, die der Fruchtbarkeit von Sicilien gleichet, gegeben worden; Dia, oder die gött-
liche, aber ist sie von der gottesdienstlichen Vereh-
rung des Jupiters (Ζευς, διος,) genennet worden.
Sie ist die fruchtbarste Insel auf dem Archipelagus.
Ihr Wein erhält seinen alten Ruhm noch bis auf
diesen Tag, außerdem aber hat sie an allerley Arten
schmackhafter Früchte einen Ueberfluß, da die Ebenen
mit Pomeranzen-Oel-Limonien-Cedern-Zitronen-
Granatäpfel-Maulbeer-und Feigen-Bäumen bedecket sind. Ehemals war sie eines Marmors wegen
berühmt, den die Griechen Ophites nenneten, weil
er

er, wie die Haut einer Schlange, grün und mit weissen Flecken gesprenkelt war. 　Nahe bey der westlichen Küste, findet man auf Bergen den besten Schmergel: daher das nahgelegene Vorgebirge von den Italienern Capo Smeriglio, oder das Schmergelvorge-
birge, genennet wird. Auf der ganzen Insel sind nicht
viel über 8000 Seelen. Die Lateiner und Griechen
sind einander nicht gewogen. 　Beyde Kirchen haben
einen Erzbischof. Das Volk erwählet hier seine Obrigkeit aus sich selbst, wie auf den meisten andern Inseln; sie werden aber zuweilen von einem Cadi besuchet, an den sie appelliren können. Außer 40 bis 50
Dörfern, ist nur eine Stadt auf dieser Insel, die an
der Süderseite lieget, und durch ein Castel beschützet
wird. Ungefähr einen Flintenschuß davon, siehet man
auf einem Felsen im Meer ein schönes Thor von Marmor; mitten in einem Haufen prächtiger Ruinen von
Marmor und Granitstein, die vermuthlich Ueberbleibsel vom Bachustempel sind.

　31. Amorgo, Amorgus, hat ziemlich fruchtbaren Boden und träget guten Wein. Die Stadt
ist an den Seiten eines Felsen gebauet, auf dem ein
Castel stehet. 　An der Seite des Meers, drey Meilen von der Stadt, stehet ein großes griechisches Kloster. 　Der beste Hafen ist auf dem südlichen Theil
der Insel.

　32. Nio, bringet kaum etwas anders hervor,
als Korn, hat einige bequeme Seehäfen, und die Einwohner werden für gute Steuermänner gehalten.

　33. Sikino, bringet den besten Weizen auf dem
Archipelagus hervor, und viel Feigen. Das Städtchen scheinet übers Meer herab zu hangen.

　　　　　　　　　　　　34. Po-

34. Policandro, iſt eine ſteinichte Inſel, die ihre Einwohner nur nothdürftig ernähret, doch treiben ſie einigen Handel mit Baumwolle. Das Städtchen enthält hundert griechiſche Familien.

II. Die unter dem Schutz des osmanſchen Reichs ſtehenden, auch demſelben zinsbaren Länder.

1. Das Fürſtenthum Walachey.

§. 1

Die erſte namhafte Charte von demſelben hat del Chiaro herausgegeben. Sie iſt unter des Fürſten Brancowan Regierung, ohne geometriſche und aſtronomiſche Kenntniß, vermuthlich nur aus Nachrichten der fürſtlichen Diſtrictsbeamten, verfertiget worden. Der Kupferſtecher C. M. Roth hat 1771 zu S. Petersburg eine große Charte geſtochen, die 4 Blätter ausmachet, die zuſammengeſetzet werden können; der Stich iſt deutlich, und das Papier ſtark und weiß. Sie giebet aber nur die nördliche und öſtliche Gränze des Landes an, hingegen die weſtliche und ſüdliche fehlet, ja es fehlet gegen Weſten ein großes Stück Landes. Die Charte iſt auch nicht graduirt. Kleiner aber beſſer iſt die Abbildung der Walachey, die auf folgender Charte vorkommt: Principatuum Moldauiae et Walachiae tabula generalis, ex autographis caſtrametatorum Ruſſicorum,

ad

ad normam obſeruationum aſtronomicarum hunc
in finem in illis regionibus habitarum, conſcripta
a *I. F. Schmidio*, 1 Bogen.   Am richtigſten und beſten iſt die Charte von der Walachey gerathen, die
ſich in des Hauptmanns Franz Joſeph Sulzer Geſchichte des transalpiniſchen Daciens B, 1. befindet.

§. 2. Die Walachey, von den Osmanen Eſflak
oder Iſlak genannt, iſt von Bulgarien, der Moldau, Siebenbürgen, Ungarn und Serwien umgeben.
Das Land beſtehet theils aus Ebenen, die ſich von
Nordoſten gegen Südweſten längſt der Donau, und
von dem Fluß Seret bis Orſawa erſtrecken, theils
aus Bergen, welche die übrigen Gegenden I Süden und Norden anfüllen.   Es giebt wenige Länder,
die ſo viel Flüſſe, Bäche, Seen und Quellen leben-
digen Waſſers haben, als die Walachey.   Die Seen
und Flüſſe wimmeln von wohlſchmeckenden Fiſchen,
und die Menge der Fiſche in der Donau, iſt unbe-
ſchreiblich groß, ſo, daß man ſie mit eigenen Augen
geſehen haben muß, um es recht zu glauben.   Im
May und Junius, wenn der Schnee auf dem Gebirge zerſchmelzet, gegen das Ende des Herbſtes, auch
wohl mitten im Sommer, wenn im Gebirge viel Regen fällt, treten die Flüſſe aus ihren Ufern.   Die
Flüſſe Alt, (Oltul, Olta), Seret, Jalowiza
und Ardſchiſch, ſind ſchifbar, aber nur für platte
Fahrzeuge.   Der Buſeo, die Dumbowiza,
die Wedea, und die Schiul, gehören auch zu den
größern Flüſſen.   Die Donau hat eine Tiefe von
18 bis 60 Schuhen, bis in die Gegend von Hirſowa,
und träget Schiffe aller Art.   Alle Flüſſe und Bäche
ergießen ſich, entweder unmittelbar oder mittelbar,

in

in die Donau, die bis zur Mündung der Olta, wenigstens eine gemeine halbe Meile breit ist. Sie machet viele Inseln, von welchen die meisten bewohnet, andere aber mit Wald und Wiesen von der besten Art geschmücket sind. Das fließende Wasser ist gemeiniglich gut zum Trinken, aber das Wasser in den Seen und Sümpfen ist oft mineralisch und salzig, daher es Durchfall, bösartige Fieber, und andere Krankheiten verursachet. Das Gebirge ist ein Theil des carpathischen, und hat Spitzen, die selten ohne Schnee sind. Es giebt wenige Wege über dasselbige, sie sind auch beschwerlich, daher sich daselbst eine kleine Anzahl Menschen gegen eine große Menge wehren kann; deswegen dienet auch das Gebirge den Einwohnern des Landes zum sichern Aufenthalt in gefährlichen Zeiten und Umständen. Im ganzen genommen, sind die Gebirge stärker bewohnet, als die Ebenen, ob sie gleich weniger fruchtbar sind. Der ebene Boden, der ungefähr die Hälfte der Landschaft ausmachet, ist überhaupt fruchtbar, von der großen Menge Flüsse und Bäche gewässert, und von sehr vielen angenehmen Thälern durchschnitten. Er trägt reichlich Früchte ohne viele Bearbeitung, als welche die Walachen niemals geliebet haben; sie bauen auch nur Weitzen, Hirse und etwas Gerste. Die Weide ist so gut und berühmt, so daß auch die Nachbaren jährlich viel tausend Pferde, Ochsen und Hammel hieher treiben, um dieselben zu mästen. An guten Weinen, hat man einen solchen Ueberfluß, daß in einem guten Jahr über 5 Millionen Eimer, jeder zu 10 Maaß (Oka) gerechnet, erzeuget wird. Die Obstbäume machen hin und wieder, insonderheit auf

dem

dem Gebirge, ganze Wälder aus, und die Wälder von andern Bäumen, insonderheit von vortreflichen Eichen, sind auch häufig, doch mehr auf den Bergen als auf dem ebenen Lande, wie denn einige Meilen auf beyden Seiten der Donau das Holz selten ist. An wilden und zahmen, starken und dauerhaften Pferden, an weißen Ochsen und schwarzen Büffeln, und beyder Kühen, an Schafen (wohl über $2\frac{1}{2}$ Millionen) von dreyerley Art, deren eine Art, die dem Lande eigen ist, und Zigey genennet wird, sehr kurze, aber feine Wolle, die zweyte, Namens Zarkan, sehr lange, zottigte und harte Wolle, und die dritte, die tatarisch ist, eine mittlere Wolle haben, an Ziegen und an Schweinen, ist ein großer Ueberfluß vorhanden. An eßbaren Wildpret hat man Hirsche, Rehe, Hasen, Gemsen und wilde Schweine. Die Bienenzucht ist hier nicht so groß, als in der Moldau. Die Berge, die eine Fortsetzung der ungarischen oder carpathischen sind, enthalten gewiß Gold, Silber und andere Metalle und Mineralien, es sind aber keine Bergwerke vorhanden, ausgenommen für Steinsalz, welches von eben der Art ist, wie das zu Bochnia und Wielitschka. Daß Gold vorhanden sey, bezeugen die Goldkörner in den Flüssen Motrul, Lotra, Alt, Ardschisch und Dumbowitza.

§. 3 Das Land ist schlecht bewohnet, und könnte fünf bis sechsmal mehr Einwohner haben, als es wegen des Drucks, unter dem es stehet, wirklich hat. Man giebt ihm nur ungefähr 300000 Menschen. Alle Walachen sind freye Leute, nur die Ziegeuner sind leibeigene. Die Walachen kleiden sich und leben nach Art der Osmanen, denen die meisten vor-

hennehmen Leute, wenn man die Religion ausnimmt, völlig ähnlich sind, sie reden auch die osmansche Sprache. Von Gelehrsamkeit weiß man hier weiter nichts, als daß einige entweder in Jtalien oder in Deutschland die Arzneywissenschaft studiren. Die Kirchenbücher werden entweder in Polen, oder in Siebenbürgen gedrucket. Die Walachen selbst legen sich nicht auf Handwerker und Künste; sondern einige der letzten werden von Armeniern und Juden, und jene von Zigeunern, getrieben. Die Wollenmanufactur, die zu Bukuresch gewesen, und von Deutschen angeleget und bearbeitet worden, ist wieder eingegangen. Der Handel könnte wichtig seyn, er ist es aber nicht, weil die Walachen nicht arbeitsam sind. Man führet vornehmlich aus insonderheit nach Constantinopel, Pferde, Ochsen, Hämmel, gesalzen Fleisch, Früchte, Wein, Honig, Butter, Wolle, Ochsenhäute, Holz und Salz.

§. 4 Die Walachey hat sowohl als die Moldau zu Dacien gehöret, das ist, zu dem Lande, das Nachkommen der alten Thracier unter dem Namen Geten und Dacier bewohnet, und unter ihren Fürsten Dromichätes, Börebistes, Kohson und Decebalus, große Thaten verrichtet haben, aber endlich unter die Herrschaft der Römer gekommen sind. Sie nahmen derselben Sprache und Sitten an, und als sie von Caracalla das römische Bürgerrecht erhalten hatten, nenneten sie sich auch Römer, jetzt Romunius. Kaiser Trajan schickte römische Colonien dahin, die das Land anbaueten, und ansehnliche Gebäude und Städte aufführten. Der Fürst Cantemir redet von einem Trajanschen Graben, der quer durch die Wallachey

2 Th. 8 A.   Ccc   von

von der Donau an bis zu dem Dorf Trajan am Pruth, ja über dem Dniester und bis an den Don, sich erstrecke, und Sulzer hat ihn in seiner Charte von der Walachey unter dem Namen Via Trajani, aufgenommen. Man hat aber weder eine deutliche Beschreibung, noch Gewißheit von dieser Reihe von Schanzen, Wällen, Landwehren, Linien und Graben, die schon bey Ofen in Ungarn anfangen soll, und von andern den Awaren zugeschrieben wird. Trajans Nachfolger auf dem kaiserlichen Thron, insonderheit Aurelian, versetzten die römischen Colonisten größtentheils nach Mösien und Thracien, da sie sich denn mit den dasigen Einwohnern vermischten. Diese an der Donau belegene Reiche, kamen hernach unter die morgenländischen Kaiser. In der folgenden Zeit zogen sich die Wlachen wieder nach Norden, an die podolische und russische Gränze, und legten sich daselbst auf Ackerbau und Viehzucht. Die byzantischen Geschichtschreiber sind in Ansehung der Wlachen, die sich Blachen nennen, nicht einerley Meynung. Joh. Cinnamus machet sie zu einer Colonie der Römer, Nicephorus Gregoras unterscheidet sie von den Bulgaren, Nicetas Choniates hält sie für Abkömmlinge der Bulgaren, und Anna Comnena saget, daß die Bulgaren gemeiniglich Blachen genennet würden. Gemeiniglich werden die Namen Bulgaren und Blachen den Einwohnern Mösiens oder Mysiens, oder der Gegenden zwischen dem Gebirge Haemus und dem Isterstrom, ohne Unterscheid beygeleget. Noch genauer davon zu reden, so heißen bey den Byzantinern, die Bulgaren bey ihrer Ankunft, und zur Zeit ihrer größten Macht, Bulgaren und Hunnen.

nen. Von der Zeit des Alexius Comnenus an, kommen sie unter dem Namen der Blachen vor, der doch mit dem Namen Bulgaren abwechselt. In den spätern Zeiten werden sie Möser oder Myser genennet. Endlich, nachdem sie von den Osmanen aus dem Lande auf der Südseite der Donau großentheils vertrieben worden, erscheinen sie auf der Nordseite unter den Namen Flachen und Dacier. Es geschiehet auch eines aus Blachen und Ungarn vermischten Volks Erwähnung, das Pannodacier und Ungroblachen, genannt wird. Chalkokondylas theilet das Land der Blachen auf der Nordseite der Donau in zwey Fürstenthümer, nämlich in Schwarz-Bogdanien, (beym Codinus Mauroroblachia,) welche die Moldau ist, und in Istriam regionem, welche die Walachey ist, saget aber ausdrücklich, daß diese Blachen mit den auf der Südseite der Donau wohnenden Bulgaren einerley Volk seyn, welches die Aehnlichkeit der Sprache und Sitten beyder Völker beweise. Er saget aber auch an einem andern Ort, daß ihre Sprache und Lebensart der italienischen gleich komme. Es kömmt auch in den Byzantinern, namentlich im Pachymore, ein herumziehendes, dem Hirtenleben ergebenes Volk unter dem Namen Blachen vor. Alles dieses erkläret zwar den Namen Blach oder Wläch nicht, beweiset aber doch, daß die Wlachen zu den Bulgaren gehöret haben. Noch heutiges Tags werden in Siebenbürgen die Wlachen auch Bulgaren genennet. Die Sprache der Wlachen und Moldauer ist jetzt ein Mischmasch, der aus der alten dacischen, römischen, italienischen und slawonischen Sprache entstanden.

Ccc 2   Alte

Alte dacische Wörter sind, Stezar eine Eiche,
Padure ein Wald, Halestek ein Landsee, Catare
ein Fußsteig, graesk ich spreche, privaesk, ich sehe an, nemeresk ich komme wohin. Die Wörter,
die der italienischen Sprache näher, als der römischen
kommen, können von dem Verkehr herrühren, das
die Wlachen und Moldauer mit den Genuesern gehabt, als diese auf dem schwarzen Meer herrschten.
Die Aussprache der Wlachen und Moldauer ist etwas
verschieden, es haben auch die Wlachen einige Wörter, die die Moldauer nicht kennen, sie lassen aber
dieselben in Schriften weg. Als die Bulgaren und
ihre Nachbaren die christliche Religion annahmen,
geschahe solches im neunten Jahrhundert auch von den
Wlachen, und sie bekannten sich zur morgenländischen
Kirche. Mit den Russen kommen sie in allen Kir-
chengebräuchen überein, so wie sie auch mit denselben
einerley Buchstaben im schreiben gemein haben. Ungefähr im Anfange des zwölften Jahrhunderts verließ
eine starke Colonie Wlachen, unter Anführung eines
Nigers oder Negrouot, um der Viehweide, Religion und anderer Ursachen willen, das Burzeland
und andere siebenbürgische Gegenden, gieng über die
Gebirge, die Burzeland gegen Mittag umgeben,
ließ sich in der jetzigen Walachey nieder und legte die
Städte Tergovisto, Bukurescht, Langenau und Pite-
sto S. Georgi an. Sie erwählten sich einen Fürsten, den sie einen Woiwoden oder Despoten nenneten. Als die ungarischen Könige mächtig wurden,
erfuhr die Walachey manchen Angrif, insonderheit
im vierzehnten Jahrhundert, da sie von denselben
zinsbar gemachet, aber 1391 und 94 von den Osmanen

en sehr mitgenommen wurde. 1415 verwüsteten die Osmanen das Land durch Feuer und Schwerdt, und nöthigten den Woiwoden Dan zum jährlichen Tribut. Die Wlachen konnten sich der osmanschen Bothmäßigkeit nicht eher entziehen, als 1688, da sie sich in den Schutz des römischen Kaisers begaben; allein im carlowitzischen Frieden kamen sie wieder unter osmansche Hoheit. Im Anfange des gegenwärtigen Jahrhunderts, erfuhren sie, außer der Pest, den schädlichen Krieg, und mancherley Abwechselungen in Ansehung ihrer Fürsten. Im passarowitzischen Frieden von 1718, wurde dem römischen Kaiser das westliche Stück der Walachey bis an den Fluß Aluta abgetreten, es gieng aber 1729 wieder verloren. 1769 nahmen die Russen diese Provinz ein, gaben sie aber im Frieden von 1774 zurück.

§. 5 Die Sultanen haben die Regierungsform ganz verändert. Sie setzen den Fürsten, und dieser muß sich alle Jahr durch einen Firman des Sultans aufs neue bestätigen lassen. Seit 1739, da der Fürst Constantin Maurocordato regierte, (der seinem Vaterlande sehr schädlich gewesen,) ist die Vermehrung der landesherrlichen Einkünfte, die Hauptabsicht der Regierung gewesen, und daraus kann man schließen, wie es im Lande zugehe. 1753 betrugen die fürstlichen Einkünfte 2,546,828 Löwen, und sie hätten unter gewissen Umständen 2,670,835 Löwen betragen können. 1766 machten sie nur 1,808,920 Löwen, 1767 aber 2021182 Löwen, 1777 aber 2,755,000 Löwen aus. Der Tribut oder Harradsch, der dem Hofe zu Constantinopel bezahlet wird, ist 1739, als das Banat von Crajowa, und 1765, als einige In-

seln

seln in der Donau, die bis dahin von der Statthalterschaft Silistria abgehangen hatten, der Walachey
einverleibet wurden, vergrößert worden; und auf
3095 0 Löwen gestiegen; ein Löwe aber beträgt einen
Kaisergulden oder 60 Kreuzer. Dazu kommen noch
verschiedene Geschenke an den Sultan, an den We-
zir, und an die Minister. Das erste bestund 1761
in 500000, und das zweyte in 125000 Löwen. Ueberhaupt kann man rechnen, daß das Land den Osmanen
jährlich an 1,5 00000 Lews oder Löwen bezahlet. In
den richterlichen Urtheilen, richtet man sich jetzt nach
dem Herkommen. Es giebt hier einen Metropoliten
oder Erzbischof, und zwey Bischöfe, nämlich zu
Rimnik und Buséo. Diese Prälaten werden eben so,
wie die Aebte, von dem Fürsten ernennet. Der Metropolit stehet unter dem Patriarchen zu Constantinopel der in geistlichen Sachen der oberste Richter ist.

§. 6 Das wlachische Wapen, ist ein schwarzer
Adler, der mit beyden Füßen auf einem Hügel ste-
het, und im Munde ein aufgerichtetes Kreutz hält,
das auf der einen Seite die Sonne, auf der andern
aber den Mond hat. Die Bojaren machen den
Adel des Landes aus, und verwalten die vornehmsten
Aemter. Sie theilen sich in drey Klassen. Zu der
ersten Klasse gehören die zwölf großen Bojaren (Bo-
jarn mary) nämlich der Ban von Krawowa, der Wel-
(Groß) Wornik (Oberrichter) des Ober-Landes, der
Wel- (Groß-) Wornik des Unterlandes; der Groß-
Spatar, das ist, der Hetmann, oder General der
Truppen des Fürstenthums, der Groß-Logofet (Kanz-
ler), der Groß-Wisliar (Groß-Schatzmeister), der
Groß Postelnik (Lieutenant des Fürsten), der Groß-
Klu-

Klutziar (ehemals der Ober-Proviant-Commissarius der Truppen), der Groß-Paharnik (Ober-Mund-schenk), der Groß-Stolnik (Ober-Küchenmeister), und der Groß-Commisse (Ober-Stallmeister). Von der zweyten Klasse ist der Groß-Serdar (General-Wagenmeister der Truppen) der erste, und der Groß-Klutschiar d'Aria (ehemals Inspector der Heu-und Korn-Magazine), der letzte, und zu dieser Klasse gehören überhaupt zehn Bojaren. Die dritte Klasse der Bojaren, hat wieder zwey Abtheilungen, und versiehet die Untern-Aemter. Das höchste Landes-Collegium ist der Divan, der sich ordentlicher Weise in jeder Woche zweymal versammlet, und in dem die Bojaren der ersten und zweyten Klasse Sitz und Stimme haben.

§. 7 Die Staatseinkünfte bestehen vornehmlich in der Kopfsteuer (Czwert, Tschwert), und in dem Zehnten von dem Landbau und von der Viehzucht, der in Producten gegeben wird. 1766 betrugen sie 1808920," im folgendem Jahr aber 2021182 Löwen, also im letzten mehr als im ersten, jedoch nicht so viel als 1759, da sie 2546828 Löwen ausmach-ten. 1766 betrugen die Staats-Ausgaben 1718021 Löwen oder Reichsgulden. 1777 und 78 hob der Fürst 2,755000 Löwen.

§. 8 Die Walachey bestehet aus zwey Hauptthei-len, welche sind

I. Die eigentliche Walachey, dazu folgende Districte gehören, von denen die zwölf ersten Zinuten genennet werden.

A. Im

A. Im Unterlande (Zara de Schoff) sind:

1 Der District Slam Rimnik, in welchem

1) Fokschan, ein fürstlicher Marktflecken, an einem Arm des Flusses Milkow, der sie in zwey Theile abtheilet, von denen einer zu der Walachey, und der andere weit schönere zu der Moldau gehöret. Hier hat vermuthlich vor Alters die Stadt Triasum gestanden.

2) Rimnik, ein fürstlicher Marktflecken, am Fluß gleich s Namens, und an der grosen Landstraße, die von Fokschau nach Bukurescht führet.

Unweit Rimnik bey dem Dorf Antin, zeigen sich die Trümmer einer alten Stadt und Schanze: ob sie von der Stadt Zeugma sind? lasse ich dahin gestellet seyn.

2 Der District Buseo, der theils aus Bergen, theils aus Ebenen bestehet, und in welchem

Der fürstliche Flecken Buseo, in welchem ein Bischof wohnet, dessen Sitz Buffeul heißet.

An drey Orten sind Ueberbleibsel und Spuren von römischen Schanzen zu sehen.

3 Der District Sekuiäny, zu welchem außer den fürstl. Marktflecken Wosäny, lauter Dörfer gehören, und das Salzbergwerk Oka Slänikul. Unter den Dörfern ist Bukow oder Butkow, als der Sitz des Isbravnike zu bemerken.

4 Der District Präowa, in welchem

Ployest, ein fürstl Marktflecken am Fluß Dymbow, Tirgschoara, auch ein Marktflecken, bey dem der Fluß Wyen entspringet, und Kimpina, noch ein Marktflecken an der Präowa. Auch ist hier der Berg Butschetsch, bey den byzantinischen Geschichtschreibern, der Brassobische Berg, der für den höchsten in der Walachey und in Siebenbürgen gehalten wird. Der obere Theil desselben theilet sich in 2 Rücken, zwischen welchen ein tiefes Thal ist, und deren einer zu Siebenbürgen, der andere und höhere

ere aber zu der Walachey gehöret. Jenes Spitze zu ersteigen, hat man fünf Stunden nöthig.

5 Der District Jalomitza, in welchem

1) Urfitschán, der Hauptort dieses Gerichtsbezirkes, und der Sitz des Jsbravnik.

2) Slobosia, ein Marktflecken an der Jalomitza, über welche hier ein Uebergang vermittelst einer fliegenden Brücke ist.

3) Der große Marktflecken und Handelsort Oraschul, oder Oraschul de Flots. Das Wort Oraschul, bedeutet einen Marktflecken. Er liegt ohnweit der Mündung der Jalomitza, und gegen Hirsowa in Bulgarien über, und ist gegen die Mitte des 17 Jahrhunderts verwüstet worden.

6 Der District Jlfow, der halb zur untern, und halb zur obern Walachey gehöret. Es gehören dazu folgende Oerter.

1) Bukurescht, eine weitläuftig gebauete Stadt, die in siebenzig Quartiere abgetheilet, und der ordentliche Wohnsitz des Fürsten ist, es wohnet hier auch der Erzbischof der Walachey. Die Häuser der Bojaren sind zwar von Mäuersteinen erbauet, stehen aber nicht in Reihen, sondern zerstreuet, und die Straßen sind nicht gepflastert, sondern mit eichenen Bohlen beleget. Außer den walachischen Kirchen, findet man hier noch eine griechische, ein geringes Franciscanerkloster, eine evangelisch-lutherische Kirche, die unter dem Schutz des schwedischen Ministers zu Constantinopel stehet, und eine jüdische Synagoge.

2) Jergitza, der Sitz des Jsbravnik, ist ein geringer fürstlicher Marktflecken. Vor Alters war hier die Stadt Sornum, von der noch altes Mauerwerk zu sehen ist.

Bey dem Dorf Tschokaneschty, ist eine Fähre über die Donau; dergleichen sich auch zu Oltenitza, an der Mündung der Dambowitza findet.

B. Jm

B. Im Oberlande (Zara de Suss) sind

1 Der District Dúmbowitza, der einer der größten ist, und in welchem

Tirgowischte, eine Stadt an der Jalomitza, in der die Fürsten in der mittlern Zeit wohnten. Sie ist nach Bukurescht der ansehnlichste Ort in der Walachey, hat aber viele verfallene Häuser.

Ueber das Dorf Petroschitza, kann man auf 5 bequemen Fußsteigen nach Siebenbürgen kommen.

2 Der District Wlaschka, zu welchem lauter Dörfer gehören.

3 Der District Teleorman, der schlechteste in der Walachey, in welchem

1) Ruschy, ein fürstlicher Marktflecken am Fluß Wedea.

2) Simnitza, ein Marktflecken an der Donau.

4 Der District Mußtschiel, in welchem lauter Dörfer sind, und der ansehnliche Marktflecken Kimpu ungu, von den siebenbürgischen Sachsen Langenau genannt. Zwey Stunden seitwärts von Kimpu lungu, eine Straße nach Terzburg, wird die Dúmbowitza von zwey steilen Felsen eingeschränket, auf deren einen die Ueberbleibsel einer alten Festung zu sehen sind, die Tschetatie niagra, (die schwarze Festung,) oder Tschetatie niegrului woda, (die Festung des schwarzen Fürsten,) genennetwird.

Von Ruker, einem Dorf beym Zusammenfluß des Baches Ruker mit der Dúmbowitza, gehet ein Nebenweg nach Serniescht in Siebenbürgen, die Haupt- oder Jahr-Straße aber über einen sehr hohen Felsen, den die Deutschen Königsstein, die Wlachen aber Oratie nennen, und ist äuserst beschwerlich und
gefähr-

efährlich. Auf der Höhe stehet ein Wirthshaus zwischen zwey hohen Felsen, das Kumpana d. i. die Wage genennet wird, und alsdenn gehet die Straße meistens in Hohlwegen, über Walea Mujeri (das Weiberthal) nach dem kleinen Dorf Moetsch, das nur eine Viertelstunde von Terzburg in Siebenbürgen liegt. Man kann aber sowohl die gefährliche Wasserenge in der Dumbowiza, als den Paß bey Terzburg umgehen. Auch von dem großen Dorf Anenoaffa, gehet ein Fußsteig über Budescht, nach Siebenbürgen.

5 Der District Ardschisch, der von dem Marktflecken Ardschisch oder Kurtea (Hof) de Ardschisch, vor Alters Hydata, den Namen hat, außer welchem hier noch ein freyer fürstlicher Marktflecken Namens Pitescht ist. An dem Ort, wenigstens in der Gegend desselben, hat wahrscheinlicherweise die Stadt Argidava, (Ardschidava) gestanten.

Von den Dörfern Maresul und Kapozinäni, die auf dem Gebirge liegen, gehen Fußsteige nach Siebenbürgen.

6 Der District Oltul, der aus lauter Dörfern bestehet; den Marktflecken Slatina ausgenommen. Dieser stehet am Altfluß, und man hat hier über den Fluß, und durch die zwey Oefnungen in dem Berge, der dem Marktflecken entgegen stehet, eine herrliche Aussicht in die westliche Walachey. Bey Stäjenescht und Islas, gehen Fähren über die Alt, dergleichen auch bey Kreminar und Rimnik aus dem Ardschischer in den Wultscher District gehet.

7 An der Gränze von Siebenbürgen ist der kleine District Lowischta, auf beyden Seiten des Altflusses,

fluſſes, deſſen Name eine Fiſchgrube anzeiget, vermuthlich deswegen, weil die Alt hier ſehr fiſchreich
iſt. Er gehöret theils zur weſtlichen, theils zur öſtlichen Wallachey. Jener kleinere Theil des Diſtricts,
kam mit der weſtlichen Walachey durch den Paſſarowitzer Frieden von 1718 an das Haus Oeſtreich, und
Kaiſer Karl der ſechſte, ließ hier eine erſtaunliche Arbeit vornehmen, nemlich einen Weg durch die Felſen,
die hier die Walachey von Siebenbürgen trennen, ver-
anſtalten, die Alt von den Felſen und Steinen, über
die ſie in dieſer Gegend wegrauſcht, reinigen, und
für flache Fahrzeuge ſchifbar machen, und den von
dem römiſchen Kaiſer Trajan, angelegten Weg, der
bis zu der Fuhrt durch die Alt beym Türkenhügel,
(Deal Turtſchilor.) leitet, aber verfallen und verwach-
ſen war, wieder herſtellen. Um dieſes letzten Zwecks
willen, hat man bey Laproban, Cornet, Calineſcht,
bey dem Bach Lotra, bis Koſchia, wo das platte Land
angehet, Felſen ſprengen und Brücken anlegen laſſen.
Dieſe großen Werke brachte der General von Stain-
ville 1717 zu Stande, und legte zugleich oben bey der
Ueberfahrt zu Kinán, eine Schanze, und noch höher hinauf, nicht weit von dem Trajanſchen Thor,
woſelbſt die Römer ſchon eine Schanze gehabt, das
Schloß Strasburg, zur Verwahrung des daſigen
ganzen Weges, an. Eine lateiniſche Inſchrift an
dieſem Schloß giebt davon Nachricht.

Auf der öſtlichen Seite des Altfluſſes, oder in der
öſtlichen Wallachey, in den Diſtricten Lowiſchta und
Ardſchiſch, iſt die große Dideſchter oder Piteſchter
Straße, die durch die auch auf walachiſchen Boden
liegende Puarta-Romanilor, oder das Trajan-

ſche

sche Thor, nach Siebenbürgen führet: Von dem Kloster Koschia an, ist er mit Quadersteinen gepflastert, aber ganz mit Erde bedecket.

C. Zu den unmittelbaren osmanschen Bezirken gehören

1 Die Raya Orschowa, auf wlachisch Roscháwa. Die Festung Orschowa oder Neu-Orschowa, liegt auf einer Insel in der Donau. Als das Haus Oestreich sie erobert, und in dem Passarowitzer Frieden behalten hatte, ließ der Kaiser sie stark befestigen, sie ward aber 1738 von den Osmanen erobert, und ihnen 1739 im Belgrader Frieden abgetreten, worauf sie sehr verfiel. Sie liegt nur eine halbe Meile von der Festung Alt-Orschowa, die das Haus Oestreich behalten hat. Zu Neu-Orschowa, gehöret vermuthlich ein Strich Landes, es ist aber desselben Umfang nicht bekannt. Er mag sich aber aus dem Gebirge in das Severiner Feld erstrecken.

2 Die Raya Turnul, in welcher

Turnul, (d. i. Thurm), eine Stadt mit einer alten Schanze an der Donau, da wo sie die Aluta aufnimmt, und sich in zwey Arme theilet, die eine Insel einschließen. Turnul hat vermuthlich seinen Namen von den Juden bekommen, die im 14ten Jahrh. aus Ungarn vertrieben worden, und sich hieher begeben haben. Es gehören nur einige Dörfer zu der Raya.

3 Die Raya Giurgewo, in welcher 35 Dörfer, und

Giurgewo, nach wlachischer Aussprache, Dschurdschiu, eine offene große Stadt an der Donau, mit einer alten Schanze Auf der kleinen Insel Slobosia, die ein Arm der Donau machet, stehet ein festes Schloß, das
sowohl

ſowohl aus Dſchiurtſchu als Ruſchiuk, jenſeits der Donau,
beſchoſſen werden kann.   Die Stadt gehet bis an den
See Kurmatura oder Graka, der durch eine große Bucht
der Donau gebildet wird, und reich an Karpfen iſt.

4 Die Raya Brailow, in welcher 55 Dörfer, und

Brailow, Braïilla, Braila, eine große Stadt,
mit einem feſten von fünf Bolwerken umgebenen Schloß,
am ſteilen Ufer der Donau, die hier den Fluß Sereth aufnimmt.   Die Donau machet hier unterſchiedene Arme,
deren einer der Stadt zum Hafen dienet, den eine beſondere Schanze beſchützet.   Es wohnet hier ein osmanſcher
Befehlshaber, von dem die ganze Raya abhänget.   Das
Geld, das die Walachey unter dem Namen der Frühjahrs-
und Winter-Proviſion geben muß, wird hieher an den
ſultanſchen Nazir geliefert.   1770 brannte ſie bis auf das
Schloß nach, ab.

II. Die weſtliche Walachey, oder das Bannat Krayowa, auf der Weſtſeite der Aluta, das
aus fünf Diſtricten beſtehet.

1 Der Diſtrict Romunazy, in welchem

1) Brankowan, ein fürſtliches verfallenes Schloß,
mit einem Kloſter, am Bach Oldeſchoaie.

2) Karakall, eine Stadt in einem ſchönen Thal,
in der der Fürſt einen Palaſt hat.

3) Islas, ein Marktflecken, bey der Mündung des Altfluſſes zu der Donau. Bey Tſchellei oder Selejul, fünf Stunden oberhalb Islas, iſt nach der wahrſcheinlichſten Meynung die Brücke Kaiſers Trajan über die Donau geführet
geweſen, wie Dio Caſſus beſchreibet.   Man ſiehet daſelbſt
noch Ueberbleibſel einer Schanze oder Feſtung, die mit
einer andern jenſeits der Donau, zur Bedeckung derſelben
gedienet hat.

2 Der

2 Der District **Wultscha**, fast ganz im Gebirge, in welchem

1) **Rimnik**, eine Stadt am Altfluß, in der ein Bischof wohnet.

2) **Okna**, eine Stadt am Fluß Okna, wo Salz gegraben wird.

3) **Kosia** oder **Koschia**, ein Kloster oben am Gebirge, wo der trajansche Weg auf der Westseite der Alt
aufhöret, und der karolinsche anfänget.

3 Der District **Dólschy**, oder Schiul de
Schoss, d. i. Unter-Schiul, in welchem die Stadt
Krajowa, die ein ganz offener und nun sehr verfal-
lener Ort, aber nach Bukurescht der wichtigste in
der Walachey ist. Es wohnet hier der fürstliche
Statthalter oder Kaimakan. Von hier bis an die
Donau sind neben dem Fluß Schiul lauter Sümpfe.

4 Der District **Gorsy**, oder Schiul de Suss,
d. i. Ober Schiul, in welchem die geringen Marktflecken **Tirgu-Schiului** und **Braditschänt**.

Man gehet zwar von hier nach Orschowa, durch
das eiserne Thor, bey den Wasserfällen in der Donau;
man kann aber diesen Paß auf den Nebenwegen, bey
den Dörfern Haleaga, Wresnitza und Woditza umgehen, und so über die Berge Markopritsch und
Budschina kommen.

5 Der District **Mehedinz**, in welchem Tschernetz, der merkwürdigste Ort, jetzt aber nur ein Dorf
ist. Nahe dabey ist Tschernigrad, Mauro Kastro, (μαυρον καστρον,) das schwarze Schloß,
ein zerfallenes Schloß auf einer Höhe an der Donau,
dessen Steinhaufen von dickem Gesträuche umgeben
sind.

6 Str-

sowohl aus Dschiurtschu als Ruschiuk, jenseits der Donau, beschossen werden kann. Die Stadt gehet bis an den See Kurmatura oder Graka, der durch eine große Bucht der Donau gebildet wird, und reich an Karpfen ist.

4 Die Raya Brailow, in welcher 55 Dörfer, und

Brailow, Braïlla, Braila, eine große Stadt, mit einem festen von fünf Bolwerken umgebenen Schloß, am steilen Ufer der Donau, die hier den Fluß Sereth aufnimmt. Die Donau machet hier unterschiedene Arme, deren einer der Stadt zum Hafen dienet, den eine besondere Schanze beschützet. Es wohnet hier ein osmanscher Befehlshaber, von dem die ganze Raya abhänget. Das Geld, das die Walachey unter dem Namen der Frühjahrs- und Winter-Provision geben muß, wird hieher an den sultanschen Nazir geliefert. 1770 brannte sie bis auf das Schloß nach, ab.

II. Die westliche Walachey, oder das Bannat Krayowa, auf der Westseite der Aluta, das aus fünf Districten bestehet.

1 Der District Romunazy, in welchem

1) Brankowan, ein fürstliches verfallenes Schloß, mit einem Kloster, am Bach Oldeschoare.

2) Karakall, eine Stadt in einem schönen Thal, in der der Fürst einen Palast hat.

3) Islas, ein Marktflecken, bey der Mündung des Altflusses zu der Donau. Bey Tschellei oder Selejul, fünf Stunden oberhalb Islas, ist nach der wahrscheinlichsten Meynung die Brücke Kaisers Trajan über die Donau geführet gewesen, wie Dio Cassus beschreibet. Man siehet daselbst noch Ueberbleibsel einer Schanze oder Festung, die mit einer andern jenseits der Donau, zur Bedeckung derselben gedienet hat.

2 Der

2 Der District Wultscha, fast ganz im Gebirge, in welchem

1) Rimnik, eine Stadt am Altfluß, in der ein Bischof wohnet.

2) Okna, eine Stadt am Fluß Okna, wo Salz gegraben wird.

3) Kosia oder Koschia, ein Kloster oben am Gebirge, wo der trajansche Weg auf der Westseite der Alt aufhöret, und der karolinsche anfänget.

3 Der District Dólschy, oder Schiul de Schoss, d. i. Unter-Schiul, in welchem die Stadt Krajowa, die ein ganz offener und nun sehr verfallener Ort, aber nach Bukurescht der wichtigste in der Walachey ist. Es wohnet hier der fürstliche Statthalter oder Kaimakan. Von hier bis an die Donau sind neben dem Fluß Schiul lauter Sümpfe.

4 Der District Gorsy, oder Schiul de Suss, d. i. Ober Schiul, in welchem die geringen Marktflecken Tirgu-Schiului und Braditschäni.

Man gehet zwar von hier nach Orschowa, durch das eiserne Thor, bey den Wasserfällen in der Donau; man kann aber diesen Paß auf den Nebenwegen, bey den Dörfern Haleaga, Wresnitza und Woditza umgehen, und so über die Berge Markopritsch und Budschina kommen.

5 Der District Mehedinz, in welchem Tschernetz, der merkwürdigste Ort, jetzt aber nur ein Dorf ist. Nahe dabey ist Tschernigrad, Mauro Kastro, (μαυρον καστρον,) das schwarze Schloß, ein zerfallenes Schloß auf einer Höhe an der Donau, dessen Steinhaufen von dickem Gesträuche umgeben sind.

6 Stre-

6 Strechaja, ist ein befestigtes Kloster am Fluß Motrul. Gleich unter Tscherneß sä get ein Morast bey Oraweß an, und reichet bis zu dem Dorf Balta Wierde. Zwischen demselben und der Donau ist ein großer Strich schönen Graslandes. In der Gegend von Tscherneß oder bey dem Thurm Severin, gegen Cladova, oder der Schanze Fatislan in Servien über, sind in der Donau Trümmer von Pfeilern der Brücke, die ganz unwahrscheinlich für Trajans Brücke gehalten wird. Nach des Grafen Marsigli Bericht, ist der Strom hieselbst keine tausend Schritte breit, und weil die zwey ersten Pfeiler $17\frac{1}{2}$ Klafter von einander abstehen, so schließet er daraus, daß ihrer 23 gewesen seyn müssen, und daß die ganze Länge der Brücke 400 wienerische Klafter betragen habe. Er versichert ferner, daß das Gemäuer der Pfeiler aus gemeinen Bau oder Bruch Steinen bestehe, die aber auswendig mit Mauer Steinen, oder Ziegeln bekleidet gewesen wären; und daß, allem Ansehen nach, die 22 Bogen, nebst dem ganzen Obertheile der Brücke, aus eichenem Holze verfertiget worden. D'Anville berichtet, daß Baron Hingelhard, ein östreichischer Officier, die Länge der Brücke ungefähr auf 5°5 wienerische Klafter setze, die 520 französische Toisen betragen. Eben desselben Abriß von der Brücke, zeiget nur 19 Pfeiler, außer den Landgemäuern. Die übrig gebliebenen Stücke der Pfeiler, zeigten sich in dem Strom wie kleine Inseln. Von der römischen Schanze, die zur Bedeckung der Brücke gedienet hat, sehe man noch Ueberbleibsel. Allein, der Hauptmann Sulzer verdienet Beyfall, daß er die trajanische Brücke, von welcher

Dio

Dio Caſſius und Procopius ſo viel Rühmens gemachet haben, weiter hinab an der Donau bey Tſcheſch ſuchet. Die von Marſigli beſchriebenen Ueberreſte einer Brücke, ſind allem Anſehen nach ein viel neueres Werk.

2. Das Fürſtenthum Moldau.

§. 1. Fürſt Demetrius Cantemir, hat zu ſeiner Beſchreibung der Moldau, die ich zuerſt nach ſeiner lateiniſchen Handſchrift habe in dem vierten Theil meines Magazins deutſch drucken laſſen, auch eine Charte von dieſer Provinz verfertiget, die durch den Grafen Thoms, zum Stich befördert worden, und folgenden Titul führet: Principatus Moldaviæ nova et accurata deſcriptio, delineante principe Demetrio Cantemirio. Die Originalzeichnung hat ein größeres Format gehabt, als dieſer Stich derſelben, für welchen ſie nach einem kleineren Maasſtabe gezeichnet iſt. Ich habe dieſe Seltenheit in meiner Landchartenſammlung. Wo die Kupferplatte geblieben? habe ich nicht erfahren können. Von der geſchriebenen Charte, hat der Kupferſtecher Roth zu S. Petersburg eine Copie erhalten, und daſelbſt unter dem Titul: carte ſpeciale de la principauté de Moldavie, diviſée en ſes diſtricts 1771 auf 4 Blättern ſtärken und weißen Papiers, geſtochen herausgegeben. Sie hat vor dem ältern Stich den Vorzug, daß ſie ein größeres Format hat, und in die obere und untere Moldau abgetheilet iſt, aber ſie iſt nicht graduirt, wie die ältere und kleinere, und voller Fehler in den Namen. Auf des akademiſchen Adjuncts J. F. Schmidt

2 Th. 8 A.   Ddd   Charte

Charte, von den Fürstenthümern Walachey und Moldau, die auch zu S. Petersb. gestochen, und schon oben bey der Walachey angeführet worden, weichet die Zeichnung der Moldau von der Cantemirschen Charte in vielen Stücken ab. Sehr ansehnlich ist die Carte de la Moldavie, — levée par l'état major sous la direction de F. G. de Bawr, Marechal général de logis, Lieutenant Général des ärmées de S. M. I. de toutes les Rußies, gestochen zu Amsterdam auf 6 großen Bogen starken und weißen Papiers. Es weichet aber von derselben theils in Namen, theils in der Länge und Breite der Oerter, theils und vornemlich in der Abbildung der Gegend am schwarzen Meer, etwas ab, die Charte, die der Hauptmann Sulzer von der Moldau, in dem ersten Theil seines transalpinschen Daciens, geliefert hat.

§. 2 Die Moldau hat diesen Namen von einem kleinen Fluß, der sich mit dem Fluß Sereth vereiniget; von den Osmanen wird sie auch Bogdan, nach dem moldauischen Fürsten Bogdan (Theodosius), der sein Land im Jahr 1529 dem Sultan Sulejman I. zu Lehn aufgetragen und unterworfen hat, genannt; sie belegen auch daher die Moldauer mit dem Namen Bogdani. Die Moldauer selbst, nennen ihr Land nur Zara (das Land) Moldowi. Die Moldau ist von der Walachey, Siebenbürgen, Ungarn, Polen, und den Provinzen Otschakow, Budschak und Bulgarien, umgeben.

§. 3 Sie wird von dem Fluß Pruth, vor Alters Hierasus, Porota, Pyretus, der von Mitternacht

nacht gegen Mittag in die Donau fließet, in zwey
Theile, nämlich in den westlichen und östlichen, abgetheilet; jener ist bergigt, dieser aber ist eben, und
sehr fruchtbar, aber mehrentheils unangebauet Der
auch schifbare Fluß Sireth oder Sereth scheidet sie
von der Walachey, die Donau von Bulgarien, und
der Niestr oder Dniester von der otschakowischen
Provinz und von Polen.

§. 4 Die Einwohner, die von den Polacken und
Ungarn Wloch genennet werden, auch ursprünglich
Wlachen sind, bestehen auch aus Griechen, Alba-
niern, Serwiern, Bulgaren, Polacken, Cosaken,
Russen, Ungarn, Deutschen, Armeniern, Juden
und Zigeunern. Sie sind meistens der griechischen
Kirche zugethan. Die schweren Auflagen, haben
viele Einwohner bewogen, aus dem Lande zu gehen.

§. 5 Der Fürst, der sich von Gottes Gna-
den-Hospodar der Moldau nennet, hat ehedessen
jährlich über 600000 Thaler Einkünfte, im jetzigen
Jahrhundert aber nicht viel über den sechsten Theil
dieser Summe, gehabt. Die Summe des jährlichen Tributs für den Sultan der Osmanen, bestund
zur Zeit des Fürsten Demetrius Cantemir, ohnge-
fähr aus 65000 Löwenthalern, und die jährlichen Geschenke machten am baaren Gelde 87000 Löwen aus,
die kostbaren Pelzwerke ungerechnet. Wenn ein neuer
Fürst ernannt wurde, mußte das Land oftmals auf
300000 Löwenthaler aufbringen, und alle drey Jahr
für die Erneuerung des fürstlichen Diploms ungefähr
eben so viel, für die sogenannte kleinere Bestätigung
aber 25000 Thaler geben.

§. 6

§. 6 Die Bojarn de Sfat oder Geheimenräthe des Fürsten, sind, der Logofet oder Großkanzler, der Groß-Wornik der Untern Moldau, der Groß-Wornik der Obern Moldau, der Hetman, der Groß-Postelnik oder Ober-Hof-Marschall, der Spatar oder Groß-Schwerdtträger, der Groß-Paharnik oder Ober-Mund-Schenke, und der Westirnik, (Wistiur) oder Großschatzmeister. Die Moldau wird in die obere und untere abgetheilet.

I. Die Untere Moldau, von den Einwohnern Zara de Schoss, genannt, ist in zwölf Districte oder Zenute abgetheilet, welche sind

1. Der Zenut Jaschy, in welchem

1) Jaschy, Jasch, Jassi; die offene Hauptstadt der ganzen Moldau, und Residenz des Fürsten, die am Abhange eines Berges beym Fluß Bachluy, 4 Meilen vom Pruth, lieget, zwar groß, aber schlecht gebauet ist. Hier hat der Isbravnik oder Districts-Befehlshaber, und der griechische Metropolit von der Moldau, seinen Sitz. In dieser Gegend hat vor Alters Augustia gestanden.

2) Tschetätzuja, eine kleine Festung, auf einer Höhe, ohnweit Jaschy, dem fürstlichen Palast gegen über.

3) Kipereschtv, am Pruth, 3 Stunden von Jasch, ein Dorf, das der Fürst Gika den deutschen Tuchwebern, die er aus Philippen in tschernautzer Gebiet hieher versetzte, unter dem Namen Neu-Philippen, einräumete, und ihnen die Erbauung einer evangelischen Kirche verstattete.

4) Alt- und Neu-Tschertschoára, woselbst vor Alters Poloda gestanden hat, der Sammelplatz der Truppen.

2. Der Karligatursche Zenut, in welchem

Tirgol Fromos, d. i. der schöne Marktflecken, jezt ein armseliger Ort, mit einem verfallenen fürstl. Palast.

3. Der

3. Der Romanische Zenut, in welchem

Roman, ehedessen Romidava, ein Marktflecken, beym Zusammenfluß der Moldawa mit dem Sireth, der Sitz eines Bischofs. — Nahe dabey hat die Stadt Semendrowa gestanden.

4. Der Waßluische Zenut, in welchem

Waßlui, eine Stadt, bey welcher der Fluß Waßluy sich mit dem Fluß Brlad vereiniget. Sie liegt an der Anhöhe eines kahlen Berges.

5. Der Tutowische Zenut, der von dem Flüßgen Tutowa den Namen hat, und zu welchem

Brlad, eine ehemalige Stadt, jetzt ein sehr geringer Ort, gehöret. Er liegt am Fluß gleiches Namens. Es mag eine halbe Stunde unter diesem Ort, an dem Ufer desselben Flusses, die alte Stadt Zusidava gestanden haben, von der noch Mauern übrig sind.

6. Der Tekutschsche Zenut, in welchem Tekutsch, ein geringer Marktflecken, am Fluß Brlad.

7. Der Putnische Zenut, in welchem

1) Sokschan, ein geringes Städtchen am Bach Milkow. 1772 war bey demselben eine fruchtlose Friedensversammlung.

2) Adschiud, ein noch geringeres Städtchen, bey welchem sich die Flüsse Totrusch und Sireth vereinigen.

3) Mira, ein Kloster, am Fuß des Berges Urantschie, und zwischen den kleinen Flüssen Putna und Milkow. Constantin Cantemir, der Vater des Fürsten Cantemir, hat es erbauet.

Nicht weit von derselben sind die Ueberbleibsel einer alten Stadt zu sehen, die jetzt Krätschuna genennet wird. Sulzer hält sie für Pyrum des Ptolemaeus.

Ddd 3　　　　8. Der

8. Der Kohurluische Zenut, in welchem

Galatz, eine Stadt an der Donau, die starken Handel treibet. Die hier ankommenden Schiffe, führen Holz, Honig, Wachs, Salz, Butter, Salpeter und Getreide aus.

Nicht weit von dieser Stadt, sind die Ueberbleibsel der römischen Pflanzstadt Nentidava zu sehen, die K. Trajan erbauet hat.

Trajan, von den Einwohnern Trojan genennet, ein geringes Dorf.

9. Der Faltschische Zenut, in welchem

1) Falischy, eine Stadt, am Fluß Pruth. In der Gegend dieser Stadt und am Fluß Pruth, will Cantemir Spuren der uralten Stadt Taifalia entdeckt haben. Sie finden sich in der waldigten Gegend, die auf eine besondere Weise Kodru, d. i. der Wald, genennet wird, und deren Bewohner Kodrany die Waldleute genennet werden.

2) Huth, eine kleine Stadt am Fluß Pruth, woselbst der russische Zar Peter I im Jahr 1711 mit den Osmanen aus Noth Frieden machte, 1770 aber die Russen in der Nachbarschaft bey dem Hügel Reboi die Osmanen besiegten. Es wohnet hier ein griechischer Bischof.

10. Der Lapuschnische Zenut, in welchem

1) Lapuschna, ein geringer Marktflecken, am gleichnamigen Bach.

2) Kischniu, ein noch geringerer Marktflecken, am Fluß Bikul, in dessen Gegend die berühmte Linie oder Landwehre von 3 bis 4 Ellen langen Steinen, den Anfang nimmt, welche die Einwohner Kiejle Bikului d. i. die Schlüssel des Bikul nennen, und die sich über den Dniester gegen die Krim zu erstrecken soll.

11. Der Orhejsche Zenut, in welchem Orhej,

ein Städtchen, von dem ein See benannt wird, in welchem eine fruchtbare Insel lieget. Nicht weit
davon

davon, sind Ueberbleibsel der alten Stadt Petrodawa zu sehen, die von den Einwohnern Alt-Orhei genennet werden.

12. Der Sorokische Zenut, in welchem

Soroka, eine offene Stadt am Dniester, über welchen eine Zugbrücke führet. Die alte Festung derselben, ist sehr verfallen. Ueber den Dniester gehet hier die Landstraße nach Kiew. Die Stadt wurde 1769 mit den darinn von den Osmanen errichteten Magazinen, von den Russen verbrennet.

II. Die obere Moldau, von den Einwohnern Zara de Suss genannt, ist in fünf Zenute oder Districte vertheilet.

1. Der Hotinsche Zenut, der von der hernach vorkommenden Festung Hotin den Namen hat, begreifet an fürstlichen Oertern noch die Marktflecken Noa-Selischtie und Berischan, es haben auch vor Alters die Städte Patrodava, Triphulum und Utidava, nach Sulzers Meynung, hier gestanden. Die Lage der ersten war an der Gränze des sorokischen Gebiets, am Dniester gegen Jaroslaw über, die zweyte lag in der Gegend von Noa-Selischtie, die dritte, war bey dem Dorfe Klobitka.

2. Der Dorohojsche Zenut, in welchem

1) Dorohoj, eine kleine Stadt, auf der Stelle der alten Stadt Sandava.

2) Stephanescht, eine kleine Stadt am Pruth, die seit 1712, da die Osmanen Hotin in Besitz nahmen, ein Schifsmagazin für die Besatzung dieser Festung ist.

Ddd 4 3. Der

3. Der Hrleusche Zenut, in welchem

Hrleu, (gemeiniglich Harley) Kotnar und Botoschany, kleine und geringe Städte. In dem ersten hat ein Bischof seinen Sitz.

4. Der Niamtsische Zenut, in welchem

1) Niamts, eine Stadt auf einem hohen Berge, am Fluß gleiches Namens. Sie ist ihrer Lage wegen ein fester Ort. Warum die Stadt und der Fluß, Niamts, das ist, der deutsche, heißet ist unbekannt, wenn man es nicht daher leitet, daß die Festung eine Zeitlang von Deutschen besetzet gewesen, und vertheidiget seyn mag.

2) Piatra, eine offene Stadt an der Bistritza.

In diesem Gebiet liegt der hohe Berg Tschasflow, der höchste in der Moldau; von dem Cantemir meldet, daß man ihn 60 Stunden davon, nemlich zu Akirman, so deutlich sehen könne, als ob er in der Nähe liege, welches dadurch wahrscheinlich gemacht werden kann, weil von demselben bis Akirman das Land eben und abwärts fortgehet.

5. Der Bakowsche Zenut, in welchem

1) Bakow, nach der Aussprache Bakou, eine jetzt sehr verwüstete Stadt, bey der die Bistritza sich mit dem Fluß Sireth vereiniget, nachdem ein Arm derselben die Stadt umgeben hat, der aber oft ohne Wasser ist. Sie ist der Sitz eines römisch-katholischen Bischofs. Die Gegend ist sehr fruchtbar.

2) Totrusch, eine geringe Stadt, am Fluß gleiches Namens. Von hieraus gehet der geräumigste Weg aus der Moldau nach Siebenbürgen.

3) Okna, ein guter Marktflecken, bey dem eine Salzgrube ist. Die Berge und Hügel um Okna, bestehen alle aus Kristallsalz, insonderheit der Berg bey dem Dorf Grosescht.

Zu

Zu Filimonescht, Gorsescht, Faraon, und in andern Dörfern, wohnen Ungarn, welche die ungarische Sprache so gut, als die walachische reden. Sie sollen Zeckler aus Siebenbürgen seyn.

III. Folgende ehemalige Stücke der Moldau, welche die Osmanen davon abgerissen haben.

I. Die Raja, (das Gebiet) Hotin, in welchem Hotin, Chotin, Chotschin, eine Stadt am Dniestr, Kaminietz in Polen gegen über, die mehr von Natur, als durch Kunst fest ist. Sie liegt am Abhange des felsigten und steilen Ufers des Dniester also, daß ihr inneres auf der gegen über liegenden polnischen Seite sich den Augen darstellet. 1673 wurden die Osmanen bey derselben von den Polen, und 1769 von den Russen geschlagen, im letztgedachten Jahr wurde auch die Stadt von den Russen erobert. Die Osmanen haben sie 1712 von der Moldau abgerissen, und einen Pascha dahin gesetzet.

II. Die Raja (das Gebiet) Bender, gehörete ehedessen zum kapuschnischen Gebiet der Moldau, ward aber um das 1592 Jahr, durch Verrätherey des Fürsten Aaron des schlimmen, den Osmanen in die Hände gespielet. In derselben ist

Bender, von den Moldauern Tigina genannt, eine kleine Stadt und Festung am Dniestr. 1709 nach der Schlacht bey Pultawa, nahm der schwedische König Karl der zwölfte, hieher seine Zuflucht, und hatte sein Lager erst gegen Bender über, auf der andern Seite des Dniester, hernach auf der Seite des Stroms, auf der die Festung lieget, und neben derselben, woselbst er bis 1711

Ddd 5 blieb,

blieb, da der Strom aus seinen Ufern trat, und der Kö=
nig genöthiget wurde, sein Lager eine viertel Meile höher
hinauf bis an das Dorf Warnitza zu rücken, woselbst er
sich von Bruchsteinen ein Haus zur Wohnung erbauen
ließ, und die Schweden die bey ihm waren, sich um ihn
her lagerten. Hier blieb er bis 1713, da das verschanzte
Lager von den Osmanen und Tataren angegriffen, ero=
bert, und der König also mit Gewalt aus demselben ver=
trieben wurde. 1770 wurde sie von den Russen nach ei=
ner sehr blutigen Belagerung, erobert.

III. **Bessarabia und Budshak.** Bessarabia
und Budshak, haben ehedessen auch zu Dacien,
und hernach zu der niedern Moldau gehöret, liegen
zwischen dem nordlichen Arm der Donau und dem
Dniestr, am schwarzen Meer, und sind an 440
deutsche Quadratmeilen groß. Das Land ist durch=
gehends eine Ebene, ohne Berge, und ohne Wal=
dungen: aber der Boden ist äußerst fruchtbar, und
bringet allerley Getreide in großer Menge und Güte
hervor. Das Gras wächset auch hier so hoch, als
in Jedisan. An Wasser fehlet es sehr in den warmen
Monaten. Selbst der größte Fluß des Landes, Kö=
gylnik, trocknet alsdann aus: und sehr oft muß das
Vieh der budschakischen Tataren aus Mangel des
Wassers verschmachten. Aber im Herbst, da die
regnichte Jahreszeit einfällt, entstehet auf einmal
eine unzählbare Menge Bäche, die das Land durch=
schneiden. Alles ist alsdann voller Moräste und
Pfützen. Um dem Mangel am Wasser, den man
des Sommers leidet, einigermaßen abzuhelfen, hat
man überall sehr tiefe Brunnen gegraben. Das
Brunnengraben ist bey den Budschaken, wie im Orient,

zum

zum Religionsartikel, und zum verdienstlichen Werke geworden.

Aus Holzmangel brennen sie den Mist des Viehes, nachdem sie ihn vorher in der Sonne getrocknet haben. Sie haben mit den Rodrenen, die in dem moldauischen Walde Kigletsch, an der bessarabischen Gränze, wohnen, einen Vertrag errichtet, nach welchem ihnen aus diesen Waldungen eine gewisse Anzahl Balken jährlich geliefert werden muß, die aber bey weitem für sie nicht hinlänglich ist.

Weitzen, Roggen, besonders aber Gerste und Hirse, werden von den Budschiaken gebauet. Die Gerste soll wohl sechzigfältig, die Hirse über hundertfältig sich vermehren. Im kilischen und ismailischen Districte wird auch von den dortigen Christen, der Weinbau getrieben. Das überflüßige Getreide bringen die Tataren, so wie ihre andern Landesproducten, nach Affjirman und Kilia. Sie besitzen große Heerden von Vieh und Schafen, legen sich stark auf die Bienenzucht, halten viel auf Pferde, die mehrentheils größer und besser sind, als die krimischen. Auf die wilden Pferde, deren es hier eine Menge giebt, pflegen sie im Herbst, wenn das Land sumpficht ist, Jagd zu machen, und sie entweder lebendig zu fangen, oder zu tödten. Das wilde Schaf ist auch hier befindlich. Dann und wann siehet man Büffelochsen: der Bison ist gewöhnlicher. Hirsche, Gemse, Füchse, Lüchse, Wölfe und Haasen giebt es in Menge. Man kennet die Naturgeschichte dieser Gegenden noch sehr unvollkommen.

Thra-

Thracische Völker waren die ursprünglichen Völker dieses Landes. Aber so wohl Volk, als Land, kamen nachgehends unter scytische Herrschaft. Von der Zeit an nannte man diese Gegenden die scythische Wüste. Hier und in Jedisan war es, wo das persische Heer unter Darius so viel Ungemach litt. Nachdem die Scythen etwa 380 Jahre vor Chr. Geb. von den Sarmaten größtentheils vertilget worden fiengen die Geten, und andere thracische Völker an, über die Donau zu kommen, und sich in diesen Gegenden niederzulassen. Im Jahr 292 vor Chr. Geb. hatten diese Geten, als sie von Lysimachus bekrieget wurden, die ganze Ebene, wenigstens bis an den Dnjestr, inne, die von nun an die getische Wüste hieß. Etwa zwölf Jahre nachher kommen die Bastarnen hier zum Vorschein, und besetzen, wenigstens einen Theil des Landes, nebst den Inseln, welche die Donau bey ihren Ausflüssen bildet. Um das J. 29. vor Chr. Geb. lassen sich die aus ihren alten Wohnsitzen vertriebenen Jazygen hier; neben den Bastarnen, nieder. Da sie 40 Jahre nachher größtentheils nach dem westlichen Dacien ziehen, kommen die Rhoxolanen an ihre Stelle: unter denen sich auch Tagrer und andere alanische Völker nach und nach zeigen. Doch behaupten die Bastarnen ihre Wohnsitze, bis sie endlich vom Kaiser Probus nach Thracien verleget werden.

Endlich fiengen die Gothen an, sich in diesen Gegenden auszubreiten; und die andern hier wohnenden Völker unter ihre Bothmäßigkeit zu bringen. Aber im J. 376 kamen die Hunnen, und alle Gothen, die nicht über die Donau flohen, mußten sich

ihnen

ihnen unterwerfen. Als diese Eroberer, nach dem Tode ihres Attila, alle andere Besitzungen verloren, behaupteten sie sich noch eine Zeitlang in diesen Gegenden, denen sie den Namen Hunniwar beylegten. Allein im J. 469 mußten sie vor den Waffen der eindringenden Ungern und Bulgaren, jenseits der Donau flüchten. Kurz nachher fiengen auch verschiedene slavische Stämme an, sich bis hieher auszubreien, und das Land nach und nach in Besitz zu nehmen.

Von dem J. 560 an, mußten sowohl diese Slaven, als die Ungern und Bulgaren, die Oberherrschaft der Var und Chunni (Avaren) erkennen. Dies dauerte bis ins J. 635, da Kuwrat, der Fürst der Ungern und Bulgaren, dieses Joch abschüttelte, und darauf auch die Slaven unterjochte. Und ob gleich ein großer Theil der beyden Völker im Jahr 679 von den Chazaren unterwürfig gemacht wurde, behaupteten sich doch die über die Donau geflohenen Bulgaren noch immer in dem Besitz von Bessarabien, und in der Herrschaft über die dortigen slavischen Stämme, unter denen die Lutischen und Tiverzen mit der Zeit namentlich bekannt werden.

Dieses dauerte, bis endlich die Ungern, von den Petschenegen vertrieben, sich im J. 882 aus den Ländern jenseits des Dnjepers hieher zogen. Doch ihr hiesiger Aufenthalt war kurz: sie begaben sich zwölf Jahre darauf nach Groß-Mähren: und die Petschenegen besetzten auch Bessarabien, so wie auch die Moldau, und die Walachey. Aber die Romanen, (Uzen, Polovzen) von denen die Pet-

Petſchenegen ſchon einmal aus den Steppen zwiſchen
der Wolga und dem Ural (Jaik) waren verjaget worden, beunruhigten ſie auch, ſchon vom Anfang des
eilften Jahrhunderts, in den europäiſchen Wohnſi-
ẞen, verdrängten ſie immer mehr und mehr, und
zwangen ſie bereits im J. 1087 in großer Menge über
die Donau zu entweichen. Doch blieben noch viele
dieſſeits des Fluſſes wohnen, die aber auch endlich im
Jahr 1123 ſich nach den jenſeitigen Ländern retten
mußten. Nur auf der Gränze von Rußland und
Ungern blieben einige zurück.

Von dieſer Zeit an beſaßen die Romanen, nebſt
vielen andern Ländern, auch Beſſarabien. Allein,
ihre große Macht ward von den Mongolen oder
Tataren in den Jahren 1237-1241 gänzlich zu Grunde
gerichtet. Viele Romanen wurden niedergehauen,
andere zu Sklaven gemacht; verſchiedene flohen nach
Ungarn, nach den griechiſchen Provinzen, und nach
Klein-Aſien. Einige durften doch im Lände bleiben;
aber als tatariſche Unterthanen. In keiner Gegend,
die ſie vorher inne gehabt hatten, waren ihre Ueberbleibſel ſo zahlreich, als in Beſſarabien. Sie ſtun-
den hier unter ihren eigenen Fürſten, von deren Einem, Beſſarab, ſie den Namen Beſſarabier erhalten
haben. Der ungenannte Archidiaconus von Gneſen,
der bis an das J. 1395 ſeine Chronik ſchrieb, belegt
ſie zuerſt, unter dem Jahr 1259, mit dieſem Namen.
(Beſarabeni). (Bey v. Sommersberg T. I. p. 82.
Vergl. Baſko, ebendaſelbſt, p. 73, den der Archidiaconus vor Augen gehabt hat.) Unter dem Fürſten Oldamur faßten ſie im J. 1282 den Vorſaß, Ungarn zu erobern. Obgleich dieſes Vorhaben ſchei-

ter-

terte, ängstigten sie doch in der Folge die Ungern mit beständigen Einfällen. Im J. 1346 schickte ihr Fürst Bali-Chan, der in Karabuna residirte, der byzantischen Kaiserinn Anna von Savoien, Hülfe wider Johann Kantakuzen. Um diese Zeit hatten sie größtentheils das Christenthum angenommen, und wurden von ungarischen Franziskanern, obgleich auf allen Seiten griechische Christen sie umgaben, beständig bey der katholischen Kirche erhalten.

Doch die Komanen wurden auch nun, durch die sich immer mehr und mehr ausbreitenden Wlachen, in ihren Besitzungen beunruhiget und eingeschränket. Die Woiwoden der transalpinischen Walachey und der Moldau, eigneten sich den Besitz von Bessarabien abwechselnd zu. Im J. 1396 ward der walachische Fürst Wlad, von Wladislaw König von Ungarn und Polen, mit der Woiwodschaft Bessarabien belehnet. Myrza, sein Nachfolger, besaß sie im J. 1399. Aber im J. 1412 gehörte sie dem moldauischen Fürsten Alexander. Nach dem Theilungstractat, den Sigismund von Ungarn, und Wladislaw von Polen über Alexanders Länder damals schlossen, sollte die nördliche Hälfte von Bessarabien, nebst Akkjirman, unter Polen, die südliche aber, nebst Kilia, unter Ungarn kommen. Gleichwohl blieben die Moldauer im Besitze davon, und Alexanders Söhne Elias und Stephan, theilten sich im J. 1434 dergestalt darinn, daß der erste Kilia, der andere Akkjirman bekam. Peter übergab im J. 1448 Kilia den Ungarn. In den J. 1469·1474 besaß der berühmte walachische Fürst Drakul Bessarabien, aber übergab im J. 1474 dem Eroberer Mohammed II die

dieses Land, der den Totrusch darüber zum Statt‑
halter verordnete. – Noch einmal eroberten es die
Moldauer unter Stephan dem großen im J. 1482.
Allein zwey Jahre darauf kam es durch die Erobe‑
rung von Kilia und Akkjirman unter die Herrschaft
der Osmanen, die es zu einer unmittelbaren Provinz
ihres Reichs gemacht haben.

　　Unter dieser Regierung ward Beßarabien von
Einwohnern sehr entblößet. – Romanen und Wlachen
saßen noch da, aber in geringer Anzahl. Deswe‑
gen wurden im Jahr 1569, 30,000 astrachanisch‑no‑
gajische Familien, dahin verleget, welche die Osma‑
nen und krimischen Tataren von der Wolga wegge‑
führet hatten, nachdem ihr Versuch, diesen Fuß
mit dem Don zu vereinigen, mißlungen war.
Diese Nogajer sind es, die man jetzt budschakische
Tataren nennet. Sie machen den allergrößten Theil
der Landeseinwohner aus. Doch wohnen noch viele
Wlachen sowohl in den Städten, als auf dem Lande,
besonders an den Ufern der Donau und des Dnjestr.
Auch Romanen sind noch da; ein Priester, der im
J. 1706 aus Tirnau in Ungarn, zu ihnen geschickt
wurde, fand sie noch als gute katholische Christen.

　　Die budschakischen Tataren haben diesen Namen
von dem Flecken Budshak, an dem Liman des Dnjestr,
der im Anfang ihr Hauptort war. Ihre beyden vor‑
nehmsten Geschlechter sind, (nach Cantemirs Be‑
richt), die Orak‑Ogli und die Orumbet‑Ogli.
Sie haben 30, bis 40,000 Mann ins Feld stellen
können. Sie sind sehr unruhig, und für die Freyheit
eingenommen; auch haben sie bey allen Gelegenheiten
gesucht, das Joch der Osmanen, und des Chans
von

von Krim, dem sie von jenen überlassen worden, ab-
zuschütteln: sie haben oft Empörungen erregt, und
oft getrachtet, dieses Land, welches wegen des Mangels an Wasser, und der Nachbarschaft mit den
Osmanen, ihnen nicht anstand, zu verlassen. Nach-
dem sie am $\frac{6}{17}$ Aug. 1770 sich unter russischen Schutz
begaben, haben sie auch wirklich diesen Vorsatz ausgeführet, und sich nach der Kuban begeben. Indessen wurden sie so wohl, als das Land Budshak, in
dem Frieden von 1774 dem krimischen Chan überlassen. Aber bey den Irrungen, die 1777 zwischen dem
osmanschen Hof und dem Chan Schahin Gjeraj vor-
gegangen, hat der Bascha von Bender alle Befehlshaber und Beamte des Chans aus Budshak vertrieben, und das ganze Land in Besitz genommen.

Die Budshaken ernähren sich von der Vieh-
Schaf- und Pferde-Zucht, und von dem Ackerbau,
den sie besser, als die übrigen Nogajer treiben. Ein
wichtiger Nahrungszweig war auch das Rauben und
Beutemachen. Am meisten suchten sie die Moldauer
heim. Sie plünderten ihre Dörfer aus, nahmen ihr
Vieh, und führten so gar die Einwohner weg, die sie
nachgehends zu Constantinopel für Russen verkauften.
Doch die Moldauer bezahlten es ihnen oft mit gleicher Münze: und überhaupt halten sie es für eine
christliche Schuldigkeit, einen Tataren ums Leben zu
bringen. Sonst sind diese Tataren sehr redlich, gut-
herzig, gastfrey und tapfer. In dem Hauswesen,
den Sitten, den Gebräuchen, der Sprache, und
der Religion, kommen sie mit den Nogajern vollkom-

'3Th. 8A.　　　　Eee　　　　men

men überein. Sie stehen unter ihren Mursen, von denen ehedessen auch Deputirte zu den krimischen Reichsversammlungen kamen. Oft pflegte der krimische Chan einen Soltän (Prinzen vom Geblüt) mit dem Titel eines Seraskjers, als seinen Statthalter, über sie zu verordnen; oft hielt er sich auch selbst unter ihnen auf, und Kauschan war alsdann seine Residenz.

Die vornehmsten Flüsse im Lande, sind außer der Donau, (tatar. Dunaj), und dem Dnjestr, (tatarisch Turla), der sich durch den bessarabischen See Vidovo, oder Oviduluj, (auch Liman des Dnjestrs), ins Meer stürzet, folgende. Der Kogylnik, oder Kunduk, vormals der weiße Fluß, (Ασπρος ποταμος,) der sich in den Meerbusen Sasyk verlieret; der Botna, oder Kauschan, der in den Dnjestr fällt; die beyden Jalpug, die zugleich mit dem Kugna, den beyden Salkuza, u. a, durch den See Jalpusch in die Donau fließen. In eben diesen Strom stürzen sich der Katlabuga, durch einen gleichnamigen See, und die beyden Taschlyk, durch den See Tasch. Doch von allen diesen kleinen Flüssen ist kaum einer, der das ganze Jahr hindurch fließet.

Ich will noch die Abtheilung in das osmansche und tatarische Bessarabien beybehalten.

1 Das osmansche Bessarabien, bestehet aus 3 Provinzen, welche sind

1) Die

1) Die Ismailische Provinz, in welcher

(1) Ismail, bey den Moldauern Smil, eine geringe Festung an der Donau, Tultscha gegen über. Es herrschet hier viel Kunstfleiß, insonderheit in Zubereitung der Lederart, die wir Schagrin nennen. 1770 wurden in der Gegend derselben, am Fluß Larga, die Osmanen und Tataren von den Russen gänzlich geschlagen, und bald darauf erlitten sie am Flüßgen Kahul, das in einen See fällt, der seinem Ausfluß in die Donau hat, von den Russen eine noch stärkere Niederlage.

(2) Kartal, eine geringe Festung an der Donau, gegen Saktscha über. Die Donau ist hier schmal, und hat keine hohe Ufer, daher die Osmanen hieselbst zu Kriegeszeiten eine Brücke darüber zu schlagen pflegen, welches schon der persische König Darius Hystaspis gethan. Cornelius Nepos im Miltiade c. 3.

(3) Reny, von den Osmanen Timarowa genannt, eine geringe Festung, da wo der Pruth sich mit der Donau vereiniget. Hier stand vor Alters Dinogetia.

(4) Tobak, ein Städtchen am See Jalpuh, das von den Trümmern einer gegenüber gestandenen sehr alten Stadt, die von den Osmanen Tint oder Tintul genennet worden, gebauet ist.

2) Die Kilische Provinz, in welcher

Kili oder Kilia nova, eine Stadt am linken Arm der vier Ausflüsse der Donau, drey Stunden von dem schwarzen Meer. Sie hat den Zunamen nova zum Unterschied von dem nicht mehr vorhandenem alten Ort Kili, vor Alters Lykostomon geheßen, auf der nahe liegenden Insel gestanden, und in seinem Namen das Andenken an die Stadt Tomi erhalten haben soll, dahin der römische Dichter Ovidius verwiesen war. Das neue Kili hat Mauern, und gegen die Donau ein Castell. Es ist ein starker Handelsort, den nicht nur Schiffe aus den Städ-

See 2   ten

ten am ſchwarzen Meer, ſondern auch aus Egypten, Venedig und Raguſa beſuchen, und Wachs und rohe Ochſen-
häute abhohlen. Die Einwohner ſind Oſmanen, Juden,
Armenier, und Leute von andern Nationen. 1770 wurde
die Stadt von den Ruſſen erobert.

3). Die Akkiermanſche Provinz.

Akkierman, (Akirman), Bialogrod, Tſchetatie
alba, latein. *Alba Julia*, griechiſch *Monkaſtron*, ſind
Namen einer und eben derſelben Stadt, die beym Einfluß des Dnieſtr in das ſchwarze Meer, lieget Der erſte
Name iſt türkiſch, der zweyte polniſch, und der dritte
moldauiſch: die beyden erſten bedeuten eine weiße Stadt,
und der dritte eine weiße Burg. Die Stadt iſt befeſtigt. Der Dneſtrowſche Meerbuſen, zeiget noch eine weit
in das Meer hineingehende Mauer, die durch Bley verbunden iſt, auch die Ueberbleibſel einer ſteinernen Brücke.

2 Das Tatariſche Beſſarabien, welches den
Namen Budſhak hat, der einen Winkel bedeutet,
weil es zwiſchen dem Dnieſtr und ſchwarzem Meer
einen ſpitzen Winkel machet, dieſer Name iſt aber
auch einem Ort beygeleget worden. In demſelben
ſind die Oerter Cavſchan oder Kauſchány, Budſhak, Tatar-Punar oder Bunar, und Salkuza oder Saltſcha, die Städte genennet werden,
aber von ſehr geringer Beſchaffenheit ſeyn mögen.

Von Cavſchan inſonderheit, iſt zu merken, daß dieſer Ort zwiſchen Hügeln, zwanzig deutſche Meilen von
Kilia nova, und vier von Bender lieget. Hier pflegte
ehedeſſen der Tatar Chan zu wohnen, wenn der Sultan
der Oſmanen Krieg in Europa führte. Der Pallaſt, oder
beſſer, das Wohnhaus des Chans, welches nur ein Stockwerk hoch war, wurde nebſt der halben Stadt, 1769 von
den nogaiiſchen Tataren eingeäſchert.

Den

Den Osmanen gehöret noch

A. Der Strich Landes, zwischen dem Dnieper, den sogenannten Pferde-Gewässern, (Konskie Wodi), und Fluß Berda, der ins asowsche Meer fällt. In diesem District wohnet ein Theil der kleinen Nogaiier Tatarey.

Aleschki, auf einer Insel im Dnepr, ist ein Flecken, und keine Festung, und Aslan ist auch eine keine Festung am Dnepr.

B. Jedisan oder Jedzan, oder das Stück Landes, zwischen den Flüssen Bog und dem Dniestr, die Festung Otschakow ausgenommen, hat an der Süd-Ost-Seite das schwarze Meer, und wird gegen Nord-West durch den Kodymä und den Jeghorlik von Polen getrennet. Die Gegend um Otschakow, zwischen dem bogischen Liman und dem Deligöl, gehöret den Osmanen; das übrige Land stand unter der Herrschaft des krimischen Chans.

Vor dem Friedensschluß im Jahr 1774, begrif Jedisan auch den Winkel zwischen dem Bog und dem Dnjepr, der jetzt dem rüssischen Reiche unterworfen ist. Der Name Jedisan ist in diesen Gegenden nicht alt: er gehöret eigentlich einer mächtigen nogaiischen Horde, welche im Anfange nur aus 7000 (tatarisch, Jedi-san) Bogen bestanden, hernach aber sich ungemein vermehret hat. Sie zog in der Steppe zwischen der Wolga und dem Ural (Jaik) herum, da Choo-Oerlük, Chan der Torgot, sie um das Jahr 1644 unterjochte. Sie gehorchte auch dem berühm-

ten

ten Ajuka: aber hielt sich damals mehrentheils diesseits der Wolga auf.   Allein schon zu des Ajuka Lebzeiten, im Jahr 1715, entführte Dell-Sultan, „Se-
raskjer von Kuban, einige tausend Familien davon,
und brachte sie nach der Kuban, von wannen sie an
den Dnjepr versetzet wurden.   In den Unruhen, die
nach Ajuka Tode unter den Torgot vorgiengen, flohen die zurück gebliebenen, im Jahr 1728, mit dem
Batyr-Taidschi,   aus den Gegenden, jenseits des
Dons. warfen sich unter den Schutz der Pforte, und
des Chans von Krim, und bekamen, nebst ihren vorher gedachten Landesleuten, das Land zwischen dem
Dnjepr und dem Dnjestr zu ihrem Aufenthalt. Diese
Horde war hier so ansehnlich und mächtig, daß sie
durch ihre Empörung im J. 1758 den Alim-Gjerai-
Chan von dem krimischen Thron stieß, und den Krim-
Gjerai Chan darauf setzte.   Von dieser Begebenheit
hat Herr von Peyssonel, 1759 einen ausführlichen
Bericht an seinen Hof geschicket, der im ersten Theil
seines Traité sur la commerce de la mer noire,
S. 339. f. stehet. Im Jahr 1770 unterwarf sie sich
Rußlands Oberherrschaft von neuem, und zog alsdann freywillig nach der Kuban hin.   Und ob sie
gleich, nach dem Friedenschlusse, in ihr voriges Land
hätte zurückziehen sollen, wollte sie sich doch im J. 1775
auf keine Weise dazu verstehen.   Sonst fand man
auch im Lande andere abgerissene Zweige von den vor-
maligen astrachanisch-nogajischen Stämmen, den Ke-
litschi, (alten Unterthanen des Ajuka,) den Mand-
schak, den Krotojaki, den Alasch, den Badraki,

und

und den Aff, und außerdem die Ak-Koju, die Baa-
hadin, die On-Tschadir, u. s. w.

Die natürliche Beschaffenheit dieses Landes, ist
größtentheils eben dieselbe, als im östlichen Nogaj,
welches im ersten Theil S: 1235. f. beschrieben worden,
und in Ansehung dessen, dieses Land die westliche Nogaj genennet werden kann. Der nördliche und östliche Theil ist indessen voller Berge und Thäler, die
fast alle ohne Hölzung und ohne Wasser sind. Der
südliche Theil, gegen das Meer zu, ist eine flache
Ebene, wo man selten einen Sandhügel, und nirgends einen Baum, oder eine Staude, findet. Der
Boden ist überall äuserst fruchtbar: das Gras wächset einen Mann hoch; das Wild ist in großer Menge
da, und die Heerden von Schafen, Rindvieh, Pferden und Kamelen, bedeckten, da die jedisanische Horde hier noch war, das Feld. Von diesem Wild,
und diesen Heerden ernähren sich die Nogajer, so wie
auch von der Hirse, der Gerste und dem Buchwei-
ßen, die sie bauen. In der Verfassung und der
Lebensart, sind sie gar nicht von den östlichen Nogajern
verschieden.

Die Flüsse des Landes, sind der Bog, (tatar.
Ak-su); der Dnjestr, (tatar. Turla), der Kodyma und der Tschaptschakly, die mit dem Bog sich
vereinigen; der größere und kleinere Berezan, die beyde sich in dem See gleiches Namens verlieren, der
mit dem schwarzen Meer zusammen hängt. Olu
(Ulugh) und Kutschuk-Deligöl oder Teligol,

Eee 4   fal-

fallen in zwey Seen gleiches Namens, und mit denſelben ins Meer. Die drey Kugalnik bilden zwey
ſtehende Seen. Noch fließen ein paar Bäche in das
Meer. In den Dnjeſtr fallen der Jeghorlik, der
Taſchlik, der Mangul, der Komorul, der Kurt-
ſchagan, u. ſ. w. Die mehreſten ſind nur Bäche,
die im Sommer faſt trocken ſind. Salzſeen giebt es
verſchiedene, wovon der Hadgjigol, und der, bey
dem ehemaligen Katſchibej, die reicheſten geweſen.

Die mehreſten Schickſale hat dieſes Land mit dem
öſtlichen Nogaj und der Krim gemeinſchaftlich gehabt. Nachdem es hintereinander von Kimmeriern,
Skythen und Sarmaten (Jazygen) bewohnt geweſen,
ward es ungefähr ſechs und funfzig Jahr vor Chriſti
Geburt, von den Geten, unter Börebiſtes, über-
ſchwemmet. Aber nach dem Tode dieſes Eroberers,
ward es wieder von den Sarmaten beſetzet; darauf
von Alanen, von Gothen, Hunnen, Anten,
(einem ſlaviſchen Stamm) Ungern und Bülga-
ren, deren letzte Ueberbleibſel die Berendei waren:
von Petſchenegen, Komanen, und endlich von
Mongolen oder Tataren. Dieſe letzten wurden
doch nach Strinkowſki Bericht, S. 416 und 417,
im J. 1331 von Olgerd, Fürſten der Litauer, oder
richtiger, im Jahr 1396 von dem Großfürſten Wi-
old, durch deſſen Feldherrn Olgerd, vertrieben. Von
der Zeit an wohnten hier Litauer und Koſaken, von
welchen letzten das Land den Namen der tſcherkaſ-
ſiſchen Felder, bekam; bis endlich vor dem Anfange des ſechzehnten Jahrhunderts, die krimiſchen
Cha-

Chane sie wieder verjagten, und das Land mit no-
gajischen Völkern besetzten. An dem Dnjestr haben
sich auch entlaufene Polen, und Wlachen, aus
der Moldau, angebauet: aber ihre Wohnungen wurden in dem Kriege von 1768. theils verlassen, theils
zerstöret.

Als merkwürdige Oerter nenne ich folgende.

1) Balta, oder Balda, eine kleine Stadt, an dem Kodyma, dem polnischen Flecken. Paleozero oder Balta,
(S. 259.) gegen über. Einige Ausschweifungen, welche die
zaporoger Kosaken im Jahr 1767 daselbst begangen hatten,
dienten den Osmanen zum Vorwand, dem russis. Reiche
den Krieg von 1768 anzukündigen. Das Städtchen ward
i. J. 1770 von der paninischen Armee meistens zerstöret.

2) Dalenskoi, ein geringer Ort am Dniester.

3) Dubasari, eben ein solches Städtchen an dem
Dnjestr, nicht weit von der polnischen Gränze. Die
Häuser sind von Holz. Die Einwohner sind meistens
Wallachen, welche Handlung treiben. Die Russen ver-
brannten diesen Ort, im Jahr 1769.

4) Jengi duni, gewöhnlich Janiduni, ein Flecken
am Meer, mit einer Rhede, und einer kleinen Festung.

5) Wozia, ein eben solcher Ort, Janiduni gegen über.

6) Vormals war Katschibei, am schwarzen Meere,
nicht weit von dem Ausflusse des Dnjestrs, ein sehr wichtiger Handelsplatz, besonders in der litauischen Periode.
Der stärkste Handel ward mit Korn und Salz getrieben.
Jetzt sind nicht einmal die Trümmer davon übrig.

7) Balta, eine kleine Stadt am Fluß Kodyma, und
Dalenskoi, auch eine keine Stadt am Dnjestr.

C. Die otschakowische Provinz. Sie lieget
zwischen dem Dnjestr und Dniepr, und ist nur an die-

sen Flüssen und am Meer bewohnet, das übrige Land
liegt wüste. Vermöge des 1774 zwischen den Osmanen und Russen geschlossenen Friedens, soll diese Provinz nach wie vor jenen zugehören. In derselben sind
folgende Oerter:

1) Oischakow, bey den Osmanen Ossi, eine Festung,
da wo der Dnieper ins schwarze Meer fällt. Ihre Befestigung bestehet bloß in einem Graben, und in einem bedeckten Wege. Sie hat die Gestalt eines länglichten Vier-
ecks. 1779 hat sie der krimische Chan, dem Frieden von
1774 gemäß, förmlich und feyerlich an das osmansche
Reich abgetreten.

2) Kasikermen oder Kiskermen, eine Festung am
Dnieper.

Regi=

Register.

Jff 2   Cali=

Che-

Fff 3

Daroz

Fff 5   Derb=

Jur=

Revee,

Register.

Ggg 5   Kokel=

Lem

Hhh   Mare-

Hhh 2   Miko-

Hhh 4

Hhh 5

Pras

Register.

Jii 4   Seel-

Som=

KKk 2

Une

Kkk 4

Kkk 5.   Zin

INDEX.

INDEX.

INDEX.

Cori-

INDEX.

INDEX.

Panya-

INDEX.

Su-

INDEX.

W.

INDEX.

Ende des zweyten Theils.

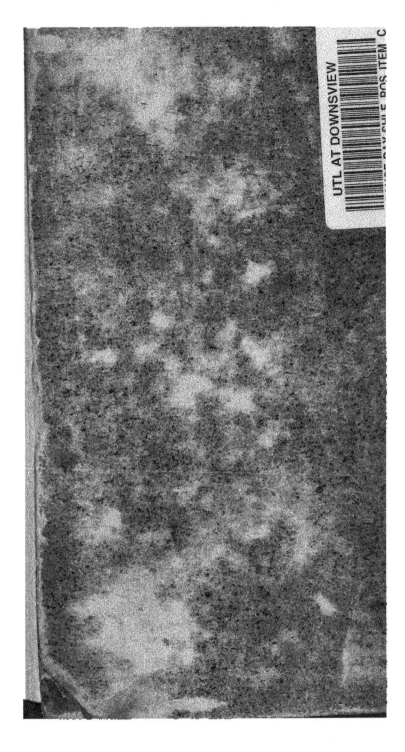

Lightning Source UK Ltd.
Milton Keynes UK
UKHW011058181218
334174UK00007B/248/P